CB134778

Dicionário
LAROUSSE
Inglês/Português • Português/Inglês
Míni

Dicionário

LAROUSSE

Inglês/Português • Português/Inglês

Míni

LAROUSSE

Cultura para todos

Copyright @ 2005 Larousse do Brasil
Todos os direitos reservados.

Direção geral
Janice McNeillie

Direção editorial
Soraia Luana Reis

Coordenação editorial
José A. Gálvez

Editora
Camila Werner

Redação
Laura Bocco, Eliane B. Freire Ushijima, Daniel Grassi

Revisão dos suplementos
Sônia M. Leites Pereira

Revisão tipográfica
Rosane Albert

Capa
Light Criação e Comunicação

Diagramação
David Reid, Clair Simpson,
LCT Tecnologia (suplemento e páginas iniciais)

Gerente de Produção
Fernando Borsetti

Colaboradores da edição anterior
Coordenação: Janice McNeillie, Sharon J. Hunter
Redação: Eliane Bueno Freire, Luzia Araújo, Talia Bugel

Dados Internacionais de Catalogação na Publicação(CIP)
(Câmara Brasileira do Livro, SP, Brasil)

Dicionário Larousse inglês-português,
português-inglês : míni / [coordenação editorial
José A. Gálvez]. -- 1. ed. -- São Paulo :
Larousse do Brasil, 2005.

ISBN 978-85-7635-070-5

1. Inglês - Dicionários - Português
2. Português - Dicionários - Inglês I. Gálvez, José A.

CDD-423.69
05-4066 -469.32

Índices para catálogo sistemático:
1. Inglês : Dicionários : Português 423.69
2. Português : Dicionários : Inglês 469.32

1ª edição brasileira: 2005
2ª reimpressão: 2007

Direitos de edição para o Brasil:
Larousse do Brasil Participações Ltda.
Av. Prof.ª Ida Kolb 551, 3º andar – São Paulo/SP – Cep: 02518-000
Tel (11) 3855-2290 – Fax (11) 3855-2280
E-mail: info@larousse.com.br Site: www.larousse.com.br

Sumário

Apresentação

O *Dicionário Larousse Inglês-Português/Português-Inglês Míni* é a referência ideal para os estudantes brasileiros nos primeiros anos do aprendizado da língua inglesa.

É uma obra prática que apresenta soluções rápidas e precisas para as dúvidas do dia-a-dia. Com mais de 30.000 palavras e expressões e mais de 40.000 traduções – incluindo siglas, abreviaturas e nomes próprios de uso freqüente – o *Dicionário Larousse Míni* ajuda a compreender e a desfrutar de vários tipos de textos, pois as palavras sempre são apresentadas em seu contexto. A seção *Como usar este dicionário* traz dicas que permitem aproveitar a obra ao máximo. Além disso, *boxes* por todo o dicionário ajudam a não cair em "armadilhas" da língua, como os *false friends* (falsos cognatos).

Esta obra ainda ajuda a desenvolver a habilidade de escrever em inglês com fluência, graças ao tratamento claro e detalhado dado ao vocabulário básico e às indicações do sentido das palavras, que ajudam no momento de optar pela tradução mais adequada.

O *Dicionário Larousse Míni* traz, ainda, um suplemento prático e fácil de ser consultado. A seção *O Idioma em ação* auxilia na comunicação falada e escrita e propicia uma visão geral do cotidiano nos Estados Unidos, com informações atualizadas sobre geografia, educação, comunicação e lazer. A *Gramática Inglesa* fornece informações que ajudam o leitor no uso da língua estrangeira.

O *Dicionário Larousse Inglês-Português/Português-Inglês Míni* é, enfim, um dicionário completo, prático e fácil de ser usado. É uma ferramenta indispensável para quem estuda e usa o inglês, idioma indispensável à formação de qualquer cidadão.

A EDITORA

Como usar este dicionário

O *Dicionário Larousse Míni* é composto de dois "lados" (Inglês-Português/ Português-Inglês) e as palavras estão organizadas em ordem alfabética em cada um deles. Se você quer traduzir uma palavra do português para o inglês, use o lado Português-Inglês do dicionário; se desconhecer o sentido de um termo em inglês, procure-o no lado Inglês-Português. A palavra em **negrito**, no início de cada verbete, é chamada de "entrada". Veja a seguir algumas dicas para encontrar as palavras no dicionário com maior facilidade.

Palavras simples, compostas (com hífen) e abreviaturas

As palavras que começam com letra maiúscula aparecem após as que são escritas da mesma forma, mas com minúscula:

march [ma:rtʃ] **1** *s (demonstração)* passeata *f.*
2 vi (*andar rapidamente*) marchar.

March [ma:rtʃ] *s* março *m* → **September**

As palavras que possuem hífen ou apóstrofo aparecem depois das que são escritas da mesma forma, mas sem esses símbolos:

its [ɪts] *adj* o seu (a sua), dele (dela); **the cat hurt its paw** o gato machucou sua pata.

it´s [ɪts] = **it is, it has.**

As palavras acentuadas em língua portuguesa aparecem depois daquelas que são escritas do mesmo modo, mas sem acento:

da [da] = **de + a** → **de.**

da [´da] → **dar.**

A entrada pode vir seguida de um pequeno número sobreposto. Isso indica que, antes ou depois dela, há outra entrada idêntica e numerada, mas que possui sentido ou pronúncia bem diferentes. Certifique-se de que encontrou a palavra que procura.

mine¹ [maIn] *pron* o meu (a minha); **a friend of mine** um amigo meu; **those shoes are mine** esses sapatos são meus; **mine are here - where are yours?** os meus estão aqui - onde estão os seus?

mine² [maIn] *s (para carvão etc., bomba)* mina *f.*

No lado Português-Inglês do dicionário, há algumas palavras que aparecem após um quadrado. Elas são chamadas de "subentradas", trazem formas diferentes da entrada e possuem significado diferente:

habilitação [abilita'sãw] *f* AUT driver's license *Am*, driving licence *Brit*.
❑ **habilitações** *fpl* qualifications.

Assim, se quiser procurar uma palavra cujo plural possui sentido diferente do singular (como em português **ouros** ou em inglês **glasses**), vá à forma singular (neste caso, **ouro** ou **glass**). Ali, você encontrará a forma plural, após o quadrado ❑:

glass [glæs] *f* **1** *s* (*material*) vidro *m; (recipiente, quantidade*) copo *m*.
2 *adj* de vidro.
❑ **glasses** *spl* óculos *mpl*.

(Atenção, há substantivos plurais que aparecem como entradas porque não existem no singular ou porque é pouco comum utilizá-los nesta forma. Por exemplo, o inglês **sneakers** e o português **juros**.)

Em inglês, os plurais irregulares têm entrada própria e remetem ao singular correspondente:

man [mæn] *s* homem *m*; (humanidade) o Homem.

men [men] *pl* → **man**.

Locuções

Uma locução é uma expressão que possui um sentido único, mas é formada por mais de uma palavra, como **café com leite**. As locuções em português devem ser procuradas pelo seu primeiro elemento. Portanto, **café com leite** estará em café:

> **café** [ka'fɛ] *m* coffee; (*local*) café; **café com leite** coffee with cream *Am*, white coffee *Brit*; **café da manhã** breakfast; **café expresso** espresso; **café moído/solúvel** ground/instant coffee

As locuções em inglês (como **kiss of life** ou **virtual reality**) aparecem como uma entrada, independentemente de estarem ou não separadas por espaços ou hifens:

> **blood group** *s* grupo sangüíneo.
> **blood poisoning** *s* septicemia *f*.

Locuções verbais ("phrasal verbs")

"Phrasal verbs" é uma locução formada por um verbo seguido de um ou mais advérbios ou preposições e que tem um sentido diferente do verbo sozinho. Por exemplo, **bring** (trazer) e **bring out** (pôr à venda). Os "phrasal verbs" aparecem como subentradas do verbo:

> **bring** [brɪŋ] (*pt & pp* **brought**) *vt* trazer.
> ❑ **bring along** *vt sep* trazer.
> ❑ **bring back** *vt sep (retornar)* devolver; *(compras, presente)* trazer.
> ❑ **bring in** *vt sep* introduzir, ganhar.
> ❑ **bring out** *vt sep* pôr à venda.
> ❑ **bring up** *vt sep (criança)* criar; *(assunto)* mencionar; *(comida)* vomitar.

Expressões

No lado Português-Inglês, as expressões podem ser encontradas procurando-se por seu substantivo. Se a expressão não possuir um substantivo, deve-se procurá-la pelo adjetivo ou, em último caso, pelo verbo. Para encontrar uma expressão em inglês, deve-se escolher a palavra mais importante. Por exemplo, nas expressões **as long as** ou **it's 2 meters long**, a palavra principal é **long**. As expressões aparecem em cada verbete em negrito:

> **long** [lɒŋ] **1** *adj*. comprido(da); *(em tempo)* longo(ga).
> **2** *adv* muito.
> **3 it's 2 meters long** mede 2 metros de comprimento; **it's two hours long** dura 2 horas; **how long is it?** *(em distância)* mede quanto?; *(em tempo)* dura quanto tempo?; **to take/be long** demorar muito; **a long time** muito tempo; **all day long** durante todo o dia; **as long as** desde que; **for long** (durante) muito tempo;

Verbos pronominais portugueses

Os verbos pronominais aparecem como subentradas do verbo principal:

> **lembrar** [lẽm'bra(x)] *vt (recordar)* to remember; *(assemelhar-se a)* to look like; **lembrar algo a alguém** to remind sb of sthg; **lembrar a alguém para fazer algo** to remind sb to do sthg. ❑ **lembrar-se** *vp* to remember; **lembrar-se de** to remember; **lembrar-se de fazer algo** to remember to do sthg.

Formas verbais inglesas

Caso não saiba qual o infinitivo de uma forma verbal que está procurando, provavelmente essa forma é irregular. As tabelas de verbos ajudam a identificá-la, mas você poderá procurá-la também no dicionário:

> **knew** [nu:] *pt* → **know**

Abreviaturas

abrev	abreviatura
adj	adjetivo
adj f	adjetivo feminino
adj m	adjetivo masculino
adv	advérbio
Am	inglês americano
ANAT	anatomia
AUT	automóvel
aux	auxiliar
Brit	inglês britânico
COM	comércio
comp	comparativo
conj	conjunção
cont	contínuo
CULIN	culinária
ECON	economia
EDUC	educação, escola
ESP	esporte
excl	interjeição
f	substantivo feminino
fam	familiar
fig	figurado
FIN	finanças
fml	formal
fus	inseparável
gen	geralmente
GRAM	gramática
INFORM	informática
interj	interjeição
inv	invariável
JUR	jurídico
m	substantivo masculino
MAT	matemática
MED	medicina
mf	substantivo masculino e feminino
m, f	substantivo masculino com desinência feminina
MIL	termos militares
MÚS	música
NÁUT	termos náuticos
num	numeral
pej	pejorativo
pl	plural
POL	política
pp	particípio passado
prep	preposição
pron	pronome
pt	passado
®	marca registrada
RELIG	religião
s	substantivo
sb	alguém
sep	separável
sg	singular
sthg	algo
suj	sujeito
sup	superlativo
TEC	termos técnicos
TV	televisão
v	verbo
vi	verbo intransitivo
v impess	verbo impessoal
vp	verbo pronominal
vt	verbo transitivo
vulg	vulgar
≃	equivalente cultural

Transcrição fonética

Vogais portuguesas

[a]	p**á**, am**a**r
[ɛ]	s**é**, s**e**ta, **he**ra
[e]	l**e**r, m**ê**s
[i]	**i**r, s**i**no, nav**e**
[ɔ]	n**o**ta, p**ó**
[o]	c**o**rvo, av**ô**
[u]	az**u**l, trib**o**

Vogais inglesas

[ɪ]	p**i**t, b**i**g, r**i**d
[e]	p**e**t, t**e**nd
[æ]	p**a**t, b**a**g, m**a**d
[ʌ]	r**u**n, c**u**t
[ɒ]	p**o**t, l**o**g
[ʊ]	p**u**t, f**u**ll
[ə]	moth**e**r, s**u**ppose
[iː]	b**ea**n, w**ee**d
[aː]	b**ar**n, c**ar**
[ɔː]	b**or**n, l**aw**n
[uː]	l**oo**p, l**oo**se
[ɜː]	b**ur**n, l**ea**rn, b**ir**d

Ditongos portugueses

[aj]	f**ai**xa, m**ai**s
[ej]	l**ei**te, r**ei**
[ɛj]	hot**éi**s, past**éi**s
[ɔj]	her**ói**, b**ói**a
[oj]	c**oi**sa, n**oi**te
[uj]	az**ui**s, f**ui**
[aw]	n**au**, j**au**la
[ɛw]	c**éu**, v**éu**
[ew]	d**eu**s, s**eu**
[iw]	r**iu**, v**iu**

Ditongos ingleses

[eɪ]	b**ay**, l**a**te, gr**ea**t
[aɪ]	b**uy**, l**igh**t, **ais**le
[ɔɪ]	b**oy**, f**oi**l
[əʊ]	n**o**, r**oa**d, bl**ow**
[aʊ]	n**ow**, sh**ou**t, t**ow**n
[ɪə]	p**eer**, f**ier**ce, id**ea**
[eə]	p**ai**r, b**ea**r, sh**are**
[ʊə]	s**ure**, t**our**

Vogais nasais

[ã]	maç**ã**, s**a**nto
[ẽ]	l**en**çol, s**e**mpre
[ĩ]	f**im**, pat**im**
[õ]	**o**nde, c**om**, **hon**ra
[ũ]	jej**um**, n**u**nca

Ditongos nasais

[ãj]	c**ãi**bra, m**ãe**
[ãw]	camar**ão**, c**ão**
[ẽj]	b**em**, qu**em**
[õj]	cord**õe**s, le**õe**s

Semivogais

el**ei**to, ma**i**o	[j]	**y**ou, **y**ellow
l**u**ar, q**u**adro, p**o**ema	[w]	**w**et, **wh**y, t**w**in

Consoantes

beijo, a**b**rir	[b]	**b**ottle, **bib**
casa, di**qu**e	[k]	**c**ome, **k**itchen
dama, pren**d**a	[d]	**d**og, **did**
dia, bon**d**e	[dʒ]	**j**et, fri**dge**
faca, a**f**inal	[f]	**f**ib, **ph**ysical
grande, a**g**ora	[g]	**gag**, **g**reat
gelo, ci**s**ne, an**j**o	[ʒ]	u**s**ual, mea**s**ure
	[h]	**h**ow, per**h**aps
lata, fe**l**iz, co**l**a	[l]	**l**itt**l**e, he**l**p
fo**lh**a, i**lh**a	[ʎ]	
mel, a**m**igo	[m]	**m**etal, co**m**b
novo, mi**n**a	[n]	**n**ight, di**nn**er
li**nh**a, so**nh**o	[ɲ]	
a**n**ca, i**n**glês	[ŋ]	su**ng**, park**ing**
pão, gri**p**e	[p]	**pop**, **p**eo**p**le
cu**r**a, e**r**a	[r]	**r**ight, ca**rr**y
rádio, te**rr**a	[x]	
cima, de**ss**e, ca**ç**a	[s]	**s**eal, pea**ce**
no**z**, bi**s**, cai**x**a, **ch**á	[ʃ]	**sh**eep, ma**ch**ine
tema, la**t**a, por**t**a	[t]	**t**rain, **t**ip
tio, infan**t**il	[tʃ]	**ch**ain, wre**tch**ed
	[θ]	**th**ink, fif**th**
	[ð]	**th**is, wi**th**
vela, a**v**e	[v]	**v**ine, lo**v**e
zelo, bri**s**a	[z]	**z**ip, hi**s**

[ʳ] só se pronuncia quando é seguido de uma palavra que começa por vogal. O símbolo fonético **[(x)]** em português indica que o "r" no final da palavra é apenas levemente pronunciado, exceto quando seguido de palavra iniciada por vogal: nesse caso, pronuncia-se **[r]**.

O símbolo **[']** indica que a sílaba subseqüente é a tônica, sobre a qual recai o acento principal; **[,]** indica que a sílaba subseqüente é a subtônica, sobre a qual recai o acento secundário.

As regras de pronúncia aplicadas ao português refletem a língua falada no Rio de Janeiro.

Marcas registradas

O símbolo ® indica que a palavra em questão é uma marca registrada. Este símbolo, ou sua eventual ausência, não afeta, no entanto, a situação legal da marca.

English-Portuguese
Inglês-Português

Aa

a [*com ênfase* eɪ, *sem ênfase* ə] *artigo indefinido* **(a)** *(pessoa ou coisa indefinida)* um (uma); **a friend** um amigo (uma amiga); **a restaurant** um restaurante; **an apple** uma maçã; **she's a doctor** ela é médica.
(b) *(no lugar do número um)*: **a hundred and twenty kilos** cento e vinte quilos; **a month ago** há um mês; **a thousand** mil; **four and a half** quatro e meio.
(c) *(em preços, proporções)*: **three times a year** três vezes ao ano; **$2 a kilo** 2 dólares o quilo.

aback [ə'bæk] *adv*: **to be taken aback** ficar surpreendido(da).

abandon [ə'bændən] *vt* abandonar.

abattoir ['æbətwa:r] *s* matadouro *m*.

abbey ['æbɪ] *s* abadia *f*.

abbreviation [əˌbri:vɪ'eɪʃn] *s* abreviatura *f*.

abdomen ['æbdəmən] *s* abdome *m*.

abide [ə'baɪd] *vt*: **I can't abide him** não o suporto.
❑ **abide by** *vt fus (norma, lei)* acatar.

ability [ə'bɪlətɪ] *s (para fazer algo)* capacidade *f*; *(perícia)* habilidade *f*.

able ['eɪbl] *adj* competente; **to be able to do sthg** ser capaz de fazer algo.

abnormal [æb'nɔ:rml] *adj* anormal.

aboard [ə'bɔ:rd] **1** *adv* a bordo.
2 *prep (de navio, avião)* a bordo de; *(de trem, ônibus)* em.

abolish [ə'bɒlɪʃ] *vt* abolir.

abort [ə'bɔ:rt] *vt (não levar a efeito)* abortar, cancelar.

abortion [ə'bɔ:rʃn] *s* aborto *m*; **to have an abortion** fazer um aborto, abortar.

about [ə'baʊt] **1** *adv* **(a)** *(aproximadamente)* cerca de; **about 50** cerca de 50; **at about six o'clock** por volta das seis horas.
(b) *(a ponto de)*: **to be about to do sthg** estar prestes a fazer algo.
2 *prep (a respeito de)* sobre, acerca de; **a book about Scotland** um livro sobre a Escócia; **what's it about?** é sobre o quê?; **how about a drink?** que tal uma bebida?

> Utiliza-se *be about to* para expressar algo que vai acontecer num futuro imediato (*the train's about to leave* o trem está para sair).

above [ə'bʌv] **1** *prep (em altura, grau, posição)* acima de, por cima de; *(em quantidade)* mais de.
2 *adv (quanto a altura, grau, posição)* em ou por cima, acima.
3 children aged ten and above crianças de dez anos para cima; **above all** acima de tudo; **above average** acima da média.

abroad [ə'brɔ:d] *adv (estar, viver, trabalhar)* no estrangeiro; *(ir, mudar-se para)* para o estrangeiro.

abrupt [ə'brʌpt] *adj* brusco(ca).

abscess ['æbses] *s* abscesso *m*.

absence ['æbsəns] *s* ausência *f*, falta *f*.

absent ['æbsənt] *adj* ausente.

absent-minded [-'maɪndəd] *adj* distraído(da).

absolute ['æbsəlu:t] *adj* absoluto(ta).

absolutely [*adv* 'æbsəlu:tlɪ, *excl* ˌæbsə'lu:tlɪ] **1** *adv* absolutamente.
2 *excl* sem dúvida!

absorb [əb'sɔ:rb] *vt* absorver.

absorbed [əb'sɔ:rbd] *adj*: **to be absorbed in sthg** estar absorvido(da) em algo.

absorbent [əb'sɔ:rbənt] *adj* absorvente.

abstain [əb'steɪn] *vi*: **to abstain (from sthg)** abster-se (de algo).

absurd [əb'sɜ:rd] *adj* absurdo(da).

abuse [*s* ə'bju:s, *v* ə'bju:z] **1** *s (ofensas)* insultos *mpl*; *(mau uso, maus tratos)* abuso *m*.
2 *vt (com ofensas)* insultar; *(com mau uso)* abusar de; *(com maus tratos)* maltratar.

abusive [ə'bju:sɪv] *adj* ofensivo(va).

academic [ˌækə'demɪk] **1** *adj* EDUC acadêmico(ca).
2 *s* professor *m* universitário, professora universitária *f*.

academy [ə'kædəmɪ] *s* academia *f*.

accelerate [ək'seləreɪt] *vi* acelerar.

accelerator [ək'seləreɪtər] *s* acelerador *m*.

accent ['æksent] *s (modo de falar)* pronúncia *f*, sotaque *m*; *(sinal de escrita)* acento *m*.

accept [ək'sept] *vt* aceitar; *(culpa, responsabilidade)* assumir.

acceptable [ək'septəbl] *adj* aceitável.

access ['ækses] *s* acesso *m*.

access provider *n* INFORM provedor *m* de acesso.

accessible [ək'sesəbl] *adj* acessível.

accessories [ək'sesərɪz] *spl* acessórios *mpl*.

accident ['æksədənt] *s* acidente *m*; **by accident** por acaso.

accidental [ˌæksə'dentl] *adj* acidental.

acclimatize [ə'klaɪmətaɪz] *vi* aclimatar-se.

accommodate [ə'kɒmədeɪt] *vt* alojar.

accommodation [əˌkɒmə'deɪʃn] *s Brit* = **accommodations.**

accommodations [əˌkɒmə'deɪʃnz] *spl Am* alojamento *m*.

accompany [ə'kʌmpənɪ] *vt* acompanhar.

accomplish [ə'kʌmplɪʃ] *vt* conseguir, realizar.

accord [ə'kɔ:rd] *s*: **of one's own accord** por iniciativa própria.

accordance [ə'kɔ:rdns] *s*: **in accordance with** de acordo com, conforme.

according [ə'kɔ:rdɪŋ]
❑ **according to** *prep (em citação)* segundo; *(dependendo de)* conforme.

account [ə'kaʊnt] *s (em banco, loja)* conta *f*; *(narrativa)* relato *m*; **to take into account** levar em consideração; **on no account** de modo algum ou nenhum; **on account of** devido a.
❑ **account for** *vt fus (explicar)* prestar contas de, explicar; *(constituir)* representar.

accountant [ə'kaʊntənt] *s* contador *m*, -ra *f*.

accumulate [ə'kju:mjəleɪt] *vt* acumular.

accurate ['ækjərət] *adj (descrição, relato)* exato(ta); *(trabalho, número)* preciso(sa).

accuse [ə'kju:z] *vt*: **to accuse sb of sthg** acusar alguém de algo.

accused [ə'kju:zd] *s*: **the accused** o réu (a ré).

ace [eɪs] *s (carta)* ás *m*.

ache [eɪk] **1** *vi* doer.
2 *s* dor *f*.
3 my leg aches minha perna está doendo.

achieve [ə'tʃi:v] *vt* conseguir.

acid ['æsɪd] **1** *adj* ácido(da).
2 *s* ácido *m*.

acknowledge [ək'nɒlɪdʒ] *vt (admitir)* reconhecer; *(correspondência)* acusar o recebimento de.

acne ['æknɪ] *s* acne *f*.

acoustic [ə'ku:stɪk] *adj* acústico(ca).

acquaintance [ə'kweɪntns] *s (pessoa)* conhecido *m*, -da *f*.

acquire [ə'kwaɪər] *vt* adquirir.

acre ['eɪkər] *s* = 4046,9 m^2.

acrobat ['ækrəbæt] *s* acrobata *mf*.

across [ə'krɒs] **1** *prep (fronteira, rio, linha)* para o outro lado de; *(país, cidade, parque)* de um lado para o outro; *(passagem, ponte, corredor)* do outro lado de.
2 *adv (passando, atravessando)* para o outro lado.
3 to walk/drive across sthg atravessar algo (a pé/de carro); **it's 10 miles across** tem 10 milhas de largura; **across from** em frente de.

> Além de 'através (de)' a preposição *across* pode ser traduzida pelos verbos 'atravessar' ou 'cruzar', quando associada a movimento (*I ran across the road* atravessei a rua; *he swam across the lake* ele atravessou o lago a nado).

acrylic [ə'krɪlɪk] *s* acrílico *m*.

act [ækt] **1** *vi* atuar; *(em peça, filme)* representar.
2 *s* ato *m*; POL lei *f*; *(performance)* atuação *f*, número *m*.
3 to act as *(serventia)* servir de; **to act like** portar-se como.

action ['ækʃn] *s* ação *f*; MIL combate *m*; **to take action** agir; **to put sthg into action** pôr algo em ação; **out of action** *(máquina)* com defeito; *(pessoa)* fora de combate.

active ['æktɪv] *adj* ativo(va).
activity [æk'tɪvətɪ] *s* atividade *f*.
❑ **activities** *spl (lazer)* atividades *fpl* (recreativas).
actor ['æktər] *s* ator *m*, atriz *f*.
actress ['æktrəs] *s* atriz *f*.
actual ['æktʃʊəl] *adj (real)* verdadeiro(ra), real; *(para dar ênfase)* próprio(pria).

> Não confundir *actual (real, verdadeiro)* com o português *atual* que em inglês é *current*. (*The actual price is $10.00*. O preço *real* é $10,00.)

actually ['æktʃʊəlɪ] *adv* na realidade.
acupuncture ['ækjəpʌŋktʃər] *s* acupuntura *f*.
acute [ə'kju:t] *adj* agudo(da).
ad [æd] *s fam* anúncio *m (publicitário)*.
A.D. (*abrev de* **Anno Domini**) d.C.
adapt [ə'dæpt] **1** *vt* adaptar.
2 *vi* adaptar-se.
adapter [ə'dæptər] *s (para plugue incompatível)* adaptador *m*; *(para vários plugues)* benjamim *m*.
add [æd] *vt (como acréscimo)* acrescentar; *(números, preços)* somar, adicionar.
❑ **add up** *vt sep* somar, adicionar.
❑ **add up to** *vt fus (total)* ser ao todo.
addict ['ædɪkt] *s* viciado *m*, -da *f*; **drug addict** viciado em drogas.
addicted [ə'dɪktəd] *adj*: **to be addicted to sthg** ser viciado(da) em algo.
addiction [ə'dɪkʃn] *s* vício *m*, dependência *f*.
addition [ə'dɪʃn] *s* adição *f*; **in addition** além disso; **in addition to** além de.
additional [ə'dɪʃənl] *adj* adicional.
additive ['ædətɪv] *s* aditivo *m*.
address [*s* 'ædres, *v* ə'dres] **1** *s (em carta)* endereço *m*.
2 *vt (ao falar)* dirigir-se a; *(carta)* enviar, endereçar.
addressee [ˌædre'si:] *s* destinatário *m*, -ria *f*.
adequate ['ædɪkwət] *adj (bastante)* suficiente; *(satisfatório)* adequado(da).
adhere [əd'hɪər] *vi*: **to adhere to** aderir a; *(regra, acordo)* respeitar.
adhesive [əd'hi:sɪv] **1** *adj* adesivo(va).
2 *s* cola *f*.
adjacent [ə'dʒeɪsnt] *adj* adjacente.
adjective ['ædʒɪktɪv] *s* adjetivo *m*.
adjoining [ə'dʒɔɪnɪŋ] *adj* contíguo(gua).
adjust [ə'dʒʌst] **1** *vt* ajustar.
2 *vi*: **to adjust to** adaptar-se a.
adjustable [ə'dʒʌstəbl] *adj* ajustável.
adjustment [ə'dʒʌstmənt] *s (de máquina)* regulagem *f*; *(a uma situação nova)* adaptação *f*.
administration [ədˌmɪnɪ'streɪʃn] *s (atividade)* administração *f*; *(government)* governo *m*.
administrator [əd'mɪnɪstreɪtər] *s* administrador *m*, -ra *f*.
admiral ['ædmrəl] *s* almirante *m*.
admire [əd'maɪər] *vt* admirar.
admission [əd'mɪʃn] *s* entrada *f*.
admit [əd'mɪt] **1** *vt* admitir.
2 *vi*: **to admit to sthg** admitir algo.
3 'admits one' *(em bilhete, passagem)* 'válido para uma pessoa'.
adolescent [ˌædə'lesnt] *s* adolescente *mf*.
adopt [ə'dɒpt] *vt* adotar.
adopted [ə'dɒptəd] *adj* adotivo(va).
adorable [ə'dɔ:rəbl] *adj* adorável.
adore [ə'dɔ:r] *vt* adorar.
adult ['ædʌlt] **1** *s* adulto *m*, -ta *f*.
2 *adj (entretenimento, filme)* para adultos; *(animal)* adulto(ta).
adultery [ə'dʌltərɪ] *s* adultério *m*.
advance [əd'væns] **1** *s (em dinheiro)* adiantamento *m*; *(movimento)* avanço *m*.
2 *adj (aviso)* prévio(via); *(pagamento)* adiantado(da).
3 *vt (emprestar)* adiantar; *(levar adiante)* avançar.
4 *vi (ir adiante)* avançar; *(melhorar)* progredir.
advanced [əd'vænst] *adj (aluno, nível)* avançado(da).
advantage [əd'væntɪdʒ] *s (benefício)* vantagem *f*; **to take advantage of** *(oportunidade, oferta)* aproveitar; *(pessoa)* aproveitar-se de.
adventure [əd'ventʃər] *s* aventura *f*.
adventurous [əd'ventʃərəs] *adj* aventureiro(ra).
adverb ['ædvɜ:rb] *s* advérbio *m*.
adverse ['ædvɜ:rs] *adj* adverso(sa).
advertise ['ædvərtaɪz] *vt (produto, evento)* anunciar.
advertisement [ˌædvər'taɪzmənt] *s* anúncio *m (publicitário)*.
advice [əd'vaɪs] *s* conselho *m*; **a piece of advice** um conselho.
advisable [əd'vaɪzəbl] *adj* aconselhável.

advise [əd'vaɪz] *vt* aconselhar; **to advise sb to do sthg** aconselhar alguém a fazer algo; **to advise sb against doing sthg** desaconselhar alguém a fazer algo.

advocate [*s* 'ædvəkət, *v* 'ædvəkeɪt] **1** *s JUR* advogado *m*, -da *f*.
2 *vt* defender, advogar.

aerial ['eərɪəl] *adj* aéreo(rea).

aerobics [eə'rəʊbɪks] *s* aeróbica *f*.

aerodynamic [ˌeərəʊdaɪ'næmɪk] *adj* aerodinâmico(ca).

aerosol ['eərəsɒl] *s* aerossol *m*.

affair [ə'feər] *s (evento)* acontecimento *m*; *(amoroso)* caso *m*; *(assunto)* questão *f*.

affect [ə'fekt] *vt (influenciar)* afetar.

affection [ə'fekʃn] *s* afeto *m*.

affectionate [ə'fekʃnət] *adj* afetuoso(osa).

affluence ['æflʊəns] *s* riqueza *f*.

affluent ['æflʊənt] *adj* rico(ca).

afford [ə'fɔ:rd] *vt*: **to be able to afford sthg** *(viagem de férias, casaco novo)* poder pagar por algo, poder dar-se ao luxo de fazer ou comprar algo; **I can't afford it** não tenho dinheiro para isso; **I can't afford the time** não tenho tempo.

affordable [ə'fɔ:rdəbl] *adj* acessível.

afloat [ə'fləʊt] *adj* flutuando.

afraid [ə'freɪd] *adj* assustado(da); **to be afraid of** ter medo de; **I'm afraid so/not** receio que sim/não.

afresh [ə'freʃ] *adv* de novo.

after ['æftr] **1** *prep* depois de.
2 *conj* depois de que.
3 *adv* depois.
4 **a quarter after ten** *Am* dez e quinze; **to be after sb/sthg** *(em busca de)* estar atrás de alguém/algo; **after all** afinal de contas.

aftercare ['a:ftrkeər] *s* pós-operatório *m*.

after-effects ['æftərɪfekts] *spl* efeitos *mpl* secundários.

afternoon [ˌæftr'nu:n] *s* tarde *f*; **good afternoon!** boa tarde!

aftershave ['æftrʃeɪv] *s* loção *f* após-barba.

aftersun lotion ['æftrsʌn-] *s* creme *m* hidratante (para depois de tomar sol).

afterward ['æftrwrd] *adv* depois, a seguir.

again [ə'gen] *adv* outra vez; **again and again** várias vezes; **never again** nunca mais.

> Atenção para não confundir os advérbios *again* e *back*; o significado é semelhante, mas eles são utilizados de forma diferente. *Again* significa 'novamente' (***don't do it again or you'll be in trouble*** não faça isso de novo ou vai se dar mal), enquanto ***back*** indica a volta a um lugar ou estado anteriores (***put it back in the closet*** coloque isso de volta no armário). Associado a certos verbos, ***back*** também serve para expressar a idéia de 'devolução' (***give it back to me right now!*** devolva isso para mim agora mesmo!).

against [ə'genst] *prep* contra; **to lean against sthg** apoiar-se em algo; **against the law** contra a lei.

age [eɪdʒ] *s* idade *f*, época *f*; *(terceira idade)* velhice *f*; **under age** menor de idade; **I haven't seen him for ages** *fam* há séculos que não o vejo.

aged [eɪdʒd] *adj*: **aged eight** com oito anos (de idade).

age group *s* grupo *m* etário.

agency ['eɪdʒənsɪ] *s* agência *f*.

agenda [ə'dʒendə] *s* ordem *f* do dia, expediente *m*.

> Não confundir ***agenda (ordem do dia, expediente)*** com o português agenda que em inglês é *diary*. (*The first point on the agenda is...* O primeiro assunto da ***ordem do dia*** é...)

agent ['eɪdʒənt] *s* agente *mf*.

aggression [ə'greʃn] *s* agressão *f*.

aggressive [ə'gresɪv] *adj* agressivo(va).

agile ['ædʒəl] *adj* ágil.

agility [ə'dʒɪlətɪ] *s* agilidade *f*.

agitated ['ædʒɪteɪtəd] *adj* agitado(da).

ago [ə'gəʊ] *adv*: **a month ago** há um mês; **how long ago?** há quanto tempo?

> Utiliza-se ***ago*** sempre no final de frases que indicam tempo (***half an hour ago*** há meia hora). O verbo pode estar no passado simples (***the bus left 20 minutes ago*** o ônibus saiu há 20 minutos) ou composto (***I was living abroad five years ago*** cinco anos atrás, eu estava morando no exterior). ***Ago*** jamais pode ser usado com o ***present perfect***.
>
> Para perguntas, utiliza-se ***how long ago*** (***how long ago did you start English classes?*** há quanto tempo você começou a ter aulas de inglês?).

agonizing ['ægənaɪzɪŋ] *adj (atraso)* angustiante; *(dor)* dilacerante.
agony ['ægənɪ] *s* agonia *f.*
agree [ə'griː] *vi* concordar; **tomato soup doesn't agree with me** não me dou bem com sopa de tomate; **to agree to sthg** concordar com algo; **to agree to do sthg** aceitar fazer algo.
❑ **agree on** *vt fus (prazo, preço)* chegar a um acordo sobre.
agreed [ə'griːd] *adj* combinado(da).
agreement [ə'griːmənt] *s* acordo *m*; **in agreement with** de acordo com.
agriculture ['ægrɪkʌltʃər] *s* agricultura *f.*
ahead [ə'hed] *adv (adiante)* à frente; *(para adiante)* em frente; **the months ahead** os próximos meses; **to be ahead** *(vencendo)* estar à frente; **ahead of** *(adiante de)* à frente de; **ahead of schedule** adiantado(da); **they're four points ahead** levam quatro pontos de vantagem.
aid [eɪd] **1** *s* ajuda *f.*
2 *vt* ajudar.
3 in aid of em benefício de; **with the aid of** com a ajuda de.
AIDS [eɪdz] *s* AIDS *f.*
ailment ['eɪlmənt] *s fml* mal *m.*
aim [eɪm] **1** *s (propósito)* objetivo *m.*
2 *vt (arma, câmera, mangueira)* apontar.
3 *vi*: **to aim (at)** apontar (para); **to aim to do sthg** ter como objetivo fazer algo.
air [eər] **1** *s* ar *m.*
2 *vt (cômodo)* arejar.
3 *adj* aéreo(rea); **by air** de avião.
airborne ['eərbɔːrn] *adj* em vôo.
air-conditioned [-kən'dɪʃnd] *adj* climatizado(da).
air-conditioning [-kən'dɪʃnɪŋ] *s* ar-condicionado *m.*
aircraft ['eərkræft] *(pl inv) s* aeronave *f.*
aircraft carrier [-ˌkerɪər] *s* porta-aviões *m inv.*
airfield ['eərfiːld] *s* aeródromo *m.*
air force ['eərfɔːs] *s* força *f* aérea.
airletter ['eərletər] *s* aerograma *m.*
airline ['eərlaɪn] *s* companhia *f* aérea.
airmail ['eərmeɪl] *s* correio *m* aéreo; **by airmail** por via aérea.
airplane ['eərpleɪn] *s* avião *m.*
airport ['eərpɔːt] *s* aeroporto *m.*
airport tax *s* taxas *fpl* de embarque.
airsick ['eərsɪk] *adj* enjoado(da) *(em avião).*
airtight ['eərtaɪt] *adj* hermético(ca).
air traffic control *s (equipe)* controle *m* de tráfego aéreo.
airy ['eərɪ] *adj* arejado(da).
aisle [aɪl] *s* corredor *m (em teatro, avião)*; *(em igreja)* nave *f* lateral.
ajar [ə'dʒaːr] *adj* entreaberto(ta).
alarm [ə'laːrm] **1** *s* alarme *m.*
2 *vt* alarmar.
alarm clock *s* despertador *m.*
alarmed [ə'laːrmd] *adj (pessoa)* assustado(da); *(porta, carro)* provido(da) de alarme.
alarming [ə'laːrmɪŋ] *adj* alarmante.
album ['ælbəm] *s* álbum *m.*
alcohol ['ælkəhɒl] *s* álcool *m.*
alcohol-free *adj* sem álcool.
alcoholic [ˌælkə'hɒlɪk] **1** *adj* alcoólico(ca).
2 *s* alcoólatra *mf.*
alcoholism ['ælkəhɒlɪzm] *s* alcoolismo *m.*
alert [ə'lɜːrt] **1** *adj* atento(ta).
2 *vt* alertar.
algebra ['ældʒəbrə] *s* álgebra *f.*
alias ['eɪlɪəs] **1** *adv* vulgo.
2 *s* pseudônimo *m.*
alibi ['ælɪbaɪ] *s* álibi *m.*
alien ['eɪlɪən] *s (de fora)* estrangeiro *m*, -ra *f*; *(de outro planeta)* extraterrestre *mf.*
alight [ə'laɪt] *adj* em chamas.
align [ə'laɪn] *vt* alinhar.
alike [ə'laɪk] **1** *adj* parecidos(das).
2 *adv* da mesma maneira; **to look alike** parecer-se.
alive [ə'laɪv] *adj* vivo(va).
all [ɔːl] **1** *adj* **(a)** *(com substantivo no singular)* todo(da); **all the money** o dinheiro todo; **all the time** sempre; **we were out all day** estivemos fora o dia inteiro.
(b) *(com substantivo no plural)* todos(das); **all the houses** todas as casas; **all trains stop at Trenton** todos os trens param em Trenton.
2 *adv* **(a)** *(no todo)* completamente; **all alone** completamente só.
(b) *(em placar)*: **it's two all** dois a dois *(empate).*
(c) *(em expressões)*: **all but empty** quase vazio(zia); **all over** *(findo)* terminado(da).
3 *pron* **(a)** *(totalidade)* tudo; *(pessoas, coisas)* todos *mpl*, -das *fpl*; **is that all?** *(em loja)* mais alguma coisa?; **the best of all** o melhor de todos.

(**b**) *(todas as pessoas)* todos, todo o mundo; **all of us went** fomos todos.
(**c**) *(em expressões)*: **can I help you at all** posso ajudar em alguma coisa?; **in all** *(no total)* ao todo; **in all it was a great success** resumindo, foi um grande êxito.

> Atenção para não confundir *all*, *each* e *every*. *All* é o único desses adjetivos que pode acompanhar substantivos flexionados ou não (*all students*; *all money*); pode também acompanhar substantivos no singular, quando expressam um período de tempo (*all day*). *Each* e *every* são utilizados somente com substantivos no singular (*each person; every town*).
>
> *All* e *each* são também pronomes (*I want all of it; we got one each*) e ambos podem acompanhar pronomes pessoais, como *we, you, they* etc. (*we all went swimming*; *I gave them one each*).
>
> Ver também **cada** no lado Português-Inglês do dicionário.

allege [ə'ledʒ] *vt* alegar.
allegedly [ə'ledʒədlɪ] *adv* supostamente.
allergic [ə'lɜ:rdʒɪk] *adj*: **to be allergic to** ser alérgico(ca) a.
allergy ['ælərdʒɪ] *s* alergia *f*.
alleviate [ə'li:vɪeɪt] *vt* aliviar.
alley ['ælɪ] *s (rua estreita)* ruela *f*.
alligator ['ælɪgeɪtər] *s* aligátor *m*, *espécie de jacaré americano*.
all-night *adj (bar, posto de gasolina)* aberto(ta) toda a noite.
allocate ['æləkeɪt] *vt* alocar.
allow [ə'laʊ] *vt (deixar)* permitir; *(tempo, dinheiro)* dispor de; **to allow sb to do sthg** permitir que alguém faça algo; **to be allowed to do sthg** ter permissão para fazer algo.
□ **allow for** *vt fus* levar em conta.
allowance [ə'laʊəns] *s (para despesas)* ajuda *f* de custo; *(dinheiro)* mesada *f*.
all right **1** *adv (satisfatoriamente)* bem; *(sim)* está bem.
2 *adj*: **is it all right if I smoke?** posso fumar?
3 I thought the movie was all right achei o filme razoável; **is everything all right?** está tudo bem?
ally ['ælaɪ] *s* aliado *m*, -da *f*.
almond ['a:mənd] *s* amêndoa *f*.
almost ['ɔ:lməʊst] *adv* quase.
alone [ə'ləʊn] *adj & adv* sozinho(nha); **the decision is yours alone** a decisão é só sua; **to leave sb alone** deixar alguém em paz; **to leave sthg alone** parar de mexer em algo.
along [ə'lɒŋ] **1** *prep (ao longo de)* por.
2 *adv*: **to walk along** caminhar.
3 to bring sthg along trazer algo; **all along** desde o princípio; **along with** (junto) com.
alongside [əˌlɒŋ'saɪd] *prep* ao lado de.
aloud [ə'laʊd] *adv* em voz alta.
alphabet ['ælfəbet] *s* alfabeto *m*.
already [ɔ:l'redɪ] *adv* já.
also ['ɔ:lsəʊ] *adv* também.
altar ['ɔ:ltər] *s* altar *m*.
alter ['ɔ:ltər] *vt* alterar.
alteration [ˌɔ:ltə'reɪʃn] *s* alteração *f*.
alternate [*v* 'ɔ:ltɜ:rneɪt, *adj* 'ɔ:ltərnət] **1** *adj* alternado(da).
2 *vt, vi* alternar.
alternating current ['ɔ:ltərneɪtɪŋ-] *s* corrente *f* alternada.
alternative [ɔ:l'tɜ:rnətɪv] **1** *adj* alternativo(va).
2 *s* alternativa *f*.
alternatively [ɔ:l'tɜ:rnətɪvlɪ] *adv* como alternativa.
alternator ['ɔ:ltərneɪtər] *s* alternador *m*.
although [ɔ:l'ðəʊ] *conj* embora.
altitude ['æltɪtu:d] *s* altitude *f*.
altogether [ˌɔ:ltə'geðər] *adv (totalmente)* completamente; *(em soma)* ao todo, no total.
aluminium [ˌæljʊ'mɪnɪəm] *s Brit* = **aluminum.**
aluminum [ə'lu:mɪnəm] *s Am* alumínio *m*.
always ['ɔ:lweɪz] *adv* sempre.
a.m. (*abrev de* **ante meridiem**): **at 2 a.m.** às duas da manhã.
am [æm] → **be.**
amateur ['æmətʃʊr] *s* amador *m*, -ra *f*.
amazed [ə'meɪzd] *adj* espantado(da), surpreso(sa).
amazing [ə'meɪzɪŋ] *adj* espantoso(osa), surpreendente.
ambassador [æm'bæsədər] *s* embaixador *m*, -ra *f*.
amber ['æmbər] *adj* âmbar.
ambiguous [æm'bɪgjʊəs] *adj* ambíguo(gua).
ambition [æm'bɪʃn] *s* ambição *f*.
ambitious [æm'bɪʃəs] *adj* ambicioso(osa).

ambulance ['æmbjələns] *s* ambulância *f.*
ambush ['æmbʊʃ] *s* emboscada *f.*
amenities [ə'mi:nətɪz] *spl* comodidades *fpl.*
amiable ['eɪmjəbl] *adj* amável.
ammunition [ˌæmjə'nɪʃn] *s* munição *f.*
amnesia [æm'ni:ʒə] *s* amnésia *f.*
among [ə'mʌŋ] *prep* entre.
amount [ə'maʊnt] *s (porção)* quantidade *f*; *(soma)* quantia *f*, montante *m.*
❑ **amount to** *vt fus (total)* atingir a quantia de.
ample ['æmpl] *adj* amplo(a); *(quantidade)* bastante, suficiente.
amplifier ['æmplɪfaɪər] *s* amplificador *m.*
amputate ['æmpjʊteɪt] *vt* amputar.
amuse [ə'mju:z] *vt (fazer rir)* divertir; *(lazer)* entreter.
amusement [ə'mju:zmənt] *s* diversão *f.*
amusement park *s* parque *m* de diversões.
amusing [ə'mju:zɪŋ] *adj* divertido(da).
an [*com ênfase* æn, *sem ênfase* ən] → **a.**
anaemic [ə'ni:mɪk] *adj Brit* = **anemic.**
anaesthetic [ˌænəs'θetɪk] *s Brit* = **anesthetic.**
analgesic [ˌænæl'dʒi:sɪk] *s* analgésico *m.*
analyse ['ænəlaɪz] *vt Brit* = **analyze.**
analyst ['ænələst] *s* analista *mf.*
analyze ['ænəlaɪz] *vt Am* analisar.
anarchist ['ænərkɪst] *s* anarquista *mf.*
anarchy ['ænərkɪ] *s* anarquia *f.*
anatomy [ə'nætəmɪ] *s* anatomia *f.*
ancestor ['ænsestər] *s* antepassado *m*, -da *f.*
anchor ['æŋkər] *s* âncora *f.*
anchovy ['æntʃəʊvɪ] *s* enchova *f.*
ancient ['eɪnʃənt] *adj* antigo(ga).
and [ænd, ənd, ən] *conj* e; **and you?** e você?; **a hundred and one** cento e um; **more and more** cada vez mais; **to go and see** ir ver.
anecdote ['ænɪkdəʊt] *s* conto *m*, anedota *f.*
anemic [ə'ni:mɪk] *adj Am (pessoa)* anêmico(ca).
anesthetic [ˌænəs'θetɪk] *s Am* anestésico *m*; **under anesthetic** sob anestesia; **general/local anesthetic** anestesia *f* geral/local.
angel ['eɪndʒəl] *s* anjo *m.*
anger ['æŋgər] *s* raiva *f*, ira *f.*
angle ['æŋgl] *s* ângulo *m*; **at an angle** torto (torta).
angry ['æŋgrɪ] *adj (pessoa)* zangado(da); *(palavras)* de raiva; **to get angry (with sb)** zangar-se (com alguém).
animal ['ænɪml] *s* animal *m.*
animate ['ænɪmeɪt] *vt* animar.
anise [æ'nɪs] *s* erva-doce *f*, anis *m.*
ankle ['æŋkl] *s* tornozelo *m.*
annex ['æneks] *s (prédio)* anexo *m.*
annihilate [ə'naɪəleɪt] *vt* aniquilar.
anniversary [ˌænɪ'vɜ:rsərɪ] *s* aniversário *m.*
announce [ə'naʊns] *vt* anunciar.
announcement [ə'naʊnsmənt] *s (em TV, rádio)* anúncio *m*; *(oficial)* pronunciamento *m.*
announcer [ə'naʊnsər] *s (na TV)* apresentador *m*, -ra *f*; *(no rádio)* locutor *m*, -ra *f.*
annoy [ə'nɔɪ] *vt* incomodar, irritar.
annoyed [ə'nɔɪd] *adj* incomodado(da), irritado(da); **to get annoyed (with)** incomodar-se (com), irritar-se (com).
annoying [ə'nɔɪɪŋ] *adj* incômodo(da), irritante.
annual ['ænjʊəl] *adj* anual.
anonymous [ə'nɒnɪməs] *adj* anônimo(ma).
another [ə'nʌðər] **1** *adj* outro(tra).
2 *pron* outro *m*, -tra *f.*
3 in another two weeks dentro de (mais) duas semanas; **another one** outro(tra); **one another** um ao outro (uma à outra); **to talk to one another** falar um com o outro; **they love one another** eles se amam (um ao outro); **one after another** um após o outro.

Ver **se** no lado Português-Inglês do dicionário.

answer ['ænsr] **1** *s* resposta *f.*
2 *vt* responder a.
3 *vi* responder.
4 to answer the door abrir a porta; **to answer the phone** atender o telefone.
❑ **answer back** *vi* replicar.
answering machine ['ænsərɪŋ-] secretária *f* eletrônica.
ant [ænt] *s* formiga *f.*
antenna [æn'tenə] *s Am (de TV, rádio)* antena *f.*
anthem ['ænθəm] *s* hino *m.*
antibiotics [ˌæntɪbaɪ'ɒtɪks] *spl* antibióticos *mpl.*

anticipate [æn'tɪsəpeɪt] *vt (expectativa)* esperar; *(adivinhar corretamente)* prever.

anticlimax [æntɪ'klaɪmæks] *s* anticlímax *m inv*.

antidote ['æntɪdəʊt] *s* antídoto *m*.

antihistamine [ˌæntɪ'hɪstəmiːn] *s* anti-histamínico *m*.

antiquarian bookstore [ˌæntɪ'kweərɪən-] *s* sebo *m*.

antique [æn'tiːk] *s* antiguidade *f*.

antiseptic [ˌæntɪ'septɪk] *s* anti-séptico *m*.

antisocial [ˌæntɪ'səʊʃl] *adj* anti-social.

antivirus [ˌæntɪ'vaɪrus-] *n* INFORM antivírus *m inv*.

antlers ['æntlərz] *spl* chifres *mpl*.

anxiety [æŋ'zaɪətɪ] *s* ansiedade *f*.

anxious ['æŋkʃəs] *adj* ansioso(osa).

any ['enɪ] **1** *adj* **(a)** *(em perguntas)* algum(ma); **do you have any money?** você tem dinheiro?; **do you have any rooms?** você tem algum quarto livre?
(b) *(em negativas)* nenhum(ma); **I don't have any money** não tenho dinheiro (nenhum); **we don't have any rooms** não temos quartos livres.
(c) *(não importa qual)* qualquer; **take any one you like** leve aquele que quiser.
2 *pron* **(a)** *(em perguntas)* algum *m*, -ma *f*; **I'm looking for a hotel - are there any nearby?** estou procurando um hotel - há algum aqui perto?
(b) *(em negativas)* nenhum *m*, -ma *f*; **I don't want any (of it)** não quero (nada); **I don't want any (of them)** não quero nenhum (deles).
(c) *(não importa qual seja)* qualquer um (qualquer uma); **you can sit at any of the tables** podem sentar-se a qualquer uma das mesas.
3 *adv* **(a)** *(em perguntas)*: **any other questions?** mais alguma pergunta?; **can't you drive any faster?** pode dirigir mais depressa?; **is that any better?** está melhor assim?
(b) *(em negativas)*: **he's not any better** ele não está nada melhor; **we can't wait any longer** não podemos esperar mais; **we can't afford any more** não temos possibilidades para mais.

anybody ['enɪbɒdɪ] *pron* = **anyone.**

anyhow ['enɪhaʊ] *adv (sem cuidado)* de qualquer maneira; *(seja o que for)* em qualquer caso; *(apesar de)* de qualquer modo.

anymore [enɪ'mɔːr] *adv* não mais; **she doesn't work here anymore** ela não trabalha mais aqui.

anyone ['enɪwʌn] *pron (qualquer pessoa)* qualquer um (qualquer uma); *(em perguntas)* alguém; *(em negativas)* ninguém; **I don't like anyone** não gosto de ninguém.

anything ['enɪθɪŋ] *pron (seja o que for)* qualquer coisa; *(em perguntas)* alguma coisa; *(em negativas)* nada; **she didn't say anything** ela não disse nada.

anyway ['enɪweɪ] *adv* de qualquer forma ou modo.

anywhere ['enɪweər] *adv (seja onde for)* em/a qualquer lugar; *(em perguntas)* em/a algum lugar; *(em negativas)* em/a lugar nenhum; **I can't find it anywhere** não o encontro em lugar nenhum; **sit anywhere you like** sente-se onde quiser; **we can go anywhere** podemos ir a qualquer lugar.

apart [ə'paːrt] *adv* separado(da); **to fall apart** quebrar-se em pedaços; **apart from** *(com exceção de)* exceto, salvo; *(também)* para além de.

apartment [ə'paːrtmənt] *s Am* apartamento *m*.

apathetic [ˌæpə'θetɪk] *adj* apático(ca).

ape [eɪp] *s* macaco *m*.

aperitif [əˌperə'tiːf] *s* aperitivo *m*.

aperture ['æpərtʃər] *s (de câmera)* abertura *f*.

apiece [ə'piːs] *adv*: **they cost $50 apiece** custam 50 dólares cada um.

apologetic [əˌpɒlə'dʒetɪk] *adj* cheio (cheia) de desculpas.

apologize [ə'pɒlədʒaɪz] *vi*: **to apologize (to sb for sthg)** pedir desculpa (a alguém por algo).

apology [ə'pɒlədʒɪ] *s* desculpa *f*.

apostrophe [ə'pɒstrəfɪ] *s* apóstrofo *m*.

appal [ə'pɔːl] *vt Brit* = **appall.**

appall [ə'pɔːl] *vt Am* horrorizar.

appalling [ə'pɔːlɪŋ] *adj* horrível, terrível.

apparatus [ˌæpə'rætəs] *s* aparelho *m*.

apparently [ə'perəntlɪ] *adv* aparentemente.

appeal [ə'piːl] **1** *s* JUR apelação *f*, recurso *m*; *(para levantar fundos)* campanha *f* de coleta de fundos.
2 *vi* JUR apelar, recorrer para.
3 to appeal to sb (for sthg) apelar a al-

guém (para algo); **it doesn't appeal to me** não me atrai.

appear [ə'pɪər] *vi* aparecer; *(semelhança)* parecer; *(em tribunal)* comparecer; **it appears that** parece que.

appearance [ə'pɪərəns] *s* *(lugar)* chegada *f*; *(fisionomia)* aparência *f*, aspecto *m*.

appendices [ə'pendɪsi:z] *pl* → **appendix.**

appendicitis [əˌpendɪ'saɪtəs] *s* apendicite *f*.

appendix [ə'pendɪks] (*pl* **-dices**) *s* apêndice *m*.

appetite ['æpətaɪt] *s* apetite *m*.

appetizer ['æpətaɪzər] *s* aperitivo *m*.

appetizing ['æpətaɪzɪŋ] *adj* apetitoso(osa).

applaud [ə'plɔ:d] *vt & vi* aplaudir.

applause [ə'plɔ:z] *s* palmas *fpl*.

apple ['æpl] *s* maçã *f*.

apple pie *s* torta *f* de maçã.

appliance [ə'plaɪəns] *s* aparelho *m*; **electrical/domestic appliance** eletrodoméstico *m*.

applicable [ə'plɪkəbl] *adj*: **to be applicable (to)** ser aplicável (a); **if applicable** se apropriado.

applicant ['æplɪkənt] *s* candidato *m*, -ta *f*.

application [ˌæplɪ'keɪʃn] *s* *(para emprego, clube)* candidatura *f*; *(para computador)* aplicativo *m*.

application form *s* formulário *m* de candidatura.

apply [ə'plaɪ] **1** *vt* aplicar.
2 *vi*: **to apply (to sb for sthg)** *(fazer pedido)* requerer (algo a alguém).
3 to apply (to sb) *(ser apropriado)* ser aplicável (a alguém).

appointment [ə'pɔɪntmənt] *s* *(com cabeleireiro, em negócios)* hora *f* marcada; *(com médico)* consulta *f*; **to have/make an appointment (with)** ter/marcar um encontro (com); **by appointment** com hora marcada.

appreciable [ə'pri:ʃəbl] *adj* apreciável.

appreciate [ə'pri:ʃɪeɪt] *vt* *(ser grato por)* agradecer; *(entender)* compreender; *(gostar, admirar)* apreciar.

apprehensive [ˌæprɪ'hensɪv] *adj* apreensivo(va).

apprentice [ə'prentɪs] *s* aprendiz *mf*.

apprenticeship [ə'prentəsʃɪp] *s* aprendizagem *f*.

approach [ə'prəʊtʃ] **1** *s* *(rua)* acesso *m*; *(em problema, situação)* abordagem *f*.
2 *vt* *(chegar perto de)* aproximar-se de; *(problema, situação)* abordar.
3 *vi* aproximar-se.

appropriate [ə'prəʊprɪət] *adj* apropriado(da).

approval [ə'pru:vl] *s* *(opinião favorável)* aprovação *f*; *(permissão)* autorização *f*.

approve [ə'pru:v] *vi*: **to approve of sb/sthg** ver com bons olhos alguém/algo.

approximate [ə'prɒksɪmət] *adj* aproximado(da).

approximately [ə'prɒksɪmətlɪ] *adv* aproximadamente.

apricot ['eɪprɪkɒt] *s* damasco *m*.

April ['eɪprəl] *s* abril *m* → **September.**

apron ['eɪprən] *s* avental *m* (de cozinha).

apt [æpt] *adj* *(próprio)* apropriado(da); **to be apt to do sthg** ser propenso a fazer algo.

aquarium [ə'kweərɪəm] (*pl* **-riums** ou **-ria** [-rɪə]) *s* aquário *m*.

aqueduct ['ækwədʌkt] *s* aqueduto *m*.

arbitrary ['a:rbɪtrərɪ] *adj* arbitrário(ria).

arc [a:rk] *s* arco *m*.

arcade [a:r'keɪd] *s* *(de lojas)* galeria *f*; *(de videogame)* salão *m* de diversões eletrônicas.

arch [a:rtʃ] *s* arco *m*.

archaeology [ˌa:rkɪ'ɒlədʒɪ] *s* arqueologia *f*.

archbishop [ˌa:rtʃ'bɪʃəp] *s* arcebispo *m*.

archery ['a:rtʃərɪ] *s* tiro *m* de arco e flecha.

archipelago [ˌa:rkɪ'peləgəʊ] (*pl* **-es** ou **-s**) *s* arquipélago *m*.

architect ['a:rkətekt] *s* arquiteto *m*, -ta *f*.

architecture ['a:rkətektʃər] *s* arquitetura *f*.

are [ər, a:r] → **be.**

area ['eərɪə] *s* área *f*.

area code *s Am* prefixo *m* (telefônico).

arena [ə'ri:nə] *s* *(em circo)* arena *f*; *ESP* estádio *m*.

aren't [a:rnt] = **are not.**

argue ['a:rgju:] *vi*: **to argue (with sb about sthg)** discutir (com alguém acerca de algo); **to argue (that)** argumentar que.

argument ['a:rgjəmənt] *s* *(briga)* discussão *f*; *(razão)* argumento *m*.

arid ['ærɪd] *adj* árido(da).

arise [ə'raɪz] (*pt* **arose,** *pp* **arisen** [ə'rɪzn]) *vi*: **to arise (from)** surgir (de).

aristocracy [ˌærɪ'stɒkrəsɪ] *s* aristocracia *f.*
arithmetic [ə'rɪθmətɪk] *s* aritmética *f.*
arm [a:rm] *s* braço *m*; *(de roupa)* manga *f.*
armchair ['a:rmtʃeər] *s* poltrona *f.*
armed [a:rmd] *adj* armado(da).
armed forces *spl*: **the armed forces** as forças armadas.
armor ['a:rmər] *s Am* armadura *f.*
armour ['a:rmər] *s Brit* = **armor.**
armpit ['a:rmpɪt] *s* axila *f.*
arms [a:rmz] *spl MIL* armas *fpl.*
army ['a:rmɪ] *s* exército *m.*
aroma [ə'rəʊmə] *s* aroma *m.*
aromatherapy [əˌrəʊmə'θerəpɪ] *s* aromaterapia *f.*
aromatic [ˌærə'mætɪk] *adj* aromático(ca).
arose [ə'rəʊz] *pt* → **arise.**
around [ə'raʊnd] **1** *adv (em volta)* por aí; *(presente)* por aí/aqui.
2 *prep (acerca de)* em redor de, à volta de; *(do outro lado)* para o outro lado de; *(próximo)* perto de; *(em volta)* por todo(da); *(aproximadamente)* cerca de.
3 around here *(na área)* por aqui; **to turn around** virar-se; **to look around** *(virar a cabeça)* olhar em volta; *(em loja, cidade)* dar uma olhada.
arouse [ə'raʊz] *vt (suspeita)* levantar; *(medo)* provocar; *(interesse)* suscitar.
arrange [ə'reɪndʒ] *vt (livros)* arrumar; *(flores)* arranjar; *(reunião, evento)* organizar; **to arrange to do sthg (with sb)** combinar fazer algo (com alguém).
arrangement [ə'reɪndʒmənt] *s (arranjo)* combinação *f*; *(leiaute)* disposição *f*; **by arrangement** *(excursão, serviço)* com data e hora marcada; **to make arrangements (to do sthg)** fazer os preparativos (para fazer algo).
arrest [ə'rest] **1** *s* detenção *f*, prisão *f.*
2 *vt* prender.
3 under arrest sob custódia, preso.
arrival [ə'raɪvl] *s* chegada *f*; **on arrival** à chegada; **new arrival** *(pessoa)* recém-chegado *m*, -da *f.*
arrive [ə'raɪv] *vi* chegar; **to arrive at** chegar a.
arrogant ['erəgənt] *adj* arrogante.
arrow ['erəʊ] *s (para atirar)* flecha *f*; *(sinal)* seta *f.*
arson ['a:rsn] *s* incêndio *m* premeditado.
art [a:rt] *s* arte *f.*
▫ **arts** *spl (ciências humanas)* letras *fpl*; **the arts** *(arte)* as belas-artes.
artery ['a:rtərɪ] *s* artéria *f.*
art gallery *s (comercial)* galeria *f* de arte; *(público)* museu *m* de arte.
arthritis [a:r'θraɪtəs] *s* artrite *f.*
artichoke ['a:rtɪtʃəʊk] *s* alcachofra *f.*
article ['a:rtɪkl] *s* artigo *m.*
articulate [a:r'tɪkjələt] *adj* eloqüente.
artifact ['a:rtɪfækt] *s* artefato *m.*
artificial [ˌa:rtɪ'fɪʃl] *adj* artificial.
artist ['a:rtɪst] *s (de quadros)* pintor *m*, -ra *f*; *(de espetáculo)* artista *mf.*
artistic [a:r'tɪstɪk] *adj* artístico(ca).
as [*sem ênfase* əz, *com ênfase* æz] **1** *adv (em comparações)*: **as ... as** tão ... como; **he's as tall as I am** ele é tão alto quanto eu; **twice as big as** duas vezes maior do que; **as many as** tantos quantos (tantas quantas); **as much as** tanto quanto.
2 *conj* **(a)** *(referente a tempo)* quando; **as the plane was coming in to land** quando o avião ia aterrissar.
(b) *(referente a modo)* como; **do as you like** faça como quiser; **as expected, ...** como era de se esperar ...
(c) *(precedendo uma declaração)* como; **as you know ...** como você sabe ...
(d) *(causa)* porque, como.
(e) *(em frases)*: **as for** quanto a; **as of** a partir de; **as if** como se.
3 *prep (referente a função, emprego)* como; **I work as a teacher** sou professora.

> Utiliza-se *as...as* em comparações de igualdade. Em linguagem coloquial, o segundo termo da igualdade pode ser um pronome oblíquo *me*, *him*, *her*, etc. (*she's as tall as me*). Em linguagem formal, ao contrário, o pronome pessoal - *I*, *he*, *she*, etc. - deve ser utilizado, podendo-se omitir o verbo (*she's not as tall as I* ou *as I am* ela não é tão alta quanto eu).
>
> *As if* e *as though* têm o mesmo significado. Devem ser seguidos do subjuntivo *were* no lugar de *was* (*she went pale as if/though she were about to faint* ela ficou pálida como se fosse desmaiar).

ascent [ə'sent] *s (escalada)* subida *f.*
ascribe [ə'skraɪb] *vt*: **to ascribe sthg to** atribuir algo a.
ash [æʃ] *s (de cigarro, fogo)* cinza *f.*
ashore [ə'ʃɔ:r] *adv* em terra; **to go ashore** desembarcar.

ashtray ['æʃtreɪ] *s* cinzeiro *m*.
aside [ə'saɪd] *adv (lugar)* para o lado; **to move aside** afastar-se.
ask [æsk] **1** *vt (pessoa)* perguntar a; *(pedido)* pedir; *(convite)* convidar.
2 *vi*: **to ask about sthg** *(perguntar)* informar-se sobre algo.
3 to ask sb about sthg perguntar a alguém sobre algo; **to ask sb sthg** perguntar algo a alguém; **to ask sb to do sthg** pedir a alguém que faça algo; **to ask sb for sthg** pedir algo a alguém; **to ask a question** fazer uma pergunta.
❑ **ask for** *vt fus (querer falar com)* perguntar por; *(pedido)* pedir.
asleep [ə'sli:p] *adj* adormecido(da); **to fall asleep** adormecer.
asparagus [ə'spærəgəs] *s* aspargos *mpl*.
aspect ['æspekt] *s* aspecto *m*.
aspirin ['æsprɪn] *s* aspirina *f*.
ass [æs] *s (animal)* asno *m*.
assassinate [ə'sæsɪneɪt] *vt* assassinar.
assault [ə'sɔ:lt] **1** *s* agressão *f*.
2 *vt* agredir.
assemble [ə'sembl] **1** *vt (estante, modelo)* montar.
2 *vi* reunir-se.
assembly [ə'semblɪ] *s (na escola)* assembléia.
assembly point *s (num aeroporto, shopping)* ponto *m* de encontro.
assert [ə'sɜ:rt] *vt (fato, inocência)* afirmar; *(autoridade)* impor; **to assert o.s.** impor-se.
assess [ə'ses] *vt* avaliar.
assessment [ə'sesmənt] *s* avaliação *f*.
asset ['æset] *s (pessoa, objeto)* elemento *m* valioso.
❑ **assets** *spl* bens *mpl*.
assign [ə'saɪn] *vt*: **to assign sthg to sb** *(dar)* ceder algo a alguém; **to assign sb to sthg** *(designar)* nomear alguém para algo.
assignment [ə'saɪnmənt] *s (dever)* tarefa *f*; EDUC trabalho *m*.
assist [ə'sɪst] *vt* ajudar.
assistance [ə'sɪstəns] *s* ajuda *f*; **to be of assistance (to sb)** ser útil (a alguém).
assistant [ə'sɪstənt] *s* assistente *mf*, ajudante *mf*.
associate [*s* ə'səʊʃɪət, *v* ə'səʊʃɪeɪt] **1** *s (de trabalho)* colega *mf*; *(em negócios)* sócio *m*, -cia *f*.
2 *vt*: **to associate sb/sthg with** associar alguém/algo com ou a.
3 to be associated with *(atitude, pessoa)* estar associado a.
association [əˌsəʊsɪ'eɪʃn] *s* associação *f*.
assorted [ə'sɔ:rtɪd] *adj* variado(da).
assortment [ə'sɔ:rtmənt] *s* sortimento *m*.
assume [ə'su:m] *vt (suposição)* supor; *(controle, responsabilidade)* assumir.
assurance [ə'ʃʊərəns] *s (promessa)* garantia *f*; *(de vida)* seguro *m*.
assure [ə'ʃʊər] *vt* assegurar; **to assure sb (that) ...** assegurar a alguém que ...
asterisk ['æstərɪsk] *s* asterisco *m*.
asthma ['æzmə] *s* asma *f*.
asthmatic [æz'mætɪk] *adj* asmático(ca).
astonish [ə'stɒnɪʃ] *vt* surpreender.
astonished [ə'stɒnɪʃt] *adj* espantado(da), surpreso(sa).
astonishing [ə'stɒnɪʃɪŋ] *adj* espantoso(osa), surpreendente.
astound [ə'staʊnd] *vt* surpreender.
astray [ə'streɪ] *adv*: **to go astray** extraviar-se.
astrology [ə'strɒlədʒɪ] *s* astrologia *f*.
astronomy [ə'strɒnəmɪ] *s* astronomia *f*.
asylum [ə'saɪləm] *s* POL asilo *m*; *(hospital mental)* manicômio *m*.
at [*sem ênfase* ət, *com ênfase* æt] *prep*
(a) *(indicando lugar, posição)* em; **at home** em casa; **at the hotel** no hotel; **at my mother's** na casa da minha mãe; **at school** na escola.
(b) *(indicando direção)* para; **he threw a plate at the wall** ele atirou um prato na parede; **to look at** olhar para.
(c) *(indicando tempo)*: **at nine o'clock** às nove horas; **at night** à noite; **at Christmas** no Natal.
(d) *(indicando taxa, nível, velocidade)* a; **it works out at $5 each** sai a 5 dólares cada um; **at 60 k.p.h.** a 60 km/h.
(e) *(indicando atividade)* a; **to be at lunch** estar almoçando; **to be good/bad at sthg** ser bom/mau em algo.
(f) *(indicando causa)* com.

Atenção para não confundir *at*, *in* e *on*, embora as três preposições possam expressar tempo.

Utiliza-se *at* com tempos exatos (*at nine o'clock; at lunchtime*); com os nomes de algumas festividades (*at Christmas*; *at New Year*;

at Easter); e com *weekend* e *night* (*what did you do at the weekend?* o que você faz no final de semana?; *I do my homework at night* faço a lição de casa à noite).

Utiliza-se *in* com meses (*in September*), anos (*in 1966*), séculos (*in the 17th century*) e estações do ano (*in spring*). Além disso, *in* é geralmente usado com as palavras *morning*, *afternoon* e *evening* (*in the evening we like to go out* gostamos de sair à noite; *I'll call you in the afternoon* te ligo à tarde).

Utiliza-se *on* para datas ou dias específicos (*on March 8th, 2001; on Christmas Day*) e para os dias da semana (*on Monday I went swimming* na segunda-feira, fui nadar; *on Sundays I visit my grandparents* aos domingos, visito meus avós).

ate [eɪt] *pt* → **eat.**

atheist ['eɪθɪɪst] *s* ateu *m*, atéia *f*.

athlete ['æθliːt] *s* atleta *mf*.

athletics [æθ'letɪks] *s* atletismo *m*.

atlas ['ætləs] *s* atlas *m inv*.

ATM *s* caixa *m* automático.

atmosphere ['ætməsfɪər] *s* atmosfera *f*.

atom ['ætəm] *s* átomo *m*.

atrocious [ə'trəʊʃəs] *adj* atroz.

at (sign) *s* INFORM arroba *f*.

attach [ə'tætʃ] *vt* juntar; **to attach sthg to sthg** juntar algo a algo.

attachment [ə'tætʃmənt] *s* *(aparelho)* acessório *m*; INFORM anexo *m*, attachment *m*.

attack [ə'tæk] **1** *s* ataque *m*.
2 *vt* atacar.

attacker [ə'tækər] *s* agressor *m*, -ra *f*.

attain [ə'teɪn] *vt fml* alcançar.

attempt [ə'tempt] **1** *s* tentativa *f*.
2 *vt* tentar; **to attempt to do sthg** tentar fazer algo.

attend [ə'tend] *vt (reunião, missa)* assistir a; *(escola)* freqüentar.
❑ **attend to** *vt fus (lidar com)* atender a.

attendance [ə'tendəns] *s (pessoas num concerto, jogo)* assistência *f*; *(na escola)* freqüência *f*.

attendant [ə'tendənt] *s* encarregado *m*, -da *f*.

attention [ə'tenʃn] *s* atenção *f*; **to pay attention (to)** prestar atenção (a).

attic ['ætɪk] *s* sótão *m*.

attire [ə'taɪər] *s* traje *m*.

attitude ['ætɪtuːd] *s* atitude *f*.

attorney [ə'tɜːrnɪ] *s Am* advogado *m*, -da *f*; procurador *m*, -dora *f*.

attract [ə'trækt] *vt* atrair; *(atenção)* chamar.

attraction [ə'trækʃn] *s* atração *f*; *(ponto de atração)* atrativo *m*.

attractive [ə'træktɪv] *adj* atraente.

attribute [ə'trɪbjuːt] *vt*: **to attribute sthg to** atribuir algo a.

auburn ['ɔːbərn] *adj* castanho-avermelhado(da).

auction ['ɔːkʃn] *s* leilão *m*.

audience ['ɔːdjəns] *s* público *m*, audiência *f*.

audio ['ɔːdɪəʊ] *adj* áudio *(inv)*.

audiovisual [-'vɪʒʊəl] *adj* audiovisual.

auditorium [ˌɔːdɪ'tɔːrɪəm] *s* auditório *m*.

August ['ɔːgəst] *s* agosto *m* → **September.**

aunt [ænt] *s* tia *f*.

aural ['ɔːrəl] *adj* auditivo(va).

authentic [ɔː'θentɪk] *adj* autêntico(ca).

author ['ɔːθər] *s (de livro, artigo)* autor *m*, -ra *f*; *(profissão)* escritor *m*, -ra *f*.

authority [ɔː'θɒrətɪ] *s* autoridade *f*; **the authorities** as autoridades.

authorization [ˌɔːθəraɪ'zeɪʃn] *s* autorização *f*.

authorize ['ɔːθəraɪz] *vt* autorizar; **to authorize sb to do sthg** autorizar alguém a fazer algo.

autobiography [ˌɔːtəbaɪ'ɒgrəfɪ] *s* autobiografia *f*.

autograph ['ɔːtəgræf] *s* autógrafo *m*.

automatic [ˌɔːtə'mætɪk] **1** *adj* automático(ca); *(multa)* imediato(ta).
2 *s (carro)* carro *m* automático.

automatically [ˌɔːtə'mætɪklɪ] *adv* automaticamente.

automobile ['ɔːtəməbiːl] *s Am* automóvel *m*.

autumn ['ɔːtəm] *s* outono *m*; **in (the) autumn** no outono.

auxiliary (verb) [ɔːg'zɪljərɪ-] *s* verbo *m* auxiliar.

available [ə'veɪləbl] *adj* disponível.

avalanche ['ævəlænʃ] *s* avalanche *f*.

avenue ['ævənuː] *s* avenida *f*.

average ['ævərɪdʒ] **1** *adj* médio(dia).
2 *s* média *f*; **on average** em média.

aversion [ə'vɜːrʃn] *s* aversão *f*.

aviation [ˌeɪvɪ'eɪʃn] *s* aviação *f*.

avid ['ævɪd] *adj* ávido(da).

avocado [ˌævəˈkaːdəʊ] (*pl* **-s** OR **-es**) *s*: **avocado (pear)** abacate *m*.
avoid [əˈvɔɪd] *vt* evitar; **to avoid doing sthg** evitar fazer algo.
await [əˈweɪt] *vt* esperar, aguardar.
awake [əˈweɪk] (*pt* **awoke,** *pp* **awoken**) **1** *adj* acordado(da).
2 *vi* acordar.
award [əˈwɔːrd] **1** *s (recompensa)* prêmio *m*.
2 *vt*: **to award sb sthg** *(prêmio)* atribuir algo a alguém; *(compensação por danos)* conceder algo a alguém.
aware [əˈweər] *adj* consciente; **to be aware of** estar consciente de.
away [əˈweɪ] *adv (ir)* embora; *(olhar, virar)* para outro lado; **to be away** *(em casa, no trabalho)* não estar; **it's 10 miles away (from here)** fica a 10 milhas (daqui); **it's two weeks away** é daqui a duas semanas; **to go away on vacation** sair de férias; **to put sthg away** guardar algo; **to take sthg away (from sb)** tirar algo (de alguém); **to walk/drive away** afastar-se; **far away** longe.
awesome [ˈɔːsəm] *adj* incrível.
awful [ˈɔːfl] *adj (muito ruim)* horrível; *(muito grande)* imenso(sa); **I feel awful** estou me sentindo muito mal; **how awful!** que horror!
awfully [ˈɔːflɪ] *adv (muito)* muitíssimo.
awkward [ˈɔːkwərd] *adj (posição)* incômodo(da); *(forma, tamanho)* pouco prático(ca); *(situação, questão, tarefa)* embaraçoso(osa); *(movimento)* desajeitado(da); *(tempo)* inoportuno(na).
awning [ˈɔːnɪŋ] *s* toldo *m*.
awoke [əˈwəʊk] *pt* → **awake.**
awoken [əˈwəʊkən] *pp* → **awake.**
ax [æks] *s* machado *m*.
axle [ˈæksl] *s* eixo *m*.

Bb

babble ['bæbl] *vi* balbuciar.

baby ['beɪbɪ] *s* bebê *m*; **to have a baby** ter um bebê.

babysit ['beɪbɪsɪt] *vi* tomar conta de crianças.

back [bæk] **1** *adv (direção)* para trás; **back and forth** de cá para lá.
2 *s* costas *fpl*; *(de carro)* traseira *f*; *(de cômodo)* fundo *m*.
3 *adj (assento, roda)* traseiro(ra).
4 *vi (carro, motorista)* recuar.
5 *vt (amparar)* apoiar.
6 to call back *(telefone)* voltar a telefonar; **to give sthg back** devolver algo; **to stand back** afastar-se; **to write back** responder (a carta); **at the back of** na traseira de; **in back of** *Am* na traseira de.
❑ **back up 1** *vt sep (apoio)* apoiar.
2 *vi (carro, motorista)* dar marcha à ré.

Ver **again**.

backache ['bækeɪk] *s* dor *f* nas costas.

backbone ['bækbəʊn] *s* coluna *f* vertebral.

backfire [ˌbæk'faɪər] *vi (carro)* engasgar.

background ['bækgraʊnd] *s* cenário *m*; *(de pessoa)* background *m*.

backlog ['bæklɒg] *s* acumulação *f*.

backpack ['bækpæk] *s* mochila *f*.

backside ['bæksaɪd] *s fam* traseiro *m*.

backstreet ['bækstri:t] *adj* clandestino(na).

backstroke ['bækstrəʊk] *s* (nado de) costas *fpl*.

backward ['bækwəd] *adv (movimento, olhar)* para trás; *(no sentido errado)* ao contrário.

bacon ['beɪkən] *s* bacon *m*, toucinho *m*.

bacteria [bæk'tɪərɪə] *spl* bactérias *fpl*.

bad [bæd] (*comp* **worse**, *sup* **worst**) *adj* mau (má); *(sério)* grave; *(pobre, débil)* fraco(ca); *(podre)* estragado(da); **to have a bad back/leg** ter um problema nas costas/na perna; **don't eat that - it's bad for you** não coma isso que vai lhe fazer mal; **not bad** nada mau.

badge [bædʒ] *s* crachá *m*.

badly ['bædlɪ] (*comp* **worse**, *sup* **worst**) *adv (insuficientemente)* mal; *(seriamente)* gravemente; *(muito)* imenso.

bad-tempered [-'tempərd] *adj* com mau gênio.

bag [bæg] *s (de papel, plástico)* saco *m*, sacola *f*; *(de mão)* bolsa *f*; *(bagagem)* mala *f*; **a bag of chips** um pacote de batatas fritas.

baggage ['bægɪdʒ] *s* bagagem *f*.

baggy ['bægɪ] *adj* largo(ga).

bail [beɪl] *s* fiança *f*.

bait [beɪt] *s* isca *f*.

bake [beɪk] *vt (bolo)* cozer *(ao forno)*; *(batatas)* assar.

baked [beɪkt] *adj (bolo)* cozido(da); *(batata)* assado(da).

baker ['beɪkər] *s* padeiro *m*, -ra *f*.

bakery ['beɪkərɪ] *s* padaria *f*.

balance ['bæləns] **1** *s (de pessoa)* equilíbrio *m*; *(de conta corrente)* saldo *m*; *(resíduo)* resto *m*.
2 *vt (objeto)* equilibrar.

balcony ['bælkənɪ] *s (de casa)* sacada *f*, varanda *f*; *(de teatro)* balcão *m*.

Não confundir *balcony (sacada, varanda)* com o português *balcão* que em inglês é *counter*. (*She was standing near the balcony.* Ela estava de pé perto da *varanda*.)

bald [bɔ:ld] *adj* calvo(va), careca.

bale [beɪl] *s* fardo *m*.

ball [bɔ:l] *s* bola *f*; *(de lã, barbante)* novelo *m*; *(dança)* baile *m*; **on the ball** *fig* a par de tudo.

ballerina [ˌbælə'ri:nə] *s* bailarina *f.*
ballet [bæ'leɪ] *s* balé *m.*
ballet dancer *s* bailarino *m*, -na *f.*
ball game *s jogo de bola em geral, mas especialmente o beisebol.*
balloon [bə'lu:n] *s (em festa etc.)* balão *m.*
ballot ['bælət] *s* votação *f.*
ballpoint pen ['bɔ:lpɔɪnt-] *s* esferográfica *f.*
ballroom ['bɔ:lrʊm] *s* salão *m* de baile.
bamboo [bæm'bu:] *s* bambu *m.*
ban [bæn] **1** *s* proibição *f.*
2 *vt* proibir; **to ban sb from doing sthg** proibir alguém de fazer algo.
banana [bə'nænə] *s* banana *f.*
band [bænd] *s (grupo musical)* banda *f*; *(pedaço de papel)* tira *f* de papel; *(de borracha)* elástico *m.*
bandage ['bændɪdʒ] **1** *s* atadura *f.*
2 *vt* ligar.
bandstand ['bændstænd] *s* coreto *m.*
bang [bæŋ] **1** *s (barulho forte)* estrondo *m.*
2 *vt (bater com força)* bater em; *(fechar com força, ferir)* bater com.
bangle ['bæŋgl] *s* pulseira *f.*
bangs [bæŋz] *spl Am* franja *f.*
banister ['bænəstər] *s* corrimão *m.*
bank [bæŋk] *s (para dinheiro)* banco *m*; *(de rio, lago)* margem *f*; *(encosta)* monte *m* (pequeno).
bank account *s* conta *f* bancária.
bank clerk *s* bancário *m*, -ria *f.*
banker ['bæŋkər] *s* banqueiro *m*, -ra *f.*
bank note *s* nota *f* (de banco).
bankrupt ['bæŋkrʌpt] *adj* falido(da).
bank statement *s* extrato *m* de conta.
banner ['bænər] *s* faixa *f.*
banquet ['bæŋkwət] *s (jantar formal)* banquete *m.*
baptize ['bæptaɪz] *vt* batizar.
bar [ba:r] **1** *s (estabelecimento)* bar *m*; *(de bar)* balcão *m*; *(de metal, sabão, chocolate)* barra *f*; *(de madeira)* tranca *f.*
2 *vt (obstruir)* bloquear.
barbecue ['ba:rbɪkju:] **1** *s (aparelho)* churrasqueira *f*; *(evento)* churrasco *m.*
2 *vt* assar (na churrasqueira).
barbed wire [ba:rbd-] *s* arame *m* farpado.
barber ['ba:rbər] *s* barbeiro *m.*
barbershop ['ba:rbərʃɒp] *s* barbearia *f.*
bar code *s* código *m* de barras.
bare [beər] *adj (pé)* descalço(ça); *(cabeça)* descoberto(ta); *(braços, pernas)* à mostra; *(cômodo, armário)* vazio(zia); **the bare minimum** o mínimo dos mínimos.
barefoot [ˌbeər'fʊt] *adv & adj* descalço(ça).
barely ['beərlɪ] *adv* mal.
bargain ['ba:rgɪn] **1** *s (trato)* acordo *m*; *(compra barata)* pechincha *f*, promoção *f.*
2 *vi (barganhar)* pechinchar.
❑ **bargain for** *vt fus* contar com, esperar.
bark [ba:rk] **1** *s (de árvore)* casca *f.*
2 *vi* latir.
barley ['ba:rlɪ] *s* cevada *f.*
barn [ba:rn] *s* celeiro *m.*
barometer [bə'rɒmətər] *s* barômetro *m.*
baron ['berən] *s* barão *m.*
baroque [bə'rəʊk] *adj* barroco(ca).
barracks ['berəks] *spl* quartel *m.*
barrage [bə'ra:ʒ] *s (de perguntas, crítica)* chuva *f*, avalanche *f.*
barrel ['berəl] *s (de cerveja, vinho, petróleo)* barril *m*; *(de arma)* cano *m.*
barren ['berən] *adj (terra, solo)* estéril.
barricade [ˌbærɪ'keɪd] *s* barricada *f.*
barrier ['berɪr] *s* barreira *f.*
bartender ['ba:rtendər] *s* garçom *m.*
base [beɪs] **1** *s* base *f.*
2 *vt*: **to base sthg on** basear algo em.
3 to be based in *(situado)* estar sediado em.
baseball ['beɪsbɔ:l] *s* beisebol *m.*
basement ['beɪsmənt] *s (em casa)* porão *m.*
bases ['beɪsi:z] *pl* → **basis.**
bash [bæʃ] *vt fam* bater com.
basic ['beɪsɪk] **1** *adj (fundamental)* básico(ca); *(acomodação, refeição)* simples *(inv).*
2 *spl*: **the basics** os princípios básicos.
basically ['beɪsɪklɪ] *adv* no fundo.
basil ['beɪzl] *s* manjericão *m.*
basin ['beɪsn] *s (bacia)* tigela *f*, taça *f.*
basis ['beɪsɪs] (*pl* **bases**) *s* base *f*; **on a weekly basis** semanalmente; **on the basis of** tendo em conta.
basket ['bæskət] *s* cesto *m*, cesta *f.*
basketball ['bæskətbɔ:l] *s (jogo)* basquetebol *m.*
bass [beɪs] *s (cantor)* baixo *m.*
bass (guitar) [beɪs-] *s* baixo *m.*
bat [bæt] *s (em beisebol)* pá *f*; *(em tênis de mesa)* raquete *f*; *(animal)* morcego *m.*

batch [bætʃ] *s* lote *m*.
bath [bæθ] **1** *s* banho *m*.
2 *vt* dar banho em; **to have a bath** tomar banho.
bathe [beɪð] *vi* tomar banho.
bathrobe ['bæθrəʊb] *s* roupão *m*.
bathroom ['bæθru:m] *s* banheiro *m*.
bathtub ['bæθtʌb] *s* banheira *f*.
baton [bə'ta:n] *s (de maestro)* batuta *f*; *(de polícia)* cassetete *m*.

> Não confundir *baton (batuta, cassetete)* com o português *batom* que em inglês é *lipstick*. (*A baton is part of the police uniform.* Um *cassetete* faz parte do uniforme do policial.)

battered ['bætərd] *adj (pessoa)* seviciado(-da); *(velho)* desgastado(da).
battery ['bætərɪ] *s (para rádio, lanterna etc.)* pilha *f*; *(para carro)* bateria *f*.
battle ['bætl] *s (em guerra)* batalha *f*; *(esforço)* luta *f*.
battlefield ['bætlfi:ld] *s* campo *m* de batalha.
battleship ['bætlʃɪp] *s* navio *m* de guerra.
bay [beɪ] *s (na costa)* baía *f*; *(para estacionamento)* vaga *f*.
bay leaf *s* folha *f* de louro.
bay window *s* janela *f* saliente.
B.C. (*abrev de* **before Christ**) a.C.
be [bi:] (*pt* **was, were,** *pp* **been**) **1** *vi*
(**a**) *(existir)* ser; **there is/are** há; **are there any stores near here?** há lojas perto daqui?
(**b**) *(descrevendo qualidade, condição permanente)* ser; **he's a doctor** ele é médico; **I'm British** sou britânico; **the hotel is near the airport** o hotel é ou fica perto do aeroporto.
(**c**) *(descrevendo estado, condição temporária)* estar; **will you be in the office tomorrow?** você vai estar no escritório amanhã?; **I'll be there at six o'clock** estarei lá às seis horas; **I'm hot/cold** estou com calor/frio.
(**d**) *(referente a movimento)*: **have you ever been to Ireland?** você já esteve na Irlanda?; **I'll be there in ten minutes** estarei lá em dez minutos.
(**e**) *(ocorrência)* ser; **the final is in June** a final é em junho.
(**f**) *(referente à saúde)* estar; **how are you?** como vai você?; **I'm fine** estou bem; **she's sick** ela está doente.
(**g**) *(referente à idade)*: **how old are you?** que idade você tem?; **I'm 14 (years old)** tenho 14 anos.
(**h**) *(referente a custo)* ser; **how much is it?** quanto é?; **it's $10** são 10 dólares.
(**i**) *(referente a tempo, data)* ser; **what time is it?** que horas são?; **it's ten o'clock** são dez horas.
(**j**) *(referente à medida)* ter; **I'm 60 kilos** tenho 60 quilos; **he is 6 feet tall** ele tem 1,80 metro de altura; **it's 30 feet wide/long** tem 10 metros de largura/comprimento.
(**k**) *(referente a clima)* estar; **it's hot/cold** está calor/frio; **it's windy/sunny** está ventando/sol; **it's going to be nice today** vai fazer bom tempo hoje.
2 *v aux* (**a**) *(formando tempo contínuo)* estar; **I'm learning French** estou aprendendo francês; **we've been visiting the museum** estivemos visitando o museu.
(**b**) *(formando voz passiva)* ser; **she was given a raise** ela teve um aumento; **the flight was delayed** o vôo atrasou; **there were no tables to be had** não havia mesas vagas.
(**c**) *(com infinitivo para expressar ordem)*: **you are not to leave until I say so** você só pode sair quando eu disser; **new arrivals are to wait in reception** os recém-chegados têm que esperar na recepção; **all rooms are to be vacated by 10 a.m.** todos os quartos têm que ser desocupados antes das 10 horas da manhã.
(**d**) *(com infinitivo para expressar tempo futuro)*: **the race is to start at noon** a corrida começará ao meio-dia.
(**e**) *(em perguntas)*: **he's very tall, isn't he?** ele é muito alto, não é?; **it's cold, isn't it?** está frio, não está?

> Presente
> *I am* — *we are*
> *You are* — *you are*
> *He/she/it is* — *they are*
>
> Pretérito simples
> *I was* — *we were*
> *You were* — *you were*
> *He/she/it was* — *they were*
>
> Gerúndio
> *Being*
>
> Particípio
> *Been*

Be tem seus próprios significados como verbo principal, mas funciona também como verbo auxiliar, sobretudo para formar os tempos contínuos (***why are you staring at me?*** por que você está olhando para mim?) e a voz passiva (***my suit is being mended*** meu terno está sendo consertado) de outros verbos.

Deve-se lembrar que *be* pode ser traduzido por 'ser' ou 'estar'.

Não se deve esquecer também que *be* pode ser traduzido por 'ter' ou 'fazer', como, por exemplo, em referência a atitudes (***she's right*** ela tem razão), à idade (***he's sixteen*** ele tem dezesseis anos) ou ao clima (***it's sunny*** faz sol).

A forma *be to* é usada para dar a idéia de um plano ou tarefa a ser cumprida pelo sujeito da oração (***we're to meet at 10 o'clock*** devemos nos encontrar às 10 horas). No passado, ***was to/were to*** podem expressar algo que estava destinado a acontecer (***he was to become president at the age of 39*** ele se tornaria presidente aos 39 anos de idade).

Ver também **go**.

beach [biːtʃ] *s* praia *f.*
bead [biːd] *s* conta *f.*
beak [biːk] *s* bico *m.*
beaker ['biːkər] *s* copo *m.*
beam [biːm] **1** *s (de luz)* raio *m*; *(de madeira)* trave *f*; *(de concreto)* viga *f.*
2 *vi (sorriso)* sorrir alegremente.
bean [biːn] *s (grão)* feijão *m*; *(legume)* vagem *f*; *(de café)* grão *m.*
bean curd [-kɜːrd] *s* tofu *m.*
beansprouts ['biːnsprauts] *spl* brotos *mpl* de feijão.
bear [beər] (*pt* **bore,** *pp* **borne**) **1** *s (animal)* urso *m.*
2 *vt* suportar, agüentar; **to bear left/right** virar à esquerda/direita.
bearable ['beərəbl] *adj* suportável.
beard [bɪərd] *s* barba *f.*
bearer ['beərər] *s (de cheque, passaporte)* portador *m*, -ra *f.*
bearing ['beərɪŋ] *s (importância)* relevância *f*; **to get one's bearings** orientar-se.
beast [biːst] *s (animal)* animal *m.*
beat [biːt] (*pt* **beat,** *pp* **beaten** ['biːtn]) **1** *s (de coração, pulso)* pulsação *f*; *MÚS* ritmo *m.*
2 *vt (derrota)* derrotar, vencer; *(agressão)* bater em, agredir; *(ovos, creme de leite)* bater.
❑ **beat down** *vi (sol)* bater; *(chuva)* cair.
❑ **beat up** *vt sep* espancar.
beautiful ['bjuːtəfl] *adj (atrativo)* lindo(da); *(muito bom)* magnífico(ca).
beauty ['bjuːtɪ] *s* beleza *f.*
beaver ['biːvər] *s* castor *m.*
became [bɪ'keɪm] *pt* → **become.**
because [bɪ'kɒz] *conj* porque; **because of** por causa de.
beckon ['bekən] *vi*: **to beckon (to)** chamar com sinais.
become [bɪ'kʌm] (*pt* **became,** *pp* **become**) *vi* tornar-se; **what became of him?** que foi feito dele?
bed [bed] *s (para dormir)* cama *f*; *(de rio)* leito *m*; *(de mar)* fundo *m*; *CULIN* base *f*, camada *f*; *(em jardim)* canteiro *m*; **in bed** na cama; **to get out of bed** levantar-se (da cama); **to go to bed** ir para a cama; **to go to bed with sb** ir para a cama com alguém; **to make the bed** fazer a cama.
bedding ['bedɪŋ] *s* roupa *f* de cama.
bed linen *s* lençóis *mpl* (e fronhas).
bedroom ['bedruːm] *s* quarto *m.*
bedspread ['bedspred] *s* colcha *f.*
bedtime ['bedtaɪm] *s* hora *f* de dormir.
bee [biː] *s* abelha *f.*
beef [biːf] *s* carne *f* de vaca.

Não confundir ***beef (carne de vaca)*** com o português ***bife*** que em inglês é ***steak***. (***Do you prefer beef or chicken?*** Você prefere ***carne de vaca*** ou galinha?)

beehive ['biːhaɪv] *s* colméia *f.*
been [biːn] *pp* → **be.**
beep [biːp] **1** *s* bip *m.*
2 *vi* tocar *(o bip).*
beeper ['biːpər] *s* bip *m.*
beer [bɪər] *s* cerveja *f*; **to have a couple of beers** beber ou tomar umas cervejas.
beet [biːt] *s* beterraba *f.*
beetle ['biːtl] *s* besouro *m.*
before [bɪ'fɔːr] **1** *adv* antes.
2 *prep* antes de; *(fml: posição)* em frente de.
3 *conj* antes de.
4 before you leave antes de partir; **the day before** o dia anterior; **the week before last** há duas semanas.
beforehand [bɪ'fɔːrhænd] *adv* de antemão.

befriend [bɪ'frend] *vt* fazer amizade com.

beg [beg] **1** *vi* pedir.
2 *vt*: **to beg sb to do sthg** implorar a alguém que faça algo.
3 to beg for sthg *(mendigar)* pedir algo.

began [bɪ'gæn] *pt* → **begin.**

beggar ['begər] *s* mendigo *m*, -ga *f*.

begin [bɪ'gɪn] (*pt* **began,** *pp* **begun**) *vt & vi* começar; **to begin doing** ou **to do sthg** começar a fazer algo; **to begin by doing sthg** começar por fazer algo; **to begin with** *(primeiramente)* para começar.

beginner [bɪ'gɪnər] *s* principiante *mf*.

beginning [bɪ'gɪnɪŋ] *s* começo *m*.

begun [bɪ'gʌn] *pp* → **begin.**

behalf [bɪ'hæf] *s*: **on behalf of** em nome de.

behave [bɪ'heɪv] *vi* comportar-se; **to behave (o.s.)** *(ser bem educado)* comportar-se.

behavior [bɪ'heɪvjər] *s Am* comportamento *m*.

behaviour [bɪ'heɪvjər] *s Brit* = **behavior.**

behind [bɪ'haɪnd] **1** *adv (posição)* atrás.
2 *prep (lugar)* atrás de.
3 *s fam* traseiro *m*.
4 to be behind sb *(dando apoio)* apoiar alguém; **to be behind (schedule)** estar atrasado; **to leave sthg behind** esquecer-se de algo; **to stay behind** ficar para trás.

beige [beɪʒ] *adj* bege *(inv)*.

being ['bi:ɪŋ] *s* ser *m*; **to come into being** nascer.

belated [bɪ'leɪtəd] *adj* tardio(dia).

belch [beltʃ] *vi* arrotar.

belief [bɪ'li:f] *s (fé)* crença *f*; *(ponto de vista)* opinião *f*.

believe [bɪ'li:v] **1** *vt (pessoa, história)* acreditar em; *(pensar)* achar.
2 *vi*: **to believe in** *(Deus, direitos humanos)* crer em; **to believe in doing sthg** acreditar em fazer algo.

believer [bɪ'li:vər] *s* crente *mf*.

bell [bel] *s (de telefone, porta)* campainha *f*; *(de igreja)* sino *m*.

bellhop ['belhɒp] *s* boy *m*.

bellow ['beləʊ] *vi (pessoa)* gritar; *(touro, vaca)* mugir.

bell pepper *s Am* pimentão *m*.

belly ['belɪ] *s fam* barriga *f*.

belly button *s fam* umbigo *m*.

belong [bɪ'lɒŋ] *vi (estar no lugar certo)* pertencer; **to belong to** pertencer a.

belongings [bɪ'lɒŋɪŋz] *spl* pertences *mpl*.

below [bɪ'ləʊ] **1** *adv* em baixo; *(andar)* de baixo.
2 *prep* abaixo de; **it's ten below zero** está 10 graus abaixo de zero.

belt [belt] *s (para roupas)* cinto *m*; TEC correia *f*.

beltway ['beltweɪ] *s Am* via *f* circular.

bench [bentʃ] *s* banco *m*, bancada *f*.

bend [bend] (*pt & pp* **bent**) **1** *s* curva *f*.
2 *vt* dobrar.
3 *vi (rua, rio, cano)* fazer uma curva.
❑ **bend down** *vi* dobrar-se.
❑ **bend over** *vi* inclinar-se.

beneath [bɪ'ni:θ] **1** *adv* debaixo.
2 *prep (posição)* debaixo de, sob.

beneficial [ˌbenɪ'fɪʃl] *adj* benéfico(ca).

benefit ['benəfɪt] **1** *s (vantagem)* benefício *m*; *(dinheiro)* subsídio *m*.
2 *vt* beneficiar.
3 *vi*: **to benefit (from)** beneficiar-se (de).
4 for the benefit of em benefício de.

benign [bɪ'naɪn] *adj* MED benigno(gna).

bent [bent] *pt & pp* → **bend.**

bereaved [bɪ'ri:vd] *adj (família)* enlutado(da).

berry ['berɪ] *s* baga *f*.

berserk [bər'zɜ:rk] *adj*: **to go berserk** ficar fora de si.

berth [bɜ:rθ] *s (para navio)* ancoradouro *m*; *(em navio)* beliche *m*; *(em trem)* leito *m*.

beside [bɪ'saɪd] *prep (perto de)* junto a; **to be beside the point** não ter nada a ver.

besides [bɪ'saɪdz] **1** *adv* além disso.
2 *prep* além de.

best [best] **1** *adj* melhor.
2 *s*: **the best** o/a melhor.
3 to make the best of sthg aproveitar o máximo possível algo; **to do one's best** fazer o melhor possível; **the best thing to do is ...** o melhor é ...; **'best before ...'** 'consumir de preferência antes de ...'; **at best** na melhor das hipóteses; **all the best!** felicidades!; *(em correspondência)* um abraço!; **I like this one best** gosto mais deste; **she played best** ela jogou melhor.

best man *s* padrinho *m (de casamento)*.

best-seller [-'selər] *s (livro)* best-seller *m*.

bet [bet] (*pt & pp* **bet**) **1** *s* aposta *f*.
2 *vt (jogo)* apostar.

3 *vi*: **to bet (on)** apostar (em); **I bet (that) you can't do it** aposto que você não consegue.

betray [bɪ'treɪ] *vt* trair.

better ['betər] *adj & adv* melhor; **you had better ...** é melhor ...; **to get better** melhorar.

A expressão ***had better*** pode aparecer na contração ***'-d better*** e serve para aconselhar alguém sobre algo (*you'd better leave soon* é melhor você sair cedo), ameaçar ou avisar alguém (*you'd better not forget or she'll be angry* é melhor você não se esquecer, ou ela ficará zangada).

better off *adj (financeiramente)* melhor de vida; *(em situação melhor)* melhor.

betting ['betɪŋ] *s* apostas *fpl*.

between [bɪ'twi:n] *prep* entre; **in between** entre; *(espaço)* no meio; **'closed between 1 and 2'** 'fechado entre a uma e as duas'; **what happened in between?** o que aconteceu neste ínterim?

beverage ['bevərɪdʒ] *s fml* bebida *f*.

beware [bɪ'weər] *vi*: **to beware of** ter cuidado com; **'beware of the dog'** 'cuidado com o cachorro'.

bewildered [bɪ'wɪldəd] *adj* perplexo(xa).

beyond [bɪ'jɒnd] **1** *prep (longe)* do outro lado de; *(mais longe)* para além de.
2 *adv* mais além.
3 beyond reach fora do alcance; **to be beyond doubt** ser sem sombra de dúvida.

biased ['baɪəst] *adj* parcial.

bib [bɪb] *s (para bebê)* babador *m*.

bible ['baɪbl] *s* bíblia *f*.

biceps ['baɪseps] *s* bíceps *m inv*.

bicycle ['baɪsɪkl] *s* bicicleta *f*.

bicycle path *s* ciclovia *f*.

bid [bɪd] (*pt & pp* **bid**) **1** *s (em leilão)* lanço *m*; *(ensaio)* tentativa *f*.
2 *vt (dinheiro)* oferecer.
3 *vi*: **to bid (for)** licitar (para).

big [bɪg] *adj* grande; **my big brother** o meu irmão mais velho; **how big is it?** de que tamanho é?

bike [baɪk] *s fam (sem motor)* bicicleta *f*; *(com motor)* moto *f*.

biking ['baɪkɪŋ] *s*: **to go biking** andar de bicicleta.

bikini [bɪ'ki:nɪ] *s* biquíni *m*.

bilingual [baɪ'lɪŋgwəl] *adj* bilíngüe.

bill [bɪl] *s (de eletricidade, hotel)* conta *f*; *Am (cédula)* nota *f*; *(em cinema, teatro)* programa *m*; *POL* projeto *m* de lei.

billboard ['bɪlbɔ:rd] *s* quadro *m* de anúncios, outdoor *m*.

billiards ['bɪlɪərdz] *s* bilhar *m*.

billion ['bɪlɪən] *s (mil milhões)* bilhão *m*; *Brit (um milhão de milhões)* trilhão *m*.

bin [bɪn] *s (para pão, farinha)* caixa *f*, lata *f*; *(em avião)* compartimento *m* para a bagagem.

bind [baɪnd] (*pt & pp* **bound**) *vt (amarrar)* atar.

binding ['baɪndɪŋ] *s (de livro)* encadernação *f*; *(para esqui)* peças *fpl* de fixação *(dos esquis)*.

bingo ['bɪŋgəʊ] *s* bingo *m*.

binoculars [bɪ'nɒkjələrz] *spl* binóculo *m*.

biodegradable [ˌbaɪəʊdɪ'greɪdəbl] *adj* biodegradável.

biography [baɪ'ɒgrəfɪ] *s* biografia *f*.

biological [ˌbaɪə'lɒdʒɪkl] *adj* biológico(ca).

biology [baɪ'ɒlədʒɪ] *s* biologia *f*.

bird [bɜ:rd] *s (pequeno)* pássaro *m*; *(grande)* ave *f*.

birth [bɜ:rθ] *s* nascimento *m*; **by birth** de nascimento; **to give birth to** dar à luz.

birth certificate *s* certidão *f* de nascimento.

birth control *s* contracepção *f*.

birthday ['bɜ:rθdeɪ] *s* aniversário *m*; **happy birthday!** feliz aniversário!

birthplace ['bɜ:rθpleɪs] *s* local *m* de nascimento, naturalidade *f*.

biscuit ['bɪskɪt] *s Am* bolacha *f*, biscoito *m*.

bishop ['bɪʃəp] *s* bispo *m*.

bit [bɪt] **1** *pt* → **bite.**
2 *s (porção)* pedaço *m*, bocado *m*; *(de furadeira)* broca *f*; *(para cavalo)* freio *m*.
3 a bit um pouco; **a bit of money** um pouco de dinheiro; **to do a bit of walking** andar um pouco; **bit by bit** pouco a pouco.

A bit pode ser uma locução adverbial (*he's a bit shy* ele é um pouco tímido) ou um pronome (*would you like some cake? - yes, just a bit* você quer bolo? - sim, só um pedacinho). Quando usado antes de um substantivo, deve-se acrescentar ***of*** (*a bit of paper*).

A bit e ***a bit of*** significam o mesmo que ***a little***, mas em linguagem menos formal.

bitch [bɪtʃ] *s* cadela *f.*

bite [baɪt] (*pt* **bit,** *pp* **bitten** ['bɪtn]) **1** *s (comendo)* dentada *f*; *(de inseto)* picada *f*; *(de cobra)* mordedura *f.*
2 *vt* morder; *(suj: inseto)* picar.
3 to have a bite to eat mordiscar algo.

bitter ['bɪtər] *adj* amargo(ga); *(frio, vento)* glacial; *(argumento, conflito)* violento(ta).

bizarre [bɪ'zaːr] *adj* estranho(nha).

black [blæk] **1** *adj* preto(ta); *(café)* sem leite, preto(ta); *(humor)* negro(gra).
2 *s (cor)* preto *m*, negro *m*; *(pessoa)* preto *m*, -ta *f.*
❑ **black out** *vi* desmaiar, perder os sentidos.

blackberry ['blækberɪ] *s* amora *f* silvestre.

blackboard ['blækbɔːrd] *s* quadro *m* (negro).

blackcurrant [ˌblæk'kɜːrənt] *s* groselha *f* preta.

black eye *s* olho *m* roxo.

blackmail ['blækmeɪl] **1** *s* chantagem *f.*
2 *vt* chantagear.

blackout ['blækaʊt] *s (energia)* apagão *m.*

black pepper *s* pimenta-do-reino *f.*

bladder ['blædər] *s* bexiga *f.*

blade [bleɪd] *s (de faca, serra)* lâmina *f*; *(de hélice, remo)* pá *f*; *(de capim)* folha *f.*

blame [bleɪm] **1** *s* culpa *f.*
2 *vt* culpar.
3 to blame sb for sthg culpar alguém de algo; **to blame sthg on sb** pôr a culpa de algo em alguém.

bland [blænd] *adj (comida)* insosso(a).

blank [blæŋk] **1** *adj (espaço, página, fita cassete)* em branco; *(expressão)* vago(a).
2 *s (vazio)* espaço *m* em branco.

blanket ['blæŋkɪt] *s* cobertor *m.*

blast [blæst] *s (estouro)* explosão *f*; *(de ar, vento)* rajada *f*; *(divertimento)* farra *f.*

blaze [bleɪz] **1** *s (fogo)* incêndio *m.*
2 *vi (fogo)* arder; *(sol, luz)* brilhar intensamente.

blazer ['bleɪzər] *s* blazer *m.*

bleach [bliːtʃ] **1** *s* água *f* sanitária.
2 *vt (roupas)* branquear; *(cabelo)* descolorar.

bleak [bliːk] *adj (céu)* escuro(ra); *(dia, cidade)* sombrio.

bleed [bliːd] (*pt & pp* **bled** [bled]) *vi* sangrar.

blend [blend] **1** *s (de café, uísque)* mistura *f.*
2 *vt* misturar.

blender ['blendər] *s* liquidificador *m.*

bless [bles] *vt* abençoar; **bless you!** *(dito após espirro)* saúde!

blessing ['blesɪŋ] *s* bênção *f.*

blew [bluː] *pt* → **blow.**

blind [blaɪnd] **1** *adj* cego(ga).
2 *s (para janela)* persiana *f.*
3 *spl*: **the blind** os cegos.

blind corner *s* curva *f* sem visibilidade.

blindfold ['blaɪndfəʊld] **1** *s* venda *f.*
2 *vt* vendar os olhos de.

blink [blɪŋk] *vi* piscar os olhos.

bliss [blɪs] *s* felicidade *f.*

blister ['blɪstər] *s* bolha *f* (d'água).

blizzard ['blɪzərd] *s* tempestade *f* de neve.

bloated ['bləʊtɪd] *adj* inchado(da).

blob [blɒb] *s* gota *f.*

block [blɒk] **1** *s* bloco *m*; *Am (em cidade)* quarteirão *m.*
2 *vt* obstruir; **to have a blocked (up) nose** estar com o nariz entupido.
❑ **block up** *vt sep* entupir.

blockage ['blɒkɪdʒ] *s* obstrução *f.*

blond [blɒnd] **1** *adj* louro(ra).
2 *s* louro *m.*

blonde [blɒnd] **1** *adj* louro(ra).
2 *s* loura *f.*

blood [blʌd] *s* sangue *m.*

blood donor *s* doador *m*, -ra *f* de sangue.

blood group *s* grupo *m* sangüíneo.

blood poisoning *s* septicemia *f.*

blood pressure *s* pressão *f* arterial; **to have high/low blood pressure** ter a pressão (arterial) alta/baixa.

blood test *s* exame *f* de sangue.

blood transfusion *s* transfusão *f* de sangue.

blood type *s* grupo *m* sangüíneo.

bloom [bluːm] **1** *s* flor *f.*
2 *vi* florir; **in bloom** em flor.

blossom ['blɒsəm] *s* flor *f.*

blot [blɒt] *s* borrão *m.*

blotch [blɒtʃ] *s* mancha *f.*

blotting paper ['blɒtɪŋ-] *s* papel *m* mata-borrão.

blouse [blaʊs] *s* blusa *f.*

blow [bləʊ] (*pt* **blew,** *pp* **blown**) **1** *vt (suj: vento)* fazer voar; *(apito, trompete)* soprar em; *(bolhas)* fazer.
2 *vi* soprar; *(fusível)* queimar, rebentar.
3 *s (bater)* golpe *m.*
4 to blow one's nose assoar-se, assoar o nariz.

❑ **blow up** **1** *vt sep (fazer estourar)* explodir; *(inflar)* encher.
2 *vi (estourar)* explodir; *(tempestade)* cair.

blown [bləʊn] *pp* → **blow.**

blue [blu:] **1** *adj* azul.
2 *s* azul *m.*
❑ **blues** *s MÚS* blues *m inv.*

blueberry ['blu:berɪ] *s* arando *m*, uva-do-monte *f.*

blue-collar *adj (emprego, trabalhador)* operário(ria).

bluff [blʌf] **1** *s (encosta)* penhasco *m.*
2 *vi* blefar.

blunder ['blʌndər] *s* asneira *f.*

blunt [blʌnt] *adj (faca)* cego(ga); *(lápis)* por afiar; *(fig: pessoa)* franco(ca).

blurred [blɜ:rd] *adj* desfocado(da).

blush [blʌʃ] *vi* corar.

blusher ['blʌʃər] *s* blush *m.*

blustery ['blʌstərɪ] *adj* tempestuoso(osa).

board [bɔ:rd] **1** *s (madeira)* tábua *f*; *(para surfar)* prancha *f*; *(quadro de avisos)* quadro *m*; *(para jogos)* tabuleiro *m*; *EDUC* quadro *m* (negro); *(de empresa)* direção *f*; *(material)* madeira *f* compensada.
2 *vt (avião, navio)* embarcar em.
3 *vi (numa casa)* hospedar-se.
4 *prep (avião, navio)* a bordo de; *(ônibus)* em.
5 room and board pernoite e refeições; **on board** a bordo.

boarding ['bɔ:rdɪŋ] *s* embarque *m.*

boarding school ['bɔ:rdɪŋ-] *s* colégio *m* interno.

board of directors *s* direção *f.*

boast [bəʊst] *vi*: **to boast (about sthg)** gabar-se (de algo).

boat [bəʊt] *s* barco *m*; **by boat** de barco.

body ['bɒdɪ] *s* corpo *m*; *(de carro)* carroceria *f*; *(organização)* organismo *m*; *(de vinho)* maturação *f.*

bodyguard ['bɒdɪga:rd] *s* guarda-costas *mf.*

body piercing *n* piercing *m.*

bodywork ['bɒdɪwɜ:rk] *s* carroceria *f.*

bog [bɒg] *s* atoleiro *m.*

bogged down [ˌbɒgd-] *adj*: **bogged down in sthg** *(em lama, neve)* atolado(da) em algo; **don't get bogged down in too many details** não entre em muitos detalhes.

bogus ['bəʊgəs] *adj* falso(sa).

boil [bɔɪl] **1** *vt (água)* ferver; *(chaleira)* pôr para ferver; *(comida)* cozer.
2 *vi* ferver.
3 *s (na pele)* furúnculo *m.*

boiler ['bɔɪlər] *s* aquecedor *m (de água).*

boiling (hot) ['bɔɪlɪŋ-] *adj fam (pessoa)* morto(ta) de calor; *(tempo, clima)* abrasador(ra); *(água)* fervendo.

bold [bəʊld] *adj (corajoso)* audaz.

bolt [bəʊlt] **1** *s (em porta, janela)* ferrolho *m*; *(para aparafusar)* parafuso *m* (com porca).
2 *vt (porta, janela)* fechar com ferrolho.

bomb [bɒm] **1** *s* bomba *f.*
2 *vt* bombardear.

bombard [bɒm'ba:rd] *vt* bombardear.

bomb scare *s* ameaça *f* de bomba.

bomb shelter *s* abrigo *m* (antiaéreo).

bond [bɒnd] *s (relação, ligação)* laço *m.*

bone [bəʊn] *s (de pessoa, animal)* osso *m*; *(de peixe)* espinha *f.*

boned [bəʊnd] *adj (galinha)* desossado(da); *(peixe)* sem espinhas.

boneless ['bəʊnləs] *adj (galinha, porco)* desossado(da).

bonfire ['bɒnˌfaɪər] *s* fogueira *f.*

bonus ['bəʊnəs] (*pl* **-es**) *s* bônus *m inv.*

bony ['bəʊnɪ] *adj (galinha)* cheio (cheia) de ossos; *(peixe)* cheio (cheia) de espinhas.

boo [bu:] *vi* vaiar.

book [bʊk] **1** *s* livro *m*; *(para escrever)* caderno *m.*
2 *vt (reserva)* reservar.

bookcase ['bʊkkeɪs] *s* estante *f* (para livros).

booking ['bʊkɪŋ] *s (em hotel, restaurante, avião)* reserva *f.*

bookkeeping ['bʊkˌki:pɪŋ] *s* contabilidade *f.*

booklet ['bʊklɪt] *s* folheto *m.*

bookmark ['bʊkma:rk] *s* marcador *m* de livros.

bookshelf ['bʊkʃelf] (*pl* **-shelves** [-ʃelvz]) *s (em parede)* prateleira *f* (para livros); *(móvel)* estante *f* (para livros).

bookstore ['bʊkstɔ:r] *s* livraria *f.*

boom [bu:m] **1** *s (crescimento súbito)* bum *m.*
2 *vi (voz, armas de fogo)* ribombar.

boost [bu:st] *vt* aumentar; *(moral)* levantar.

booster ['bu:stər] *s (injeção)* reforço *m* de vacina.

boot [bu:t] *s (calçado)* bota *f.*

booth [bu:ð] *s (para telefone)* cabine *f*; *(em feira)* barraca *f*.

booze [bu:z] **1** *s fam* álcool *m*.
2 *vi fam* beber, encher a cara.

border ['bɔ:rdər] *s (de país)* fronteira *f*; *(beirada)* borda *f*.

bore [bɔ:r] **1** *pt* → **bear.**
2 *s fam* chatice *f*.
3 *vt (pessoa)* entediar, aborrecer; *(buraco)* fazer.

bored [bɔ:rd] *adj* entediado(da).

boredom ['bɔ:rdəm] *s* tédio *m*.

boring ['bɔ:rɪŋ] *adj* maçante.

born [bɔ:rn] *adj*: **to be born** nascer.

borne [bɔ:rn] *pp* → **bear.**

borough ['bɜ:rəʊ] *s* município *m*.

borrow ['bɒrəʊ] *vt*: **to borrow sthg (from sb)** pedir algo emprestado (a alguém).

boss [bɒs] *s* chefe *mf*.
❑ **boss around** *vt sep* dar ordens a.

bossy ['bɒsɪ] *adj* mandão(dona).

botanical garden [bə'tænɪkl-] *s* jardim *m* botânico.

both [bəʊθ] **1** *adj* ambos(bas).
2 *pron* ambos *mpl*, -bas *fpl*.
3 *adv*: **he speaks both French and German** ele fala francês e alemão.
4 both of them ambos(bas), os dois (as duas); **both of us** nós dois (nós duas).

> *Both* é usado como adjetivo antes de um substantivo no plural (*both girls are clever* ambas as garotas são inteligentes) ou de substantivos no singular (*both my brother and my sister are coming* ambos, meu irmão e minha irmã, estão chegando). Em ambos os casos, o verbo é usado na forma plural.
>
> *Both* pode aparecer imediatamente antes do substantivo (*both cars need repairing* ambos os carros precisam de conserto), do artigo *the* (*both the cars need repairing* ambos os carros precisam de revisão), de possessivos como *my*, *your*, *his* etc. (*both my cars need repairing* meus dois carros precisam de revisão) ou dos demonstrativos *this/these* ou *that/those* (*both these cars need repairing* esses dois carros precisam de revisão).
>
> Como pronome, *both* pode aparecer sozinho (*I like them both* gosto de ambos; *both speak English* ambos falam inglês) ou com *of* e um pronome como *us*, *you* ou *them* (*both of them speak English* eles dois falam inglês).

bother ['bɒðər] **1** *vt* preocupar, incomodar.
2 *vi* preocupar-se.
3 *s* incômodo *m*, amolação *f*.
4 I can't be bothered não posso me dar ao trabalho; **it's no bother!** não incomoda nada.

bottle ['bɒtl] *s* garrafa *f*; *(para bebê)* mamadeira *f*; *(de xampu, remédio)* frasco *m*.

bottled ['bɒtld] *adj* engarrafado(da); **bottled beer** cerveja *f* de garrafa; **bottled water** água *f* mineral (engarrafada).

bottleneck ['bɒtlnek] *s* gargalo *m*.

bottle opener [-ˌəʊpnər] *s* abridor *m* de garrafas.

bottom ['bɒtəm] **1** *adj (inferior)* de baixo; *(último, pior)* último(ma).
2 *s* fundo *m*; *(de colina)* base *f*; ANAT traseiro *m*.

bought [bɔ:t] *pt & pp* → **buy.**

boulder ['bəʊldər] *s* pedregulho *m*.

bounce [baʊns] *vi (ressaltar)* quicar; *(pular)* saltar; **his check bounced** ele passou um cheque sem fundos.

bound [baʊnd] **1** *pt & pp* → **bind.**
2 *vi* correr aos pulos.
3 *adj*: **he's bound to get it wrong** o mais certo é ele enganar-se.
4 it's bound to rain vai chover na certa; **it's out of bounds** está interditado; **to be bound for** *(avião, trem)* (ir) com destino a.

boundary ['baʊndrɪ] *s* fronteira *f*.

bouquet [bʊ'keɪ] *s (de flores)* ramo *m*; *(de vinho)* aroma *m*, bouquet *m*.

bout [baʊt] *s (de doença)* ataque *m*; *(de atividade)* período *m*.

bow¹ [baʊ] **1** *s (de cabeça)* reverência *f*; *(de navio)* proa *f*.
2 *vi* inclinar a cabeça.

bow² [bəʊ] *s (nó)* laço *m*; *(arma,* MÚS*)* arco *m*.

bowels ['baʊəlz] *spl* ANAT intestinos *mpl*.

bowl [bəʊl] *s* taça *f*, tigela *f*; *(para lavar)* bacia *f*; *(de banheiro)* vaso *m*.

bowling ['bəʊlɪŋ] *s*: **to go bowling** ir jogar boliche.

bow tie [ˌbəʊ-] *s* gravata *f* borboleta.

box [bɒks] **1** *s* caixa *f*; *(formato)* quadrado *m*; *(em teatro)* camarote *m*.
2 *vi* jogar boxe.
3 a box of chocolates uma caixa de bombons.

boxer ['bɒksər] *s* pugilista *m*, lutador *m* de boxe.
boxer shorts *spl* cueca *f* samba-canção.
boxing ['bɒksɪŋ] *s* boxe *m*.
boxing ring *s* ringue *m* de boxe.
box office *s* bilheteria *f*.
boy [bɔɪ] **1** *s* rapaz *m*.
2 *excl fam*: **(oh) boy!** que bom!
boycott ['bɔɪkɒt] *vt* boicotar.
boyfriend ['bɔɪfrend] *s* namorado *m*.
boy scout *s* escoteiro *m*.
bra [bra:] *s* sutiã *m*.
brace [breɪs] *s* aparelho *m (para os dentes)*.
❑ **braces** *spl Brit* suspensórios *mpl*.
bracelet ['breɪslət] *s* pulseira *f*.
bracket ['brækət] *s (símbolo de escrita)* parêntese *m*; TEC suporte *m*.
brag [bræg] *vi* gabar-se; **to brag about sthg** gabar-se de algo.
braid [breɪd] *s (penteado)* trança *f*; *(em roupa)* galão *m*.
brain [breɪn] *s* cérebro *m*.
brain damage *s* dano *m* cerebral.
brainy ['breɪnɪ] *adj fam* esperto(ta); **she's very brainy** ela é um crânio.
braised [breɪzd] *adj* refogado(da).
brake [breɪk] **1** *s* freio *m*.
2 *vi* frear, brecar.
brake fluid *s* óleo *m* de freio.
bran [bræn] *s* farelo *m*.
branch [bræntʃ] *s (de árvore, assunto)* ramo *m*; *(de empresa)* agência *f*; COM sucursal *f*, filial *f*.
❑ **branch off** *vi* ramificar-se.
brand [brænd] **1** *s* marca *f*.
2 *vt*: **to brand sb (as)** rotular alguém (de).
brand-new *adj* novo (nova) em folha.
brandy ['brændɪ] *s* conhaque *m*.
brass [bræs] *s* latão *m*.
brassiere [brə'zɪr] *s* sutiã *m*.
brat [bræt] *s fam* criança *f* mimada.
brave [breɪv] *adj* valente.
bravery ['breɪvərɪ] *s* valentia *f*.
bravo [ˌbra:'vəʊ] *excl* bravo!
brawl [brɔ:l] *s* rixa *f*.
brazil nut *s* castanha-do-pará *f*.
breach [bri:tʃ] *vt (contrato)* quebrar; *(confiança)* abusar de.
bread [bred] *s* pão *m*; **bread and butter** pão com manteiga.
breadcrumbs ['bredkrʌmz] *spl* farinha *f* de rosca.
breadth [bredθ] *s* largura *f*.
break [breɪk] (*pt* **broke,** *pp* **broken**) **1** *s* interrupção *f*; *(em linha)* corte *m*; *(descanso)* pausa *f*; ESCOLA recreio *m*.
2 *vt (danificar)* partir, quebrar; *(desobedecer)* ir contra; *(palavra, promessa)* quebrar; *(um recorde)* bater; *(notícias)* dar; *(viagem)* interromper.
3 *vi (ficar danificado)* partir, quebrar; *(aurora)* romper; *(voz)* mudar.
4 without a break sem parar; **a lucky break** um golpe de sorte; **to break one's leg** quebrar a perna.
❑ **break down 1** *vi (carro, máquina)* enguiçar.
2 *vt sep (porta, barreira)* derrubar.
❑ **break in** *vi* entrar à força.
❑ **break off 1** *vt (objeto)* partir; *(conversa)* interromper.
2 *vi* parar.
❑ **break out** *vi (fogo)* começar; *(guerra)* estourar; *(pânico)* instaurar-se; **to break out in a rash** ficar com alergia.
❑ **break up** *vi (de cônjuge, parceiro)* separar-se; *(reunião, casamento)* terminar; *(escola)* terminar as aulas.
breakage ['breɪkɪdʒ] *s* danos *mpl*.
breakdown ['breɪkdaʊn] *s (de carro)* enguiço *m*, avaria *f*; *(em comunicação, negociação)* ruptura *f*; *(mental)* esgotamento *m*.
breakfast ['brekfəst] *s* café *m* da manhã; **to have breakfast** tomar o café da manhã; **to have sthg for breakfast** comer algo no café da manhã.
break-in *s* assalto *m*.
breakthrough ['breɪkθru:] *s* avanço *m*.
breakwater ['breɪkˌwɔ:tər] *s* quebra-mar *m*.
breast [brest] *s* peito *m*, seio *m*.
breast-feed *vt* amamentar.
breaststroke ['breststrəʊk] *s* (nado de) peito *m*.
breath [breθ] *s* hálito *m*, respiração *f*; **out of breath** sem fôlego; **to go for a breath of fresh air** sair para respirar ar fresco; **to take a deep breath** respirar fundo.
breathe [bri:ð] *vi* respirar.
❑ **breathe in** *vi* inspirar.
❑ **breathe out** *vi* expirar.
breathtaking ['breθˌteɪkɪŋ] *adj* incrível.
breed [bri:d] (*pt & pp* **bred** [bred]) **1** *s (de animal)* raça *f*; *(de planta)* espécie *f*.

2 *vt* criar.
3 *vi* reproduzir-se.

breeze [bri:z] *s* brisa *f.*

brew [bru:] **1** *vt (cerveja)* fabricar; *(chá, café)* preparar.
2 *vi (chá, café)* repousar; **has the tea/coffee brewed yet?** já está pronto o chá/café?

brewery ['bru:ərɪ] *s* cervejaria *f.*

bribe [braɪb] **1** *s* suborno *m*, propina *f.*
2 *vt* subornar.

brick [brɪk] *s* tijolo *m.*

bricklayer ['brɪkleɪər] *s* pedreiro *m.*

brickwork ['brɪkwɜ:rk] *s* alvenaria *f.*

bride [braɪd] *s* noiva *f.*

bridegroom ['braɪdgru:m] *s* noivo *m.*

bridesmaid ['braɪdzmeɪd] *s* dama *f* de honra.

bridge [brɪdʒ] *s* ponte *f*; *(jogo de cartas)* bridge *m.*

bridle ['braɪdl] *s (para cavalo)* cabeçada *f.*

brief [bri:f] **1** *adj* breve.
2 *vt* informar; **in brief** em resumo.
❑ **briefs** *spl (for men)* cueca *f.*

briefcase ['bri:fkeɪs] *s* pasta *f* executiva.

briefly ['bri:flɪ] *adv (tempo)* por alguns momentos; *(discurso)* em poucas palavras.

brigade [brɪ'geɪd] *s* brigada *f.*

bright [braɪt] *adj (luz, sol, idéia)* brilhante; *(cômodo)* claro(ra); *(cor)* vivo(va); *(inteligente)* esperto(ta); *(animado)* alegre; *(sorriso)* radiante.

brilliant ['brɪljənt] *adj (luz, sol)* brilhante; *(cor)* vivo(va); *(idéia, pessoa)* brilhante.

brim [brɪm] *s (de chapéu)* aba *f*; **it's full to the brim** está cheio até à borda.

brine [braɪn] *s* salmoura *f.*

bring [brɪŋ] (*pt & pp* **brought**) *vt* trazer.
❑ **bring along** *vt sep* trazer.
❑ **bring back** *vt sep (retornar)* devolver; *(compras, presente)* trazer.
❑ **bring in** *vt sep* introduzir, ganhar.
❑ **bring out** *vt sep* pôr a venda.
❑ **bring up** *vt sep (criança)* criar; *(assunto)* mencionar; *(comida)* vomitar.

brink [brɪŋk] *s*: **on the brink of** à beira de.

brisk [brɪsk] *adj (passo)* rápido(da); *(eficiente)* desembaraçado(da); *(vento)* forte.

bristle ['brɪsl] *s (de escova)* cerda *f*; *(no queixo)* pêlo *m.*

brittle ['brɪtl] *adj* quebradiço(ça).

broad [brɔ:d] *adj* largo(ga); *(sorriso)* amplo(pla); *(descrição, esquema)* geral; *(sotaque)* forte.

broadband ['brɔ:dbænd] *n* INFORM banda *f* larga.

broadcast ['brɔ:dkæst] (*pt & pp* **broadcast**) **1** *s* transmissão *f.*
2 *vt* transmitir.

broadly ['brɔ:dlɪ] *adv* em geral; **broadly speaking** em termos gerais.

broccoli ['brɒkəlɪ] *s* brócolis *mpl.*

brochure ['brəʊʃər] *s* brochura *f*, folheto *m.*

broiled [brɔɪld] *adj Am* grelhado(da).

broke [brəʊk] **1** *pt* → **break.**
2 *adj fam* teso(sa).

broken ['brəʊkn] **1** *pp* → **break.**
2 *adj (janela, perna, vidro)* quebrado(da); *(máquina)* com defeito; *(inglês, português etc.)* incorreto(ta).

bronchitis [brɒŋ'kaɪtɪs] *s* bronquite *f.*

bronze [brɒnz] *s* bronze *m.*

brooch [brəʊtʃ] *s* broche *m.*

brook [brʊk] *s* riacho *m.*

broom [bru:m] *s* vassoura *f.*

broomstick ['bru:mstɪk] *s* cabo *m* de vassoura.

broth [brɒθ] *s* caldo *m.*

brother ['brʌðər] *s* irmão *m.*

brother-in-law (*pl* **brothers-in-law**) *s* cunhado *m.*

brought [brɔ:t] *pt & pp* → **bring.**

brow [braʊ] *s* testa *f*, sobrancelha *f.*

brown [braʊn] **1** *adj* marrom; *(pele)* moreno(na), bronzeado(da).
2 *s* marrom *m.*

Brownie ['braʊnɪ] *s* fadinha *f (entre os sete e os dez anos).*

brown sugar *s* açúcar *m* mascavo.

browse [braʊz] *vi (em loja)* dar uma olhada; **to browse through** *(livro, papel)* passar os olhos em.

browser [braʊzər] *s* INFORM browser *m.*

bruise [bru:z] *s* hematoma *m*, equimose *f.*

brunette [bru:'net] *s* morena *f.*

brush [brʌʃ] **1** *s (para cabelo, dentes)* escova *f*; *(para pintura)* pincel *m.*
2 *vt (chão)* varrer; *(roupas)* escovar; *(com a mão)* sacudir.
3 to brush one's hair escovar o cabelo; **to brush one's teeth** escovar os dentes.

brussels sprouts ['brʌslz-] *spl* couve-de-Bruxelas *f.*
brutal ['bru:tl] *adj* brutal.
bubble ['bʌbl] *s* bolha *f*; bolha *f* de sabão; *(em bebida com gás)* borbulha *f.*
bubble gum *s* chiclete *m* de bola.
bubbly ['bʌblɪ] *s fam* espumante *m.*
buck [bʌk] *s Am fam* dólar *m*; *(animal)* macho *m.*
bucket ['bʌkɪt] *s* balde *m.*
buckle ['bʌkl] **1** *s* fivela *f.*
2 *vt* afivelar.
3 *vi (deformar-se)* contrair-se.
bud [bʌd] **1** *s (flor)* botão *m*; *(folha)* rebento *m.*
2 *vi (flor)* florescer; *(folha)* brotar.
Buddhist ['bʊdɪst] *s* budista *mf.*
buddy ['bʌdɪ] *s fam* amigo *m*, -ga *f.*
budge [bʌdʒ] *vi* mexer-se.
budget ['bʌdʒɪt] **1** *adj (viagem)* econômico(ca).
2 *s* orçamento *m.*
❑ **budget for** *vt fus*: **to budget for sthg** prever as despesas de algo.
buff [bʌf] *s fam* fanático *m*, -ca *f.*
buffalo ['bʌfələʊ] (*pl* **-s** ou **-es**) *s* búfalo *m.*
buffer ['bʌfər] *s* pára-choques *m inv.*
bug [bʌg] **1** *s (inseto)* bicho *m*; *fam (micróbio)* vírus *m inv.*
2 *vt fam (irritar)* chatear.
buggy ['bʌgɪ] *s* carrinho *m* de bebê.
build [bɪld] (*pt & pp* **built**) **1** *s* constituição *f* física.
2 *vt* construir.
❑ **build up 1** *vt sep (força, velocidade)* ganhar.
2 *vi* acumular-se.
builder ['bɪldər] *s (pessoa)* pedreiro *m*; *(empresa)* construtora *f.*
building ['bɪldɪŋ] *s* edifício *m.*
building site *s* canteiro *m* de obras.
built [bɪlt] *pt & pp* → **build.**
built-in *adj* embutido(da).
bulb [bʌlb] *s* lâmpada *f* elétrica; *(de planta)* bulbo *m.*
bulge [bʌldʒ] *vi* fazer volume.
bulk [bʌlk] *s*: **the bulk of** a maior parte de; **in bulk** a granel, em grandes quantidades.
bulky ['bʌlkɪ] *adj* volumoso(osa).
bull [bʊl] *s* touro *m.*
bullet ['bʊlɪt] *s* bala *f.*
bulletin ['bʊlətən] *s* boletim *m.*
bullfight ['bʊlfaɪt] *s* tourada *f.*
bull's-eye ['bʊlz-] *s* mosca *f* (de alvo).
bully ['bʊlɪ] **1** *s* brigão *m*, -gona *f.*
2 *vt* abusar de, intimidar.
bum [bʌm] *s Am fam* vagabundo *m*, -da *f.*
bumblebee ['bʌmblbi:] *s* abelhão *m.*
bump [bʌmp] **1** *s (em superfície)* elevação *f*; *(na perna)* inchaço *m*; *(na cabeça)* galo *m*; *(som, batida)* pancada *f.*
2 *vt (cabeça, perna)* bater com.
❑ **bump into** *vt fus (bater)* chocar com; encontrar-se com.
bumper ['bʌmpər] *s (em carro)* pára-choque *m.*
bumpy ['bʌmpɪ] *adj* acidentado(da); **the flight was bumpy** durante o vôo sentiu-se um pouco de turbulência.
bun [bʌn] *s* pão *m* doce *(pequeno)*; pãozinho *m*; *(penteado)* coque *m.*
bunch [bʌntʃ] *s (de pessoas)* grupo *m*; *(de flores)* ramo *m*; *(de uvas, bananas)* cacho *m*; *(de chaves)* molho *m.*
bundle ['bʌndl] *s (de roupas)* trouxa *f*; *(de notas, papéis)* maço *m.*
bung [bʌŋ] *s* tampo *m.*
bungalow ['bʌŋgələʊ] *s* bangalô *m.*
bunion ['bʌnjən] *s* joanete *m.*
bunk [bʌŋk] *s* beliche *m.*
bunker ['bʌŋkər] *s* abrigo *m*, bunker *m*; *(para carvão)* carvoeira *f*; *(em golfe)* bunker *m.*
bunny ['bʌnɪ] *s* coelhinho *m.*
buoy ['bu:ɪ] *s* bóia *f* (de sinalização).
buoyant ['bu:jənt] *adj* flutuante.
burden ['bɜ:rdn] *s* carga *f.*
bureaucracy [bjʊə'rɒkrəsɪ] *s* burocracia *f.*
burger ['bɜ:rgər] *s* hambúrguer *m.*
burglar ['bɜ:rglər] *s* ladrão *m*, ladra *f.*
burglar alarm *s* alarme *m* (anti-roubo).
burglary ['bɜ:rglərɪ] *s* assalto *m.*
burgundy ['bɜ:rgəndɪ] *s (cor)* grená *m*; *(vinho)* Borgonha *m.*
burial ['berɪəl] *s* enterro *m.*
burn [bɜ:rn] (*pt & pp* **burnt** ou **burned**) **1** *s* queimadura *f.*
2 *vt* queimar.
3 *vi (estar em chamas)* arder.
❑ **burn down 1** *vt sep* incendiar.
2 *vi* arder.
burnt [bɜ:rnt] *pt & pp* → **burn.**

burp [bɜːrp] **1** *s fam* arroto *m*.
2 *vi fam* arrotar.

burrow ['bɜːrəʊ] *s* toca *f*.

burst [bɜːrst] (*pt & pp* **burst**) **1** *s (palmas)* salva *f*; *(tiros)* rajada *f*.
2 *vt & vi* rebentar.
3 he burst into the room ele irrompeu pelo quarto adentro; **to burst into tears** desatar a chorar; **to burst open** *(porta)* abrir-se de repente.

bury ['berɪ] *vt* enterrar.

bus [bʌs] *s* ônibus *m*; **by bus** de ônibus.

bush [bʊʃ] *s* arbusto *m*.

bushy ['bʊʃɪ] (*comp* **-ier,** *sup* **-iest**) *adj (sobrancelhas, barba)* cerrado(da); *(rabo)* peludo(da).

business ['bɪznəs] *s* COM negócios *mpl*; *(loja, firma)* negócio *m*; *(coisas a fazer)* assunto *m*; **let's get down to business** vamos ao que interessa; **mind your own business!** meta-se com a sua vida!; **'business as usual'** 'aberto como de costume'.

business card *s* cartão-de-visita *m*.

business hours *spl (de lojas)* horário *m* comercial; *(de escritórios)* horário *m* de atendimento.

businessman ['bɪznəsmæn] (*pl* **-men** [-men]) *s* homem *m* de negócios.

business studies *spl* administração *f* de empresas.

businesswoman ['bɪznəsˌwʊmən] (*pl* **-women** [-ˌwɪmɪn]) *s* mulher *f* de negócios.

bus lane *s* faixa *f* para ônibus.

bus station *s* (estação) rodoviária *f*.

bus stop *s* ponto *m* de ônibus.

bust [bʌst] **1** *s (de mulher)* busto *m*.
2 *adj*: **to go bust** *fam* falir.

bustle ['bʌsl] *s* alvoroço *m*, animação *f*.

busy ['bɪzɪ] *adj* ocupado(da); *(rua, escritório)* movimentado(da); **to be busy doing sthg** estar ocupado fazendo algo.

but [bʌt] **1** *conj* mas.
2 *prep* senão, a não ser.
3 you've been nothing but trouble você só tem me dado trabalho; **the last but one** o penúltimo (a penúltima); **but for** se não fosse.

butcher ['bʊtʃər] *s* açougueiro *m*, -ra *f*.

butcher shop *s* açougue *m*.

butt [bʌt] *s (de rifle)* coronha *f*; *(de cigarro)* ponta *f*.

butter ['bʌtər] **1** *s* manteiga *f*.
2 *vt* untar com manteiga.

butterfly ['bʌtərflaɪ] *s* borboleta *f*; *(natação)* (nado) borboleta *m*.

buttocks ['bʌtəks] *spl* nádegas *fpl*.

button ['bʌtn] *s* botão *m*; *Am* crachá *m*.

buttonhole ['bʌtnhəʊl] *s* casa *f* (de botão).

buttress ['bʌtrɪs] *s* contraforte *m*.

buy [baɪ] (*pt & pp* **bought**) **1** *vt* comprar.
2 *s*: **a good buy** uma boa compra; **to buy sthg for sb, to buy sb sthg** comprar algo para alguém.

buzz [bʌz] **1** *vi* zumbir.
2 *s fam (telefonema)*: **to give sb a buzz** dar uma ligada para alguém.

buzzer ['bʌzər] *s* campainha *f*.

by [baɪ] **1** *prep* **(a)** *(expressando causa, agente)* por; **he's worried by her absence** está preocupado com a sua ausência; **he was hit by a car** ele foi atropelado por um carro; **a book by Stephen King** um livro de Stephen King; **funded by the government** financiado pelo governo.
(b) *(expressando métodos, meios)*: **by car/bus/plane** de carro/ônibus/avião; **by phone/mail** pelo telefone/correio; **to pay by credit card/check** pagar com cartão de crédito/cheque; **to win by cheating** ganhar trapaceando.
(c) *(perto de, ao lado de)* junto a; **by the sea** à beira-mar, junto ao mar.
(d) *(passar perto)* por; **a car went by the house** um carro passou pela casa.
(e) *(via)* por; **exit by the door on the left** saia pela porta do lado esquerdo.
(f) *(com tempo)*: **be there by nine** esteja lá às nove horas; **by day** de dia; **it should be ready by now** já deve estar pronto.
(g) *(expressando quantidade)* a; **sold by the dozen** vende-se à dúzia; **prices fell by 20%** os preços baixaram 20%; **we charge by the hour** cobramos por hora.
(h) *(expressando significado)* com; **what do you mean by that?** que quer dizer com isso?
(i) *(em divisão, multiplicação)* por; **about six feet by fifteen** aproximadamente

dois metros por cinco.
(j) *(de acordo com)* segundo; **by law** segundo a lei; **it's fine by me** por mim tudo bem.
(k) *(expressando processo gradual)* a; **one by one** um a um; **day by day** dia a dia.
(l) *(em expressões)*: **by mistake** por engano; **by oneself** sozinho; **by profession** por profissão.
2 *adv (passar por)*: **to go/drive by** passar.

Na voz passiva, a pessoa ou coisa que pratica a ação é introduzida por *by* (*the tickets were booked by my mother* as entradas foram compradas pela minha mãe; *I was hurt by what he said* fiquei magoada com o que ele disse). O instrumento empregado para praticar a ação vem precedido por *with* (*he was killed with a knife* ele foi morto a facadas).

bye(-bye) [baɪ(baɪ)] *excl fam* tchau!

C

cab [kæb] *s AUT* táxi *m*; *(de caminhão)* cabine *f*.

cabaret ['kæbəreɪ] *s* cabaré *m*.

cabbage ['kæbɪdʒ] *s* repolho *m*.

cabin ['kæbɪn] *s (em navio)* camarote *m*; *(em avião)* cabine *f*; *(casa de madeira)* cabana *f*.

cabin crew *s* tripulação *f*.

cabinet ['kæbɪnət] *s (para guardar coisas)* armário *m*; *POL* gabinete *m* (de ministros).

cable ['keɪbl] *s* cabo *m*.

cable car *s* teleférico *m*.

cable television, cable TV *s* televisão *f* a cabo.

cactus ['kæktəs] (*pl* **-tuses** ou **-ti** [-taɪ]) *s* cacto *m*.

cafe [kæ'feɪ] *s* café *m (estabelecimento)*.

cafeteria [ˌkæfə'tɪərɪə] *s* cantina *f*.

caffeine [kæ'fi:n] *s* cafeína *f*.

cage [keɪdʒ] *s* gaiola *f*.

cake [keɪk] *s* bolo *m*.

calculate ['kælkjəleɪt] *vt* calcular.

calculation [ˌkælkjə'leɪʃn] *s* cálculo *m*.

calculator ['kælkjəleɪtər] *s* calculadora *f*.

calendar ['kæləndər] *s* calendário *m*.

calf [kæf] (*pl* **calves**) *s (de vaca)* bezerro *m*, -a *f*, vitelo *m*, -la *f*; *ANAT* barriga *f* da perna.

call [kɔ:l] **1** *s (telefonema, em aeroporto)* chamada *f*; *(em pessoa)* visita *f*; *(de pássaro)* grito *m*.
2 *vt* chamar; *(dizer em voz alta)* chamar por; *(telefone)* ligar para; *(reunião, eleição, greve)* convocar; *(vôo)* anunciar.
3 *vi (telefone)* telefonar, ligar.
4 could I have a call at eight o'clock, please? por favor, pode me chamar às oito?; **on call** *(médico, enfermeira)* de plantão; **to pay sb a call** visitar alguém; **to be called** chamar-se; **what is he called?** como é que ele se chama?; **who's calling?** quem está falando?
❑ **call back 1** *vt sep* voltar a telefonar a.
2 *vi (ligar de novo)* voltar a telefonar.
❑ **call for** *vt fus (ir pegar)* ir buscar; *(pedir, requerer)* exigir.
❑ **call on** *vt fus (visita)* ir visitar; **to call on sb to do sthg** pedir a alguém para fazer algo.
❑ **call out 1** *vt sep (nome, vencedor)* anunciar; *(médico, corpo de bombeiros)* chamar.
2 *vi* gritar.
❑ **call up** *vt sep MIL* chamar, mobilizar; *(telefone)* telefonar para, ligar para.

call box *s* cabine *f* telefônica.

caller ['kɔ:lər] *s (em pessoa)* visita *f*; *(no telefone)* pessoa *f* que chama.

calm [ka:m] **1** *adj* calmo(ma).
2 *vt* acalmar.
❑ **calm down 1** *vt sep* acalmar.
2 *vi* acalmar-se.

calorie ['kælərɪ] *s* caloria *f*.

calves [kævz] *pl* → **calf.**

camcorder ['kæmˌkɔ:rdər] *s* filmadora *f* (de vídeo).

came [keɪm] *pt* → **come.**

camel ['kæml] *s* camelo *m*.

camera ['kæmərə] *s (para fotografias)* máquina *f* ou câmera fotográfica; *(para filmagem)* câmera *f* (de cinema).

cameraman ['kæmrəmæn] (*pl* **-men** [-men]) *s* cameraman *m*.

camisole ['kæmɪsəʊl] *s* combinação *f*.

camp [kæmp] **1** *s (para férias)* colônia *f* de férias; *(para soldados)* acampamento *m*; *(para prisioneiros)* campo.
2 *vi* acampar.

campaign [kæm'peɪn] **1** *s* campanha *f*.
2 *vi*: **to campaign (for/against)** fazer campanha (a favor de/contra).

camper ['kæmpər] *s (pessoa)* campista *mf*; *(camionete)* trailer *m*.

campfire ['kæmpfaɪər] *s* fogueira *f (em acampamento).*

camping ['kæmpɪŋ] *s*: **to go camping** acampar.

campsite ['kæmpsaɪt] *s* camping *m.*

campus ['kæmpəs] (*pl* **-es**) *s* campus *m*, cidade *f* universitária.

can¹ [kæn] *s* lata *f.*

can² [kən, kæn] (*pt* **was, were,** *pt & conditional* **could**) *v aux* (**a**) *(ser capaz de)* poder; **can you help me?** pode me ajudar?; **I can see the mountains** posso ver as montanhas.
(**b**) *(saber fazer)* saber; **can you drive?** você sabe dirigir?; **I can speak Portuguese** eu sei falar português.
(**c**) *(ser permitido)* poder; **you can't smoke here** você não pode fumar aqui.
(**d**) *(em pedidos com educação)* poder; **can you tell me the time?** pode me dizer as horas?; **can I speak to the manager?** posso falar com o gerente?
(**e**) *(expressando ocorrência ocasional)* poder; **it can get cold at night** às vezes a temperatura diminui bastante à noite.
(**f**) *(expressando possibilidade)* poder; **they could be lost** eles podem estar perdidos.

> Como verbo modal *can* é seguido de infinitivo sem *to* e não leva o auxiliar *do* em sentenças interrogativas e negativas (*can I play here?* posso tocar aqui?). Só pode ser usado no presente ou no pretérito (*I can speak English* posso falar inglês; *I couldn't find my key* não conseguia encontrar minha chave). Usa-se *to be able to* para formar outros tempos verbais (*will you be able to come to the party?* você vai poder vir à festa?; *he wasn't able to finish the job* ele não pôde terminar o trabalho).
>
> Ver também **poder** no lado Português-Inglês do dicionário.

canal [kə'næl] *s* canal *m.*

cancel ['kænsl] *vt* cancelar.

cancellation [ˌkænsə'leɪʃn] *s* cancelamento *m.*

cancer ['kænsər] *s* câncer *m.*

Cancer ['kænsər] *s* Câncer *m.*

candidate ['kændədeɪt] *s* candidato *m*, -ta *f.*

candle ['kændl] *s* vela *f.*

candlelit ['kændllɪt] *adj* à luz de vela.

candlestick ['kændlstɪk] *s* castiçal *m.*

candy ['kændɪ] *s Am (caramelos, bombons)* guloseimas *fpl*; *(doce)* bala *f.*

cane [keɪn] *s (para andar)* bengala *f*; *(para castigo)* vara *f*; *(para móveis, cestas)* palhinha *f.*

canister ['kænɪstər] *s (para gás)* bujão *m*; *(para chá)* lata *f* (para o chá).

cannabis ['kænəbəs] *s* maconha *f.*

canned [kænd] *adj (comida, bebida)* enlatado(da).

cannon ['kænən] *s* canhão *m.*

cannot ['kænɒt] = **can not.**

canoe [kə'nu:] *s* canoa *f.*

canoeing [kə'nu:ɪŋ] *s* canoagem *f.*

canopy ['kænəpɪ] *s (cama etc.)* dossel *m.*

can't [kænt] = **cannot.**

canteen [kæn'ti:n] *s* cantil *m.*

canvas ['kænvəs] *s (para barraca, bolsa)* lona *f*; *(para pintura)* tela *f.*

cap [kæp] *s (chapéu)* boné *m*; *(de caneta, garrafa)* tampa *f*; *(contraceptivo)* diafragma *m.*

capable ['keɪpəbl] *adj* capaz; **to be capable of doing sthg** ser capaz de fazer algo.

capacity [kə'pæsɪtɪ] *s* capacidade *f.*

cape [keɪp] *s (geografia)* cabo *m*; *(roupa)* capa *f.*

capers ['keɪpərz] *spl* alcaparras *fpl.*

capital ['kæpɪtl] *s (de país)* capital *f*; *(dinheiro)* capital *m*; *(letra)* maiúscula *f.*

capital punishment *s* pena *f* de morte.

capsicum ['kæpsɪkəm] *s* pimentão *m.*

capsize [kæp'saɪz] *vi* virar-se.

capsule ['kæpsl] *s* cápsula *f.*

captain ['kæptən] *s* capitão *m*, -tã *f*; *(de avião, navio)* comandante *mf.*

caption ['kæpʃən] *s* legenda *f.*

capture ['kæptʃər] *vt (pessoa, animal)* capturar; *(cidade, castelo)* tomar.

car [ka:r] *s* AUT carro *m*, automóvel *m*; *(de trem)* vagão *m.*

caramel ['kærəmel] *s (doce)* caramelo *m*; *(açúcar queimado)* calda *f* caramelada.

carat ['kærət] *s* quilate *m*; **24-carat gold** ouro de 24 quilates.

caravan ['kærəvæn] *s* caravana *f.*

carbohydrate [ˌka:rbəʊ'haɪdreɪt] *s (em alimentos)* carboidrato *m.*

carbon ['ka:rbən] *s* carbono *m.*

carbon dioxide [-daɪ'ɒksaɪd] *s* dióxido *m* de carbono.

carbon monoxide [-mɒ'nɒksaɪd] *s* monóxido *m* de carbono.

carburetor [ˌkaːrbə'reɪtr] *s Am* carburador *m*.

carburettor [ˌkaːbə'retər] *s Brit* = **carburetor.**

car crash *s* acidente *m* de carro.

card [kaːrd] *s* cartão *m*; *(para correspondência)* postal *m*; *(para jogo)* carta *f*; *(em caixas)* papelão *m*.
❑ **cards** *spl (jogo)* cartas *fpl*.

cardboard ['kaːrdbɔːrd] *s* papelão *m*.

cardiac arrest [ˌkaːrdɪæk-] *s* parada *f* cardíaca.

cardigan ['kaːrdɪgən] *s* cardigã *m*.

care [keər] **1** *s (atenção)* cuidado *m*; *(tratamento)* cuidados *mpl*.
2 *vi (incomodar-se)* importar-se.
3 to take care of tomar conta de; **to take care not to do sthg** ter cuidado para não fazer algo; **take care!** *(em despedida)* se cuida!; **with care** com cuidado; **to care about** *(se importar)* preocupar-se com; *(pessoa)* querer bem a.

career [kə'rɪər] *s* carreira *f*.

carefree ['keərfriː] *adj* despreocupado(da).

careful ['keərfl] *adj* cuidadoso(osa); **be careful!** cuidado!

carefully ['keərflɪ] *adv* cuidadosamente.

careless ['keərləs] *adj* descuidado(da).

cargo ['kaːrgəʊ] (*pl* **-es** ou **-s**) *s* carga *f*, carregamento *m*.

caring ['keərɪŋ] *adj* atencioso(osa), solícito(ta).

carnation [kaːr'neɪʃn] *s* cravo *m*.

carnival ['kaːrnɪvl] *s* carnaval *m*.

carousel [ˌkærə'sel] *s (para bagagem)* esteira *f* rolante; *(em parque de diversões)* carrossel *m*.

carpenter ['kaːrpəntər] *s* carpinteiro *m*, -ra *f*.

carpentry ['kaːrpəntrɪ] *s* carpintaria *f*.

carpet ['kaːrpɪt] *s (fixo)* carpete *f*; *(solto)* tapete *m*.

carriage ['kerɪdʒ] *s (com cavalos)* carruagem *f*.

carrot ['kærət] *s* cenoura *f*.

carry ['kerɪ] **1** *vt (portar)* carregar, levar; *(transporte)* transportar, levar; *(doença)* transmitir; *(dinheiro, passaporte, mapa)* ter (consigo); *(suportar)* agüentar.
2 *vi (voz, som)* ouvir-se.
❑ **carry on 1** *vi (não parar)* continuar.
2 *vt fus (não parar)* continuar; *(conduzir)* realizar; **to carry on doing sthg** continuar a fazer algo.
❑ **carry out** *vt sep (plano)* levar a cabo; *(promessa)* cumprir.

carryout ['kerɪaʊt] *s* comida *f* para levar.

carsick ['kaːrˌsɪk] *adj* enjoado(da) *(em carro)*.

cart [kaːrt] *s (para transporte)* carroça *f*; *Am (em supermercado)* carrinho *m* (de compras); *fam (para videogame)* cassete *f*.

carton ['kaːrtn] *s* pacote *m*.

> Não confundir ***carton (pacote)*** com o português ***cartão*** que em inglês é ***card***. (***I need a carton of milk.*** Eu preciso de um ***pacote*** de leite.)

cartoon [kaːr'tuːn] *s (desenho)* charge *f*, caricatura *f*; *(animação)* desenho *m* animado.

cartridge ['kaːrtrɪdʒ] *s (para arma)* cartucho *m*; *(para caneta)* recarga *f*.

carve [kaːrv] *vt (madeira, pedra)* esculpir; *(carne)* cortar.

case [keɪs] *s (recipiente)* caixa *f*; *(ocorrido, paciente)* caso *m*; JUR *(julgamento)* causa *f*; **in any case** de qualquer modo; **in case of** em caso de; **(just) in case** caso; **in that case** nesse caso.

cash [kæʃ] **1** *s* dinheiro *m*.
2 *vt*: **to cash a check** descontar um cheque; **to pay cash** pagar em dinheiro.

cash dispenser [-ˌdɪ'spensər] *s* caixa *m* automático.

cashew (nut) ['kæʃuː-] *s* castanha *f* de caju.

cashier [kæ'ʃɪər] *s (em banco, loja etc.)* caixa *mf*.

cashmere ['kæʒmɪr] *s* caxemira *f*.

cash register *s* caixa *f* registradora.

casino [kə'siːnəʊ] (*pl* **-s**) *s* cassino *m*.

cask [kæsk] *s* casco *m*, barril *m*.

casserole ['kæsərəʊl] *s* CULIN ensopado *m* de forno; **casserole (dish)** panela *f* de ir ao forno.

cassette [kæ'set] *s* cassete *f*.

cassette recorder *s* gravador *m*.

cast [kæst] (*pt & pp* **cast**) **1** *s (atores)* elenco *m*; *(para osso quebrado)* gesso *m*.
2 *vt (sombra, luz, olhar)* lançar.
3 to cast doubt on pôr em dúvida; **to cast one's vote** votar.

❑ **cast off** *vi (barco, navio)* zarpar.

caster ['kæstr] *s (rodinha)* rodízio *m*.

cast-iron *adj* de ferro fundido; *(decisão, promessa)* inflexível; **cast-iron skillet** frigideira *f* de ferro.

castle ['kæsl] *s (edificação)* castelo *m*; *(em xadrez)* torre *f*.

casual ['kæʒʊəl] *adj (relaxado)* despreocupado(da); *(modos, roupas)* informal; **casual work** trabalho *m* informal.

> Não confundir *casual (despreocupado, informal)* com o português *casual* que em inglês é *chance*. (*He can only get casual work.* Ele só consegue trabalho *informal*.)

casualty ['kæʒʊəltɪ] *s* vítima *mf*.

cat [kæt] *s* gato *m*.

catalog ['kætəlɒg] *s Am* catálogo *m*.

catalogue ['kætəlɒg] *Brit* = **catalog.**

catapult ['kætəpʌlt] *s* catapulta *f*.

cataract ['kætərækt] *s (no olho)* catarata *f*.

catarrh [kə'ta:r] *s* catarro *m*.

catastrophe [kə'tæstrəfɪ] *s* catástrofe *f*.

catch [kætʃ] (*pt & pp* **caught**) **1** *vt* apanhar; *(atenção, imaginação)* despertar.
2 *vi (prender)* ficar preso.
3 *s (de janela, porta)* trinco *m*; *(mutreta)* truque *m*.
❑ **catch up 1** *vt sep* alcançar.
2 *vi*: **to catch up (with)** alcançar.

catching ['kætʃɪŋ] *adj fam* contagioso(osa).

category ['kætəgərɪ] *s* categoria *f*.

cater ['keɪtər] *vt (para festa)* fornecer comida.
❑ **cater for** *vt fus (necessidades, gostos)* satisfazer; *(antecipar)* contar com.

caterpillar ['kætərpɪlər] *s* lagarta *f*.

cathedral [kə'θi:drəl] *s* catedral *f*.

Catholic ['kæθlɪk] **1** *adj* católico(ca).
2 *s* católico *m*, -ca *f*.

cattle ['kætl] *spl* gado *m*.

caught [kɔ:t] *pt & pp* → **catch.**

cauliflower ['kɒlɪflaʊər] *s* couve-flor *f*.

cause [kɔ:z] **1** *s* causa *f*; *(justificativa)* razão *f*.
2 *vt* causar; **to cause sb to do sthg** fazer (com) que alguém faça algo.

caustic soda [ˌkɔ:stɪk-] *s* soda *f* cáustica.

caution ['kɔ:ʃn] *s (cuidado)* cautela *f*; *(advertência)* aviso *m*.

cautious ['kɔ:ʃəs] *adj* cauteloso(osa).

cave [keɪv] *s* gruta *f*.
❑ **cave in** *vi (telhado, teto)* desabar.

caviar(e) ['kævɪa:r] *s* caviar *m*.

cavity ['kævətɪ] *s (em dente)* cárie *f*.

cease [si:s] *vt & vi fml* cessar.

ceasefire ['si:sˌfaɪər] *s* cessar-fogo *m*.

ceiling ['si:lɪŋ] *s* teto *m*.

celebrate ['seləbreɪt] *vt & vi (vitória, aniversário)* celebrar.

celebration [ˌselə'breɪʃn] *s (evento)* celebração *f*.
❑ **celebrations** *spl (festividades)* comemorações *fpl*.

celebrity [sə'lebrətɪ] *s (pessoa)* celebridade *f*.

celery ['selərɪ] *s* aipo *m*.

cell [sel] *s (biologia)* célula *f*; *(em prisão)* cela *f*.

cellar ['selər] *s* porão *m*.

cello ['tʃeləʊ] *s* violoncelo *m*.

cell phone *s Am* (telefone *m*) celular *m*.

Celsius ['selsɪəs] *adj* Célsius.

cement [sə'ment] *s* cimento *m*.

cement mixer *s* betoneira *f*.

cemetery ['semətərɪ] *s* cemitério *m*.

census ['sensəs] *s* censo *m*.

cent [sent] *s* centavo *m*.

center ['sentər] **1** *s Am* centro *m*.
2 *adj* central; **the center of attention** o centro das atenções.

centigrade ['sentəgreɪd] *adj* centígrado(da).

centimeter ['sentəˌmi:tər] *s* centímetro *m*.

centipede ['sentɪpi:d] *s* centopéia *f*.

central ['sentrəl] *adj* central.

central heating *s* aquecimento *m* central.

central locking [-'lɒkɪŋ] *s* fechadura *f* centralizada.

centre ['sentər] *n & adj Brit* = **center.**

century ['sentʃərɪ] *s* século *m*.

ceramic [sə'ræmɪk] *adj* de louça ou barro.
❑ **ceramics** *spl* cerâmica *f*.

cereal ['sɪərɪəl] *s* cereal *m*.

ceremony ['serəməʊnɪ] *s* cerimônia *f*.

certain ['sɜ:rtn] *adj* certo(ta); **she's certain to be late** o mais certo é ela chegar atrasada; **to be certain of sthg** ter a certeza de algo; **to make certain (that)** assegurar-se de que.

certainly ['sɜ:rtnlɪ] *adv (com certeza)* sem dúvida; *(claro)* com certeza; **certainly not!** de modo nenhum!; **I certainly do** com certeza que sim.

certificate [sər'tıfıkət] *s (de estudos, médico)* certificado *m*; *(de nascimento)* certidão *f*.

certify ['sɜ:rtıfaı] *vt (declarar verdadeiro)* comprovar.

chain [tʃeın] **1** *s (de metal)* corrente *f*; *(de lojas, montanhas)* cadeia *f*.
2 *vt*: **to chain sthg to sthg** acorrentar algo a algo.

chain reaction *s* reação *f* em cadeia.

chair [tʃeər] *s* cadeira *f*.

chairman ['tʃeərmən] (*pl* **-men** [-mən]) *s* presidente *m*.

chairperson ['tʃeər,pɜ:sn] (*pl* **-s**) *s* presidente *mf*.

chairwoman ['tʃeər,wʊmən] (*pl* **-women** [-,wımın]) *s* presidenta *f*.

chalet ['ʃæleı] *s* chalé *m*.

chalk [tʃɔ:k] *s* giz *m*; **a piece of chalk** um pedaço de giz.

chalkboard ['tʃɔ:kbɔ:rd] *s Am* quadro-negro *m*.

challenge ['tʃælındʒ] **1** *s* desafio *m*.
2 *vt (questão)* questionar.
3 to challenge sb (to sthg) *(lutar, competir)* desafiar alguém (para algo).

chamber ['tʃeımbər] *s (quarto)* câmara *f*.

chambermaid ['tʃeımbərmeıd] *s* camareira *f*.

champagne [,ʃæm'peın] *s* champanhe *m*.

champion ['tʃæmpjən] *s* campeão *m*, -peã *f*.

championship ['tʃæmpjənʃıp] *s* campeonato *m*.

chance [tʃæns] **1** *s* chance *f*.
2 *vt*: **to chance it** *fam* arriscar.
3 to take a chance arriscar-se; **by chance** por acaso; **on the off chance** se por acaso.

chandelier [,ʃændə'lıər] *s* candelabro *m*, lustre *m*.

change [tʃeındʒ] **1** *s (alteração)* mudança *f*; *(dinheiro dado de volta)* troco *m*; *(moedas)* dinheiro *m* trocado.
2 *vt* mudar; *(troca)* trocar; *(roupas, roupa de cama)* mudar de, trocar de.
3 *vi* mudar; *(roupas)* trocar-se, mudar de roupa.
4 a change of clothes uma muda de roupa; **do you have change for a dollar?** você pode trocar um dólar?; **for a change** para variar; **to get changed** trocar-se, mudar de roupa; **to change money** trocar dinheiro; **to change a diaper** mudar uma fralda; **to change a tire** trocar um pneu; **to change trains/planes** mudar de trem/avião.

changeable ['tʃeındʒəbl] *adj (clima)* instável.

changing room ['tʃeındʒıŋ-] *s* vestiário *m*.

channel ['tʃænl] *s* canal *m*; **the (English) Channel** o Canal da Mancha.

chant [tʃa:nt] *vt* entoar.

chaos ['keıɒs] *s* caos *m*.

chaotic [keı'ɒtık] *adj* caótico(ca).

chapel ['tʃæpl] *s* capela *f*.

chapped [tʃæpt] *adj* gretado(da).

chapter ['tʃæptər] *s* capítulo *m*.

character ['kerəktər] *s* caráter *m*; *(em filme, livro, peça)* personagem *m ou f*; *fam (pessoa, indivíduo)* tipo *m*.

characteristic [,kerəktə'rıstık] **1** *adj* característico(ca).
2 *s* característica *f*.

charcoal ['tʃa:rkəʊl] *s (para churrasco)* carvão *m* (de lenha).

charge [tʃa:rdʒ] **1** *s (valor)* preço *m*, custo *m*; JUR acusação *f*.
2 *vt (dinheiro, freguês)* cobrar; JUR acusar; *(bateria)* carregar.
3 *vi (pedir dinheiro)* cobrar; *(animal)* investir.
4 to be in charge (of) estar encarregado (de); **to take charge (of)** encarregar-se (de); **free of charge** grátis; **there is no charge for service** o serviço é grátis.

charity ['tʃærətı] *s (organização)* caridade *f*; **to give to charity** contribuir para obras de caridade.

charm [tʃa:rm] **1** *s (atrativo)* charme *m*.
2 *vt* encantar.

charming ['tʃa:rmıŋ] *adj* encantador(ra).

chart [tʃa:rt] *s (diagrama)* gráfico *m*; **the charts** as paradas de sucesso.

charter flight ['tʃa:rtər-] *s* vôo *m* charter.

chase [tʃeıs] **1** *s* perseguição *f*.
2 *vt* perseguir.

chat [tʃæt] **1** *s* conversa *f*.
2 *vi* conversar; **to have a chat (with)** conversar (com).

chatty ['tʃætı] *adj (carta)* informal; *(pessoa)* tagarela.

chauffeur [ʃəʊ'fɜ:r] *s* motorista *mf*.

cheap [tʃi:p] *adj* barato(ta).

cheaply ['tʃi:plı] *adv* barato.

cheat [ʧi:t] **1** *s (pessoa)* trapaceiro *m*, -ra *f*; *(ato)* trapaça *f*.
2 *vi* trapacear.
3 *vt*: **to cheat sb (out of sthg)** roubar algo de alguém.

check [ʧek] **1** *s (exame)* inspeção *f*; *Am (em restaurante etc.)* conta *f*; *Am (tique)* sinal *m* de visto; *Am* cheque *m*; **to pay by check** pagar com cheque.
2 *vt* verificar.
3 *vi* informar-se; **check for any mistakes** verifique se há erros.
❑ **check in 1** *vt sep (bagagem)* fazer o check-in.
2 *vi (em hotel)* registrar-se; *(em aeroporto)* fazer o check-in.
❑ **check off** *vt sep* verificar *(em lista)*.
❑ **check out 1** *vi* acertar a conta e sair *(de hotel)*.
2 *vt*: **check sb/sthg out** investigar alguém/algo; **check sthg out** retirar *(livro em biblioteca)*.
❑ **check up** *vi*: **to check up (on)** informar-se (sobre).

checkbook ['ʧekbʊk] *s* talão *m* de cheques.

check card *s* cartão *m* de garantia de cheque.

checked [ʧekt] *adj* quadriculado, de xadrez.

checkers ['ʧekərz] *s Am* damas *fpl*.

checking account ['ʧekɪŋ-] *s Am* conta *f* corrente.

checkout ['ʧekaʊt] *s* caixa *f*.

checkpoint ['ʧekpɔɪnt] *s* controle *m*.

checkroom ['ʧekru:m] *s Am* vestiário *m*.

checkup ['ʧekʌp] *s* exame *m* médico geral, check-up *m*.

cheek [ʧi:k] *s (na face)* bochecha *f*.

cheeky ['ʧi:kɪ] *adj* descarado(da), atrevido(da).

cheer [ʧɪər] **1** *s* aclamação *f*.
2 *vi* aclamar.

cheerful ['ʧɪərfl] *adj* alegre.

cheerleader ['ʧɪərli:dər] *s* animador *m*, -ra *f* de torcida.

cheers [ʧɪərz] *excl (brinde)* saúde!

cheese [ʧi:z] *s* queijo *m*.

cheeseboard ['ʧi:zbɔ:rd] *s* tábua *f* de queijos.

chef [ʃef] *s* chefe *m* (de cozinha).

chemical ['kemɪkl] **1** *adj* químico(ca).
2 *s* substância *f* química.

chemist ['kemɪst] *s (cientista)* químico *m*, -ca *f*.

chemistry ['kemɪstrɪ] *s* química *f*.

cheque [ʧek] *s Brit* = **check.**

cherry ['ʧerɪ] *s* cereja *f*.

chess [ʧes] *s* xadrez *m*.

chest [ʧest] *s* ANAT peito *m*; *(baú)* arca *f*.

chestnut ['ʧesnʌt] **1** *s* castanha *f*.
2 *adj (cor)* marrom.

chest of drawers (*pl* **chests of drawers**) *s* cômoda *f*.

chew [ʧu:] **1** *vt* mastigar.
2 *s (doce)* goma *f*.

chewing gum ['ʧu:ɪŋ-] *s* chiclete *m*.

chic [ʃi:k] *adj* chique.

chicken ['ʧɪkɪn] *s* galinha *f*, frango *m*.

chickenpox ['ʧɪkənpɒks] *s* catapora *f*.

chickpea ['ʧɪkpi:] *s* grão-de-bico *m*.

chicory ['ʧɪkərɪ] *s* chicória *f*.

chief [ʧi:f] **1** *adj (posto mais alto)* chefe; *(mais importante)* principal.
2 *s* chefe *m*, -fa *f*.

chief executive officer *s* diretor-geral *m*, diretora-geral *f*.

chiefly ['ʧi:flɪ] *adv (mais importante)* principalmente; *(especialmente)* sobretudo.

child [ʧaɪld] (*pl* **children**) *s (menino, menina)* criança *f*; *(descendente)* filho *m*, -lha *f*.

childhood ['ʧaɪldhʊd] *s* infância *f*.

childish ['ʧaɪldɪʃ] *adj pej* infantil.

children ['ʧɪldrən] *pl* → **child.**

chili ['ʧɪlɪ] (*pl* **-ies**) *s (tempero)* pimenta-malagueta *f*.

chill [ʧɪl] **1** *s (doença)* resfriado *m*.
2 *vt* gelar; **there's a chill in the air** o tempo está frio.

chilled [ʧɪld] *adj* fresco(ca); **'serve chilled'** 'sirva gelado'.

chilly ['ʧɪlɪ] *adj* frio (fria).

chimney ['ʧɪmnɪ] *s* chaminé *f*.

chimpanzee [ˌʧɪmpæn'zi:] *s* chimpanzé *m*.

chin [ʧɪn] *s* queixo *m*.

china ['ʧaɪnə] *s (material)* porcelana *f*.

chinos ['ʧi:nəʊz] *spl calça de algodão grosso.*

chip [ʧɪp] **1** *s (pequeno pedaço, marca)* lasca *f*; *(cassino)* ficha *f*; INFORM chip *m*.
2 *vt* lascar.
❑ **chips** *spl Am (salgadinho)* batatas *fpl* fritas *(de pacote)*.

chisel ['ʧɪzl] *s* formão *m*.

chives [ʧaɪvz] *spl* cebolinha *f.*
chlorine ['klɔ:ri:n] *s* cloro *m.*
chocolate ['ʧɒklət] **1** *s* *(comida, bebida)* chocolate *m*; *(doce)* bombom *m.*
2 *adj* de chocolate.
choice [ʧɔɪs] **1** *s* escolha *f*, seleção *f.*
2 *adj* selecionado(da); **with the dressing of your choice** com o tempero a gosto.
choir ['kwaɪər] *s* coro *m.*
choke [ʧəʊk] **1** *vt* sufocar.
2 *vi* *(com espinha de peixe etc.)* engasgar-se; *(matar)* sufocar.
choker ['ʧəʊkər] *s* gargantilha *f.*
cholera ['kɒlərə] *s* cólera *f.*
choose [ʧu:z] (*pt* **chose**, *pp* **chosen**) *vt & vi* escolher; **to choose to do sthg** decidir fazer algo.
chop [ʧɒp] **1** *s* *(de carne)* costeleta *f.*
2 *vt* cortar.
❑ **chop down** *vt sep* abater.
❑ **chop up** *vt sep* picar.
chopper ['ʧɒpər] *s* *fam* *(meio de transporte)* helicóptero *m.*
chopping board ['ʧɒpɪŋ-] *s* tábua *f* de cozinha.
choppy ['ʧɒpɪ] *adj* *(mar)* encrespado(da).
chopsticks ['ʧɒpstɪks] *spl* palitos *mpl* *(para comida oriental).*
chord [kɔ:rd] *s* acorde *m.*
chore [ʧɔ:r] *s* tarefa *f.*
chorus ['kɔ:rəs] *s* *(parte de música)* refrão *m*; *(grupo de cantores)* coro *m.*
chose [ʧəʊz] *pt* → **choose.**
chosen ['ʧəʊzn] *pp* → **choose.**
Christ [kraɪst] *s* Cristo *m.*
christen ['krɪsn] *vt* *(bebê)* batizar.
Christian ['krɪsʧən] **1** *adj* cristão(tã).
2 *s* cristão *m*, -tã *f.*
Christian name *s* nome *m* (de batismo).
Christmas ['krɪsməs] *s* Natal *m*; **Merry Christmas!** Feliz Natal!
Christmas carol [-'kærəl] *s* cântico *m* de Natal.
Christmas Day *s* dia *m* de Natal.
Christmas Eve *s* véspera *f* de Natal, noite *f* de Natal.
chrome [krəʊm] *s* cromo *m.*
chuck [ʧʌk] *vt* *fam* *(jogar)* atirar.
❑ **chuck away** *vt sep* jogar fora.
chunk [ʧʌŋk] *s* pedaço *m* (grande).
church [ʧɜ:rʧ] *s* igreja *f*; **to go to church** freqüentar a igreja.
churchyard ['ʧɜ:rʧja:rd] *s* cemitério *m.*
chute [ʃu:t] *s* rampa *f.*
cider ['saɪdər] *s* sidra *f.*
cigar [sɪ'ga:r] *s* charuto *m.*

> Não confundir ***cigar*** ***(charuto)*** com o português ***cigarro*** que em inglês é ***cigarette***. (***Cigar smoke irritates my eyes.*** Fumaça de ***charuto*** irrita meus olhos.)

cigarette [ˌsɪgə'ret] *s* cigarro *m.*
cigarette lighter *s* isqueiro *m.*
cinema ['sɪnəmə] *s* cinema *m.*
cinnamon ['sɪnəmən] *s* canela *f.*
circle ['sɜ:rkl] **1** *s* *(forma, anel)* círculo *m*; *(em teatro)* balcão *m.*
2 *vt* *(desenho)* fazer um círculo; *(movimento)* dar voltas em torno de.
3 *vi* *(avião)* dar voltas.
circuit ['sɜ:rkɪt] *s* *(pista)* circuito *m*; ESP volta *f.*
circular ['sɜ:rkjələr] **1** *adj* circular.
2 *s* circular *f.*
circulation [ˌsɜ:rkjə'leɪʃn] *s* *(de sangue)* circulação *f*; *(de jornal, revista)* tiragem *f.*
circumstances ['sɜ:rkəmstænsəz] *spl* circunstâncias *fpl*; **in** ou **under the circumstances** dadas as circunstâncias.
circus ['sɜ:rkəs] *s* circo *m.*
cistern ['sɪstərn] *s* cisterna *f.*
citizen ['sɪtɪzn] *s* *(de país)* cidadão *m*, -dã *f*; *(de cidade)* habitante *mf.*
city ['sɪtɪ] *s* cidade *f.*
city council *s* *Am* prefeitura *f.*
city hall *s* *Am* prefeitura *f.*
civilian [sɪ'vɪlɪən] *s* civil *mf.*
civilized ['sɪvɪlaɪzd] *adj* civilizado(da).
civil rights [ˌsɪvl-] *spl* direitos *mpl* civis.
civil servant [ˌsɪvl-] *s* funcionário *m* público, funcionária *f* pública.
civil service [ˌsɪvl-] *s* administração *f* pública.
claim [kleɪm] **1** *s* *(alegação)* afirmação *f*; *(pedido)* reivindicação *f*; *(para seguro)* reclamação *f.*
2 *vt* *(alegar)* afirmar; *(pedir)* reclamar; *(crédito, responsabilidade)* reivindicar.
3 *vi* *(em seguro)* reclamar uma indenização.
claimant ['kleɪmənt] *s* *(de benefício)* requerente *mf.*
clam [klæm] *s* molusco *m.*
clamp [klæmp] **1** *s* grampo *m.*
2 *vt* segurar.

clap [klæp] *vi* aplaudir; **to clap one's hands** bater palmas.

clarinet [ˌklerəˈnet] *s* clarinete *m*.

clash [klæʃ] **1** *s (barulho)* estrondo *m*; *(luta)* confrontação *f*.
2 *vi (cores)* destoar; *(evento, data)* coincidir.

clasp [klæsp] **1** *s (para fixar)* fecho *m*.
2 *vt* agarrar (com força).

class [klæs] **1** *s (grupo de estudantes)* turma *f*; *(período de ensino)* aula *f*; *(tipo, grupo social)* classe *f*.
2 *vt*: **to class sb/sthg (as)** classificar alguém/algo (de).

classic [ˈklæsɪk] **1** *adj* clássico(ca).
2 *s* clássico *m*.

classical [ˈklæsɪkl] *adj* clássico(ca).

classification [ˌklæsɪfɪˈkeɪʃn] *s* classificação *f*.

classified ads [ˌklæsɪfaɪd-] *spl* classificados *mpl*.

classmate [ˈklæsmeɪt] *s* colega *mf* de turma.

classroom [ˈklæsruːm] *s* sala *f* (de aula).

clause [klɔːz] *s* cláusula *f*.

claustrophobic [ˌklɔːstrəˈfəʊbɪk] *adj (pessoa)* claustrofóbico(ca).

claw [klɔː] *s (de ave, gato, cachorro)* garra *f*; *(de caranguejo, lagosta)* pinça *f*.

clay [kleɪ] *s* barro *m*, argila *f*.

clean [kliːn] *adj* limpo(pa); *(página)* em branco; *(lençóis, roupas)* lavado(da).
❑ **clean up** *vi, vt sep* arrumar.

cleaner [ˈkliːnər] *s (pessoa)* faxineiro *m*, -ra *f*; *(substância)* produto *m* de limpeza.

cleanse [klenz] *vt* limpar.

cleanser [ˈklenzər] *s (para pele)* creme *m* de limpeza.

clear [klɪər] **1** *adj* claro(ra); *(desobstruído)* livre; *(céu)* limpo(pa).
2 *vt (área, estrada)* desimpedir; *(tanque, lago)* limpar; *(pular por cima)* saltar; *(declarar inocente)* absolver; *(autorizar)* aprovar; *(cheque)* creditar.
3 *vi (clima)* melhorar; *(neblina)* levantar.
4 the check will clear in three days' time o cheque vai compensar daqui a três dias; **to be clear (about sthg)** compreender (algo); **to be clear of sthg** *(sem encostar)* não tocar em algo; **to clear one's throat** limpar a garganta; **to clear the table** tirar a mesa.
❑ **clear up 1** *vt sep (quarto, brinquedos)* arrumar; *(problema, confusão)* esclarecer.
2 *vi (clima)* melhorar; *(bagunça)* arrumar.

clearance [ˈklɪərəns] *s* autorização *f*; *(vão)* espaço *m* livre.

clearing [ˈklɪərɪŋ] *s* clareira *f*.

clearly [ˈklɪərlɪ] *adv* claramente; *(obviamente)* evidentemente.

clerk [klɜːrk] *s (em escritório)* auxiliar *mf* de escritório; *Am (em loja)* balconista *mf*.

clever [ˈklevər] *adj (pessoa)* esperto(ta); *(idéia, dispositivo)* engenhoso(osa).

click [klɪk] **1** *s* estalido *m*.
2 *vi (fazer som)* dar um estalido.

client [ˈklaɪənt] *s* cliente *mf*.

cliff [klɪf] *s* rochedo *m*.

climate [ˈklaɪmət] *s* clima *m*.

climax [ˈklaɪmæks] *s* clímax *m inv*.

climb [klaɪm] **1** *vt (árvore, escada)* subir em; *(montanha)* escalar.
2 *vi* subir.
❑ **climb down 1** *vt fus (árvore, escada)* descer de; *(montanha)* descer.
2 *vi* descer.
❑ **climb up** *vt fus (árvore, escada)* subir em; *(montanha)* escalar.

climber [ˈklaɪmər] *s (pessoa)* alpinista *mf*.

climbing [ˈklaɪmɪŋ] *s* alpinismo *m*; **to go climbing** fazer alpinismo.

clinic [ˈklɪnɪk] *s* clínica *f*.

clip [klɪp] **1** *s* clip *m*.
2 *vt (prender)* segurar (com clip); *(unhas etc.)* cortar.

cloak [kləʊk] *s* capa *f*.

cloakroom [ˈkləʊkruːm] *s (para casacos)* vestiário *m (em avião, teatro)*.

clock [klɒk] *s* relógio *m*; *(medidor de quilometragem)* hodômetro *m*; **around the clock** noite e dia.

clockwise [ˈklɒkwaɪz] *adv* no sentido horário.

clog [klɒg] **1** *s* tamanco *m*.
2 *vt* entupir.

clone [kləʊn] *vt* clonar.

cloning [kləʊnɪg] *n* clonagem *f*.

close[1] [kləʊs] **1** *adj (próximo)* junto(ta); *(relação, amigo, contato)* íntimo(ma); *(vínculo, semelhança)* grande; *(exame)* detalhado(da); *(corrida, disputa)* renhido(da).
2 *adv* perto.
3 close by perto; **close to** *(próximo)* perto de; **close to tears/laughter** a ponto de chorar/rir; **close to despair** nos limites do desespero.

close[2] [kləʊz] **1** *vt* fechar.
2 *vi (porta, olhos)* fechar-se; *(loja, escritório)* fechar; *(oferta, reunião)* terminar.
❑ **close down** *vt sep & vi* fechar (definitivamente).
closed [kləʊzd] *adj* fechado(da).
closely ['kləʊslɪ] *adv (relacionado)* intimamente; *(seguir, examinar)* de perto.
closet ['klɒzət] *s Am* armário *m*.
close-up ['kləʊs-] *s* primeiro plano *m*.
closing time ['kləʊzɪŋ-] *s* horário *m* de fechamento.
clot [klɒt] *s (de sangue)* coágulo *m*.
cloth [klɒθ] *s (fazenda)* tecido *m*; *(pedaço de fazenda)* pano *m*.
clothes [kləʊz] *spl* roupa *f*.
clothesline ['kləʊzlaɪn] *s* varal *m*, corda *f*.
clothes peg ['kləʊzpeg] *Brit* = **clothespin**.
clothespin ['kləʊzpɪn] *s Am* pregador *m* de roupa.
clothing ['kləʊðɪŋ] *s* roupa *f*.
cloud [klaʊd] *s* nuvem *f*.
cloudy ['klaʊdɪ] *adj (céu, dia)* nublado(da); *(líquido)* turvo(va).
clove [kləʊv] *s (de alho)* dente *m*.
❑ **cloves** *spl (tempero)* cravo *m*.
clown [klaʊn] *s* palhaço *m*.
club [klʌb] *s (organização)* clube *m*; *(noturno)* discoteca *f*, boate *f*; *(de golfe)* taco *m*.
❑ **clubs** *spl (cartas)* paus *mpl*.
clubbing ['klʌbɪŋ] *s*: **to go clubbing** *fam* ir à discoteca.
clue [klu:] *s* pista *f*; **I don't have a clue** não faço a mínima idéia.
clumsy ['klʌmzɪ] *adj (pessoa)* desajeitado(da).
clutch [klʌtʃ] **1** *s* embreagem *f*.
2 *vt* apertar.
coach [kəʊtʃ] *s* ESP treinador *m*, -ra *f*.
coal [kəʊl] *s* carvão *m*.
coal mine *s* mina *f* de carvão.
coarse [kɔ:rs] *adj (grosso)* áspero(ra); *(vulgar)* ordinário(ria).
coast [kəʊst] *s* costa *f*.
coastguard ['kəʊstga:rd] *s (pessoa)* guarda *m* costeiro; *(organização)* guarda *f* costeira.
coastline ['kəʊstlaɪn] *s* litoral *m*.
coat [kəʊt] **1** *s (vestimenta)* casaco *m*; *(de animal)* pêlo *m*.
2 *vt*: **to coat sthg (with)** cobrir algo (com).
coat hanger *s* cabide *m*.
coating ['kəʊtɪŋ] *s (em superfície)* revestimento *m*; *(em comida)* camada *f*.
cobbled street ['kɒbld-] *s* calçada *f*, *rua calçada com pedras arredondadas*.
cobbles ['kɒblz] *spl* pedras *fpl (para calçamento)*.
cobweb ['kɒbweb] *s* teia *f* de aranha.
cocaine [kəʊ'keɪn] *s* cocaína *f*.
cock [kɒk] *s (ave)* galo *m*.
cockpit ['kɒkpɪt] *s* cabine *f* de piloto.
cockroach ['kɒkrəʊtʃ] *s* barata *f*.
cocktail ['kɒkteɪl] *s* coquetel *m*.
cocoa ['kəʊkəʊ] *s* cacau *m*.
coconut ['kəʊkənʌt] *s* coco *m*.
cod [kɒd] *s* bacalhau *m*.
code [kəʊd] *s (sistema)* código *m*; *(código de discagem)* indicativo *m*.
coed ['kəʊ'ed] *adj* ESCOLA misto(ta).
coeducational [ˌkəʊedju:'keɪʃənl] *adj* misto(ta).
coffee ['kɒfɪ] *s* café *m*; **black coffee** café preto; **ground/instant coffee** café moído/instantâneo.
coffee bar *s* lanchonete *f*.
coffeepot ['kɒfɪpɒt] *s* bule *m* para o café.
coffee shop *s (em lojas, aeroportos)* cafeteria *f*.
coffee table *s* mesinha *f* de centro.
coffin ['kɒfɪn] *s* caixão *m*.
cog(wheel) ['kɒg(wi:l)] *s* roda *f* dentada.
coil [kɔɪl] **1** *s (de corda)* rolo *m*.
2 *vt* enrolar.
coin [kɔɪn] *s* moeda *f*.
coincide [ˌkəʊɪn'saɪd] *vi*: **to coincide (with)** coincidir (com).
coincidence [kəʊ'ɪnsɪdəns] *s* coincidência *f*.
colander ['kʌləndər] *s* coador *m*.
cold [kəʊld] **1** *adj* frio (fria).
2 *s (doença)* resfriado *m*; *(temperatura)* frio *m*.
3 to get cold esfriar; **to catch (a) cold** resfriar-se.
cold cuts *spl Am* frios *mpl*.
colic ['kɒlɪk] *s* cólica *f*.
collaborate [kə'læbəreɪt] *vi* colaborar.
collapse [kə'læps] *vi (prédio, barraca)* cair; *(de exaustão, doença)* ter um colapso.
collar ['kɒlər] *s (de casaco, blusa)* gola *f*; *(de camisa)* colarinho *m*; *(de cachorro, gato)* coleira *f*.

> Não confundir *collar (gola, colarinho, coleira)* com o português *colar* que em inglês é *necklace*. (*Your shirt collar is dirty.* O colarinho da sua camisa está sujo.)

collarbone ['kɒlərbəʊn] *s* clavícula *f.*
colleague ['kɒli:g] *s* colega *mf.*
collect [kə'lekt] **1** *vt (apanhar)* colher; *(como hobby)* colecionar; *(dinheiro)* cobrar.
2 *vi (pó, folhas)* acumular-se; *(multidão)* juntar-se.
3 *adv Am*: **to call (sb) collect** fazer uma chamada a cobrar (para o destinatário).
collection [kə'lekʃn] *s* coleção *f*; *(de dinheiro)* cobrança *f*; *(de cartas)* coleta *f.*
collector [kə'lektər] *s (como hobby)* colecionador *m*, -ra *f.*
college ['kɒlɪdʒ] *s Am (instituição de ensino superior)* universidade *f*; *Brit (faculdade) organismo independente, formado por estudantes e professores, em que se dividem certas universidades britânicas.*

> Não confundir *college (universidade)* com o português *colégio* que em inglês é *school*. (*I hope to study Maths at the college next year.* Eu espero estudar matemática na *universidade* o ano que vem.)

collide [kə'laɪd] *vi*: **to collide (with)** chocar (com).
collision [kə'lɪʒn] *s* colisão *f.*
colon ['kəʊlən] *s* GRAM dois pontos *mpl.*
colonel ['kɜ:rnl] *s* coronel *m.*
colony ['kɒlənɪ] *s* colônia *f.*
color ['kʌlər] **1** *s Am* cor *f.*
2 *adj (fotografia, filme)* a cores.
3 *vt (cabelo)* pintar; *(comida)* colorir.
❑ **color in** *vt sep* colorir.
color-blind *adj* daltônico(ca).
colorful ['kʌlərfʊl] *adj (pintura, jardim, paisagem)* colorido(da); *(fig: pessoa, lugar)* animado(da).
coloring ['kʌlərɪŋ] *s (de comida)* corante *m*; *(de pele)* tez *f.*
colour ['kʌlər] *Brit* = **color.**
column ['kɒləm] *s* coluna *f.*
coma ['kəʊmə] *s* coma *m ou f.*
comb [kəʊm] **1** *s* pente *m.*
2 *vt*: **to comb one's hair** pentear o cabelo.
combination [ˌkɒmbɪ'neɪʃn] *s* combinação *f.*
combine [kəm'baɪn] *vt*: **to combine sthg (with)** combinar algo (com).
come [kʌm] (*pt* **came**, *pp* **come**) *vi*
(a) *(mover-se)* vir; **we came by taxi** nós viemos de táxi; **come and see!** venha ver!; **come here!** venha cá!
(b) *(aparecer)* chegar; **to come home** voltar para casa; **they still haven't come** eles ainda não chegaram; **'coming soon'** 'brevemente'.
(c) *(em ordem)* vir; **to come first/last** *(em seqüência)* vir primeiro/no fim; *(em competição)* chegar primeiro/em último (lugar).
(d) *(alcançar)*: **to come up/down to** chegar a.
(e) *(tornar-se)*: **to come loose/undone** desapertar-se; **to come true** realizar-se.
(f) *(ser vendido)* vir; **they come in packs of six** vêm em pacotes de seis.
❑ **come across** *vt fus* encontrar.
❑ **come along** *vi (progredir)* desenvolver-se; *(chegar)* aparecer; **come along!** *(como encorajamento)* anda!; *(apresse-se)* anda logo!
❑ **come apart** *vi* desfazer-se.
❑ **come around** *vi (recuperar a consciência)* voltar a si; **why don't you come around tomorrow?** por que você não passa aqui amanhã?
❑ **come back** *vi* regressar.
❑ **come down** *vi (preço)* baixar.
❑ **come down with** *vt fus (doença)* apanhar.
❑ **come from** *vt fus* vir de.
❑ **come in** *vi (dentro)* entrar; *(aparecer)* chegar; *(maré)* subir; **come in!** entre!
❑ **come off** *vi (botão, peça)* cair; *(ter sucesso)* resultar.
❑ **come on** *vi (progresso)* progredir; **come on!** vamos lá!
❑ **come out** *vi* sair; *(sol, lua)* aparecer.
❑ **come over** *vi (visita)*: **I'll come over tonight** passo por aí hoje à noite.
❑ **come to** *vt fus (suj: conta)* ser ao todo.
❑ **come up** *vi (ir para cima)* subir; *(ser mencionado, acontecer)* surgir; *(sol, lua)* aparecer.
❑ **come up with** *vt fus (idéia)* arranjar.
comedian [kə'mi:djən] *s* cômico *m*, -ca *f.*
comedy ['kɒmədɪ] *s (programa de TV, filme, peça)* comédia *f*; *(comicidade)* humor *m.*
comfort ['kʌmfərt] **1** *s* conforto *m*; *(para consolar)* consolo *m.*
2 *vt* consolar.

comfortable [ˈkʌmftəbl] *adj* confortável; *(fig: confiante)* à vontade; *(financeiramente)* bem de vida; **to be comfortable** *(depois de operação)* estar bem.

comforter [ˈkʌmfərtər] *s Am* edredom *m*.

comic [ˈkɒmɪk] **1** *adj* cômico(ca).
2 *s (pessoa)* cômico *m*, -ca *f*; **the comics** historia *f* em quadrinhos.

comical [ˈkɒmɪkl] *adj* cômico(ca).

comic book *s* revistinha *f (de história em quadrinhos)*.

comma [ˈkɒmə] *s* vírgula *f*.

command [kəˈmænd] **1** *s (comando)* ordem *f*; *(idioma)* domínio *m*.
2 *vt (mandar)* ordenar; *(estar no comando)* comandar.

commander [kəˈmændr] *s* comandante *m*.

commemorate [kəˈmeməreɪt] *vt* comemorar.

commence [kəˈmens] *vi fml* começar.

comment [ˈkɒment] **1** *s* comentário *m*.
2 *vi* comentar.

commentary [ˈkɒmənterɪ] *s (de evento)* relato *m*; *(de partida de futebol etc.)* comentário *m*.

commentator [ˈkɒmənteɪtər] *s (de TV, rádio)* comentarista *mf*.

commerce [ˈkɒmɜːrs] *s* comércio *m*.

commercial [kəˈmɜːrʃl] **1** *adj* comercial.
2 *s* anúncio *m (em televisão, rádio)*.

commercial break *s* intervalo *m* (comercial), comerciais *mpl*.

commission [kəˈmɪʃn] *s* comissão *f*.

commit [kəˈmɪt] *vt (crime, pecado)* cometer; **to commit o.s. (to sthg)** comprometer-se (a algo); **to commit suicide** suicidar-se.

committee [kəˈmɪtɪ] *s* comitê *m*, comissão *f*.

commodity [kəˈmɒdətɪ] *s* produto *m*.

common [ˈkɒmən] *adj* comum; *(pej: vulgar)* vulgar; **in common** em comum.

commonly [ˈkɒmənlɪ] *adv (em geral)* geralmente.

common sense *s* bom senso *m*.

communal [kəˈmjuːnl] *adj (banheiro, cozinha)* comum.

communicate [kəˈmjuːnɪkeɪt] *vi*: **to communicate (with)** comunicar (com).

communication [kəˌmjuːnɪˈkeɪʃn] *s* comunicação *f*.

communist [ˈkɒmjʊnəst] *s* comunista *mf*.

community [kəˈmjuːnətɪ] *s* comunidade *f*.

commute [kəˈmjuːt] *vi viajar diariamente para o trabalho.*

commuter [kəˈmjuːtər] *s pessoa que viaja de casa para o trabalho.*

compact [*adj* kəmˈpækt, *s* ˈkɒmpækt] **1** *adj* compacto(ta).
2 *s (para maquiagem)* caixa *f* de pó-de-arroz; *Am AUT* carro *m* pequeno.

compact disc [ˌkɒmpækt-] *s* CD *m*, disco *m* compacto.

company [ˈkʌmpənɪ] *s* companhia *f*; **to keep sb company** fazer companhia a alguém.

company car *s* carro *m* da empresa.

comparatively [kəmˈpærətɪvlɪ] *adv* comparativamente.

compare [kəmˈpeər] *vt*: **to compare sthg (with)** comparar algo (com); **compared with** comparado com.

comparison [kəmˈperɪsn] *s* comparação *f*; **in comparison with** em comparação com.

compartment [kəmˈpaːrtmənt] *s* compartimento *m*.

compass [ˈkʌmpəs] *s (magnético)* bússola *f*; **a pair of compasses** um compasso.

compatible [kəmˈpætəbl] *adj* compatível.

compensate [ˈkɒmpenseɪt] **1** *vt* compensar.
2 *vi*: **to compensate (for sthg)** compensar (algo); **to compensate sb for sthg** compensar alguém por algo.

compensation [ˌkɒmpenˈseɪʃn] *s* compensação *f*.

compete [kəmˈpiːt] *vi (tomar parte)* participar; **to compete with sb for sthg** competir com alguém por algo.

competent [ˈkɒmpɪtənt] *adj* competente.

competition [ˌkɒmpɪˈtɪʃn] *s* competição *f*; **the competition** *(rivais)* a concorrência.

competitive [kəmˈpetətɪv] *adj* competitivo(va).

competitor [kəmˈpetɪtər] *s (em corrida, disputa)* participante *mf*; *COM (em jogo, show)* concorrente *mf*.

complain [kəmˈpleɪn] *vi*: **to complain (about)** queixar-se (de).

complaint [kəmˈpleɪnt] *s (reclamação)* queixa *f*; *(doença)* problema *m*.

complement [ˈkɒmpləˌment] *vt* complementar.

complete [kəm'pli:t] **1** *adj* completo(ta); *(acabado)* concluído(da).
2 *vt (acabar)* concluir; *(um formulário)* preencher; *(tornar completo)* completar; **complete with** completo com.
completely [kəm'pli:tlı] *adv* completamente.
complex ['kɒmpleks] **1** *adj* complexo(xa).
2 *s* complexo *m*.
complexion [kəm'plekʃn] *s (de pele)* cor *f*, aspecto *m*.
complicated ['kɒmplıkeıtəd] *adj* complicado(da).
compliment [*s* 'kɒmpləmənt, *v* ˌkɒmplə'ment] **1** *s* elogio *m*.
2 *vt* elogiar.
complimentary [ˌkɒmplə'mentərı] *adj (lugar, tíquete)* gratuito(ta); *(palavras, pessoa)* lisonjeiro(ra).
compose [kəm'pəʊz] *vt (música)* compor; *(carta, poema)* escrever; **to be composed of** ser composto de.
composed [kəm'pəʊzd] *adj* calmo(ma).
composer [kəm'pəʊzər] *s* compositor *m*, -ra *f*.
composition [ˌkɒmpə'zıʃn] *s* composição *f*.
compound ['kɒmpaʊnd] *s (substância)* composto *m*; *(palavra)* palavra *f* composta.
comprehend [ˌkɒmprı'hend] *vi, vt* compreender, abranger.
comprehensive [ˌkɒmprı'hensıv] *adj* completo(ta).
compressed air [kəm'prest-] *s* ar *m* comprimido.
comprise [kəm'praız] *vt* ser constituído(da) por.
compromise ['kɒmprəmaız] *s* compromisso *m*.
compulsory [kəm'pʌlsərı] *adj* obrigatório(ria).
computer [kəm'pju:tər] *s* computador *m*.
computerized [kəm'pju:təraızd] *adj* computadorizado(da).
computer-literate *adj* entendido(da) em computador.
computer programmer [-'prəʊgræmər] *s* programador *m*, -ra *f* de computador.
computing [kəm'pju:tıŋ] *s* informática *f*.
con [kɒn] *s fam (truque)* trapaça *f*; **all mod cons** com todas as comodidades.
conceal [kən'si:l] *vt* esconder.
conceited [kən'si:tıd] *adj pej* convencido(da).
concentrate ['kɒnsntreıt] **1** *vi* concentrar-se.
2 *vt*: **to be concentrated** *(num lugar)* estar concentrado; **to concentrate on sthg** concentrar-se em algo.
concentrated ['kɒnsntreıtəd] *adj* concentrado(da).
concentration [ˌkɒnsn'treıʃn] *s* concentração *f*.
concern [kən'sɜ:rn] **1** *s (inquietação)* preocupação *f*; *(de interesse)* assunto *m*; COM negócio *m*.
2 *vt (relacionar)* ser sobre; *(inquietar)* preocupar; *(envolver)* dizer respeito a.
3 to be concerned about estar preocupado com; **to be concerned with** tratar de; **to concern o.s. with sthg** preocupar-se com algo; **as far as I'm concerned** no que me diz respeito.
concerned [kən'sɜ:rnd] *adj (inquieto)* preocupado(da).
concerning [kən'sɜ:rnıŋ] *prep* acerca de.
concert ['kɒnsərt] *s* concerto *m*.
concession [kən'seʃn] *s (preço reduzido)* desconto *m*.
concise [kən'saıs] *adj* conciso(sa).
conclude [kən'klu:d] **1** *vt* concluir.
2 *vi (fml: fim)* terminar.
conclusion [kən'klu:ʒn] *s (decisão)* conclusão *f*; *(término)* fim *m*.
concrete ['kɒŋkri:t] **1** *adj (prédio, caminho)* de concreto; *(idéia, plano)* concreto(ta).
2 *s* concreto *m*.
concussion [kən'kʌʃn] *s* traumatismo *m* craniano.
condensation [ˌkɒnden'seıʃn] *s* condensação *f*.
condition [kən'dıʃn] *s (condição)* estado *m*; *(requisito)* condição *f*; **a heart/liver condition** problemas de coração/fígado; **to be out of condition** não estar em forma; **on condition that** com a condição de.
❑ **conditions** *spl (circunstâncias)* condições *fpl*.
conditioner [kən'dıʃnər] *s* condicionador *m*.
condolence [kən'dəʊləns] *s* condolências *fpl*; **send/offer condolences** enviar/apresentar os pêsames.
condom ['kɒndəm] *s* preservativo *m*.

condominium [ˌkɒndəˈmɪnjəm] *s Am* condomínio *m.*
conduct [*v* kənˈdʌkt, *s* ˈkɒndʌkt] **1** *vt (investigação, negócio)* levar a cabo; *MÚS* reger.
2 *s (fml: comportamento)* conduta *f.*
3 to conduct o.s. *fml* comportar-se.
conductor [kənˈdʌktər] *s MÚS* maestro *m*; *(em ônibus)* cobrador *m*, -ra *f*; *Am (em trem)* revisor *m*, -ra *f.*
cone [kəʊn] *s* cone *m*; *(para sorvete)* casquinha *f.*
confectionery [kənˈfekʃənərɪ] *s* confeitaria *f*; *(loja)* confeitaria *f.*
conference [ˈkɒnfrəns] *s* conferência *f.*
confess [kənˈfes] *vi*: **to confess (to sthg)** confessar (algo).
confession [kənˈfeʃn] *s* confissão *f.*
confidence [ˈkɒnfɪdəns] *s* confiança *f*; **to have confidence in** ter confiança em.
confident [ˈkɒnfɪdənt] *adj (confiante)* seguro(ra) de si; *(certo)* seguro(ra).
confined [kənˈfaɪnd] *adj* restrito(ta).
confirm [kənˈfɜːrm] *vt* confirmar.
confirmation [ˌkɒnfərˈmeɪʃn] *s* confirmação *f*; *RELIG* crisma *m.*
conflict [ˈkɒnflɪkt] **1** *s* conflito *m.*
2 *vi*: **to conflict (with sthg)** estar em desacordo (com algo).
conform [kənˈfɔːrm] *vi*: **to conform (to)** obedecer (a).
confuse [kənˈfjuːz] *vt* confundir; **to confuse sthg with sthg** confundir algo com algo.
confused [kənˈfjuːzd] *adj* confuso(sa).
confusing [kənˈfjuːzɪŋ] *adj* confuso(sa).
confusion [kənˈfjuːʒn] *s* confusão *f.*
congested [kənˈdʒestəd] *adj (rua)* congestionado(da); *(nariz)* entupido.
congestion [kənˈdʒestʃn] *s (tráfego)* congestionamento *m.*
congratulate [kənˈgrætʃəleɪt] *vt*: **to congratulate sb (on sthg)** felicitar alguém (por algo).
congratulations [kənˌgrætʃəˈleɪʃənz] *excl* parabéns!
congregate [ˈkɒŋgrɪgeɪt] *vi* juntar-se.
Congress [ˈkɒŋgres] *s Am* Congresso *m.*
congressman [ˈkɒŋgresmən] *s* deputado *m.*
congresswoman [ˈkɒŋgreswʊmən] *s* deputada *f.*
conifer [ˈkɒnɪfər] *s* conífera *f.*
conjugation [ˌkɒndʒʊˈgeɪʃn] *s GRAM* conjugação *f.*
conjurer [ˈkʌndʒərər] *s* prestidigitador *m*, -ra *f.*
connect [kəˈnekt] **1** *vt* ligar.
2 *vi*: **to connect with** *(trem, avião)* fazer conexão com.
3 to connect sthg with sthg *(associar)* ligar algo com algo.
connection [kəˈnekʃn] *s* ligação *f*; **a bad connection** *(em telefone)* uma ligação ruim; **a loose connection** *(em máquina)* um fio solto; **in connection with** em relação a.
conquer [ˈkɒŋkər] *vt* conquistar.
conscience [ˈkɒnʃns] *s* consciência *f.*
conscientious [ˌkɒnʃɪˈenʃəs] *adj* consciencioso(osa).
conscious [ˈkɒnʃəs] *adj (desperto)* consciente; *(intencional)* deliberado(da); **to be conscious of** estar consciente de.
consent [kənˈsent] *s* consentimento *m.*
consequence [ˈkɒnsɪkwəns] *s (resultado)* conseqüência *f.*
consequently [ˈkɒnsɪkwəntlɪ] *adv* conseqüentemente.
conservation [ˌkɒnsərˈveɪʃn] *s* conservação *f.*
conservative [kənˈsɜːrvətɪv] *adj* conservador(ra).
conservatory [kənˈsɜːrvətɔːrɪ] *s* jardim-de-inverno *m.*
consider [kənˈsɪdər] *vt* considerar; **to consider doing sthg** pensar em fazer algo.
considerable [kənˈsɪdrəbl] *adj* considerável.
consideration [kənˌsɪdəˈreɪʃn] *s* consideração *f*; **to take sthg into consideration** ter algo em consideração.
considering [kənˈsɪdərɪŋ] *prep* tendo em conta.
consist [kənˈsɪst]: **consist in** *vt fus* consistir em.
❑ **consist of** *vt fus* consistir em.
consistent [kənˈsɪstənt] *adj* consistente.
consolation [ˌkɒnsəˈleɪʃn] *s* consolação *f.*
console [ˈkɒnsəʊl] *s* console *m.*
consonant [ˈkɒnsənənt] *s* consoante *f.*
conspicuous [kənˈspɪkjʊəs] *adj* visível.
constant [ˈkɒnstənt] *adj* constante.
constantly [ˈkɒnstəntlɪ] *adv* constantemente.
constipated [ˈkɒnstɪpeɪtɪd] *adj*: **to be**

constipated ter prisão de ventre.

constitution [ˌkɒnstəˈtjuːʃn] *s (leis)* constituição *f*; *(saúde)* constituição *f* física.

construct [kənˈstrʌkt] *vt* construir.

construction [kənˈstrʌkʃn] *s* construção *f*; **under construction** em construção.

consul [ˈkɒnsl] *s* cônsul *mf.*

consulate [ˈkɒnslət] *s* consulado *m.*

consult [kənˈsʌlt] *vt* consultar.

consultant [kənˈsʌltənt] *s* MED especialista *mf*; *(perito)* consultor *m*, -ra *f.*

consume [kənˈsuːm] *vt* consumir.

consumer [kənˈsuːmər] *s* consumidor *m*, -ra *f.*

contact [ˈkɒntækt] **1** *s* contato *m.*
2 *vt* contatar.
3 in contact with em contato com.

contact lens *s* lente *f* de contato.

contagious [kənˈteɪdʒəs] *adj* contagioso(osa).

contain [kənˈteɪn] *vt* conter.

container [kənˈteɪnər] *s (tigela etc.)* recipiente *m*; *(para carga)* container *m.*

contaminate [kənˈtæmɪneɪt] *vt* contaminar.

contemporary [kənˈtempərerɪ] **1** *adj* contemporâneo(nea).
2 *s* contemporâneo *m*, -nea *f.*

contend [kənˈtend]: **contend with** *vt fus* enfrentar.

content [*adj* kənˈtent, *s* ˈkɒntent] **1** *adj* satisfeito(ta).
2 *s (de vitaminas, fibra)* quantidade *f*; *(de álcool, gordura)* teor *m.*
❑ **contents** *spl (coisas dentro)* conteúdo *m*; *(no início de livros)* índice *m.*

contest [*s* ˈkɒntest, *v* kənˈtest] **1** *s (competição)* concurso *m*; *(disputa)* luta *f.*
2 *vt (eleição, cargo)* candidatar-se a; *(decisão, vontade)* contestar.

context [ˈkɒntekst] *s* contexto *m.*

continent [ˈkɒntɪnənt] *s* continente *m.*

continual [kənˈtɪnjʊəl] *adj* contínuo(nua).

continually [kənˈtɪnjʊəlɪ] *adv* continuamente.

continue [kənˈtɪnjuː] *vt & vi* continuar; **to continue doing sthg** continuar a fazer algo; **to continue with sthg** continuar com algo.

continuous [kənˈtɪnjʊəs] *adj* contínuo(nua).

continuously [kənˈtɪnjʊəslɪ] *adv* continuamente.

contraception [ˌkɒntrəˈsepʃn] *s* contracepção *f.*

contraceptive [ˌkɒntrəˈseptɪv] *s* anticoncepcional *m.*

contract [*s* ˈkɒntrækt, *v* kənˈtrækt] **1** *s* contrato *m.*
2 *vt (fml: doença)* contrair.

contractor [kənˈtræktər] *s* empreiteiro *m*, -ra *f.*

contradict [ˌkɒntrəˈdɪkt] *vt* contradizer.

contrary [ˈkɒntrərɪ] *s*: **on the contrary** pelo contrário.

contrast [*s* ˈkɒntræst, *v* kənˈtræst] **1** *s* contraste *m.*
2 *vt* contrastar.
3 in contrast to ao contrário de.

contribute [kənˈtrɪbjət] **1** *vt (ajuda, dinheiro)* contribuir com.
2 *vi*: **to contribute to** contribuir para.

contribution [ˌkɒntrɪˈbjuːʃn] *s* contribuição *f.*

control [kənˈtrəʊl] **1** *s* controle *m.*
2 *vt* controlar.
3 to be in control controlar a situação; **out of control** fora de controle; **under control** sob controle.
❑ **controls** *spl (de TV, vídeo)* controle *m*, telecomando *m*; *(de avião)* comandos *mpl.*

controversial [ˌkɒntrəˈvɜːrʃl] *adj* controverso(sa).

convenience [kənˈviːnjəns] *s* conveniência *f*; **at your convenience** quando (lhe) for possível.

convenient [kənˈviːnjənt] *adj* conveniente.

convent [ˈkɒnvənt] *s* convento *m.*

conventional [kənˈvenʃənl] *adj* convencional.

conversation [ˌkɒnvərˈseɪʃn] *s* conversa *f.*

conversion [kənˈvɜːrʃn] *s* conversão *f.*

convert [kənˈvɜːrt] *vt* converter; **to convert sthg into** converter algo em.

converted [kənˈvɜːrtəd] *adj (celeiro, sótão)* convertido(da).

convertible [kənˈvɜːrtəbl] *s* conversível *m.*

convey [kənˈveɪ] *vt (fml: transporte)* transportar; *(idéia, impressão)* transmitir.

convict [*s* ˈkɒnvɪkt, *v* kənˈvɪkt] **1** *s* preso *m*, -sa *f.*
2 *vt*: **to convict sb (of)** condenar alguém (por).

convince [kənˈvɪns] *vt*: **to convince sb (of**

sthg) convencer alguém (de algo); **to convince sb to do sthg** convencer alguém a fazer algo.
convoy ['kɒnvɔɪ] *s* comboio *m*.
cook [kʊk] **1** *s* cozinheiro *m*, -ra *f*.
2 *vt (refeição)* preparar; *(comida)* cozinhar.
3 *vi (pessoa)* cozinhar; *(comida)* cozer.
cookery ['kʊkərɪ] *s* culinária *f*.
cookie ['kʊkɪ] *s Am* biscoito *m*.
cooking ['kʊkɪŋ] *s (atividade)* culinária *f*; *(comida)* cozinha *f*.
cool [ku:l] **1** *adj (temperatura)* fresco(ca); *(tranqüilo)* calmo(ma); *(indiferente)* frio (fria); *fam (legal)* genial.
2 *vt* arrefecer.
❑ **cool down** *vi (esfriar)* arrefecer; *(tranqüilizar-se)* acalmar-se.
cooperate [kəʊ'ɒpəreɪt] *vi* cooperar.
cooperation [kəʊˌɒpə'reɪʃn] *s* cooperação *f*.
cooperative [kəʊ'ɒpərətɪv] *adj (ajuda)* cooperante.
coordinates [kəʊ'ɔ:dɪnəts] *spl (roupas)* conjuntos *mpl*.
copper ['kɒpər] *s* cobre *m*.
copy ['kɒpɪ] **1** *s* cópia *f*; *(de jornal, livro)* exemplar *m*.
2 *vt* copiar.
cord(uroy) ['kɔ:d(ərɔɪ)] *s* veludo *m* cotelê.
core [kɔ:r] *s (de fruta)* caroço *m*.
coriander [ˌkɒrɪ'ændər] *s* coentro *m*.
cork [kɔ:rk] *s (em garrafa)* rolha *f*.
corkscrew ['kɔ:rkskru:] *s* saca-rolhas *m inv*.
corn [kɔ:rn] *s Am (planta)* milho *m*; *(no pé)* calo *m*.
corner ['kɔ:rnər] *s* canto *m*; **it's just around the corner** fica logo ali.
corn on the cob *s espiga de milho cozida*.
corn starch *s Am* farinha *f* de milho, maisena *f*.
corporal ['kɔ:rprəl] *s MIL* cabo *m*.
corpse [kɔ:rps] *s* cadáver *m*.
correct [kə'rekt] **1** *adj* correto(ta).
2 *vt* corrigir.
correction [kə'rekʃn] *s* correção *f*.
correspond [ˌkɒrə'spɒnd] *vi*: **to correspond (to)** *(equivaler)* corresponder (a); **to correspond (with)** *(trocar correspondência)* corresponder-se (com).
corresponding [ˌkɒrə'spɒndɪŋ] *adj* correspondente.
corridor ['kɔ:rəd:r] *s* corredor *m*.
corrugated iron ['kɒrəgeɪtɪd-] *s* ferro *m* corrugado.
corrupt [kə'rʌpt] *adj* corrupto(ta).
cosmetics [kɒz'metɪks] *spl* cosméticos *mpl*.
cost [kɒst] *(pt & pp* **cost)** **1** *s* custo *m*.
2 *vt* custar; **how much does it cost?** quanto custa?
costly ['kɒstlɪ] *adj (preço)* caro(ra).
costume ['kɒstu:m] *s (de ator)* roupa *f*; *(de país, região)* traje *m*; *(para festa)* fantasia *f*.

> Não confundir ***costume (roupa, traje, fantasia)*** com o português costume que em inglês é ***habit***. (***A costume party.*** Uma festa à ***fantasia***.)

cottage ['kɒtɪdʒ] *s* casa *f* de campo.
cotton ['kɒtn] **1** *adj (vestido, camisa)* de algodão.
2 *s (pano)* algodão *m*.
cotton ball *s* pedaço de algodão *m* (hidrófilo).
couch [kaʊtʃ] *s (móvel)* sofá *m*; *(em consultório médico)* cama *f*.
cough [kɒf] **1** *s* tosse *f*.
2 *vi* tossir; **to have a cough** estar com tosse.
cough syrup *s* xarope *m* para a tosse.
could [kʊd] *pt* → **can**.
couldn't ['kʊdnt] = **could not**.
could've ['kʊdəv] = **could have**.
council ['kaʊnsl] *s (organização)* conselho *m*.
councilor ['kaʊnslər] *s (de cidade)* vereador *m*, -ra *f*.
count [kaʊnt] **1** *vt & vi* contar.
2 *s (homem nobre)* conde *m*.
❑ **count on** *vt fus* contar com.
counter ['kaʊntər] *s (em loja, banco)* balcão *m*; *(em jogo)* ficha *f*.
counterclockwise [ˌkaʊntər'klɒkwaɪz] *adv Am* no sentido anti-horário.
countess ['kaʊntəs] *s* condessa *f*.
country ['kʌntrɪ] **1** *s* país *m*; *(zona rural)* campo *m*.
2 *adj* do campo.
countryside ['kʌntrɪsaɪd] *s* campo *m*.
county ['kaʊntɪ] *s* condado *m*; *(nos EUA) divisão administrativa de um estado*.
couple ['kʌpl] *s* casal *m*; **a couple (of)** *(par)* dois (duas); *(alguns)* dois ou três (duas ou três).
coupon ['ku:pɒn] *s* cupom *m*.

courage ['kɜːrɪdʒ] *s* coragem *f.*

courier ['kʊrɪər] *s (para entregar cartas, pacotes)* mensageiro *m*, -ra *f.*

course [kɔːrs] *s* curso *m*; *(de refeição)* prato *m*; *(de remédio, injeção)* tratamento *m*; *(de navio, avião)* rota *f*; *(de golfe)* campo *m*; **of course** *(certamente)* com certeza, claro; *(evidentemente)* claro; **of course not** claro que não; **in the course of** no decurso de.

court [kɔːrt] *s* JUR *(prédio, sala)* tribunal *m*; ESP quadra *f*; *(de rei, rainha)* corte *f.*

courteous ['kɜːrtjəs] *adj* cortês.

courtyard ['kɔːrtjaːrd] *s* pátio *m.*

cousin ['kʌzn] *s* primo *m*, -ma *f.*

cover ['kʌvər] **1** *s* cobertura *f*; *(para tampar)* tampa *f*; *(de livro, revista)* capa *f*; *(para dormir)* coberta *f.*
2 *vt* cobrir; *(viagem)* percorrer; *(aplicar a)* abranger.
3 to take cover abrigar-se; **to be covered in** estar coberto de; **to cover sthg with sthg** cobrir algo com algo.
❑ **cover up** *vt sep (colocar coberta em)* cobrir; *(fatos, verdade)* encobrir.

cover charge *s* couvert *m.*

cow [kaʊ] *s (animal)* vaca *f.*

coward ['kaʊərd] *s* covarde *mf.*

cowboy ['kaʊbɔɪ] *s* vaqueiro *m.*

cozy ['kəʊzɪ] *adj Am (quarto, casa)* aconchegante.

crab [kræb] *s* caranguejo *m.*

crack [kræk] **1** *s (em copo, vidro, madeira)* rachadura *f*; *(vão)* fenda *f.*
2 *vt (copo, vidro, madeira)* rachar; *(noz, ovo)* partir; *fam (piada)* contar; *(chicote)* estalar.
3 *vi* rachar.

cracker ['krækər] *s (biscoito)* bolacha *f* de água e sal.

cradle ['kreɪdl] *s* berço *m.*

craft [kræft] *s (negócio, ocupação)* ofício *m*; *(barco: pl inv)* embarcação *f.*

craftsman ['kræftsmən] (*pl* **-men** [-mən]) *s* artesão *m.*

cram [kræm] *vt*: **to cram sthg into** enfiar algo em; **to be crammed with** estar abarrotado de.

cramp [kræmp] *s* cãibra *f*; **(menstrual) cramps** cólicas *fpl* menstruais.

crane [kreɪn] *s (máquina)* guindaste *m.*

crash [kræʃ] **1** *s (acidente)* colisão *f*; *(barulho)* estrondo *m.*
2 *vt (carro)* bater com.
3 *vi (carro, avião, trem)* colidir.
❑ **crash into** *vt fus (parede)* bater contra.

crash helmet *s* capacete *m* (de proteção).

crate [kreɪt] *s (de frutas)* caixote *m*; *(de garrafas)* engradado *m.*

crawl [krɔːl] **1** *vi (bebê, pessoa)* engatinhar; *(inseto)* rastejar; *(tráfego)* arrastar-se.
2 *s (natação)* (nado) crawl *m.*

crayon ['kreɪɒn] *s* lápis *m* de cera.

craze [kreɪz] *s* moda *f.*

crazy ['kreɪzɪ] *adj* maluco(ca), louco(ca); **to be crazy about sthg** ser louco por algo.

cream [kriːm] **1** *s (comida)* creme *m*; *(para rosto)* creme *m*; *(para queimadura)* pomada *f.*
2 *adj (cor)* creme *(inv).*

creamy ['kriːmɪ] *adj* cremoso(osa).

crease [kriːs] *s* vinco *m.*

creased [kriːst] *adj* amarrotado(da).

create [kriː'eɪt] *vt (fazer)* criar; *(impressão)* causar; *(interesse)* provocar.

creative [kriː'eɪtɪv] *adj* criativo(va).

creature ['kriːtʃər] *s* criatura *f.*

credit ['kredɪt] *s (elogio)* mérito *m*; *(dinheiro)* crédito *m*; EDUC *cadeira terminada com nota positiva*; **to be in credit** estar com saldo positivo.
❑ **credits** *spl (de filme)* créditos *mpl.*

credit card *s* cartão *m* de crédito; **to pay by credit card** pagar com cartão de crédito; **'all major credit cards accepted'** 'aceitam-se os principais cartões de crédito'.

creek [kriːk] *s (enseada)* angra *f*; *Am (rio)* riacho *m.*

creep [kriːp] (*pt & pp* **crept**) **1** *vi (rastejar)* arrastar-se.
2 *s fam (pessoa)* puxa-saco *mf.*

crematorium [ˌkriːmə'tɔːrɪəm] *s* crematório *m.*

crepe [kreɪp] *s (panqueca fina)* crepe *m.*

crept [krept] *pt & pp* → **creep.**

cress [kres] *s* agrião *m (muito pequeno).*

crest [krest] *s (de ave, colina)* crista *f*; *(timbre)* brasão *m.*

crew [kruː] *s (de navio, avião)* tripulação *f.*

crew neck *s* gola *f* redonda.

cricket ['krɪkət] *s (inseto)* grilo *m.*

crime [kraɪm] *s* crime *m.*

criminal ['krɪmɪnl] **1** *adj (comportamento,*

ofensa) criminoso(osa); *fam (imoral)* vergonhoso(osa).
2 *s* criminoso *m*, -osa *f.*

cripple ['krɪpl] **1** *s* aleijado *m*, -da *f.*
2 *vt* tornar inválido(da).

crisis ['kraɪsəs] (*pl* **crises** ['kraɪsi:z]) *s* crise *f.*

crisp [krɪsp] *adj* crocante.

crispy ['krɪspɪ] *adj* crocante.

critic ['krɪtɪk] *s (pessoa)* crítico *m*, -ca *f.*

critical ['krɪtɪkl] *adj* crítico(ca); *(sério)* grave; *(crítica)* severo(ra).

criticize ['krɪtɪsaɪz] *vt* criticar.

crockery ['krɒkərɪ] *s* louça *f.*

crocodile ['krɒkədaɪl] *s* crocodilo *m.*

crooked ['krʊkəd] *adj (dobrado, virado)* torto(ta); *(fora da lei)* ilegal.

crop [krɒp] *s (tipo de planta)* cultura *f*; *(plantação)* colheita *f.*
❑ **crop up** *vi* surgir.

cross [krɒs] **1** *adj* zangado(da).
2 *s* cruz *f*; *(mistura)* cruzamento *m.*
3 *vt (rua, rio, oceano)* atravessar; *(pernas, braços)* cruzar.
4 *vi (interseção)* cruzar-se.
❑ **cross out** *vt sep* riscar.

crossbar ['krɒsba:r] *s* barra *f* transversal.

crossing ['krɒsɪŋ] *s (em rua)* faixa *f* para pedestres; *(viagem marítima)* travessia *f.*

crossroads ['krɒsrəʊdz] (*pl inv*) *s* cruzamento *m.*

crosswalk ['krɒswɔ:k] *s Am* faixa *f* para pedestres.

crossword (puzzle) ['krɒswɜ:rd-] *s* palavras *fpl* cruzadas.

crotch [krɒtʃ] *s* virilha *f.*

crow [krəʊ] *s* corvo *m.*

crowbar ['krəʊba:r] *s* alavanca *f*, pé-de-cabra *m.*

crowd [kraʊd] *s* multidão *f*; *(em partida esportiva)* público *m.*

crowded ['kraʊdəd] *adj* cheio (cheia) (de gente).

crown [kraʊn] *s* coroa *f*; *ANAT* alto *m* (da cabeça).

crucial ['kru:ʃl] *adj* crucial.

crude [kru:d] *adj* grosseiro(ra).

cruel [krʊəl] *adj* cruel.

cruelty ['krʊəltɪ] *s* crueldade *f.*

cruise [kru:z] **1** *s* cruzeiro *m.*
2 *vi (avião)* voar; *(navio)* navegar; *(carro)* rodar.

cruiser ['kru:zər] *s (barco de lazer)* cruzeiro *m.*

crumb [krʌm] *s* migalha *f.*

crumble ['krʌmbl] *vi (prédio, penhasco)* desmoronar-se; *(queijo)* esmigalhar-se.

crunchy ['krʌntʃɪ] *adj* crocante.

crush [krʌʃ] **1** *s* queda *f.*
2 *vt* esmagar; *(gelo)* partir.

crust [krʌst] *s (de pão)* casca *f*; *(de torta)* crosta *f.*

crusty ['krʌstɪ] *adj* crocante.

crutch [krʌtʃ] *s (bengala)* muleta *f.*

cry [kraɪ] **1** *s* grito *m.*
2 *vi (choro)* chorar; *(grito)* gritar.
❑ **cry out** *vi* gritar.

crystal ['krɪstl] *s* cristal *m.*

cub [kʌb] *s (animal)* cria *f.*

cube [kju:b] *s* cubo *m.*

cubicle ['kju:bɪkl] *s* cubículo *m.*

Cub Scout *s escoteiro entre os 8 e os 11 anos.*

cuckoo ['kʊku:] *s* cuco *m.*

cucumber ['kju:kʌmbər] *s* pepino *m.*

cuddle ['kʌdl] *s* abraço *m.*

cuff [kʌf] *s (de manga)* punho *m*; *Am (de calça)* dobra *f.*

cuff link *s* abotoadura *f.*

cuisine [kwɪ'zi:n] *s* cozinha *f.*

cul-de-sac ['kʌldəsæk] *s* beco *m* sem saída.

cult [kʌlt] **1** *s* culto *m.*
2 *adj* de culto.

cultivate ['kʌltɪveɪt] *vt* cultivar.

cultivated ['kʌltɪveɪtəd] *adj (pessoa)* culto(ta).

cultural ['kʌltʃrəl] *adj* cultural.

culture ['kʌltʃər] *s* cultura *f.*

cumbersome ['kʌmbərsəm] *adj* pesado(da), volumoso(sa).

cumin ['kju:mɪn] *s* cominho *m.*

cunning ['kʌnɪŋ] *adj* esperto(ta).

cup [kʌp] *s* xícara *f*; *(troféu, competição)* taça *f*; *(de sutiã)* taça *f.*

cupboard ['kʌbərd] *s* armário *m.*

curator [ˌkjʊ'reɪtər] *s* curador *m*, -ra *f.*

curb [kɜ:rb] *s Am* meio-fio *m.*

cure [kjʊər] **1** *s (para doença)* cura *f.*
2 *vt* curar.

curious ['kjʊərɪəs] *adj* curioso(osa).

curl [kɜ:rl] **1** *s (de cabelo)* caracol *m.*
2 *vt (cabelo)* encaracolar.

curly ['kɜ:rlɪ] *adj* encaracolado(da).

currant ['kɜ:rənt] *s* passa *f* de corinto.

currency ['kɜ:rənsɪ] *s (dinheiro)* moeda *f.*

current ['kɜ:rənt] **1** *adj* atual.
2 *s* corrente *f.*
current affairs *spl* atualidades *fpl.*
currently ['kɜ:rəntlɪ] *adv* atualmente.
curriculum [kə'rɪkjələm] *s* currículo *m.*
curse [kɜ:rs] *vi* praguejar.
cursor ['kɜ:rsər] *s* cursor *m.*
curtain ['kɜ:rtn] *s* cortina *f.*
curve [kɜ:rv] **1** *s* curva *f.*
2 *vi* fazer uma curva.
curved [kɜ:rvd] *adj* curvo(va).
cushion ['kʊʃn] *s* almofada *f.*
custard ['kʌstərd] *s* creme *m* de baunilha.
custom ['kʌstəm] *s (tradição)* costume *m*; **'thank you for your custom'** 'obrigado pela sua visita'.
customary ['kʌstəmerɪ] *adj* habitual.
customer ['kʌstəmər] *s (de loja)* cliente *mf.*
customer services *s (departamento)* serviço *m* de assistência a clientes.
customs ['kʌstəmz] *s* alfândega *f*; **to go through customs** passar pela alfândega.
customs duty *s* impostos *mpl* alfandegários.
cut [kʌt] (*pt & pp* **cut**) **1** *s* corte *m.*
2 *vt* cortar; *(diminuir)* reduzir, cortar em.
3 *vi (faca, tesoura)* cortar.
4 cut and blow-dry corte e escova; **to cut o.s.** cortar-se; **to cut sthg open** abrir algo.
❑ **cut back** *vi*: **to cut back on sthg** cortar em algo.
❑ **cut down** *vt sep (árvore)* abater.
❑ **cut down on** *vt fus (diminuir)* cortar em.
❑ **cut off** *vt sep* cortar; **I've been cut off** *(no telefone)* a ligação caiu; **to be cut off** *(isolamento)* estar isolado.
❑ **cut out 1** *vt sep (artigo de jornal, foto)* recortar.
2 *vi (motor)* morrer.
3 to cut out fatty foods cortar as gorduras; **cut it out!** *fam* pare com isso!
❑ **cut up** *vt sep* cortar.
cute [kju:t] *adj* bonitinho(nha).
cutlery ['kʌtlərɪ] *s* talheres *mpl.*
cutlet ['kʌtlət] *s (de carne)* costeleta *f.*
cut-price *adj* a preço reduzido.
cutting ['kʌtɪŋ] *s (de jornal)* recorte *m.*
cyberspace ['saɪbərspeɪs] *s* ciberespaço *m.*
cycle ['saɪkl] **1** *s (ciclismo)* bicicleta *f*; *(série)* ciclo *m.*
2 *vi* andar de bicicleta.
cycling ['saɪklɪŋ] *s* ciclismo *m*; **to go cycling** ir andar de bicicleta.
cyclist ['saɪklɪst] *s* ciclista *mf.*
cylinder ['sɪlɪndər] *s (de gás)* bujão *m*; *(em motor)* cilindro *m.*
cynical ['sɪnɪkl] *adj* cínico(ca).

Dd

dab [dæb] *vt (pomada, creme)* aplicar de leve.

dad [dæd] *s fam* papai *m.*

daddy ['dædɪ] *s fam* papai *m.*

daffodil ['dæfədɪl] *s* narciso *m.*

daily ['deɪlɪ] **1** *adj* diário(ria).
2 *adv* diariamente.
3 *s*: **a daily (newspaper)** um jornal diário.

dairy ['deərɪ] *s (em fazenda)* usina *f* de leite; *(loja)* leiteria *f.*

dairy product *s* laticínio *m.*

daisy ['deɪzɪ] *s* margarida *f.*

dam [dæm] *s* represa *f.*

damage ['dæmɪdʒ] **1** *s* dano *m.*
2 *vt (casa, carro)* danificar; *(costas, perna)* machucar; *(fig: reputação, oportunidade)* arruinar.

damn [dæm] **1** *excl fam* droga!
2 *adj fam* maldito(ta); **I don't give a damn** não estou nem aí.

damp [dæmp] **1** *adj* úmido(da).
2 *s* umidade *f.*

dance [dæns] **1** *s* dança *f*; *(evento social)* baile *m.*
2 *vi* dançar; **to go dancing** ir dançar.

dancer ['dænsər] *s* bailarino *m*, -na *f*, dançarino *m*, -na *f.*

dandelion ['dændəlaɪən] *s* dente-de-leão *m.*

dandruff ['dændrʌf] *s* caspa *f.*

danger ['deɪndʒər] *s* perigo *m*; **in danger** em perigo.

dangerous ['deɪndʒərəs] *adj* perigoso(osa).

dare [deər] *vt*: **to dare to do sthg** ousar fazer algo, atrever-se a fazer algo; **to dare sb to do sthg** desafiar alguém a fazer algo; **how dare you!** como se atreve!

daring ['deərɪŋ] *adj* ousado(da).

dark [da:rk] **1** *adj* escuro(ra); *(pessoa, pele)* moreno(na).
2 *s*: **after dark** depois do anoitecer; **the dark** o escuro.

dark glasses *spl* óculos *mpl* escuros.

darkness ['da:rknəs] *s* escuridão *f.*

darling ['da:rlɪŋ] *s (termo afetivo)* querido *m*, -da *f.*

dart [da:rt] *s* dardo *m.*
❑ **darts** *s (jogo)* dardos *mpl.*

dash [dæʃ] **1** *s (de líquido)* gota *f*; *(em escrita)* hífen *m*; *fam* painel *m.*
2 *vi* precipitar-se.

dashboard ['dæʃbɔ:rd] *s* painel *m.*

data ['deɪtə] *s* dados *mpl*, informações *fpl.*

> Não confundir *data (dados, informações)* com o português *data* que em inglês é *date.* (*She inputs data at work.* Ela digita *informações* no trabalho.)

database ['deɪtəbeɪs] *s* banco *m* de dados.

date [deɪt] **1** *s (dia do mês)* data *f*; *(negócios)* encontro *m*, compromisso *m*; *Am (pessoa)* namorado *m*, -da *f*; *(fruta)* tâmara *f.*
2 *vt (cheque, carta)* datar; *(pessoa)* sair com.
3 *vi (ultrapassado)* cair de moda.
4 what's the date? que dia é hoje?; **to have a date with sb** ter um encontro ou compromisso com alguém.

datebook ['deɪtbʊk] *s* agenda *f.*

date of birth *s* data *f* de nascimento.

daughter ['dɔ:tər] *s* filha *f.*

daughter-in-law *s* nora *f.*

dawn [dɔ:n] *s* amanhecer *m*, madrugada *f.*

day [deɪ] *s* dia *m*; **what day is it today?** que dia é hoje?; **what a lovely day!** que lindo dia!; **to have a day off** ter um dia de folga; **to have a day out** passar o dia fora; **by day** de dia; **the day after tomorrow** depois de amanhã; **the day before** a véspera, o dia anterior; **the day before yesterday** anteontem; **the following day** o dia seguinte; **have a nice day!** tenha um bom dia!

day care *s (para crianças)* creche *f*; *(para idosos)* assistência *f (diurna)*.

daylight ['deɪlaɪt] *s* luz *f* (do dia).

daytime ['deɪtaɪm] *s* dia *m*.

day-to-day *adj (dia-a-dia)* cotidiano(na).

dazzle ['dæzl] *vt* deslumbrar.

dead [ded] **1** *adj* morto(ta); *(desanimado)* sem vida, morto(ta); *(linha telefônica)* cortado(da); *(bateria)* gasto(ta).
2 *adv (precisamente)* mesmo.

dead end *s (rua)* beco *m* sem saída.

deadline ['dedlaɪn] *s* prazo *m*.

deaf [def] **1** *adj* surdo(da).
2 *spl*: **the deaf** os surdos.

deal [di:l] (*pt & pp* **dealt**) **1** *s (trato)* acordo *m*.
2 *vt (cartas)* dar.
3 a good/bad deal um bom/mau negócio; **a great deal of** muito; **it's a deal!** está combinado!
❑ **deal in** *vt fus* negociar.
❑ **deal with** *vt fus (situação)* lidar com; *(tema)* tratar de.

dealer ['di:lər] *s* COM comerciante *mf*, negociante *mf*; *(de drogas)* traficante *mf*.

dealt [delt] *pt & pp* → **deal.**

dear [dɪər] **1** *adj (estimado)* querido(da).
2 *s*: **my dear** meu querido (minha querida).
3 Dear Sir Caro senhor; **Dear Madam** Cara senhora; **Dear John** Querido John; **oh dear!** meu Deus!

death [deθ] *s* morte *f*.

debate [dɪ'beɪt] **1** *s* debate *m*.
2 *vt (debater)* considerar.

debit ['debɪt] **1** *s* débito *m*.
2 *vt (conta)* debitar em.

debt [det] *s (dinheiro)* dívida *f*; **to be in debt** ter dívidas.

decaff ['di:kæf] *s fam* café *m* descafeinado.

decaffeinated [dɪ'kæfɪneɪtəd] *adj* descafeinado(da).

decay [dɪ'keɪ] **1** *s (de prédio)* deterioração *f*; *(de madeira)* apodrecimento *m*; *(de dente)* cárie *f*.
2 *vi (decompor-se)* apodrecer.

deceive [dɪ'si:v] *vt* enganar.

decelerate [ˌdi:'seləreɪt] *vi* abrandar.

December [dɪ'sembər] *s* dezembro *m* → **September.**

decent ['di:snt] *adj* decente; *(amável)* simpático(ca).

deception [dɪ'sepʃn] *n* trapaça *f*.

> Não confundir ***deception (trapaça)*** com o português ***decepção*** que em inglês é ***disappointment***. (*It was a deception that hurt me.* Foi uma ***trapaça*** que me magoou.)

decide [dɪ'saɪd] **1** *vt (escolher)* decidir.
2 *vi* tomar uma decisão; **to decide to do sthg** decidir fazer algo.
❑ **decide on** *vt fus* decidir-se por.

decimal ['desəml] *adj* decimal.

decimal point *s* vírgula *f* decimal.

decipher [dɪ'saɪfər] *vt* decifrar.

decision [dɪ'sɪʒn] *s* decisão *f*; **to make a decision** tomar uma decisão.

decisive [dɪ'saɪsɪv] *adj (pessoa)* decidido(da); *(evento, fator)* decisivo(va).

deck [dek] *s (de navio)* convés *m*; *(de cartas)* baralho *m*; *(de casa)* deck *m*.

deckchair ['dektʃeər] *s* espreguiçadeira *f*.

declare [dɪ'kleər] *vt* declarar; **to declare that** declarar que; **'goods to declare'** 'bens a declarar'; **'nothing to declare'** 'nada a declarar'.

decline [dɪ'klaɪn] **1** *s* declínio *m*.
2 *vi (piorar)* declinar; *(rejeitar)* recusar.

decorate ['dekəreɪt] *vt* decorar.

decoration [ˌdekə'reɪʃn] *s (papel de parede, pintura, mobília)* decoração *f*; *(objeto de decoração)* adorno *m*.

decrease [*s* 'di:kri:s, *v* di:'kri:s] **1** *s* diminuição *f*.
2 *vi* diminuir.

dedicated ['dedɪkeɪtɪd] *adj (devotado)* dedicado(da).

deduce [dɪ'du:s] *vt* deduzir.

deduct [dɪ'dʌkt] *vt* deduzir.

deduction [dɪ'dʌkʃn] *s* dedução *f*.

deep [di:p] **1** *adj* profundo(da); *(cor)* intenso(sa); *(som, voz)* grave.
2 *adv* fundo.
3 the pool is two meters deep a piscina tem dois metros de profundidade; **to take a deep breath** respirar fundo.

deep end *s (de piscina)* parte *f* funda.

deep freeze *s* freezer *m*.

deer [dɪər] (*pl inv*) *s* veado *m*.

defeat [dɪ'fi:t] **1** *s* derrota *f.*
2 *vt (time, exército, governo)* derrotar.
defect ['di:fekt] *s* defeito *m.*
defective [dɪ'fektɪv] *adj* defeituoso(osa).
defence [dɪ'fens] *Brit* = **defense.**
defend [dɪ'fend] *vt* defender.
defense [dɪ'fens] *s Am* defesa *f.*
deficiency [dɪ'fɪʃnsɪ] *s (falta)* deficiência *f.*
deficit ['defəsɪt] *s* déficit *m.*
define [dɪ'faɪn] *vt* definir.
definite ['defənət] *adj (resposta, decisão)* definitivo(va); *(pessoa)* seguro(ra); *(melhoria)* nítido(da).
definite article *s* artigo *m* definido.
definitely ['defənətlɪ] *adv (certamente)* sem dúvida (alguma); **I'll definitely go** irei com certeza.
definition [defə'nɪʃn] *s (de palavra)* definição *f.*
deflate [dɪ'fleɪt] *vt (pneu)* esvaziar.
deflect [dɪ'flekt] *vt (bola)* desviar.
defogger [ˌdi:'fɒgər] *s Am* desembaçador *m.*
deformed [dɪ'fɔ:rmd] *adj* deformado(da).
defrost [ˌdi:'frɒst] *vt (comida, freezer)* descongelar; *Am (embaçado)* desembaçar.
degree [dɪ'gri:] *s (unidade de medida)* grau *m*; *(qualificação)* graduação *f*; **a degree of difficulty** uma certa difficuldade; **to have a degree in sthg** ter uma formação em algo.
dehydrated [ˌdi:haɪ'dreɪtəd] *adj* desidratado(da).
de-ice [di:'aɪs] *vt* descongelar.
dejected [dɪ'dʒektəd] *adj* abatido(da).
delay [dɪ'leɪ] **1** *s* atraso *m.*
2 *vt* atrasar.
3 *vi* atrasar-se.
4 without delay sem demora.
delayed [dɪ'leɪd] *adj (trem, vôo)* atrasado(da).
delegate [*s* 'delɪgət, *v* 'delɪgeɪt] **1** *s* delegado *m*, -da *f.*
2 *vt (pessoa)* delegar.
delete [dɪ'li:t] *vt* suprimir.
deliberate [dɪ'lɪbərət] *adj (intencional)* deliberado(da).
deliberately [dɪ'lɪbərətlɪ] *adv (intencionalmente)* deliberadamente.
delicacy ['delɪkəsɪ] *s (comida)* iguaria *f.*
delicate ['delɪkət] *adj* delicado(da); *(objeto, porcelana)* frágil; *(gosto, cheiro)* suave.
delicious [dɪ'lɪʃəs] *adj* delicioso(osa).
delight [dɪ'laɪt] **1** *s (sentimento)* prazer *m.*
2 *vt* encantar.
3 to take (a) delight in doing sthg ter prazer em fazer algo.
delighted [dɪ'laɪtəd] *adj* encantado(da).
delightful [dɪ'laɪtfl] *adj* encantador(ra).
deliver [dɪ'lɪvər] *vt (mercadorias)* entregar; *(cartas, jornal)* distribuir; *(aula)* dar; *(bebê)* fazer o parto de; *(discurso)* fazer.
delivery [dɪ'lɪvərɪ] *s (de mercadorias)* entrega *f*; *(de cartas)* distribuição *f*; *(nascimento)* parto *m.*
delude [dɪ'lu:d] *vt* enganar.
demand [dɪ'mænd] **1** *s* exigência *f*; *(pedido)* reivindicação *f*; COM procura *f.*
2 *vt* exigir.
3 I demand to speak to the manager exijo falar com o gerente; **in demand** solicitado.
demanding [dɪ'mændɪŋ] *adj* exigente.
democracy [dɪ'mɒkrəsɪ] *s* democracia *f.*
democrat ['deməkræt] *s* democrata *mf.*
democratic [demə'krætɪk] *adj* democrático(ca).
demolish [dɪ'mɒlɪʃ] *vt (prédio)* demolir.
demonstrate ['demənstreɪt] **1** *vt (provar)* demonstrar; *(máquina, aparelho)* mostrar como funciona.
2 *vi* manifestar-se.
demonstration [demən'streɪʃn] *s (protesto)* manifestação *f*, passeata *f*; *(de máquina, emoções)* demonstração *f.*
den [den] *s* toca *f.*
denial [dɪ'naɪəl] *s* desmentido *m.*
denim ['denɪm] *s* brim *m*, jeans *mpl.*
denounce [dɪ'naʊns] *vt* denunciar.
dense [dens] *adj* denso(sa).
density ['densətɪ] *s* densidade *f.*
dent [dent] *s* amassado *m.*
dental ['dentl] *adj* dentário.
dental floss [-flɒs] *s* fio *m* dental.
dental surgeon *s* cirurgião-dentista *m*, cirurgiã-dentista *f.*
dentist ['dentɪst] *s* dentista *mf*; **to go to the dentist** ir ao dentista.
dentures ['dentʃərz] *spl* dentadura *f* (postiça).
deny [dɪ'naɪ] *vt* negar.
deodorant [di:'əʊdərənt] *s* desodorante *m.*
depart [dɪ'pa:rt] *vi* partir.
department [dɪ'pa:rtmənt] *s* departamento *m*; *(de governo)* ministério *m*; *(de loja)* seção *f.*

department store *s* loja *f* de departamentos.
departure [dɪ'pa:rtʃər] *s* partida *f*; **'departures'** *(em aeroporto)* 'embarque'.
depend [dɪ'pend] *vi*: **it depends** depende.
❑ **depend on** *vt fus (ser decidido por)* depender de; *(contar com)* confiar em; **depending on** dependendo de.
dependable [dɪ'pendəbl] *adj* de confiança, confiável.
deplorable [dɪ'plɔ:rəbl] *adj* deplorável.
deport [dɪ'pɔ:rt] *vt* deportar.
deposit [dɪ'pɒzət] **1** *s* depósito *m*; *(pagamento parcial)* entrada *f*.
2 *vt (pôr)* colocar; *(dinheiro em banco)* depositar.
depot ['di:pəʊ] *s Am (para ônibus, trens)* terminal *m*.
depressed [dɪ'prest] *adj* deprimido(da).
depressing [dɪ'presɪŋ] *adj* deprimente.
depression [dɪ'preʃn] *s* depressão *f*.
deprive [dɪ'praɪv] *vt*: **to deprive sb of sthg** privar alguém de algo.
depth [depθ] *s* profundidade *f*; **to be out of one's depth** *(quando nadando)* não ter pé; *(fig: incapaz de dar conta)* não estar à altura; **depth of field** *(em fotografia)* profundidade de campo; **in depth** a fundo.
deputy ['depjətɪ] *adj* adjunto(ta).
derailment [dɪ'reɪlmənt] *s* descarrilhamento *m*.
derelict ['derəlɪkt] *adj* abandonado(da).
descend [dɪ'send] *vt & vi* descer.
descendant [dɪ'sendənt] *s* descendente *mf*.
descent [dɪ'sent] *s* descida *f*.
describe [dɪ'skraɪb] *vt* descrever.
description [dɪ'skrɪpʃn] *s* descrição *f*.
desert [*s* 'dezərt, *v* dɪ'zɜ:rt] **1** *s* deserto *m*.
2 *vt* abandonar.
deserted [dɪ'zɜ:rtəd] *adj* deserto(ta).
deserve [dɪ'zɜ:rv] *vt* merecer.
design [dɪ'zaɪn] **1** *s* desenho *m*; *(arte)* design *m*.
2 *vt* desenhar; **to be designed for** ser concebido para.
designer [dɪ'zaɪnər] **1** *s (de roupas, acessórios)* estilista *mf*; *(de produto)* designer *mf*.
2 *adj (roupas, acessórios)* de grife.
desirable [dɪ'zaɪərəbl] *adj* desejável.
desire [dɪ'zaɪər] **1** *s* desejo *m*.
2 *vt* desejar; **it leaves a lot to be desired** deixa muito a desejar.
desk [desk] *s (em casa, escritório)* escrivaninha *f*; *(em escola)* carteira *f*; *(em aeroporto, estação)* balcão *m*; *(em hotel)* recepção *f*.
desktop publishing ['desk,tɒp-] *s* editoração *f* eletrônica.
despair [dɪ'speər] *s* desespero *m*.
despatch [dɪ'spætʃ] = **dispatch.**
desperate ['desprət] *adj* desesperado(da); **to be desperate for sthg** precisar de algo desesperadamente.
despicable [dɪ'spɪkəbl] *adj* desprezível.
despise [dɪ'spaɪz] *vt* desprezar.
despite [dɪ'spaɪt] *prep* apesar de.
dessert [dɪ'zɜ:rt] *s* sobremesa *f*.
dessertspoon [dɪ'zɜ:tspu:n] *s (talher)* colher *f* de sobremesa.
destination [,destɪ'neɪʃn] *s* destino *m*.
destroy [dɪ'strɔɪ] *vt* destruir.
destruction [dɪ'strʌkʃn] *s* destruição *f*.
detach [dɪ'tætʃ] *vt* separar.
detail [dɪ'teɪl] *s* pormenor *m*, detalhe *m*; **in detail** em pormenor.
❑ **details** *spl (fatos)* informações *fpl*.
detailed [dɪ'teɪld] *adj* pormenorizado(da), detalhado(da).
detect [dɪ'tekt] *vt* detectar.
detective [dɪ'tektɪv] *s* detetive *m*; **a detective story** uma história policial.
detergent [dɪ'tɜ:rdʒənt] *s* detergente *m*.
deteriorate [dɪ'tɪərɪəreɪt] *vi* deteriorar.
determination [dɪ,tɜ:rmɪ'neɪʃn] *s (qualidade)* determinação *f*.
determine [dɪ'tɜ:rmɪn] *vt* determinar.
determined [dɪ'tɜ:rmɪnd] *adj* decidido(da); **to be determined to do sthg** estar decidido a fazer algo.
deterrent [dɪ'tɜ:rənt] *s* meio *m* de dissuasão.
detest [dɪ'test] *vt* detestar.
devastate ['devəsteɪt] *vt* devastar.
develop [dɪ'veləp] **1** *vt (idéia, empresa, terra)* desenvolver; *(filme)* revelar; *(máquina, método)* elaborar; *(doença, hábito)* contrair; *(interesse)* revelar.
2 *vi (evoluir)* desenvolver-se.
developing country [dɪ'veləpɪŋ-] *s* país *m* em vias de desenvolvimento.
development [dɪ'veləpmənt] *s* desenvolvimento *m*; **a housing development** um conjunto habitacional.

device [dɪ'vaɪs] *s* aparelho *m*, dispositivo *m*.
devil ['devl] *s* diabo *m*.
devise [dɪ'vaɪz] *vt* conceber.
devoted [dɪ'vəʊtəd] *adj* dedicado(da).
dew [du:] *s* orvalho *m*.
diabetes [ˌdaɪə'bi:təs] *s* diabetes *f*.
diabetic [ˌdaɪə'betɪk] **1** *adj (pessoa)* diabético(ca); *(chocolate)* para diabéticos.
2 *s* diabético *m*, -ca *f*.
diagnosis [ˌdaɪəg'nəʊsɪs] (*pl* **-oses** [-əʊsi:z]) *s* diagnóstico *m*.
diagonal [daɪ'ægnəl] *adj* diagonal.
diagram ['daɪəgræm] *s* diagrama *m*.
dial ['daɪəl] **1** *s (de relógio, rádio)* mostrador *m*; *(de telefone)* disco *m*.
2 *vt* discar.
dialling tone ['daɪəlɪŋ-] *s Brit* = **dial tone.**
dial tone *s Am* sinal *m* (de discar).
diameter [daɪ'æmətər] *s* diâmetro *m*.
diamond ['daɪmənd] *s (pedra preciosa)* diamante *m*.
❑ **diamonds** *spl (em cartas)* ouros *mpl*.
diaper ['daɪpər] *s Am* fralda *f*.
diarrhea [ˌdaɪə'rɪə] *s* diarréia *f*.
diary ['daɪərɪ] *s (jornal)* diário *m*.
dice [daɪs] (*pl inv*) *s* dado *m*.
diced [daɪst] *adj (comida)* cortado(da) em cubos.
dictate [dɪk'teɪt] *vt* ditar.
dictation [dɪk'teɪʃn] *s* ditado *m*.
dictator [dɪk'teɪtər] *s* ditador *m*, -ra *f*.
dictionary ['dɪkʃənerɪ] *s* dicionário *m*.
did [dɪd] *pt* → **do.**
die [daɪ] (*pt & pp* **died,** *cont* **dying**) *vi* morrer; **to be dying for sthg** *fam* estar doido por algo; **to be dying to do sthg** *fam* estar doido para fazer algo.
❑ **die away** *vi* desvanecer-se.
❑ **die out** *vi* desaparecer.
diesel ['di:zl] *s (combustível)* diesel *m*; *(carro)* carro *m* a diesel.
diet ['daɪət] **1** *s* dieta *f*.
2 *vi* fazer dieta.
3 *adj* de baixa caloria.
differ ['dɪfər] *vi (não concordar)* discordar; **to differ (from)** *(ser distinto)* ser diferente (de).
difference ['dɪfrəns] *s* diferença *f*; **it makes no difference** é igual, não faz diferença; **a difference of opinion** uma divergência.
different ['dɪfrənt] *adj* diferente; **to be different (from)** ser diferente (de).
differently ['dɪfrəntlɪ] *adv* de outra forma.
difficult ['dɪfɪklt] *adj* difícil.
difficulty ['dɪfɪkltɪ] *s* dificuldade *f*.
dig [dɪg] (*pt & pp* **dug**) *vt & vi* cavar.
❑ **dig out** *vt sep (resgatar)* salvar; *(achar)* desenterrar.
❑ **dig up** *vt sep (da terra)* desenterrar.
digest [daɪ'dʒest] *vt* digerir.
digestion [daɪ'dʒestʃn] *s* digestão *f*.
digit ['dɪdʒət] *s (número)* dígito *m*; *(da mão, do pé)* dedo *m*.
digital ['dɪdʒətl] *adj* digital.
dilute [daɪ'lu:t] *vt* diluir.
dim [dɪm] **1** *adj (luz)* fraco(ca); *(cômodo)* escuro(ra); *(memória)* vago(ga); *fam (estúpido)* burro(a).
2 *vt (luz)* diminuir, baixar.
dime [daɪm] *s Am moeda de dez centavos.*
dimensions [daɪ'menʃnz] *spl (medidas)* dimensões *fpl*; *(extensão)* dimensão *f*.
dimple ['dɪmpl] *s* covinha *f* (no rosto).
din [dɪn] *s* barulho *m*.
dine [daɪn] *vi* jantar.
❑ **dine out** *vi* jantar fora.
diner ['daɪnər] *s Am (restaurante) restaurante à beira da estrada que serve refeições a preços baixos*; *(pessoa)* cliente *mf (em restaurante)*.
dinghy ['dɪŋgɪ] *s (com vela)* barco *m* a vela; *(com remos)* barco *m* a remos.
dingy ['dɪndʒɪ] *adj* miserável.
dining room ['daɪnɪŋ-] *s* sala *f* de jantar.
dinner ['dɪnər] *s (à noite)* jantar *m*; *(de dia)* almoço *m*; **to have dinner** *(de dia)* almoçar; *(à noite)* jantar.
dinner jacket *s* smoking *m*.
dinner party *s (social)* jantar *m*.
dinosaur ['daɪnəsɔ:r] *s* dinossauro *m*.
dip [dɪp] **1** *s (em estrada, terra)* depressão *f*; *(comida) molho que se serve com legumes crus e salgadinhos.*
2 *vt (em líquido)* mergulhar.
3 *vi (estrada, terra)* descer.
4 to have a dip *(mergulho)* dar um mergulho.
diploma [dɪ'pləʊmə] *s* diploma *m*.
direct [də'rekt] **1** *adj* direto(ta).
2 *adv* diretamente.
3 *vt* dirigir; *(filme, programa de TV)* realizar; *(peça teatral)* encenar; **can you direct me to the train station?** podia

me mostrar o caminho para a estação de trem?

direct current *s* corrente *f* contínua.

direction [də'rekʃn] *s (de movimento)* direção *f.*

□ **directions** *spl (orientação)* instruções *fpl*; **to ask for directions** pedir indicações.

directly [də'rektlı] *adv (exatamente)* diretamente; *(breve)* imediatamente.

director [də'rektər] *s* diretor *m*, -ra *f*; *(de filme, programa de TV)* realizador *m*, -ra *f*; *(de peça teatral)* encenador *m*, -ra *f.*

directory [də'rektərı] *s* lista *f* telefônica.

directory assistance *s Am* auxílio *m* à lista.

directory enquiries *s Brit* = **directory assistance.**

dirt [dɜ:rt] *s* sujeira *f*; *(solo)* terra *f.*

dirty ['dɜ:rtı] *adj* sujo(ja); *(piada)* sujo (ja).

disability [ˌdısə'bılətı] *s* deficiência *f.*

disabled [dıs'eıbld] **1** *adj* deficiente.
2 *spl*: **the disabled** os deficientes.

disadvantage [ˌdısəd'va:ntıdʒ] *s* desvantagem *f*, inconveniente *m.*

disagree [ˌdısə'gri:] *vi (pessoas)* não estar de acordo; **to disagree with sb (about)** não concordar com alguém (sobre); **those mussels disagreed with me** os mexilhões me fizeram mal.

disagreement [ˌdısə'gri:mənt] *s (debate)* discussão *f*; *(dessemelhança)* diferença *f.*

disappear [ˌdısə'pıər] *vi* desaparecer.

disappearance [ˌdısə'pıərəns] *s* desaparecimento *m.*

disappoint [ˌdısə'pɔınt] *vt* desiludir.

disappointed [ˌdısə'pɔıntəd] *adj* desiludido(da).

disappointing [ˌdısə'pɔıntıŋ] *adj* decepcionante.

disappointment [ˌdısə'pɔıntmənt] *s* decepção *f*, desapontamento *m.*

disapprove [ˌdısə'pru:v] *vi*: **to disapprove of** não aprovar.

disarmament [dıs'a:rməmənt] *s* desarmamento *m.*

disaster [dı'zæstər] *s* desastre *m.*

disastrous [dı'zæstrəs] *adj* desastroso(osa).

disc [dısk] *s* disco *m.*

discard [dı'ska:rd] *vt* desfazer-se de.

discharge [dıs'tʃa:rdʒ] *vt (prisioneiro)* libertar; *(paciente)* dar alta a; *(soldado)* dispensar; *(líquido)* despejar; *(fumaça, gás)* emitir.

disciple [dı'saıpl] *s* discípulo *m*, -la *f.*

discipline ['dısəplın] *s* disciplina *f.*

disc jockey *s* discotecário *m*, -ria *f*, disc-jóquei *mf.*

disclose [dıs'kləʊz] *vt* revelar, divulgar.

disco ['dıskəʊ] (*pl* **discos**) *s (lugar)* discoteca *f*; *(evento)* baile *m.*

discolored [dıs'kʌlərd] *adj* descolorado(da).

discomfort [dıs'kʌmfərt] *s* desconforto *m.*

disconnect [ˌdıskə'nekt] *vt* desconectar; *(telefone, fornecimento de gás)* cortar.

discontinued [ˌdıskən'tınju:d] *adj (produto)* fora de linha.

discotheque ['dıskətek] *s (lugar)* discoteca *f.*

discount ['dıskaʊnt] *s* desconto *m.*

discover [dı'skʌvər] *vt* descobrir.

discovery [dı'skʌvərı] *s* descoberta *f.*

discreet [dı'skri:t] *adj* discreto(ta).

discrepancy [dı'skrepənsı] *s* discrepância *f.*

discriminate [dı'skrımıneıt] *vi*: **to discriminate against sb** discriminar alguém.

discrimination [dıˌskrımı'neıʃn] *s* discriminação *f.*

discuss [dı'skʌs] *vt* discutir.

discussion [dı'skʌʃn] *s* discussão *f.*

disease [dı'zi:z] *s* doença *f.*

disembark [ˌdısım'ba:rk] *vi* desembarcar.

disgrace [dıs'greıs] *s* vergonha *f*; **it's a disgrace!** é uma vergonha!

disgraceful [dıs'greısfl] *adj* vergonhoso(osa).

disguise [dıs'gaız] **1** *s* disfarce *m.*
2 *vt* disfarçar; **in disguise** disfarçado.

disgust [dıs'gʌst] **1** *s* repugnância *f*, nojo *m.*
2 *vt* enojar, repugnar.

disgusting [dıs'gʌstıŋ] *adj* nojento(ta).

dish [dıʃ] *s* prato *m*; **to do the dishes** lavar a louça; **'dish of the day'** 'prato do dia'.

□ **dish up** *vt sep* servir.

dishcloth ['dıʃklɒθ] *s* pano *m* de prato.

disheveled [dı'ʃevld] *adj Am (cabelo)* despenteado(da); *(pessoa)* desarrumado(da).

dishevelled [dı'ʃevld] *adj Brit* = **disheveled.**

dishonest [dɪs'ɒnəst] *adj* desonesto(ta).
dish rack *s* escorredor *m* (de louça).
dishwasher ['dɪʃˌwɒʃər] *s (lavadora)* máquina *f* de lavar louça.
dishwashing liquid ['dɪʃˌwɒʃɪŋ-] *s Am* detergente *m*.
disinfect [ˌdɪsɪn'fekt] *vt* desinfetar.
disinfectant [ˌdɪsɪn'fektənt] *s* desinfetante *m*.
disintegrate [dɪs'ɪntəgreɪt] *vi* desintegrar-se.
disk [dɪsk] *s* = **disc**; INFORM disco *m*; *(flexível)* disquete *f*; **to slip a disk** deslocar uma vértebra.
disk drive *s* drive *m*.
dislike [dɪs'laɪk] **1** *s* aversão *f*.
2 *vt* não gostar de; **to take a dislike to** não simpatizar com.
dislocate ['dɪsləkeɪt] *vt* deslocar.
dismal ['dɪzməl] *adj (clima, lugar)* deprimente; *(terrível)* péssimo(ma).
dismantle [dɪs'mæntl] *vt* desmontar.
dismay [dɪs'meɪ] *s* consternação *f*.
dismiss [dɪs'mɪs] *vt (não considerar)* rejeitar; *(de emprego)* despedir; *(de aula)* dispensar.
disobedient [ˌdɪsə'bi:djənt] *adj* desobediente.
disobey [ˌdɪsə'beɪ] *vt* desobedecer.
disorder [dɪs'ɔ:rdər] *s (confusão)* desordem *f*; *(violência)* distúrbios *mpl*; *(doença)* problema *m*; *(doença mental)* distúrbio *m*.
disorganized [dɪs'ɔ:rgənaɪzd] *adj* desorganizado(da).
dispatch [dɪ'spætʃ] *vt* enviar.
dispense [dɪ'spens]: **dispense with** *vt fus* prescindir de, passar sem.
dispenser [dɪ'spensər] *s (aparelho)* máquina *f* distribuidora.
disperse [dɪ'spɜ:rs] **1** *vt* dispersar.
2 *vi* dispersar-se.
display [dɪ'spleɪ] **1** *s (de produtos)* exposição *f*; *(evento público)* espetáculo *m*; INFORM visualização *f*.
2 *vt (produtos)* expor; *(sentimento, qualidade)* demonstrar; *(informação)* afixar; **on display** exposto.
displeased [dɪs'pli:zd] *adj* descontente.
disposable [dɪ'spəʊzəbl] *adj* descartável.
dispute [dɪ'spju:t] **1** *s (debate)* discussão *f*; *(industrial)* conflito *m*.
2 *vt* discutir.
disqualify [ˌdɪs'kwɒlɪfaɪ] *vt* desqualificar.
disregard [ˌdɪsrɪ'ga:rd] *vt* ignorar.
disrupt [dɪs'rʌpt] *vt* perturbar, transtornar.
disruption [dɪs'rʌpʃn] *s* transtorno *m*.
dissatisfied [ˌdɪs'sætəsfaɪd] *adj* insatisfeito(ta).
dissolve [dɪ'zɒlv] **1** *vt* dissolver.
2 *vi* dissolver-se.
dissuade [dɪ'sweɪd] *vt*: **to dissuade sb from doing sthg** dissuadir alguém de fazer algo.
distance ['dɪstəns] *s* distância *f*; **from a distance** de longe; **in the distance** ao longe.
distant ['dɪstənt] *adj* distante.
distilled water [dɪ'stɪld-] *s* água *f* destilada.
distillery [dɪ'stɪlərɪ] *s* destilaria *f*.
distinct [dɪ'stɪŋkt] *adj* distinto(ta).
distinction [dɪ'stɪŋkʃn] *s* distinção *f*.
distinctive [dɪ'stɪŋktɪv] *adj* característico(ca).
distinguish [dɪ'stɪŋgwɪʃ] *vt* distinguir; **to distinguish sthg from sthg** distinguir algo de algo.
distorted [dɪ'stɔ:rtəd] *adj* distorcido(da).
distract [dɪ'strækt] *vt* distrair.
distraction [dɪ'strækʃn] *s* distração *f*.
distress [dɪ'stres] *s (agonia)* sofrimento *m*, dor *f*; *(ansiedade)* angústia *f*.
distressing [dɪ'stresɪŋ] *adj* angustiante.
distribute [dɪ'strɪbjət] *vt* distribuir.
distributor [dɪ'strɪbjətər] *s* COM distribuidor *m*, -ra *f*; AUT distribuidor *m*.
district ['dɪstrɪkt] *s (região)* distrito *m*; *(de cidade)* bairro *m*.
disturb [dɪ'stɜ:rb] *vt (interromper)* incomodar; *(angustiar)* preocupar; *(mover)* mexer em; **'do not disturb'** 'favor não incomodar'.
disturbance [dɪ'stɜ:rbəns] *s (violência)* distúrbio *m*.
ditch [dɪtʃ] *s* fosso *m*.
ditto ['dɪtəʊ] *adv* idem.
dive [daɪv] (*Am pt* **-d** ou **dove,** *Brit pt* **-d**) **1** *s (nadador)* mergulho *m*.
2 *vi* mergulhar; *(pássaro, avião)* descer em vôo picado; *(investir-se)* lançar-se.
diver ['daɪvər] *s* mergulhador *m*, -ra *f*.
diversion [daɪ'vɜ:rʃn] *s (gen)* desvio *m*; *(recreação)* diversão *f*.
divert [daɪ'vɜ:rt] *vt* desviar.
divide [dɪ'vaɪd] *vt* dividir.

□ **divide up** *vt sep* dividir.

diving ['daɪvɪŋ] *s* mergulho *m*; **to go diving** ir mergulhar.

diving board *s* trampolim *m*.

division [dɪ'vɪʒn] *s* divisão *f*; *COM* departamento *m*.

divorce [dɪ'vɔːrs] **1** *s* divórcio *m*.
2 *vt* divorciar-se de.

divorced [dɪ'vɔːrst] *adj* divorciado(da).

dizzy ['dɪzɪ] *adj* tonto(ta).

do [duː] (*pt* **did**, *pp* **done**, *pl* **dos**) **1** *v aux*
(a) *(em negativas)*: **don't do that!** não faça isso!; **she didn't see it** ela não o viu.
(b) *(em perguntas)*: **do you like it?** você gosta?; **how do you do it?** como é que se faz?
(c) *(referente a verbo anterior)*: **do you smoke? - yes, I do/no, I don't** você fuma? - sim/não; **I eat more than you do** eu como mais do que você; **no, I didn't do it!** não fiz, não!; **so do I** eu também.
(d) *(em perguntas)*: **so, you like Scotland, do you?** então você gosta da Escócia, não gosta?; **the train leaves at five o'clock, doesn't it?** o trem sai às cinco, não é (verdade)?
(e) *(para ênfase)*: **I do like this bedroom** eu realmente gosto deste quarto; **do come in!** faça o favor de entrar!
2 *vt* **(a)** *(realizar)* fazer; **to do one's homework** fazer o dever de casa; **what is she doing?** o que ela está fazendo?; **what can I do for you?** em que posso ajudá-lo?
(b) *(lavar, escovar, etc)*: **to do one's hair** pentear-se; **to do one's make-up** maquiar-se; **to do one's teeth** escovar os dentes.
(c) *(causar)* fazer; **to do damage** fazer estragos; **to do sb good** fazer bem a alguém.
(d) *(fazer como trabalho)*: **what do you do?** o que você faz?
(e) *(prover, oferecer)* fazer; **we do pizzas for under $5** vendemos pizzas por menos de 5 dólares.
(f) *(suj: veículo)* ir a; **the car was doing 50mph** o carro ia a 80 km/h.
(g) *fam (visita)* visitar; **we're doing Scotland next week** para a semana vamos visitar a Escócia.
3 *vi* **(a)** *(comportar-se, agir)* fazer; **do as I say** faça como eu lhe digo.
(b) *(progredir)*: **he did badly/well on his test** ele foi mal/bem no exame; **how did you do?** como é que foi?
(c) *(ser suficiente)* chegar; **will $10 do?** 10 dólares chega?
(d) *(em frases)*: **how do you do?** *(saudação)* (muito) prazer (em conhecê-lo); **how are you doing?** como é que vão as coisas?; **what does that have to do with it?** o que é que isso tem a ver?
4 *s (celebração)* festa *f*; **dos and don'ts** o que fazer e não fazer.

□ **do up** *vt sep (casaco, camisa)* abotoar; *(sapatos, cadarços)* apertar, atar; *(zíper)* fechar; *(apartamento, casa)* renovar.

□ **do with** *vt fus (precisar)*: **I could do with a drink** eu bem que beberia alguma coisa.

□ **do without** *vt fus* passar sem.

> Presente
>
> | | |
> |---|---|
> | *I do* | *we do* |
> | *You do* | *you do* |
> | *He/she/it does* | *they do* |
>
> Pretérito simples
>
> | | |
> |---|---|
> | *I did* | *we did* |
> | *You did* | *you did* |
> | *He/she/it did* | *they did* |
>
> Gerúndio
> *Doing*
>
> Particípio
> *Done*
>
> *Do* tem seus próprios significados como verbo principal, mas é também utilizado como auxiliar, principalmente para formar orações interrogativas (*do you watch much television?* você assiste muita TV?) e negativas (*I didn't see him at school today* não o vi na escola hoje), quando o verbo principal estiver no presente ou no passado; para outros tempos verbais, utiliza-se *be* ou *have*.
>
> *Do* também serve para dar ênfase à frase (*you're wrong - I do know her* você está enganado, eu a conheço, sim).
>
> Ver também **fazer** no lado Português-Inglês do dicionário.

dock [dɒk] **1** *s (para navios)* doca *f*; *JUR* banco *m* dos réus.
2 *vi* atracar.

doctor ['dɒktər] *s (de medicina)* médico *m*, -ca *f*, doutor *m*, -ra *f*; *(acadêmico)* doutor *m*, -ra *f*; **to go to the doctor** ir ao médico.

document ['dɒkjəmənt] *s* documento *m.*
documentary [ˌdɒkjə'mentərɪ] *s* documentário *m.*
does [dəz, dʌz] → **do.**
doesn't ['dʌznt] = **does not.**
dog [dɒg] *s* cão *m*, cachorro *m.*
do-it-yourself *s* sistema *m* faça-você-mesmo.
doll [dɒl] *s* boneca *f.*
dollar ['dɒlər] *s* dólar *m.*
dolphin ['dɒlfɪn] *s* golfinho *m.*
dome [dəʊm] *s* abóbada *f.*
domestic [də'mestɪk] *adj* doméstico(ca); *(de país)* nacional.
domestic appliance *s* eletrodoméstico *m.*
dominate ['dɒməneɪt] *vt* dominar.
dominoes ['dɒmənəʊz] *s* dominó *m.*
donate [də'neɪt] *vt* doar.
donation [də'neɪʃn] *s* doação *f.*
done [dʌn] **1** *pp* → **do.**
2 *adj* pronto(ta).
donkey ['dɒŋkɪ] *s* burro *m.*
don't [dəʊnt] = **do not.**
door [dɔ:r] *s* porta *f.*
doorbell ['dɔ:rbel] *s* campainha *f.*
doorknob ['dɔ:rnɒb] *s* maçaneta *f.*
doorman ['dɔ:rmən] (*pl* **-men**) *s* porteiro *m.*
doormat ['dɔ:rmæt] *s* tapete *m*, capacho *m.*
doormen ['dɔ:rmən] *pl* → **doorman.**
doorstep ['dɔ:rstep] *s* degrau *m.*
doorway ['dɔ:rweɪ] *s* entrada *f.*
dope [dəʊp] *s fam (qualquer droga ilegal)* droga *f*; *(fumo)* erva *f*, maconha *f.*
dormitory ['dɔ:rmətɔ:rɪ] *s* dormitório *m.*
dosage ['dəʊsɪdʒ] *s* dose *f.*
dose [dəʊs] *s (quantidade)* dose *f*; *(de doença)* ataque *m.*
dot [dɒt] *s* ponto *m*; **on the dot** *fig* em ponto.
dotted line ['dɒtəd-] *s* pontilhado *m.*
double ['dʌbl] **1** *adj* duplo(pla).
2 *s (quantidade)* o dobro; *(bebida alcoólica)* dose *f* dupla.
3 *vt & vi* duplicar.
4 *adv*: **it's double the size** tem o dobro do tamanho.
5 to bend sthg double dobrar algo ao meio; **a double whiskey** um uísque duplo; **double three, four, two** três, três, quatro, dois; **double r** dois erres.
❑ **doubles** *s (em tênis)* dupla *f.*

> Quando *double* for usado como substantivo, o artigo *the* não é necessário (*I only paid 10 dollars but he offered me double for it* paguei apenas 10 dólares, mas ele me ofereceu o dobro).
>
> Entretanto, quando *double* vier antes de substantivo, este deve ser precedido de *the*, *this/that* ou *what* (*I'd like double that amount* quero o dobro (disso)).

double bed *s* cama *f* de casal.
double-breasted [-'brestəd] *adj* trespassado(da).
double-glazing [-'gleɪzɪŋ] *s* vidros *mpl* duplos.
doubt [daʊt] **1** *s* dúvida *f.*
2 *vt* duvidar de.
3 I doubt it duvido; **I doubt she'll be there** duvido que ela esteja lá; **in doubt** *(pessoa)* em dúvida; *(resultado)* incerto; **no doubt** sem dúvida.
doubtful ['daʊtfl] *adj (probabilidade)* improvável; **it's doubtful that ...** *(incerto)* é pouco provável que ...
dough [dəʊ] *s* massa *f.*
doughnut ['dəʊnʌt] *s (sem buraco)* sonho *m*; *(com buraco)* Donut *m.*
dove[1] [dʌv] *s (ave)* pomba *f.*
dove[2] [dəʊv] *pt Am* → **dive.**
down [daʊn] **1** *adv* **(a)** *(direção)* para baixo; **down here/there** aqui/ali em baixo; **to fall down** cair; **to go down** descer.
(b) *(ir até)*: **I'm going down to the shops** vou até a loja.
(c) *(andar de baixo)*: **I'll come down later** vou descer mais tarde.
(d) *(em direção ao sul)* para baixo; **we're going down to Miami** vamos até Miami.
(e) *(em escrita)*: **to write sthg down** anotar algo.
(f) *(em frases)*: **to come down with** *(doença)* adoecer com.
2 *prep* **(a)** *(para baixo de)*: **they ran down the hill** eles correram pelo monte abaixo.
(b) *(ir por)*: **I was walking down the street** ia andando pela rua.
3 *adj fam (triste)* deprimido(da).
4 *s (penas)* penugem *f.*
download ['daʊnləʊd] *vt INFORM* baixar, fazer download de.

downpour ['daʊnpɔːr] *s* aguaceiro *m*.

downstairs [ˌdaʊn'steərz] **1** *adj* do andar de baixo.
2 *adv* no andar de baixo.
3 to come ou **go downstairs** descer.

downstream [ˌdaʊn'striːm] *adv* rio abaixo.

downtown [ˌdaʊn'taʊn] **1** *adj (hotel)* central; *(trem, ônibus)* do centro.
2 *adv (morar)* no centro; *(ir)* ao centro; **downtown New York** o centro de Nova York.

down under *adv fam (lugar)* para a/na Austrália.

doze [dəʊz] *vi* dormitar, cochilar.

dozen ['dʌzn] *s* dúzia *f*; **a dozen eggs** uma dúzia de ovos.

drab [dræb] *adj* sem graça.

draft [dræft] **1** *s (versão preliminar)* rascunho *m*; FIN ordem *f* de pagamento; *Am (de ar)* corrente *f* de ar.
2 *vt (exército)* recrutar.

draft beer *s* chope *m*.

drag [dræg] **1** *vt (puxar)* arrastar.
2 *vi (ir pelo chão)* arrastar-se.
3 what a drag! *fam* que chatice!
❑ **drag on** *vi* arrastar-se.

dragonfly ['drægənflaɪ] *s* libélula *f*.

drain [dreɪn] **1** *s (cano)* esgoto *m*.
2 *vt (tanque, radiador)* esvaziar.
3 *vi (legumes, pratos)* escorrer.

draining board ['dreɪnɪŋ-] *s (na pia)* escorredor *m* de louça.

drainpipe ['dreɪnpaɪp] *s* cano *m* de esgoto.

drama ['draːmə] *s (peça)* peça *f* de teatro; *(arte)* teatro *m*; *(excitação)* drama *m*.

dramatic [drə'mætɪk] *adj* dramático(ca).

drank [dræŋk] *pt* → **drink.**

drapes [dreɪps] *spl Am* cortinas *fpl*.

drastic ['dræstɪk] *adj* drástico(ca).

drastically ['dræstɪklɪ] *adv* drasticamente.

draught [draːft] *Brit* = **draft.**

draw [drɔː] (*pt* **drew,** *pp* **drawn**) **1** *vt (com caneta, lápis)* desenhar; *(linha)* traçar; *(cortinas)* puxar; *(atração)* atrair; *(comparação)* estabelecer; *(conclusão)* chegar a.
2 *vi (com caneta, lápis)* desenhar; ESP empatar.
3 *s* ESP *(resultado)* empate *m*; *(loteria)* sorteio *m*.
4 to draw the curtains *(abrir)* abrir as cortinas; *(fechar)* fechar as cortinas.
❑ **draw out** *vt sep (dinheiro)* levantar.
❑ **draw up 1** *vt sep (lista, contrato)* redigir; *(plano)* elaborar.
2 *vi (carro, ônibus)* parar.

drawback ['drɔːbæk] *s* inconveniente *m*.

drawer [drɔːr] *s* gaveta *f*.

drawing ['drɔːɪŋ] *s* desenho *m*.

drawn [drɔːn] *pp* → **draw.**

dreadful ['dredfl] *adj* terrível.

dream [driːm] **1** *s* sonho *m*.
2 *vt* sonhar.
3 *vi*: **to dream (of)** sonhar (com).
4 a dream house uma casa de sonho.

dress [dres] **1** *s (para mulher, menina)* vestido *m*; *(vestimenta)* roupa *f*.
2 *vt (pessoa, bebê)* vestir; *(ferimento)* fazer curativo em; *(salada)* temperar.
3 *vi* vestir-se.
4 to be dressed in estar vestido de; **to get dressed** vestir-se.
❑ **dress up** *vi (em fantasia)* disfarçar-se; *(arrumar-se)* vestir-se elegantemente.

dress circle *s* balcão *m* nobre.

dresser ['dresər] *s Am (móvel)* cômoda *f*; *Brit (para louça)* aparador *m*.

dressing ['dresɪŋ] *s (para salada)* tempero *m*; *(para machucado)* curativo *m*.

dressing gown *s fml* robe *m*, roupão *m*.

dressing room *s* camarim *m*.

dressing table *s* toucador *m*.

dressmaker ['dresˌmeɪkər] *s* costureiro *m*, -ra *f*.

dress rehearsal *s* ensaio *m* geral.

drew [druː] *pt* → **draw.**

dribble ['drɪbl] *vi (líquido)* pingar; *(bebê)* babar-se.

drier ['draɪər] = **dryer.**

drift [drɪft] **1** *s (de neve)* monte *m*.
2 *vi (no vento)* ser levado pelo vento; *(na água)* ser levado pela água, derivar.

drill [drɪl] **1** *s (ferramenta elétrica)* furadeira *f*; *(ferramenta manual, de dentista)* broca *f*.
2 *vt (buraco)* furar.

drink [drɪŋk] (*pt* **drank,** *pp* **drunk**) **1** *s (de água, chá, etc)* bebida *f*; *(alcoólico)* drinque *m*, bebida.
2 *vt & vi* beber.
3 would you like a drink? quer beber ou tomar algo?; **to have a drink** *(alcoólico)* beber ou tomar um drinque.

drinkable ['drɪŋkəbl] *adj (próprio para beber)* potável; *(vinho)* razoável.

drinking water [ˈdrɪŋkɪŋ-] *s* água *f* potável.

drip [drɪp] **1** *s (pingo)* gota *f*; MED aparelho *m* de soro.
2 *vi* pingar.

drive [draɪv] (*pt* **drove,** *pp* **driven**) **1** *s (passeio de carro)* viagem *f*, volta *f* de carro; *(entrada da garagem)* acesso *m*, caminho *m*.
2 *vt (veículo)* dirigir; *(carregar no carro)* levar (em carro).
3 *vi (conduzir)* dirigir; *(andar de carro)* ir de carro.
4 to go for a drive ir dar um passeio de carro; **it's driven by electricity** funciona a eletricidade; **to drive sb to do sthg** levar alguém a fazer algo; **to drive sb crazy** deixar alguém louco.

drivel [ˈdrɪvl] *s* disparates *mpl*.

driven [ˈdrɪvn] *pp* → **drive.**

driver [ˈdraɪvər] *s (de carro, táxi, ônibus)* motorista *mf*; *(de trem)* maquinista *mf*.

driver's license *s Am* carteira *f* de motorista.

driveway [ˈdraɪvweɪ] *s* acesso *m*, caminho *m*.

driving licence *s Brit* = **driver's license.**

driving test *s* exame *m* de direção.

drizzle [ˈdrɪzl] *s* chuvisco *m*.

drop [drɒp] **1** *s* gota *f*, pingo *m*; *(distância para baixo)* descida *f*; *(diminuição)* queda *f*.
2 *vt (por acidente)* deixar cair; *(de propósito)* jogar; *(reduzir)* baixar; *(de veículo)* deixar; *(deixar de lado)* omitir.
3 *vi (queda)* cair; *(diminuir)* baixar.
4 to drop a hint that dar a entender que; **to drop sb a line** escrever a alguém.
❑ **drop in** *vi fam*: **to drop in on sb** passar pela casa de alguém.
❑ **drop off 1** *vt sep (de veículo)* deixar.
2 *vi (cochilar)* adormecer; *(queda)* cair.
❑ **drop out** *vi (de escola)* abandonar os estudos; *(de corrida)* desistir.

drought [draʊt] *s* seca *f*.

drove [drəʊv] *pt* → **drive.**

drown [draʊn] *vi* afogar-se.

drug [drʌg] **1** *s* droga *f*.
2 *vt* drogar.

drug addict *s* drogado *m*, -da *f*, toxicômano *m*, -na *f*.

druggist [ˈdrʌgɪst] *s Am* farmacêutico *m*, -ca *f*.

drum [drʌm] *s* MÚS tambor *m*; *(recipiente)* barril *m*; **to play the drums** tocar bateria.

drummer [ˈdrʌmər] *s* baterista *mf*.

drumstick [ˈdrʌmstɪk] *s (de galinha)* coxa *f*.

drunk [drʌŋk] **1** *pp* → **drink.**
2 *adj* bêbado(da).
3 *s* bêbado *m*, -da *f*; **to get drunk** embebedar-se.

dry [draɪ] **1** *adj* seco(ca).
2 *vt (mãos, pratos, roupas)* secar.
3 *vi* secar.
4 to dry o.s. secar-se; **to dry one's hair** secar o cabelo.
❑ **dry up** *vi (ficar seco)* secar.

dry-clean *vt* lavar a seco.

dry cleaners *s* tinturaria *f*.

dryer [ˈdraɪər] *s (para roupas)* máquina *f* de secar; *(para cabelo)* secador *m*.

dubbed [dʌbd] *adj (filme)* dublado(da).

dubious [ˈduːbjəs] *adj (suspeito)* duvidoso(osa).

duchess [ˈdʌtʃəs] *s* duquesa *f*.

duck [dʌk] **1** *s* pato *m*.
2 *vi* abaixar-se.

due [duː] *adj (de direito)* devido(da); *(que se deve)* a pagar; **the train is due at eight o'clock** a chegada do trem está prevista para as oito; **in due course** no tempo devido; **due to** devido a.

duet [duːˈet] *s* dueto *m*.

duffel coat [ˈdʌfl-] *s* casaco *m (grosso de inverno com capuz)*.

dug [dʌg] *pt & pp* → **dig.**

duke [duːk] *s* duque *m*.

dull [dʌl] *adj (entediante)* chato(ta), aborrecido(da); *(opaco)* baço(ça); *(clima)* cinzento(ta); *(dor)* incômodo(da).

dumb [dʌm] *adj fam (bobo)* estúpido(da); *(incapaz de falar)* mudo(da).

dummy [ˈdʌmɪ] *s (para roupas)* manequim *m*.

dump [dʌmp] **1** *s (para lixo)* lixeira *f*; *fam (lugar)* espelunca *f*.
2 *vt (jogar de qualquer jeito)* deixar cair; *(se livrar)* desfazer-se de.

dune [duːn] *s* duna *f*.

dungarees [ˌdʌŋgəˈriːz] *spl* macacão *m*.

dungeon [ˈdʌndʒən] *s* masmorra *f*.

duo [ˈduːəʊ] *s* duo *m*.

duplicate [ˈduːplɪkət] *s* duplicado *m*.

during [ˈdʊərɪŋ] *prep* durante.

dusk [dʌsk] *s* crepúsculo *m*.

dust [dʌst] **1** *s* pó *m* , poeira *f*.

2 *vt (móvel, objeto)* tirar o pó de.
dustpan ['dʌstpæn] *s* pá *f* de lixo.
dusty ['dʌstɪ] *adj (estrada)* poeirento(ta); *(cômodo, ar)* cheio (cheia) de pó.
duty ['du:tɪ] *s (obrigação moral)* dever *m*; *(imposto)* taxa *f*; **to be on duty** estar de plantão; **to be off duty** estar de folga. ❑ **duties** *spl (emprego)* funções *fpl*.
duty-free **1** *adj* livre de impostos.
2 *s (produto)* artigo *m* isento de impostos alfandegários.
duvet [dʊ'veɪ] *s* edredom *m*.
dwarf [dwɔ:rf] (*pl* **dwarves** [dwɔ:rvz]) *s* anão *m*, anã *f*.
dwelling ['dwelɪŋ] *s fml* moradia *f*.
dye [daɪ] **1** *s* tinta *f* (para tingir).
2 *vt* tingir.
dynamite ['daɪnəmaɪt] *s* dinamite *f*.
dynamo ['daɪnəməʊ] (*pl* **-s**) *s* dínamo *m*.
dyslexic [dɪs'leksɪk] *adj* disléxico(ca).

Ee

each [iːtʃ] *adj & pron* cada; **each one** cada um (cada uma); **each of them** cada um deles (cada uma delas); **each other** um ao outro; **they fought each other** lutaram um contra o outro; **we know each other** nós nos conhecemos; **one each** um para cada um; **one of each** um de cada.

Ver **all**.

eager [ˈiːgər] *adj (estudante)* entusiasta; *(expressão)* de entusiasmo; **to be eager to do sthg** estar ansioso por fazer algo; **eager to please** doido para agradar.

eagle [ˈiːgl] *s* águia *f.*

ear [ɪər] *s* orelha *f*; *(de milho)* espiga *f.*

earache [ˈɪəreɪk] *s* dor *f* de ouvido; **I have an earache** estou com dor de ouvido.

earl [ɜːrl] *s* conde *m.*

early [ˈɜːrlɪ] **1** *adj (antes do esperado)* antecipado(da).
2 *adv* cedo.
3 I need to catch an early train preciso pegar um trem que passa mais cedo; **it arrived an hour early** chegou uma hora mais cedo; **early last year** no início do ano passado; **in the early morning** de madrugada; **at the earliest** o mais cedo possível, no mínimo; **early on** cedo; **to have an early night** deitar-se cedo.

earn [ɜːrn] *vt* ganhar; **to earn a living** ganhar a vida.

earnings [ˈɜːrnɪŋz] *spl* rendimentos *mpl.*

earphones [ˈɪərfəʊnz] *spl* fones *mpl* de ouvido.

earrings [ˈɪərɪŋz] *spl* brincos *mpl.*

earth [ɜːrθ] *s* terra *f* ; **how on earth ...?** como diabo ...?

earthenware [ˈɜːrθnweər] *adj* de barro.

earthquake [ˈɜːrθkweɪk] *s* terremoto *m.*

ease [iːz] **1** *s* facilidade *f.*
2 *vt (dor, tensão)* aliviar; *(problema)* minorar.
3 at ease à vontade; **with ease** com facilidade, facilmente.
❑ **ease off** *vi* diminuir.

easily [ˈiːzəlɪ] *adv (sem dificuldade)* facilmente; *(certamente)* de longe.

east [iːst] **1** *s* leste *m*, este *m.*
2 *adj* leste, este.
3 *adv (estar situado)* a leste; *(voar, andar)* para este, para leste.
4 in the east of the country no leste do país; **the East** *(Ásia)* o Oriente.

eastbound [ˈiːstbaʊnd] *adj* em direção a leste ou ao este.

Easter [ˈiːstər] *s* Páscoa *f.*

eastern [ˈiːstərn] *adj* de leste, do este.
❑ **Eastern** *adj (asiático)* oriental.

eastward [ˈiːstwərd] *adv* em direção ao leste ou este, para leste ou este.

easy [ˈiːzɪ] *adj* fácil; **to take it easy** *(relaxar)* levar as coisas com calma; **take it easy!** *(estar calmo)* tenha calma!

easygoing [ˌiːzɪˈgəʊɪŋ] *adj* descontraído(da).

eat [iːt] (*pt* **ate,** *pp* **eaten** [ˈiːtn]) *vt & vi* comer.
❑ **eat out** *vi* comer fora.

ebony [ˈebənɪ] *s* ébano *m.*

eccentric [ɪkˈsentrɪk] *adj* excêntrico(ca).

echo [ˈekəʊ] (*pl* **-es**) **1** *s* eco *m.*
2 *vi* ecoar.

ecological [ˌiːkəˈlɒdʒɪkl] *adj* ecológico(ca).

ecology [ɪˈkɒlədʒɪ] *s* ecologia *f.*

economic [ˌiːkəˈnɒmɪk] *adj* econômico(ca).
❑ **economics** *s* economia *f.*

economical [ˌiːkəˈnɒmɪkl] *adj* econômico(ca).

economize [ɪ'kɒnəmaɪz] *vi* economizar.
economy [ɪ'kɒnəmɪ] *s* economia *f*.
economy size *adj* de tamanho econômico.
ecotourism [ˌi:kəʊ'tʊərɪzm] *s* ecoturismo *m*.
ecstasy ['ekstəsɪ] *s (alegria)* êxtase *m*; *(droga)* ecstasy *f*.
eczema [ɪg'zi:mə] *s* eczema *m*.
edge [edʒ] *s (beirada)* beira *f*; *(de mesa, moeda, prato)* borda *f*; *(de faca)* fio *m*, gume *m*.
edible ['edɪbl] *adj* comestível.
edition [ɪ'dɪʃn] *s* edição *f*.
editor ['edɪtər] *s (de texto)* editor *m*, -ra *f*; *(de jornal, revista)* diretor *m*, -ra *f*; *(de filme, programa de TV)* técnico *m*, -ca *f* de montagem.
editorial [ˌedɪ'tɔ:rɪəl] *s* editorial *m*.
educate ['edʒʊkeɪt] *vt* educar.
education [ˌedʒʊ'keɪʃn] *s* educação *f*.
eel [i:l] *s* enguia *f*.
effect [ɪ'fekt] *s* efeito *m*; **to put sthg into effect** pôr em prática; **to take effect** *(remédio)* fazer efeito; *(lei)* entrar em vigor.
effective [ɪ'fektɪv] *adj (bem sucedido)* eficaz; *(lei, sistema)* em vigor.
effectively [ɪ'fektɪvlɪ] *adv (com sucesso)* eficazmente, com eficácia; *(de fato)* com efeito.
efficient [ɪ'fɪʃənt] *adj (pessoa)* eficiente; *(fábrica)* econômico(ca).
effort ['efərt] *s* esforço *m*; **to make an effort to do sthg** fazer um esforço para fazer algo; **it's not worth the effort** não vale a pena o esforço.
e.g. *adv* e.g., p. ex.
egg [eg] *s* ovo *m*.
eggplant ['egplænt] *s Am* berinjela *f*.
egg white *s* clara *f* de ovo.
egg yolk *s* gema *f* de ovo.
eiderdown ['aɪdərdaʊn] *s* edredom *m*.
eight [eɪt] *num* oito → **six.**
eighteen [ˌeɪ'ti:n] *num* dezoito → **six.**
eighteenth [ˌeɪ'ti:nθ] *num* décimo oitavo (décima oitava) → **sixth.**
eighth [eɪtθ] *num* oitavo(va) → **sixth.**
eightieth ['eɪtɪəθ] *num* octogésimo(ma) → **sixth.**
eighty ['eɪtɪ] *num* oitenta → **six.**
either ['i:ðr] **1** *adj*: **either book will do** qualquer um dos livros serve. **2** *pron*: **I'll take either (of them)** levo qualquer um (deles); **I don't like either (of them)** não gosto de nenhum (deles). **3** *adv*: **I can't either** também não posso; **either...or** ou...ou; **I don't speak either Portuguese or English** não falo nem português nem inglês; **on either side** dos dois lados.
eject [ɪ'dʒekt] *vt (cassete)* tirar.
elaborate [ɪ'læbrət] *adj* elaborado(da), complicado(da).
elastic [ɪ'læstɪk] *s* elástico *m*.
elastic band *s Brit* elástico *m*.
elbow ['elbəʊ] *s* cotovelo *m*.
elder ['eldər] *adj* mais velho(lha).
elderly ['eldərlɪ] **1** *adj* idoso(osa). **2** *spl*: **the elderly** os idosos.
eldest ['eldɪst] *adj* mais velho(lha).
elect [ɪ'lekt] *vt* eleger; **to elect to do sthg** *(fml: escolha)* escolher fazer algo.
election [ɪ'lekʃn] *s* eleição *f*.
electric [ɪ'lektrɪk] *adj* elétrico(ca).
electrical goods [ɪ'lektrɪkl-] *spl* eletrodomésticos *mpl*.
electrician [ˌɪlek'trɪʃn] *s* eletricista *mf*.
electricity [ˌɪlek'trɪsətɪ] *s* eletricidade *f*.
electrocute [ɪ'lektrəkju:t] *vt* eletrocutar.
electronic [ˌɪlek'trɒnɪk] *adj* eletrônico(ca).
electronic mail *s* e-mail *m*, correio *m* eletrônico.
elegant ['elɪgənt] *adj* elegante.
element ['elɪmənt] *s* elemento *m*; *(de chaleira elétrica)* resistência *f*; **the elements** *(clima)* os elementos.
elementary [ˌelɪ'mentərɪ] *adj* elementar.
elementary school *s* escola *f* primária.
elephant ['eləfənt] *s* elefante *m*.
elevator ['eləveɪtər] *s Am* elevador *m*.
eleven [ɪ'levn] *num* onze → **six.**
eleventh [ɪ'levnθ] *num* décimo primeiro (décima primeira) → **sixth.**
eligible ['elɪdʒəbl] *adj (apropriado, qualificado)* apto(ta); **an eligible bachelor** *(homem solteiro)* um bom partido.
eliminate [ɪ'lɪməneɪt] *vt* eliminar.
else [els] *adv*: **I don't want anything else** não quero mais nada; **anything else?** mais alguma coisa?; **everyone else** os outros todos (as outras todas); **nobody else** mais ninguém; **nothing else** mais nada; **somebody else** mais alguém; **something else** outra coisa; **somewhere else** outro lugar; **what else?**

que mais?; **who else?** quem mais?; **or else** ou então, senão.

elsewhere ['elswer] *adv (estar, procurar)* em outro lugar; *(com verbos de movimento)* para outro lado.

e-mail ['i:meɪl] **1** *s* e-mail *m*, correio *m* eletrônico.
2 *vt*: **to e-mail sb** mandar um e-mail para alguém; **to e-mail sthg to sb** mandar algo por e-mail para alguém.

e-mail address *s* endereço *m* eletrônico.

embankment [ɪm'bæŋkmənt] *s (de rio)* margem *f*; *(próximo a estrada, ferrovia)* barreira *f*.

embark [ɪm'ba:rk] *vi (navio)* embarcar.

embarrass [ɪm'berəs] *vt* envergonhar.

embarrassed [ɪm'berəst] *adj* envergonhado(da).

embarrassing [ɪm'berəsɪŋ] *adj* embaraçoso(osa).

embarrassment [ɪm'berəsmənt] *s* vergonha *f*.

embassy ['embəsɪ] *s* embaixada *f*.

emblem ['embləm] *s* emblema *m*.

embrace [ɪm'breɪs] *vt* abraçar.

embroidered [ɪm'brɔɪdəd] *adj* bordado(da).

embroidery [ɪm'brɔɪdərɪ] *s* bordado *m*.

emerald ['emərəld] *s* esmeralda *f*.

emerge [ɪ'mɜ:rdʒ] *vi (de lugar)* emergir, sair; *(fato, verdade)* vir à tona.

emergency [ɪ'mɜ:rdʒənsɪ] **1** *s* emergência *f*.
2 *adj* de emergência.
3 in an emergency em caso de emergência.

emergency brake *s* freio *m* de mão.

emergency exit *s* saída *f* de emergência.

emigrate ['emɪgreɪt] *vi* emigrar.

emit [ɪ'mɪt] *vt* emitir.

emotion [ɪ'məʊʃn] *s* emoção *f*.

emotional [ɪ'məʊʃnəl] *adj (situação, cena)* comovente; *(pessoa)* emotivo(va).

emphasis ['emfəsɪs] (*pl* **-ases** [-əsi:z]) *s* ênfase *f*.

emphasize ['emfəsaɪz] *vt* enfatizar, sublinhar.

empire ['empaɪər] *s* império *m*.

employ [ɪm'plɔɪ] *vt* empregar.

employed [ɪm'plɔɪd] *adj* empregado(da).

employee [ɪm'plɔɪi:] *s* empregado *m*, -da *f*.

employer [ɪm'plɔɪər] *s* empregador *m*, -ra *f*.

employment [ɪm'plɔɪmənt] *s* emprego *m*.

empty ['emptɪ] **1** *adj (sem nada)* vazio(zia); *(ameaça, promessa)* vão (vã).
2 *vt* esvaziar.

enable [ɪ'neɪbl] *vt*: **to enable sb to do sthg** possibilitar a alguém fazer algo.

enamel [ɪ'næml] *s* esmalte *m*.

enchanting [ɪn'tʃæntɪŋ] *adj* encantador(ra).

enclose [ɪn'kləʊz] *vt (em volta)* cercar; *(com carta)* anexar.

enclosed [ɪn'kləʊzd] *adj (espaço)* cercado(da); *(com carta)* anexo(xa).

encore ['ɒŋkɔ:r] **1** *s* bis *m*.
2 *excl* bis!

encounter [ɪn'kaʊntər] *vt* encontrar.

encourage [ɪn'kɜ:rɪdʒ] *vt* encorajar; **to encourage sb to do sthg** encorajar alguém a fazer algo.

encouragement [ɪn'kɜ:rɪdʒmənt] *s* encorajamento *m*.

encyclopedia [ɪn,saɪklə'pi:djə] *s* enciclopédia *f*.

end [end] **1** *s* fim *m*; *(ponto mais distante)* extremo *m*; *(de corda, dedo)* ponta *f*.
2 *vt* acabar, terminar; *(guerra, prática)* acabar com.
3 *vi* acabar, terminar.
4 to come to an end chegar ao fim; **to put an end to sthg** acabar com algo; **for days on end** durante dias e dias ou dias a fio; **in the end** no fim; **to make ends meet** conseguir que o dinheiro chegue ao fim do mês.
❑ **end up** *vi* acabar; **to end up doing sthg** acabar por fazer algo.

endangered species [ɪn'deɪndʒərd-] *s* espécie *f* em (vias de) extinção.

ending ['endɪŋ] *s (de estória, filme, livro)* fim *m*, final *m*; GRAM terminação *f*.

endless ['endləs] *adj* infinito(ta), sem fim.

endorse [ɪn'dɔ:rs] *vt* endossar; **to endorse a check** endossar um cheque.

endurance [ɪn'djʊərəns] *s* resistência *f*.

endure [ɪn'djʊər] *vt* suportar.

enemy ['enəmɪ] *s* inimigo *m*, -ga *f*.

energy ['enərdʒɪ] *s* energia *f*.

enforce [ɪn'fɔ:s] *vt (lei)* aplicar, fazer cumprir.

engaged [ɪn'geɪdʒd] *adj (para se casar)* noivo(va); *Brit (telefone)* ocupado(da);

(banheiro) ocupado(da); **to get engaged** ficar noivo.

engagement [ɪn'geɪdʒmənt] *s (para casar)* noivado *m*; *(hora)* compromisso *m*, encontro *m*.

engine ['endʒɪn] *s (de veículo)* motor *m*; *(de trem)* máquina *f*.

engineer [ˌendʒɪ'nɪər] *s (de estradas, máquinas)* engenheiro *m*, -ra *f*; *(para fazer reparos)* técnico *m*, -ca *f*; *Am (de trem)* maquinista *mf*.

engineering [ˌendʒɪ'nɪərɪŋ] *s* engenharia *f*.

engineering works *spl (em ferrovia)* trabalhos *mpl* na linha.

English ['ɪŋglɪʃ] **1** *adj* inglês(esa).
2 *s (língua)* inglês *m*.
3 *spl*: **the English** os ingleses.

engrave [ɪn'greɪv] *vt* gravar.

engraving [ɪn'greɪvɪŋ] *s* gravura *f*.

enjoy [ɪn'dʒɔɪ] *vt* gostar de; **to enjoy doing sthg** gostar de fazer algo; **to enjoy o.s.** divertir-se; **enjoy your meal!** bom apetite!

enjoyable [ɪn'dʒɔɪəbl] *adj* agradável.

enjoyment [ɪn'dʒɔɪmənt] *s* prazer *m*.

enlargement [ɪn'la:rdʒmənt] *s (de foto)* ampliação *f*.

enormous [ɪ'nɔ:rməs] *adj* enorme.

enough [ɪ'nʌf] **1** *adj* suficiente.
2 *pron* o suficiente.
3 *adv* suficientemente.
4 enough time tempo suficiente; **is that enough?** chega?; **it's not big enough** não é suficientemente grande; **I've had enough of your sass!** estou farto de seu atrevimento!

> Sempre que acompanhar um adjetivo ou um advérbio, *enough* deve vir depois deles (*he's old enough to understand* ele é adulto o suficiente para entender; *strangely enough, she couldn't remember* por mais estranho que pareça, ela não conseguia se lembrar).

enquire *vi* = **inquire.**

enquiry *s* = **inquiry.**

enrol [ɪn'rəʊl] *vi Brit* = **enroll.**

enroll [ɪn'rəʊl] *vi Am* matricular-se.

ensure [ɪn'ʃʊər] *vt* assegurar, garantir.

entail [ɪn'teɪl] *vt (envolver)* implicar.

enter ['entər] **1** *vt* entrar em; *(universidade, exército)* entrar para; *(competição)* inscrever-se em; *(em formulário)* escrever.
2 *vi* entrar; *(em competição)* inscrever-se.

enterprise ['entərpraɪz] *s (negócio)* empresa *f*.

entertain [ˌentər'teɪn] *vt (divertir)* entreter.

entertainer [ˌentər'teɪnər] *s* artista *mf* (de variedades).

entertaining [ˌentər'teɪnɪŋ] *adj* divertido(da).

entertainment [ˌentər'teɪnmənt] *s (lazer)* divertimento *m*; *(show)* espetáculo *m*.

enthusiasm [ɪn'θu:zɪæzm] *s* entusiasmo *m*.

enthusiast [ɪn'θu:zɪæst] *s* entusiasta *mf*.

enthusiastic [ɪnˌθu:zɪ'æstɪk] *adj* entusiástico(ca).

entire [ɪn'taɪər] *adj* inteiro(ra).

entirely [ɪn'taɪərlɪ] *adv* completamente.

entitle [ɪn'taɪtl] *vt*: **to entitle sb to sthg** dar a alguém o direito a algo; **to entitle sb to do sthg** dar o direito a alguém de fazer algo.

entrance ['entrəns] *s* entrada *f*.

entry ['entrɪ] *s* entrada *f*; *(em competição)* inscrição *f*, candidatura *f*; **'no entry'** *(aviso na porta)* 'entrada proibida'; *(sinal na estrada)* 'acesso proibido'.

envelope ['envələʊp] *s* envelope *m*.

envious ['envɪəs] *adj* invejoso(osa).

environment [ɪn'vaɪrənmənt] *s* meio *m*; **the environment** o meio ambiente.

environmental [ɪnˌvaɪrən'mentl] *adj* ambiental.

environmentally-friendly [ɪnˌvaɪrən'mentəlɪ-] *adj* não prejudicial ao meio ambiente.

envy ['envɪ] *vt* invejar.

epic ['epɪk] *s* epopéia *f*.

epidemic [ˌepɪ'demɪk] *s* epidemia *f*.

epileptic [ˌepɪ'leptɪk] *adj* epiléptico(ca).

episode ['epɪsəʊd] *s* episódio *m*.

equal ['i:kwəl] **1** *adj* igual.
2 *vt* igualar.
3 to be equal to *(número)* ser igual a.

equality [ɪ'kwɒlətɪ] *s* igualdade *f*.

equalize ['i:kwəlaɪz] *vi* igualar.

equally ['i:kwəlɪ] *adv (comparação)* igualmente; *(pagamento, tratamento)* de forma igual, da mesma forma; *(divisão)* por igual; *(simultaneamente)* ao mesmo tempo.

equation [ɪ'kweɪʒn] *s* equação *f*.

equator [ɪ'kweɪtər] *s*: **the equator** o equador.

equip [ɪ'kwɪp] *vt*: **to equip sb/sthg with sthg** equipar alguém/algo com algo.
equipment [ɪ'kwɪpmənt] *s* equipamento *m*.
equipped [ɪ'kwɪpt] *adj*: **to be equipped with** estar equipado(da) com.
equivalent [ɪ'kwɪvələnt] **1** *adj* equivalente.
2 *s* equivalente *m*.
erase [ɪ'reɪz] *vt (letra, palavra)* apagar.
eraser [ɪ'reɪzər] *s* borracha *f* (de apagar).
erect [ɪ'rekt] **1** *adj* ereto(ta).
2 *vt (tenda)* montar; *(monumento)* erigir.
erotic [ɪ'rɒtɪk] *adj* erótico(ca).
errand ['erənd] *s* recado *m*.
erratic [ɪ'rætɪk] *adj* irregular.
error ['erər] *s* erro *m*.
escalator ['eskəleɪtər] *s* escada *f* rolante.
escape [ɪ'skeɪp] **1** *s* fuga *f*.
2 *vi*: **to escape (from)** *(de prisão, perigo)* fugir (de); *(vazamento)* escapar (de).
escort [*s* 'eskɔːrt, *v* ɪ'skɔːrt] **1** *s (guarda)* escolta *f*.
2 *vt* escoltar.
especially [ɪ'speʃəlɪ] *adv (em especial)* sobretudo; *(de propósito)* especialmente; *(muito)* particularmente.
essay ['eseɪ] *s (na escola)* redação *f*, composição *f*; *(na universidade)* trabalho *m* escrito.
essential [ɪ'senʃl] *adj* essencial.
❑ **essentials** *spl*: **the essentials** o essencial; **the bare essentials** o mínimo indispensável.
essentially [ɪ'senʃəlɪ] *adv* essencialmente.
establish [ɪ'stæblɪʃ] *vt* estabelecer.
establishment [ɪ'stæblɪʃmənt] *s (negócio)* estabelecimento *m*.
estate [ɪ'steɪt] *s (no campo)* propriedade *f*; *(bens)* patrimônio *m*.
estimate [*s* 'estɪmət, *v* 'estɪmeɪt] **1** *s (apreço)* estimativa *f*; *(serviço)* orçamento *m*.
2 *vt* calcular.
estuary ['estʃʊərɪ] *s* estuário *m*.
ethnic minority ['eθnɪk-] *s* minoria *f* étnica.
euro ['jʊərəʊ] *n* euro *m*.
evacuate [ɪ'vækjʊeɪt] *vt* evacuar.
evade [ɪ'veɪd] *vt (pessoa)* evitar; *(assunto, responsabilidade)* fugir a.
eve [iːv] *s*: **on the eve of** na véspera de.
even ['iːvn] **1** *adj (superfície)* plano(na); *(idêntico)* igual; *(número)* par.
2 *adv (enfatizando surpresa)* mesmo; *(em comparações)* ainda.
3 to break even funcionar sem lucros nem prejuízos; **even so** mesmo assim; **even though** ainda que; **not even** nem mesmo ou sequer.
evening ['iːvnɪŋ] *s (de 17:00 a 20:00 horas)* tarde *f*; *(a partir de 20:00 horas)* noite *f*; *(evento)* noite *f*; **good evening!** boa tarde!, boa noite!; **in the evening** ao entardecer, à noite.
event [ɪ'vent] *s (ocorrência)* acontecimento *m*; *ESP* prova *f*; **in the event of** *fml* em caso de.
eventual [ɪ'ventʃʊəl] *adj* final.
eventually [ɪ'ventʃʊəlɪ] *adv* finalmente.

> Não confundir *eventually (finalmente)* com o português *eventualmente* que em inglês é *sometimes*. (*I eventually arrived at the restaurant 30 minutes late. Finalmente* cheguei ao restaurante 30 minutos atrasado.)

ever ['evər] **1** *adv (a qualquer hora)* alguma vez; *(em negativas)* nunca; **I don't ever do that** nunca faço isso; **the best I've ever seen** o melhor que já vi; **for ever** *(eternamente)* para sempre; **we've been waiting for ever** estamos esperando há muito tempo; **hardly ever** quase nunca; **ever since** desde então.
2 *prep* desde.
3 *conj* desde que.
every ['evrɪ] *adj* cada; **every day** cada dia, todos os dias; **every other day** dia sim, dia não; **one in every ten** um em cada dez; **we make every effort ...** fazemos o possível ...; **every so often** de vez em quando.

> Ver **all**.

everybody ['evrɪˌbɒdɪ] *pron* = **everyone.**
everyday ['evrɪdeɪ] *adj* diário(ria).
everyone ['evrɪwʌn] *pron* todo mundo, todos *mpl*, -das *fpl*.
everyplace ['evrɪˌpleɪs] *adv Am (fam)* = **everywhere.**
everything ['evrɪθɪŋ] *pron* tudo.
everywhere ['evrɪweər] *adv (estar, procurar)* por todo o lado; *(com verbos de movimento)* para todo o lado; **everywhere you go it's the same** onde quer que se vá é o mesmo.
evidence ['evɪdəns] *s* prova *f*.
evident ['evɪdənt] *adj* evidente.

evidently ['evɪdəntlɪ] *adv (obviamente)* evidentemente.
evil ['i:vl] **1** *adj* mau (má).
2 *s* o mal.
ex [eks] *s fam* ex *mf.*
exact [ɪg'zækt] *adj* exato(ta).
exactly [ɪg'zæktlɪ] **1** *adv* exatamente.
2 *excl* exato!
exaggerate [ɪg'zædʒəreɪt] *vt & vi* exagerar.
exaggeration [ɪg,zædʒə'reɪʃn] *s* exagero *m.*
exam [ɪg'zæm] *s* exame *m*; **to take an exam** fazer um exame; **final exams** provas *fpl* finais.
examination [ɪg,zæmɪ'neɪʃn] *s* exame *m.*
examine [ɪg'zæmɪn] *vt* examinar.
example [ɪg'zæmpl] *s* exemplo *m*; **for example** por exemplo.
exceed [ɪk'si:d] *vt* ultrapassar.
excellent ['eksələnt] *adj* excelente.
except [ɪk'sept] **1** *prep* exceto, a menos que.
2 *conj* exceto.
3 except for exceto; **'except for loading'** 'exceto cargas e descargas'.
exception [ɪk'sepʃn] *s* exceção *f.*
exceptional [ɪk'sepʃnəl] *adj* excepcional.
excerpt ['eksɜ:rpt] *s* trecho *m*, excerto *m.*
excess [ɪk'ses, *antes de s* 'ekses] **1** *adj* excessivo(va), em excesso.
2 *s* excesso *m.*
excessive [ɪk'sesɪv] *adj* excessivo(va).
exchange [ɪks'tʃeɪndʒ] **1** *s (de telefones)* central *f* telefônica; *(de estudantes)* intercâmbio *m.*
2 *vt* trocar.
3 to exchange sthg for sthg trocar algo por algo; **to be on an exchange** estar participando de um intercâmbio.
exchange rate *s* taxa *f* de câmbio.
excited [ɪk'saɪtɪd] *adj* entusiasmado(da).
excitement [ɪk'saɪtmənt] *s (sentimento)* entusiasmo *m*; *(comoção)* emoção *f.*
exciting [ɪk'saɪtɪŋ] *adj* emocionante, excitante.
exclamation mark [,eksklə'meɪʃn-] *s* = **exclamation point.**
exclamation point [,eksklə'meɪʃn-] *s Am* ponto *m* de exclamação.
exclude [ɪk'sklu:d] *vt* excluir.
excluding [ɪk'sklu:dɪŋ] *prep* excluindo.
exclusive [ɪk'sklu:sɪv] **1** *adj* exclusivo(va).
2 *s* exclusivo *m.*
3 'exclusive of sales tax' 'imposto sobre vendas não incluído'.
excursion [ɪk'skɜ:rʃn] *s* excursão *f.*
excuse [*s* ɪk'skju:s, *v* ɪk'skju:z] **1** *s* desculpa *f.*
2 *vt (perdoar)* desculpar; *(desobrigar)* dispensar.
3 excuse me! *(atraindo atenção)* com licença!; *(tentando passar)* com licença!; *(como desculpa)* desculpe!, perdão!
execute ['eksɪkju:t] *vt* executar.
executive [ɪg'zekjətɪv] **1** *adj (sala, viagem)* para executivos.
2 *s (pessoa)* executivo *m*, -va *f.*
exempt [ɪg'zempt] *adj*: **exempt (from)** isento(ta) (de).
exemption [ɪg'zempʃn] *s (de taxas)* isenção *f*; *(de teste)* dispensa *f.*
exercise ['eksərsaɪz] **1** *s* exercício *m.*
2 *vi* exercitar-se, fazer exercício; **to do exercises** fazer exercícios.
exercise book *s* caderno *m* (de exercícios).
exert [ɪg'zɜ:rt] *vt* exercer.
exhaust [ɪg'zɔ:st] **1** *vt* esgotar.
2 *s*: **exhaust (pipe)** cano *m* de descarga.
exhausted [ɪg'zɔ:stəd] *adj* exausto(ta).
exhibit [ɪg'zɪbɪt] **1** *s (em museu, galeria)* objeto *m* exposto.
2 *vt (em exibição)* exibir.
exhibition [,eksɪ'bɪʃn] *s (de arte)* exposição *f.*
exist [ɪg'zɪst] *vi* existir.
existence [ɪg'zɪstəns] *s* existência *f*; **to be in existence** existir.
existing [ɪg'zɪstɪŋ] *adj* existente.
exit ['eksət] **1** *s* saída *f.*
2 *vi* sair.

> Não confundir ***exit (saída)*** com o português ***êxito*** que em inglês é ***success***. (***Where is the nearest exit?*** Onde fica a ***saída*** mais próxima?)

exotic [ɪg'zɒtɪk] *adj* exótico(ca).
expand [ɪk'spænd] *vi (em tamanho)* expandir-se; *(em número)* aumentar.
expect [ɪk'spekt] *vt* esperar; **to expect to do sthg** esperar fazer algo; **to expect sb to do sthg** esperar que alguém faça algo; **to be expecting** *(estar grávida)* estar esperando bebê.
expedition [,ekspə'dɪʃn] *s* expedição *f.*
expel [ɪk'spel] *vt (de escola)* expulsar.
expense [ɪk'spens] *s* gasto *m*, despesa *f*; **at the expense of** à custa de.
❑ **expenses** *spl (de trabalho)* gastos *mpl*, despesas *fpl.*

expensive [ɪk'spensɪv] *adj* caro(ra).
experience [ɪk'spɪərɪəns] **1** *s* experiência *f.*
2 *vt* passar por.
experienced [ɪk'spɪərɪənst] *adj* com experiência, experiente.
experiment [ɪk'sperɪmənt] **1** *s* experimento *m.*
2 *vi* experimentar.
expert ['ekspɜ:rt] **1** *adj (conhecimento, tratamento)* especializado(da).
2 *s* especialista *mf*, perito *m*, -ta *f.*

> Não confundir ***expert (especialista, perito)*** com o português esperto que em inglês é *smart.* (***He is an expert in child psychology.*** Ele é um ***especialista*** em psicologia infantil.)

expiration date [ikspɪ'reɪʃn-] *s* prazo *m* de validade.
expire [ɪk'spaɪər] *vi (caducar)* vencer.
explain [ɪk'spleɪn] *vt* explicar.
explanation [ˌeksplə'neɪʃn] *s* explicação *f.*
explode [ɪk'spləʊd] *vi* explodir.
exploit [ɪk'splɔɪt] *vt* explorar.
explore [ɪk'splɔ:r] *vt* explorar.
explosion [ɪk'spləʊʒn] *s* explosão *f.*
explosive [ɪk'spləʊsɪv] *s* explosivo *m.*
export [*s* 'ekspɔ:rt, *v* ɪk'spɔ:rt] **1** *s* exportação *f.*
2 *vt* exportar.
exposed [ɪk'spəʊzd] *adj (lugar)* desprotegido(da).
exposure [ɪk'spəʊʒər] *s (bater foto)* fotografia *f*; *(a calor, frio, radiação)* exposição *f*; **to die of exposure** morrer de frio ou por exposição ao frio.
express [ɪk'spres] **1** *adj (carta, entrega)* urgente; *(trem)* rápido(da).
2 *s (trem)* expresso *m.*
3 *vt* exprimir.
4 *adv*: **send it express** envie-o pelo correio expresso.
expression [ɪk'spreʃn] *s* expressão *f.*
expressway [ɪk'spresweɪ] *s Am* auto-estrada *f.*
exquisite [ɪk'skwɪzt] *adj* requintado(da).

> Não confundir ***exquisite (requintado)*** com o português ***esquisito*** que em inglês é ***strange.*** (***An exquisite dinner.*** Um jantar ***requintado.***)

extend [ɪk'stend] **1** *vt* prolongar; *(mão)* estender.
2 *vi (esticar)* estender-se.
extension [ɪk'stenʃn] *s (de prédio)* anexo *m*; *(de telefone)* ramal *m*; *(de documentação)* prolongamento *m*, prorrogação *f.*
extension lead *s* extensão *f.*
extensive [ɪk'stensɪv] *adj* vasto(ta).
extent [ɪk'stent] *s (de danos)* dimensão *f*; *(de conhecimento)* grau *m*; **to a certain extent** até certo ponto; **to what extent ...?** até que ponto ...?
exterior [ɪk'stɪərɪər] **1** *adj* exterior.
2 *s (de carro, edifício)* exterior *m.*
external [ɪk'stɜ:rnl] *adj* externo(na).
extinct [ɪk'stɪŋkt] *adj* extinto(ta).
extinction [ɪk'stɪŋkʃn] *s* extinção *f.*
extinguish [ɪk'stɪŋgwɪʃ] *vt (fogo, cigarro)* apagar.
extinguisher [ɪk'stɪŋgwɪʃər] *s* extintor *m.*
extortionate [ɪk'stɔ:rʃnət] *adj* exorbitante.
extra ['ekstrə] **1** *adj* extra *(inv).*
2 *s* extra *m.*
3 *adv (quantidade)* mais, extra.
4 **be extra careful!** tenha muito cuidado!; **an extra special offer** uma oferta extremamente especial; **we'll have to try extra hard** temos de nos esforçar ainda mais; **extra charge** suplemento *m*; **extra large** GG *(tamanho).*
❑ **extras** *spl (preço)* extras *mpl.*
extract [*s* 'ekstrækt, *v* ɪk'strækt] **1** *s (de fermento, malte etc.)* extrato *m*; *(de livro, ópera)* trecho *m.*
2 *vt (dente)* arrancar.
extraordinary [ɪk'strɔ:rdnərɪ] *adj* extraordinário(ria).
extravagant [ɪk'strævəgənt] *adj* extravagante.
extreme [ɪk'stri:m] **1** *adj* extremo(ma).
2 *s* extremo *m.*
extremely [ɪk'stri:mlɪ] *adv* extremamente.
extrovert ['ekstrəvɜ:rt] *s* extrovertido *m*, -da *f.*
eye [aɪ] **1** *s* olho *m*; *(de agulha)* buraco *m.*
2 *vt* olhar para; **to keep an eye on** vigiar.
eyebrow ['aɪbraʊ] *s* sobrancelha *f.*
eye drops *spl* colírio *m.*
eyeglasses ['aɪglæsɪz] *spl Am* óculos *mpl.*
eyelash ['aɪlæʃ] *s* pestana *f.*
eyelid ['aɪlɪd] *s* pálpebra *f.*
eyeliner ['aɪˌlaɪnər] *s* lápis *m inv* para os olhos.
eyesight ['aɪsaɪt] *s* vista *f.*
eyewitness [ˌaɪ'wɪtnɪs] *s* testemunha *mf* ocular.

Ff

fabric ['fæbrɪk] *s (pano)* tecido *m*.

> Não confundir ***fabric (tecido)*** com o português ***fábrica*** que em inglês é ***factory***. (***I will need more fabric to make the dress.*** Vou precisar de mais ***tecido*** para fazer o vestido.)

fabulous ['fæbjələs] *adj* fabuloso(osa).
façade [fə'sa:d] *s* fachada *f*.
face [feɪs] **1** *s* cara *f*, face *f*, rosto *m*; *(de colina, montanha)* lado *m*; *(de relógio)* mostrador *m*.
2 *vt* encarar.
3 the hotel faces the harbor o hotel dá para o porto; **to be faced with** ver-se perante.
❑ **face up to** *vt fus* fazer face a.
facial ['feɪʃl] *s* limpeza *f* facial ou de pele.
facilitate [fə'sɪlɪteɪt] *vt fml* facilitar.
facilities [fə'sɪlɪtɪz] *spl* instalações *fpl*.
facsimile [fæk'sɪmɪlɪ] *s* fac-símile *m*.
fact [fækt] *s* fato *m*; **in fact** na realidade.
factor ['fæktər] *s* fator *m*; **factor ten suntan lotion** bronzeador com fator de proteção dez.
factory ['fæktərɪ] *s* fábrica *f*.
faculty ['fækltɪ] *s (em universidade)* faculdade *f*.
fade [feɪd] *vi (luz, som)* desaparecer; *(flor)* murchar; *(jeans, papel de parede)* desbotar.
faded ['feɪdəd] *adj (jeans)* ruço(ça), desbotado(da).
Fahrenheit ['færənhaɪt] *adj* Farenheit *(inv)*.
fail [feɪl] **1** *vt (teste, prova)* reprovar.
2 *vi (falhar)* fracassar; *(em teste)* não passar; *(motor)* falhar.
3 to fail to do sthg *(não cumprir)* não fazer algo.
failing ['feɪlɪŋ] **1** *s* defeito *m*.
2 *prep*: **failing that** senão.
failure ['feɪljər] *s* fracasso *m*; *(pessoa)* fracassado *m*, -da *f*; **failure to comply with the regulations ...** o não cumprimento do regulamento ...
faint [feɪnt] **1** *adj (som)* fraco(ca); *(cor)* claro(ra); *(semelhança)* vago(ga); *(zonzo)* tonto(ta).
2 *vi* desmaiar; **I don't have the faintest idea** não faço a menor idéia.
fair [feər] **1** *adj (decisão, julgamento, resultado)* justo(ta); *(juíz, pessoa)* imparcial; *(bastante grande, bom)* considerável; EDUC suficiente; *(cabelo, pessoa)* louro(ra); *(pele)* claro(ra); *(clima)* bom (boa).
2 *s* feira *f*.
3 fair enough! está bem!
fairly ['feərlɪ] *adv (quantidade)* bastante.
fairy ['feərɪ] *s* fada *f*.
fairy tale *s* conto *m* de fadas.
faith [feɪθ] *s* fé *f*.
fake [feɪk] **1** *s (coisa falsa)* imitação *f*.
2 *vt (assinatura, pintura)* falsificar.
falcon ['fælkən] *s* falcão *m*.
fall [fɔ:l] (*pt* **fell**, *pp* **fallen** ['fɔ:ln]) **1** *vi* cair.
2 *s* queda *f*; *Am (estação do ano)* outono *m*.
3 to fall asleep adormecer; **to fall ill** adoecer; **to fall in love** apaixonar-se.
❑ **falls** *spl (cachoeira)* quedas *fpl* d'água, cataratas *fpl*.
❑ **fall behind** *vi (trabalho, aluguel)* atrasar-se.
❑ **fall down** *vi (perder equilíbrio)* cair.
❑ **fall off** *vi* cair.
❑ **fall out** *vi (desentender-se)* zangar-se; **my tooth fell out** meu dente caiu.
❑ **fall over** *vi* cair.
❑ **fall through** *vi (plano)* falhar.
false [fɔ:ls] *adj* falso(sa).
fame [feɪm] *s* fama *f*.

familiar [fə'mɪljər] *adj (conhecido)* familiar; *(informal)* íntimo(ma) (demais); **to be familiar with** *(conhecimento)* conhecer, estar familiarizado(da) com.

familiarize [fə'mɪljəraɪz] *vt*: **to familiarize o.s. with sthg** familiarizar-se com algo; **to familiarize sb with sthg** familiarizar alguém com algo.

family ['fæmlɪ] **1** *s* família *f*.
2 *adj (embalagem)* (com) tamanho familiar; *(filme, férias)* para toda a família.

famine ['fæmɪn] *s* fome *f*.

famished ['fæmɪʃt] *adj fam* esfomeado(da).

famous ['feɪməs] *adj* famoso(osa).

fan [fæn] *s (ventarola)* leque *m*; *(elétrico)* ventilador *m*; *(entusiasta, torcedor)* fã *mf*.

fancy ['fænsɪ] **1** *adj (elaborado)* complicado(da).
2 *vt fam (desejar)* ter vontade de; **fancy (that)!** quem diria!

fantastic [fæn'tæstɪk] *adj* fantástico(ca).

fantasy ['fæntəsɪ] *s* fantasia *f*.

FAQ *s* (*abrev de* **frequently asked questions**) *INFORM* FAQs *fpl*.

far [fa:r] (*comp* **further** ou **farther,** *sup* **furthest** ou **farthest**) **1** *adv (em distância, tempo)* longe; *(em grau)* muito.
2 *adj (ponta, lado)* extremo(ma).
3 how far did you go? até onde você foi?; **how far is it (to New York)?** qual é a distância (até Nova York)?; **as far as** *(lugar)* até; **as far as I'm concerned** no que me diz respeito; **as far as I know** que eu saiba; **far better** muito melhor; **by far** de longe; **so far** *(tempo)* até agora; **to go too far** ir longe demais.

farce [fa:rs] *s* farsa *f*.

fare [feər] **1** *s (de ônibus, trem etc.)* bilhete *m*, passagem *f*.
2 *vi* sair-se.

farm [fa:rm] *s* fazenda *f*.

farmer ['fa:rmər] *s* agricultor *m*, -ra *f*, fazendeiro *m*, -ra *f*.

farming ['fa:rmɪŋ] *s* agricultura *f*.

farmland ['fa:rmlænd] *s* terra *f* de cultivo.

farmyard ['fa:rmja:rd] *s* terreiro *m* (de fazenda).

farsighted [fa:r'saɪtəd] *adj* hipermetrope.

farther ['fa:rðər] *comp* → **far.**

farthest ['fa:rðəst] **1** *sup* → **far.**
2 *adv* mais.
3 *adj (adicional)* outro (outra).

fascia ['feɪʃəŋ] *n (para celular)* capa *f* frontal.

fascinating ['fæsəneɪtɪŋ] *adj* fascinante.

fascination [ˌfæsə'neɪʃn] *s* fascínio *m*, fascinação *f*.

fashion ['fæʃn] *s* moda *f*; *(modo)* maneira *f*; **to be in fashion** estar na moda; **to be out of fashion** estar fora de moda.

fashionable ['fæʃnəbl] *adj* na moda.

fast [fæst] **1** *adj (ligeiro)* rápido(da); *(relógio)* adiantado(da).
2 *adv (rapidamente)* depressa, rápido; *(apertado)* bem seguro(ra).
3 to be fast asleep estar dormindo profundamente; **a fast train** um trem rápido.

fasten ['fæsn] *vt (cinto, casaco)* apertar; *(duas coisas)* atar.

fastener ['fæsnər] *s* fecho *m*.

fat [fæt] **1** *adj* gordo(da).
2 *s* gordura *f*.

fatal ['feɪtl] *adj (acidente, doença)* fatal.

fat-free *adj* sem gordura.

father ['fa:ðər] *s* pai *m*.

Father Christmas *s Brit* Papai *m* Noel.

father-in-law *s* sogro *m*.

fatten ['fætn] *vt* engordar.

fattening ['fætnɪŋ] *adj* que engorda.

fatty ['fætɪ] *adj* gorduroso(osa).

faucet ['fɔ:sɪt] *s Am* torneira *f*.

fault [fɔ:lt] *s (responsabilidade)* culpa *f*; *(defeito)* falha *f*; **it's your fault** a culpa é sua.

faulty ['fɔ:ltɪ] *adj* defeituoso(osa).

favor ['feɪvər] **1** *s Am (ato bom)* favor *m*.
2 *vt (preferir)* favorecer.
3 to be in favor of ser a favor de; **to do sb a favor** fazer um favor a alguém.

favorable ['feɪvrəbl] *adj* favorável.

favorite ['feɪvrɪt] **1** *adj* preferido(da), favorito(ta).
2 *s* preferido *m*, -da *f*, favorito *m*, -ta *f*.

favour ['feɪvər] *s Brit* = **favor.**

fawn [fɔ:n] *adj* bege *(inv)*.

fax [fæks] **1** *s* fax *m*.
2 *vt (documento)* mandar por fax; *(pessoa)* mandar um fax para.

fax machine *s* fax *m*.

fear [fɪər] **1** *s* medo *m*.
2 *vt (temer)* ter medo de; **for fear of** por medo de, com receio de.

feast [fi:st] *s* banquete *m*.

feather ['feðər] *s* pena *f*.

feature ['fi:tʃər] **1** *s (que distingue)* característica *f*; *(de rosto)* traço *m*; *(em jornal, rádio,TV)* reportagem *m*.
2 *vt (suj: filme)* ser protagonizado por.

feature film *s* longa-metragem *f*.

February ['februəri] *s* fevereiro → **September.**

fed [fed] *pt & pp* → **feed.**

fed up *adj* farto(ta); **to be fed up with** estar farto de.

fee [fi:] *s (para admissão)* preço *m*; *(de médico, advogado)* honorários *mpl*; *(de universidade)* anuidade *f*.

feeble ['fi:bl] *adj* fraco(ca).

feed [fi:d] (*pt & pp* **fed**) *vt (pessoa, animal)* alimentar; *(pôr)* inserir.

feel [fi:l] (*pt & pp* **felt**) **1** *vt (toque)* tocar; *(experiência)* sentir; *(pensamento)* achar.
2 *vi (ter emoção)* sentir-se.
3 *s (de material)* toque *m*.
4 I feel like a cup of tea eu quero tomar uma xícara de chá; **to feel up to doing sthg** sentir-se capaz de fazer algo; **to feel cold/hot** sentir frio/calor; **my nose feels cold** meu nariz está frio.

feeling ['fi:lɪŋ] *s (emoção)* sentimento *m*; *(impressão)* sensação *f*; *(crença)* opinião *f*; **to hurt sb's feelings** magoar alguém.

feet [fi:t] *pl* → **foot.**

fell [fel] **1** *pt* → **fall.**
2 *vt (árvore)* abater.

fellow ['feləʊ] **1** *s (homem)* cara *m*.
2 *adj*: **fellow workers** colegas de trabalho.

felt [felt] **1** *pt & pp* → **feel.**
2 *s* feltro *m*.

female ['fi:meɪl] **1** *adj* fêmea.
2 *s (animal)* fêmea *f*.

feminine ['femənɪn] *adj* feminino(na).

feminist ['femənəst] *s* feminista *mf*.

fence [fens] *s* cerca *f*.

fencing ['fensɪŋ] *s* ESP esgrima *f*.

fend [fend] *vi*: **to fend for o.s.** cuidar de si (mesmo ou próprio).

fender ['fendər] *s (para lareira)* guarda-fogo *m*; *Am (em carro, bicicleta)* pára-lama *m*.

fennel ['fenl] *s* erva-doce *f*.

fern [fɜ:rn] *s* samambaia *f*.

ferocious [fə'rəʊʃəs] *adj* feroz.

ferry ['ferɪ] *s* barca *fm*.

fertile ['fɜ:rtl] *adj* fértil.

fertilizer ['fɜ:rtəlaɪzər] *s* adubo *m*, fertilizante *m*.

festival ['festɪvl] *s (de música, artes etc.)* festival *m*; RELIG feriado *m*, dia *m* festivo.

fetch [fetʃ] *vt (ser vendido por)* atingir; *(ir pegar)* ir buscar.

fever ['fi:vər] *s* febre *f*; **to have a fever** ter febre.

feverish ['fi:vərɪʃ] *adj* febril.

few [fju:] **1** *adj* pouco(ca).
2 *pron* poucos *mpl*, -cas *fpl*.
3 the first few times as primeiras vezes; **a few** alguns(algumas); **quite a few** bastante, vários(as).

> Atenção para não confundir ***few*** ('poucos, poucas') e ***a few*** ('alguns, algumas').
>
> ***Few*** pode vir antes de substantivos no plural (***few women***), mas utiliza-se ***little*** para substantivos incontáveis (***the reservoir has little water left***).
>
> Atenção também para não confundir ***a few*** e ***a little***. ***A little*** acompanha substantivos incontáveis (***a little sugar***; ***a little patience***), enquanto ***a few*** é usado com substantivos no plural (***a few good ideas*** algumas boas idéias). ***A little*** - mas não ***a few*** - é usado também como advérbio (***He cared little for her***).
>
> Em orações negativas, geralmente utiliza-se ***not many*** em lugar de ***few***, e ***not much*** em vez de ***little*** (***there weren't many women at the party***; ***the reservoir doesn't have much water left***).
>
> Ver também **little**.

fewer ['fju:ər] *adj & pron* menos.

fib [fɪb] *s fam* mentira *f*.

fiber ['faɪbər] *s Am* fibra *f*.

fiberglass ['faɪbərglæs] *s* fibra *f* de vidro.

fibre ['faɪbər] *s Brit* = **fiber.**

fickle ['fɪkl] *adj* inconstante, volúvel.

fiction ['fɪkʃn] *s* ficção *f*.

fiddle ['fɪdl] **1** *s (violino)* rabeca *f*.
2 *vi*: **to fiddle with sthg** brincar com algo.

fidget ['fɪdʒət] *vi* mexer-se; **stop fidgeting!** fica quieto!

field [fi:ld] *s* campo *m*.

field glasses *spl* binóculos *mpl*.

field trip *s* excursão *f*.

fierce [fɪərs] *adj (animal, pessoa)* feroz; *(tempestade, calor)* violento(ta).

fifteen [fɪf'ti:n] *num* quinze → **six.**

fifteenth [ˌfɪf'ti:nθ] *num* décimo quinto (décima quinta) → **sixth.**

fifth [fɪfθ] *num* quinto(ta) → **sixth.**

fiftieth ['fɪftɪəθ] *num* qüinquagésimo(ma) → **sixth.**

fifty ['fɪftɪ] *num* cinqüenta → **six.**

fig [fɪg] *s* figo *m.*

fight [faɪt] (*pt & pp* **fought**) **1** *s (físico)* briga *f*, luta *f*; *(debate)* discussão *f*; *(esforço)* luta.
2 *vt (fisicamente)* brigar com, lutar com; *(inimigo, crime, injustiça)* lutar contra, combater.
3 *vi (fisicamente)* brigar, lutar; *(em guerra)* combater; *(briga)* discutir; *(esforço)* lutar; **to have a fight with sb** brigar com alguém.
❑ **fight back** *vi* defender-se.
❑ **fight off** *vt sep (atacante)* repelir; *(doença)* lutar contra.

fighting ['faɪtɪŋ] *s* luta *f.*

figure ['fɪgər] *s (quantidade, estatística)* número *m*, valor *m*; *(de pessoa)* silhueta *f*, figura *f*; *(diagrama)* figura.
❑ **figure out** *vt sep (entender)* compreender.

file [faɪl] **1** *s (para documentos)* capa *f*; *(informação pessoal)* dossiê *m*; *INFORM* arquivo *m*; *(ferramenta)* lixa *f.*
2 *vt (queixa)* apresentar; *(petição)* fazer; *(unhas)* lixar.
3 in single file em fila indiana.

filing cabinet ['faɪlɪŋ-] *s* arquivo *m.*

fill [fɪl] *vt (tornar cheio)* encher; *(espaço)* ocupar; *(papel)* desempenhar; *(dente)* obturar.
❑ **fill in** *vt sep (formulário)* preencher.
❑ **fill out** *vt sep* = **fill in.**
❑ **fill up** *vt sep* encher; **fill her up!** *(com combustível)* encha o tanque!

fillet ['fɪlət] *s* filé *m.*

filling ['fɪlɪŋ] **1** *s (de bolo, sanduíche)* recheio *m*; *(em dente)* obturação *f.*
2 *adj* que enche.

filling station *s* posto *m* de gasolina.

film [fɪlm] **1** *s (para câmera)* filme *m*; *Brit (cinema)* filme *m.*
2 *vt* filmar.

film-maker [fɪlm'meɪkər] *s* cineasta *mf.*

filter ['fɪltər] *s* filtro *m.*

filthy ['fɪlθɪ] *adj* nojento(ta).

fin [fɪn] *s* barbatana *f.*

final ['faɪnl] **1** *adj (posição)* último(ma); *(decisão, oferta)* final.
2 *s* final *f.*

finalist ['faɪnəlɪst] *s* finalista *mf.*

finally ['faɪnəlɪ] *adv* finalmente.

finance [fə'næns] **1** *s (dinheiro)* financiamento *m*; *(gestão de dinheiro)* finanças *fpl.*
2 *vt* financiar.
❑ **finances** *spl* finanças *fpl.*

financial [fɪ'nænʃl] *adj* financeiro(ra).

find [faɪnd] (*pt & pp* **found**) **1** *vt* encontrar; *(ficar sabendo)* descobrir; *(crer)* achar, considerar.
2 *s* descoberta *f*; **to find the time to do sthg** arranjar tempo para fazer algo.
❑ **find out 1** *vt sep (fato, verdade)* descobrir.
2 *vi*: **to find out (about sthg)** *(aprender)* ficar sabendo (de algo), descobrir (algo); *(conseguir informação)* informar-se (sobre algo).

fine [faɪn] **1** *adj (estado)* bom (boa); *(grossura)* fino(na); *(vinho, comida)* excelente.
2 *adv (grossura)* finamente; *(estado)* bem.
3 *s* multa *f.*
4 *vt* multar.
5 I'm fine estou bem; **it's fine** está bem.

finger ['fɪŋgər] *s* dedo *m.*

fingernail ['fɪŋgərneɪl] *s* unha *f* (dos dedos da mão).

fingertip ['fɪŋgərtɪp] *s* ponta *f* do dedo.

finish ['fɪnɪʃ] **1** *s (término)* fim *m*, final *m*; *(em móveis)* acabamento *m.*
2 *vt & vi* acabar, terminar; **to finish doing sthg** acabar de fazer algo.
❑ **finish off** *vt sep* acabar, terminar.
❑ **finish up** *vi* acabar, terminar.

fire ['faɪər] **1** *s* fogo *m*; *(sem controle)* incêndio *m*, fogo; *(para cozinhar, aquecer)* fogueira *f.*
2 *vt (arma)* disparar; *(de emprego)* despedir.
3 on fire em chamas; **to catch fire** incendiar-se, pegar fogo; **to make a fire** acender uma fogueira.

fire alarm *s* alarme *m* de incêndio.

fire brigade *s Brit* = **fire department.**

fire department *s Am* corpo *m* de bombeiros.

fire exit *s* saída *f* de emergência.

fire extinguisher *s* extintor *m* (de incêndio).

firefighter ['faɪərfaɪtər] *s* bombeiro.

fireplace ['faɪərpleɪs] *s* lareira *f.*

fire station *s* posto *m* de bombeiros.

firewall ['faɪərwɔ:l] *n INFORM* firewall *m.*

firewood ['faɪərwʊd] *s* lenha *f.*

fireworks ['faɪərwɜ:rks] *spl (foguetes)* fogos-de-artifício *mpl.*

firm [fɜ:rm] **1** *adj* firme.
2 *s* empresa *f.*

first [fɜ:rst] **1** *adj* primeiro(ra).
2 *adv* primeiro; *(em primeiro lugar)* pela primeira vez.
3 *s (evento)* estréia *f.*
4 *pron*: **the first** o primeiro (a primeira).
5 I'll do it first thing (in the morning) vou fazer isso logo de manhã; **first (gear)** primeira (mudança); **for the first time** pela primeira vez; **the first of January** o dia primeiro de janeiro; **at first** no princípio; **first of all** antes de mais nada.

first aid *s* primeiros socorros *mpl.*

first-class *adj (tíquete, trabalho)* de primeira classe; *(selo)* para correio prioritário.

first floor *s Am (térreo)* andar *m* térreo; *Brit (andar acima do térreo)* primeiro andar *m.*

firstly ['fɜ:rstlɪ] *adv* em primeiro lugar.

first name *s* nome *m* de batismo.

fish [fɪʃ] (*pl inv*) **1** *s* peixe *m.*
2 *vi* pescar.

fisherman ['fɪʃərmən] (*pl* **-men** [-mən]) *s* pescador *m.*

fishing ['fɪʃɪŋ] *s* pesca *f*; **to go fishing** ir pescar.

fist [fɪst] *s* punho *m.*

fit [fɪt] **1** *adj (atlético)* em forma.
2 *vt (ser do tamanho certo para)* servir a; *(inserir)* encaixar.
3 *vi (roupas, sapatos)* servir; *(no espaço)* caber.
4 *s (de roupas, sapatos)* tamanho *m*; *(epiléptico, de tosse, raiva)* ataque *m.*
5 to be fit for sthg ser adequado para algo; **fit to eat** comestível; **it doesn't fit** *(jaqueta, saia)* não serve; *(objeto)* não cabe; **to get fit** pôr-se em forma; **to keep fit** manter-se em forma, manter a forma.
❑ **fit in 1** *vt sep (achar tempo livre)* arranjar tempo para.
2 *vi (caber)* encaixar.

fitness ['fɪtnəs] *s (saúde)* forma *f* física.

five [faɪv] *num* cinco → **six.**

fix [fɪks] *vt (consertar)* arranjar; *(bebida, comida)* arranjar, preparar; *(grudar, decidir)* fixar; *(arranjar)* combinar, organizar.
❑ **fix up** *vt sep (pessoa)*: **to fix sb up with sthg** arranjar algo para alguém; *(casa, cômodo)* redecorar, reparar.

fizzy ['fɪzɪ] *adj* gasoso(osa).

flag [flæg] *s* bandeira *f.*

flame [fleɪm] *s* chama *f.*

flammable ['flæməbl] *adj* inflamável.

flannel ['flænl] *s (material)* flanela *f*; *Brit (para lavar o rosto)* luva *f* de banho.
❑ **flannels** *spl* calças *fpl* de flanela.

flap [flæp] **1** *s (de envelope)* dobra *f*; *(de barraca)* porta *f*; *(de bolso)* pala *f.*
2 *vt (asas)* bater.

flash [flæʃ] **1** *s (de luz)* raio *m*; *(para câmera)* flash *m.*
2 *vi (luz)* brilhar.
3 a flash of lightning um relâmpago, um clarão; **to flash one's headlights** fazer sinais com os faróis.

flashlight ['flæʃlaɪt] *s* lanterna *f.*

flat [flæt] **1** *adj (nível)* plano(na); *(bebida)* choco(ca); *(taxa)* fixo(xa).
2 *s Brit (habitação)* apartamento *m.*
3 *adv*: **to lie flat** estender-se.
4 a flat (tire) um pneu vazio; **flat out** a toda a velocidade, até não poder mais.

flavor ['fleɪvər] *s Am* sabor *m.*

flavored ['fleɪvərd] *adj* aromatizado(da); **chocolate-flavored** com sabor de chocolate.

flavoring ['fleɪvərɪŋ] *s* aromatizante *m.*

flavour ['fleɪvər] *s Brit* = **flavor.**

flaw [flɔ:] *s (em plano)* falha *f*; *(em vidro, porcelana)* defeito *m.*

flea [fli:] *s* pulga *f.*

fleet [fli:t] *s* frota *f.*

flesh [fleʃ] *s (de pessoa, animal)* carne *f*; *(de fruta, legume)* polpa *f*; **one's own flesh and blood** sangue do sangue de alguém.

flew [flu:] *pt* → **fly.**

flexible ['fleksəbl] *adj* flexível.

flick [flɪk] *vt (com o dedo)* dar um peteleco em; *(interruptor)* apertar.
❑ **flick through** *vt fus* folhear.

flight [flaɪt] *s* vôo *m*; **a flight (of stairs)** um lance de escadas.

flight attendant *s (feminino)* aeromoça *f*; *(masculino)* comissário *m* de bordo.

flimsy ['flɪmzɪ] *adj (objeto)* frágil; *(roupa)* leve.
fling [flɪŋ] (*pt & pp* **flung**) *vt* atirar.
flip-flop [flɪp-] *s* sandália *f* japonesa.
flipper ['flɪpər] *s* barbatana *f*.
flirt [flɜ:rt] *vi*: **to flirt (with sb)** flertar (com alguém).
float [fləʊt] **1** *s (para nadar, pescar)* bóia *f*; *(em procissão)* carro *m* alegórico.
2 *vi* flutuar.
flock [flɒk] **1** *s (de aves)* bando *m*; *(de ovelhas)* rebanho *m*.
2 *vi (pessoas)* afluir.
flood [flʌd] **1** *s* enchente *f*, inundação *f*.
2 *vt* inundar.
3 *vi* transbordar.
floodlight ['flʌdlaɪt] *s* holofote *m*.
floor [flɔ:r] *s (de cômodo)* chão *m*; *(prédio)* andar *m*; *(de boate)* pista *f*.
floorboard ['flɔ:rbɔ:rd] *s* tábua *f* corrida.
flop [flɒp] *s fam* fracasso *m*.
floppy (disk) ['flɒpɪ-] *s* disquete *f*.
floral ['flɔ:rəl] *adj (motivo)* de flores.
florist ['flɒrəst] *s (loja)* florista *f*.
flour ['flaʊər] *s* farinha *f*.
flow [fləʊ] **1** *s* corrente *f*.
2 *vi* correr.
flower ['flaʊər] *s* flor *f*.
flown [fləʊn] *pp* → **fly.**
flu [flu:] *s* gripe *f*.
fluid ounce *s* = 0,03 litro.
flung [flʌŋ] *pt & pp* → **fling.**
flunk [flʌŋk] *vt Am fam (prova, ano escolar)* reprovar em.
fluorescent [flɔ:'resnt] *adj* fluorescente.
flush [flʌʃ] **1** *vi (descarga)* funcionar.
2 *vt*: **to flush the toilet** dar descarga.
flute [flu:t] *s* flauta *f*.
fly [flaɪ] (*pt* **flew,** *pp* **flown**) **1** *s (inseto)* mosca *f*; *(de calças)* braguilha *f*, fecho *m*.
2 *vt (avião, helicóptero)* pilotar; *(modo de viagem)* viajar em OU com; *(transporte)* enviar por avião.
3 *vi (ave, inseto, avião)* voar; *(passageiro)* viajar de avião; *(pilotar um avião)* pilotar; *(bandeira)* estar hasteado(da).
flying ['flaɪɪŋ] *s*: **I'm terrified of flying** tenho medo de andar de avião.
foal [fəʊl] *s* potro *m*.
foam [fəʊm] *s* espuma *f*.
focus ['fəʊkəs] **1** *s (de câmera)* foco *m*.
2 *vi (com câmera, binóculos)* focar.
3 in focus focado; **out of focus** desfocado.
fog [fɒg] *s* nevoeiro *m*, neblina *f*.
foil [fɔɪl] *s (papel laminado)* papel-alumínio *m*.
fold [fəʊld] **1** *s* dobra *f*.
2 *vt (papel, material)* dobrar; *(embalar)* envolver; **to fold one's arms** cruzar os braços.
❑ **fold up** *vi (cadeira, cama)* dobrar.
folder ['fəʊldər] *s* pasta *f*.
foliage ['fəʊlɪɪdʒ] *s* folhagem *f*.
folk [fəʊk] **1** *spl (pessoas)* gente *f*.
2 *s*: **folk (music)** música *f* tradicional.
❑ **folks** *spl fam (parentes)* família *f*.
follow ['fɒləʊ] **1** *vt* seguir; *(em ordem, tempo)* seguir-se a, vir a seguir de.
2 *vi (ir atrás)* seguir; *(em tempo)* seguir-se, vir a seguir; *(compreender)* entender.
3 proceed as follows ... proceda da seguinte forma ...; **the results are as follows ...** os resultados são os seguintes ...; **followed by** seguido de.
❑ **follow on** *vi* vir a seguir.
following ['fɒləʊɪŋ] **1** *adj* seguinte.
2 *prep* depois de.
fond [fɒnd] *adj*: **to be fond of** gostar de.
food [fu:d] *s* comida *f*.
food poisoning [-,pɔɪznɪŋ] *s* intoxicação *f* alimentar.
foodstuffs ['fu:dstʌfs] *spl* gêneros *mpl* alimentícios.
fool [fu:l] **1** *s (bobo)* idiota *mf*; *(doce)* musse *f* de fruta.
2 *vt* enganar.
foolish ['fu:lɪʃ] *adj* tolo(la).
foot [fʊt] (*pl* **feet**) *s* pé *m*; *(de animal)* pata *f*; *(de colina, penhasco, escada)* pé *m*; *(medida)* pé *m*, = 30,48 cm; **by** OU **on foot** a pé.
football ['fʊtbɔ:l] *s Am (nos EUA)* futebol americano; *Brit* ESP futebol *m*; *Am (nos EUA)* bola (de futebol americano); *Brit (equipamento)* bola *f* (de futebol).
footbridge ['fʊtbrɪdʒ] *s* passarela *f*.
footpath ['fʊtpæθ, *pl* -pæðz] *s* trilha *f*.
footprint ['fʊtprɪnt] *s* pegada *f*.
footstep ['fʊtstep] *s* passo *m*.
footwear ['fʊtweər] *s* calçado *m*.
for [fɔ:r] *prep* (**a**) *(expressando intenção, propósito, razão)* para; **this book is for you** este livro é para você; **what did you do that for?** para que você fez is-

so?; **what's it for?** para que é?; **to go for a walk** ir dar um passeio; **'for sale'** 'vende-se'; **a town famous for its wine** uma cidade famosa pelo vinho; **for this reason** por esta razão.
(**b**) *(tempo)* durante; **I'm going away for a while** vou estar fora durante OU por algum tempo; **I've lived here for ten years** vivo aqui há dez anos; **we talked for hours** falamos horas e horas.
(**c**) *(até, antes)* para; **it'll be ready for tomorrow** estará pronto (para) amanhã; **be there for 8 p.m.** esteja lá antes das oito da noite.
(**d**) *(por ocasião de)* por; **I got socks for Christmas** ganhei meias de Natal; **for the first time** pela primeira vez; **what's for dinner?** o que há para jantar?; **for the moment** no momento.
(**e**) *(por parte de)* por; **to do sthg for sb** fazer algo para alguém; **to work for sb** trabalhar para alguém.
(**f**) *(com tempo e espaço)* para; **there's no room for it** não há espaço para isso; **to have time for sthg** ter tempo para algo.
(**g**) *(expressando distância)*: **roadwork for 20 miles** obras na estrada ao longo de 32 quilômetros; **we drove for miles** dirigimos quilômetros e mais quilômetros.
(**h**) *(expressando destinação)* para; **a ticket for Boston** um bilhete para Boston; **this train is for Newark only** este trem só vai até Newark.
(**i**) *(expressando preço)* por; **I bought it for five dollars** comprei-o por cinco dólares.
(**j**) *(expressando significado)*: **what's the Portuguese for boy?** como é que se diz boy em português?
(**k**) *(com relação a)* para; **it's warm for November** para novembro está quente; **it's easy for you** para você é fácil; **respect for human rights** respeito pelos direitos humanos; **I feel sorry for them** sinto pena deles; **it's too far for us to walk** é longe demais para irmos a pé; **it's time for dinner** está na hora do jantar.

forbid [fər'bɪd] (*pt* **-bade,** *pp* **-bidden**) *vt* proibir; **to forbid sb to do sthg** proibir alguém de fazer algo.

forbidden [fər'bɪdn] *adj* proibido(da).

force [fɔːrs] **1** *s* força *f.*
2 *vt* forçar.
3 to force sb to do sthg forçar alguém a fazer algo; **to force one's way through (sthg)** abrir caminho (por entre algo).

forecast ['fɔːrkæst] *s* previsão *f.*

forecourt ['fɔːrkɔːrt] *s* pátio *m.*

forefinger ['fɔːrˌfɪŋgər] *s* dedo *m* indicador.

foreground ['fɔːrgraʊnd] *s* primeiro plano *m.*

forehead ['fɔːrhed] *s* testa *f.*

foreign ['fɒrən] *adj* estrangeiro(ra); *(visita)* ao estrangeiro; *(viagem)* para o estrangeiro.

foreign currency *s* moeda *f* estrangeira, divisas *fpl.*

foreigner ['fɒrənər] *s* estrangeiro *m*, -ra *f.*

foreign exchange *s* *(sistema)* câmbio *m*; *(moeda)* divisas *fpl.*

foresee [fɔːr'siː] (*pt* **-saw,** *pp* **-seen**) *vt* prever.

forest ['fɒrɪst] *s* floresta *f.*

forever [fər'evər] *adv (eternamente)* para sempre; *(continuamente)* sempre.

forgave [fər'geɪv] *pt* → **forgive.**

forge [fɔːrdʒ] *vt (copiar)* falsificar, forjar.

forgery ['fɔːrdʒərɪ] *s* falsificação *f.*

forget [fər'get] (*pt* **-got,** *pp* **-gotten**) **1** *vt* esquecer-se de; *(pessoa, evento)* esquecer.
2 *vi* esquecer-se.
3 to forget about sthg esquecer-se de algo; **to forget how to do sthg** esquecer-se de como se faz algo; **to forget to do sthg** esquecer-se de fazer algo; **forget it!** esquece!

forgetful [fər'getfl] *adj* esquecido(da).

forgive [fər'gɪv] (*pt* **-gave,** *pp* **-given**) *vt* perdoar.

forgot [fər'gɒt] *pt* → **forget.**

forgotten [fər'gɒtn] *pp* → **forget.**

fork [fɔːrk] *s (para comer)* garfo *m*; *(para jardinagem)* forquilha *f*; *(de rua, caminho)* bifurcação *f.*

form [fɔːrm] **1** *s (tipo)* forma *f*; *(documento)* formulário *m.*
2 *vt* formar.
3 *vi* formar-se.
4 to be on/off form estar/não estar em forma; **to form part of** fazer parte de.

formal ['fɔːrml] *adj* formal.

formality [fɔːr'mælətɪ] *s* formalidade *f*; **it's just a formality** é só uma formalidade.

format ['fɔːrmæt] *s* formato *m.*

former ['fɔ:rmər] **1** *adj (prévio)* anterior; *(inicial)* primeiro(ra).
2 *pron*: **the former** o primeiro (a primeira).
formerly ['fɔ:rməlɪ] *adv* antigamente.
formula ['fɔ:rmjələ] (*pl* **-as** ou **-ae** [-i:]) *s* fórmula *f*.
fort [fɔ:rt] *s* forte *m*.
forthcoming [fɔ:rθ'kʌmɪŋ] *adj (futuro)* próximo(ma), que está para vir.
fortieth ['fɔ:rtɪəθ] *num* quadragésimo(ma) → **sixth.**
fortunate ['fɔ:rtʃənət] *adj* com sorte; **she's fortunate to have such a good job** ela tem a sorte de ter um emprego tão bom.
fortunately ['fɔ:rtʃənətlɪ] *adv* felizmente.
fortune ['fɔ:rtʃən] *s (dinheiro)* fortuna *f*; *(destino)* sorte *f*; **it costs a fortune** *fam* custa uma fortuna.
forty ['fɔ:rtɪ] *num* quarenta → **six.**
forward ['fɔ:rwərd] **1** *adv* para a frente.
2 *s* avançado *m*, -da *f*.
3 *vt (carta)* remeter; *(mercadoria)* expedir.
4 to look forward to estar ansioso por.
fought [fɔ:t] *pt & pp* → **fight.**
foul [faʊl] **1** *adj (desagradável)* nojento(ta).
2 *s* falta *f*.
found [faʊnd] **1** *pt & pp* → **find.**
2 *vt* fundar.
foundation [faʊn'deɪʃn] *s* base *f*.
foundations [faʊn'deɪʃnz] *spl* alicerces *mpl*, fundações *fpl*.
fountain ['faʊntən] *s* chafariz *m*.
four [fɔ:r] *num* quatro → **six.**
fourteen [ˌfɔ:r'ti:n] *num* quatorze → **six.**
fourteenth [ˌfɔ:r'ti:nθ] *num* décimo quarto (décima quarta) → **sixth.**
fourth [fɔ:rθ] *num* quarto(ta) → **sixth.**
four-wheel drive *s (car)* veículo *m* com tração nas quatro rodas.
fowl [faʊl] (*pl inv*) *s* ave *f (doméstica)*.
fox [fɒks] *s* raposa *f*.
foyer [fɔɪr] *s* vestíbulo *m*, saguão *m*.
fraction ['frækʃn] *s* fração *f*.
fracture ['fræktʃər] **1** *s* fratura *f*.
2 *vt* fraturar.
fragile ['frædʒl] *adj* frágil.
fragment ['frægmənt] *s* fragmento *m*.
fragrance ['freɪgrəns] *s* fragrância *f*.
frail [freɪl] *adj* frágil, débil.
frame [freɪm] **1** *s (de janela, porta, foto)* moldura *f*; *(de óculos, barraca, cama)* armação *f*; *(de bicicleta)* quadro *m*.
2 *vt (foto, pintura)* emoldurar.
frank [fræŋk] *adj* franco(ca).
frankfurter ['fræŋkfɜ:rtər] *s* salsicha *f* alemã.
frankly ['fræŋklɪ] *adv (honestamente)* francamente; **quite frankly, I don't really care** para ser franco, pouco me importa.
frantic ['fræntɪk] *adj* frenético(ca).
fraternity [frə'tɜ:rnɪtɪ] *s* clube *m* de estudantes.
fraud [frɔ:d] *s (crime)* fraude *f*, burla *f*.
freckles ['freklz] *spl* sardas *fpl*.
free [fri:] **1** *adj* livre; *(de graça)* grátis *(inv)*.
2 *vt (prisioneiro)* libertar.
3 *adv (sem pagar)* grátis, de graça.
4 for free grátis, de graça; **free of charge** grátis; **to be free to do sthg** ser livre para fazer algo.
freedom ['fri:dəm] *s* liberdade *f*.
free gift *s* oferta *f*.
freelance ['fri:læns] *adj* autônomo.
freely ['fri:lɪ] *adv (falar)* à vontade; *(mover)* livremente; **freely available** fácil de obter.
free period *s EDUC* hora *f* livre.
free-range *adj (galinha)* caipira; **free-range eggs** *ovos de galinhas criadas livremente.*
free time *s* tempo *m* livre.
freeway ['fri:weɪ] *s Am* auto-estrada *f*.
freeze [fri:z] (*pt* **froze**, *pp* **frozen**) **1** *vt* congelar.
2 *vi* gelar.
3 *v impess*: **it's freezing!** está um gelo!
freezer ['fri:zər] *s (congelador separado)* freezer *m*; *(junto com geladeira)* congelador *m*.
freezing ['fri:zɪŋ] *adj* gelado(da); **below freezing** abaixo de zero.
freight [freɪt] *s (produtos)* mercadorias *fpl*.
French bread *s* bisnaga *f*.
French fries *spl* batatas *fpl* fritas.
frequency ['fri:kwənsɪ] *s* freqüência *f*.
frequent ['fri:kwənt] *adj* freqüente.
frequently ['fri:kwəntlɪ] *adv* freqüentemente.
fresh [freʃ] *adj* fresco(ca); *(fresco)* refrescante; *(água)* doce; *(tempo)* recente; *(qualidade)* novo (nova); **to get some fresh air** apanhar ar fresco.
freshen ['freʃn]: **freshen up** *vi* refrescar-se.
freshly ['freʃlɪ] *adv* recentemente.

Friday ['fraɪdeɪ] *s* sexta-feira → **Saturday.**

fridge [frɪdʒ] *s* geladeira *f.*

friend [frend] *s* amigo *m*, -ga *f*; **to be friends with sb** ser amigo de alguém; **to make friends with sb** tornar-se amigo de alguém.

friendly ['frendlɪ] *adj* amigável; **to be friendly with sb** ser amigo(ga) de alguém.

friendship ['frendʃɪp] *s* amizade *f.*

fright [fraɪt] *s* susto *m*; **to give sb a fright** pregar um susto em alguém.

frighten ['fraɪtn] *vt* assustar.

frightened ['fraɪtnd] *adj* assustado(da); **to be frightened** ter medo; **to be frightened of** ter medo de; **to be frightened (that)** *(preocupado)* ter medo que.

frightening ['fraɪtnɪŋ] *adj* assustador(ora).

fringe [frɪndʒ] *s* franja *f.*

frisk [frɪsk] *vt* revistar.

frog [frɒg] *s* rã *f.*

from [frɒm] *prep* (a) *(expressando origem, fonte)* de; **I'm from California** sou da Califórnia; **the train from Chicago** o trem de Chicago; **I bought it from a supermarket** comprei-o num supermercado.
(b) *(expressando remoção, redução)* de; **away from home** longe de casa; **to take sthg (away) from sb** tirar algo de alguém; **10% will be deducted from the total** será deduzido 10% do total.
(c) *(expressando distância)* de; **five miles from here** a oito quilômetros daqui; **it's not far from here** não é longe daqui.
(d) *(expressando posição)* de; **from here you can see the valley** daqui se vê o vale.
(e) *(expressando de que é feita uma coisa)* de; **it's made from stone** é feito de pedra.
(f) *(expressando o começo)* desde; **from the moment you arrived** desde que chegou; **from now on** de agora em diante; **from next year** a partir do próximo ano; **open from nine to five** aberto das nove às cinco.
(g) *(expressando mudança)* de; **the price has gone up from $1 to $2** o preço subiu de um dólar para dois; **to translate from German into English** traduzir do alemão para o inglês.
(h) *(expressando gama)* de; **it could take from two to six months** pode levar de dois a seis meses.
(i) *(como resultado de)* de; **I'm tired from walking** estou cansado de andar.
(j) *(expressando proteção)* de; **sheltered from the wind** protegido do vento.
(k) *(em comparações)*: **different from** diferente de.

front [frʌnt] **1** *adj* da frente.
2 *s* (parte da) frente *f*; *(de livro)* capa *f*; *(de clima)* frente; *(à beira-mar)* costa *f.*
3 in front em frente; **in front of** em frente de.

frontier [frʌn'tɪər] *s* fronteira *f.*

front page *s* primeira página *f.*

frost [frɒst] *s* geada *f.*

froth [frɒθ] *s* espuma *f.*

frown [fraʊn] **1** *s* cenho *m.*
2 *vi* franzir as sobrancelhas.

froze [frəʊz] *pt* → **freeze.**

frozen [frəʊzn] **1** *pp* → **freeze.**
2 *adj* gelado(da); *(comida)* congelado(da).

fruit [fru:t] *s* *(comida)* fruta *f*; *(variedade de fruta)* fruto *m*; **fruits of the forest** frutos silvestres.

fruit juice *s* suco *m* de fruta.

frustrating ['frʌstreɪtɪŋ] *adj* frustrante.

frustration [frʌ'streɪʃn] *s* frustração *f.*

fry [fraɪ] *vt* fritar.

frying pan ['fraɪɪŋ-] *s* frigideira *f.*

fudge [fʌdʒ] *s* doce *m* de leite.

fuel [fju:əl] *s* combustível *m.*

fuel pump *s* bomba *f* de gasolina.

fulfil [fʊl'fɪl] *vt Brit* = **fulfill.**

fulfill [fʊl'fɪl] *vt Am (promessa, pedido, dever)* cumprir; *(papel)* desempenhar; *(condições, instruções, necessidade)* satisfazer.

full [fʊl] **1** *adj (repleto)* cheio (cheia); *(nome)* completo(ta); *(grau, apoio)* total; *(extensão)* máximo(ma); *(estado)* ocupado(da); *(tarifa, passagem)* inteiro(ra); *(sabor)* rico(ca).
2 *adv (diretamente)* em cheio.
3 I'm full estou cheio; **at full speed** a toda a velocidade; **full of** cheio de; **in full** *(pagar)* na totalidade; *(escrever)* por extenso.

full-length *adj (vestido, saia)* comprido(da).

full moon *s* lua *f* cheia.

full stop *s Brit* ponto *m* final.

full-time *adj & adv* de tempo integral.

fully ['fʊlɪ] *adv (totalmente)* completamente.

fumble ['fʌmbl] *vi*: **he fumbled in his pockets for his keys** ele vasculhou os bolsos desajeitadamente à procura das chaves.

fun [fʌn] *s* divertimento *m*, diversão *f*; **it's a lot of fun** é divertido; **for fun** por prazer; **to have fun** divertir-se; **to make fun of** zombar de.

function ['fʌŋkʃn] **1** *s* função *f*.
2 *vi* funcionar.

fund [fʌnd] **1** *s* fundo *m*.
2 *vt* financiar.
❑ **funds** *spl* fundos *mpl*.

fundamental [ˌfʌndə'mentl] *adj* fundamental.

funeral ['fju:nrəl] *s* funeral *m*.

funfair ['fʌnfeər] *s* parque *m* de diversões.

funnel ['fʌnl] *s (para despejar)* funil *m*; *(em navio)* chaminé *f*.

funny ['fʌnɪ] *adj (divertido)* engraçado(da); *(fora do comum)* estranho(nha); **to feel funny** *(enjoado)* não se sentir bem.

fur [fɜ:r] *s (de animal)* pêlo *m*; *(vestimenta)* pele *f*.

furious ['fjʊərɪəs] *adj (zangado)* furioso(osa).

furnished ['fɜ:rnɪʃt] *adj* mobiliado(da).

furniture ['fɜ:rnɪtʃər] *s* mobília *f*; **a piece of furniture** um móvel.

furry ['fɜ:rɪ] *adj (animal)* peludo(da); *(material)* com pêlo.

further ['fɜ:rðər] *comp* → **far.**

furthermore [ˌfɜ:rðə'mɔ:r] *adv* além disso, além do mais.

furthest ['fɜ:rðɪst] **1** *sup* → **far.**
2 *adj (distância)* mais longe ou distante.
3 *adv (em distância)* mais longe.

fuse [fju:z] **1** *s (de tomada)* fusível *m*; *(de bomba)* detonador *m*.
2 *vi (tomada, aparelho)* queimar.

fuss [fʌs] *s (tumulto)* agitação *f*; *(queixas)* escândalo *m*.

fussy ['fʌsɪ] *adj (pessoa)* exigente.

future ['fju:tʃər] **1** *s* futuro *m*.
2 *adj* futuro(ra).
3 in future no futuro, de agora em diante.

Gg

gadget [ˈgædʒɪt] *s* engenhoca *f.*
gag [gæg] *s fam (anedota)* piada *f.*
gain [geɪn] **1** *vt* ganhar; *(suj: relógio)* adiantar.
 2 *vi (beneficiar)* lucrar.
 3 *s* ganho *m.*
 4 to gain weight engordar.
gala [ˈgeɪlə] *s (celebração)* gala *f.*
gale [geɪl] *s* vento *m* forte, rajada *f* de vento.
gallery [ˈgælərɪ] *s* galeria *f.*
gallon [ˈgælən] *s (nos EUA)* = 3,785 litros, galão; *(no Reino Unido)* = 4,546 litros, galão *m.*
gallop [ˈgæləp] *vi* galopar.
gamble [ˈgæmbl] **1** *s* aposta *f.*
 2 *vi (apostar dinheiro)* apostar, jogar.
gambling [ˈgæmblɪŋ] *s* jogo *m* (de azar).
game [geɪm] *s* jogo *m*; *(de tênis, xadrez)* partida *f*; *(animais de caça, carne)* caça *f.*
 ❑ **games** *spl (evento esportivo)* jogos *mpl.*
gang [gæŋ] *s (de criminosos)* gangue *f*; *(de amigos)* grupo *m*, turma *f.*
gangster [ˈgæŋstər] *s* bandido *m*, gangster *m.*
gangway [ˈgæŋweɪ] *s (em navio)* passadiço *m.*
gap [gæp] *s (área)* espaço *m*; *(de tempo)* intervalo *m*; *(contraste)* diferença *f.*
garage [gəˈraːʒ] *s (para guardar carros)* garagem *f*; *(para consertos)* oficina *f.*
garbage [ˈgaːrbɪdʒ] *s Am (restos)* lixo *m.*
garden [ˈgaːrdn] **1** *s* jardim *m.*
 2 *vi* jardinar.
gardener [ˈgaːrdnər] *s* jardineiro *m*, -ra *f.*
gardening [ˈgaːrdnɪŋ] *s* jardinagem *f.*
garlic [ˈgaːrlɪk] *s* alho *m.*
garment [ˈgaːrmənt] *s* peça *f* de roupa.
garnish [ˈgaːrnɪʃ] **1** *s* CULIN decoração *f.*
 2 *vt* decorar.
gas [gæs] *s* gás *m*; *Am* gasolina *f.*
gasoline [ˈgæsəliːn] *s Am* gasolina *f.*
gasp [gæsp] *vi (de choque, surpresa)* ofegar.
gas station *s Am* posto *m* de gasolina.
gate [geɪt] *s (para jardim, campo)* portão *m*; *(no aeroporto)* porta *f.*
gateway [ˈgeɪtweɪ] *s (ingresso)* entrada *f.*
gather [ˈgæðər] **1** *vt (acumular)* colher; *(velocidade)* ganhar; *(entender)* deduzir.
 2 *vi* reunir-se.
gauze [gɔːz] *s* gaze *f.*
gave [geɪv] *pt* → **give.**
gay [geɪ] *adj (homossexual)* gay.
gaze [geɪz] *vi*: **to gaze at** olhar (fixamente) para.
gear [gɪər] *s (roda)* engrenagem *f*; *(velocidade)* marcha *f*; *(peça)* equipamento *m*; *(posses)* pertences *mpl*; **in gear** engatado.
gearbox [ˈgɪərbɒks] *s* caixa *f* de mudança.
geese [giːs] *pl* → **goose.**
gel [dʒel] *s* gel *m.*
gelatine [ˌdʒeləˈtiːn] *s* gelatina *f.*
gem [dʒem] *s* pedra *f* preciosa.
Gemini [ˈdʒemɪnaɪ] *s* Gêmeos *m inv.*
gender [ˈdʒendər] *s* gênero *m.*
general [ˈdʒenrəl] **1** *adj* geral.
 2 *s* general *m.*
 3 in general *(de um modo geral)* em geral; *(usualmente)* geralmente.
general election *s* eleições *fpl* gerais.
generally [ˈdʒenərəlɪ] *adv* geralmente.
general practitioner [-prækˈtɪʃənər] *s* clínico *m* geral.
general store *s* mercearia *f.*
generate [ˈdʒenəreɪt] *vt* gerar.
generation [ˌdʒenəˈreɪʃn] *s* geração *f.*
generator [ˈdʒenəreɪtər] *s* gerador *m.*
generosity [ˌdʒenəˈrɒsətɪ] *s* generosidade *f.*

generous ['dʒenrəs] *adj* generoso(osa).
genitals ['dʒenɪtlz] *spl* órgãos *mpl* genitais.
genius ['dʒi:nɪəs] *s* gênio *m*.
gentle ['dʒentl] *adj (com cuidado)* cuidadoso(osa); *(bom)* gentil; *(movimento, brisa)* suave.
gentleman ['dʒentlmən] (*pl* **-men** [-mən]) *s* cavalheiro *m*; **'gentlemen'** *(banheiro masculino)* 'homens'.
gently ['dʒentlɪ] *adv (com cuidado)* suavemente.
gents [dʒents] *s Brit* banheiro *m* dos homens.
genuine ['dʒenjʊɪn] *adj* genuíno(na).
geographical [dʒɪə'græfɪkl] *adj* geográfico(ca).
geography [dʒɪ'ɒgrəfɪ] *s* geografia *f*.
geology [dʒɪ'ɒlədʒɪ] *s* geologia *f*.
geometry [dʒɪ'ɒmətrɪ] *s* geometria *f*.
German measles ['dʒɜ:rmən-] *s* rubéola *f*.
germs [dʒɜ:rmz] *spl* germes *mpl*.
gesture ['dʒestʃər] *s* gesto *m*.
get [get] (*pt & pp* **got,** *Am pp* **gotten**) **1** *vt*
(a) *(conseguir)* obter; *(adquirir)* comprar; **she got a job** ela arranjou emprego.
(b) *(presente)* receber; **I got a book for Christmas** ganhei um livro no Natal.
(c) *(meio de transporte)* apanhar; **let's get a taxi** vamos apanhar um táxi.
(d) *(achar)* ir buscar; **could you get me the manager?** *(em loja)* podia chamar o gerente?; *(no telefone)* pode me passar o gerente?
(e) *(doença)* apanhar; **I got the flu over Christmas** peguei uma gripe no Natal.
(f) *(tornar)*: **to get sthg done** mandar fazer algo; **to get sthg ready** preparar algo; **can I get my car repaired here?** posso mandar consertar o meu carro aqui?
(g) *(perguntar, mandar)*: **to get sb to do sthg** arranjar alguém para fazer algo.
(h) *(mover)*: **to get sthg out of sthg** tirar algo de algo; **I can't get it through the door** não consigo passar com isso na porta.
(i) *(entender)* compreender; **to get a joke** entender uma piada.
(j) *(tempo, oportunidade)* ter; **we didn't get the chance to see everything** não tivemos oportunidade de ver tudo.
(k) *(idéia, sentimento)* ter; **I get a lot of enjoyment from it** me divirto à beça com isso.
(l) *(telefone)* atender.
(m) *(em frases)*: **you get a lot of rain here in winter** chove muito aqui no inverno → **have.**
2 *vi* (a) *(tornar)* ficar; **it's getting late** está ficando tarde; **to get ready** preparar-se; **to get lost** perder-se; **get lost!** não enche o saco!, desapareça!
(b) *(num estado, posição)* meter-se; **how do you get to El Paso from here?** como se vai daqui para El Paso?; **to get into the car** entrar no carro.
(c) *(lugar)* chegar; **when does the train get here?** quando é que o trem chega aqui?
(d) *(em frases)*: **to get to do sthg** ter a oportunidade de fazer algo.
3 *v aux* ser; **to get delayed** atrasar-se; **to get killed** ser morto.
❑ **get along (with sb)** *vi* dar-se bem (com alguém).
❑ **get back** *vi (retornar)* voltar.
❑ **get in** *vi (lugar)* chegar; *(ingressar)* entrar.
❑ **get off** *vi (deixar)* sair.
❑ **get on** *vi (subir no trem, ônibus)* entrar.
❑ **get out** *vi (de carro, ônibus, trem)* sair.
❑ **get through** *vi (no telefone)* completar a ligação.
❑ **get up** *vi* levantar-se.
gherkin ['gɜ:rkɪn] *s pequeno pepino em conserva.*
ghost [gəʊst] *s* fantasma *m*.
giant ['dʒaɪənt] **1** *adj* gigante.
2 *s (em ficção)* gigante *m*, -ta *f*.
giblets ['dʒɪbləts] *spl* miúdos *mpl* (de frango).
gift [gɪft] *s (prenda)* presente *m*; *(talento)* dom *m*.
gifted ['gɪftəd] *adj* dotado(da).
gig [gɪg] *s fam* show *m* (de música).
gigantic [dʒaɪ'gæntɪk] *adj* gigantesco(ca).
giggle ['gɪgl] *vi* dar risadinha.
gimmick ['gɪmɪk] *s* truque *m*, artifício *m*.
gin [dʒɪn] *s* gim *m*; **gin and tonic** gim-tônica.
ginger ['dʒɪndʒər] *s* gengibre *m*.
ginger ale *s cerveja de gengibre.*
gingerbread ['dʒɪndʒərbred] *s biscoito ou bolacha de gengibre.*
gipsy ['dʒɪpsɪ] *s* = **gypsy.**
giraffe [dʒɪ'ræf] *s* girafa *f*.

girl [gɜːrl] *s (criança)* menina *f*; *(mulher jovem)* moça *f*, *(parente)* filha *f*.
girlfriend ['gɜːrlfrend] *s (de rapaz, homem)* namorada *f*; *(de moça, mulher)* amiga *f*.
girl guide *s Brit* = **girl scout.**
girl scout *s Am* escoteira *f*.
give [gɪv] (*pt* **gave,** *pp* **given** ['gɪvn]) *vt* dar; *(discurso, performance)* fazer; **to give sb sthg** dar algo a alguém; **to give sb a kiss** dar um beijo em alguém; **come on, give me a smile!** vamos lá, dê um sorriso!; **to give sthg a push** empurrar algo; **give or take a few minutes** um minuto a mais, um minuto a menos.
❑ **give away** *vt sep (se livrar de)* dar, desfazer-se de; *(mostrar)* revelar.
❑ **give back** *vt sep* devolver.
❑ **give in** *vi* desistir.
❑ **give off** *vt fus* soltar.
❑ **give out** *vt sep (espalhar)* distribuir.
❑ **give up 1** *vt sep (assento)* ceder.
2 *vi (admitir derrota)* desistir.
3 to give up smoking parar de fumar; **to give up chocolate** parar de comer chocolate.
given name ['gɪvn-] *s Am* nome *m* próprio ou de batismo.
glacier ['gleɪʃr] *s* geleira *f*.
glad [glæd] *adj* contente; **I'll be glad to help** será um prazer ajudar.
gladly ['glædlɪ] *adv (de boa vontade)* com muito prazer.
glamorous ['glæmərəs] *adj* glamoroso(osa).
glance [glæns] **1** *s* olhadela *f*.
2 *vi*: **to glance (at)** dar uma olhadela (em).
gland [glænd] *s* glândula *f*.
glare [gleər] **1** *vi (pessoa)* lançar olhares furiosos; *(sol, luz)* brilhar intensamente.
2 *s (luz forte)* clarão *m*.
glass [glæs] **1** *s (material)* vidro *m*; *(recipiente, quantidade)* copo *m*.
2 *adj* de vidro.
❑ **glasses** *spl* óculos *mpl*.
glider ['glaɪdər] *s* planador *m*.
glitter ['glɪtər] *vi* reluzir.
global warming [ˌgləʊbl'wɔːrmɪŋ] *s* aquecimento *m* global.
globe [gləʊb] *s* globo *m*; **the globe** *(Terra)* o globo.
gloomy ['gluːmɪ] *adj (quarto, dia)* sombrio(bria); *(pessoa)* triste.
glorious ['glɔːrɪəs] *adj (tempo, vista)* esplêndido(da); *(vitória, história)* glorioso(osa).
glory ['glɔːrɪ] *s* glória *f*.
gloss [glɒs] *s (lustre)* brilho *m*; **gloss (paint)** tinta *f* brilhante.
glossary ['glɒsərɪ] *s* glossário *m*.
glossy ['glɒsɪ] *adj (revista, foto)* de luxo.
glove [glʌv] *s* luva *f*.
glove compartment *s* porta-luvas *m inv*.
glow [gləʊ] **1** *s* luz *f*, brilho *m*.
2 *vi* luzir, brilhar.
glucose ['gluːkəʊs] *s* glucose *f*.
glue [gluː] **1** *s* cola *f*.
2 *vt* colar.
go [gəʊ] (*pt* **went,** *pp* **gone,** *pl* **goes**) **1** *vi* **(a)** *(mover, viajar)* ir; **to go home** ir para casa; **to go to Brazil** ir ao Brasil; **to go by bus** ir de ônibus; **to go for a walk** fazer um passeio; **to go and do sthg** ir fazer algo; **to go in** entrar; **to go out** sair.
(b) *(deixar)* ir-se; **it's time for us to go** é hora de irmos embora; **when does the bus go?** quando é que o ônibus sai?; **go away!** vá embora!
(c) *(freqüentar)* ir; **to go to school** ir para a escola; **which school do you go to?** para que escola você vai?
(d) *(tornar-se)* ficar; **she went pale** ela empalideceu; **the milk has gone sour** o leite azedou.
(e) *(expressando futuro)*: **to be going to do sthg** ir fazer algo.
(f) *(função)* funcionar; **the car won't go** o carro não pega.
(g) *(parar de funcionar)* ir-se; **the fuse has gone** o fusível queimou.
(h) *(tempo)* passar.
(i) *(progresso)* correr; **to go well** correr bem.
(j) *(campainha, alarme)* tocar.
(k) *(combinar)* condizer; **to go with** condizer com; **red wine doesn't go with fish** vinho tinto não combina com peixe.
(l) *(venda)* ser vendido; **'everything must go'** 'liquidação total'.
(m) *(encaixar)* caber.
(n) *(direção)* ir; **where does this path go?** aonde vai dar este caminho?
(o) *(pertencer)* ir, ser.
(p) *(em frases)*: **to let go of sthg** *(deixar cair)* largar algo; **there are two days to go** faltam dois dias; **to go** *Am (para viagem)* para levar.
2 *s* **(a)** *(seqüência)* vez *f*; **it's your go** é a sua vez.

(b) *(tentar)* tentativa *f*; **to have a go at sthg** experimentar algo; **'50 cents a go'** *(por jogo)* '50 centavos cada vez'.
❑ **go ahead** *vi (acontecer)* realizar-se; **go ahead!** vá em frente!
❑ **go around** *vi (girar)* rodar; **there isn't enough cake to go around** não tem bolo (suficiente) para todo mundo.
❑ **go back** *vi* voltar.
❑ **go down** *vi (decrescer)* diminuir; *(sol)* pôr-se; *(pneu)* esvaziar-se.
❑ **go in** *vi* entrar.
❑ **go off** *vi (alarme, campainha)* tocar, soar; *(estragar)* azedar; *(luz, aquecimento)* apagar-se.
❑ **go on** *vi (acontecer)* passar-se; *(luz, aquecimento)* acender-se; **to go on doing sthg** continuar a fazer algo.
❑ **go out** *vi (sair de casa)* sair; *(luz, fogo, cigarro)* apagar-se; *(ter relacionamento com)*: **to go out with sb** sair com alguém; **to go out to eat** ir comer fora.
❑ **go over** *vt fus (verificar)* rever.
❑ **go through** *vt fus (experiência)* passar por; *(dinheiro)* gastar; *(procura)* revistar.
❑ **go up** *vi (aumentar)* subir.
❑ **go without** *vt fus* passar sem.

É muito freqüente o uso de *go* seguido de um verbo no gerúndio para descrever atividades físicas, de lazer ou esportivas (*to go dancing/birdwatching/running* ir dançar/observar os pássaros/correr). (*I like swimming = I like to be in the water* gosto de nadar) é diferente de (*I like going swimming = I like being at the swimming pool* gosto de ir nadar).

No *present perfect*, o particípio *gone* pode ser substituído por *been*, mas com uma ligeira mudança de significado. Compare: (*the Fosters have gone to Bermuda for their vacation* = os Fosters foram passar férias nas Bermudas (mas ainda não voltaram)) com (*the Fosters have been to Bermuda for their vacation* = os Fosters estiveram nas Bermudas de férias).

Quando *go* for seguido por um infinitivo, é comum em inglês coloquial substituir *to* pela conjunção *and* (*I'll go and see what's happening* em vez de *I'll go to see what's happening*).

Ver também **ir** no lado Português-Inglês do dicionário.

goal [gəʊl] *s (trave)* gol *m*; *(marcar ponto)* gol *m*; *(alvo)* objetivo *m*.
goalkeeper ['gəʊlˌkiːpər] *s* goleiro *m*, -ra *f*.
goat [gəʊt] *s* cabra *f*.
god [gɒd] *s* deus *m*.
❑ **God** *s* Deus *m*.
goddaughter ['gɒdˌdɔːtər] *s* afilhada *f*.
godfather ['gɒdˌfaːðər] *s* padrinho *m*.
godmother ['gɒdˌmʌðər] *s* madrinha *f*.
godson ['gɒdsʌn] *s* afilhado *m*.
goes [gəʊz] → **go**.
goggles ['gɒglz] *spl* óculos *mpl* (protetores).
going ['gəʊɪŋ] *adj (livre)* disponível; **the going rate** a tarifa em vigor.
gold [gəʊld] **1** *s* ouro *m*.
2 *adj (pulseira, relógio)* de ouro; *(cor)* dourado(da).
gold-plated [-'pleɪtɪd] *adj* banhado(da) a ouro.
golf [gɒlf] *s* golfe *m*.
golf club *s (lugar)* clube *m* de golfe; *(equipamento)* taco *m* de golfe.
golfer ['gɒlfər] *s* jogador *m*, -ra *f* de golfe.
gone [gɒn] *pp* → **go**.
good [gʊd] (*comp* **better**, *sup* **best**) **1** *adj* bom (boa); *(comportamento)* bem comportado(da).
2 *s* o bem.
3 be good! porte-se bem!; **to have a good time** divertir-se; **to be good at sthg** ser bom em algo; **a good ten minutes** pelo menos dez minutos; **in good time** com antecedência; **for good** para sempre; **for the good of** para o bem de; **to do sb good** fazer bem a alguém; **it's no good** *(não adiantar)* não vale a pena; **good afternoon!** boa tarde!; **good evening!** boa noite!; **good morning!** bom dia!; **good night!** boa noite!
❑ **goods** *spl* mercadorias *fpl*.
goodbye [ˌgʊd'baɪ] *excl* adeus!
Good Friday *s* Sexta-feira *f* Santa.
good-looking [-'lʊkɪŋ] *adj* bonito(ta).
goose [guːs] (*pl* **geese**) *s* ganso *m*.
gorge [gɔːrdʒ] *s* garganta *f*, desfiladeiro *m*.
gorgeous ['gɔːrdʒəs] *adj (dia, paisagem)* magnífico(ca); *fam (bonito)* lindo(da).
gorilla [gə'rɪlə] *s* gorila *mf*.
gossip ['gɒsɪp] **1** *s (sobre alguém)* mexerico *m*, fofoca *f*; *(papo)* conversa *f*.

2 *vi (sobre alguém)* fofocar; *(bater papo)* conversar.

got [gɒt] *pt & pp* → **get.**

gotten ['gɒtn] *pp Am* → **get.**

gourmet ['gʊərmeɪ] **1** *s* gastrônomo *m*, -ma *f.*
2 *adj* gastronômico(ca).

govern ['gʌvərn] *vt* governar.

government ['gʌvərnmənt] *s* governo *m.*

gown [gaʊn] *s (vestimenta)* vestido *m.*

grab [græb] *vt (segurar)* agarrar.

graceful ['greɪsfl] *adj* gracioso(osa).

grade [greɪd] *s (qualidade)* categoria *f*; *(em prova, aula)* nota *f*; *Am (ano escolar)* ano *m* (de escolaridade).

grade crossing *s Am* passagem *m* de nível.

gradient ['greɪdjənt] *s* inclinação *f.*

gradual ['grædʒʊəl] *adj* gradual.

gradually ['grædʒʊəlɪ] *adv* gradualmente.

graduate [*s* 'grædʒʊət, *v* 'grædʒʊeɪt] **1** *s (de universidade)* graduado *m*, -da *f*; *Am (de segundo grau) pessoa que concluiu o ensino secundário.*
2 *vi (de universidade)* graduar-se, formar-se; *Am (de segundo grau)* concluir o ensino secundário.

graduation [ˌgrædʒʊ'eɪʃn] *s (cerimônia)* colação *f* de grau.

graffiti [grə'fi:tɪ] *s* grafite *m.*

grain [greɪn] *s (semente, de areia)* grão *m*; *(plantação)* cereais *mpl*; *(de sal)* pedra *f.*

gram [græm] *s* grama *m.*

grammar ['græmər] *s* gramática *f.*

grammar school *s (nos EUA)* escola *f* primária.

gran [græn] *s Brit fam* avó *f.*

grand [grænd] **1** *adj (impressionante)* magnífico(ca).
2 *s fam ($1.000,00)* mil dólares *mpl.*

grandchild ['grænt∫aɪld] (*pl* **-children** [-ˌt∫ɪldrən]) *s* neto *m*, -ta *f.*

granddad ['grændæd] *s fam* vovô *m*, vô *m.*

granddaughter ['grænˌdɔ:tər] *s* neta *f.*

grandfather ['grændˌfa:ðər] *s* avô *m.*

grandma ['grænma:] *s fam* vovó *f*, vó *f.*

grandmother ['grænˌmʌðər] *s* avó *f.*

grandpa ['grænpa:] *s fam* vovô *m*, vô *m.*

grandparents ['grænˌpeərənts] *spl* avós *mpl.*

grandson ['grænsʌn] *s* neto *m.*

granite ['grænɪt] *s* granito *m.*

granny ['grænɪ] *s fam* vovó *f*, vó *f.*

grant [grænt] **1** *s (de estudos)* bolsa *f*; POL subsídio *m.*
2 *vt (fml: dar)* conceder.
3 to take sthg for granted dar algo por certo; **to take sb for granted** não dar o devido valor a alguém.

grape [greɪp] *s* uva *f.*

grapefruit ['greɪpfru:t] *s* toranja *f.*

graph [græf] *s* gráfico *m.*

graph paper *s* papel *m* milimetrado.

grasp [græsp] *vt (segurar)* agarrar; *(entender)* compreender.

grass [græs] *s (planta)* grama *f*; *(relva)* gramado *m*; **'keep off the grass'** 'não pise na grama'.

grasshopper ['græshɒpr] *s* gafanhoto *m.*

grate [greɪt] *s* grelha *f.*

grated ['greɪtəd] *adj* ralado(da).

grateful ['greɪtfʊl] *adj* agradecido(da), grato(ta).

grater ['greɪtər] *s* ralador *m.*

gratitude ['grætətu:d] *s* gratidão *f.*

gratuity [grə'tu:ɪtɪ] *s fml* gratificação *f.*

grave[1] [greɪv] **1** *adj (erro, notícia, preocupação)* grave.
2 *s* sepultura *f.*

grave[2] [gra:v] *adj (acento)* grave.

graveyard ['greɪvja:rd] *s* cemitério *m.*

gravity ['grævətɪ] *s* gravidade *f.*

gravy ['greɪvɪ] *s* molho *m* (de carne).

gray [greɪ] **1** *adj Am* cinzento(ta); *(cabelo)* grisalho(lha).
2 *s* cinzento *m.*
3 to go gray ficar grisalho.

graze [greɪz] *vt (ferir)* esfolar.

grease [gri:s] *s* gordura *f.*

greasy ['gri:sɪ] *adj (comida)* gorduroso(osa); *(pele, cabelo)* oleoso(osa).

great [greɪt] *adj* grande; *(muito bom)* ótimo(ma); **(that's) great!** ótimo!

great-grandfather *s* bisavô *m.*

great-grandmother *s* bisavó *f.*

greatly ['greɪtlɪ] *adv* muito.

greed [gri:d] *s (por dinheiro)* ganância *f*; *(por comida)* gula *f*.

greedy ['gri:dɪ] *adj (por comida)* guloso(osa); *(por dinheiro)* ganancioso(osa).

green [gri:n] **1** *adj* verde.
2 *s (cor)* verde *m*; *(em campo de golfe)* green *m.*
❑ **greens** *spl (hortaliças)* verduras *fpl.*

green beans *spl* vagem *f.*

green card *s Am (documento) visto de permanência e trabalho nos Estados Unidos.*

greenhouse ['gri:nhaʊs, *pl* -haʊzɪz] *s* estufa *f.*

greenhouse effect *s* efeito *m* estufa.

Greens [gri:nz] *spl*: **the Greens** os Verdes.

greet [gri:t] *vt (dizer alô)* cumprimentar.

greeting ['gri:tɪŋ] *s* cumprimento *m.*

grenade [grə'neɪd] *s* granada *f.*

grew [gru:] *pt* → **grow.**

grey [greɪ] *adj & n Brit* = **gray.**

grid [grɪd] *s (grade)* gradeamento *m*; *(em mapa etc.)* quadrícula *f.*

grief [gri:f] *s* desgosto *m.*

grieve [gri:v] *vi* estar de luto.

grill [grɪl] **1** *s* grelha *f*; AUT grelha *f* do radiador.
2 *vt* grelhar.

grilled [grɪld] *adj* grelhado(da).

grim [grɪm] *adj (expressão)* severo(ra); *(lugar, realidade)* sombrio(bria); *(notícia)* desagradável.

grimace ['grɪməs] *s* careta *f.*

grimy ['graɪmɪ] *adj* sebento(ta).

grin [grɪn] **1** *s* sorriso *m* (largo).
2 *vi* sorrir.

grind [graɪnd] (*pt & pp* **ground**) *vt (pimenta, café)* moer.

grip [grɪp] **1** *s (de pneu)* aderência *f*; *(puxador)* punho *m*; *(bolsa)* bolsa *m* de viagem; *(controle)* pega *f.*
2 *vt (segurar)* agarrar.
3 to keep a firm grip on sthg *(corda, grade)* agarrar algo com força; **get a grip on yourself!** controle-se!

groan [grəʊn] **1** *s* gemido *m.*
2 *vi (de dor)* gemer; *(reclamar)* resmungar.

groceries ['grəʊsərɪz] *spl* comestíveis *mpl.*

grocery store ['grəʊsərɪ-] *s* mercearia *f.*

groin [grɔɪn] *s* virilha *f.*

groove [gru:v] *s* ranhura *f.*

grope [grəʊp] *vi*: **to grope around for sthg** procurar algo às apalpadelas.

gross [grəʊs] *adj (peso, renda)* bruto(ta).

grossly ['grəʊslɪ] *adv (demasiado)* extremamente.

ground [graʊnd] **1** *pt & pp* → **grind.**
2 *s* chão *m*; ESP campo *m.*
3 *adj (café)* moído(da).
4 *vt*: **to be grounded** *(avião)* não ter autorização para decolar; *Am (criança)* estar de castigo; *Am (ligação elétrica)* ligar à terra.
▫ **grounds** *spl (de prédio) área que circunda um prédio*; *(de café)* borra *f*; *(causa)* razão *f*, motivo *m.*

ground beef *s Am* carne *f* moída.

ground floor *s* térreo *m.*

group [gru:p] *s* grupo *m.*

grovel ['grʌvl] *vi (ser humilde)* humilhar-se.

grow [grəʊ] (*pt* **grew,** *pp* **grown**) **1** *vi* crescer; *(virar)* tornar-se.
2 *vt (planta, plantação)* cultivar; *(barba)* deixar crescer.
▫ **grow up** *vi* crescer.

growl [graʊl] *vi (cachorro)* rosnar.

grown [grəʊn] *pp* → **grow.**

grown-up 1 *adj* adulto(ta).
2 *s* adulto *m*, -ta *f.*

growth [grəʊθ] *s (aumento)* crescimento *m*; MED tumor *m*, abscesso *m.*

grubby ['grʌbɪ] *adj fam* porco(ca).

grudge [grʌdʒ] **1** *s* ressentimento *m.*
2 *vt*: **to grudge sb sthg** dar algo a alguém de má vontade; **he seems to have a grudge against me** ele parece ter algo contra mim.

gruesome ['gru:səm] *adj* horripilante.

grumble ['grʌmbl] *vi (reclamar)* resmungar.

grumpy ['grʌmpɪ] *adj fam* resmungão(gona).

grunt [grʌnt] *vi* grunhir.

guarantee [ˌgerən'ti:] **1** *s* garantia *f.*
2 *vt* garantir.

guard [ga:rd] **1** *s (de prisioneiro etc.)* guarda *mf*; *(escudo)* proteção *f.*
2 *vt (proteger)* guardar; **to be on one's guard** estar alerta.

guess [ges] **1** *s* suposição *f.*
2 *vt & vi* adivinhar; **I guess (so)** é provável, imagino que sim.

guest [gest] *s (em casa)* convidado *m*, -da *f*; *(em hotel)* hóspede *mf.*

guesthouse ['gesthaʊs, *pl* -haʊzɪz] *s* pensão *f.*

guidance ['gaɪdns] *s* orientação *f.*

guide [gaɪd] **1** *s (para turistas)* guia *mf*; *(livro)* guia *m.*
2 *vt* guiar.
▫ **Guide** *s Brit* escoteira *f.*

guide dog *s* cão-guia *m.*

guidelines ['gaɪdlaɪnz] *spl* diretrizes *fpl.*

guilt [gɪlt] *s* culpa *f.*

guilty ['gɪltɪ] *adj* culpado(da).

guinea pig ['gɪnɪ-] *s* cobaia *f.*

guitar [gɪ'ta:r] *s (acústica)* violão *m*; *(elétrica)* guitarra *f* (elétrica).

guitarist [gɪ'ta:rəst] *s (de violão)* violonista *mf*; *(de guitarra elétrica)* guitarrista *mf*.

gulf [gʌlf] *s (do mar)* golfo *m*.

gull [gʌl] *s* gaivota *f*.

gullible ['gʌləbl] *adj* ingênuo(nua).

gulp [gʌlp] *s (de bebida)* gole *m*.

gum [gʌm] *s (goma de mascar)* chiclete *m*; *(adesivo)* cola *f*.
❑ **gums** *spl (na boca)* gengiva *f*.

gun [gʌn] *s (arma)* pistola *f*; *(rifle)* espingarda *f*; *(artilharia)* canhão *m*.

gust [gʌst] *s* rajada *f*.

gut [gʌt] *s fam (estômago)* bucho *m*.
❑ **guts** *spl fam (intestino)* tripas *fpl*; *(brio)* coragem *f*, peito *m*.

gutter ['gʌtər] *s (na calçada)* sarjeta *f*; *(de casa)* calha *f*.

guy [gaɪ] *s fam (homem)* cara *m*.
❑ **guys** *spl Am fam (pessoas)*: **you guys** vocês.

gym [dʒɪm] *s (lugar)* ginásio *m*; *ESP* ginástica *f*.

gymnast ['dʒɪmnæst] *s* ginasta *mf*.

gymnastics [dʒɪm'næstɪks] *s* ginástica *f*.

gynecologist [ˌgaɪnə'kɒlədʒəst] *s* ginecologista *mf*.

gypsy ['dʒɪpsɪ] *s* cigano *m*, -na *f*.

Hh

habitat ['hæbɪtæt] *s* habitat *m.*
had [hæd] *pt & pp* → **have.**
haddock ['hædək] (*pl inv*) *s* hadoque *m.*
hadn't ['hædnt] = **had not.**
haggle ['hægl] *vi* regatear.
hail [heɪl] **1** *s* granizo *m.*
2 *v impess*: **it's hailing** está chovendo granizo.
hailstone ['heɪlstəʊn] *s* granizo *m*, pedra *f.*
hair [heər] *s* *(na cabeça humana)* cabelo *m*; *(na pele)* pêlo *m*; **to have one's hair cut** cortar o cabelo; **to wash one's hair** lavar a cabeça.
hairbrush ['heərbrʌʃ] *s* escova *f* (de cabelo).
hairclip ['heərklɪp] *s* grampo *m.*
haircut ['heərkʌt] *s* *(estilo)* corte *m* (de cabelo); **to have a haircut** cortar o cabelo.
hairdresser ['heər,dresər] *s* *(pessoa)* cabeleireiro *m*, -ra *f*; **hairdresser** *(salão)* cabeleireiro *m*; **to go to the hairdresser** ir ao cabeleireiro.
hairdryer ['heər,draɪər] *s* secador *m* de cabelo.
hairpin ['heərpɪn] *s* grampo *m.*
hairpin bend *s* curva *f* fechada.
hairstyle ['heərstaɪl] *s* penteado *m.*
hairy ['heərɪ] *adj* *(pessoa)* cabeludo(da); *(peito, pernas)* peludo(da).
half [hæf] (*pl* **halves**) **1** *s* *(50%)* metade *f*; *(de jogo)* tempo *m.*
2 *adj* meio (meia).
3 *adv* meio.
4 a day and a half um dia e meio; **four and a half** quatro e meio; **an hour and a half** uma hora e meia; **half past seven** sete e meia; **half as big as** metade do tamanho de; **half an hour** meia-hora; **half a dozen** meia dúzia; **half-price** a metade do preço.

> Ao se empregar ***half*** como substantivo, não é necessário o artigo (***I can't eat all of that - just give me half*** não posso comer tudo isso - dê-me só a metade).
>
> Entretanto, se ***half*** acompanhar outro substantivo, este será precedido de ***a***, ***the*** ou ***this/that*** (***half a kilo of rice*** meio quilo de arroz; ***I'd like half that amount*** quero a metade disso).

half-brother *s* meio-irmão *m.*
half-price *adj* a metade do preço.
half-sister *s* meia-irmã.
half-time *s* intervalo *m.*
halfway [hæf'weɪ] *adv* *(em espaço)* a meio caminho; *(em tempo)* a meio.
hall [hɔːl] *s* *(de casa)* entrada *f*, hall *m*; *(prédio, sala grande)* salão *m*; *(casa de campo)* mansão *f.*
hallmark ['hɔːlmaːrk] *s* *(em prata, ouro)* marca *f.*
Halloween [,hæləʊ'iːn] *s* Dia *m* das Bruxas.
halt [hɔːlt] **1** *vi* parar.
2 *s*: **to come to a halt** parar.
halve [hæv] *vt* *(reduzir)* reduzir à metade; *(dividir)* dividir ao meio.
halves [hævz] *pl* → **half.**
ham [hæm] *s* presunto *m.*
hamburger ['hæmbɜːrgər] *s* hambúrguer *m*; *Am (carne)* carne *f* moída.
hammer ['hæmər] **1** *s* martelo *m.*
2 *vt (prego)* martelar.
hammock ['hæmək] *s* rede *f.*
hamster ['hæmstər] *s* hamster *m.*
hamstring ['hæmstrɪŋ] *s* tendão *m* do jarrete.
hand [hænd] *s* mão *f*; *(de relógio, mostrador)* ponteiro *m*; **to give sb a hand** dar uma mão a alguém; **to get out of hand** fugir ao controle; **by hand** à mão; **on**

the one hand por um lado; **on the other hand** por outro lado.
❑ **hand in** *vt sep* entregar.
❑ **hand out** *vt sep* distribuir.
❑ **hand over** *vt sep (dar)* entregar.

handbag ['hændbæg] *s* bolsa *f*, carteira *f*.

handbook ['hændbʊk] *s* manual *m*.

handbrake ['hændbreɪk] *s* freio *m* de mão.

handcuffs ['hændkʌfs] *spl* algemas *fpl*.

handful ['hændfl] *s (quantidade)* punhado *m*.

handicap ['hændɪkæp] *s (física, mental)* deficiência *f*; *(restrição)* desvantagem *f*.

handicapped ['hændɪkæpt] **1** *adj* deficiente.
2 *spl*: **the handicapped** os deficientes.

handkerchief ['hæŋkərtʃif] (*pl* **-chiefs** ou **-chieves**) *s* lenço *m* (de mão).

handle ['hændl] **1** *s (de porta, janela)* maçaneta *f*; *(de mala)* alça *f*; *(de panela, faca)* cabo *m*.
2 *vt (tocar)* pegar em; *(tratar)* lidar com; *(resolver)* tratar de; **'handle with care'** 'frágil'.

handlebars ['hændlba:rz] *spl* guidom *m*.

handmade [ˌhænd'meɪd] *adj* feito(ta) à mão.

handout ['hændaʊt] *s (folheto)* prospecto *m*; *(dinheiro, comida etc.)* donativo *m*.

handrail ['hændreɪl] *s* corrimão *m*.

handset ['hændset] *s* fone *m*.

handshake ['hændʃeɪk] *s* aperto *m* de mão.

handsome ['hænsəm] *adj (homem)* bonito(ta).

handwriting ['hændˌraɪtɪŋ] *s* letra *f*, caligrafia *f*.

handy ['hændɪ] *adj (útil)* prático(ca); *(hábil)* habilidoso(osa); *(próximo)* à mão; **to come in handy** *fam* vir a calhar.

hang [hæŋ] (*pt & pp* **hung**, *pt & pp sentido executar* **hanged**) **1** *vt (em gancho, parede etc.)* pendurar; *(executar)* enforcar.
2 *vi (estar suspenso)* pender.
3 *s*: **to get the hang of sthg** pegar o jeito de algo.
❑ **hang around** *fam* rondar.
❑ **hang down** *vi* estar pendurado(da).
❑ **hang on** *vi fam (espera)* esperar.
❑ **hang out 1** *vt sep (roupa lavada)* pendurar.
2 *vi fam (matar o tempo)* passar o tempo.
❑ **hang up** *vi (no telefone)* desligar.

hanger ['hæŋər] *s* cabide *m*.

hangover ['hæŋˌəʊvər] *s* ressaca *f*.

hankie ['hæŋkɪ] *s fam* lenço *m* (de mão).

happen ['hæpən] *vi* acontecer; **I happened to bump into him** encontrei-o por acaso.

happily ['hæpəlɪ] *adv (com sorte)* felizmente.

happiness ['hæpɪnəs] *s* felicidade *f*.

happy ['hæpɪ] *adj* feliz; **to be happy about sthg** *(satisfeito)* estar satisfeito(ta) com algo; **to be happy to do sthg** não se importar de fazer algo; **to be happy with sthg** estar satisfeito com algo; **Happy Birthday!** Parabéns!, Feliz Aniversário!; **Happy New Year!** Feliz Ano Novo!

harassment [hə'ræsmənt] *s* assédio *m*, importunação *f*.

harbor ['ha:rbər] *s Am* porto *m*.

harbour ['ha:bər] *s Brit* = **harbor**.

hard [ha:rd] **1** *adj* duro(ra); *(exigente)* difícil; *(com força)* forte; *(inverno, geada)* rigoroso(osa); *(água)* calcário(ria), duro(ra); *(drogas)* pesado(da).
2 *adv (trabalho)* muito, arduamente; *(escutar)* atentamente; *(bater, chover)* com força; **to try hard** fazer um esforço.

hardcover ['ha:rdˌkʌvər] *s Am* livro *m* de capa dura.

hard disk *s* disco *m* rígido.

hardly ['ha:rdlɪ] *adv*: **hardly ever** quase nunca; **I hardly know her** mal a conheço; **there's hardly any left** já não há quase nada.

> ***Hardly*** não tem relação com ***hard***, ainda que ambos sejam advérbios e que ***hardly*** pareça ser derivado do adjetivo ***hard***. ***Hardly*** quer dizer o mesmo que ***barely***, (='mal'). Compare: (***I hit him as hard as I could*** bati nele com toda a força que pude) com (***I hardly touched him*** eu mal o toquei).

hardness ['ha:rdnəs] *s (solidez)* dureza *f*; *(obstáculo)* dificuldade *f*.

hardship ['ha:rdʃɪp] *s* dificuldades *fpl*.

hard up *adj fam* teso(sa).

hardware ['ha:rdweər] *s (ferramentas, equipamento)* ferramenta *f*; INFORM hardware *m*.

hardwearing [ˌha:d'weərɪŋ] *adj Brit* resistente.

hardworking [ˌha:rd'wɜ:rkɪŋ] *adj* trabalhador(ra).

harm [ha:rm] **1** *s (machucado)* mal *m*; *(estrago)* dano *m*.
2 *vt (machucar)* magoar; *(reputação, possibilidades)* prejudicar; *(tecido)* danificar.

harmful ['ha:rmfl] *adj* prejudicial.

harmless ['ha:rmləs] *adj* inofensivo(va).

harmony ['ha:rmənɪ] *s* harmonia *f*.

harness ['ha:rnəs] *s (para cavalo)* arreios *mpl*; *(para criança)* andadeiras *fpl*.

harp [ha:rp] *s* harpa *f*.

harsh [ha:rʃ] *adj (severo)* rigoroso(osa); *(cruel)* severo(ra); *(som, voz)* áspero(ra).

harvest ['ha:rvɪst] *s* colheita *f*.

has [həz, hæz] → **have.**

hasn't ['hæznt] = **has not.**

hassle ['hæsl] *s fam* chatice *f*.

hastily ['heɪstəlɪ] *adv* precipitadamente.

hasty ['heɪstɪ] *adj (com pressa)* apressado(da); *(impulsivo)* precipitado(da).

hat [hæt] *s* chapéu *m*.

hatch [hætʃ] **1** *s (em navio, avião)* escotilha *f*.
2 *vi (pinto)* sair do ovo.

hatchet ['hætʃət] *s* machado *m*.

hate [heɪt] **1** *s* ódio *m*.
2 *vt* odiar, detestar; **to hate doing sthg** detestar fazer algo.

hatred ['heɪtrəd] *s* ódio *m*.

haul [hɔ:l] **1** *vt* arrastar.
2 *s*: **a long haul** um longo percurso.

haunted ['hɔ:ntəd] *adj (house)* assombrado(da).

have [hæv] (*pt & pp* **had**) **1** *v aux* **(a)** *(para formar o tempo perfeito)*: **I have finished** acabei; **have you been there? - no, I haven't** você já esteve lá? - não; **they hadn't seen it** não o tinham visto; **we had already left** nós já tínhamos saído.
(b) *(dever)*: **to have (got) to do sthg** ter de fazer algo; **do you have to pay?** é preciso pagar?
2 *vt* **(a)** *(possuir)*: **to have (got)** ter; **do you have** ou **have you got a double room?** você tem um quarto de casal?; **she's got brown hair** ela tem o cabelo castanho.
(b) *(experiência)* ter; **to have a cold** estar resfriado; **to have a great time** divertir-se a valer.
(c) *(substituindo outros verbos)* ter; **to have breakfast** tomar o café da manhã; **to have dinner** jantar; **to have lunch** almoçar; **to have a bath** tomar banho; **to have a drink** tomar qualquer coisa, tomar um drinque; **to have a shower** tomar um banho; **to have a swim** nadar.
(d) *(sentir)* ter; **I have no doubt about it** não tenho dúvida alguma ou nenhuma sobre isso.
(e) *(causar)*: **to have sthg done** mandar fazer algo; **to have one's hair cut** cortar o cabelo.
(f) *(ser tratado de certa forma)*: **I've had my wallet stolen** roubaram a minha carteira.

Presente

I have	*we have*
You have	*you have*
He/she/it has	*they have*

Pretérito simples

I had	*we had*
You had	*you had*
He/she/it had	*they had*

Gerúndio
Having

Particípio
Had

Have tem seus próprios significados como verbo principal, mas funciona também como verbo auxiliar, principalmente para formar tempos compostos (***I have always liked you*** sempre gostei de você; ***I wish they had told me before*** gostaria que tivessem me dito antes).

Have aparece também em construções passivas (***he had his bike stolen the other day*** a bicicleta dele foi roubada outro dia). Às vezes, seu uso indica que o sujeito da oração atribui a outra pessoa a realização da ação (***she's having the house painted*** ela mandou pintar a casa; ***he had his hair cut*** ele foi cortar o cabelo).

Quando significa 'ter' ou 'possuir', ***have*** funciona como verbo principal; isto é, utiliza-se ***do*** para formar orações negativas ou interrogativas (***I don't have any money - do you have any money?*** eu não tenho nenhum dinheiro - você tem algum dinheiro?).

Ver também **must**, **need**.

hawk [hɔ:k] *s* falcão *m*.

hay [heɪ] *s* feno *m*.

hay fever *s* febre *f* do feno.

hazard ['hæzərd] *s* risco *m*.

hazard lights *spl* pisca-alerta *m*.

hazardous ['hæzərdəs] *adj* arriscado(da).

haze [heɪz] *s* névoa *f*.

hazel ['heɪzl] *adj* castanho-claro.

hazelnut ['heɪzl,nʌt] *s* avelã *f*.

hazy ['heɪzɪ] *adj (enevoado)* nublado(da).

he [hi:] *pron* ele; **he's tall** ele é alto.

> *He* é o pronome pessoal utilizado para se falar de pessoas e animais de estimação do sexo masculino (*there's my brother - he's a teacher* lá está meu irmão - ele é professor; *there's my cat - isn't he funny?* lá está meu gato - ele não é engraçado?); seu equivalente feminino é *she* (*there's my sister - she's a nurse* lá está minha irmã - ela é enfermeira). *It* é o pronome neutro, usado para coisas, idéias e animais em geral (*there's my car - it's a Ford* lá está meu carro - é um Ford; *look at that elephant - it's got huge ears* veja aquele elefante - ele tem orelhas enormes). Também se pode usar *it* quando o sexo não for conhecido, como no caso de *baby* (*listen to that baby - I wish it would be quiet!* ouça aquele bebê - gostaria que ficasse quietinho!).
>
> Antigamente, em linguagem formal, utilizava-se o pronome masculino caso não se soubesse o sexo da pessoa (*if a student is sick, he must have a note from his parents* se um estudante estiver doente, ele deve trazer um bilhete de seus pais). A língua formal moderna utiliza o masculino e o feminino juntos (*if a student is sick, he or she must have a note from his or her parents*). A linguagem coloquial prefere *they* (*if a student is sick, they must have a note from their parents*).

head [hed] **1** *s* cabeça *f*; *(de fila)* princípio *m*; *(de página, carta)* cabeçalho *m*; *(de mesa, cama)* cabeceira *f*; *(de empresa, departamento)* chefe *m*, -fa *f*; *(de cerveja)* espuma *f*.
2 *vt (lista, organização)* encabeçar.
3 *vi*: **to head home** dirigir-se para casa.
4 **$10 a head** 10 dólares por cabeça; **heads or tails?** cara ou coroa?
❑ **head for** *vt fus (lugar)* dirigir-se a.

headache ['hedeɪk] *s (dor)* dor *f* de cabeça; **I've got a headache** estou com dor de cabeça.

heading ['hedɪŋ] *s* título *m*.

headlight ['hedlaɪt] *s* farol *m* (dianteiro).

headline ['hedlaɪn] *s (em jornal)* manchete *f*; *(em TV, rádio)* notícia *f* principal.

head of state *s* chefe *m* de estado.

headphones ['hedfəʊnz] *spl* fones *mpl* de ouvido.

headquarters [,hed'kwɔ:rtərz] *spl (comercial)* sede *f*; *(militar)* quartel-general *m*; *(policial)* central *f*.

head start *s* vantagem *f*, avanço *m*.

heal [hi:l] **1** *vt* curar.
2 *vi* sarar.

health [helθ] *s* saúde *f*; **to be in good/bad health** estar bem/mal de saúde; **your (very) good health!** saúde!

health center *s* centro *m* de saúde.

health club *s* academia *f* (de ginástica).

health food *s* comida *f* natural.

health insurance *s* seguro-saúde *m*.

healthy ['helθɪ] *adj* saudável.

heap [hi:p] *s* monte *m*; **heaps of** *fam* um monte de.

hear [hɪər] (*pt & pp* **heard** [hɜ:d]) *vt & vi* ouvir; **to hear about sthg** saber de algo; **to hear from sb** ter notícias de alguém; **have you heard of him?** você já ouviu falar dele?

hearing ['hɪərɪŋ] *s (sentido)* audição *f*; *(em tribunal)* audiência *f*; **to be hard of hearing** não ouvir bem.

heart [ha:rt] *s* coração *m*; **to know sthg (off) by heart** saber algo de cor; **to lose heart** perder a coragem.
❑ **hearts** *spl (em baralho)* copas *fpl*.

heart attack *s* ataque *m* cardíaco.

heartbeat ['ha:rtbi:t] *s* pulsação *f*, batida *f* cardíaca.

heartburn ['ha:rtbɜ:rn] *s* azia *f*.

heart condition *s*: **to have a heart condition** ter problemas cardíacos ou de coração.

heat [hi:t] *s* calor *m*; *(temperatura específica)* temperatura *f*.
❑ **heat up** *vt sep* aquecer.

heater ['hi:tər] *s* aquecedor *m*.

heating ['hi:tɪŋ] *s* aquecimento *m*.

heat wave *s* onda *f* de calor.

heave [hi:v] *vt (empurrar)* empurrar com força; *(puxar)* puxar com força; *(levantar)* levantar com força.

Heaven ['hevn] *s* paraíso *m*, céu *m*.

heavily ['hevəlɪ] *adv* muito.

heavy ['hevɪ] *adj* pesado(da); *(chuva, luta, trânsito)* intenso(sa); **how heavy is it?** quanto é que (isso) pesa?; **to be a heavy smoker** fumar muito.

heckle ['hekl] *vt* interromper (continuamente).
hectic ['hektɪk] *adj* agitado(da).
he'd [hi:d] = **he had.**
hedgehog ['hedʒhɒg] *s* ouriço *m*.
heel [hi:l] *s (de pessoa)* calcanhar *m*; *(de sapato)* salto *m*.
hefty ['heftɪ] *adj (pessoa)* robusto(ta); *(multa)* considerável.
height [haɪt] *s* altura *f*; *(clímax)* ponto *m* alto; **what height is it?** quanto mede?
heir [eər] *s* herdeiro *m*.
heiress ['eərəs] *s* herdeira *f*.
held [held] *pt & pp* → **hold.**
helicopter ['helɪkɒptər] *s* helicóptero *m*.
Hell [hel] *s* o Inferno.
he'll [hi:l] = **he will.**
hello [hə'ləʊ] *excl (como saudação)* oi!; *(atendendo o telefone)* alô!; *(telefonando)* alô?; *(para atrair atenção)* ei!
helmet ['helmət] *s* capacete *m*.
help [help] **1** *s* ajuda *f*.
2 *vt & vi* ajudar.
3 *excl* socorro!.
4 I can't help it não consigo evitá-lo; **to help sb (to) do sthg** ajudar alguém a fazer algo; **to help o.s. (to sthg)** servir-se (de algo); **can I help you?** *(em loja)* posso ajudá-lo?
❑ **help out** *vi* ajudar.
help desk *s* informações *fpl*.
helper ['helpər] *s (assistente)* ajudante *mf*.
helpful ['helpfl] *adj (pessoa)* prestativo(va); *(de utilidade)* útil.
helping ['helpɪŋ] *s* porção *f*; **he had a second helping of dessert** ele repetiu a sobremesa.
helpless ['helpləs] *adj* indefeso(sa).
hem [hem] *s* bainha *f*.
hemophiliac [ˌhi:mə'fɪlɪæk] *s* hemofílico *m*, -ca *f*.
hemorrhage ['hemərɪdʒ] *s* hemorragia *f*.
hen [hen] *s (ave)* galinha *f*.
hepatitis [ˌhepə'taɪtəs] *s* hepatite *f*.
her [hɜ:r] **1** *adj* o seu (a sua), dela.
2 *pron (direto)* a; *(indireto)* lhe; *(depois de preposição)* ela.
3 her books os livros dela, os seus livros; **I know her** eu a conheço; **it's her** é ela; **send it to her** mande isso para ela; **tell her** diga-lhe; **Zena brought it with her** a Zena trouxe-o consigo ou com ela.
herb [ɜ:rb] *s* erva *f* aromática.
herd [hɜ:rd] *s (de gado)* manada *f*; *(de ovelhas)* rebanho *m*.
here [hɪər] *adv* aqui; **here's your book** aqui está o seu livro; **here you are** aqui está.
heritage ['herɪtɪdʒ] *s* patrimônio *m*.
hernia ['hɜ:rnjə] *s* hérnia *f*.
hero ['hɪərəʊ] (*pl* **-es**) *s* herói *m*.
heroin ['herəʊɪn] *s* heroína *f (droga)*.
heroine ['herəʊɪn] *s* heroína *f*.
heron ['herən] *s* garça *f*.
herring ['herɪŋ] *s* arenque *m*.
hers [hɜ:rz] *pron* o seu (a sua), (o/a) dela; **a friend of hers** um amigo dela ou seu; **those shoes are hers** estes sapatos são dela ou seus; **these are mine - where are hers?** estes são os meus - onde estão os dela?
herself [hɜ:r'self] *pron (reflexivo)* se; *(depois de preposição)* si própria ou mesma; **she did it herself** foi ela mesma que o fez; **she hurt herself** ela se machucou.
he's [hi:z] = **he is.**
hesitant ['hezɪtənt] *adj* hesitante.
hesitate ['hezɪteɪt] *vi* hesitar.
hesitation [ˌhezɪ'teɪʃn] *s* hesitação *f*.
heterosexual [ˌhetərəʊ'sekʃʊəl] **1** *adj* heterossexual.
2 *s* heterossexual *mf*.
hiccup ['hɪkʌp] *s*: **to have (the) hiccups** estar com ou ter soluços.
hide [haɪd] (*pt* **hid** [hɪd], *pp* **hidden** [hɪdn]) **1** *vt* esconder; *(verdade, sentimentos)* esconder, ocultar.
2 *vi* esconder-se.
3 *s (de animal)* pele *f*.
hideous ['hɪdɪəs] *adj* horrível.
high [haɪ] **1** *adj* alto(ta); *(vento)* forte; *(velocidade, qualidade)* grande, alto(ta); *(opinião)* bom (boa); *(posição)* elevado(da); *(som, voz)* agudo(da); *fam (de drogas)* doidão(dona).
2 *s (meteorologia)* área *f* de alta pressão.
3 *adv* alto.
4 how high is it? qual a altura (disso)?; **it's 10 meters high** mede 10 metros de altura.
high-class *adj* de primeira (categoria).
higher education ['haɪər-] *s* ensino *m* superior.
high heels *spl* saltos *mpl* altos.
highlight ['haɪlaɪt] **1** *s (melhor parte)* ponto *m* alto.

2 *vt (enfatizar)* destacar.
❑ **highlights** *spl (de jogo de futebol etc.)* melhores lances *mpl*; *(em cabelo)* mechas *fpl*.
highly ['haɪlɪ] *adv (muito)* extremamente; *(excelente)* muito bem; **to think highly of sb** admirar muito alguém.
high-pitched [-'pɪtʃt] *adj* agudo(da).
high school *s* escola *f* secundária.
high tide *s* maré-alta *f*.
highway ['haɪweɪ] *s Am (entre cidades)* auto-estrada *f*.
hijack ['haɪdʒæk] *vt* seqüestrar.
hijacker ['haɪdʒækər] *s* seqüestrador *m*, -ra *f* (de avião).
hike [haɪk] **1** *s* caminhada *f*, excursão *f* a pé.
2 *vi* caminhar.
hilarious [hɪ'leərɪəs] *adj* hilariante.
hill [hɪl] *s* colina *f*, monte *m*.
hilly ['hɪlɪ] *adj* montanhoso(osa).
him [hɪm] *pron (direto)* o; *(indireto)* lhe; *(depois de preposição)* ele; **I know him** eu o conheço; **it's him** é ele; **send it to him** mande isso para ele; **tell him** diga-lhe; **Tony brought it with him** Tony trouxe-o consigo OU com ele.
himself [hɪm'self] *pron (reflexivo)* se; *(depois de preposição)* si próprio OU mesmo; **he did it himself** foi ele mesmo que o fez; **he hurt himself** machucou-se.
hinder ['hɪndər] *vt* impedir, atrapalhar.
hinge [hɪndʒ] *s* dobradiça *f*.
hint [hɪnt] **1** *s (sugestão indireta)* alusão *f*; *(conselho)* dica *f*, palpite *m*; *(pequena quantidade)* ponta *f*.
2 *vi*: **to hint at sthg** fazer alusão a algo.
hippopotamus [ˌhɪpə'pɒtəməs] *s* hipopótamo *m*.
hire ['haɪər] *vt (carro, bicicleta, televisão)* alugar; *(pessoa)* contratar; **'for hire'** *(barcos)* 'para alugar'; *(táxi)* 'livre'.
his [hɪz] **1** *adj* o seu (a sua), dele.
2 *pron* o seu (a sua), (o/a) dele.
3 his books os livros dele, os seus livros; **a friend of his** um amigo dele OU seu; **these shoes are his** estes sapatos são dele OU seus; **these are mine - where are his?** estes são os meus - onde estão os dele?
historical [hɪ'stɒrɪkəl] *adj* histórico(ca).
history ['hɪstərɪ] *s* história *f*; *(record)* histórico *m*.
hit [hɪt] *(pt & pp* **hit)** **1** *vt (bater de propósito)* bater em; *(chocar com)* bater contra OU em; *(batida)* bater com; *(um alvo)* acertar em.
2 *s (disco, obra, filme)* sucesso *m*; INFORM visita *f (a uma homepage)*.
hitch [hɪtʃ] **1** *s (encrenca)* problema *m*.
2 *vi* pegar carona.
3 *vt*: **to hitch a lift** pegar carona.
hitchhike ['hɪtʃhaɪk] *vi* pegar carona.
hive [haɪv] *s (de abelhas)* colméia *f*.
HIV-positive *adj* soropositivo(va).
hoarse [hɔːrs] *adj* rouco(ca).
hoax [həʊks] *s* fraude *f*.
hobby ['hɒbɪ] *s* hobby *m*.
hockey ['hɒkɪ] *s Am (no gelo)* hóquei sobre gelo.
hoe [həʊ] *s* enxada *f*.
hold [həʊld] *(pt & pp* **held)** **1** *vt* segurar; *(organizar)* dar; *(conter)* conter; *(possuir)* ter, possuir.
2 *vi (permanecer sem mudanças)* manter-se; *(no telefone)* esperar.
3 *s (em navio, avião)* porão *m*.
4 to hold sb prisoner manter alguém prisioneiro; **hold the line, please** não desligue, por favor; **to keep a firm hold of sthg** agarrar algo com força.
❑ **hold back** *vt sep (restringir)* conter; *(manter secreto)* reter.
❑ **hold on** *vi (espera, no telefone)* esperar; **to hold on to sthg** agarrar-se a algo.
❑ **hold out** *vt sep (oferecer)* estender.
❑ **hold up** *vt sep (atraso)* atrasar.
holder ['həʊldər] *s (de passaporte, licença)* titular *mf*; *(depósito)* suporte *m*.
holdup ['həʊldʌp] *s (atrasar)* atraso *m*.
hole [həʊl] *s* buraco *m*.
holiday ['hɒlədeɪ] **1** *s (dia de folga)* feriado *m*; *Brit (férias)* férias *fpl*.
2 *vi Brit* passar férias.
3 to be on holiday estar de férias; **to go on holiday** sair de férias; **the holidays** as férias.
hollow ['hɒləʊ] *adj* oco (oca).
holy ['həʊlɪ] *adj* sagrado(da), santo(ta).
home [həʊm] **1** *s* casa *f*; *(pátria)* terra *f* natal; *(para idosos)* lar *m*.
2 *adv (na própria casa)* em casa; *(ir para casa)* para casa.
3 *adj (não estrangeiro)* nacional; *(da própria casa)* caseiro(ra).
4 at home em casa; **make yourself at home** sinta-se em casa; **to go home** ir

para casa; **home address** endereço *m* residencial; **home number** número *m* (de telefone) de casa.

homeless ['həʊmləs] *spl*: **the homeless** os sem-teto.

homemade [ˌhəʊm'meɪd] *adj (comida)* caseiro(ra).

homework ['həʊmwɜːrk] *s* dever *m* de casa.

homosexual [ˌhɒmə'sekʃʊəl] **1** *adj* homossexual.
2 *s* homossexual *mf.*

honest ['ɒnəst] *adj* honesto(ta), sincero(ra).

honestly ['ɒnəstlɪ] **1** *adv (com honestidade)* honestamente; *(para expressar sinceridade)* sinceramente.
2 *excl* francamente!

honey ['hʌnɪ] *s* mel *m.*

honeymoon ['hʌnɪmuːn] *s* lua-de-mel *f.*

honor ['ɒnər] *s Am* honra *f.*

honorable ['ɒnərəbl] *adj* honrado(da).

honour ['ɒnər] *s Brit* = **honor.**

hood [hʊd] *s (de jaqueta, casaco)* capuz *m*; *Am (em carro)* capô *m*; *(em carro conversível)* capota *f.*

hoof [huːf] *s* casco *m.*

hook [hʊk] *s (para pintura, casaco)* gancho *m*; *(para pesca)* anzol *m*; **off the hook** *(telefone)* fora do gancho.

hoop [huːp] *s* argola *f.*

hoot [huːt] *vi (motorista)* buzinar.

hop [hɒp] *vi* pular com um pé só.

hope [həʊp] **1** *s* esperança *f.*
2 *vt* esperar.
3 to hope for sthg ter esperança de algo; **to hope to do sthg** esperar fazer algo; **I hope so** espero que sim.

hopeful ['həʊpfʊl] *adj (otimista)* esperançoso(osa).

hopefully ['həʊpfəlɪ] *adv (com sorte)* com um pouco de sorte.

hopeless ['həʊplɪs] *adj (sem nenhuma esperança)* desesperançado(da); **he is hopeless!** *fam* (ele) é um caso perdido!

horizon [hə'raɪzn] *s* horizonte *m.*

horizontal [ˌhɒrɪ'zɒntl] *adj* horizontal.

horn [hɔːrn] *s (de carro)* buzina *f*; *(em animal)* corno *m*, chifre *m.*

horoscope ['hɒrəskəʊp] *s* horóscopo *m.*

horrible ['hɒrəbl] *adj* horrível.

horrific [hɒ'rɪfɪk] *adj* horrendo(da).

horse [hɔːrs] *s* cavalo *m.*

horseback ['hɔːrsbæk] *s*: **on horseback** a cavalo.

horsepower ['hɔːrsˌpaʊər] *s* cavalos *mpl* (vapor).

horse racing *s* corrida *f* de cavalos.

horseshoe ['hɔːrsʃuː] *s* ferradura *f.*

hose [həʊz] *s* mangueira *f.*

hosepipe ['həʊzpaɪp] *s Brit* mangueira *f.*

hospitable [hɒ'spɪtəbl] *adj* hospitaleiro(ra).

hospital ['hɒspɪtl] *s* hospital *m*; **in the hospital** no hospital.

hospitality [ˌhɒspɪ'tælətɪ] *s* hospitalidade *f.*

host [həʊst] *s (de festa, evento)* anfitrião *m*; *(de show, programa de TV)* apresentador *m*, -ra *f.*

hostage ['hɒstɪdʒ] *s* refém *mf.*

hostel ['hɒstl] *s (para jovens)* albergue *m* da juventude.

hostile ['hɒstl] *adj* hostil.

hostility [hɒ'stɪlətɪ] *s* hostilidade *f.*

hot [hɒt] *adj* quente; *(temperado)* picante; **to be hot** *(pessoa)* ter calor.

hot dog *s* cachorro-quente *m.*

hotel [həʊ'tel] *s* hotel *m.*

hot line *s linha direta em funcionamento 24 horas por dia.*

hot-water bottle *s* bolsa *f* de água quente.

hour ['aʊər] *s* hora *f*; **I've been waiting for hours** estou esperando há horas.

hourly ['aʊərlɪ] **1** *adj* por hora.
2 *adv (pagamento, taxa)* por hora; *(partida)* de hora em hora.

house [*s* haʊs, *pl* 'haʊzɪz, *v* haʊz] **1** *s* casa *f.*
2 *vt (pessoa)* alojar.

household ['haʊshəʊld] *s* família *f.*

House of Representatives *s* Câmara *f* dos Deputados.

housewife ['haʊswaɪf] (*pl* **-wives**) *s* dona-de-casa *f.*

housework ['haʊswɜːrk] *s* afazeres *mpl* domésticos.

housing ['haʊzɪŋ] *s (habitação)* alojamento *m.*

how [haʊ] *adv* (**a**) *(perguntando sobre modo ou maneira)* como; **how do you get there?** como se chega lá?; **how does it work?** como funciona?; **tell me how to do it** me diga como fazer isso.
(**b**) *(perguntando sobre saúde ou qualidade)* como; **how are you?** como vai?;

how are you doing? como vai você?; **how are things?** como vão as coisas?; **how is your room?** como é o seu quarto?
(c) *(perguntando sobre grau ou quantidade)* quanto; **how far?** a que distância?; **how long?** quanto tempo?; **how many?** quantos?; **how much?** quanto?; **how much is it?** quanto custa?; **how old are you?** quantos anos você tem?
(d) *(em frases)*: **how about a drink?** que tal uma bebida?; **how lovely!** que lindo!

What about e *how about* são usados no inglês falado para sugerir ou propor algo. Podem ser seguidos de um substantivo (*what/how about a game of cards?* que tal um jogo de cartas?), de um pronome (*what/how about this one?* que tal este aqui?), ou de um verbo no gerúndio (*what/how about going to the movies?* que tal irmos ao cinema?).

however [haʊ'evər] *adv* contudo, todavia; **however hard I try** por mais que tente; **however many there are** por muitos que sejam.
howl [haʊl] *vi (cachorro, vento)* uivar; *(pessoa)* gritar.
hug [hʌg] **1** *vt* abraçar.
2 *s*: **to give sb a hug** dar um abraço em alguém.
huge [hju:dʒ] *adj* enorme.
hull [hʌl] *s* casco *m* (de navio).
hum [hʌm] *vi (abelha, máquina)* zumbir; *(pessoa)* cantarolar.
human ['hju:mən] **1** *adj* humano(na).
2 *s*: **human (being)** ser *m* humano.
humanities [hju:'mænətɪz] *spl* humanidades *fpl*, ciências *fpl* humanas.
human race *s* espécie *f* humana.
human rights *spl* direitos *mpl* humanos.
humble ['hʌmbl] *adj* humilde.
humid ['hju:məd] *adj* úmido(da).
humidity [hju:'mɪdətɪ] *s* umidade *f*.
humiliating [hju:'mɪlɪeɪtɪŋ] *adj* humilhante.
humiliation [hju:ˌmɪlɪ'eɪʃn] *s* humilhação *f*.
humor ['hju:mər] *s Am* humor *m*.
humorous ['hju:mərəs] *adj (estória)* humorístico(ca); *(pessoa)* espirituoso(osa).
humour ['hju:mər] *s Brit* = **humor.**
hump [hʌmp] *s (protuberância)* elevação *f*; *(de camelo)* corcova *f*.
hunch [hʌntʃ] *s* pressentimento *m*.
hundred ['hʌndrəd] *num* cem; **a hundred** cem; **a hundred and one** cento e um → **six.**
hundredth ['hʌndrədθ] *num* centésimo(ma) → **sixth.**
hung [hʌŋ] *pt & pp* → **hang.**
hunger ['hʌŋgər] *s* fome *f*.
hungry ['hʌŋgrɪ] *adj* esfomeado(da); **to be hungry** estar com ou ter fome.
hunt [hʌnt] **1** *s* caça *f*, caçada *f*.
2 *vt & vi* caçar.
3 to hunt (for sthg) *(buscar)* procurar (algo).
hunting ['hʌntɪŋ] *s (a animais selvagens)* caça *f*.
hurdle ['hɜ:rdl] *s* ESP obstáculo *m*.
hurl [hɜ:rl] *vt* arremessar.
hurricane ['hɜ:rəkeɪn] *s* furacão *m*.
hurry ['hʌrɪ] **1** *vt (pessoa)* apressar.
2 *vi* apressar-se.
3 *s*: **to be in a hurry** estar com pressa; **to do sthg in a hurry** fazer algo com pressa.
▫ **hurry up** *vi* apressar-se.
hurt [hɜ:rt] (*pt & pp* **hurt**) **1** *vt* machucar.
2 *vi* doer.
3 my arm hurts meu braço está doendo; **to hurt o.s.** machucar-se.
husband ['hʌzbənd] *s* marido *m*.
hustle ['hʌsl] *s*: **hustle and bustle** burburinho *m*.
hut [hʌt] *s* cabana *f*.
hygiene ['haɪdʒi:n] *s* higiene *f*.
hygienic [haɪ'dʒi:nɪk] *adj* higiênico(ca).
hymn [hɪm] *s* hino *m*.
hyperlink ['haɪpəlɪŋk] *s* hyperlink *m*.
hypermarket ['haɪpəˌma:kɪt] *s Brit* hipermercado *m*.
hyphen ['haɪfn] *s* hífen *m*.
hypocrite ['hɪpəkrɪt] *s* hipócrita *mf*, cínico *m*, -ca *f*.
hypodermic needle [ˌhaɪpə'dɜ:rmɪk-] *s* agulha *f* hipodérmica.
hysterical [hɪs'terɪkl] *adj* histérico(ca); *fam (muito engraçado)* hilariante.

Ii

I [aɪ] *pron* eu.
ice [aɪs] *s* gelo *m*; *(sorvete sem leite)* sorvete de frutas *m*.
iceberg ['aɪsbɜ:rg] *s* iceberg *m*.
ice-cold *adj* gelado(da).
ice cream *s* sorvete *m*.
ice cube *s* cubo *m* de gelo.
iced tea [aɪst-] *s* chá *m* gelado.
ice lolly *s Brit* picolé *m*.
ice rink *s* rinque *m* (de patinação).
ice skates *spl* patins *mpl* de gelo.
ice-skating *s* patinação *f* no gelo; **to go ice-skating** patinar no gelo.
icicle ['aɪsɪkl] *s* pingente *m* de gelo.
icing ['aɪsɪŋ] *s* glacê *m*.
icy ['aɪsɪ] *adj* gelado(da).
I'd [aɪd] = **I would, I had.**
ID card *s* carteira *f* de identidade.
idea [aɪ'dɪə] *s* idéia *f*; **I have no idea** não tenho idéia.
ideal [aɪ'dɪəl] **1** *adj* ideal.
2 *s* ideal *m*.
ideally [aɪ'dɪəlɪ] *adv (localizado, apropriado)* perfeitamente; *(numa situação ideal)* idealmente.
identical [aɪ'dentɪkl] *adj* idêntico(ca).
identification [aɪˌdentɪfɪ'keɪʃn] *s* identificação *f*.
identify [aɪ'dentəfaɪ] *vt* identificar.
identity [aɪ'dentətɪ] *s* identidade *f*.
idiom ['ɪdɪəm] *s (frase)* expressão *f* idiomática.
idiot ['ɪdɪət] *s* idiota *mf*.
idle ['aɪdl] **1** *adj (pessoa)* preguiçoso(osa); *(máquina)* ocioso(osa).
2 *vi (motor)* estar em ponto morto.
idol ['aɪdl] *s* ídolo *m*.
idyllic [aɪ'dɪlɪk] *adj* idílico(ca).
if [ɪf] *conj* se; **if I were you** se eu fosse você; **if not** *(ou então)* senão.
ignition [ɪg'nɪʃn] *s* AUT ignição *f*.
ignorant ['ɪgnərənt] *adj* ignorante.
ignore [ɪg'nɔ:r] *vt* ignorar.
ill [ɪl] *adj (saúde)* doente; *(ruim)* mau (má).
I'll [aɪl] = **I will, I shall.**
illegal [ɪ'li:gl] *adj* ilegal.
illegible [ɪ'ledʒəbl] *adj* ilegível.
illegitimate [ˌɪlɪ'dʒɪtəmət] *adj* ilegítimo(ma).
illiterate [ɪ'lɪtərət] *adj* analfabeto(ta).
illness ['ɪlnəs] *s* doença *f*.
illuminate [ɪ'lu:mɪneɪt] *vt* iluminar.
illusion [ɪ'lu:ʒn] *s (idéia falsa)* ilusão *f*; *(visual)* ilusão *f* de ótica.
illustration [ˌɪlə'streɪʃn] *s* ilustração *f*.
I'm [aɪm] = **I am.**
image ['ɪmɪdʒ] *s* imagem *f*.
imaginary [ɪ'mædʒənərɪ] *adj* imaginário(ria).
imagination [ɪˌmædʒɪ'neɪʃn] *s* imaginação *f*.
imagine [ɪ'mædʒɪn] *vt* imaginar; **to imagine (that)** *(supor)* imaginar que.
imitate ['ɪmɪteɪt] *vt* imitar.
imitation [ˌɪmɪ'teɪʃn] **1** *s* imitação *f*.
2 *adj (pele)* falso(sa).
immaculate [ɪ'mækjələt] *adj* imaculado(da).
immature [ˌɪmə'tjʊər] *adj* imaturo(ra).
immediate [ɪ'mi:djət] *adj (sem atraso)* imediato(ta).
immediately [ɪ'mi:djətlɪ] *adv (neste momento)* imediatamente.
immense [ɪ'mens] *adj* imenso(sa).
immersion heater [ɪ'mɜ:rʃn-] *s* aquecedor *m* de imersão.
immigrant ['ɪmɪgrənt] *s* imigrante *mf*.
immigration [ˌɪmɪ'greɪʃn] *s* imigração *f*.
imminent ['ɪmɪnənt] *adj* iminente.
immune [ɪ'mju:n] *adj*: **to be immune to** MED estar ou ser imune a.

immunity [ɪ'mju:nətɪ] *s MED* imunidade *f.*
immunize ['ɪmjənaɪz] *vt* imunizar.
impact ['ɪmpækt] *s* impacto *m.*
impair [ɪm'peər] *vt* enfraquecer.
impatient [ɪm'peɪʃnt] *adj* impaciente; **to be impatient to do sthg** estar impaciente para fazer algo.
imperative [ɪm'perətɪv] *s GRAM* imperativo *m.*
imperfect [ɪm'pɜ:rfɪkt] *s GRAM* pretérito *m* imperfeito.
impersonate [ɪm'pɜ:rsəneɪt] *vt (para diversão)* imitar.
impertinent [ɪm'pɜ:rtɪnənt] *adj* impertinente.
implement [*s* 'ɪmplɪmənt, *v* 'ɪmplɪment] **1** *s* ferramenta *f.*
2 *vt* implementar, pôr em prática.
implication [ˌɪmplɪ'keɪʃn] *s (conseqüência)* implicação *f.*
imply [ɪm'plaɪ] *vt*: **to imply (that)** *(sugestão)* sugerir, dar a entender que.
impolite [ˌɪmpə'laɪt] *adj* indelicado(da).
import [*s* 'ɪmpɔ:rt, *v* ɪm'pɔ:rt] **1** *s* importação *f.*
2 *vt* importar.
importance [ɪm'pɔ:rtns] *s* importância *f.*
important [ɪm'pɔ:rtnt] *adj* importante.
impose [ɪm'pəʊz] **1** *vt* impor.
2 *vi* impor-se; **to impose sthg on** impor algo a.
impossible [ɪm'pɒsəbl] *adj* impossível.
impractical [ɪm'præktɪkl] *adj* pouco prático(ca).
impress [ɪm'pres] *vt* impressionar.
impression [ɪm'preʃn] *s* impressão *f.*
impressive [ɪm'presɪv] *adj* impressionante.
improbable [ɪm'prɒbəbl] *adj* improvável.
improper [ɪm'prɒpər] *adj (rude)* incorreto(ta); *(fora da lei)* ilegal.
improve [ɪm'pru:v] *vt & vi* melhorar.
❑ **improve on** *vt fus* melhorar.
improvement [ɪm'pru:vmənt] *s (em clima, saúde)* melhoria *f*; *(na casa)* reforma *f.*
improvise ['ɪmprəvaɪz] *vi* improvisar.
impulse ['ɪmpʌls] *s* impulso *m*; **on impulse** sem pensar duas vezes.
impulsive [ɪm'pʌlsɪv] *adj* impulsivo(va).
in [ɪn] **1** *prep* **(a)** *(expressando lugar, posição)* em; **it comes in a box** vem numa caixa; **in the hospital** no hospital; **in Scotland** na Escócia; **in Boston** em Boston; **in the middle** no meio; **in the sun/rain** no sol/na chuva; **in here/there** aqui/ali (dentro); **in front** à frente.
(b) *(participando de)* em; **who's in the play?** quem está na peça?
(c) *(expressando arranjo)* em; **they come in packs of three** vêm em embalagens de três; **in a row** em fila; **cut it in half** corte-o ao meio.
(d) *(durante)*: **in April** em abril; **in the afternoon** à ou de tarde; **in the morning** de manhã; **ten o'clock in the morning** dez (horas) da manhã; **in 1994** em 1994; **in summer/winter** no verão/inverno.
(e) *(dentro)* em; *(depois)* dentro de, daqui a; **it'll be ready in an hour** estará pronto daqui a ou dentro de uma hora; **she did everything in ten minutes** ela fez tudo em dez minutos; **they're arriving in two weeks** chegam dentro de ou daqui a duas semanas.
(f) *(expressando modo)*: **in writing** por escrito; **they were talking in English** estavam falando (em) inglês; **write in ink** escreva a tinta.
(g) *(usando)* de; **dressed in red** vestido de vermelho; **the man in the blue suit** o homem com o terno azul.
(h) *(expressando estado)* em; **to be in a hurry** estar com pressa; **to be in pain** ter dores; **to cry out in pain** gritar de dor ou com dores; **in ruins** em ruínas; **in good health** com boa saúde.
(i) *(em relação a)* de; **a rise in prices** uma subida dos preços; **to be 50 meters in length** ter 50 metros de comprimento.
(j) *(com números)*: **one in ten** um em cada dez.
(k) *(expressando idade)*: **she's in her twenties** ela está na casa dos vinte.
(l) *(com cores)*: **it comes in green or blue** vem em verde ou azul.
(m) *(com superlativos)* de; **the best in the world** o melhor do mundo.
2 *adv* **(a)** *(posição)* dentro; **you can go in now** pode entrar agora.
(b) *(em casa, no trabalho)*: **she's not in** (ela) não está; **to stay in** ficar em casa.
(c) *(trem, ônibus, avião)*: **the train's not in yet** o trem ainda não chegou.
(d) *(maré)*: **the tide is in** a maré está cheia.
3 *adj fam (moda)* na moda, in *(inv).*

Ver **at**.

inability [ˌɪnəˈbɪlətɪ] *s*: **inability (to do sthg)** incapacidade *f* (para fazer algo).
inaccessible [ˌɪnəkˈsesəbl] *adj* inacessível.
inaccurate [ɪnˈækjərət] *adj* incorreto(ta).
inadequate [ɪnˈædɪkwət] *adj (não suficiente)* insuficiente.
inappropriate [ɪnəˈprəʊprɪət] *adj* impróprio(pria).
inauguration [ɪˌnɔːgjəˈreɪʃn] *s* inauguração *f*.
incapable [ɪnˈkeɪpəbl] *adj*: **to be incapable of doing sthg** ser incapaz de fazer algo.
incense [ˈɪnsens] *s* incenso *m*.
incentive [ɪnˈsentɪv] *s* incentivo *m*.
inch [ɪntʃ] *s* = 2,5 cm, polegada *f*.
incident [ˈɪnsɪdənt] *s* incidente *m*.
incidentally [ˌɪnsɪˈdentlɪ] *adv* a propósito.
incline [ˈɪnklaɪn] *s* declive *m*.
inclined [ɪnˈklaɪnd] *adj (declive)* inclinado(da); **to be inclined to do sthg** ter a tendência para fazer algo.
include [ɪnˈkluːd] *vt* incluir.
included [ɪnˈkluːdəd] *adj* incluído(da); **to be included in sthg** estar incluído em algo.
including [ɪnˈkluːdɪŋ] *prep* incluindo.
income [ˈɪŋkʌm] *s* renda *f*.
income tax *s* imposto *m* de renda.
incoming [ˈɪnˌkʌmɪŋ] *adj (trem, avião)* de chegada; **'incoming calls only'** *aviso em telefone que apenas recebe chamadas.*
incompetent [ɪnˈkɒmpətənt] *adj* incompetente.
incomplete [ˌɪnkəmˈpliːt] *adj* incompleto(ta).
inconsiderate [ˌɪnkənˈsɪdərət] *adj* sem consideração; **how inconsiderate!** que falta de consideração!
inconsistent [ˌɪnkənˈsɪstənt] *adj* inconsistente.
inconvenient [ˌɪnkənˈviːnjənt] *adj* inconveniente.
incorporate [ɪnˈkɔːrpəreɪt] *vt* incorporar.
incorrect [ˌɪnkəˈrekt] *adj* incorreto(ta).
increase [*s* ˈɪŋkriːs, *v* ɪŋˈkriːs] **1** *s* aumento *m*.
2 *vt & vi* aumentar; **an increase in sthg** um aumento em algo.
increasingly [ɪŋˈkriːsɪŋlɪ] *adv* cada vez mais.
incredible [ɪnˈkredəbl] *adj* incrível.
incredibly [ɪnˈkredəblɪ] *adv* incrivelmente.
incur [ɪnˈkɜːr] *vt (despesas)* incorrer em; *(débitos)* contrair.
indecisive [ˌɪndɪˈsaɪsɪv] *adj* indeciso(sa).
indeed [ɪnˈdiːd] *adv (para ênfase)* de fato, realmente; *(com certeza)* certamente.
indefinite [ɪnˈdefənət] *adj (tempo, número)* indeterminado(da); *(resposta, opinião)* vago(ga).
indefinitely [ɪnˈdefənətlɪ] *adv (fechado, atrasado)* por tempo indeterminado.
independence [ˌɪndɪˈpendəns] *s* independência *f*.
independent [ˌɪndɪˈpendənt] *adj* independente.
independently [ˌɪndɪˈpendəntlɪ] *adv* independentemente.
index [ˈɪndeks] *s (de livro)* índice *m*; *(em biblioteca)* catálogo *m*.
index finger *s* dedo *m* indicador.
indicate [ˈɪndɪkeɪt] **1** *vi* AUT ligar os indicadores OU o pisca-pisca.
2 *vt* indicar.
indicator [ˈɪndɪkeɪtər] *s* AUT pisca-pisca *m*.
indifferent [ɪnˈdɪfrənt] *adj* indiferente.
indigestion [ˌɪndɪˈdʒestʃn] *s* indigestão *f*.
indirect [ˌɪndəˈrekt] *adj* indireto(ta).
individual [ˌɪndɪˈvɪdʒʊəl] **1** *adj* individual.
2 *s* indivíduo *m*.
individually [ˌɪndɪˈvɪdʒʊəlɪ] *adv* individualmente.
indoor [ˈɪndɔːr] *adj (piscina)* coberto(ta); ESP em recinto fechado.
indoors [ˌɪnˈdɔːrz] *adv* dentro *(de casa, restaurante etc.)*; **to stay indoors** ficar em casa; **to go indoors** ir para dentro.
indulge [ɪnˈdʌldʒ] *vi*: **to indulge in sthg** permitir-se algo.
industrial [ɪnˈdʌstrɪəl] *adj (maquinaria, produtos)* industrial; *(país, cidade)* industrializado(da).
industry [ˈɪndəstrɪ] *s* indústria *f*.
inedible [ɪnˈedɪbl] *adj (de gosto ruim)* intragável; *(impróprio para consumo humano)* não comestível.
inefficient [ˌɪnɪˈfɪʃnt] *adj* ineficaz.
inequality [ˌɪnɪˈkwɒlətɪ] *s* desigualdade *f*.
inevitable [ɪnˈevətəbl] *adj* inevitável.
inevitably [ɪnˈevətəblɪ] *adv* inevitavelmente.
inexpensive [ˌɪnɪkˈspensɪv] *adj* barato(ta).
infamous [ˈɪnfəməs] *adj* infame.

infant ['ɪnfənt] *s (nenem)* bebê *m.*
infatuated [ɪn'fætjʊeɪtəd] *adj*: **to be infatuated with** estar apaixonado(da) por.
infected [ɪn'fektəd] *adj* infectado(da).
infectious [ɪn'fekʃəs] *adj* infeccioso(osa).
inferior [ɪn'fɪərɪər] *adj* inferior.
infinite ['ɪnfɪnət] *adj* infinito(ta).
infinitely ['ɪnfɪnətlɪ] *adv* infinitamente.
infinitive [ɪn'fɪnɪtɪv] *s* infinitivo *m.*
infinity [ɪn'fɪnətɪ] *s* infinidade *f.*
infirmary [ɪn'fɜːrmərɪ] *s (na escola)* ambulatório *m.*
inflamed [ɪn'fleɪmd] *adj* inflamado(da).
inflammation [ˌɪnflə'meɪʃn] *s* inflamação *f.*
inflatable [ɪn'fleɪtəbl] *adj* inflável.
inflate [ɪn'fleɪt] *vt* inflar, insuflar.
inflation [ɪn'fleɪʃn] *s* ECON inflação *f.*
inflict [ɪn'flɪkt] *vt* infligir.
influence ['ɪnflʊəns] **1** *vt* influenciar.
2 *s*: **influence (on)** *(efeito)* influência *f* (em); **to be a bad/good influence (on sb)** ser uma má/boa influência (para alguém).
inform [ɪn'fɔːrm] *vt* informar.
informal [ɪn'fɔːrml] *adj* informal.
information [ˌɪnfər'meɪʃn] *s* informação *f*; **a piece of information** uma informação.
information technology *s* informática *f.*
informative [ɪn'fɔːrmətɪv] *adj* informativo(va).
infuriating [ɪn'fjʊərɪeɪtɪŋ] *adj* extremamente irritante.
ingenious [ɪn'dʒiːnjəs] *adj* engenhoso(osa).
ingredient [ɪn'griːdjənt] *s* ingrediente *m.*
inhabit [ɪn'hæbɪt] *vt* viver em.
inhabitant [ɪn'hæbətənt] *s* habitante *mf.*
inhale [ɪn'heɪl] *vi* inalar.
inhaler [ɪn'heɪlər] *s* inalador *m.*
inherit [ɪn'herət] *vt* herdar.
inhibition [ˌɪnhɪ'bɪʃn] *s* inibição *f.*
initial [ɪ'nɪʃl] **1** *adj* inicial.
2 *vt* rubricar.
❑ **initials** *spl* iniciais *fpl.*
initially [ɪ'nɪʃəlɪ] *adv* inicialmente.
initiative [ɪ'nɪʃətɪv] *s* iniciativa *f.*
injection [ɪn'dʒekʃn] *s* injeção *f.*
injure ['ɪndʒər] *vt* ferir; **to injure o.s.** ferir-se.
injured ['ɪndʒərd] *adj* ferido(da).
injury ['ɪndʒərɪ] *s* ferimento *m*; *(em tendão, músculo, órgão interno)* lesão *f.*
ink [ɪŋk] *s* tinta *f.*
ink cartridge *n* INFORM cartucho *m* de tinta.
inland [*adj* 'ɪnlənd, *adv* ɪn'lænd] **1** *adj* interior.
2 *adv* para o interior.
inn [ɪn] *s* estalagem *f.*
inner ['ɪnər] *adj* interior.
inner city *s* centro *m* urbano.
innocence ['ɪnəsəns] *s* inocência *f.*
innocent ['ɪnəsənt] *adj* inocente.
inoculate [ɪ'nɒkjəleɪt] *vt*: **to inoculate sb (against sthg)** vacinar alguém (contra algo).
inoculation [ɪˌnɒkjə'leɪʃn] *s* inoculação *f*, vacinação *f.*
input ['ɪnpʊt] *vt* INFORM digitar.
inquire [ɪn'kwaɪər] *vi* informar-se.
inquiry ['ɪŋkwərɪ] *s (questão)* pergunta *f*; *(pesquisa)* inquérito *m*, investigação *f.*
insane [ɪn'seɪn] *adj* louco(ca).
insect ['ɪnsekt] *s* inseto *m.*
insensitive [ɪn'sensətɪv] *adj* insensível.
insert [ɪn'sɜːrt] *vt* introduzir.
inside [ɪn'saɪd] **1** *prep* dentro de.
2 *adv (ir)* para dentro; *(estar, ficar)* lá dentro.
3 *adj* interior, interno(na).
4 *s*: **the inside** *(interior)* o interior; AUT a (faixa da) direita.
5 inside out *(roupas)* do lado avesso.
inside lane *s (na Europa, EUA)* faixa da direita.
insight ['ɪnsaɪt] *s (olhadela)* idéia *f.*
insignificant [ˌɪnsɪg'nɪfɪkənt] *adj* insignificante.
insinuate [ɪn'sɪnjʊeɪt] *vt* insinuar.
insist [ɪn'sɪst] *vi* insistir; **to insist on doing sthg** insistir em fazer algo.
insole ['ɪnsəʊl] *s* palmilha *f.*
insolent ['ɪnsələnt] *adj* insolente.
insomnia [ɪn'sɒmnɪə] *s* insônia *f.*
inspect [ɪn'spekt] *vt* inspecionar, examinar.
inspection [ɪn'spekʃn] *s* inspeção *f.*
inspector [ɪn'spektər] *s (policial)* inspetor *m*, -ra *f.*
inspiration [ˌɪnspə'reɪʃn] *s* inspiração *f.*
install [ɪn'stɔːl] *vt* instalar.

installment [ɪn'stɔ:lmənt] *s Am (pagamento)* prestação *f*; *(capítulo)* episódio *m*.
instalment [ɪn'stɔ:lmənt] *s Brit* = **installment.**
instance ['ɪnstəns] *s (caso)* exemplo *m*; **for instance** por exemplo.
instant ['ɪnstənt] **1** *adj* instantâneo(nea).
2 *s* instante *m*.
instant coffee *s* café *m* solúvel.
instead [ɪn'sted] *adv* em vez disso; **instead of** em vez de.
instep ['ɪnstep] *s* peito *m* do pé.
instinct ['ɪnstɪŋkt] *s* instinto *m*.
institute ['ɪnstɪtu:t] *s* instituto *m*.
institution [ˌɪnstɪ'tu:ʃn] *s* instituição *f*.
instructions [ɪn'strʌkʃnz] *spl* instruções *fpl*.
instructor [ɪn'strʌktər] *s* instrutor *m*, -ra *f*.
instrument ['ɪnstrəmənt] *s* instrumento *m*.
insufficient [ˌɪnsə'fɪʃnt] *adj* insuficiente.
insulating tape ['ɪnsəleɪtɪŋ-] *s* fita *f* isolante.
insulation [ˌɪnsə'leɪʃn] *s (material)* isolamento *m*, material *m* isolante.
insulin ['ɪnsələn] *s* insulina *f*.
insult [*s* 'ɪnsʌlt, *v* ɪn'sʌlt] **1** *s* insulto *m*.
2 *vt* insultar.
insurance [ɪn'ʃʊərəns] *s* seguro *m*.
insure [ɪn'ʃʊər] *vt* pôr no seguro.
insured [ɪn'ʃʊərd] *adj*: **to be insured** estar segurado(da), estar no seguro.
intact [ɪn'tækt] *adj* intacto(ta).
intellectual [ˌɪntə'lektjʊəl] **1** *adj* intelectual.
2 *s* intelectual *mf*.
intelligence [ɪn'telɪdʒəns] *s* inteligência *f*.
intelligent [ɪn'telɪdʒənt] *adj* inteligente.
intend [ɪn'tend] *vt*: **to be intended to do sthg** destinar-se a fazer algo; **you weren't intended to know** não era para você saber; **to intend to do sthg** ter a intenção de ou tencionar fazer algo.
intense [ɪn'tens] *adj* intenso(sa).
intensity [ɪn'tensətɪ] *s* intensidade *f*.
intensive [ɪn'tensɪv] *adj* intensivo(va).
intent [ɪn'tent] *adj*: **to be intent on doing sthg** estar decidido(da) a fazer algo.
intention [ɪn'tenʃn] *s* intenção *f*.
intentional [ɪn'tenʃnəl] *adj* intencional.
intentionally [ɪn'tenʃnəlɪ] *adv* intencionalmente.
interactive ['ɪntər'æktɪv] *adj* INFORM interativo(va).
interchange ['ɪntərtʃeɪndʒ] *s (em estrada)* trevo *m*.
intercom ['ɪntərkɒm] *s* interfone *m*.
interest ['ɪntrəst] **1** *s* interesse *m*; FIN juros *mpl*.
2 *vt* interessar; **to take an interest in sthg** interessar-se por algo.
interested ['ɪntrəstɪd] *adj* interessado(da); **to be interested in sthg** estar interessado em algo.
interesting ['ɪntrəstɪŋ] *adj* interessante.
interest rate *s* taxa *f* de juros.
interfere [ˌɪntər'fɪər] *vi (mexer)* interferir; **to interfere with sthg** *(causar danos)* interferir em algo.
interference [ˌɪntər'fɪərəns] *s (em TV, rádio)* interferência *f*.
interior [ɪn'tɪərɪər] **1** *adj* interior.
2 *s* interior *m*.
intermediate [ˌɪntər'mi:djət] *adj* intermediário(ria).
intermission [ˌɪntər'mɪʃn] *s* intervalo *m*.
internal [ɪn'tɜ:rnl] *adj* interno(na).
international [ˌɪntər'næʃənl] *adj* internacional.
Internet ['ɪntərnet] *s*: **the Internet** a Internet; **on the Internet** na Internet.
Internet Service Provider *s* Provedor *m* de Serviços na Internet.
interpret [ɪn'tɜ:rprət] *vi* servir de intérprete.
interpreter [ɪn'tɜ:rprətər] *s* intérprete *mf*.
interrogate [ɪn'terəgeɪt] *vt* interrogar.
interrupt [ˌɪntə'rʌpt] *vt* interromper.
intersection [ˌɪntər'sekʃn] *s (de estrada)* interseção *f*, cruzamento *m*.
interval ['ɪntərvl] *s* intervalo *m*.
intervene [ˌɪntər'vi:n] *vi (pessoa)* intervir; *(evento)* interpor-se.
interview ['ɪntərvju:] **1** *s* entrevista *f*.
2 *vt* entrevistar.
interviewer ['ɪntərvju:ər] *s* entrevistador *m*, -ra *f*.
intestine [ɪn'testɪn] *s* intestino *m*.
intimate ['ɪntɪmət] *adj* íntimo(ma).
intimidate [ɪn'tɪmɪdeɪt] *vt* intimidar.
into ['ɪntʊ] *prep (interior)* dentro de; *(contra)* com; *(com relação)* acerca de, sobre; **4 into 20 is 5** 20 dividido por 4 é igual a 5; **to change into sthg** transformar-se em algo; **to get into the car** entrar no

carro; **to translate into Portuguese** traduzir para o português; **to be into sthg** *fam (estar interessado em)* gostar de algo.

intolerable [ɪn'tɒlərəbl] *adj* intolerável.

intoxication [ɪn'tɒksɪ'keɪʃn] *n* embriaguez *f.*

> Não confundir *intoxication (embriaguez)* com o português *intoxicação* que em inglês é *poisoning*. (*His level of intoxication was high.* Seu nível de *embriaguez* era elevado.)

intransitive [ɪn'trænzətɪv] *adj* intransitivo(va).

intricate ['ɪntrɪkət] *adj* intrincado(da), complicado(da).

intriguing [ɪn'tri:gɪŋ] *adj* intrigante.

introduce [ˌɪntrə'du:s] *vt* apresentar; **I'd like to introduce you to Fred** gostaria de apresentá-lo ao Fred.

introduction [ˌɪntrə'dʌkʃn] *s (de livro, programa)* introdução *f*; *(de pessoa)* apresentação *f.*

introverted ['ɪntrəˌvɜ:rtəd] *adj* introvertido(da).

intruder [ɪn'tru:dər] *s* intruso *m*, -sa *f.*

intuition [ˌɪntu:'ɪʃn] *s* intuição *f.*

invade [ɪn'veɪd] *vt* invadir.

invalid [*adj* ɪn'vælɪd, *s* 'ɪnvəlɪd] **1** *adj (tíquete, cheque)* não válido(da).
2 *s* inválido *m*, -da *f.*

invaluable [ɪn'væljʊəbl] *adj* inestimável, valiosíssimo(ma).

invariably [ɪn'veərɪəblɪ] *adv* invariavelmente, sempre.

invasion [ɪn'veɪʒn] *s* invasão *f.*

invent [ɪn'vent] *vt* inventar.

invention [ɪn'venʃn] *s* invenção *f.*

inventory ['ɪnvəntɔ:rɪ] *s (lista)* inventário *m*; *(em loja)* estoque *m.*

inverted commas [ɪn'vɜ:rtɪd-] *spl Brit* aspas *fpl.*

invest [ɪn'vest] **1** *vt* investir.
2 *vi*: **to invest in sthg** investir em algo.

investigate [ɪn'vestɪgeɪt] *vt* investigar.

investigation [ɪnˌvestɪ'geɪʃn] *s* investigação *f.*

investment [ɪn'vestmənt] *s* investimento *m.*

invisible [ɪn'vɪzəbl] *adj* invisível.

invitation [ˌɪnvɪ'teɪʃn] *s* convite *m.*

invite [ɪn'vaɪt] *vt* convidar; **to invite sb to do sthg** *(convite)* convidar alguém para fazer algo; **to invite sb over** convidar alguém para sua casa.

invoice ['ɪnvɔɪs] *s* fatura *f.*

involve [ɪn'vɒlv] *vt (tratar-se de)* envolver; **what does it involve?** do que se trata?; **to be involved in sthg** estar envolvido em algo.

involved [ɪn'vɒlvd] *adj (arrevesado)* complicado(da).

inward ['ɪnwərd] *adv* para dentro.

IQ *s* QI *m.*

iris ['aɪrɪs] (*pl* **-es**) *s (flor)* lírio *m*; *(do olho)* íris *f.*

iron ['aɪərn] **1** *s (metal)* ferro *m*; *(para roupas)* ferro *m* (de passar); *(golfe)* ferro *m*, taco *m* de metal.
2 *vt* passar a ferro.

ironic [aɪ'rɒnɪk] *adj* irônico(ca).

ironing board ['aɪərnɪŋ-] *s* tábua *f* de passar.

irrelevant [ɪ'reləvənt] *adj* irrelevante.

irresistible [ˌɪrɪ'zɪstəbl] *adj* irresistível.

irrespective [ˌɪrɪ'spektɪv]: **irrespective of** *prep* independentemente de.

irresponsible [ˌɪrɪ'spɒnsəbl] *adj* irresponsável.

irrigation [ˌɪrɪ'geɪʃn] *s* irrigação *f.*

irritable ['ɪrɪtəbl] *adj* irritável.

irritate ['ɪrɪteɪt] *vt* irritar.

irritating ['ɪrɪteɪtɪŋ] *adj* irritante.

is [ɪz] → **be.**

Islam ['ɪzla:m] *s* Islã *m.*

island ['aɪlənd] *s (na água)* ilha *f.*

isle [aɪl] *s* ilha *f.*

isolated ['aɪsəleɪtɪd] *adj* isolado(da).

issue ['ɪʃu:] **1** *s (problema, assunto)* questão *f*; *(de jornal)* edição *f*; *(de revista)* número *m.*
2 *vt* emitir.

it [ɪt] *pron* **(a)** *(referente a coisa específica, sujeito depois de preposição)* ele *m*, ela *f*; *(objeto direto)* o *m*, a *f*; *(objeto indireto)* lhe; **a free book came with it** veio acompanhado de um livro grátis; **give it to me** me dê isso; **he gave it a kick** ele deu um chute nele; **it's big** é grande; **it's here** está aqui; **she hit it** ela deu uma pancada nele; **she lost it** ela o perdeu.
(b) *(referente à situação, fato)*: **it's a difficult question** é uma questão difícil; **I can't remember it** não me lembro; **tell me about it** conte-me.
(c) *(no impessoal)*: **it's hot** está calor; **it's**

six o'clock são seis horas; **it's Sunday** é domingo.
(d) *(referente à pessoa)*: **it's me** sou eu; **who is it?** quem é?

> *It* é o pronome neutro, usado para representar coisas ou objetos inanimados, idéias, animais em geral (*there's my car - it's a Ford* lá está meu carro - é um Ford). *He* é usado para falar de pessoas e animais do sexo masculino (*there's my brother - he's a teacher* lá está meu irmão - ele é professor; *there's my cat - isn't he funny?* lá está meu gato - ele não é engraçado?); seu equivalente feminino é *she* (*there's my sister - she's a nurse* lá está minha irmã - ela é enfermeira; *look at my rabbit - isn't she lovely?* veja minha lebre - ela não é adorável?).
>
> Com nomes de animais ou com algumas palavras referentes a pessoas, como *baby*, pode-se usar *it*, quando o sexo não for conhecido (*listen to that baby - I wish it would be quiet!* ouça aquele bebê - gostaria que ficasse quietinho!).
>
> Não se deve esquecer que *it* não tem pronome possessivo; *its* é usado somente como adjetivo (*its fur is wet* seu pêlo está molhado; *its lock is broken* sua fechadura está quebrada).
>
> Ao contrário do português, as orações em inglês devem ter um sujeito. *It* e *they* são usados quando a oração não tem sujeito (*it's raining* está chovendo; *it's snowing* está nevando) e quando o sujeito é indeterminado (*they say unemployment is at a record low* dizem que o índice de desemprego está baixo).

itch [ɪtʃ] *vi* coçar; **my arm itches** estou com coceira no braço.

item ['aɪtəm] *s (objeto)* artigo *m*; *(na agenda)* assunto *m*, ponto *m*; **a news item** uma notícia.

itemized bill ['aɪtəmaɪzd-] *s* fatura *f* discriminada.

its [ɪts] *adj* o seu (a sua), dele (dela); **the cat hurt its paw** o gato machucou sua pata.

> Nomes coletivos como *government* ou *team* podem ser seguidos pelos adjetivos possessivos *its* ou *their*, indistintamente. Não devemos esquecer, porém, que o verbo tem de concordar com o adjetivo possessivo em questão (*the government has made up its mind* → *the government have made up their minds* o governo tomou uma decisão).

it's [ɪts] = **it is, it has.**

itself [ɪt'self] *pron (reflexivo)* se; *(depois de preposição)* si mesmo *m*, -ma *f*; **the house itself is fine** a casa em si é boa.

I've [aɪv] = **I have.**

ivory ['aɪvərɪ] *s* marfim *m*.

ivy ['aɪvɪ] *s* hera *f*.

J j

jack [dʒæk] *s (para carro)* macaco *m*; *(carta de baralho)* valete *m*.

jacket ['dʒækət] *s (roupa)* jaqueta *m*; *(para livro)* capa *f*.

jackknife ['dʒæk,naɪf] *vi* dar uma guinada, virar na estrada.

jade [dʒeɪd] *s* jade *m*.

jail [dʒeɪl] *s* prisão *f*.

jam [dʒæm] **1** *s (comida)* geléia *f*, compota *f*; *(de trânsito)* engarrafamento *m*; *fam (situação difícil)* apuro *m*.
2 *vt (empacotar)* entulhar.
3 *vi (ficar preso)* emperrar; **the roads are jammed** as estradas estão congestionadas.

janitor ['dʒænɪtər] *s* contínuo *m*, -nua *f*.

January ['dʒænjʊərɪ] *s* janeiro *m* → **September.**

jar [dʒa:r] *s* frasco *m*.

javelin ['dʒævlən] *s* dardo *m*.

jaw [dʒɔ:] *s* maxilar *m*, mandíbula *f*.

jazz [dʒæz] *s* jazz *m*.

jealous ['dʒeləs] *adj* ciumento(ta).

jeans [dʒi:nz] *spl* jeans *m inv*.

jelly ['dʒelɪ] *s Am (compota)* geléia *f*; *(sobremesa)* gelatina *f*.

jellyfish ['dʒelɪfɪʃ] (*pl inv*) *s* água-viva *f*.

jeopardize ['dʒepərdaɪz] *vt* pôr em risco.

jerk [dʒɜ:rk] *s (movimento)* solavanco *m*; *fam (pessoa)* idiota *mf*.

jet [dʒet] *s* jato *m*; *(saída)* cano *m* de descarga.

jet lag *s cansaço de viagem provocado pelas diferenças de fuso horário.*

jetty ['dʒetɪ] *s* embarcadouro *m*.

Jew [dʒu:] *s* judeu *m*, -dia *f*.

jewel ['dʒu:əl] *s* jóia *f*.
❑ **jewels** *spl (joalheria)* jóias *fpl*.

jeweller's ['dʒu:ələz] *s Brit* = **jewelry store.**

jewellery ['dʒu:əlrɪ] *s Brit* = **jewelry.**

jewelry ['dʒu:əlrɪ] *s Am* jóias *fpl*.

jewelry store *s Am* joalheria *f*, ourivesaria *f*.

Jewish ['dʒu:ɪʃ] *adj* judaico(ca).

jigsaw (puzzle) ['dʒɪgsɔ:-] *s* quebra-cabeça *m*.

jingle ['dʒɪŋgl] *s (em anúncio)* música *f* de propaganda.

job [dʒɒb] *s (trabalho)* emprego *m*; *(tarefa, função)* trabalho *m*; **to lose one's job** perder o emprego.

jockey ['dʒɒkɪ] *s* jóquei *m*.

jog [dʒɒg] **1** *vt (bater de leve)* empurrar *(levemente)*.
2 *vi* fazer jogging.
3 *s*: **to go for a jog** fazer jogging.

jogging ['dʒɒgɪŋ] *s* jogging *m*; **to go jogging** fazer jogging.

join [dʒɔɪn] *vt (clube, organização)* tornar-se membro de, entrar para; *(juntar, conectar)* ligar, unir; *(ir junto com)* unir-se a; *(participar em)* juntar-se a; **will you join me for dinner?** você me acompanha para jantar?
❑ **join in 1** *vt fus* juntar-se a, participar em.
2 *vi* participar.

joint [dʒɔɪnt] **1** *adj* conjunto(ta).
2 *s* ANAT articulação *f*; *Brit (de carne)* corte *m* (de carne); *(em estrutura)* junta *f*.

joke [dʒəʊk] **1** *s* piada *f*, anedota *f*.
2 *vi* gozar, brincar; **it was just a joke** foi só uma brincadeira.

joker ['dʒəʊkər] *s (carta de baralho)* curingão *m*.

jolly ['dʒɒlɪ] *adj* alegre.

jolt [dʒəʊlt] *s* solavanco *m*.

jot [dʒɒt]: **jot down** *vt sep* anotar.

journal ['dʒɜ:rnl] *s (científico)* revista *f*

especializada; *(de notícias)* diário *m.*
journalist ['dʒɜːrnələst] *s* jornalista *mf.*
journey ['dʒɜːrnɪ] *s* viagem *f.*
joy [dʒɔɪ] *s (felicidade)* alegria *f.*
joystick ['dʒɔɪstɪk] *s (de videogame)* joystick *m.*
judge [dʒʌdʒ] **1** *s* juiz *m*, juíza *f.*
2 *vt* julgar.
judg(e)ment ['dʒʌdʒmənt] *s JUR* julgamento *m*; *(opinião)* parecer *m*; *(capacidade de julgar)* senso *m.*
judo ['dʒuːdəʊ] *s* judô *m.*
jug [dʒʌg] *s* jarro *m*, jarra *f.*
juggle ['dʒʌgl] *vi* fazer malabarismos.
juice [dʒuːs] *s (de frutas, verduras)* suco *m*; *(de carne)* caldo *m.*
juicy ['dʒuːsɪ] *adj (comida)* suculento(ta).
July [dʒuː'laɪ] *s* julho *m* → **September.**
jumbo ['dʒʌmbəʊ] *adj fam (grande)* gigante.
jump [dʒʌmp] **1** *s* salto *m.*
2 *vi (pelo ar)* saltar; *(de medo)* assustar-se; *(aumento)* dar um salto.
3 *vt Am (trem, ônibus)* viajar sem bilhete em.
jumper ['dʒʌmpər] *s Am (vestido)* vestido *m* de alças; *Brit (agasalho)* pulôver *m*, suéter *m.*
junction ['dʒʌŋkʃn] *s (estrada)* cruzamento *m*; *(ferrovia)* entroncamento *m.*
June [dʒuːn] *s* junho *m* → **September.**
jungle ['dʒʌŋgl] *s* selva *f.*
junior ['dʒuːnjər] **1** *adj (de nível mais baixo)* subalterno(na); *Am (depois de nome)* júnior *(inv).*
2 *s (pessoa mais nova)*: **she's my junior** ela é mais nova do que eu.
junior high (school) *s Am escola de ensino médio, para alunos de 12 a 15 anos.*
junk [dʒʌŋk] *s fam (cacarecos)* tralha *f.*
junk food *s fam comida pronta pouco nutritiva ou saudável.*
junkie ['dʒʌŋkɪ] *s fam* drogado *m*, -da *f.*
junk shop *s* brechó *m.*
jury ['dʒʊərɪ] *s* júri *m.*
just [dʒʌst] **1** *adv (recentemente)* agora (mesmo); *(em seguida)* mesmo; *(exatamente)* precisamente; *(apenas, de leve)* só.
2 *adj* justo(ta).
3 to be just about to do sthg estar prestes a fazer algo; **to have just done sthg** acabar de fazer algo; **just about** *(quase)* praticamente; **just as good** igualmente bom; **just as good as** tão bom quanto; **just over an hour** pouco mais de uma hora; **(only) just** *(por pouco)* quase não, por pouco não; **just a minute!** só um minuto!
justice ['dʒʌstɪs] *s* justiça *f.*
justify ['dʒʌstɪfaɪ] *vt* justificar.
jut [dʒʌt]: **jut out** *vi* sobressair.
juvenile ['dʒuːvənaɪl] *adj (jovem)* juvenil; *(como criança)* infantil.

Kk

kangaroo [ˌkæŋgəˈruː] *s* canguru *m*.
karate [kəˈrɑːtɪ] *s* caratê *m*.
keel [kiːl] *s* quilha *f*.
keen [kiːn] *adj (animado)* entusiasta; *(visão, audição)* apurado(da); **to be keen on** interessar-se por, gostar de; **to be keen to do sthg** ter muita vontade de fazer algo.
keep [kiːp] (*pt & pp* **kept**) **1** *vt* manter; *(livro, troco, objeto emprestado)* ficar com; *(estocar, esconder)* guardar; *(compromisso)* não faltar a; *(atraso)* atrasar; *(agenda)* ter.
2 *vi (comida)* conservar; *(permanecer)* manter-se.
3 to keep a record of sthg registrar algo; **to keep (on) doing sthg** *(fazer continuamente)* continuar fazendo algo; *(fazer repetidamente)* estar sempre fazendo algo; **to keep sb from doing sthg** impedir alguém de fazer algo; **'keep right'** 'mantenha a direita'; **'keep out!'** 'proibida a entrada'; **'keep your distance!'** 'mantenha a distância'; **to keep clear (of)** manter-se afastado (de).
❑ **keep up 1** *vt sep* manter.
2 *vi (manter passo, nível etc.)*: **to keep up with sb** acompanhar alguém.
3 keep up the good work! continue com o bom trabalho!
keep-fit *s Brit* malhação *f*.
kennel [ˈkenl] *s* casa *f* de cachorro, canil *m*.
kept [kept] *pt & pp* → **keep.**
kerb [kɜːrb] *s Brit* meio-fio *m*.
kerosene [ˈkerəsiːn] *s Am* querosene *m*.
ketchup [ˈketʃəp] *s* ketchup *m*.
kettle [ˈketl] *s* chaleira *f*; **to put the kettle on** pôr a chaleira para ferver.
key [kiː] **1** *s* chave *f*; *(de piano, teclado)* tecla *f*.
2 *adj* chave *(inv)*.
keyboard [ˈkiːbɔːrd] *s (de computador, piano)* teclado *m*; *(instrumento musical)* teclado *m*.
keyhole [ˈkiːhəʊl] *s* buraco *m* da fechadura.
keypad [ˈkiːpæd] *s* teclado *m* (numérico).
key ring *s* chaveiro *m*.
kick [kɪk] **1** *s (do pé)* chute *m*.
2 *vt*: **to kick sb/sthg** dar um chute em alguém/algo.
kickoff [ˈkɪkɒf] *s* ESP pontapé *m* inicial.
kid [kɪd] **1** *s fam (criança)* garoto *m*, -ta *f*; *(jovem)* criança *f*.
2 *vi (gracejo)* brincar.
kidnap [ˈkɪdnæp] *vt* raptar.
kidnapper [ˈkɪdnæpər] *s* raptor *m*, -ra *f*.
kidney [ˈkɪdnɪ] *s* rim *m*.
kill [kɪl] *vt* matar; **my feet are killing me!** os meus pés estão me matando!
killer [ˈkɪlər] *s* assassino *m*, -na *f*.
kilo [ˈkiːləʊ] (*pl* **-s**) *s* quilo *m*.
kilogram [ˈkɪləˌgræm] *s* quilograma *m*.
kilometer [kɪˈlɒmɪtər] *s Am* quilômetro *m*.
kilometre [ˈkɪləˌmiːtər] *s Brit* = **kilometer.**
kind [kaɪnd] **1** *adj* amável.
2 *s* tipo *m*; **kind of** *Am fam* um pouco.
kindergarten [ˈkɪndərˌgɑːrtn] *s* jardim-de-infância *m*.
kindly [ˈkaɪndlɪ] *adv*: **would you kindly ...?** pode fazer o favor de ...?
kindness [ˈkaɪndnəs] *s* amabilidade *f*, bondade *f*.
king [kɪŋ] *s* rei *m*.
kiosk [ˈkiːɒsk] *s (para jornais etc.)* banca *f* de jornal.
kiss [kɪs] **1** *s* beijo *m*.
2 *vt* beijar.
kiss of life *s* respiração *f* boca-a-boca.
kit [kɪt] *s (set)* estojo *m*; *(roupas)* equipamento *m*; *(para montar)* kit *m*, modelo *m*.
kitchen [ˈkɪtʃən] *s* cozinha *f*.

kite [kaɪt] *s (brinquedo)* pipa *f*, papagaio *m*.

kitten [ˈkɪtn] *s* gatinho *m*, -nha *f*.

kiwi fruit [ˈki:wi:-] *s* kiwi *m*.

knack [næk] *s*: **I've got the knack (of it)** já peguei o jeito de fazer isso.

knapsack [ˈnæpsæk] *s Brit* mochila *f*.

knee [ni:] *s* joelho *m*.

kneecap [ˈni:kæp] *s* rótula *f*.

kneel [ni:l] (*pt & pp* **knelt** [nelt]) *vi (posição)* estar ajoelhado(da) ou de joelhos; *(ficar de joelhos)* ajoelhar-se.

knew [nu:] *pt* → **know.**

knickers [ˈnɪkəz] *spl Brit* calcinha *f*.

knife [naɪf] (*pl* **knives**) *s* faca *f*.

knight [naɪt] *s (em história)* cavaleiro *m*; *(em xadrez)* cavalo *m*.

knit [nɪt] *vt* fazer tricô.

knitted [ˈnɪtəd] *adj* tricotado(da), de malha.

knitting [ˈnɪtɪŋ] *s* tricô *m*.

knives [naɪvz] *pl* → **knife.**

knob [nɒb] *s (em porta etc.)* maçaneta *f*; *(em máquina)* botão *m*.

knock [nɒk] **1** *s (na porta)* pancada *f*, batida *f*.

2 *vt (colidir)* bater em; *(a cabeça, o cotovelo)* bater com.

3 *vi (na porta etc.)* bater.

❑ **knock down** *vt sep (pedestre)* atropelar; *(prédio)* demolir; *(preço)* baixar.

❑ **knock out** *vt sep (fazer perder os sentidos)* deixar inconsciente; *(em competição)* eliminar.

❑ **knock over** *vt sep (vidro, vaso)* derrubar.

knocker [ˈnɒkər] *s (na porta)* aldrava *m*.

knot [nɒt] *s* nó *m*.

know [nəʊ] (*pt* **knew,** *pp* **known**) *vt* saber; *(pessoa, lugar)* conhecer; **to know about sthg** saber (acerca) de algo; **to know how to do sthg** saber como fazer algo; **to know of** saber de; **you'll like him once you get to know him** você vai gostar dele quando o conhecer melhor; **to be known as** ser conhecido como; **to let sb know sthg** avisar alguém de algo; **you know** *(para ênfase)* sabe.

knowledge [ˈnɒlɪdʒ] *s* saber *m*, conhecimento *m*; **to my knowledge** que eu saiba.

known [nəʊn] *pp* → **know.**

knuckle [ˈnʌkl] *s (da mão)* nó *m* do dedo; *(de porco)* mocotó *m*.

Ll

lab [læb] *s fam* laboratório *m*.
label ['leɪbl] *s* etiqueta *f*.
labor ['leɪbər] *s Am (mão-de-obra)* trabalho *m*; **in labor** MED em trabalho de parto.
laboratory ['læbrə,tɔ:rɪ] *s* laboratório *m*.
laborer ['leɪbərər] *s* trabalhador *m*, -ra *f*.
labour ['leɪbər] *s Brit* = **labor.**
lace [leɪs] *s (material)* renda *f*; *(para sapato)* cadarço *m*.
lack [læk] **1** *s* falta *f*.
2 *vt* carecer de.
3 *vi*: **to be lacking** faltar; **he lacks confidence** falta-lhe confiança.
lacquer ['lækər] *s* laca *f*.
lad [læd] *s fam* garoto *m*.
ladder ['lædər] *s (para subir)* escada *f*; *Brit (em meia de nylon)* defeito *m*, desfiado *m*.
ladies' room *s Am (toalete)* banheiro *m* de senhoras.
ladle ['leɪdl] *s* CULIN concha *f*.
lady ['leɪdɪ] *s (mulher)* senhora *f*; *(mulher nobre)* dama *f*.
ladybird ['leɪdɪbɜ:rd] *s Brit* = **ladybug.**
ladybug ['leɪdɪbʌg] *s Am* joaninha *f*.
lag [læg] *vi* diminuir; **to lag behind** *(mover-se devagar)* ficar para trás.
lager ['la:gər] *s* cerveja *f* (loura).
lagoon [lə'gu:n] *s* lagoa *f*.
laid [leɪd] *pt & pp* → **lay.**
lain [leɪn] *pp* → **lie.**
lake [leɪk] *s* lago *m*.
lamb [læm] *s (animal)* cordeiro *m*; *(carne)* carneiro *m*.
lame [leɪm] *adj* coxo(xa).
lamp [læmp] *s* lâmpada *f*.
lamppost ['læmppəʊst] *s* poste *m* de iluminação.
lampshade ['læmpʃeɪd] *s* abajur *m*.
land [lænd] **1** *s* terra *f*.
2 *vi (avião)* aterrissar; *(passageiros)* desembarcar; *(queda)* cair.
landing ['lændɪŋ] *s (de avião)* aterrissagem *f*; *(em escada)* patamar *m*.
landlady ['lænd,leɪdɪ] *s (de pensão)* senhoria *f*; *Brit (de pub)* proprietária *f*.
landlord ['lændlɔ:rd] *s (de pensão)* senhorio *m*; *Brit (de pub)* proprietário *m*.
landmark ['lændma:rk] *s (em paisagem, cidade)* ponto *m* de referência.
landscape ['lændskeɪp] *s* paisagem *f*.
landslide ['lændslaɪd] *s (de terra, pedras)* deslizamento *m*.
lane [leɪn] *s (rua estreita)* ruela *f*; *(em estrada, rodovia)* pista *f*.
language ['læŋgwɪdʒ] *s (de pessoas, país)* língua *f*; *(sistema de comunicação, linguagem)* linguagem *f*.
lap [læp] *s (de pessoa)* colo *m*; *(de corrida)* volta *f*.
lapel [lə'pel] *s* lapela *f*.
lapse [læps] **1** *s* lapso *m*.
2 *vi (associação em clube, passaporte)* expirar.
lard [la:rd] *s* banha *f*.
larder ['la:rdər] *s* despensa *f*.
large [la:rdʒ] *adj* grande.
largely ['la:rdʒlɪ] *adv* em grande parte.
large-scale *adj* em grande escala.
laryngitis [,lærɪn'dʒaɪtəs] *s* laringite *f*.
lasagne [lə'za:njə] *s* lasanha *f*.
laser ['leɪzər] *s* laser *m*.
last [læst] **1** *adj* último(ma).
2 *adv (recentemente)* pela última vez; *(no final)* em último lugar.
3 *vi* durar; *(bastar)* chegar.
4 *pron*: **the last to come** o último a chegar.
5 the day before last anteontem; **last year** o ano passado; **the last year** o último ano; **at last** finalmente.

lastly [ˈlæstlɪ] *adv* por último.

last-minute *adj* de última hora.

last name *s* sobrenome *m*.

latch [lætʃ] *s* trinco *m*; **the door is on the latch** a porta está fechada com o trinco.

late [leɪt] **1** *adj (não pontual)* atrasado(da); *(depois da hora esperada)* tardio(dia); *(morto)* falecido(da).
2 *adv (depois da hora esperada)* tarde; *(não pontual)*.

> *Lately* não significa o mesmo que *late*, embora ambos sejam advérbios e *lately* pareça ser derivado do adjetivo *late*. *Lately* quer dizer o mesmo que *recently* ('ultimamente', 'recentemente'). Compare: (***he arrived late*** ele chegou tarde) com (***we haven't spoken lately*** não temos nos falado ultimamente).

3 the train is two hours late o trem está duas horas atrasado; **I had a late lunch** almocei tarde; **in the late afternoon** no fim da tarde; **in late June, late in June** no final ou fim de junho.

lately [ˈleɪtlɪ] *adv* ultimamente.

late-night *adj (loja, supermercado)* aberto(ta) até tarde.

later [ˈleɪtər] **1** *adj (trem)* que sai mais tarde.
2 *adv*: **later (on)** mais tarde; **at a later date** mais tarde, posteriormente.

latest [ˈleɪtəst] *adj*: **the latest fashion** a última moda; **the latest** *(em série, na moda)* o mais recente; **at the latest** o mais tardar.

lather [ˈlæðr] *s* espuma *f*.

Latin [ˈlætɪn] *s (língua)* latim *m*.

Latin American 1 *adj* latino-americano(na).
2 *s* latino-americano *m*, -na *f*.

latitude [ˈlætɪtuːd] *s* latitude *f*.

latter [ˈlætər] *s*: **the latter** este último.

laugh [læf] **1** *s* riso *m*.
2 *vi* rir; **to have a laugh** *Brit fam* divertir-se.
❑ **laugh at** *vt fus (zombar)* rir-se de.

laughter [ˈlæftr] *s* risos *mpl*.

launch [lɔːntʃ] *vt (barco)* lançar ao mar; *(produto novo)* lançar.

laundry [ˈlɔːndrɪ] *s (para lavar)* roupa *f* suja; *(local)* lavanderia *f*.

laundry detergent *s Am* sabão *m* em pó.

lavatory [ˈlævətɔːrɪ] *s Brit* privada *f*.

lavender [ˈlævəndər] *s* alfazema *f*.

lavish [ˈlævɪʃ] *adj (refeição, decoração)* suntuoso(osa).

law [lɔː] *s* JUR *(norma)* lei *f*; *(estudo)* direito *m*; **the law** JUR *(conjunto de normas)* a lei; **to be against the law** ser contra a lei.

lawn [lɔːn] *s* gramado *m*.

lawnmower [ˈlɔːnˌməʊər] *s* máquina *f* de cortar grama.

lawyer [ˈlɔːjər] *s* advogado *m*, -da *f*.

lay [leɪ] (*pt & pp* **laid**) **1** *pt* → **lie.**
2 *vt (lugar)* colocar, pôr; *(ovo)* pôr; **to lay the table** pôr a mesa.
❑ **lay off** *vt sep (trabalhador)* despedir.
❑ **lay out** *vt sep (mostrar)* dispor.

layer [ˈleɪər] *s* camada *f*.

layman [ˈleɪmən] (*pl* **-men** [-mən]) *s* leigo *m*, -ga *f*.

layout [ˈleɪaʊt] *s (de prédio)* leiaute *m*; *(de ruas)* traçado *m*.

lazy [ˈleɪzɪ] *adj* preguiçoso(osa).

lb *abrev* = **pound.**

lead[1] [liːd] (*pt & pp* **led**) **1** *vt (coisa)* conduzir, levar; *(time, empresa)* dirigir; *(corrida, demonstração)* estar à frente de.
2 *vi (estar ganhando)* estar à frente.
3 *s (numa competição)* liderança.
4 to have the lead estar na frente; **to lead sb to do sthg** levar alguém a fazer algo; **to lead the way** estar à frente; **to lead to** *(ir para)* ir dar em; *(resultar em)* levar a; **to be in the lead** estar à frente.

lead[2] [led] **1** *s (metal)* chumbo *m*; *(para lapiseira)* grafite *m*.
2 *adj* de chumbo.

leaded gas [ˈledɪd-] *s* gasolina *f* (com chumbo).

leader [ˈliːdər] *s* líder *mf*.

leadership [ˈliːdərʃɪp] *s* liderança *f*.

lead-free [led-] *adj* sem chumbo.

leading [ˈliːdɪŋ] *adj (mais importante)* principal.

lead singer [liːd-] *s* vocalista *mf*.

leaf [liːf] (*pl* **leaves**) *s (de árvore)* folha *f*.

leaflet [ˈliːflət] *s* folheto *m*.

league [liːg] *s* ESP campeonato *m*; *(associação)* liga *f*.

leak [liːk] **1** *s (furo)* buraco *m*; *(de gás, água)* vazamento *m*; *(em telhado)* goteira *f*.
2 *vi (telhado)* ter goteiras; *(tanque)* vazar.

lean [liːn] (*pt & pp* **leant** ou **-ed**) **1** *adj* magro(gra).
2 *vi (dobrar-se)* inclinar-se.

3 *vt*: **to lean sthg against sthg** encostar algo em algo; **to lean on** apoiar-se em.
❑ **lean forward** *vi* inclinar-se para a frente.
❑ **lean over** *vi* abaixar-se.

leap [li:p] (*pt & pp* **leapt** ou **-ed**) *vi* saltar.

leap year *s* ano *m* bissexto.

learn [lɜ:rn] (*pt & pp* **learnt** ou **-ed**) *vt (ganhar conhecimento)* aprender; *(memorizar)* decorar; **to learn (how) to do sthg** aprender a fazer algo; **to learn about sthg** *(ouvir sobre)* ficar sabendo (de) algo; *(estudo)* estudar algo.

learnt [lɜ:rnt] *pt & pp* → **learn.**

lease [li:s] **1** *s* arrendamento *m.*
2 *vt* alugar.
3 to lease sthg from sb alugar algo de alguém; **to lease sthg to sb** alugar algo a alguém.

leash [li:ʃ] *s* trela *f.*

least [li:st] **1** *adv adj* menos.
2 *pron*: **(the) least** o mínimo.
3 at least pelo menos; **I like her the least** ela é de quem eu gosto menos.

leather ['leðər] *s* couro *m*, pele *f.*

leave [li:v] (*pt & pp* **left**) **1** *vt* deixar; *(casa, país)* sair de.
2 *vi (pessoa)* ir-se embora; *(trem, ônibus)* sair, partir.
3 *s (do trabalho)* licença *f.*
4 to leave a message deixar recado.
❑ **leave behind** *vt sep* deixar (para trás).
❑ **leave out** *vt sep* omitir.

leaves [li:vz] *pl* → **leaf.**

lecture ['lektʃər] *s (em universidade)* aula *f*; *(em conferência)* palestra *f.*

lecturer ['lektʃərər] *s Brit* professor *m* universitário, professora *f* universitária.

lecture theatre *s Brit* anfiteatro *m.*

led [led] *pt & pp* → **lead.**

ledge [ledʒ] *s (de janela)* peitoril *m.*

leek [li:k] *s* alho-poró *m.*

left [left] **1** *pt & pp* → **leave.**
2 *adj (direção, posição)* esquerdo(da).
3 *adv (virar)* à esquerda; *(manter-se)* pela esquerda.
4 *s* esquerda *f.*
5 on the left à esquerda; **to be left** sobrar.

left-hand *adj* esquerdo(da).

left-handed [-'hændəd] *adj (pessoa)* canhoto(ta); *(ferramenta)* para canhotos.

left-wing *adj* de esquerda.

leg [leg] *s* perna *f*; **leg of lamb** perna de carneiro.

legal ['li:gl] *adj* legal.

legalize ['li:gəlaɪz] *vt* legalizar.

legal system *s* sistema *m* judiciário.

legend ['ledʒənd] *s* lenda *f.*

leggings ['legɪŋz] *spl* calças *fpl* de malha (justas).

legible ['ledʒəbl] *adj* legível.

legislation [ˌledʒɪs'leɪʃn] *s* legislação *f.*

legitimate [lɪ'dʒɪtɪmət] *adj* legítimo(ma).

leisure ['li:ʒr] *s* lazer *m.*

lemon ['lemən] *s* limão-galego *m.*

lemonade [ˌlemə'neɪd] *s (refresco de limão)* limonada *f.*

lemon juice *s* suco *m* de limão.

lend [lend] (*pt & pp* **lent**) *vt* emprestar; **to lend sb sthg** emprestar algo a alguém.

length [leŋθ] *s (em distância)* comprimento *m*; *(em tempo)* duração *f.*

lengthen ['leŋθən] *vt* aumentar.

lens [lenz] *s* lente *f.*

lent [lent] *pt & pp* → **lend.**

Lent [lent] *s* Quaresma *f.*

lentils ['lentlz] *spl* lentilha *f.*

leopard ['lepərd] *s* leopardo *m.*

leotard ['li:əta:rd] *s* malha *f* de ginástica.

leper ['lepər] *s* leproso *m*, -osa *f.*

lesbian ['lezbɪən] **1** *adj* lésbico(ca).
2 *s* lésbica *f.*

less [les] *adj, adv pron* menos; **less than 20** menos de 20; **she earns less than him** ela ganha menos do que ele.

lesson ['lesn] *s (aula)* lição *f.*

let [let] (*pt & pp* **let**) *vt (permitir)* deixar; **to let sb do sthg** deixar alguém fazer algo; **to let go of sthg** largar algo; **to let sb have sthg** dar algo a alguém; **to let sb know sthg** dizer algo a alguém; **let's go!** vamos embora!
❑ **let in** *vt sep* deixar entrar.
❑ **let off** *vt sep (desculpar)* perdoar; **can you let me off at the station?** pode me deixar na estação?
❑ **let out** *vt sep (permitir sair)* deixar sair.

letdown ['letdaʊn] *s fam* decepção *f.*

lethargic [lə'θa:rdʒɪk] *adj* letárgico(ca).

letter ['letər] *s (mensagem escrita)* carta *f*; *(do alfabeto)* letra *f.*

letterbox ['letəbɒks] *s Brit* caixa *f* do correio.

lettuce ['letɪs] *s* alface *f.*

leuk(a)emia [lu:'ki:mjə] *s* leucemia *f.*

level ['levl] **1** *adj (horizontal, nivelado)* plano(na).
2 *s* nível *m*; *(em prédio)* andar *m*; **to be level with** estar no mesmo nível que.

level crossing *s Brit* passagem *f* de nível.

lever ['levr] *s* alavanca *f*.

liability [,laɪə'bɪlətɪ] *s JUR* responsabilidade *f*.

liable ['laɪəbl] *adj*: **to be liable to do sthg** ter tendência a fazer algo; **he's liable to be late** é provável que ele chegue tarde; **to be liable for sthg** ser responsável por algo.

liaise [lɪ'eɪz] *vi*: **to liaise with** contatar com.

liar ['laɪər] *s* mentiroso *m*, -osa *f*.

liberal ['lɪbərəl] *adj (tolerante)* liberal; *(mão aberta)* generoso(osa).

liberate ['lɪbəreɪt] *vt* libertar.

liberty ['lɪbərtɪ] *s* liberdade *f*.

librarian [laɪ'breərɪən] *s* bibliotecário *m*, -ria *f*.

library ['laɪbrerɪ] *s* biblioteca *f*.

lice [laɪs] *spl* piolho *m*.

license ['laɪsəns] **1** *s (documento oficial)* licença *f*.
2 *vt* autorizar.

licensed ['laɪsənst] *adj Brit (restaurante, bar)* autorizado(da) a vender bebidas alcoólicas.

license plate *s* placa *f (de carro)*.

lick [lɪk] *vt* lamber.

licorice ['lɪkərɪs] *s* alcaçuz *m*.

lid [lɪd] *s (para cobrir)* tampa *f*.

lie [laɪ] **1** *s* mentira *f*.
2 *vi (dizer mentira)* mentir; *(estar na horizontal)* estar deitado; *(pôr-se deitado)* deitar-se; *(estar situado)* ficar.
3 to tell lies mentir; **to lie about sthg** mentir sobre algo.
❑ **lie down** *vi* deitar-se.

lieutenant [lu:'tenənt] *s* tenente *m*.

life [laɪf] (*pl* **lives**) *s* vida *f*.

life belt *s* bóia *f* (salva-vidas).

lifeguard ['laɪfga:rd] *s* salva-vidas *mf*.

life jacket *s* colete *m* salva-vidas.

lifelike ['laɪflaɪk] *adj* realista.

life-size *adj* em tamanho natural.

lifespan ['laɪfspæn] *s* tempo *m* de vida.

lifestyle ['laɪfstaɪl] *s* estilo *m* de vida.

lift [lɪft] **1** *s Brit (em prédio)* elevador *m*.
2 *vt (fazer subir)* levantar.
3 *vi (neblina)* levantar.
4 to give sb a lift dar uma carona a alguém.
❑ **lift up** *vt sep* levantar.

light [laɪt] (*pt & pp* **lit** ou **-ed**) **1** *adj* leve; *(local)* claro(ra).
2 *s* luz *f*; *(para cigarro)* fogo *m*.
3 *vt (fogo, cigarro)* acender; *(quarto, palco)* iluminar.
4 have you got a light? você tem fogo?; **to set light to sthg** atear fogo a algo.
❑ **lights** *(de tráfego)* sinal *m* (de trânsito), semáforo *m*.
❑ **light up 1** *vt sep (casa, rua)* iluminar.
2 *vi fam (cigarro)* acender um cigarro.

light bulb *s* lâmpada *f*.

lighter ['laɪtər] *s* isqueiro *m*.

light-hearted [-'ha:rtəd] *adj* alegre.

lighthouse ['laɪthaʊs, *pl* -haʊzɪz] *s* farol *m*.

lighting ['laɪtɪŋ] *s* iluminação *f*.

lightning ['laɪtnɪŋ] *s* relâmpagos *mpl*.

lightweight ['laɪtweɪt] *adj (roupa, objeto)* leve.

like [laɪk] **1** *prep* como; *(característico)* típico de.
2 *vt* gostar de.
3 like this/that assim; **what's it like?** como é?; **to look like sb/sthg** parecer-se com alguém/algo; **would you like some more?** quer mais?; **to like doing sthg** gostar de fazer algo; **I'd like to sit down** gostaria de me sentar; **I'd like a drink** gostaria de beber qualquer coisa.

likelihood ['laɪklɪhʊd] *s* probabilidade *f*.

likely ['laɪklɪ] *adj* provável.

likeness ['laɪknəs] *s* semelhança *f*.

likewise ['laɪkwaɪz] *adv* da mesma maneira; **to do likewise** fazer o mesmo.

lilac ['laɪlək] *adj* lilás *(inv)*.

lily ['lɪlɪ] *s* lírio *m*.

limb [lɪm] *s* membro *m*.

lime [laɪm] *s (fruta)* limão *m*; **lime (juice)** suco *m* de limão.

limestone ['laɪmstəʊn] *s* calcário *m*.

limit ['lɪmɪt] **1** *s* limite *m*.
2 *vt* limitar; **the city limits** os limites da cidade.

limited ['lɪmɪtəd] *adj* limitado(da).

limp [lɪmp] **1** *adj (alface)* murcho(cha); *(corpo)* flácido(da); *(tecido)* mole.
2 *vi* mancar.

line [laɪn] **1** *s* linha *f*; *(linha reta)* fila *f*; *Am (de pessoas)* fila *f*; *(de poema, canção)* verso *m*; *(para roupa lavada)* varal *m*; *(linha)*

corda; *(de negócios, trabalho)* ramo *m*; *(tipo de produto)* seleção *f*.
2 *vt (casaco, gavetas)* forrar.
3 **in line** *(em linha)* alinhado(da); **it's a bad line** a linha está péssima; **the line is busy** a linha está ocupada; **to drop sb a line** *fam* escrever (uma carta) para alguém; **to stand in line** *Am* pôr-se na fila.
❑ **line up 1** *vt sep (arranjar)* organizar.
2 *vi* entrar na fila.

lined [laɪnd] *adj (papel)* pautado(da).

linen ['lɪnən] *s (tecido)* linho *m*; *(lençóis)* roupa *f* de cama.

liner ['laɪnər] *s (navio)* transatlântico *m*.

linger ['lɪŋgər] *vi (cheiro, gosto, fumaça)* permanecer; *(pessoa)* atrasar-se.

lingerie ['lænʒərɪ] *s* lingerie *f*.

lining ['laɪnɪŋ] *s (de casaco, jaqueta)* forro *m*; *(de freio)* lona *f*.

link [lɪŋk] **1** *s (conexão)* relação *f*; INFORM link *m*.
2 *vt* ligar.
3 **rail link** ligação *f* ferroviária; **road link** ligação rodoviária.

lino ['laɪnəʊ] *s Brit* linóleo *m*.

lint [lɪnt] *s (em roupas)* pêlo *m*.

lion ['laɪən] *s* leão *m*.

lioness ['laɪənes] *s* leoa *f*.

lip [lɪp] *s (de pessoa)* lábio *m*.

lipstick ['lɪpstɪk] *s* batom *m*.

liqueur [lɪ'kɜ:r] *s* licor *m*.

liquid ['lɪkwɪd] *s* líquido *m*.

liquor ['lɪkər] *s Am* bebida *f* alcoólica.

liquor store *s Am* loja *f* de bebidas alcoólicas.

lisp [lɪsp] *s* ceceio *m*.

list [lɪst] **1** *s* lista *f*.
2 *vt* enumerar.

listen ['lɪsn] *vi*: **to listen (to)** ouvir.

listener ['lɪsnər] *s (de rádio)* ouvinte *mf*.

lit [lɪt] *pt & pp* → **light.**

liter ['li:tər] *s Am* litro *m*.

literally ['lɪtərəlɪ] *adv (no sentido real)* literalmente.

literary ['lɪtərerɪ] *adj* literário(ria).

literature ['lɪtərətʃər] *s* literatura *f*.

litre ['li:tər] *s Brit* = **liter.**

litter ['lɪtər] *s (sujeira)* lixo *m*.

little ['lɪtl] **1** *adj* pequeno(na); *(distância, tempo)* curto(ta); *(não muito)* pouco(ca); *(irmão, irmã)* mais novo (nova).
2 *pron* pouco *m*, -ca *f*.
3 *adv* pouco.
4 **as little as possible** o menos possível; **little by little** pouco a pouco; **a little** *(pron e adv)* um pouco.

> ***A little*** quer dizer o mesmo que ***a bit*** e ***a bit of***, mas é um pouco mais formal. Não se deve esquecer que ***a little***, ao contrário de ***a bit***, não precisa de ***of*** quando aparecer antes de um substantivo (***would you like a little bread with your soup?*** você quer um pouco de pão com sua sopa?).
>
> Assim como ***a bit***, ***a little*** também funciona como advérbio (***he seems a little better*** ele parece um pouco melhor; ***I slept a little this afternoon*** dormi um pouco esta tarde).
>
> Ver também **few**.

little finger *s* (dedo) mindinho *m*.

live[1] [lɪv] *vi* viver; *(subsistir)* sobreviver; **to live with sb** viver com alguém.
❑ **live together** *vi* viver juntos.

live[2] [laɪv] **1** *adj (ativo)* vivo(va); *(programa, show)* ao vivo; *(fio)* eletrificado(da).
2 *adv* ao vivo.

lively ['laɪvlɪ] *adj (pessoa)* alegre; *(lugar, astral)* animado(da).

liver ['lɪvər] *s* fígado *m*.

lives [laɪvz] *pl* → **life.**

living ['lɪvɪŋ] **1** *adj* vivo(va).
2 *s*: **to earn a living** ganhar a vida; **what do you do for a living?** o que é que você faz (para viver)?

living room *s* sala *f* de estar.

lizard ['lɪzərd] *s* lagarto *m*.

load [ləʊd] **1** *s (coisa carregada)* carga *f*.
2 *vt* carregar.
3 **loads of** *fam* toneladas de.

loaf [ləʊf] (*pl* **loaves**) *s*: **a loaf (of bread)** um pão de fôrma.

loan [ləʊn] **1** *s* empréstimo *m*.
2 *vt* emprestar.

loathe [ləʊð] *vt* detestar.

loaves [ləʊvz] *pl* → **loaf.**

lobby ['lɒbɪ] *s (vestíbulo)* entrada *f*, hall *m*.

lobster ['lɒbstər] *s* lagosta *f*.

local ['ləʊkl] **1** *adj* local.
2 *s fam (pessoa)* habitante *mf* local; *Am (rodovia)* ônibus *m* (local); *Am (ferrovia)* trem *m*.

locate ['ləʊkeɪt] *vt (achar)* localizar; **to be located** ficar ou estar situado.

location [ləʊ'keɪʃn] *s* lugar *m*, localização *f*.

loch [lɒx] *s* lago *m*.

lock [lɒk] **1** *s (em porta, gaveta)* fechadura *f*; *(para bicicleta)* cadeado *m*; *(em canal)* comporta *f*.
2 *vt* fechar com chave.
3 *vi (ficar grudado)* ficar preso.
❑ **lock in** *vt sep* fechar.
❑ **lock out** *vt sep*: **I've locked myself out** deixei a chave por dentro e não posso entrar.
❑ **lock up 1** *vt sep (trancar)* prender.
2 *vi* fechar tudo à chave.

locker ['lɒkər] *s* compartimento *m* com chave.

locker room *s Am* vestiário *m*.

locket ['lɒkət] *s* medalhão *m*.

locomotive [ˌləʊkə'məʊtɪv] *s* locomotiva *f*.

locum ['ləʊkəm] *s (médico)* substituto *m*, -ta *f*.

locust ['ləʊkəst] *s* gafanhoto *m* (viajante).

lodge [lɒdʒ] *vi* alojar-se.

lodger ['lɒdʒər] *s* inquilino *m*, -na *f*.

lodging ['lɒdʒɪŋ] *s Am* alojamento *m*.

loft [lɒft] *s* sótão *m*; *Am (apartamento)* loft *m*.

log [lɒg] *s (pedaço de madeira)* tora *f*, lenha *f*.
❑ **log on** *vi* INFORM conectar.
❑ **log off** *vi* INFORM desconectar.

logic ['lɒdʒɪk] *s* lógica *f*.

logical ['lɒdʒɪkl] *adj* lógico(ca).

logo ['ləʊgəʊ] (*pl* **-s**) *s* logotipo *m*.

loin [lɔɪn] *s* lombo *m*.

loiter ['lɔɪtər] *vi* vadiar.

lollipop ['lɒlɪpɒp] *s* pirulito *m*.

lolly ['lɒlɪ] *s fam (doce)* pirulito *m*; *Brit (sorvete)* picolé *m*.

lonely ['ləʊnlɪ] *adj (pessoa)* solitário(ria); *(lugar)* isolado(da).

long [lɒŋ] **1** *adj* comprido(da); *(em tempo)* longo(ga).
2 *adv* muito.
3 it's 2 meters long mede 2 metros de comprimento; **it's two hours long** dura 2 horas; **how long is it?** *(em distância)* mede quanto?; *(em tempo)* dura quanto tempo?; **to take/be long** demorar muito; **a long time** muito tempo; **all day long** durante todo o dia; **as long as** desde que; **for long** (durante) muito tempo; **no longer** já não; **so long!** *fam* adeus!
❑ **long for** *vt fus* ansiar por.

long-distance *adj (telefonema)* interurbano(na).

long-haul *adj* de longa distância.

longitude ['lɒndʒətu:d] *s* longitude *f*.

long-life *adj* de longa duração.

longsighted [ˌlɒŋ'saɪtəd] *adj Brit* hipermetrope.

long term *s*: **in the long term** a longo prazo.
❑ **long-term** *adj* a longo prazo.

long wave *s* onda *f* longa.

longwearing [ˌlɒŋ'weərɪŋ] *adj Am* duradouro(ra).

loo [lu:] (*pl* **-s**) *s Brit fam* banheiro *m*.

look [lʊk] **1** *s (espiadela)* olhadela *f*, olhada *f*; *(exterioridade)* aparência *f*, look *m*.
2 *vi (com olhos)* olhar; *(buscar)* procurar; *(ter aparência)* parecer.
3 to look onto *(prédio, quarto)* ter vista para, dar para; **to have a look** *(ver)* dar uma olhada; *(buscar)* procurar; **(good) looks** beleza *f*; **I'm just looking** *(em loja)* estou só olhando; **look out!** cuidado!
❑ **look after** *vt fus (pessoa)* tomar conta de; *(assunto, arranjo)* ocupar-se de.
❑ **look around 1** *vt fus (cidade, loja)* ver, dar uma volta por.
2 *vi (virar a cabeça)* virar-se, olhar (para trás).
❑ **look at** *vt fus (observar)* olhar para; *(examinar)* analisar.
❑ **look for** *vt fus* procurar.
❑ **look forward to** *vt fus* esperar (ansiosamente).
❑ **look out for** *vt fus* estar atento a.
❑ **look up** *vt sep (em dicionário, lista telefônica)* procurar.

loom [lu:m] **1** *s* tear *m*.
2 *vi (levantar-se)* erguer-se ameaçadoramente; *(data)* aproximar-se; *(ameaça)* pairar no ar.
❑ **loom up** *vi* surgir.

loony ['lu:nɪ] *s fam* doido *m*, -da *f*.

loop [lu:p] *s* argola *f*.

loose [lu:s] *adj* solto(ta); *(dente)* mole; *(doce)* avulso(sa); *(roupas)* largo(ga); **to let sb/sthg loose** soltar alguém/algo.

loosen ['lu:sn] *vt* desapertar.

lopsided [-'saɪdəd] *adj* torto(ta).

lorry ['lɒrɪ] *s Brit* caminhão *m*.

lose [luːz] (*pt & pp* **lost**) **1** *vt* perder; *(suj: relógio)* atrasar.
2 *vi* perder; **to lose weight** emagrecer.

loser [ˈluːzər] *s (em disputa)* perdedor *m*, -ra *f*, vencido *m*, -da *f*.

loss [lɒs] *s (ausência)* perda *f*; *(de negócios, empresa)* prejuízo *m*.

lost [lɒst] **1** *pt & pp* → **lose.**
2 *adj* perdido(da).
3 to get lost *(ficar perdido)* perder-se.

lot [lɒt] *s (em leilão)* lote *m*; *Am (para carros)* estacionamento *m*; **a lot** *(quantidade)* muito(ta), muitos(tas) *(pl)*; *(freqüência)* muito; **a lot of time** muito tempo; **a lot of problems** muitos problemas; **lots (of)** muito(ta), muitos(tas) *(pl)*.

> *Lots* e *lots of* são variantes mais coloquiais de *a lot* e *a lot of*.
>
> Em orações negativas e interrogativas, ***a lot (of)*** e ***lots (of)*** são substituídos por ***much*** (para substantivos invariáveis) e ***many*** (para plurais) (***I haven't got much time*** não tenho muito tempo; ***were there many people at the party?*** tinha muita gente na festa?). Entretanto, pode-se utilizar ***a lot (of)*** ou ***lots (of)***, quando quisermos enfatizar o que está sendo dito (***there's not a lot to do here*** não há muito o que fazer aqui; ***lots of people don't agree*** muitas pessoas não estão de acordo).

lotion [ˈləʊʃn] *s* loção *f*.

lottery [ˈlɒtərɪ] *s* loteria *f*.

loud [laʊd] *adj (voz, música, barulho)* alto(ta); *(cor, roupa)* berrante.

loudspeaker [ˌlaʊdˈspiːkər] *s* alto-falante *m*.

lounge [laʊndʒ] *s (em casa)* sala *f* de estar; *(no aeroporto)* sala *f* de espera.

lousy [ˈlaʊzɪ] *adj fam (qualidade)* péssimo(ma).

love [lʌv] **1** *s* amor *m*; *(em tênis)* zero *m*.
2 *vt* amar; *(música, comida, arte etc.)* gostar muito de, adorar.
3 I'd love a cup of coffee adoraria tomar um café; **to love doing sthg** adorar fazer algo; **to be in love (with)** estar apaixonado (por); **(with) love from** *(em carta)* beijos de.

lovely [ˈlʌvlɪ] *adj (muito bonito)* lindo(da); *(muito bom)* muito agradável.

lover [ˈlʌvər] *s* amante *mf*.

loving [ˈlʌvɪŋ] *adj* carinhoso(osa).

low [ləʊ] **1** *adj* baixo(xa); *(opinião)* péssimo(ma); *(deprimido)* para baixo.
2 *s (meteorologia)* depressão *f*, área *f* de baixa pressão.
3 we're low on gas estamos quase sem gasolina.

low-alcohol *adj Brit* de baixo teor alcoólico.

low-calorie *adj* de baixas calorias.

low-cut *adj* decotado(da).

lower [ˈləʊər] **1** *adj* inferior.
2 *vt (mover para baixo)* baixar; *(diminuir)* reduzir.

low-fat *adj* com baixo teor de gordura.

low tide *s* maré-baixa *f*.

loyal [ˈlɔɪəl] *adj* leal.

loyalty [ˈlɔɪəltɪ] *s* lealdade *f*.

lozenge [ˈlɒzɪndʒ] *s (para garganta)* pastilha *f*; (forma) losango *m*.

lubricate [ˈluːbrɪkeɪt] *vt* lubrificar.

luck [lʌk] *s* sorte *f*; **any luck?** conseguiu?; **good luck!** boa sorte!; **with luck** com um pouco de sorte.

luckily [ˈlʌkəlɪ] *adv* felizmente, por sorte.

lucky [ˈlʌkɪ] *adj (pessoa)* sortudo(da), com sorte; *(evento, situação)* feliz; *(número, cor)* de sorte; **to be lucky** ter sorte.

ludicrous [ˈluːdɪkrəs] *adj* ridículo(la).

lug [lʌg] *vt fam* arrastar.

luggage [ˈlʌgɪdʒ] *s* bagagem *f*.

lukewarm [ˈluːkwɔːrm] *adj* morno(na).

lull [lʌl] *s (em conversação)* pausa *f*; *(em tempestade)* calmaria *f*.

lullaby [ˈlʌləbaɪ] *s* canção *f* de ninar.

lumbago [lʌmˈbeɪgəʊ] *s* lumbago *m*.

lumber [ˈlʌmbər] *s Am* madeira *f*.

luminous [ˈluːmɪnəs] *adj* luminoso(osa).

lump [lʌmp] *s (de carvão, manteiga)* pedaço *m*; *(de açúcar)* torrão *m*; *(no corpo)* caroço *m*; *(na cabeça)* galo *m*.

lump sum *s* quantia *f* global.

lumpy [ˈlʌmpɪ] *adj (molho)* encaroçado(da); *(colchão)* cheio (cheia) de altos e baixos.

lunatic [ˈluːnətɪk] *s pej* louco *m*, -ca *f*, maluco *m*, -ca *f*.

lunch [lʌntʃ] *s* almoço *m*; **to have lunch** almoçar.

> ***Não confundir lunch (almoço)*** com o português *lanche* que em inglês é ***snack***. (***Are you coming with me for lunch?*** Você vem ***almoçar*** comigo?)

lunchtime ['lʌntʃtaɪm] *s* hora *f* do almoço.
lung [lʌŋ] *s* pulmão *m.*
lunge [lʌndʒ] *vi*: **to lunge at** atirar-se a.
lurch [lɜ:rtʃ] *vi (pessoa)* cambalear.
lure [lʊər] *vt* atrair.
lurk [lɜ:rk] *vi (pessoa)* estar à espreita *(escondido).*
lush [lʌʃ] *adj* luxuriante.
lust [lʌst] *s (desejo sexual)* luxúria *f.*
luxurious [lʌg'ʒʊərɪəs] *adj* luxuoso(osa).
luxury ['lʌkʃərɪ] **1** *adj* de luxo.
2 *s* luxo *m.*
lying ['laɪɪŋ] *cont* → **lie.**
lyrics ['lɪrɪks] *spl* letra *f (de música).*

Mm

mac [mæk] *s Brit fam (casaco)* impermeável *m.*
macaroni [ˌmækəˈrəʊnɪ] *s* macarrão *m.*
machine [məˈʃiːn] *s* máquina *f.*
machine gun *s* metralhadora *f.*
machinery [məˈʃiːnərɪ] *s* maquinaria *f.*
machine-washable *adj* lavável à máquina.
mackerel [ˈmækrəl] *(pl inv) s* cavala *f.*
mackintosh [ˈmækɪntɒʃ] *s Brit* impermeável *m.*
mad [mæd] *adj (zangado)* furioso(osa); *(sem controle)* louco(ca); maluco(ca); **to be mad about** *fam (gostar muito de)* ser doido(da) por; **like mad** como um louco ou doido.
Madam [ˈmædəm] *s (saudação)* senhora *f.*
made [meɪd] *pt & pp* → **make.**
made-to-measure *adj* feito(ta) sob medida.
madness [ˈmædnəs] *s (tolice)* loucura *f,* maluquice *f.*
magazine [ˈmægəziːn] *s (publicação)* revista *f.*
maggot [ˈmægət] *s* larva *f.*
magic [ˈmædʒɪk] *s* magia *f.*
magician [məˈdʒɪʃn] *s (prestidigitador)* mágico *m,* -ca *f.*
magistrate [ˈmædʒɪstreɪt] *s* magistrado *m,* -da *f.*
magnet [ˈmægnət] *s* ímã *m.*
magnetic [mægˈnetɪk] *adj* magnético(ca).
magnificent [mægˈnɪfɪsənt] *adj* magnífico(ca).
magnifying glass [ˈmægnɪfaɪɪŋ-] *s* lupa *f.*
mahogany [məˈhɒgənɪ] *s* mogno *m.*
maid [meɪd] *s* empregada *f.*
maiden name [ˈmeɪdn-] *s* nome *m* de solteira.
mail [meɪl] **1** *s* correio *m.*
2 *vt Am* mandar ou enviar pelo correio.
mailbox [ˈmeɪlbɒks] *s Am* caixa *f* de correio.
mailman [ˈmeɪlmən] *(pl* **-men** [-mən]) *s Am* carteiro *m.*
mail order *s* venda *f* por correspondência.
main [meɪn] *adj* principal.
mainland [ˈmeɪnlənd] *s*: **the mainland** o continente.
mainly [ˈmeɪnlɪ] *adv* principalmente.
maintain [meɪnˈteɪn] *vt* manter.
maintenance [ˈmeɪntənəns] *s (de carro, máquina, casa)* manutenção *f*; *(dinheiro)* pensão *f* alimentícia.
major [ˈmeɪdʒər] **1** *adj (que interessa)* importante; *(mais importante)* principal.
2 *s MIL* major *m*; *(universidade)* (área *f* de) especialização *f.*
3 *vi Am*: **to major in** especializar-se em *(na universidade).*
majority [məˈdʒɒrətɪ] *s* maioria *f.*
make [meɪk] *(pt & pp* **made) 1** *vt* **(a)** *(produzir, manufaturar)* fazer; **to be made of** ser feito de; **to make lunch/dinner** fazer o almoço/jantar; **made in Japan** fabricado no Japão.
(b) *(desempenhar, realizar)* fazer; **to make a mistake** cometer um erro, enganar-se; **to make a phone call** dar um telefonema.
(c) *(causar)* tornar; **to make sthg better** melhorar algo; **to make sb happy** fazer alguém feliz; **to make sthg safer** tornar algo mais seguro.
(d) *(causar, forçar)* fazer; **to make sb do sthg** obrigar alguém a fazer algo; **it made her laugh** isso a fez rir.
(e) *(chegar a, totalizar)* ser; **that makes $5** são 5 dólares.
(f) *(calcular)*: **I make it seven o'clock** cal-

culo que sejam sete horas; **I make it $4** segundo os meus cálculos são 4 dólares.
(g) *(lucro, prejuízo)* ter.
(h) *fam (chegar a tempo para)*: **we didn't make the 10 o'clock train** não conseguimos apanhar o trem das 10.
(i) *(amigo, inimigo)* fazer.
(j) *(ter qualidade para)* dar; **this would make a lovely bedroom** isto dava um lindo quarto.
(k) *(cama)* fazer.
(l) *(em frases)*: **to make do** contentar-se; **to make it** *(em tempo)* conseguir chegar a tempo; *(ser capaz de ir)* poder ir; *(sobreviver uma crise)* recuperar-se.
2 *s (de produto)* marca *f.*
❑ **make out** *vt sep (cheque, recibo)* passar; *(formulário)* preencher; *(ver)* distinguir; *(ouvir)* entender.
❑ **make up** *vt sep (imaginar)* inventar; *(formar)* constituir; *(diferença, extra)* cobrir.
❑ **make up for** *vt fus* compensar.

Ver **fazer** no lado Português-Inglês do dicionário.

makeshift ['meɪkʃɪft] *adj* improvisado(da).
make-up *s (cosmético)* maquiagem *f.*
malaria [mə'leərɪə] *s* malária *f.*
male [meɪl] **1** *adj (pessoa)* masculino(na); *(animal)* macho.
2 *s (animal)* macho *m.*
malfunction [mæl'fʌŋkʃn] *vi fml* funcionar mal.
malignant [mə'lɪgnənt] *adj (doença, tumor)* maligno(gna).
mall [mɔ:l] *s* centro *m* comercial.
mallet ['mælɪt] *s* marreta *f.*
malt [mɔ:lt] *s* malte *m.*
maltreat [ˌmæl'tri:t] *vt* maltratar.
mammal ['mæml] *s* mamífero *m.*
man [mæn] *s* homem *m*; *(humanidade)* o Homem.
manage ['mænɪdʒ] **1** *vt (empresa, negócios)* gerir; *(mala pesada)* poder com; *(trabalho)* conseguir fazer; *(comida)* conseguir comer ou acabar.
2 *vi (dar conta de)* conseguir.
3 can you manage Friday? sexta-feira está bem para você?; **to manage to do sthg** conseguir fazer algo.
management ['mænɪdʒmənt] *s (pessoas encarregadas)* direção *f*, administração *f*; *(controle, administração)* gestão *f.*
manager ['mænɪdʒər] *s (de empresa, banco, loja)* gerente *mf*; *ESP* treinador *m*, -ra *f.*
managing director ['mænɪdʒɪŋ-] *s* diretor-geral *m*, diretora-geral *f.*
mandarin ['mændərɪn] *s (fruta)* tangerina *f*, mexerica *f.*
mane [meɪn] *s (de leão)* juba *f*; *(de cavalo)* crina *f.*
maneuver [mə'nu:vər] **1** *s Am* manobra *f.*
2 *vt Am* manobrar.
mangle ['mæŋgl] *vt (esmagar)* amassar; *(aleijar)* mutilar.
mango ['mæŋgəʊ] (*pl* **-s** ou **-es**) *s* manga *f.*
manhole ['mænhəʊl] *s* poço *m* de inspeção.
maniac ['meɪnɪæk] *s fam (pessoa)* maníaco *m*, -ca *f*, louco *m*, -ca *f.*
manicure ['mænɪkjʊər] *s* manicure *f.*
manipulate [mə'nɪpjəleɪt] *vt (pessoa)* manipular; *(máquina, controles)* manobrar.
mankind [mæn'kaɪnd] *s* a humanidade.
manly ['mænlɪ] *adj* viril.
man-made *adj (lago)* artificial; *(fibra, tecido)* sintético(ca).
manner ['mænər] *s (modo)* maneira *f.*
❑ **manners** *spl* maneiras *fpl.*
manoeuvre [mə'nu:vər] *s & vt Brit* = **maneuver.**
manor ['mænər] *s* solar *m.*
mansion ['mænʃn] *s* mansão *f.*
manslaughter ['mænˌslɔ:tər] *s* homicídio *m* involuntário.
mantelpiece ['mæntlpi:s] *s* consolo *m* de lareira.
manual ['mænjʊəl] **1** *adj* manual.
2 *s* manual *m.*
manufacture [ˌmænjə'fæktʃər] **1** *s* fabricação *f*, fabrico *m.*
2 *vt* fabricar.
manufacturer [ˌmænjə'fæktʃərər] *s* fabricante *m.*
manure [mə'nʊər] *s* estrume *m.*
many ['menɪ] (*comp* **more,** *sup* **most**) **1** *adj* muitos(tas).
2 *pron* muitos *mpl*, -tas *fpl.*
3 as many as tantos(tas) como; **take as many as you like** leve tantos quantos quiser; **twice as many as** o dobro de; **how many?** quantos(tas?); **so many** tantos(tas); **too many people** gente demais.

Many é usado sobretudo em orações interrogativas (***were there many people at the party?*** tinha muita gente na festa?) e negativas (***I didn't get many presents for my birthday*** não ganhei muitos presentes de aniversário); em orações afirmativas, utiliza-se ***a lot (of)*** ou ***lots (of)*** (***lots of people were at the party*** tinha muita gente na festa), embora ***many*** sirva para construir expressões como ***too many, how many*** e ***so many***.

Ver também **lot**, **plenty.**

map [mæp] *s* mapa *m*.
marathon ['mærəθɒn] *s* maratona *f*.
marble ['ma:rbl] *s* *(pedra)* mármore *m*; *(bolinha)* bola *f* de gude.
march [ma:rtʃ] **1** *s* *(demonstração)* passeata *f*.
2 *vi* *(andar rapidamente)* marchar.
March [ma:rtʃ] *s* março *m* → **September.**
mare [meər] *s* égua *f*.
margarine ['ma:rdʒərən] *s* margarina *f*.
margin ['ma:rdʒɪn] *s* margem *f*.
marina [mə'ri:nə] *s* marina *f*.
marital status ['mærɪtl-] *s* estado *m* civil.
mark [ma:rk] **1** *s* marca *f*; *Brit* EDUC nota *f*.
2 *vt* marcar; *(tornar correto)* corrigir.
marker ['ma:rkər] *s* marcador *m*.
market ['ma:rkɪt] *s* mercado *m*.
marketing ['ma:rkətɪŋ] *s* marketing *m*.
marketplace ['ma:rkətpleɪs] *s* mercado *m*.
marking ['ma:rkɪŋ] *s* *(de exames, dever de casa)* correção *f*.
marmalade ['ma:rməleɪd] *s* geléia *f* de laranja *(ou outra fruta cítrica)*.
marquee [ma:r'ki:] *s* toldo *m*.
marriage ['mærɪdʒ] *s* casamento *m*.
married ['mærɪd] *adj* casado(da); **to get married** casar-se.
marrow ['mærəʊ] *s* *(legume)* abóbora *f*; *(no osso)* medula *f*.
marry ['mærɪ] **1** *vt* casar com.
2 *vi* casar-se, casar.
marsh [ma:rʃ] *s* pântano *m*.
martial arts [ˌma:rʃl-] *spl* artes *fpl* marciais.
marvellous ['ma:vələs] *adj Brit* = **marvelous.**
marvelous ['ma:rvləs] *adj Am* maravilhoso(osa).
mascara [mæs'kærə] *s* rímel *m*.
masculine ['mæskjələn] *adj* masculino(na).
mashed potatoes [mæʃt-] *spl* purê *m* (de batata).
mask [mæsk] *s* máscara *f*.
masonry ['meɪsnrɪ] *s* *(pedras)* alvenaria *f*.
mass [mæs] *s* *(grande quantidade)* monte *m*; RELIG missa *f*; **masses (of)** *fam (muito)* montes (de).
massacre ['mæsəkər] *s* massacre *m*.
massage [mə'sa:ʒ] **1** *s* massagem *f*.
2 *vt* massagear.
massive ['mæsɪv] *adj* enorme.
mass transit *s Am* transporte *m* público ou coletivo.
mast [mæst] *s* *(em barco)* mastro *m*.
master ['mæstər] **1** *s* *(de criado)* patrão *m*; *(de cachorro)* dono *m*.
2 *vt* *(técnica, língua)* dominar.
masterpiece ['mæstərpi:s] *s* obra-prima *f*.
mat [mæt] *s* *(para chão)* tapete *m* *(pequeno)*; *(na mesa)* descanso *m*; *(para ginástica)* esteira *f*.
match [mætʃ] **1** *s* *(para acender)* fósforo *m*; ESP jogo *m*, partida *f*.
2 *vt* *(em cor, desenho)* condizer com, combinar com; *(ser o mesmo que)* corresponder a; *(ser tão bom quanto)* equiparar-se a.
3 *vi* *(em cor, desenho)* condizer, combinar.
matchbox ['mætʃbɒks] *s* caixa *f* de fósforos.
matching ['mætʃɪŋ] *adj* que combina.
mate [meɪt] **1** *s fam (amizade)* amigo *m*, -ga *f*; *Am (marido, mulher)* companheiro *m*, -ra *f*.
2 *vi* acasalar, acasalar-se.
material [mə'tɪərɪəl] *s* material *m*; *(fazenda)* tecido *m*.
❑ **materials** *spl (equipamento)* material *m*.
maternity [mə'tɜ:rnətɪ] *s* maternidade *f*.
math [mæθ] *s Am* matemática *f*.
mathematics [ˌmæθə'mætɪks] *s* matemática *f*.
maths [mæθs] *s Brit* = **math.**
matt [mæt] *adj* fosco(ca).
matter ['mætər] **1** *s* *(situação)* assunto *m*; *(corpo físico)* matéria *f*.
2 *vi* interessar.
3 it doesn't matter não tem importância; **no matter what happens** aconteça o que acontecer; **there's something the matter with my car** o meu carro está com algum problema; **what's the matter?** qual é o problema?; **as a matter of course** naturalmente; **as a matter of fact** aliás, na verdade.

mattress ['mætrəs] *s* colchão *m*.
mature [mə'tʊər] *adj* maduro(ra); *(queijo)* curado(da).
maul [mɔ:l] *vt* ferir gravemente.
mauve [məʊv] *adj* malva *inv*.
maximum ['mæksəməm] **1** *adj* máximo(ma).
2 *s* máximo *m*.
may [meɪ] *v aux* **(a)** *(expressando possibilidade)* poder; **it may be done as follows** pode ser feito do seguinte modo; **it may rain** pode chover; **they may have got lost** eles talvez tenham se perdido.
(b) *(expressando permissão)* poder; **may I smoke?** posso fumar?; **you may sit, if you wish** pode sentar-se, se quiser.
(c) *(quando aceitando um fato)*: **it may be a long walk, but it's worth it** pode ser uma longa caminhada, mas vale a pena o esforço.

> *May*, no sentido de 'ter permissão para', não pode ser utilizado quando se fala do passado ou do futuro. Nesses casos, utiliza-se *be allowed to* (*she wasn't allowed to see him again* ela não teve permissão para vê-lo novamente; *I hope that I'll be allowed to go* espero ter permissão para ir ou que me deixem ir).
>
> Ver também **might**.

May [meɪ] *s* maio *m* → **September.**
maybe ['meɪbi:] *adv* talvez.
mayonnaise ['meɪəneɪz] *s* maionese *f*.
mayor [meəɪr] *s* prefeito *m*.
maze [meɪz] *s* labirinto *m*.
me [mi:] *pron* me; *(depois de preposição)* mim; **she knows me** ela me conhece; **it's me** sou eu; **send it to me** mande-o para mim; **tell me** diga-me; **it's for me** é para mim; **with me** comigo.
meadow ['medəʊ] *s* prado *m*.
meal [mi:l] *s* refeição *f*.
mealtime ['mi:ltaɪm] *s* hora *f* da refeição.
mean [mi:n] (*pt & pp* **meant**) **1** *adj (avarento)* sovina; *(ruim)* mau (má).
2 *vt* querer dizer; *(indicar)* ser sinal de.
3 I mean it estou falando a sério; **it means a lot to me** é muito importante para mim; **to mean to do sthg** ter a intenção de fazer algo, tencionar fazer algo; **to be meant to do sthg** dever fazer algo.
meaning ['mi:nɪŋ] *s* significado *m*.
meaningless ['mi:nɪŋləs] *adj* sem sentido.
means [mi:nz] (*pl inv*) **1** *s (método)* meio *m*.
2 *spl (dinheiro)* recursos *mpl*.
3 by all means! claro que sim!; **by means of** através de.
meant [ment] *pt & pp* → **mean.**
meantime ['mi:ntaɪm] *adv*: **in the meantime** entretanto.
meanwhile ['mi:nwaɪl] *adv* entretanto, enquanto isso.
measles ['mi:zlz] *s* sarampo *m*.
measure ['meʒər] **1** *vt* medir.
2 *s (passo, ação)* medida *f*; *(de bebida alcoólica)* dose *f*; **the room measures 10 m** o quarto mede 10 m.
measurement ['meʒərmənt] *s* medida *f*.
❑ **measurements** *spl (de pessoa)* medidas *fpl*.
meat [mi:t] *s* carne *f*; **red meat** carnes vermelhas *(pl)*; **white meat** carnes brancas *(pl)*.
meatball ['mi:tbɔ:l] *s* almôndega *f*.
mechanic [mɪ'kænɪk] *s* mecânico *m*, -ca *f*.
mechanical [mɪ'kænɪkl] *adj* mecânico(ca).
mechanism ['mekənɪzm] *s (de máquina, aparelho)* mecanismo *m*.
medal ['medl] *s* medalha *f*.
media ['mi:dɪə] *s ou spl*: **the media** a mídia, os meios de comunicação.
medical ['medɪkl] **1** *adj* médico(ca).
2 *s* check-up *m*.
medicated ['medɪkeɪtəd] *adj* medicinal.
medication [ˌmedɪ'keɪʃn] *s* medicamento *m*.
medicine ['medsn] *s (substância)* medicamento *m*; *(ciência)* medicina *f*.
medieval [ˌmi:dɪ'i:vl] *adj* medieval.
mediocre [ˌmi:dɪ'əʊkər] *adj* medíocre.
medium ['mi:dɪəm] *adj* médio(dia).
medley ['medlɪ] *s MÚS* pot-pourri *m*.
meet [mi:t] (*pt & pp* **met**) **1** *vt (com hora marcada)* encontrar-se com; *(membros de clube, comitê)* reunir-se com; *(por acaso)* encontrar; *(em apresentação)* conhecer; *(pessoa na estação, escola etc.)* ir buscar; *(necessidade, requisito)* satisfazer; *(custo, despesas)* cobrir.
2 *vi (com hora marcada)* encontrar-se; *(clube, comitê)* reunir-se; *(por acaso)* encontrar-se; *(em apresentação)* conhecer-se; *(cruzamento)* cruzar-se; **meet me at the bar** encontre-se comigo no bar.
❑ **meet up** *vi* encontrar-se.
❑ **meet with** *vt fus (problemas, resistên-*

cia) encontrar; *Am (com hora marcada)* encontrar-se com.

meeting ['mi:tɪŋ] *s (de negócios)* reunião *f.*

meeting point *s* ponto *m* de encontro.

melody ['melədɪ] *s* melodia *f.*

melon ['melən] *s* melão *m.*

melt [melt] *vi* derreter.

member ['membər] *s (de partido, grupo)* membro *m*; *(de clube)* sócio *m*, -cia *f.*

membership ['membərʃɪp] *s (de partido, grupo)* filiação *f*; **the membership** *(de partido)* os membros; *(de clube)* os sócios.

memorial [mə'mɔ:rɪəl] *s* monumento *m* comemorativo.

memorize ['meməraɪz] *vt* memorizar, decorar.

memory ['memərɪ] *s* memória *f*; *(recordação)* lembrança *f.*

men [men] *pl* → **man.**

menacing ['menəsɪŋ] *adj* ameaçador(ra).

mend [mend] *vt* arranjar.

menopause ['menəpɔ:z] *s* menopausa *f.*

men's room *s Am* banheiro *m* dos homens.

menstruate ['menstrʊeɪt] *vi* menstruar.

menswear ['menzweər] *s* roupa *f* de homem.

mental ['mentl] *adj* mental.

mental hospital *s* hospital *m* psiquiátrico.

mentally handicapped ['mentlɪ-] **1** *adj* deficiente mental.
2 *spl*: **the mentally handicapped** os deficientes mentais.

mentally ill ['mentlɪ-] *adj*: **to be mentally ill** ser doente mental.

mention ['menʃn] *vt* mencionar; **don't mention it!** de nada!, não tem de quê!

menu ['menju:] *s (de comida)* cardápio *m*; *INFORM* menu *m.*

merchandise ['mɜ:rtʃəndaɪz] *s* mercadoria *f.*

merchant marine ['mɜ:rtʃənt-] *s Am* marinha *f* mercante.

merchant navy ['mɜ:rtʃənt-] *s Brit* = **merchant marine.**

mercury ['mɜ:rkjərɪ] *s* mercúrio *m.*

mercy ['mɜ:rsɪ] *s* misericórdia *f.*

mere [mɪər] *adj* mero(ra).

merely ['mɪərlɪ] *adv* apenas.

merge [mɜ:rdʒ] *vi (combinar)* juntar-se, unir-se.

merger ['mɜ:rdʒər] *s* fusão *f.*

merit ['merɪt] *s* mérito *m.*

merry ['merɪ] *adj* alegre; **Merry Christmas!** Feliz Natal!

merry-go-round *s* carrossel *m.*

mess [mes] *s* confusão *f*, bagunça *f*; **in a mess** *(desarrumado)* em desordem, de pernas para o ar.
❑ **mess about** *vi fam (fazer algo sem preocupação)* divertir-se; *(vagabundear)* vadiar; **to mess about with sthg** *(interferir)* mexer em algo.
❑ **mess up** *vt sep fam (arruinar)* estragar.

message ['mesədʒ] *s* mensagem *f*; **are there any messages (for me)?** há algum recado (para mim)?

messenger ['mesəndʒər] *s* mensageiro *m*, -ra *f.*

messy ['mesɪ] *adj (bagunçado)* desarrumado(da).

met [met] *pt & pp* → **meet.**

metal ['metl] **1** *adj* metálico(ca), de metal.
2 *s* metal *m.*

meter ['mi:tər] *s Am* metro *m*; *(aparelho)* contador *m.*

method ['meθəd] *s* método *m.*

methodical [mɪ'θɒdɪkl] *adj* metódico(ca).

meticulous [mɪ'tɪkjələs] *adj* meticuloso(osa).

metre ['mi:tər] *s Brit* metro *m.*

metric ['metrɪk] *adj* métrico(ca).

mice [maɪs] *pl* → **mouse.**

microchip ['maɪkrətʃɪp] *s* microchip *m.*

microlight ['maɪkrəlaɪt] *n* ultraleve *m.*

microphone ['maɪkrəfəʊn] *s* microfone *m.*

microscope ['maɪkrəskəʊp] *s* microscópio *m.*

microwave (oven) ['maɪkrəweɪv-] *s* (forno) microondas *m inv.*

midday [ˌmɪd'deɪ] *s* meio-dia *m.*

middle ['mɪdl] **1** *s* meio.
2 *adj* do meio.
3 in the middle of the road no meio da rua; **in the middle of April** em meados de abril; **to be in the middle of doing sthg** estar fazendo algo.

middle-aged *adj* de meia-idade.

middle-class *adj* da classe média.

middle name *s* segundo nome *m.*

midget ['mɪdʒət] *s* anão *m*, anã *f.*

midnight ['mɪdnaɪt] *s* meia-noite *f.*

midsummer ['mɪd'sʌmər] *s*: **in midsummer** em pleno verão.

midway [ˌmɪd'weɪ] *adv* a meio caminho.
midweek [*adj* 'mɪdwi:k, *adv* mɪd'wi:k] **1** *adj* do meio da semana.
2 *adv* no meio da semana.
midwife ['mɪdwaɪf] (*pl* **-wives** [-waɪvz]) *s* parteira *f.*
midwinter ['mɪd'wɪntər] *s*: **in midwinter** em pleno inverno.
might [maɪt] **1** *v aux* **(a)** *(expressando possibilidade)* poder; **I suppose they might still come** acho que eles ainda podem vir; **they might have been killed** eles podem ter sido mortos; **I might go to Florida** talvez vá à Flórida.
(b) *(fml: expressando permissão)* poder; **might I have a few words?** podemos conversar?
(c) *(quando admitindo um fato)*: **it might be expensive, but it's good quality** pode ser caro, mas é bom.
(d) *(condicional)*: **I'd hoped you might come too** gostaria que também pudesse vir.
2 *s* *(potência, autoridade)* poder *m*; *(robustez)* força *f.*

> *May* e *might* podem ser usados para transmitir a idéia de possibilidade real, mas *might* exprime maior incerteza. Compare (*you may be right but I'll have to check* você pode estar certo, mas tenho que verificar) com (*if you phone now, you might catch him in his office* se você ligar agora, talvez ainda o encontre no escritório).

migraine ['maɪgreɪn] *s* enxaqueca *f.*
mild [maɪld] *adj (desconforto, dor)* ligeiro(ra); *(doença)* pequeno(na); *(temperatura)* ameno(na); *(clima)* temperado(da); *(bom, gentil)* meigo(ga).
mile [maɪl] *s* milha *f*; **it's miles away** é bem longe daqui.
mileage ['maɪlɪdʒ] *s* distância *f* em milhas, quilometragem *f.*
military ['mɪləterɪ] *adj* militar; **the military** as forças armadas.
milk [mɪlk] **1** *s* leite *m.*
2 *vt (vaca)* ordenhar, mungir.
milkman ['mɪlkmən] (*pl* **-men** [-mən]) *s* leiteiro *m.*
milky ['mɪlkɪ] *adj (bebida)* com leite.
mill [mɪl] *s* moinho *m*; *(indústria)* fábrica *f.*
millennium [mɪ'lenɪəm] *s* milênio *m.*
milligram ['mɪləgræm] *s* miligrama *m.*
milliliter ['mɪləˌli:tər] *s* mililitro *m.*
millimeter ['mɪləˌmi:tər] *s* milímetro *m.*
million ['mɪljən] *s* milhão *m*; **millions of** *fig* milhões de.
millionaire [ˌmɪljə'neər] *s* milionário *m*, -ria *f.*
mime [maɪm] *vi* fazer mímica.
mince [mɪns] *s* *Brit* carne *f* moída.
mind [maɪnd] **1** *s* mente *f*; *(lembrança)* memória *f.*
2 *vi (incomodar-se)* importar-se.
3 *vt (cuidar de)* tomar conta de; *(ser importunado por)*.
4 do you mind the noise? o barulho está lhe incomodando?; **it slipped my mind** esqueci-me; **state of mind** estado *m* de espírito; **to my mind** na minha opinião; **to bear sthg in mind** ter algo em conta; **to change one's mind** mudar de idéia; **to have sthg in mind** estar pensando em algo; **to have sthg on one's mind** estar preocupado com algo; **to make one's mind up** decidir-se; **do you mind if ...?** importa-se se ...?; **I don't mind** não me importo; **I wouldn't mind a drink** gostaria de beber alguma coisa; **never mind!** *(não se preocupe)* não faz mal!, não tem importância!
mine¹ [maɪn] *pron* o meu (a minha); **a friend of mine** um amigo meu; **those shoes are mine** esses sapatos são meus; **mine are here - where are yours?** os meus estão aqui - onde estão os seus?
mine² [maɪn] *s (para carvão etc., bomba)* mina *f.*
miner ['maɪnər] *s* mineiro *m*, -ra *f.*
mineral ['mɪnrəl] *s* mineral *m.*
mingle ['mɪŋgl] *vi* misturar-se.
miniature ['mɪnɪətʃər] *adj* em miniatura.
minicab ['mɪnɪkæb] *s* *Brit* radiotáxi *m.*
minimal ['mɪnəml] *adj* mínimo(ma).
minimum ['mɪnəməm] **1** *adj* mínimo(ma).
2 *s* mínimo *m.*
minister ['mɪnəstər] *s* RELIG pastor *m*, ministro *m*; *(em governo)* ministro *m*, -tra *f.*
ministry ['mɪnəstrɪ] *s (de governo)* ministério *m.*
minor ['maɪnər] **1** *adj* pequeno(na).
2 *s fml* menor *mf* (de idade).
minority [mə'nɒrətɪ] *s* minoria *f.*
mint [mɪnt] *s (doce)* bala *f* de hortelã; *(planta)* hortelã *f.*
minus ['maɪnəs] *prep (em subtração)* me-

nos; **it's minus 10°C** faz 10°C abaixo de zero.
minuscule ['mɪnəskju:l] *adj* minúsculo(la).
minute[1] ['mɪnət] *s* minuto *m*; **any minute** a qualquer momento; **just a minute!** só um minuto!
minute[2] [maɪ'nu:t] *adj* diminuto(ta).
miracle ['mɪrəkl] *s* milagre *m*.
miraculous [mɪ'rækjələs] *adj* milagroso(osa).
mirror ['mɪrər] *s* espelho *m*.
misbehave [ˌmɪsbɪ'heɪv] *vi* portar-se mal.
miscarriage [ˌmɪs'kærɪdʒ] *s* aborto *m (não intencional)*.
miscellaneous [ˌmɪsə'leɪnɪəs] *adj* diverso(sa).
mischievous ['mɪstʃɪvəs] *adj (criança, sorriso)* travesso(a); *(indivíduo)* malicioso(osa).
misconduct [ˌmɪs'kɒndʌkt] *s* conduta *f* imprópria.
miser ['maɪzər] *s* avarento *m*, -ta *f*.
miserable ['mɪzrəbl] *adj* miserável; *(triste)* infeliz.
miserly ['maɪzərlɪ] *adj* mesquinho(nha).
misfire [ˌmɪs'faɪər] *vi (carro)* falhar.
misfortune [mɪs'fɔ:rtʃən] *s (má sorte)* infelicidade *f*.
mishap ['mɪshæp] *s* incidente *m*.
misjudge [ˌmɪs'dʒʌdʒ] *vt (distância, quantidade)* calcular mal; *(pessoa, caráter)* julgar mal.
mislay [ˌmɪs'leɪ] (*pt & pp* **-laid**) *vt*: **I've mislaid my keys** não sei onde é que pus as chaves.
mislead [ˌmɪs'li:d] (*pt & pp* **-led**) *vt* enganar.
miss [mɪs] **1** *vt* perder; *(não notar)* não ver; *(não acertar)* falhar; *(nostalgia)* ter saudades de, sentir falta de; *(compromisso)* faltar a.
2 *vi* falhar.
❑ **miss out 1** *vt sep* omitir.
2 *vi* perder; **you missed out on a great party** você perdeu uma grande festa.
Miss [mɪs] *s* senhorita *f*.
missile ['mɪsl] *s* míssil *m*.
missing ['mɪsɪŋ] *adj (objeto)* perdido(da); *(pessoa)* desaparecido(da); **to be missing** *(não estar)* faltar.
mission ['mɪʃn] *s (encargo)* missão *f*.
missionary ['mɪʃənerɪ] *s* missionário *m*, -ria *f*.
mist [mɪst] *s* neblina *f*, bruma *f*.
mistake [mɪ'steɪk] (*pt* **-took**, *pp* **-taken**) **1** *s* erro *m*.
2 *vt (não compreender)* entender mal.
3 by mistake por engano; **to make a mistake** enganar-se; **to mistake sb/sthg for** confundir alguém/algo com.
Mister ['mɪstər] *s* Senhor *m*.
mistook [mɪ'stʊk] *pt* → **mistake.**
mistress ['mɪstrəs] *s (caso amoroso)* amante *f*.
mistrust [ˌmɪs'trʌst] *vt* desconfiar de.
misty ['mɪstɪ] *adj* nebuloso(osa), nublado(da).
misunderstanding [ˌmɪsʌndər'stændɪŋ] *s (má interpretação)* mal-entendido *m*, engano *m*; *(briga)* desentendimento *m*.
misuse [ˌmɪs'ju:s] *s* uso *m* indevido.
mitten ['mɪtn] *s* luva *f (com separação só para o polegar)*.
mix [mɪks] **1** *vt* misturar.
2 *s (para bolo, molho)* mistura *f*.
3 *vi*: **I don't like the people you mix with** não gosto das pessoas com quem você anda; **to mix sthg with sthg** misturar algo com algo.
❑ **mix up** *vt sep (causar confusão)* confundir; *(colocar em desordem)* misturar.
mixed [mɪkst] *adj* EDUC misto(ta).
mixer ['mɪksər] *s (para alimentos)* batedeira *f*.
mixture ['mɪkstʃər] *s* mistura *f*.
mix-up *s fam* engano *m*.
moan [məʊn] *vi (de dor, tristeza)* gemer; *fam (reclamar)* resmungar.
moat [məʊt] *s* fosso *m*.
mobile ['məʊbl] *adj* móvel.
mobile phone *s Brit* (telefone *m*) celular *m*.
mock [mɒk] **1** *adj* falso(sa).
2 *vt* debochar de.
3 *s Brit (exame)* simulado *m*.
mode [məʊd] *s* modo *m*.
model ['mɒdl] *s* modelo *m*; *(de moda)* modelo *mf*.
moderate ['mɒdərət] *adj* moderado(da).
modern ['mɒdərn] *adj* moderno(na).
modernized ['mɒdərnaɪzd] *adj* modernizado(da).
modest ['mɒdəst] *adj* modesto(ta).
modify ['mɒdɪfaɪ] *vt* modificar.
moist [mɔɪst] *adj* úmido(da).
moisture ['mɔɪstʃər] *s* umidade *f*.

moisturizer ['mɔɪstʃəraɪzər] *s* creme *m* hidratante.
molar ['məʊlər] *s* molar *m*.
mold [məʊld] **1** *s Am (modelo)* molde *m*, forma *f*; *(mofo)* bolor *m*.
2 *vt Am (formar)* moldar.
moldy ['məʊldɪ] *adj* bolorento(ta).
mole [məʊl] *s (animal)* toupeira *f*; *(pinta)* sinal *m*.
molest [mə'lest] *vt (criança)* molestar *(sexualmente)*; *(mulher)* assediar.
mom [mɒm] *s Am fam* mãe *f*.
moment ['məʊmənt] *s* momento *m*; **at the moment** no momento; **for the moment** por agora.
monarchy ['mɒnərkɪ] *s*: **the monarchy** a monarquia.
monastery ['mɒnəsterɪ] *s* mosteiro *m*.
Monday ['mʌndɪ] *s* segunda-feira *f* → **Saturday.**
money ['mʌnɪ] *s* dinheiro *m*.
money order *s* vale *m*.
mongrel ['mɒŋgrəl] *s* vira-lata *m*.
monitor ['mɒnɪtər] **1** *s* INFORM monitor *m*.
2 *vt (observar)* controlar.
monk [mʌŋk] *s* monge *m*.
monkey ['mʌŋkɪ] (*pl* **-s**) *s* macaco *m*.
monopoly [mə'nɒpəlɪ] *s* COM monopólio *m*.
monotonous [mə'nɒtənəs] *adj* monótono(na).
monsoon [mɒn'su:n] *s* monção *f*.
monster ['mɒnstər] *s* monstro *m*.
month [mʌnθ] *s* mês *m*; **every month** todos os meses; **in a month** daqui a um mês.
monthly ['mʌnθlɪ] **1** *adj* mensal.
2 *adv* mensalmente.
monument ['mɒnjəmənt] *s* monumento *m*.
moo [mu:] (*pl* **-s**) *vi* mugir.
mood [mu:d] *s* humor *m*; **to be in a (bad) mood** estar de mau humor; **to be in a good mood** estar de bom humor.
moody ['mu:dɪ] *adj (de mau humor)* mal-humorado(da); *(de lua)* temperamental.
moon [mu:n] *s* lua *f*.
moonlight ['mu:nlaɪt] *s* luar *m*.
moor [mʊər] **1** *s* pântano *m*.
2 *vt* atracar.
moose [mu:s] (*pl inv*) *s* alce *m*.
mop [mɒp] **1** *s (para chão)* esfregão *m*.
2 *vt (chão)* limpar.
□ **mop up** *vt sep (enxugar)* limpar.
moped ['məʊped] *s* bicicleta *f* motorizada.
moral ['mɒrəl] **1** *adj* moral.
2 *s (lição)* moral *f*.
morality [mə'rælɪtɪ] *s* moralidade *f*.
more [mɔ:r] **1** *adj* **(a)** *(quantidade)* mais; **there are more tourists than usual** há mais turistas que o normal.
(b) *(adicional)* mais; **is there any more cake?** tem mais bolo?; **I'd like two more bottles** queria mais duas garrafas; **there's no more wine** já não tem mais vinho.
(c) *(em frases)*: **more and more** cada vez mais.
2 *adv* **(a)** *(em comparações)* mais; **it's more difficult than before** é mais difícil do que antes; **speak more clearly** fale de forma mais clara; **we go there more often now** agora vamos lá mais freqüentemente.
(b) *(em maior grau)* mais; **we ought to go to the movies more** devíamos ir mais vezes ao cinema.
(c) *(em frases)*: **once more** mais uma vez; **more or less** mais ou menos; **we'd be more than happy to help** teríamos muito prazer em ajudar.
3 *pron* **(a)** *(uma quantidade maior)* mais; **I've got more than you** tenho mais que você; **more than 20 types of pizza** mais de 20 tipos de pizza.
(b) *(uma quantidade adicional)* mais; **is there any more?** tem mais?; **there's no more** não tem mais.
moreover [mɔ:'rəʊvər] *adv fml* além disso, além do mais.
morning ['mɔ:rnɪŋ] *s* manhã *f*; **good morning!** bom dia!; **two o'clock in the morning** duas da manhã, duas da madrugada; **in the morning** *(hoje cedo)* de manhã; *(amanhã cedo)* amanhã de manhã.
moron ['mɔ:rɒn] *s fam (tolo)* estúpido *m*, -da *f*, idiota *mf*.
mortgage ['mɔ:rgɪdʒ] *s* hipoteca *f*.
mosaic [mə'zeɪɪk] *s* mosaico *m*.
Moslem ['mɒzləm] *adj & s* = **Muslim.**
mosque [mɒsk] *s* mesquita *f*.
mosquito [mə'ski:təʊ] (*pl* **-es**) *s* mosquito *m*.
moss [mɒs] *s* musgo *m*.
most [məʊst] **1** *adj* **(a)** *(quantidade relativa)* a maioria de; **most people agree** a mai-

oria das pessoas está de acordo.
(b) *(a maior quantidade de)* mais; **I drank (the) most beer** fui eu que bebi mais cerveja.
2 *adv* **(a)** *(em superlativos)* mais; **the most expensive hotel in town** o hotel mais caro da cidade.
(b) *(no mais alto grau)* mais; **I like this one the most** gosto mais deste.
(c) *(fml: bastante)* muito; **we would be most grateful** ficaríamos muito gratos.
3 *pron* **(a)** *(quantidade relativa)* a maioria; **most of the villages** a maioria das vilas; **most of the time** a maior parte do tempo.
(b) *(a maior quantidade)* mais; **she earns (the) most** ela é a que ganha mais.
(c) *(em frases)*: **at most** no máximo; **we want to make the most of our stay** queremos aproveitar a nossa estada ao máximo.

> Quando significa 'a maioria' ou 'a maioria de', *most* nunca é precedido pelo artigo *the* (*most people don't go to work on Sundays* a maioria das pessoas não trabalha aos domingos; *most of my friends go to the same school as me* a maioria dos meus amigos freqüenta a mesma escola que eu).

mostly ['məʊstlɪ] *adv* principalmente.
moth [mɒθ] *s* traça *f.*
mother ['mʌðər] *s* mãe *f.*
mother-in-law (*pl* **mothers-in-law**) *s* sogra *f.*
mother-of-pearl *s* madrepérola *f.*
motif [məʊ'ti:f] *s* motivo *m.*
motion ['məʊʃn] **1** *s (deslocamento)* movimento *m.*
2 *vi*: **to motion to sb** fazer sinal a alguém.
motionless ['məʊʃnləs] *adj* imóvel.
motivate ['məʊtɪveɪt] *vt* motivar.
motive ['məʊtɪv] *s* motivo *m.*
motor ['məʊtər] *s* motor *m.*
motorbike ['məʊtərbaɪk] *s* moto *f.*
motorcycle ['məʊtər,saɪkl] *s* motocicleta *f.*
motorist ['məʊtərɪst] *s fml* motorista *mf.*
motorway ['məʊtəweɪ] *s Brit* auto-estrada *f.*
motto ['mɒtəʊ] (*pl* **-s**) *s* lema *m.*
mould [məʊld] *s, vt Brit* = **mold.**
mound [maʊnd] *s* monte *m.*
mount [maʊnt] **1** *s (montanha)* monte *m*; *Brit (para foto)* moldura *f.*
2 *vt (em cavalo)* montar; *(foto)* emoldurar.
3 *vi (crescer)* aumentar.
mountain ['maʊntən] *s* montanha *f.*
mountaineer [,maʊntə'nɪər] *s* alpinista *mf.*
mountaineering [,maʊntə'nɪərɪŋ] *s*: **to go mountaineering** fazer alpinismo.
mountainous ['maʊntənəs] *adj* montanhoso(osa).
mourning ['mɔ:rnɪŋ] *s*: **to be in mourning** estar de luto.
mouse [maʊs] (*pl* **mice**) *s* rato *m.*
mousse [mu:s] *s (sobremesa)* mousse *f*; *(para cabelo)* espuma *f.*
moustache [mə'sta:ʃ] *s Brit* = **mustache.**
mouth [maʊθ] *s* boca *f*; *(de rio)* foz *f.*
mouthful ['maʊθfʊl] *s (de comida)* bocado *m*; *(de bebida)* gole *m.*
mouthpiece ['maʊθpi:s] *s* bocal *m.*
mouthwash ['maʊθwɒʃ] *s* desinfetante *m* para a boca.
move [mu:v] **1** *s (deslocamento)* movimento *m*; *(em jogos)* jogada *f*; *(hora de jogar)* vez *f*; *(linha de ação)* medida *f*; *(de casa)* mudança *f.*
2 *vt (objeto)* mudar; *(braço, perna, lábios)* mexer; *(emocionalmente)* comover.
3 *vi (deslocar-se)* mover-se; *(sair do caminho)* desviar-se; *(casa)* mudar de casa.
4 to make a move *(partir)* ir embora.
❑ **move along** *vi* avançar.
❑ **move in** *vi (para casa)* mudar-se para.
❑ **move off** *vi (trem, carro)* partir.
❑ **move on** *vi (depois de parar)* voltar a avançar.
❑ **move out** *vi (de casa)* mudar-se de.
❑ **move over** *vi* chegar para lá/cá.
❑ **move up** *vi* chegar para lá/cá.
movement ['mu:vmənt] *s* movimento *m.*
movie ['mu:vɪ] *s* filme *m.*
movie theater *s Am* cinema *m.*
moving ['mu:vɪŋ] *adj (emocionalmente)* comovente.
mow [məʊ] *vt*: **to mow the lawn** cortar a grama.
much [mʌtʃ] (*comp* **more,** *sup* **most**) **1** *adj* muito(ta); **I don't have much money** não tenho muito dinheiro; **as much food as you can eat** tanta comida quanto você conseguir comer; **how much time is left?** quanto tempo falta?;

they have so much money eles têm tanto dinheiro; **we have too much food** temos comida demais.
2 *adv* **(a)** *(em grande parte)* muito; **he is much happier** ele está muito mais feliz; **it's much better** é muito melhor; **he's much too good** ele é bom demais; **I like it very much** gosto muitíssimo; **thank you very much** muito obrigado.
(b) *(freqüentemente)* muitas vezes; **we don't go there much** não vamos lá muitas vezes.
3 *pron* muito; **I don't have much** não tenho muito; **as much as you like** tanto quanto (você) queira; **how much is it?** quanto é?; **you've got so much** você tem tanto; **you've got too much** você tem demais.

> *Much* é usado sobretudo em orações interrogativas (*is there much traffic in town today?* tem muito trânsito na cidade hoje?) e negativas (*I don't have much money* não tenho muito dinheiro); para as afirmativas, deve-se utilizar *a lot (of)* e *lots (of)*, embora *much* sirva para formar expressões como *too much*, *how much* e *so much*.
>
> Ver também **lot**, **plenty**.

muck [mʌk] *s (sujeira)* porcaria *f*.
❑ **muck up** *vt sep Brit fam* estragar.
mud [mʌd] *s* lama *f*.
muddle [ˈmʌdl] *s*: **to be in a muddle** *(atrapalhado)* estar confuso(sa); *(numa bagunça)* estar em desordem.
muddy [ˈmʌdɪ] *adj* lamacento(ta).
muesli [ˈmju:zlɪ] *s* granola *f*.
muffin [ˈmʌfɪn] *s* CULIN *bolinho redondo e chato.*
muffler [ˈmʌflər] *s Am (num carro)* silenciador *m*.
mug [mʌg] **1** *s (xícara)* caneca *f*.
2 *vt* assaltar.
mugging [ˈmʌgɪŋ] *s* assalto *m (a pessoa)*.
muggy [ˈmʌgɪ] *adj* abafado(da).
mule [mju:l] *s* mula *f*.
multicolored [ˈmʌltɪˌkʌlərd] *adj* multicor.
multimedia [ˈmʌltɪˌmi:dje] *adj* multimídia.
multiple [ˈmʌltɪpl] *adj* múltiplo(pla).
multiplex [ˈmʌltɪpleks-] *s* cinema *m* (com várias salas).
multiplication [ˌmʌltɪplɪˈkeɪʃn] *s* multiplicação *f*.
multiply [ˈmʌltɪplaɪ] **1** *vt* multiplicar.
2 *vi* multiplicar-se.
mum [mʌm] *s Brit fam* mamãe *f*.
mummy [ˈmʌmɪ] *s Brit fam (mãe)* mamãe *f*; *(arqueologia)* múmia *f*.
mumps [mʌmps] *s* caxumba *f*.
munch [mʌntʃ] *vt* mastigar.
municipal [mjʊˈnɪsəpl] *adj* municipal.
mural [ˈmjʊərəl] *s* mural *m*.
murder [ˈmɜ:rdər] **1** *s* assassinato *m*.
2 *vt* assassinar.
murderer [ˈmɜ:rdərər] *s* assassino *m*, -na *f*.
muscle [ˈmʌsl] *s* músculo *m*.
museum [mjʊˈzi:əm] *s* museu *m*.
mushroom [ˈmʌʃru:m] *s* cogumelo *m*.
music [ˈmju:zɪk] *s* música *f*.
musical [ˈmju:zɪkl] **1** *adj* MÚS musical; *(pessoa)* com ouvido para a música.
2 *s* musical *m*.
musician [mju:ˈzɪʃn] *s* músico *m*, -ca *f*.
Muslim [ˈmʊzlɪm] **1** *adj* muçulmano(na).
2 *s* muçulmano *m*, -na *f*.
mussels [ˈmʌslz] *spl* mexilhões *mpl*.
must [mʌst] **1** *v aux (expressando obrigação)* ter de; *(expressando certeza)* dever.
2 *s fam*: **it's a must** é imprescindível.
3 I must go tenho de ir; **the room must be vacated by ten** o quarto tem de ser desocupado antes das dez; **you must have seen it** você deve ter visto; **you must see that movie** você tem de ver aquele filme; **you must be joking!** você deve estar brincando!

> Quando expressamos uma obrigação, *must* significa o mesmo que *have got to* e *have to* (*I must get up early tomorrow = I have (got) to get up early tomorrow* tenho que levantar cedo amanhã). Entretanto, *must* não pode ser utilizado com esse significado em perguntas (*do I have to/have I got to get up early tomorrow?* terei que levantar cedo amanhã?) ou para expressar ações cotidianas ou repetitivas (*I have to get up early every morning* tenho que levantar cedo todas as manhãs). *Must* também não pode ser usado no passado (*I had to get up early yesterday* tive que levantar cedo ontem).
>
> Não confundir *she mustn't leave* ela não deve sair e *she doesn't have to leave* ela não precisa sair, pois essas frases têm significados bem diferentes.
>
> Ver também **need**.

mustache ['mʌstæʃ] *s Am* bigode *m*.
mustard ['mʌstərd] *s* mostarda *f*.
mustn't ['mʌsnt] = **must not.**
mutter ['mʌtər] *vt* murmurar.
mutton ['mʌtn] *s* carne *f* de carneiro.
mutual ['mju:tʃʊəl] *adj* mútuo(tua).
muzzle ['mʌzl] *s (para cachorro)* focinheira *f*.
my [maɪ] *adj* meu (minha); **my books** os meus livros.

Não se deve esquecer que, em relação às partes do corpo, emprega-se o adjetivo possessivo ***my*** no lugar do artigo ***the*** (***my hair; my legs***).

myself [maɪ'self] *pron (reflexivo)* me; *(depois de preposição)* mim; **I did it myself** eu mesmo o fiz; **I hurt myself** machuquei-me.
mystery ['mɪstərɪ] *s* mistério *m*.
myth [mɪθ] *s* mito *m*.

Nn

nag [næg] *vt* apoquentar.
nail [neɪl] **1** *s (de dedo)* unha *f*; *(metal)* prego *m*.
2 *vt (prender)* pregar.
nail polish *s* esmalte *m*.
nail polish remover [-rə'mu:vər] *s* acetona *f*, removedor *m* de esmalte.
naive [naɪ'i:v] *adj* ingênuo(nua).
naked ['neɪkəd] *adj (pessoa)* nu (nua).
name [neɪm] **1** *s* nome *m*.
2 *vt (pessoa, lugar, animal)* chamar; *(data, preço)* fixar.
3 first name nome próprio ou de batismo; **last name** sobrenome; **what's your name?** como você se chama?; **my name is ...** o meu nome é ...
namely ['neɪmlɪ] *adv* isto é, a saber.
nanny ['nænɪ] *s (para criança)* babá *f*.
nap [næp] *s* soneca *f*; **to take a nap** tirar uma soneca.
napkin ['næpkɪn] *s* guardanapo *m*.
nappy ['næpɪ] *s Brit* fralda *f*.
narcotic [na:r'kɒtik] *s* narcótico *m*.
narrow ['nærəʊ] **1** *adj (estrada, vão)* estreito(ta).
2 *vi* estreitar.
narrow-minded [-'maɪndəd] *adj* tacanho(nha), de idéias curtas.
nasty ['næstɪ] *adj (pessoa)* mau (má); *(comentário)* maldoso(osa); *(acidente, queda)* grave; *(que desgosta)* desagradável.
nation ['neɪʃn] *s* nação *f*.
national ['næʃnəl] **1** *adj* nacional.
2 *s* natural *mf (de um país)*.
nationality [ˌnæʃə'nælətɪ] *s* nacionalidade *f*.
nationwide ['neɪʃənwaɪd] *adj* de âmbito nacional.
native ['neɪtɪv] **1** *adj (país)* natal; *(costumes, população)* nativo(va).
2 *s* natural *mf*.
natural ['nætʃrəl] *adj (habilidade, charme)* natural; *(nadador, ator)* nato(ta).
naturally ['nætʃrəlɪ] *adv (claro)* naturalmente.
nature ['neɪtʃər] *s* natureza *f*.
naughty ['nɔ:tɪ] *adj (criança)* travesso(a).
nausea ['nɔ:zjə] *s* enjôo *m*, náusea *f*.
navigate ['nævəgeɪt] *vi (em barco)* navegar; *(em avião)* calcular a rota; *(em carro)* ir como navegador.
navy ['neɪvɪ] **1** *s*: **the navy** a Marinha *f*.
2 *adj*: **navy (blue)** azul-marinho *(inv)*.
near [nɪər] **1** *adv* perto.
2 *adj* próximo(ma).
3 *prep*: **near (to)** *(objeto, lugar)* perto de.
4 in the near future num futuro próximo, em breve.
nearby [nɪər'baɪ] **1** *adv* perto.
2 *adj* próximo(ma).
nearly ['nɪərlɪ] *adv* quase.
nearsighted ['nɪərsaɪtəd] *adj Am* míope.
neat [ni:t] *adj (quarto)* arrumado(da); *(escrita, trabalho)* caprichado(da); *(uísque, vodca etc.)* puro(ra); *Am (muito bom)* ótimo.
neatly ['ni:tlɪ] *adv* cuidadosamente.
necessarily [ˌnesə'serɪlɪ] *adv* necessariamente; **not necessarily** não necessariamente.
necessary ['nesəserɪ] *adj* necessário(ria); **it is necessary to do it** é necessário fazê-lo.
necessity [nə'sesətɪ] *s* necessidade *f*.
❑ **necessities** *spl* artigos *mpl* de primeira necessidade.
neck [nek] *s (de pessoa, animal)* pescoço *m*; *(de suéter)* gola *f*; *(de camisa)* colarinho *m*; *(de vestido)* decote *m*.
necklace ['nekləs] *s* colar *m*.
nectarine ['nektəri:n] *s* nectarina *f*.
need [ni:d] **1** *s* necessidade *f*.

2 *vt* precisar de, necessitar de; **to need to do sthg** precisar fazer algo.

needle ['ni:dl] *s* agulha *f.*

needlework ['ni:dlwɜ:rk] *s* costura *f.*

needn't ['ni:dnt] = **need not.**

needy ['ni:dɪ] *adj* necessitado(da), com necessidades.

negative ['negətɪv] 1 *adj* negativo(va).
2 *s (em fotografia)* negativo *m*; *GRAM* negativa *f.*

neglect [nɪ'glekt] *vt* não prestar atenção a.

negligence ['neglɪdʒəns] *s* negligência *f.*

negotiations [nɪˌgəʊʃɪ'eɪʃnz] *spl* negociações *fpl.*

neighbor ['neɪbər] *s Am* vizinho *m*, -nha *f.*

neighborhood ['neɪbərhʊd] *s* vizinhança *f.*

neighboring ['neɪbərɪŋ] *adj* vizinho(nha).

neighbour ['neɪbər] *s Brit* = **neighbor.**

neither ['ni:ðər, 'naɪðər] 1 *adj*: **neither bag is big enough** nenhuma das bolsas é suficientemente grande.
2 *pron*: **neither one of us** nenhum *m*, -ma *f* de nós.
3 *conj*: **neither do I** nem eu; **neither ... nor** nem ... nem.

> Quando *neither* for um adjetivo, deve ser colocado antes do substantivo (*neither dictionary* nenhum dicionário; *neither alternative* nenhuma alternativa).
>
> Quando *neither* for o sujeito da oração ou acompanhar um substantivo com função de sujeito, o verbo ficará sempre no singular (*neither film appeals to me* nenhum filme me chamou a atenção; *neither appeals to me* nenhum me atraiu).
> Observe o verbo na afirmativa.
>
> Com *neither of*, o verbo pode ser utilizado no singular ou no plural (*neither of us like/likes blue* nenhum de nós gosta de azul).
>
> Quando a estrutura *neither...nor...* for o sujeito da oração e cada sujeito estiver no singular, o verbo fica no singular, ao contrário da concordância em português (*neither John nor Deborah is coming tonight* nem John nem Deborah virão esta noite). Porém, quando um ou ambos os sujeitos estiverem no plural, o verbo também vai para o plural (*neither the teacher nor the students agree with the decision* nem a professora nem os alunos concordam com a decisão).

nephew ['nefju:] *s* sobrinho *m.*

nerve [nɜ:rv] *s ANAT* nervo *m*; *(coragem)* ousadia *f*; **he has some nerve!** que descaramento!

nervous ['nɜ:rvəs] *adj* nervoso(osa).

nervous breakdown *s* esgotamento *m* nervoso.

nest [nest] *s* ninho *m.*

net [net] 1 *s* rede *f.*
2 *adj* líquido(da).

nettle ['netl] *s* urtiga *f.*

network ['netwɜ:rk] *s* rede *f.*

neurotic [ˌnʊ'rɒtɪk] *adj* neurótico(ca).

neutral ['nu:trəl] 1 *adj* neutro(tra).
2 *s AUT*: **in neutral** em ponto morto.

never ['nevər] *adv* nunca; **she's never late** ela nunca chega tarde; **never mind!** não faz mal!

nevertheless [ˌnevərðə'les] *adv* contudo, todavia.

new [nu:] *adj* novo (nova).

newlywed ['nu:lɪwed] *s* recém-casado(da).

news [nu:z] *s* notícias *fpl*; *(na TV)* telejornal *m*; **a piece of news** uma notícia.

newspaper ['nu:zˌpeɪpər] *s* jornal *m.*

newsstand ['nu:zstænd] *s Am* jornaleiro *m.*

New Year *s* Ano *m* Novo.

New Year's Day *s* dia *m* de Ano Novo.

New Year's Eve *s* véspera *f* de Ano Novo.

next [nekst] 1 *adj* próximo(ma); *(quarto, casa)* do lado.
2 *adv (a seguir)* depois, em seguida; *(na ocasião seguinte)* da próxima vez.
3 **when does the next bus leave?** a que horas sai o próximo ônibus?; **next month/year** o mês/ano que vem; **next to** *(posição)* ao lado de; **the week after next** daqui a duas semanas.

next door *adv* ao lado; **the house/people next door** a casa/os vizinhos do lado.

next of kin [-kɪn] *s* parente *m* mais próximo, parente *f* mais próxima.

nibble ['nɪbl] *vt* mordiscar.

nice [naɪs] *adj (prazeroso)* agradável; *(belo)* bonito(ta); *(bondoso)* amável, simpático(ca); **to have a nice time** divertir-se; **nice to see you!** prazer em vê-lo!

nickel ['nɪkl] *s (metal)* níquel *m*; *Am (moeda) moeda de cinco centavos de um dólar.*

nickname ['nɪkneɪm] *s* apelido *m.*

niece [ni:s] *s* sobrinha *f*.
night [naɪt] *s* noite *f*; **at night** à noite; **by night** de noite; **last night** ontem à noite.
nightclub ['naɪtklʌb] *s* boate *f*.
nightgown ['naɪtgaʊn] *s* camisola *f*.
nightie ['naɪtɪ] *s fam* camisola *f*.
nightlife ['naɪtlaɪf] *s* vida *f* noturna.
nightly ['naɪtlɪ] *adv* todas as noites.
nightmare ['naɪtmeər] *s* pesadelo *m*.
nil [nɪl] *s ESP* zero *m*.
nine [naɪn] *num* nove → **six.**
nineteen [ˌnaɪn'ti:n] *num* dezenove; **nineteen ninety-seven** mil novecentos e noventa e sete → **six.**
nineteenth [ˌnaɪn'ti:nθ] *num* décimo nono (décima nona) → **sixth.**
ninetieth ['naɪntɪəθ] *num* nonagésimo(ma) → **sixth.**
ninety ['naɪntɪ] *num* noventa → **six.**
ninth [naɪnθ] *num* nono(na) → **sixth.**
nip [nɪp] *vt (apertar)* beliscar.
nipple ['nɪpl] *s (do seio)* bico *m* do peito, mamilo *m*.
nitrogen ['naɪtrədʒən] *s* nitrogênio *m*.
no [nəʊ] **1** *adv* não.
2 *adj* nenhum(ma), algum(ma).
3 *s* não *m*.
4 I have no money left não tenho mais um tostão; **it is of no interest** não interessa.

> O adjetivo *no* pode acompanhar substantivos contáveis ou incontáveis em inglês (*no books*; *no bread*).
>
> É muito importante lembrar que, com *no* como adjetivo, o resto da oração tem a forma afirmativa (*no changes have ocurred* não houve mudanças (ou nenhuma mudança ocorreu); *that's no problem* não há (nenhum) problema).
>
> *No* nunca é um pronome; a forma correspondente é *none* (*there are no cookies left* → *there are none left* não tem mais biscoitos → não sobrou nenhum).
>
> Ver também **some**.

noble ['nəʊbl] *adj* nobre.
nobody ['nəʊbədɪ] *pron* ninguém.
nod [nɒd] *vi (concordando)* dizer que sim com a cabeça.
noise [nɔɪz] *s* barulho *m*, ruído *m*.
noisy ['nɔɪzɪ] *adj* barulhento(ta), ruidoso(osa).
nominate ['nɒməneɪt] *vt* nomear.
none [nʌn] *pron* nenhum *m*, -ma *f*; **there's none left** não resta nada.

> Não devemos esquecer que *none* nunca funciona como adjetivo; a forma correspondente é *no* (*there are none left* → *there are no cookies left* não sobrou nenhum → não sobraram biscoitos).
>
> Se usarmos o pronome *none*, o resto da oração tem a forma afirmativa (*none of this is your fault* nada disso foi culpa sua).
>
> Ver também **some**.

nonetheless [ˌnʌnðə'les] *adv* todavia, contudo.
nonsense ['nɒnsəns] *s (palavras absurdas)* disparates *mpl*; *(comportamento tolo)* disparate *m*.
non-smoker *s* não-fumante *mf*.
non-smoking area *s* área *f* reservada para não-fumantes.
non-stick *adj* antiaderente.
non-stop 1 *adj (conversa, discussão)* constante; *(vôo)* direto(ta).
2 *adv* sem parar.
noon [nu:n] *s* meio-dia *m*.
no one = **nobody.**
nor [nɔ:r] *conj* nem; **nor do I** nem eu → **neither.**

> Ver **neither**.

normal ['nɔ:rml] *adj* normal.
normally ['nɔ:rməlɪ] *adv* normalmente.
north [nɔ:rθ] **1** *s* norte *m*.
2 *adj* norte.
3 *adv (estar situado)* ao norte; *(voar, andar)* para o norte; **in the north of the country** no norte do país.
northbound ['nɔ:rθbaʊnd] *adj* em direção ao norte.
northeast [ˌnɔ:rθ'i:st] *s* nordeste *m*.
northern ['nɔ:rðərn] *adj* do norte.
northward ['nɔ:rθwərd] *adv* em direção ao norte, para norte.
northwest [ˌnɔ:rθ'west] *s* noroeste *m*.
nose [nəʊz] *s* nariz *m*; *(de animal)* focinho *m*.
nosebleed ['nəʊzbli:d] *s*: **to have a nosebleed** perder sangue pelo nariz.
nostril ['nɒstrəl] *s* narina *f*.
nosy ['nəʊzɪ] *adj* bisbilhoteiro(ra).
not [nɒt] *adv* não; **she's not there** ela não

está lá; **not yet** ainda não; **not at all** *(resposta)* de nada.

notably ['nəʊtəblɪ] *adv* especialmente.

note [nəʊt] **1** *s* nota *f*; *(mensagem)* recado *m*.
2 *vt (observar)* notar; *(escrever)* anotar; **to take notes** fazer anotações.

notebook ['nəʊtbʊk] *s* caderno *m*, bloco *m* de anotações.

noted ['nəʊtəd] *adj* famoso(osa).

notepaper ['nəʊtpeɪpər] *s* papel *m* de carta.

nothing ['nʌθɪŋ] *pron* nada; **he did nothing** ele não fez nada; **nothing new/interesting** nada de novo/interessante; **for nothing** *(grátis)* de graça; *(em vão)* para nada.

notice ['nəʊtəs] **1** *vt* notar.
2 *s* aviso *m*.
3 to take notice of prestar atenção a; **to give notice** pedir demissão.

> Não confundir ***notice (aviso)*** com o português ***notícia*** que em inglês é ***news***. (*There's a new notice on the board.* Há um novo ***aviso*** no quadro.)

noticeable ['nəʊtəsəbl] *adj* visível.

notion ['nəʊʃn] *s* noção *f*.

notorious [nəʊ'tɔ:rɪəs] *adj* notório(ria).

nought [nɔ:t] *s Brit* zero *m*.

noun [naʊn] *s* substantivo *m*.

nourishment ['nɜ:rɪʃmənt] *s* alimento *m*.

novel ['nɒvl] **1** *s* romance *m*.
2 *adj* original.

novelist ['nɒvələst] *s* romancista *mf*.

November [nə'vembər] *s* novembro *m* → **September.**

now [naʊ] **1** *adv* agora.
2 *conj*: **now (that)** agora que.
3 by now já; **from now on** de agora em diante; **just now** *(no passado próximo)* agora mesmo; *(no presente)* neste momento; **right now** *(no presente)* neste momento; *(imediatamente)* já, agora mesmo.

nowadays ['naʊədeɪz] *adv* hoje em dia.

nowhere ['nəʊweər] *adv* em parte alguma.

nozzle ['nɒzl] *s* agulheta *f*.

nuclear ['nu:klɪər] *adj* nuclear.

nude [nju:d] *adj* nu (nua).

nudge [nʌdʒ] *vt* cutucar.

nuisance ['nu:sns] *s*: **it's a real nuisance!** é uma chatice!; **he's such a nuisance!** ele é um chato!

numb [nʌm] *adj (perna, braço)* dormente; *(com choque, medo)* atônito(ta).

number ['nʌmbər] **1** *s* número *m*.
2 *vt (dar número a)* numerar.

numeral ['nu:mrəl] *s* numeral *m*, algarismo *m*.

numerous ['nu:mərəs] *adj* inúmeros(ras).

nun [nʌn] *s* freira *f*.

nurse [nɜ:rs] **1** *s* enfermeiro *m*, -ra *f*.
2 *vt (cuidar)* tomar conta de.

nursery ['nɜ:rsərɪ] *s (para plantas)* viveiro *m* de plantas; *(em casa)* quarto *m* de criança.

nursery school *s* escola *f* maternal.

nursing ['nɜ:rsɪŋ] *s (profissão)* enfermagem *f*.

nut [nʌt] *s (para comer)* fruto *m* seco *(noz, avelã, etc)*; *(de metal)* porca *f* (de parafuso).

nutcrackers ['nʌt,krækərz] *spl* quebra-nozes *m inv*.

nutmeg ['nʌtmeg] *s* noz-moscada *f*.

nylon ['naɪlɒn] **1** *s* nylon *m*.
2 *adj* de nylon.

Oo

oak [əʊk] **1** *s* carvalho *m*.
2 *adj* de carvalho.
oar [ɔ:r] *s* remo *m*.
oath [əʊθ] *s (promessa)* juramento *m*.
oatmeal ['əʊtmi:l] *s* flocos *mpl* de aveia.
oats [əʊts] *spl* aveia *f*.
obedient [ə'bi:djənt] *adj* obediente.
obey [ə'beɪ] *vt* obedecer a.
object [*s* 'ɒbdʒɪkt, *v* ɒb'dʒekt] **1** *s (coisa)* objeto *m*; *(propósito)* objetivo *m*; GRAM objeto, complemento *m*.
2 *vi*: **to object (to)** opor-se (a).
objection [əb'dʒekʃn] *s* objeção *f*.
objective [əb'dʒektɪv] *s* objetivo *m*.
obligation [,ɒblɪ'geɪʃn] *s* obrigação *f*.
obligatory [ə'blɪgətɔ:rɪ] *adj* obrigatório(ria).
oblige [ə'blaɪdʒ] *vt*: **to oblige sb to do sthg** obrigar alguém a fazer algo.
oblique [ə'bli:k] *adj* oblíquo(qua).
oblong ['ɒblɒŋ] **1** *adj* retangular.
2 *s* retângulo *m*.
obnoxious [əb'nɒkʃəs] *adj* horroroso(osa).
oboe ['əʊbəʊ] *s* oboé *m*.
obscene [əb'si:n] *adj* obsceno(na).
obscure [əb'skjʊər] *adj (difícil de entender)* obscuro(ra); *(pouco conhecido)* desconhecido(da).
observant [əb'zɜ:rvnt] *adj* observador(ra).
observation [,ɒbzər'veɪʃn] *s* observação *f*.
observatory [əb'zɜ:rvətɔ:rɪ] *s* observatório *m*.
observe [əb'zɜ:rv] *vt (olhar, ver)* observar.
obsessed [əb'sest] *adj* obcecado(da).
obsession [əb'seʃn] *s* obsessão *f*.
obsolete ['ɒbsəli:t] *adj* obsoleto(ta).
obstacle ['ɒbstəkl] *s* obstáculo *m*.
obstinate ['ɒbstənət] *adj* teimoso(osa).
obstruct [əb'strʌkt] *vt (estrada, caminho)* obstruir.
obstruction [əb'strʌkʃn] *s (em estrada, caminho)* obstrução *f*.
obtain [əb'teɪn] *vt* obter.
obtainable [əb'teɪnəbl] *adj* que se pode obter.
obvious ['ɒbvɪəs] *adj* óbvio(via).
obviously ['ɒbvɪəslɪ] *adv* evidentemente.
occasion [ə'keɪʒn] *s* ocasião *f*.
occasional [ə'keɪʒnəl] *adj* ocasional, esporádico(ca).
occasionally [ə'keɪʒnəlɪ] *adv* de vez em quando.
occupant ['ɒkjəpənt] *s (de casa)* inquilino *m*, -na *f*, ocupante *mf*; *(de carro, avião)* ocupante.
occupation [,ɒkjə'peɪʃn] *s (emprego)* ocupação *f*; *(diversão)* passatempo *m*.
occupied ['ɒkjəpaɪd] *adj (toalete)* ocupado(da).
occupy ['ɒkjəpaɪ] *vt* ocupar.
occur [ə'kɜ:r] *vi* ocorrer.
occurrence [ə'kʌrəns] *s* ocorrência *f*.
ocean ['əʊʃn] *s* oceano *m*.
o'clock [ə'klɒk] *adv*: **it's one o'clock** é uma hora; **it's seven o'clock** são sete horas; **at nine o'clock** às nove horas.
October [ɒk'təʊbər] *s* outubro → **September.**
octopus ['ɒktəpəs] *s* polvo *m*.
odd [ɒd] *adj (peculiar)* estranho(nha); *(número)* ímpar; *(solto)* sem par; *(de vez em quando)* ocasional; **60 odd miles** umas 60 milhas; **odd jobs** biscates *mpl*.
odds [ɒdz] *spl (em aposta)* apostas *fpl*; *(provável)* probabilidades *fpl*; **odds and ends** miudezas *fpl*.
odor ['əʊdər] *s Am* odor *m*.
odour ['əʊdər] *s Brit* = **odor.**

of [ɒv] *prep* **(a)** *(pertencendo a)* de; **the color of the car** a cor do carro.
(b) *(expressando quantidade)* de; **a piece of cake** uma fatia de bolo; **a fall of 20%** uma queda de 20%; **lots of people** muita gente.
(c) *(contendo, feito de)* de; **a glass of beer** um copo de cerveja; **a house of stone** uma casa de pedra; **it's made of wood** é de madeira.
(d) *(relacionado a, indicando causa)* de; **fear of spiders** medo de aranhas; **he died of cancer** ele morreu de câncer.
(e) *(referente a tempo)* de; **the summer of 1969** o verão de 1969; **the 26th of August** o 26 de agosto.
(f) *(com cidades, países)* de; **the city of San Francisco** a cidade de San Francisco.
(g) *(da parte de)* de; **that was very kind of you** foi muito amável da sua parte.
(h) *Am (dizendo a hora)* menos, para; **it's ten of four** são dez para as quatro.

off [ɒf] **1** *adv* **(a)** *(partir)*: **to drive/walk off** ir-se embora; **to get off** *(de ônibus, trem etc.)* descer; **we're off to Austria next week** vamos para a Áustria na próxima semana.
(b) *(expressando remoção)*: **to take sthg off** tirar algo.
(c) *(para parar de funcionar)*: **to turn sthg off** *(TV, rádio, motor)* desligar algo; *(torneira)* fechar algo.
(d) *(expressando distância ou tempo)*: **it's a long way off** *(em distância)* é muito longe; *(em tempo)* ainda falta muito; **it's two months off** é daqui a dois meses.
(e) *(não trabalhando)* de folga; **I'm taking a week off** vou tirar uma semana de férias.
2 *prep* **(a)** *(localização)*: **to get off sthg** descer de algo; **off the coast** ao largo da costa; **just off the main road** perto da estrada principal.
(b) *(indicando remoção)*: **take the lid off the jar** tire a tampa do frasco; **we'll take $20 off the price** descontaremos 20 dólares do preço.
(c) *(ausente de)*: **to be off work** não estar trabalhando.
(d) *fam (de)* a; **I bought it off her** eu comprei isso dela.
3 *adj* **(a)** *(TV, rádio, luz)* apagado(da), desligado(da); *(torneira)* fechado(da); *(motor)* desligado(da).
(b) *(anulado)* cancelado(da).

offence [ə'fens] *s Brit* = **offense.**

offend [ə'fend] *vt (ultrajar)* ofender.

offender [ə'fendər] *s* infrator *m*, -ra *f*, transgressor *m*, -ra *f*.

offense [ə'fens] *s Am (crime)* infração *f*, delito *m*; *(ultraje)* ofensa *f*.

offensive [ə'fensɪv] *adj (insultante)* ofensivo(va).

offer ['ɒfər] **1** *s* oferta *f*.
2 *vt* oferecer.
3 on offer *(disponível)* à venda; *(reduzido)* em oferta; **to offer to do sthg** oferecer-se para fazer algo; **to offer sb sthg** oferecer algo a alguém.

office ['ɒfəs] *s (sala)* escritório *m*; *Am (prédio)* edifício *m* de escritórios.

office block *s Brit* edifício *m* de escritórios.

officer ['ɒfəsər] *s* MIL oficial *mf*; *(policial)* polícia *mf*.

official [ə'fɪʃl] **1** *adj* oficial.
2 *s* funcionário *m*, -ria *f*.

officially [ə'fɪʃəlɪ] *adv* oficialmente.

offshore ['ɒfʃɔːr] *adj (vento)* costeiro(ra); *(extração petrolífera)* no alto mar.

often ['ɔːfn, 'ɒftn] *adv* muitas vezes, freqüentemente; **how often do the buses run?** qual é a freqüência dos ônibus?; **every so often** de vez em quando.

oil [ɔɪl] *s* óleo *m*; *(combustível)* petróleo *m*.

oil rig *s* plataforma *f* petrolífera.

oily ['ɔɪlɪ] *adj (pano, mãos)* oleoso(osa); *(comida)* gorduroso(osa).

ointment ['ɔɪntmənt] *s* pomada *f*, ungüento *m*.

OK [ˌəʊ'keɪ] **1** *adj fam* bom (boa).
2 *adv fam* bem.
3 is everything OK? está tudo bem?; **is that OK?** pode ser?, você concorda?; **the movie was OK** achei o filme mais ou menos.

okay [ˌəʊ'keɪ] = **OK.**

old [əʊld] *adj* velho(lha); *(prévio)* antigo(ga); **how old are you?** quantos anos você tem?; **I'm 16 years old** tenho 16 anos; **to get old** envelhecer.

old age *s* velhice *f*.

olive ['ɒlɪv] *s* azeitona *f*.

olive oil *s* azeite *m*.

Olympic Games [ə'lɪmpɪk-] *spl* Jogos *mpl* Olímpicos.

omelette ['ɒmlət] *s* omelete *f*; **mushroom omelette** omelete de cogumelos.

ominous ['ɒmɪnəs] *adj (silêncio, nuvens)* ameaçador(ra); *(evento, sinal)* de mau agouro.

omit [ə'mɪt] *vt* omitir.

on [ɒn] **1** *prep* **(a)** *(expressando posição, localização)* em, sobre; **it's on the table** está na mesa, está sobre a mesa; **put it on the table** ponha-o na ou sobre a mesa; **on my right** à minha direita; **on the right** à direita; **a picture on the wall** um quadro na parede; **the exhaust on the car** o cano de descarga do carro; **we stayed on a farm** ficamos numa fazenda.
(b) *(com meios de transporte)*: **on the plane** no avião; **to get on a bus** subir num ônibus.
(c) *(expressando meios, método)* em; **on foot** a pé; **on the radio** no rádio; **on TV** na televisão; **paid on an hourly basis** pago por hora.
(d) *(usando)* a; **it runs on unleaded gas** funciona com gasolina sem chumbo; **to be on drugs** drogar-se; **to be on medication** estar tomando medicamentos.
(e) *(assunto)* sobre; **a book on Germany** um livro sobre a Alemanha.
(f) *(expressando tempo)*: **on arrival** ao chegar; **on Tuesday** na terça-feira; **on August 25th** no dia 25 de agosto.
(g) *(com relação a)* em, sobre; **a tax on imports** um imposto sobre as importações; **the effect on the country** o impacto no país.
(h) *(descrevendo atividade, estado)*: **on vacation** de férias; **on sale** à venda.
(i) *(em frases)*: **do you have any money on you?** *fam* você tem dinheiro?; **the drinks are on me** as bebidas são por minha conta.
2 *adv* **(a)** *(posto, cobrindo)*: **to put one's clothes on** vestir-se; **to put the lid on** tapar.
(b) *(filme, peça, programa)*: **the news is on** está passando o telejornal; **what's on at the movies?** o que é que está passando no cinema?
(c) *(com transporte)*: **to get on** subir.
(d) *(funcionando)*: **to turn sthg on** *(TV, rádio, luz)* ligar ou acender algo; *(torneira)* abrir algo; *(motor)* pôr algo para trabalhar.
(e) *(acontecendo)*: **how long is the festival on?** quanto tempo dura o festival?; **the game is already on** o jogo já começou.
(f) *(mais a frente)*: **to drive on** continuar a dirigir.
(g) *(em frases)*: **I already have something on tonight** já tenho planos para esta noite.
3 *adj (TV, rádio, luz)* ligado(da), aceso(sa); *(torneira)* aberto(ta); *(motor)* funcionando.

Ver **at**.

once [wʌns] **1** *adv (unicamente)* uma vez; *(no passado)* uma vez, no passado.
2 *conj* quando, assim que.
3 at once *(instantaneamente)* imediatamente; *(simultaneamente)* ao mesmo tempo; **for once** pelo menos uma vez; **once more** *(de novo)* mais uma vez, outra vez.

oncoming ['ɒnkʌmɪŋ] *adj (tráfego)* em sentido contrário.

one [wʌn] **1** *num* um (uma).
2 *adj (um só)* único(ca).
3 *pron (objeto, pessoa)* um *m*, uma *f*; *(fml: você)* cada um.
4 thirty-one trinta e um; **one fifth** um quinto; **the green one** o verde; **I want a blue one** quero um azul; **that one** aquele *m*, aquela *f*, esse *m*, essa *f*; **this one** este *m*, esta *f*; **which one?** qual?; **the one I told you about** aquele de que lhe falei; **one of my friends** um dos meus amigos; **one day** um dia.

Cuidado para não confundir o artigo indefinido (*a*/*an*) com o numeral um. Na sentença *a holdall is no good - you need a suitcase* uma sacola não serve; você precisa de uma mala, *holdall* se opõe a *suitcase*; mas *one suitcase is no good - we've got enough clothes to fill three* uma mala não basta; temos roupa suficiente para encher três, *one* se opõe a *three*.

O uso do pronome *one* para falar de si mesmo ou de pessoas em geral (*how does one spell 'focused'?*) é muito formal. Nesses casos, geralmente emprega-se *you (how do you spell 'focused'?* como se escreve 'focused'?).

oneself [wʌn'self] *pron (reflexivo)* se; *(depois de preposição)* si próprio ou mesmo, si própria ou mesma.

one-way *adj (rua)* de sentido único; *(tíquete)* de ida.

onion ['ʌnjən] *s* cebola *f.*

only ['əʊnlɪ] **1** *adj* único(ca).

2 *adv* só.

3 he's an only child ele é filho único; **I only want one** só quero um; **we've only just arrived** acabamos de chegar; **'members only'** 'só para associados'; **not only** não só.

onto ['ɒntu:] *prep (com verbos de movimento)* para (cima de); **to get onto sb** *(telefonar)* contatar alguém (pelo telefone).

onward ['ɒnwərd] **1** *adv (direção)* para a frente, para diante; **from now onward** daqui em diante; **from October onward** de outubro em diante.

2 *adj*: **the onward journey** o resto da viagem.

opal ['əʊpl] *s* opala *f.*

opaque [əʊ'peɪk] *adj* opaco(ca).

open ['əʊpən] **1** *adj* aberto(ta); *(honesto)* franco(ca).

2 *vt* abrir; *(começar)* iniciar.

3 *vi (porta, janela, fecho)* abrir-se; *(loja, escritório, banco)* abrir; *(principiar)* iniciar-se, começar.

4 are you open on the weekend? está aberto no fim de semana?; **wide open** completamente aberto; **in the open air** ao ar livre.

❑ **open onto** *vt fus* dar para.

❑ **open up** *vi* abrir.

opening ['əʊpənɪŋ] *s* abertura *f*; *(ocasião)* oportunidade *f.*

opening hours *spl* horário *m* de funcionamento.

open-minded [-'maɪndəd] *adj* aberto(ta), sem preconceitos.

open-plan *adj* sem divisórias.

opera ['ɒprə] *s* ópera *f.*

operate ['ɒpəreɪt] **1** *vt (máquina)* trabalhar com.

2 *vi (trabalhar)* funcionar; **to operate on sb** operar alguém.

operation [ˌɒpə'reɪʃn] *s* operação *f*, cirurgia *f*; **to be in operation** *(lei, sistema)* estar em vigor; **to have an operation** ser operado.

operator ['ɒpəreɪtər] *s (no telefone)* telefonista *mf.*

opinion [ə'pɪnjən] *s* opinião *f*; **in my opinion** na minha opinião.

opponent [ə'pəʊnənt] *s* adversário *m*, -ria *f.*

opportunity [ˌɒpər'tu:nətɪ] *s* oportunidade *f.*

oppose [ə'pəʊz] *vt* opor-se a.

opposed [ə'pəʊzd] *adj*: **to be opposed to** opor-se a.

opposite ['ɒpəzɪt] **1** *adj* oposto(ta).

2 *prep* em frente de, frente a.

3 *s*: **the opposite (of)** o oposto (de), o contrário (de); **I live in the house opposite** vivo na casa em frente.

opposition [ˌɒpə'zɪʃn] *s (objeção)* oposição *f*; ESP adversário *m.*

opt [ɒpt] *vt*: **to opt to do sthg** optar por fazer algo.

optician [ɒp'tɪʃn] *s* oculista *m.*

optimist ['ɒptəməst] *s* otimista *mf.*

optimistic [ˌɒptə'mɪstɪk] *adj* otimista.

option ['ɒpʃn] *s* opção *f.*

optional ['ɒpʃnəl] *adj* facultativo(va).

or [ɔ:r] *conj* ou; *(depois de negativa)* nem; *(ou então)* senão; **I can't read or write** não sei ler nem escrever.

Ver **either**.

oral ['ɔ:rəl] **1** *adj* oral.

2 *s* oral *f.*

orange ['ɒrɪndʒ] **1** *adj* laranja *inv.*

2 *s (fruta)* laranja *f*; *(cor)* laranja *m inv.*

orbit ['ɔ:bət] *s* órbita *f.*

orchard ['ɔ:rtʃərd] *s* pomar *m.*

orchestra ['ɔ:rkəstrə] *s* orquestra *f.*

ordeal [ɔ:r'di:l] *s* experiência *f* traumática.

order ['ɔ:rdər] **1** *s* ordem *f*; *(em restaurante)* pedido *m*; COM encomenda *f.*

2 *vt (comandar)* mandar; *(comida, bebida)* pedir; COM encomendar.

3 *vi (em restaurante)* pedir.

4 in order to para; **out of order** *(não funcionando)* quebrado(da); **in working order** funcionando; **to order sb to do sthg** mandar alguém fazer algo.

ordinary ['ɔ:rdnərɪ] *adj* comum.

ore [ɔ:r] *s* minério *m.*

oregano [ɒ'regənəʊ] *s* orégano *m.*

organ ['ɔ:rgən] *s* órgão *m.*

organic [ɔ:r'gænɪk] *adj* orgânico(ca).

organization [ˌɔ:rgənə'zeɪʃn] *s* organização *f.*

organize ['ɔ:rgənaɪz] *vt* organizar.

organizer ['ɔ:rgənaɪzər] *s (pessoa)* organizador *m*, -ra *f*; *(caderneta)* agenda *f.*

orient ['ɔ:rɪent] *vt Am*: **to orient o.s.** orientar-se.

oriental [ˌɔ:rɪ'entl] *adj* oriental.
orientate ['ɔ:rɪenteɪt] *vt Brit*: **to orientate o.s.** orientar-se.
origin ['ɒrɪdʒɪn] *s* origem *f*.
original [ə'rɪdʒnəl] *adj* original.
originally [ə'rɪdʒnəlɪ] *adv (originalmente)* inicialmente.
originate [ə'rɪdʒəneɪt] *vi*: **to originate (from)** nascer (de).
ornament ['ɔ:rnəmənt] *s (objeto)* peça *f* de decoração.
ornamental [ˌɔ:rnə'mentl] *adj* decorativo(va).
ornate [ɔ:r'neɪt] *adj* ornado(da).
orphan ['ɔ:rfn] *s* órfão *m*, -fã *f*.
orthodox ['ɔ:rθədɒks] *adj* ortodoxo(xa).
ostentatious [ˌɒstən'teɪʃəs] *adj* pretensioso(osa).
ostrich ['ɒstrɪtʃ] *s* avestruz *f*.
other ['ʌðər] **1** *adj* outro(tra).
2 *adv*: **other than** exceto.
3 the other one o outro (a outra); **the other day** no outro dia; **one after the other** um depois do outro.
❑ **others** *pron pl (adicionais)* outros *mpl*, -tras *fpl*; **the others** *(restantes)* os outros (as outras).
otherwise ['ʌðərwaɪz] *adv (ou então)* senão; *(fora isso)* de resto; *(diferentemente)* de outro modo.
otter ['ɒtər] *s* lontra *f*.
ought [ɔ:t] *v aux* dever; **you ought to go** você devia ir; **you ought to see a doctor** você devia ir ao médico; **the car ought to be ready by Friday** o carro tem de estar pronto sexta-feira.

> *Ought to have* seguido de um particípio pode expressar arrependimento (*I ought to have called on her birthday* eu deveria ter ligado no aniversário dela) ou reprovação (*you ought to have been more careful* você deveria ter sido mais cuidadoso).

ounce [aʊns] *s* = 28,35 g, onça *f*.
our ['aʊər] *adj* nosso(a); **our books** os nossos livros.
ours ['aʊərz] *pron* o nosso (a nossa); **a friend of ours** um amigo nosso; **these shoes are ours** estes sapatos são (os) nossos; **ours are here - where are yours?** os nossos estão aqui - onde estão os seus?
ourselves [aʊər'selvz] *pron (reflexivo)* nos; *(depois de preposição)* nós *mpl* mesmos ou próprios, nós *fpl* mesmas ou próprias; **we did it ourselves** nós mesmos ou próprios o fizemos; **we hurt ourselves** nós nos machucamos.
out [aʊt] **1** *adj (luz, cigarro)* apagado(da); *(cafona)* fora de moda; **cargo pants are so out** as calças cargo estão tão fora de moda.
2 *adv* **(a)** *(exterior)* fora; **to get/go out (of)** sair (de); **it's cold out today** está frio lá fora hoje; **he looked out** ele olhou para fora.
(b) *(não em casa, no trabalho)* fora; **to be out** não estar em casa; **to go out** sair.
(c) *(para que seja extinguido)*: **to turn sthg out** apagar algo; **put your cigarette out** apague o cigarro.
(d) *(expressando remoção)*: **to pour sthg out** despejar algo, jogar algo fora; **to take money out** *(de caixa automático)* retirar dinheiro; **to take sthg out (of)** tirar algo (de).
(e) *(para fora)*: **to stick out** sobressair.
(f) *(expressando distribuição)*: **to hand sthg out** distribuir algo.
(g) *(em frases)*: **to get enjoyment out of sthg** divertir-se com algo; **stay out of the sun** não se exponha ao sol; **made out of wood** (feito) de madeira; **five out of ten women** cinco em cada dez mulheres; **I'm out of cigarettes** não tenho cigarros.
outbreak ['aʊtbreɪk] *s (de doença)* surto *m*; *(de violência)* deflagração *f*.
outburst ['aʊtbɜ:rst] *s* explosão *f*.
outcome ['aʊtkʌm] *s* resultado *m*.
outdated [ˌaʊt'deɪtəd] *adj* ultrapassado(da).
outdo [ˌaʊt'du:] (*pt* **-did,** *pp* **-done**) *vt* ultrapassar, vencer.
outdoor ['aʊtdɔ:r] *adj (piscina, atividades)* ao ar livre.
outdoors [aʊt'dɔ:rz] *adv* ao ar livre.
outer ['aʊtər] *adj* exterior, externo(na).
outfit ['aʊtfɪt] *s (vestimenta)* roupa *f*.
outing ['aʊtɪŋ] *s* excursão *f*, saída *f*.
outlet ['aʊtlet] *s (cano)* saída *f*; **'no outlet'** *Am (rua)* 'sem saída'.
outline ['aʊtlaɪn] *s (forma)* contorno *m*; *(descrição)* linhas *fpl* gerais, esboço *m*.
outlook ['aʊtlʊk] *s (para futuro)* perspectiva *f*; *(do tempo)* previsão *f*; *(postura)* atitude *f*.

out-of-date *adj (fora de moda)* antiquado(da); *(passaporte, licença)* expirado(da).

outpatient ['aʊtˌpeɪʃnt] *s* paciente *mf (externo).*

output ['aʊtpʊt] *s (de fábrica)* produção *f*; *INFORM* cópia *f* impressa.

outrage ['aʊtreɪdʒ] *s (ato cruel)* atrocidade *f.*

outrageous [aʊt'reɪdʒəs] *adj (chocante)* escandaloso(osa).

outright [ˌaʊt'raɪt] *adv (dizer, negar)* categoricamente; *(ter)* completamente, totalmente.

outside [*adv* ˌaʊt'saɪd, *adj, prep & n* 'aʊtsaɪd] **1** *adv* lá fora.
2 *prep* fora de; *(posição)* em frente de.
3 *adj (externo)* exterior; *(ajuda, conselho)* independente.
4 *s*: **the outside** *(de prédio, carro etc.)* o exterior; *AUT* a faixa esquerda.
5 outside of *Am (no exterior de)* fora de; *(com exceção de)* exceto; **let's go outside** vamos lá para fora; **an outside line** uma linha externa.

outside lane *s AUT* faixa *f* esquerda.

outsize ['aʊtsaɪz] *adj (roupas)* extra grande.

outskirts ['aʊtskɜ:rts] *spl* arredores *mpl.*

outstanding [ˌaʊt'stændɪŋ] *adj (impressionante)* notável; *(problema, débito)* pendente.

outward ['aʊtwərd] **1** *adj (jornada)* de ida; *(externo)* exterior.
2 *adv* para fora.

oval ['əʊvl] *adj* oval.

ovation [əʊ'veɪʃn] *s* ovação *f.*

oven ['ʌvn] *s* forno *m.*

ovenproof ['ʌvnpru:f] *adj* refratário(ria).

over ['əʊvər] **1** *prep* **(a)** *(sobre)* por cima de; **a bridge over the road** uma ponte por cima da estrada.
(b) *(de um lado ao outro)* por cima de; **with a view over the square** com vista sobre a praça; **to step over sthg** passar por cima de algo.
(c) *(cobrindo)* sobre; **put a plaster over the wound** ponha um band-aid® na ferida.
(d) *(além de)* mais de; **it cost over $1,000** custou mais de 1.000 dólares.
(e) *(durante)* em; **over the past two years** nos últimos dois anos.
(f) *(com relação a)* sobre; **an argument over the price** uma discussão sobre o preço.
2 *adv* **(a)** *(para baixo)*: **to bend over** abaixar-se; **to fall over** cair; **to push sthg over** empurrar algo.
(b) *(referente à posição, movimento)*: **to fly over to Canada** ir ao Canadá de avião; **over here** aqui; **over there** ali.
(c) *(para o outro lado)*: **to turn sthg over** virar algo.
(d) *(mais)*: **for children over 12 years old** para crianças com 12 anos ou mais.
(e) *(restante)*: **to be left over** restar.
(f) *(para a própria casa)*: **to invite sb over for dinner** convidar alguém para jantar.
(g) *(em frases)*: **all over the world/country** por todo o mundo/país.
3 *adj (fim)*: **to be over** acabar, terminar; **it's (all) over!** acabou-se!

overall [*adv* ˌəʊvər'ɔ:l, *s* 'əʊvərɔ:l] *adv (normalmente)* no geral; **how much does it cost overall?** quanto custa ao todo?
❑ **overalls** *spl Am (aberto)* jardineiras *fpl*; *Brit (fechado)* macacão *m.*

overbooked [ˌəʊvər'bʊkt] *adj (vôo)*: **to be overbooked** ter mais reservas que lugares.

overcame [ˌəʊvər'keɪm] *pt* → **overcome.**

overcharge [ˌəʊvər'tʃa:rdʒ] *vt*: **to overcharge sb** cobrar demais a ou de alguém.

overcoat ['əʊvərkəʊt] *s* sobretudo *m.*

overcome [ˌəʊvər'kʌm] (*pt* **-came,** *pp* **-come**) *vt (derrotar)* vencer.

overcrowded [ˌəʊvər'kraʊdəd] *adj* superlotado(da); *(país)* com excesso populacional.

overdo [ˌəʊvər'du:] (*pt* **-did,** *pp* **-done**) *vt (ampliar)* exagerar em; **to overdo it** exagerar.

overdone [ˌəʊvər'dʌn] **1** *pp* → **overdo.**
2 *adj (comida)* cozido(da) demais.

overdose ['əʊvərdəʊs] *s* overdose *f*, dose *f* excessiva.

overdraft ['əʊvrdræft] *s* saldo *m* negativo.

overdue [ˌəʊvər'du:] *adj* atrasado(da).

overflow [*v* ˌəʊvər'fləʊ, *s* 'əʊvərfləʊ] **1** *vi* transbordar.
2 *s (encanamento)* cano *m* de descarga.

overhaul [ˌəʊvər'hɔ:l] *s (de máquina, carro)* revisão *f.*

overhead [*adj* 'əʊvərhed, *adv* ˌəʊvər'hed] **1** *adj* aéreo(rea).
2 *adv* no alto.

overhear [ˌəʊvər'hɪər] (*pt & pp* **-heard**) *vt* ouvir (casualmente).

overlap [ˌəʊvər'læp] *vi* sobrepor-se.

overload [ˌəʊvər'ləʊd] *vt* sobrecarregar.

overlook [ˌəʊvər'lʊk] *vt (suj: prédio, quarto)* dar para; *(não notar)* não reparar em.

overnight [*adv* ˌəʊvər'naɪt, *adj* 'əʊvərnaɪt] **1** *adv (noturno)* durante a noite.
2 *adj (trem, viagem)* noturno(na).
3 why don't you stay overnight? por que é que você não fica para dormir?

overpass ['əʊvərpæs] *s* viaduto *m*.

overpowering [ˌəʊvər'paʊərɪŋ] *adj* intenso(sa).

oversaw [ˌəʊvər'sɔː] *pt* → **oversee.**

overseas [*adv* ˌəʊvər'siːz, *adj* 'əʊvərsiːz] **1** *adv (ir)* para o estrangeiro; *(viver)* no estrangeiro.
2 *adj* estrangeiro(ra).

oversee [ˌəʊvər'siː] (*pt* **-saw,** *pp* **-seen**) *vt* supervisionar.

oversight ['əʊvərsaɪt] *s* descuido *m*.

oversleep [ˌəʊvər'sliːp] (*pt & pp* **-slept**) *vi* dormir demais.

overtake [ˌəʊvər'teɪk] (*pt* **-took,** *pp* **-taken**) *vt & vi* ultrapassar.

overtime ['əʊvərtaɪm] *s* horas *fpl* extras.

overtook [ˌəʊvər'tʊk] *pt* → **overtake.**

overture ['əʊvərˌtjʊər] *s* MÚS abertura *f*.

overturn [ˌəʊvər'tɜːrn] *vi (barco)* virar; *(carro)* capotar.

overweight [ˌəʊvər'weɪt] *adj* obeso(sa).

overwhelm [ˌəʊvər'welm] *vt*: **I was overwhelmed with joy** fiquei feliz da vida.

owe [əʊ] *vt* dever; **to owe sb sthg** dever algo a alguém; **owing to** devido a.

owl [aʊl] *s* mocho *m*, coruja *f*.

own [əʊn] **1** *adj* próprio(pria).
2 *vt* possuir, ter.
3 *pron*: **my own** o meu (a minha).
4 a house of my own uma casa só minha; **on my own** sozinho(nha); **to get one's own back** vingar-se.
❑ **own up** *vi*: **to own up (to sthg)** confessar (algo), admitir (algo).

owner ['əʊnər] *s* proprietário *m*, -ria *f*, dono *m*, -na *f*.

ownership ['əʊnərʃɪp] *s* posse *f*.

ox [ɒks] *s* boi *m*.

oxygen ['ɒksɪdʒən] *s* oxigênio *m*.

oyster ['ɔɪstər] *s* ostra *f*.

ozone-friendly ['əʊzəʊn-] *adj* não prejudicial à camada de ozônio.

Pp

pace [peɪs] *s (velocidade)* ritmo *m*; *(fase)* passo *m*.
pacemaker ['peɪsˌmeɪkər] *s (para coração)* marcapasso *m*.
Pacific [pə'sɪfɪk] *s*: **the Pacific (Ocean)** o (Oceano) Pacífico.
pacifier ['pæsəfaɪər] *s (para bebê)* chupeta *f*.
pacifist ['pæsəfəst] *s* pacifista *mf*.
pack [pæk] **1** *s (embrulho)* pacote *m*; *(de cigarros)* maço *m*; *(de cartas)* baralho *m*; *(bolsa)* mochila *f*.
2 *vt (mala, bolsa)* arrumar; *(roupas, câmera etc.)* guardar; *(embalar)* empacotar.
3 *vi (para viagem)* fazer as malas.
4 a pack of lies um monte de mentiras; **to pack sthg into sthg** guardar algo em algo; **to pack one's bags** fazer as malas.
❑ **pack up** *vi (arrumar a mala)* fazer as malas; *(pôr em ordem)* arrumar.
package ['pækɪdʒ] **1** *s* pacote *m*.
2 *vt* empacotar.
packaging ['pækɪdʒɪŋ] *s (material)* embalagem *f*.
packed [pækt] *adj (lotado)* cheio (cheia).
packed lunch *s* marmita *f (para o trabalho)*, merenda *f (para a escola)*.
packet ['pækət] *s* pacote *m*.
packing ['pækɪŋ] *s (material)* embalagem *f*; **to do one's packing** fazer as malas.
pad [pæd] *s (de papel)* bloco *m*; *(de algodão)* chumaço *m*; *(de pano)* almofada *f*; **elbow pad** cotoveleira *f*; **knee pad** joelheira *f*; **shin pad** caneleira *f*.
padded ['pædəd] *adj (jaqueta)* acolchoado(da); *(assento)* almofadado(da).
paddle ['pædl] **1** *s (para canoagem)* remo *m (pequeno)*.
2 *vi (agitar)* chapinhar, patinhar; *(em canoa)* remar.
padlock ['pædlɒk] *s* cadeado *m*.
page [peɪdʒ] **1** *s* página *f*.
2 *vt* chamar pelo pager; **'paging Mr. Hill'** 'chamando o Sr. Hill'.
paid [peɪd] **1** *pt & pp* → **pay.**
2 *adj* pago(ga).
pain [peɪn] *s* dor *f*; **to be in pain** estar com dores; **he's such a pain!** *fam* ele é um saco!
❑ **pains** *spl (problema)* esforço *m*, trabalho *m*.
painful ['peɪnfl] *adj* doloroso(osa).
painkiller ['peɪnˌkɪlər] *s* analgésico *m*.
painless ['peɪnləs] *adj (operação, morte)* indolor; *(sem problema)* fácil.
paint [peɪnt] **1** *s* tinta *f*.
2 *vt & vi* pintar; **to paint one's nails** pintar as unhas.
❑ **paints** *spl (tubos, potes etc.)* tintas *fpl*.
paintbrush ['peɪntbrʌʃ] *s (de pintor de parede)* broxa *f*; *(de artista)* pincel *m*.
painter ['peɪntər] *s* pintor *m*, -ra *f*.
painting ['peɪntɪŋ] *s (atividade)* pintura *f*; *(pintura)* quadro *m*.
pair [peər] *s (de duas coisas)* par *m*; **in pairs** aos pares; **a pair of pliers** um alicate; **a pair of scissors** uma tesoura; **a pair of shorts** um calção; **a pair of tights** uma meia-calça; **a pair of trousers** uma calça.
pajamas [pə'dʒæməz] *spl* pijama *m*.
pal [pæl] *s fam* amigo *m*, -ga *f*.
palace ['pæləs] *s* palácio *m*.
palatable ['pælətəbl] *adj* saboroso(osa).
palate ['pælət] *s* paladar *m*.
pale [peɪl] *adj* pálido(da).
palm [pa:m] *s (da mão)* palma *f*; **palm (tree)** palmeira *f*.
palpitations [ˌpælpɪ'teɪʃnz] *spl* palpitações *fpl*.

pamphlet ['pæmflət] *s* folheto *m*.
pan [pæn] *s* panela *f*.
pancake ['pænkeɪk] *s* panqueca *f*.
panda ['pændə] *s* panda *m*.
pane [peɪn] *s* vidro *m*, vidraça *f*.
panel ['pænl] *s (de madeira)* painel *m*; *(grupo de especialistas)* equipe *f*; *(na TV, rádio)* bancada *f* de convidados.
paneling ['pænəlɪŋ] *s Am* painéis *mpl*.
panelling ['pænəlɪŋ] *s Brit* = **paneling.**
panic ['pænɪk] (*pt & pp* **-ked,** *cont* **-king**) **1** *s* pânico *m*.
2 *vi* entrar em pânico.
panoramic [ˌpænə'ræmɪk] *adj* panorâmico(ca).
pant [pænt] *vi* arfar, ofegar.
panties ['pæntɪz] *spl fam* calcinha *f*.
pantry ['pæntrɪ] *s* despensa *f*.
pants [pænts] *spl Am (roupa)* calça *f*; *Brit (roupa íntima)* cueca *f*.
pantyhose ['pæntɪ-] *spl* meia-calça *f*.
paper ['peɪpər] **1** *s (material)* papel *m*; *(periódico)* jornal *m*; *(composição)* ensaio *m*.
2 *adj* de papel.
3 *vt* decorar (com papel de parede).
4 a piece of paper *(folha)* uma folha de papel; *(rascunho)* um pedaço de papel.
❑ **papers** *spl (documentação)* papéis *mpl*, documentos *mpl*.
paperback ['peɪpərbæk] *s* (livro tipo) brochura *f*.
paper clip *s* clipe *m*.
paperweight ['peɪpərweɪt] *s* peso *m* (para papéis).
paprika [pə'pri:kə] *s* páprica *f*.
par [pa:r] *s (em golfe)* par *m*.
parachute ['perəʃu:t] *s* pára-quedas *m*.
paradise ['perədaɪs] *s fig* paraíso *m*.
paraffin ['perəfɪn] *s* parafina *f*.
paragraph ['perəgræf] *s* parágrafo *m*.
parallel ['perələl] *adj*: **parallel (to)** *(linhas)* paralelo(la) (a).
paralysed ['pærəlaɪzd] *adj Brit* = **paralyzed.**
paralyzed ['perəlaɪzd] *adj Am* paralisado(da), paralítico(ca).
paramedic [ˌperə'medɪk] *s* paramédico *m*, -ca *f*.
paranoid ['perənɔɪd] *adj* paranóico(ca).
parasite ['perəsaɪt] *s* parasita *m*.
parcel ['pa:rsl] *s* embrulho *m*.
pardon ['pa:rdn] *excl*: **pardon?** desculpe?, como?; **pardon (me)!** perdão!; **I beg your pardon!** *(desculpando-se)* peço desculpas!; **I beg your pardon?** *(perguntando de novo)* desculpe?, como?
parent ['peərənt] *s (homem)* pai *m*; *(mulher)* mãe *f*; **my parents** meus pais.

> Não confundir ***parents (pais)*** com o português ***parentes*** que em inglês é ***relatives***. (***He is still living with his parents.*** Ele ainda está morando com os ***pais***.)

parish ['pærɪʃ] *s (de igreja)* paróquia *f*.
park [pa:rk] **1** *s* parque *m*.
2 *vt & vi (veículo)* estacionar.
parking ['pa:rkɪŋ] *s* estacionamento *m*.
parking lot *s* estacionamento *m*.
parking meter *s* parquímetro *m*.
parking space *s* vaga *f (para estacionar)*.
parking ticket *s* multa *f (por estacionar em lugar proibido)*.
parliament ['pa:rləmənt] *s* parlamento *m*.
parrot ['pærət] *s* papagaio *m*.
parsley ['pa:rslɪ] *s* salsa *f*.
part [pa:rt] **1** *s (porção)* parte *f*; *(de máquina, carro)* peça *f*; *(em peça, filme)* papel *m*; *(de série)* episódio *m*; *(em cabelo)* risca *f*.
2 *adv* em parte, parcialmente.
3 *vi (casal)* separar-se.
4 in this part of Brazil nesta parte do Brasil; **to form part of** fazer parte de; **to play a part in** desempenhar um papel em; **to take part in** tomar parte em; **for my part** quanto a mim; **for the most part** geralmente, em geral; **in these parts** por aqui, por estas partes.
partial ['pa:rʃl] *adj (não completo)* parcial; **to be partial to sthg** ter uma certa predileção por algo.
participant [pa:r'tɪsəpənt] *s* participante *mf*.
participate [pa:r'tɪsəpeɪt] *vi*: **to participate (in sthg)** participar (de algo).
particular [pər'tɪkjələr] *adj* especial; *(distinto)* esquisito(ta); **in particular** em particular; **nothing in particular** nada de especial.
❑ **particulars** *spl (detalhes)* pormenores *mpl*, detalhes *mpl*.
particularly [pər'tɪkjələrlɪ] *adv* especialmente.
parting ['pa:tɪŋ] *s Brit (em cabelo)* risca *f*.
partition [pa:r'tɪʃn] *s (parede)* divisória *f*.
partly ['pa:rtlɪ] *adv* em parte.
partner ['pa:rtnər] *s (parceiro)* marido *m*;

(parceira) mulher *f*; *(amante)* companheiro *m*, -ra *f*; *(em jogo, dança)* parceiro *m*, -ra *f*; COM sócio *m*, -cia *f*.

partnership ['pa:rtnərʃɪp] *s* sociedade *f*.

partridge ['pa:rtrɪdʒ] *s* perdiz *f*.

part-time *adj & adv* em meio expediente OU período.

party ['pa:rtɪ] *s (para diversão)* festa *f*; POL partido *m*; *(grupo de pessoas)* turma *m*; **to have a party** dar uma festa.

pass [pæs] **1** *vt* passar; *(ultrapassar)* passar por; *(lei)* aprovar.
2 *vi* passar.
3 *s* ESP *(documento)* passe *m*; *(em montanha)* desfiladeiro *m*, garganta *f*; *(em exame)* aprovação *f*; **to pass sb sthg** passar algo a alguém.
❑ **pass away** *vt fus (morrer)* falecer.
❑ **pass by 1** *vt fus (prédio, janela etc.)* passar por.
2 *vi* passar.
❑ **pass on** *vt sep (mensagem)* transmitir.
❑ **pass out** *vi (desfalecer)* desmaiar.
❑ **pass up** *vt sep (oportunidade)* deixar passar.

passable ['pæsəbl] *adj (estrada)* transitável; *(suficiente)* aceitável, satisfatório(ria).

passage ['pæsɪdʒ] *s (em prédio)* passagem *f*, corredor *m*; *(em livro)* passagem *f*, trecho *m*; *(viagem marítima)* travessia *f*.

passageway ['pæsɪdʒweɪ] *s* passagem *f*, corredor *m*.

passenger ['pæsɪndʒər] *s* passageiro *m*, -ra *f*.

passerby [ˌpæsər'baɪ] *s* transeunte *mf*, passante *mf*.

passion ['pæʃn] *s* paixão *f*.

passionate ['pæʃnət] *adj (mostrando fortes sentimentos)* apaixonado(da); *(sexualmente)* ardente.

passive ['pæsɪv] *s* voz *f* passiva.

passport ['pæspɔ:rt] *s* passaporte *m*.

password ['pæswɜ:rd] *s* senha *f*.

past [pæst] **1** *adj* passado(da); *(anterior)* antigo(ga).
2 *prep (além de)* depois de; *(posição)* em frente de.
3 *s (que passou)* passado *m*.
4 *adv*: **to go past** passar.
5 the past month o mês passado; **twenty past four** quatro e vinte; **the past (tense)** GRAM o passado; **in the past** no passado.

pasta ['pa:stə] *s* massa *f*.

paste [peɪst] **1** *s (massa)* pasta *f*; *(goma)* cola *f*.
2 *vt*: **cut and paste** INFORM cortar e colar.

pastel [pæ'stel] *s (para desenhar)* pastel *m*; *(cor)* tom *m* pastel.

pasteurized ['pæstəraɪzd] *adj* pasteurizado(da).

pastille ['pæstl] *s Brit* pastilha *f*.

pastime ['pæstaɪm] *s* passatempo *m*.

pastry ['peɪstrɪ] *s (para empadão)* massa *f*; *(bolo)* torta *f*.

pasture ['pæstʃr] *s* pasto *m*, pastagem *f*.

pat [pæt] *vt (cachorro, amigo)* dar um tapinha (afetuoso) em.

patch [pætʃ] *s (para roupas)* remendo *m*; *(de cor, umidade)* mancha *f*; *(para pele)* esparadrapo *m*; *(para olho)* pala *f*; **a bad patch** *fig* um mau bocado.

patent ['pætnt] *s* patente *f*.

path [pæθ] *s* caminho *m*.

pathetic [pə'θetɪk] *adj (pej: inútil)* patético(ca).

patience ['peɪʃns] *s* paciência *f*.

patient ['peɪʃnt] **1** *adj* paciente.
2 *s* doente *mf*, paciente *mf*.

patio ['pætɪəʊ] (*pl* **-s**) *s* pátio *m*.

patriotic [ˌpeɪtrɪ'ɒtɪk] *adj* patriótico(ca).

patrol [pə'trəʊl] **1** *vt* patrulhar.
2 *s (grupo)* patrulha *f*.

patronizing ['pætrənaɪzɪŋ] *adj* condescendente.

pattern ['pætərn] *s (de formas, cores)* desenho *m*, padrão *m*; *(para costurar)* molde *m*.

patterned ['pætərnd] *adj* estampado(da).

pause [pɔ:z] **1** *s* pausa *f*.
2 *vi* fazer uma pausa.

pavement ['peɪvmənt] *s Am (em estrada)* pavimento *m*, asfalto *m*; *Brit (para pedestres)* calçada *f*.

pavilion [pə'vɪlɪən] *s* pavilhão *m*.

paving stone ['peɪvɪŋ-] *s* paralelepípedo *m*.

paw [pɔ:] *s* pata *f*.

pawn [pɔ:n] **1** *vt* empenhar.
2 *s (em xadrez)* peão *m*.

pay [peɪ] (*pt & pp* **paid**) **1** *vt* pagar; *(pessoa)* pagar a.
2 *vi (dar dinheiro)* pagar; *(ser lucrativo)* compensar, dar lucro.
3 *s* ordenado *m*, salário *m*.
4 to pay sb for sthg pagar a alguém

(por) algo; **to pay attention (to)** prestar atenção (a); **to pay sb a visit** visitar alguém, fazer uma visita a alguém; **to pay by credit card** pagar com cartão de crédito.
❑ **pay back** *vt sep (dinheiro)* pagar; *(pessoa)* pagar, devolver o dinheiro a.
❑ **pay for** *vt fus (compra)* pagar (por).
❑ **pay in** *vt sep (dinheiro)* depositar.
❑ **pay out** *vt sep (dinheiro)* pagar.
❑ **pay up** *vi* pagar.

payable ['peɪəbl] *adj (conta)* pagável; **payable to** *(cheque)* em nome de, a ordem de.

payment ['peɪmənt] *s* pagamento *m.*

payphone ['peɪfəʊn] *s* telefone *m* público.

PC (*abrev de* **personal computer**) PC *m*; (*abrev de* **politically correct**) politicamente correto.

pea [pi:] *s* ervilha *f.*

peace [pi:s] *s* paz *f*; **to leave sb in peace** deixar alguém em paz; **peace and quiet** paz e sossego.

peaceful ['pi:sfl] *adj (lugar, dia, sentimento)* calmo(ma); *(demonstração)* pacífico(ca).

peach [pi:tʃ] *s* pêssego *m.*

peacock ['pi:kɒk] *s* pavão *m.*

peak [pi:k] *s (de montanha)* pico *m*; *(de chapéu)* pala *f*; *(fig: ponto mais alto)* auge *m.*

peanut ['pi:nʌt] *s* amendoim *m.*

pear [peər] *s* pêra *f.*

pearl [pɜ:rl] *s* pérola *f.*

peasant ['peznt] *s* camponês *m*, -esa *f.*

pebble ['pebl] *s* seixo *m.*

peck [pek] *vi (ave)* bicar.

peculiar [pə'kju:lɪər] *adj (estranho)* peculiar; **to be peculiar to** *(exclusivo)* ser característico de.

peculiarity [pəˌkju:lɪ'ærətɪ] *s (característica)* peculiaridade *f.*

pedal ['pedl] **1** *s* pedal *m.*
2 *vi* pedalar.

pedestrian [pə'destrɪən] *s* pedestre *m.*

pedestrian crossing *s* faixa *f* para pedestres.

pedestrianized [pə'destrɪənaɪzd] *adj* de pedestre.

pee [pi:] **1** *vi fam* fazer xixi.
2 *s*: **to take a pee** *fam* fazer xixi.

peel [pi:l] **1** *s* casca *f.*
2 *vt* descascar.
3 *vi (papel de parede)* desprender-se.

peep [pi:p] *s*: **to have a peep** dar uma espiadela.

peer [pɪər] *vi* olhar com atenção; **to peer at** olhar atentamente para.

peg [peg] *s (para barraca)* estaca *f*; *(na parede)* gancho *m.*

pelvis ['pelvɪs] *s* ANAT bacia *f.*

pen [pen] *s (caneta com ponta de esfera)* esferográfica *f*; *(caneta-fonte)* caneta-tinteiro *f*; *(para animais)* cercado *m.*

penalty ['penltɪ] *s (pena)* multa *f*; ESP pênalti *m.*

pence [pens] *spl* pence *mpl (moeda britânica)*; **it costs 20 pence** custa 20 pence.

pencil ['pensl] *s* lápis *m inv.*

pencil case *s* lapiseira *f.*

pencil sharpener [-'ʃa:rpnər] *s* apontador *m.*

pendant ['pendənt] *s (em colar)* pingente *m.*

pending ['pendɪŋ] *prep fml* até.

penetrate ['penətreɪt] *vt* penetrar.

penguin ['peŋgwɪn] *s* pingüim *m.*

penicillin [ˌpenə'sɪlən] *s* penicilina *f.*

peninsula [pə'nɪnsjələ] *s* península *f.*

penis ['pi:nəs] *s* pênis *m inv.*

penknife ['pennaɪf] (*pl* **-knives**) *s* canivete *m.*

penny ['penɪ] (*pl* **pennies**, *Brit* **pence**) *s (moeda nos EUA)* centavo *m*; *(moeda no Reino Unido)* pêni *m (moeda britânica).*

pension ['penʃn] *s (para aposentados, inválidos)* pensão *(de aposentadoria) f.*

pensioner ['penʃnər] *s* aposentado *m*, -da *f.*

penthouse ['penthaʊs, *pl* -haʊzɪz] *s* cobertura *f (de edifício).*

penultimate [pe'nʌltəmət] *adj* penúltimo(ma).

people ['pi:pl] **1** *spl* pessoas *fpl.*
2 *s (nação)* povo *m.*
3 the people *(cidadãos)* o povo.

pepper ['pepər] *s (tempero)* pimenta *f*; *(legume)* pimentão *m.*

peppercorn ['pepərkɔ:rn] *s* grão *m* de pimenta.

peppermint ['pepərmɪnt] **1** *adj* de hortelã-pimenta.
2 *s (bala)* pastilha *f* de hortelã-pimenta.

per [pɜ:r] *prep* por; **per person/week** por pessoa/semana; **$20 per night** 20 dólares por noite.

perceive [pər'siːv] *vt* perceber, notar.
per cent *adv* por cento.
percentage [pər'sentɪdʒ] *s* percentagem *f.*
perch [pɜːrtʃ] *s (para ave)* poleiro *m.*
percolator ['pɜːrkəleɪtər] *s* cafeteira *f (de filtro).*
perfect [*adj* 'pɜːrfɪkt, *v* pər'fekt] **1** *adj* perfeito(ta).
2 *vt* aperfeiçoar.
perfection [pər'fekʃn] *s*: **to do sthg to perfection** fazer algo à perfeição.
perfectly ['pɜːrfɪktlɪ] *adv (muito bem)* perfeitamente.
perform [pər'fɔːrm] **1** *vt (tarefa, operação)* realizar; *(em teatro)* representar; *(concerto)* dar; *(dança, obra musical)* executar.
2 *vi (ator, cantor)* atuar.
performance [pər'fɔːrməns] *s (em teatro)* representação *f; (de concerto)* interpretação *f; (de filme)* exibição *f; (de ator, músico)* atuação *f; (de carro)* performance *f*, desempenho *m.*
performer [pər'fɔːrmər] *s* artista *mf.*
perfume [pər'fjuːm] *s* perfume *m.*
perhaps [pər'hæps] *adv* talvez.
perimeter [pə'rɪmɪtər] *s* perímetro *m.*
period ['pɪərɪəd] **1** *s* período *m; (pontuação)* ponto *m* (final); *MED* menstruação *f.*
2 *adj (costume, mobília)* da época.
periodic [ˌpɪərɪ'ɒdɪk] *adj* periódico(ca).
periphery [pə'rɪfərɪ] *s* periferia *f.*
perishable ['perɪʃəbl] *adj* perecível.
perk [pɜːrk] *s* benefícios *mpl (em emprego).*
permanent ['pɜːrmənənt] *adj* permanente.
permanently ['pɜːrmənəntlɪ] *adv* permanentemente.
permissible [pər'mɪsəbl] *adj fml* permissível.
permission [pər'mɪʃn] *s* permissão *f.*
permit [*v* pər'mɪt, *s* 'pɜːrmɪt] **1** *vt* permitir.
2 *s* autorização *f*; **to permit sb to do sthg** permitir a alguém fazer algo.
perpendicular [ˌpɜːrpən'dɪkjələr] *adj* perpendicular.
persevere [ˌpɜːrsɪ'vɪər] *vi* perseverar, insistir.
persist [pər'sɪst] *vi* persistir; **to persist in doing sthg** persistir em fazer algo.
persistent [pər'sɪstənt] *adj* persistente.
person ['pɜːrsn] (*pl* **people**) *s* pessoa *f*; **in person** em pessoa.
personal ['pɜːrsnəl] *adj* pessoal; **a personal friend** um amigo íntimo.
personality [ˌpɜːrsə'nælətɪ] *s* personalidade *f.*
personally ['pɜːrsnəlɪ] *adv* pessoalmente.
personal property *s* bens *mpl* móveis.
personnel [ˌpɜːrsə'nel] *spl (emprego)* (departamento de) pessoal *m.*
perspective [pər'spektɪv] *s* perspectiva *f.*
perspiration [ˌpɜːrspə'reɪʃn] *s* transpiração *f.*
persuade [pər'sweɪd] *vt*: **to persuade sb (to do sthg)** persuadir alguém (a fazer algo); **to persuade sb that ...** persuadir alguém de que ...
persuasive [pər'sweɪsɪv] *adj* persuasivo(va), convincente.
pervert ['pɜːrvɜːrt] *s* tarado *m*, -da *f.*
pessimist ['pesəməst] *s* pessimista *mf.*
pessimistic [ˌpesə'mɪstɪk] *adj* pessimista.
pest [pest] *s (inseto, animal)* praga *f*, inseto *m* nocivo; *fam (pessoa)* peste *f.*
pester ['pestər] *vt* importunar.
pesticide ['pestɪsaɪd] *s* pesticida *m.*
pet [pet] *s* animal *m* de estimação; **the teacher's pet** o queridinho do professor.
petal ['petl] *s* pétala *f.*
petition [pə'tɪʃn] *s (carta)* petição *f*, abaixo-assinado *m.*
petrified ['petrɪfaɪd] *adj* petrificado(da).
petrol ['petrəl] *s Brit* gasolina *f.*
petty ['petɪ] *adj (pej: pessoa)* mesquinho(nha); *(regra)* insignificante.
petty cash *s* fundo *m* para pequenas despesas.
pew [pjuː] *s* banco *m (de igreja).*
pharmacist ['faːrməsəst] *s* farmacêutico *m*, -ca *f.*
pharmacy ['faːrməsɪ] *s (estabelecimento)* farmácia *f.*
phase [feɪz] *s* fase *f.*
PhD *s (título)* doutor *m*, -a *f; (curso)* doutorado *m*, doutoramento *m.*
pheasant ['feznt] *s* faisão *m.*
phenomena [fə'nɒmənə] *pl* → **phenomenon.**
phenomenal [fə'nɒmənl] *adj* fenomenal.
phenomenon [fə'nɒmənən] (*pl* **-mena**) *s* fenômeno *m.*
philosophy [fɪ'lɒsəfɪ] *s* filosofia *f.*
phlegm [flem] *s (garganta)* catarro *m; (comportamento)* fleuma *f.*

phone [fəʊn] **1** *s* telefone *m.*
2 *vt* telefonar para, ligar para.
3 *vi* telefonar.
4 on the phone *(falando)* ao telefone.
phone book *s* lista *f* telefônica.
phone call *s* chamada *f* telefônica, telefonema *m.*
phonecard ['fəʊnka:rd] *s* cartão *m* telefônico.
phone number *s* número *m* de telefone.
photo ['fəʊtəʊ] (*pl* **-s**) *s* foto *f*; **to take a photo of** tirar uma foto de.
photocopier [ˌfəʊtəʊ'kɒpɪər] *s* fotocopiadora *f.*
photocopy ['fəʊtəʊˌkɒpɪ] **1** *s* Xerox® *m inv*, fotocópia *f.*
2 *vt* xerocar, fotocopiar.
photograph ['fəʊtəgræf] **1** *s* fotografia *f.*
2 *vt* fotografar.
photographer [fə'tɒgrəfər] *s* fotógrafo *m*, -fa *f.*
photography [fə'tɒgrəfɪ] *s* fotografia *f.*
phrase [freɪz] *s* frase *f.*
phrasebook ['freɪzbʊk] *s* guia *m* de conversação.
physical ['fɪzɪkl] **1** *adj* físico(ca).
2 *s* exame *m* médico de aptidão.
physical education *s* educação *f* física.
physically handicapped *adj* deficiente físico(ca).
physician [fɪ'zɪʃən] *s* médico *m*, -ca *f.*
physics ['fɪzɪks] *s* física *f.*
physiotherapy [ˌfɪzɪəʊ'θerəpɪ] *s* fisioterapia *f.*
pianist ['pɪənəst] *s* pianista *mf.*
piano [pɪ'ænəʊ] (*pl* **-s**) *s* piano *m.*
pick [pɪk] **1** *vt (selecionar)* escolher; *(frutas, flores)* apanhar, colher.
2 *s (ferramenta)* picareta *f.*
3 to pick a fight procurar briga; **to pick one's nose** tirar meleca; **to take one's pick** escolher à vontade.
❑ **pick on** *vt fus* implicar com.
❑ **pick out** *vt sep (selecionar)* escolher; *(ver)* distinguir.
❑ **pick up 1** *vt sep (erguer)* pegar em; *(coletar)* ir buscar; *(idioma)* aprender; *(hábito)* adquirir; *(barganhar)* conseguir; *(carona)* dar uma carona a; *fam (mulher, homem)* paquerar.
2 *vi (melhorar)* recuperar.
3 to pick up the phone *(responder)* atender o telefone.
pickax ['pɪkæks] *s* picareta *f.*
pickle ['pɪkl] *s* picles *mpl.*
pickpocket ['pɪkˌpɒkət] *s* batedor *m*, -ra *f* de carteiras.
pickup (truck) *s* caminhonete *m.*
picnic ['pɪknɪk] *s* piquenique *m.*
picture ['pɪktʃər] *s (pintura, desenho)* quadro *m*; *(fotografia)* retrato *m*; *(na TV)* imagem *f*; *(cinema)* filme *m.*
picture frame *s* moldura *f.*
picturesque [ˌpɪktʃə'resk] *adj* pitoresco(ca).
pie [paɪ] *s (doce)* torta *f*; *(salgado)* empadão *m.*
piece [pi:s] *s (parte, um pouco)* pedaço *m*, bocado *m*; *(componente, de roupa, de música)* peça *f*; *(em xadrez)* peça *f*; **a piece of advice** um conselho; **a piece of furniture** um móvel; **to fall to pieces** cair aos pedaços; **in one piece** *(completo)* inteiro, intacto; *(ileso)* são e salvo.
pier [pɪər] *s* cais *m.*
pierce [pɪərs] *vt* furar; **to have one's ears pierced** furar as orelhas.
pig [pɪg] *s* porco *m*; *fam (pessoa)* guloso *m*, -sa *f.*
pigeon ['pɪdʒən] *s* pombo *m.*
pigeonhole ['pɪdʒənhəʊl] *s* escaninho *m.*
pigsty ['pɪgstaɪ] (*pl* **-ies**), **pigpen** ['pɪgpen] *s* chiqueiro *m.*
pigtails ['pɪgteɪlz] *spl* tranças *fpl.*
pile [paɪl] **1** *s* pilha *f.*
2 *vt* empilhar.
3 piles of *fam (muito)* montes de.
❑ **pile up 1** *vt sep* empilhar.
2 *vi (amontoar-se)* acumular-se.
piles [paɪlz] *spl* MED hemorróidas *fpl.*
pileup ['paɪlʌp] *s* engavetamento *m*, colisão *m* em cadeia.
pill [pɪl] *s* comprimido *m*, pílula *f*; **to be on the pill** *(contraceptivo)* tomar a pílula.
pillar ['pɪlər] *s* pilar *m.*
pillow ['pɪləʊ] *s (para cama)* travesseiro *m*; *(em cadeira, sofá)* almofada *f.*
pillowcase ['pɪləʊkeɪs] *s* fronha *f.*
pilot ['paɪlət] *s* piloto *m.*
pimple ['pɪmpl] *s* espinha *f.*
pin [pɪn] **1** *s (para costura)* alfinete *m*; *(para papel)* tachinha *f*; *(para fralda)* alfinete *m* de segurança; *(jóia)* broche *m*; *(identificação)* crachá *m.*
2 *vt (segurar)* prender.
PIN *s* (*abrev de* **personal identification**

number) senha *f (numérica)*.
pinball ['pɪnbɔːl] *s* fliperama *m*.
pincers ['pɪnsərz] *spl (ferramenta)* torquês *f*.
pinch [pɪntʃ] **1** *vt (apertar)* beliscar.
2 *s (de sal)* pitada *f*.
pine [paɪn] **1** *s* pinheiro *m*.
2 *adj* de pinho.
pineapple ['paɪnæpl] *s* abacaxi *m*.
pink [pɪŋk] **1** *adj* rosa *(inv)*, cor-de-rosa *(inv)*.
2 *s (cor)* rosa *m inv*, cor-de-rosa *m inv*.
pint [paɪnt] *s (nos EUA)* = 0,473 l; *(no Reino Unido)* = 0,568 l.
pip [pɪp] *s (de fruta)* caroço *m*.
pipe [paɪp] *s (para fumar)* cachimbo *m*; *(para gás, água)* cano *m*.
pipeline ['paɪplaɪn] *s (para petróleo)* oleoduto *m*; *(para gás)* gasoduto *m*.
piracy ['paɪrəsɪ] *n* pirataria *f*.
pirate ['paɪrət] *s* pirata *m*.
Pisces ['paɪsiːz] *s* Peixes *m inv*.
pistol ['pɪstl] *s* pistola *f*.
piston ['pɪstən] *s* pistom *m*.
pit [pɪt] *s (buraco, para orquestra)* fosso *m*; *(de carvão)* mina *f*; *(em fruta)* caroço *m*.
pitch [pɪtʃ] **1** *s (beisebol)* arremesso *m*; *Brit* ESP campo *m*.
2 *vt (jogar)* atirar; **to pitch a tent** armar uma barraca (de campismo).
pitcher ['pɪtʃər] *s (grande)* jarro *m*; *(pequeno)* jarra *f*.
pitfall ['pɪtfɔːl] *s (dificuldade)* armadilha *f*; *(risco)* perigo *m*.
pith [pɪθ] *s (de laranja)* pele *f* branca.
pitted ['pɪtəd] *adj (azeitonas)* descaroçado(da), sem caroço.
pity ['pɪtɪ] *s (compaixão)* pena *f*; **to have pity on sb** ter pena de alguém; **it's a pity (that) ...** é uma pena que ...; **what a pity!** que pena!
pivot ['pɪvət] *s* eixo *m*, pivô *m*.
placard ['plækaːrd] *s* cartaz *m*.
place [pleɪs] **1** *s* lugar *m*; *(moradia)* casa *f*; *(em mesa)* lugar.
2 *vt (pôr)* colocar; *(pedido, aposta)* fazer.
3 in the first place em primeiro lugar; **to take place** ter lugar; **to take sb's place** substituir alguém; **all over the place** por todo lado; **in place of** em lugar de.
place mat *s* descanso *m*.
placement ['pleɪsmənt] *s (em trabalho)* colocação *f* temporária, estágio *m*.
place of birth *s* local *m* de nascimento, naturalidade *f*.
plague [pleɪg] *s* peste *f*.
plain [pleɪn] **1** *adj* simples *(inv)*; *(iogurte)* natural; *(transparente)* claro(ra); *(papel)* liso(sa); *(pej: sem graça)* sem atrativos.
2 *s* planície *f*.
plainly ['pleɪnlɪ] *adv (obviamente)* claramente.
plait [plæt] **1** *s* trança *f*.
2 *vt* trançar.
plan [plæn] **1** *s (esquema, projeto)* plano *m*; *(desenho)* planta *f*.
2 *vt (organizar)* planejar.
3 do you have any plans for tonight? você tem planos para hoje à noite?; **according to plan** como estava previsto; **to plan to do sthg, to plan on doing sthg** pensar em fazer algo.
plane [pleɪn] *s (aeronave)* avião *m*; *(ferramenta)* plaina *f*.
planet ['plænət] *s* planeta *m*.
plank [plæŋk] *s* tábua *f*.
plant [plænt] **1** *s (ser vivo)* planta *f*; *(indústria)* fábrica *f*; *(energia, nuclear)* usina *f*.
2 *vt (sementes, árvore)* plantar; *(terra)* cultivar.
plantation [plæn'teɪʃn] *s* plantação *f*.
plaque [plæk] *s* placa *f*.
plaster ['plæstr] *s (em parede)* reboco *m*; *Brit (para machucado)* esparadrapo *m*; **in plaster** *(braço, perna)* engessado.
plastic ['plæstɪk] **1** *s* plástico *m*.
2 *adj* de plástico.
plastic bag *s* saco *m* plástico.
plate [pleɪt] *s (para comida)* prato *m*; *(de metal)* placa *f*; **a plate of glass** um vidro, uma vidraça.
plateau [plæ'təʊ] *s* planalto *m*.
platform ['plætfɔːrm] *s* plataforma *f*.
platinum ['plætənəm] *s* platina *f*.
platter ['plætər] *s (de comida)* travessa *f*.
play [pleɪ] **1** *vt* (ESP, *jogo)* jogar; *(instrumento, música)* tocar; *(adversário)* jogar contra; *(CD, fita, disco)* pôr; *(papel, personagem)* desempenhar.
2 *vi (criança)* brincar; (ESP, *jogo)* jogar; *(músico)* tocar.
3 *s (em teatro, na TV)* peça *f*; *(botão em CD, toca-fitas)* play *m*.
❑ **play back** *vt sep* repetir, colocar de novo.

❑ **play up** *vi (máquina, carro)* enguiçar, estar com problemas.

player ['pleɪər] *s (ESP, jogo)* jogador *m*, -ra *f*; *(de instrumento musical)* músico *m*, -ca *f*, intérprete *mf*; **guitar player** guitarrista *mf*; **piano player** pianista *mf*.

playful ['pleɪfl] *adj* brincalhão(lhona).

playground ['pleɪgraʊnd] *s (em escola)* pátio *m* de recreio; *(em parque etc.)* playground *m*.

play group ['pleɪgru:p] *s tipo de jardim-de-infância*.

playing field ['pleɪɪŋ-] *s* campo *m* esportivo.

playroom ['pleɪru:m] *s* sala *f* de recreação.

playtime ['pleɪtaɪm] *s* recreio *m*.

playwright ['pleɪraɪt] *s* dramaturgo *m*, -ga *f*.

pleasant ['pleznt] *adj* agradável.

please [pli:z] **1** *adv* por favor.
2 *vt* agradar a.
3 yes please! sim, por favor!; **whatever you please** como quiser.

pleased [pli:zd] *adj* satisfeito(ta), contente; **to be pleased with** estar satisfeito com; **pleased to meet you!** prazer em conhecê-lo! (-la).

pleasure ['pleʒər] *s* prazer *m*; **with pleasure** com prazer; **it's a pleasure!** é um prazer!

pleat [pli:t] *s* prega *f*.

pleated ['pli:təd] *adj* pregueado(da).

plentiful ['plentɪfl] *adj* abundante.

plenty ['plentɪ] *pron* bastante; **plenty of** bastante.

pliers ['plaɪərz] *spl* alicate *m*.

plot [plɒt] *s (esquema)* complô *m*; *(de estória, filme, peça)* enredo *m*; *(de terra)* pedaço *m*.

plough [plaʊ] *s & vt Brit* = **plow.**

plow [plaʊ] **1** *s* arado *m*.
2 *vt* lavrar, arar.

ploy [plɔɪ] *s* estratagema *m*.

pluck [plʌk] *vt (sobrancelhas, cabelo)* arrancar, depilar *(com pinça)*; *(galinha)* depenar.

plug [plʌg] *s (com pinos)* plugue *m*; *(na parede)* tomada *f*; *(para banheira, pia)* tampa *f*, válvula *f*.
❑ **plug in** *vt sep* ligar *(na tomada)*.

plum [plʌm] *s* ameixa *f*.

plumber ['plʌmər] *s* encanador *m*, -ra *f*.

plumbing ['plʌmɪŋ] *s (canos)* encanamento *m*.

plump [plʌmp] *adj* roliço(ça).

plunge [plʌndʒ] *vi (cair, submergir)* mergulhar; *(diminuir)* despencar.

plunger ['plʌndʒər] *s (para encanamento)* desentupidor *m*.

pluperfect (tense) [ˌplu:'pɜ:rfəkt-] *s GRAM*: **the pluperfect (tense)** o mais-que-perfeito.

plural ['plʊərəl] *s* plural *m*; **in the plural** no plural.

plus [plʌs] **1** *prep* mais.
2 *adj*: **30 plus** trinta ou mais.

plywood ['plaɪwʊd] *s* compensado *m*.

p.m. (*abrev de* **post meridiem**): **at 3 p.m.** às três da tarde, às 15h; **at 10 p.m.** às dez da noite, às 22h.

pneumatic drill [nu:'mætɪk-] *s* perfuratriz *f*.

pneumonia [nu:'məʊnjə] *s* pneumonia *f*.

poached salmon [pəʊtʃt-] *s* salmão *m* cozido.

poacher ['pəʊtʃər] *s (caça)* caçador *m* furtivo, caçadora *f* furtiva; *(pesca)* pescador *m* furtivo, pescadora *f* furtiva.

pocket ['pɒkət] **1** *s* bolso *m*.
2 *adj* de bolso.

pocket money *s* mesada *f*.

poem ['pəʊəm] *s* poema *m*.

poet ['pəʊət] *s* poeta *mf*.

poetry ['pəʊətrɪ] *s* poesia *f*.

point [pɔɪnt] **1** *s* ponto *m*; *(extremidade)* ponta *f*; *(coisa mais importante)* questão *f*.
2 *vi*: **to point to** apontar para.
3 five point seven cinco vírgula sete; **what's the point?** para quê?; **there's no point** não vale a pena; **to be on the point of doing sthg** estar prestes a OU a ponto de fazer algo.
❑ **point out** *vt sep (objeto, pessoa)* indicar; *(fato, erro)* apontar.

pointed ['pɔɪntəd] *adj (forma)* pontiagudo(da).

pointless ['pɔɪntləs] *adj* inútil.

point of view (*pl* **points of view**) *s* ponto *m* de vista.

poison ['pɔɪzn] **1** *s* veneno *m*.
2 *vt* envenenar.

poisoning ['pɔɪznɪŋ] *s* envenenamento *m*.

poisonous ['pɔɪznəs] *adj* venenoso(osa).

poke [pəʊk] *vt (com dedo, vara)* cutucar;

(com cotovelo) cutucar, dar cotoveladas em; *(fogo)* cutucar, atiçar.

poker ['pəʊkər] *s (jogo de cartas)* pôquer *m.*

polar bear ['pəʊlər-] *s* urso *m* polar.

pole [pəʊl] *s (de madeira)* poste *m.*

police [pə'li:s] *spl*: **the police** a polícia.

policeman [pə'li:smən] (*pl* **-men** [-mən]) *s* policial *m.*

police officer *s* policial *mf.*

police station *s* delegacia *f.*

policewoman [pə'li:s,wʊmən] (*pl* **-women** [-,wɪmɪn]) *s* policial *f.*

policy ['pɒləsɪ] *s (postura, atitude)* política *f*; *(de seguro)* apólice *f.*

> Não confundir *policy (política)* com o português *polícia* que em inglês é *police.* (*The present government's policy on education.* A *política* atual do governo para a educação.)

policyholder ['pɒləsɪ,həʊldər] *s* segurado *m*, -da *f.*

polio ['pəʊlɪəʊ] *s* poliomielite *f*, paralisia *f* infantil.

polish ['pɒlɪʃ] **1** *s (para limpeza)* cera *f.*
2 *vt* encerar.

polite [pə'laɪt] *adj* educado(da).

political [pə'lɪtɪkl] *adj* político(ca).

politician [,pɒlɪ'tɪʃn] *s* político *m*, -ca *f.*

politics ['pɒlətɪks] *s* política *f.*

poll [pəʊl] *s (investigação)* pesquisa *f*; **the polls** *(votação)* as eleições.

pollen ['pɒlən] *s* pólen *m.*

pollute [pə'lu:t] *vt* poluir.

pollution [pə'lu:ʃn] *s* poluição *f.*

polyester [,pɒlɪ'estər] *s* poliéster *m.*

polystyrene [,pɒlɪ'staɪri:n] *s* isopor *m.*

pomegranate ['pɒmɪgrænɪt] *s* romã *f.*

pompous ['pɒmpəs] *adj* pomposo(osa).

pond [pɒnd] *s* lago *m.*

pony ['pəʊnɪ] *s* pônei *m.*

ponytail ['pəʊnɪteɪl] *s* rabo-de-cavalo *m.*

pool [pu:l] *s (para nadar)* piscina *f*; *(de água, sangue, leite)* poça *f*; *(tanque)* lago *f*; *(jogo)* bilhar *m.*

poor [pɔ:r] **1** *adj (sem dinheiro)* pobre; *(ruim)* mau (má); *(expressando simpatia)* coitado(da), pobre.
2 *spl*: **the poor** os pobres.

poorly ['pɔ:rlɪ] *adv* mal.

pop [pɒp] **1** *s* MÚS música *f* popular.
2 *vt fam (colocar)* meter.
3 *vi (balão)* estourar; **my ears popped** meus ouvidos estalaram.
❑ **pop in** *vi Brit*: **I'll pop in after work** dou um pulo aí depois do trabalho.

popcorn ['pɒpkɔ:rn] *s* pipoca *f.*

Pope [pəʊp] *s*: **the Pope** o Papa.

poppy ['pɒpɪ] *s* papoula *f.*

popular ['pɒpjələr] *adj (pessoa, lugar, atividade)* popular; *(opinião, idéia)* generalizado(da).

popularity [,pɒpjə'lærətɪ] *s* popularidade *f.*

populated ['pɒpjəleɪtɪd] *adj* povoado(da).

population [,pɒpjə'leɪʃn] *s* população *f.*

porcelain ['pɔ:rsəlɪn] *s* porcelana *f.*

porch [pɔ:rtʃ] *s (fora de casa)* terraço *m (coberto)* alpendre *m*; *(entrada)* átrio *m.*

pork [pɔ:rk] *s* carne *f* de porco.

pornographic [,pɔ:rnə'græfɪk] *adj* pornográfico(ca).

porridge ['pɒrɪdʒ] *s* flocos *mpl* de aveia.

port [pɔ:rt] *s* porto *m.*

portable ['pɔ:rtəbl] *adj* portátil.

portal ['pɔ:tl] *n* INFORM portal *m.*

porter ['pɔ:rtər] *s (em hotel, aeroporto)* carregador *m*, -ra *f.*

porthole ['pɔ:rthəʊl] *s* vigia *f.*

portion ['pɔ:rʃn] *s (parte)* porção *f*; *(de comida)* porção *f.*

portrait ['pɔ:rtreɪt] *s* retrato *m.*

Portuguese [,pɔ:rtʃə'gi:z] **1** *adj* português(esa).
2 *s (pessoa)* português *m*, -esa *f*; *(idioma)* português *m.*

pose [pəʊz] **1** *vt (problema, ameaça)* constituir.
2 *vi (para foto)* posar.

posh [pɒʃ] *adj fam* fino(na), chique.

position [pə'zɪʃn] *s* posição *f*; **'position closed'** 'fechado'.

positive ['pɒzətɪv] *adj* positivo(va); *(certo)* seguro(ra); **I'm absolutely positive** tenho certeza absoluta.

possess [pə'zes] *vt* possuir.

possession [pə'zeʃn] *s (posse)* bem *m.*

possessive [pə'zesɪv] *adj* possessivo(va).

possibility [,pɒsə'bɪlətɪ] *s* possibilidade *f.*

possible ['pɒsəbl] *adj* possível; **it's possible that we may be late** é possível que cheguemos atrasados; **would it be possible ...?** seria possível ...?; **as much as possible** o máximo possível; **if possible** se for possível.

possibly ['pɒsəblɪ] *adv (talvez)* possivelmente.

post [pəʊst] *s (vara)* poste *m*; *(fml: emprego)* lugar *m*; *Brit* correio *m*.

postage ['pəʊstɪdʒ] *s* franquia *f*; **postage and handling** custos *mpl* de envio; **postage paid** porte *m* pago.

postage stamp *s fml* selo *m* (postal).

postbox ['pəʊstbɒks] *s Brit* caixa *f* de correio.

postcard ['pəʊstka:rd] *s* (cartão) postal *m*.

postcode ['pəʊstkəʊd] *s Brit* código *m* postal.

poster ['pəʊstər] *s* pôster *m*.

postgraduate [ˌpəʊst'grædʒʊət] *s* pós-graduado *m*, -da *f*.

postman ['pəʊstmən] (*pl* **-men** [-mən]) *s* carteiro *m*.

postmark ['pəʊstma:rk] *s* carimbo *m* (postal).

post office *s (estabelecimento)* agência *f* de correios.

postpone [ˌpəʊst'pəʊn] *vt* adiar.

posture ['pɒstʃər] *s* postura *f*.

pot [pɒt] *s (para cozinhar)* panela *f*; *(para geléia, tinta)* frasco *m*; *(para café, chá)* bule *m* .

potato [pə'teɪtəʊ] (*pl* **-es**) *s* batata *f*.

potato chip *s* batatinha *f* frita.

potential [pə'tenʃl] **1** *adj* potencial.
2 *s* potencial *m*.

pothole ['pɒthəʊl] *s (em estrada)* buraco *m*.

potted ['pɒtəd] *adj (planta)* de vaso, de interior.

pottery ['pɒtərɪ] *s (objetos de argila)* cerâmica *f* ; *(lugar)* olaria *f*.

potty ['pɒtɪ] *s* penico *m (para crianças)*.

pouch [paʊtʃ] *s (para dinheiro, tabaco)* bolsa *f*.

poultry ['pəʊltrɪ] **1** *s (para comer)* carne *f* de aves (domésticas).
2 *spl (animais)* aves *fpl* domésticas.

pound [paʊnd] **1** *s (unidade de peso)* libra, = 453,6 g; *Brit (unidade de dinheiro)* libra *f*.
2 *vi (coração)* palpitar; *(cabeça)* latejar.

pour [pɔ:r] **1** *vt (líquido etc.)* jogar; *(bebida)* servir.
2 *vi (fluxo)* correr.
3 it's pouring (down rain) está chovendo canivetes.
❑ **pour out** *vt sep (bebida)* servir.

poverty ['pɒvərtɪ] *s* pobreza *f*.

powder ['paʊdər] *s* pó *m*.

power ['paʊər] **1** *s (controle, autoridade)* poder *m*; *(habilidade)* capacidade *f*; *(robustez)* força *f*; *(vigor)* energia *f*; *(energia elétrica)* eletricidade *f*.
2 *vt* alimentar, acionar; **to be in power** estar no poder.

power cut *s* corte *m* de energia.

powerful ['paʊərfl] *adj* forte; *(tendo controle)* poderoso(osa); *(máquina)* potente.

practical ['præktɪkl] *adj* prático(ca).

practically ['præktɪklɪ] *adv (quase)* praticamente.

practice ['præktəs] **1** *s (treinamento, atividade regular, costume)* prática *f*; ESP sessão *f* de treino; MÚS ensaio *m*; *(de médico)* consultório *m*; *(de advogado)* escritório *m*.
2 *vt (esporte, música, técnica)* praticar.
3 *vi (treinar)* praticar; *(médico, advogado)* exercer.
4 out of practice destreinado(da).

practise ['præktəs] *vt Brit* = **practice.**

praise [preɪz] **1** *s* elogio *m*.
2 *vt* elogiar.

pram [præm] *s Brit* carrinho *m* de bebê.

prank [præŋk] *s* peça *f*.

prawn [prɔ:n] *s* camarão *m*.

pray [preɪ] *vi* rezar; **to pray for** rezar por; **to pray for rain** rezar para que chova.

prayer [preər] *s* oração *f*.

precarious [prɪ'keərɪəs] *adj* precário(ria).

precaution [prɪ'kɔ:ʃn] *s* precaução *f*.

precede [prɪ'si:d] *vt fml* preceder.

preceding [prɪ'si:dɪŋ] *adj* precedente.

precinct ['pri:sɪŋkt] *s Am (área de cidade)* circunscrição *f*; *(de polícia)* delegacia *f*; *Brit (para compras)* zona *f* comercial (de pedestres).

precious ['preʃəs] *adj* precioso(osa); *(memórias, posses)* querido(da).

precipice ['presəpəs] *s* precipício *m*.

precise [prɪ'saɪs] *adj* preciso(sa).

precisely [prɪ'saɪslɪ] *adv* precisamente.

predecessor ['pri:dəsesər] *s* antecessor *m*, -ra *f*.

predicament [prɪ'dɪkəmənt] *s* situação *f* difícil.

predict [prɪ'dɪkt] *vt* prever.

predictable [prɪ'dɪktəbl] *adj* previsível.

prediction [prɪ'dɪkʃn] *s* previsão *f*.

preface ['prefəs] *s* prefácio *m*.

prefer [prɪ'fɜ:r] *vt*: **to prefer sthg (to)** preferir algo (a); **to prefer to do sthg** preferir fazer algo.

preferable ['prefrəbl] *adj* preferível.

preferably ['prefrəblɪ] *adv* preferivelmente, de preferência.
preference ['prefrəns] *s* preferência *f*.
prefix ['pri:fɪks] *s* prefixo *m*.
pregnancy ['pregnənsɪ] *s* gravidez *f*.
pregnant ['pregnənt] *adj* grávida.
prejudice ['predʒədəs] *s* preconceito *m*.
prejudiced ['predʒədəst] *adj* preconceituoso(osa).
preliminary [prə'lɪmənərɪ] *adj* preliminar.
premature [,pri:mə'tʊr] *adj* prematuro(ra).
premier ['premjər] **1** *adj* primeiro(ra), principal.
2 *s* primeiro-ministro *m*, primeira-ministra *f*.
premiere [prɪ'mɪeər] *s* estréia *f*.
premises ['preməsəz] *spl* instalações *fpl*, local *m*; **on the premises** no estabelecimento.
premium ['pri:mjəm] *s (para seguro)* prêmio *m*.
preoccupied [pri:'ɒkjəpaɪd] *adj* preocupado(da).
prepaid ['pri:peɪd] *adj (envelope)* com porte pago, que não necessita de selo; **prepaid card** cartão *m* pré-pago.
preparation [,prepə'reɪʃn] *s (feitura)* preparação *f*.
❑ **preparations** *spl (preparações)* preparativos *mpl*.
preparatory school [prɪ'pærətɔrɪ-] *s (nos EUA) escola secundária particular destinada à preparação para o ensino superior; (no Reino Unido) escola particular, de preparação para o ensino secundário, para alunos dos sete aos doze anos.*
prepare [prɪ'peər] **1** *vt* preparar.
2 *vi* preparar-se.
prepared [prɪ'peərd] *adj (pronto)* preparado(da); **to be prepared to do sthg** estar preparado para fazer algo.
preposition [,prepə'zɪʃn] *s* preposição *f*.
preschool ['pri:sku:l] *s* jardim-de-infância *m*.
prescribe [prə'skraɪb] *vt* receitar.
prescription [prə'skrɪpʃn] *s* receita *f* (médica).
presence ['prezns] *s* presença *f*; **in sb's presence** na presença de alguém.
present [*adj & s* 'preznt, *v* prɪ'zent] **1** *adj (em lugar)* presente; *(tempo)* atual.
2 *s (objeto oferecido)* presente *m*.
3 *vt (dar)* presentear; *(problema, desafio)* representar; *(no rádio ou TV)* apresentar.
4 the present o presente; **the present (tense)** GRAM o presente; **at present** no momento; **to present sb to sb** apresentar alguém a alguém.
presentable [prɪ'zentəbl] *adj* apresentável.
presentation [,prezn'teɪʃn] *s* apresentação *f*.
presently ['prezəntlɪ] *adv (em breve)* daqui a pouco; *(logo depois)* daí a pouco; *(agora)* atualmente, neste momento.
preservation [,prezər'veɪʃn] *s (de natureza, prédio, comida)* conservação *f*; *(de ordem, paz)* manutenção *f*.
preservative [prɪ'zɜ:rvətɪv] *s* conservante *m*.
preserve [prɪ'zɜ:rv] *vt* conservar; *(ordem, paz)* manter.
president ['prezɪdənt] *s* presidente *mf*.
press [pres] **1** *vt (empurrar com firmeza)* pressionar; *(botão, interruptor)* apertar; *(roupa)* passar (a ferro).
2 *s*: **the press** a imprensa.
3 to press sb to do sthg pressionar alguém a fazer algo.
press conference *s* entrevista *f* coletiva.
pressure ['preʃər] *s* pressão *f*.
pressure cooker *s* panela *f* de pressão.
prestigious [pre'stɪdʒəs] *adj* prestigioso(osa).
presumably [prɪ'zu:məblɪ] *adv* presumivelmente.
presume [prɪ'zu:m] *vt* presumir.
pretend [prɪ'tend] *vt*: **to pretend to do sthg** fingir fazer algo; **she pretended she was crying** ela fez de conta que estava chorando.

> Não confundir *pretend (fingir)* com o português *pretender* que em inglês é *intend*. (*I am tired of having to pretend all the time.* Estou cansado de *fingir* o tempo todo.)

pretentious [prɪ'tenʃəs] *adj* pretensioso(osa).
pretty ['prɪtɪ] **1** *adj* bonito(ta).
2 *adv fam (bem)* bastante.
prevent [prɪ'vent] *vt* evitar; **to prevent sb/sthg from doing sthg** impedir alguém/algo de fazer algo.
prevention [prɪ'venʃn] *s* prevenção *f*.
preview ['pri:vju:] *s (de filme)* pré-estréia

f; *(descrição curta)* resumo *m*; *INFORM* pré-visualização *f*.

previous ['priːvɪəs] *adj* anterior.

previously ['priːvɪəslɪ] *adv* anteriormente.

price [praɪs] **1** *s* preço *m*.
2 *vt* fixar o preço de; **to be priced at** custar.

priceless ['praɪsləs] *adj (sem preço)* inestimável; *(caro)* valiosíssimo(ma).

pricey ['praɪsɪ] *adj fam* caro(ra).

prickly ['prɪklɪ] *adj (planta, arbusto)* espinhoso(osa).

pride [praɪd] **1** *s* orgulho *m*.
2 *vt*: **to pride o.s. on sthg** orgulhar-se de algo.

priest [priːst] *s* padre *m*.

primarily [praɪ'merəlɪ] *adv* principalmente.

primary school ['praɪmerɪ-] *s Brit* escola *f* primária.

prime [praɪm] *adj (mais importante)* principal; *(qualidade, carne)* de primeira.

prime minister *s* primeiro-ministro *m*, primeira-ministra *f*.

primitive ['prɪmɪtəv] *adj* primitivo(va).

prince [prɪns] *s* príncipe *m*.

princess [prɪn'ses] *s* princesa *f*.

principal ['prɪnsəpl] **1** *adj* principal.
2 *s (de escola)* diretor *m*, -ra *f*; *(de universidade)* reitor *m*, -ra *f*.

principle ['prɪnsəpl] *s* princípio *m*; **in principle** em princípio.

print [prɪnt] **1** *s* *(palavras)* letra *f (impressa)*; *(imagem)* fotografia *f*; *(de pintura)* reprodução *f*; *(marca)* impressão *f*.
2 *vt (livro, jornal)* imprimir; *(imprensa)* publicar; *(escrita)* escrever em letra de imprensa; *(foto)* revelar.
3 out of print esgotado.
❑ **print out** *vt sep* imprimir.

printed matter ['prɪntəd-] *s* impressos *mpl*.

printer ['prɪntər] *s (máquina)* impressor *m*, -ra *f*; *(pessoa)* impressor *m*, -ra *f*.

printout ['prɪntaʊt] *s* cópia *f* impressa, impressão *f*.

prior ['praɪər] *adj (anterior)* prévio(via); **prior to** *fml* antes de.

priority [praɪ'ɒrətɪ] *s* prioridade *f*; **to have priority over** ter prioridade sobre.

prison ['prɪzn] *s* prisão *f*.

prisoner ['prɪznər] *s* prisioneiro *m*, -ra *f*.

privacy ['praɪvəsɪ] *s* privacidade *f*.

private ['praɪvət] **1** *adj* privado(da); *(aula, lição)* particular; *(quieto)* retirado(da).
2 *s MIL* soldado *m* raso; **in private** em particular.

privilege ['prɪvɪlɪdʒ] *s* privilégio *m*; **it's a privilege!** é uma honra!

prize [praɪz] *s* prêmio *m*.

probability [ˌprɒbə'bɪlətɪ] *s* probabilidade *f*.

probable ['prɒbəbl] *adj* provável.

probably ['prɒbəblɪ] *adv* provavelmente.

problem ['prɒbləm] *s* problema *m*; **no problem!** *fam* não tem problema!

procedure [prə'siːdʒər] *s* procedimento *m*.

proceed [prə'siːd] *vi (fml: continuar)* prosseguir; *(atuar)* proceder; *(ir em frente)* avançar; **'proceed with caution'** 'avançar com precaução'.

proceeds ['prəʊsiːdz] *spl* receita *f*, dinheiro *m* apurado.

process ['prɒses] *s* processo *m*; **to be in the process of doing sthg** estar fazendo algo.

procession [prə'seʃn] *s* procissão *f*.

prod [prɒd] *vt (com o dedo)* cutucar.

produce [*v* prə'duːs, *s* 'prəʊdjuːs] **1** *vt* produzir; *(causar)* provocar; *(exibir)* mostrar.
2 *s* produtos *mpl* agrícolas.

producer [prə'duːsər] *s* produtor *m*, -ra *f*.

product ['prɒdʌkt] *s* produto *m*.

production [prə'dʌkʃn] *s* produção *f*.

productivity [ˌprɒdʌk'tɪvətɪ] *s* produtividade *f*.

profession [prə'feʃn] *s* profissão *f*.

professional [prə'feʃnəl] **1** *adj* profissional.
2 *s* profissional *mf*.

professor [prə'fesər] *s (nos EUA)* professor *m* universitário, professora *f* universitária; *(no Reino Unido)* professor *m* catedrático, professora *f* catedrática.

profile ['prəʊfaɪl] *s* perfil *m*.

profit ['prɒfət] **1** *s (financeiro)* lucro *m*.
2 *vi*: **to profit (from)** tirar proveito (de), lucrar (com).

profitable ['prɒfɪtəbl] *adj (financeiramente)* lucrativo(va), rentável.

profound [prə'faʊnd] *adj* profundo(da).

program ['prəʊgræm] **1** *s* programa *m*.
2 *vt INFORM* programar.

programme ['prəʊgræm] *s & vt Brit* = **program.**

progress [s 'prɒgres, v prə'gres] **1** *s* progresso *m*.
2 *vi (trabalho, negociações, estudante)* progredir; *(dia, reunião)* avançar.
3 to make progress *(aperfeiçoar)* progredir, melhorar; *(em viagem)* avançar; **in progress** em curso.

progressive [prə'gresɪv] *adj (arrojado)* progressivo(va).

prohibit [prə'hɪbət] *vt* proibir; **'smoking strictly prohibited'** 'é proibido fumar'.

project ['prɒdʒekt] *s (plano)* projeto *m*; *(em escola)* trabalho *m*.

projector [prə'dʒektər] *s* projetor *m*.

prolong [prə'lɒŋ] *vt* prolongar.

prom [prɒm] *s (dança)* baile *m* de formatura.

promenade [ˌprɒmə'neɪd] *s (à beira-mar)* passeio *m* (à beira da praia), calçadão *m*.

prominent ['prɒmɪnənt] *adj* proeminente.

promise ['prɒmɪs] **1** *s* promessa *f*.
2 *vt & vi* prometer.
3 to show promise ser promissor; **to promise sb sthg** prometer algo a alguém; **to promise to do sthg** prometer fazer algo; **I promise (that) I'll come** prometo que vou, prometo ir.

promising ['prɒmɪsɪŋ] *adj* promissor(ra).

promote [prə'məʊt] *vt* promover.

promotion [prə'məʊʃn] *s* promoção *f*.

prompt [prɒmpt] **1** *adj (rápido)* imediato(ta).
2 *adv*: **at six o'clock prompt** às seis em ponto.

prone [prəʊn] *adj*: **to be prone to sthg** ser propenso(sa) a algo; **to be prone to do sthg** ter tendência para fazer algo.

prong [prɒŋ] *s (de garfo)* dente *m*.

pronoun ['prəʊnaʊn] *s* pronome *m*.

pronounce [prə'naʊns] *vt (palavra)* pronunciar.

pronunciation [prəˌnʌnsɪ'eɪʃn] *s* pronúncia *f*.

proof [pru:f] *s (evidência)* prova *f*; **it's 40 proof** *(bebida alcoólica)* tem 40 graus.

prop [prɒp] (*pt & pp* **-ped,** *cont* **-ping**): **prop up** *vt sep (suster)* apoiar.

propeller [prə'pelər] *s* hélice *f*.

proper ['prɒpər] *adj (próprio)* adequado(da); *(correto, socialmente aceitável)* apropriado(da).

properly ['prɒpərlɪ] *adv* corretamente.

property ['prɒpərtɪ] *s* propriedade *f*; *(fml: construção)* imóvel *m*, prédio *m*.

proportion [prə'pɔ:rʃn] *s (quantidade)* porção *f*, parte *f*; *(relação)* proporção *f*.

proposal [prə'pəʊzl] *s (sugestão)* proposta *f*.

propose [prə'pəʊz] **1** *vt (sugerir)* propor.
2 *vi*: **to propose to sb** pedir alguém em casamento.

proposition [ˌprɒpə'zɪʃn] *s (oferta)* proposta *f*.

proprietor [prə'praɪətər] *s fml* proprietário *m*, -ria *f*.

prose [prəʊz] *s (não poesia)* prosa *f*.

prosecute ['prɒsɪkju:t] **1** *vt* JUR processar, mover uma ação judicial contra.
2 *vi* JUR instaurar um processo judicial; *(no tribunal)* representar o demandante.

prospect ['prɒspekt] *s (esperança)* possibilidade *f*, perspectiva *f*; **I don't relish the prospect** não me agrada a perspectiva.
❑ **prospects** *spl (para o futuro)* perspectivas *fpl*.

prospectus [prə'spektəs] (*pl* **-es**) *s* prospecto *m*.

prosperous ['prɒspərəs] *adj* próspero(ra).

prostitute ['prɒstɪtu:t] *s* prostituta *f*.

protect [prə'tekt] *vt* proteger; **to protect sb/sthg against** proteger alguém/algo contra; **to protect sb/sthg from** proteger alguém/algo de.

protection [prə'tekʃn] *s* proteção *f*.

protective [prə'tektɪv] *adj* protetor(ra).

protein ['prəʊti:n] *s* proteína *f*.

protest [s 'prəʊtest, v prə'test] **1** *s (reclamação)* protesto *m*; *(demonstração)* passeata *f*, protesto.
2 *vt (rebelar-se contra)* protestar contra.
3 *vi*: **to protest (against)** protestar (contra).

Protestant ['prɒtəstənt] *s* protestante *mf*.

protester [prə'testər] *s* manifestante *mf*.

protractor [prə'træktər] *s* transferidor *m*.

protrude [prə'tru:d] *vi* sair.

proud [praʊd] *adj* orgulhoso(osa); **to be proud of** ter orgulho de.

prove [pru:v] (*pp* **-d** ou **proven** [pru:vn]) *vt (demonstrar)* provar; *(mostrar-se)* revelar-se.

proverb ['prɒvɜ:rb] *s* provérbio *m*.

provide [prə'vaɪd] *vt (abastecer)* fornecer; **to provide sb with sthg** fornecer algo a alguém.

❑ **provide for** *vt fus (pessoa)* manter.
provided (that) [prə'vaɪdɪd-] *conj* desde que.
providing (that) [prə'vaɪdɪŋ-] = **provided (that).**
province ['prɒvɪns] *s* província *f*.
provisional [prə'vɪʒənl] *adj* provisório(ria).
provocative [prə'vɒkətɪv] *adj* provocador(ra).
provoke [prə'vəʊk] *vt* provocar.
prowl [praʊl] *vi* rondar.
prune [pru:n] **1** *s* ameixa *f* seca.
2 *vt (árvore, arbusto)* podar.
psychiatrist [saɪ'kaɪətrəst] *s* psiquiatra *mf*.
psychic ['saɪkɪk] *adj (pessoa)* paranormal.
psychological [ˌsaɪkə'lɒdʒɪkl] *adj* psicológico(ca).
psychologist [saɪ'kɒlədʒəst] *s* psicólogo *m*, -ga *f*.
psychology [saɪ'kɒlədʒɪ] *s* psicologia *f*.
psychotherapist [ˌsaɪkəʊ'θerəpəst] *s* psicoterapeuta *mf*.
pub [pʌb] *s* bar *m*.
puberty ['pju:bərtɪ] *s* puberdade *f*.
public ['pʌblɪk] **1** *adj* público(ca).
2 *s*: **the public** o público; **in public** em público.
publication [ˌpʌblɪ'keɪʃn] *s* publicação *f*.
public holiday *s* feriado *m* (nacional).
publicity [pʌb'lɪsɪtɪ] *s* publicidade *f*.
public transportation *s* transporte *m* público OU coletivo.
publish ['pʌblɪʃ] *vt* publicar.
publisher ['pʌblɪʃər] *s (pessoa)* editor *m*, -ra *f*; *(empresa)* editora *f*.
publishing ['pʌblɪʃɪŋ] *s (ramo da indústria)* indústria *f* editorial.
pudding ['pʊdɪŋ] *s (doce)* pudim *m*; *Brit (depois da refeição)* sobremesa *f*.
puddle ['pʌdl] *s* poça *f*.
puff [pʌf] **1** *vi (respiração pesada)* ofegar.
2 *s (de ar)* lufada *f*; *(fumaça)* baforada *f*.
3 to puff at tirar baforadas de.
puff pastry *s* massa *f* folheada.
pull [pʊl] **1** *vt & vi* puxar.
2 *s*: **to give sthg a pull** dar um puxão em algo, puxar algo.
3 to pull a face fazer uma careta; **to pull a muscle** distender um músculo; **'pull'** *(em porta)* 'puxe'.
❑ **pull apart** *vt sep (máquina)* desmontar; *(livro)* desfazer.
❑ **pull down** *vt sep (objeto)* baixar; *(edifício)* demolir.
❑ **pull in** *vi (trem)* dar entrada *(em estação)*; *(carro)* estacionar.
❑ **pull out 1** *vt sep (rolha, tomada)* tirar; *(dente)* arrancar.
2 *vi (trem)* partir; *(carro)* sair; *(pessoa)* retirar-se.
❑ **pull over** *vi (carro)* encostar.
❑ **pull up 1** *vt sep (calças, mangas)* arregaçar; *(meias)* puxar.
2 *vi (veículo)* parar.
pulley ['pʊlɪ] (*pl* **pulleys**) *s* roldana *f*.
pullover ['pʊlˌəʊvər] *s* pulôver *m*.
pulpit ['pʊlpɪt] *s* púlpito *m*.
pulse [pʌls] *s* MED pulso *m*.
pump [pʌmp] *s* bomba *f*.
❑ **pumps** *spl (calçado)* sandália *f* (de salto alto).
❑ **pump up** *vt sep* encher.
pumpkin ['pʌmpkɪn] *s* abóbora *f*.
pun [pʌn] *s* trocadilho *m*.
punch [pʌntʃ] **1** *s (pancada)* murro *m*, soco *m*; *(bebida)* ponche *m*.
2 *vt (bater)* esmurrar, dar um murro OU soco em; *(tíquete)* picar, obliterar.
punctual ['pʌŋktʃʊəl] *adj* pontual.
punctuation [ˌpʌŋktʃʊ'eɪʃn] *s* pontuação *f*.
puncture ['pʌŋktʃər] **1** *s* furo *m*.
2 *vt* furar.
punish ['pʌnɪʃ] *vt*: **to punish sb (for sthg)** castigar alguém (por algo), pôr alguém de castigo (por algo).
punishment ['pʌnɪʃmənt] *s* castigo *m*.
pupil ['pju:pl] *s (de olho)* pupila *f*; *Brit (estudante)* aluno *m*, -na *f*.
puppet ['pʌpət] *s* fantoche *m*, marionete *f*.
puppy ['pʌpɪ] *s* cachorrinho *m*.
purchase ['pɜ:rtʃəs] **1** *vt fml* comprar.
2 *s fml* compra *f*.
pure [pjʊər] *adj* puro(ra).
puree [pju:'reɪ] *s* purê *m*.
purely ['pjʊərlɪ] *adv (somente)* meramente.
purity ['pjʊərətɪ] *s* pureza *f*.
purple ['pɜ:rpl] *adj* roxo(xa).
purpose ['pɜ:rpəs] *s (razão)* motivo *m*; *(aplicação)* uso *m*; **on purpose** de propósito.
purr [pɜ:r] *vi (gato)* ronronar.
purse [pɜ:rs] *s* carteira *f*.

pursue [pər'su:] *vt (seguir)* perseguir; *(estudo, inquérito, assunto)* continuar com.
pus [pʌs] *s* pus *m*.
push [pʊʃ] **1** *vt (impelir)* empurrar; *(botão, campainha)* apertar; *(produto)* promover.
2 *vi (impelir)* empurrar.
3 *s*: **to give sb/sthg a push** empurrar alguém/algo, dar um empurrão em alguém/algo.
4 to push sb into doing sthg levar alguém a fazer algo; **'push'** *(em porta)* 'empurre'.
❑ **push off** *vi fam (sair)* ir embora.

Não confundir *push (empurrar)* com o português *puxar* que em inglês é *pull*. (*Could you push the door please?* Você poderia *empurrar* a porta?).

pushed [pʊʃt] *adj fam*: **to be pushed (for time)** não ter tempo.
push-ups *spl* flexões *fpl*.
put [pʊt] (*pt & pp* **put**) *vt* pôr; *(manifestar)* exprimir; *(redigir)* escrever; *(uma questão)* colocar, fazer; **to put sthg at** *(estimar)* avaliar algo em; **to put a child to bed** pôr uma criança na cama; **to put money into sthg** pôr dinheiro ou investir em algo.
❑ **put aside** *vt sep (dinheiro)* pôr de lado.
❑ **put away** *vt sep (organizar)* arrumar.
❑ **put back** *vt sep (recolocar)* repor; *(atrasar)* adiar; *(relógio)* atrasar.
❑ **put down** *vt sep (no chão, na mesa)* colocar; *(passageiro, depósito)* deixar.
❑ **put forward** *vt sep (relógio)* adiantar; *(sugestão)* sugerir.
❑ **put in** *vt sep (inserir)* pôr em; *(estabelecer)* instalar.
❑ **put off** *vt sep (atrasar)* adiar; *(desviar)* distrair; *(repelir)* dar nojo em; *(passageiro)* deixar.
❑ **put on** *vt sep (roupas, maquiagem, CD)* pôr; *(televisão, luz, rádio)* acender, ligar; *(peça, musical)* montar; **to put on weight** engordar.
❑ **put out** *vt sep (cigarro, fogo, luz)* apagar; *(livro)* publicar; *(mão, braço, perna)* estender; *(causar incômodo)* incomodar; **to put one's back out** deslocar uma vértebra.
❑ **put together** *vt sep* juntar.
❑ **put up** *vt sep (barraca)* armar; *(estátua)* erigir, erguer; *(prédio)* construir; *(guarda-chuva)* abrir; *(um aviso, placa)* afixar; *(preço, taxa)* aumentar, subir; *(dar acomodação)* alojar.
❑ **put up with** *vt fus* agüentar, suportar.
puzzle ['pʌzl] **1** *s (jogo)* quebra-cabeças *m inv*; *(enigma)* mistério *m*.
2 *vt* confundir.
puzzling ['pʌzlɪŋ] *adj* intrigante.
pyjamas [pə'dʒa:məz] *spl Brit* = **pajamas.**
pylon ['paɪlən] *s* poste *m* de alta tensão.
pyramid ['pɪrəmɪd] *s* pirâmide *f*.

Qq

quail [kweɪl] *s* codorna *f*.
quaint [kweɪnt] *adj* curioso(osa).
qualification [ˌkwɒləfə'keɪʃn] *s* qualificação *f*.
qualified ['kwɒləfaɪd] *adj (treinado)* qualificado(da).
qualify ['kwɒləfaɪ] *vi (em competição)* qualificar-se; *(passar exame)* formar-se.
quality ['kwɒlətɪ] **1** *s* qualidade *f*.
2 *adj* de qualidade.
quarantine ['kwɒrənti:n] *s* quarentena *f*.
quarrel ['kwɒrəl] **1** *s* discussão *f*.
2 *vi* discutir.
quarry ['kwɒrɪ] *s (de pedra)* pedreira *f*; *(de areia)* areeiro *m*.
quart [kwɔ:rt] *s (nos EUA)* = 0,946 l, quarto *m* de galão.
quarter ['kwɔ:rtər] *s (fração)* quarto *m*; *Am (moeda)* moeda *f* de 25 centavos; *(período)* trimestre *m*; *(zona)* bairro *m*; **(a) quarter of five** *Am* quinze para as cinco; **(a) quarter after five** *Am* cinco e quinze; **(a) quarter of an hour** quinze minutos.
quartet [kwɔ:r'tet] *s* quarteto *m*.
quartz [kwɔ:rts] *adj (relógio)* de quartzo.
quay [ki:] *s* cais *m inv*.
queasy ['kwi:zɪ] *adj fam* enjoado(da), indisposto(osta).
queen [kwi:n] *s* rainha *f*; *(em cartas)* dama *f*.
queer [kwɪər] **1** *adj (estranho)* esquisito(ta); *fam (doente)* indisposto(osta).
2 *s fam (homossexual)* bicha *f*.
quench [kwentʃ] *vt*: **to quench one's thirst** matar a sede.
query ['kwɪərɪ] *s* pergunta *f*.
question ['kwestʃn] **1** *s* pergunta *f*; *(assunto)* questão *f*.
2 *vt (pessoa)* interrogar; **it's out of the question** está fora de questão.
question mark *s* ponto *m* de interrogação.
questionnaire [ˌkwestʃə'neər] *s* questionário *m*.
queue [kju:] **1** *s Brit* fila *f*.
2 *vi Brit* fazer fila.
❑ **queue up** *vi Brit* fazer fila.
quick [kwɪk] **1** *adj* rápido(da).
2 *adv* rapidamente, depressa.
quickly ['kwɪklɪ] *adv* rapidamente, depressa.
quid [kwɪd] (*pl inv*) *s Brit fam* libra *f*.
quiet ['kwaɪət] **1** *adj* silencioso(osa); *(pacato)* calmo(ma); *(voz)* baixo(xa).
2 *s* sossego *m*, calma *f*.
3 keep quiet! figue calado!; **to keep quiet** *(não fazer barulho)* ficar calado; **please keep quiet about this** por favor não diga nada.
quietly ['kwaɪətlɪ] *adv* silenciosamente; *(calmamente)* tranqüilamente.
quilt [kwɪlt] *s* edredom *m*.
quit [kwɪt] (*pt & pp* **quit**) **1** *vi (de emprego)* demitir-se; *(não prosseguir)* desistir.
2 *vt Am (escola, emprego)* deixar, abandonar; **to quit doing sthg** deixar de fazer algo, desistir de fazer algo.
quite [kwaɪt] *adv* bastante; **it's not quite big enough** não é suficientemente grande; **it's not quite ready** ainda não está pronto; **you're quite right** você tem toda a razão; **quite a lot of money** bastante dinheiro.
quiz [kwɪz] (*pl* **-zes**) *s* competição *f* (de conhecimento).
quota ['kwəʊtə] *s* cota *f*, quota *f*.
quotation [kwəʊ'teɪʃn] *s (frase)* citação *f*; *(estimativa)* orçamento *m*.
quotation marks *spl* aspas *fpl*.
quote [kwəʊt] **1** *vt (frase, escritor)* citar; *(preço)* indicar.
2 *s (frase)* citação *f*; *(estimativa)* orçamento *m*.

Rr

rabbit ['ræbət] *s* coelho *m*.

rabies ['reɪbiːz] *s* raiva *f*.

race [reɪs] **1** *s (competição)* corrida *f*; *(grupo étnico)* raça *f*.
2 *vi (disputar)* competir; *(ir rápido)* correr; *(motor)* acelerar.
3 *vt (disputar)* competir com.

racehorse ['reɪshɔːrs] *s* cavalo *m* de corrida.

racetrack ['reɪstræk] *s (para cavalos)* hipódromo *m*; *(para carros)* autódromo *m*.

racial ['reɪʃl] *adj* racial.

racing ['reɪsɪŋ] *s*: **(horse) racing** corrida *f* de cavalos.

racism ['reɪsɪzm] *s* racismo *m*.

racist ['reɪsəst] *s* racista *mf*.

rack [ræk] *s (para casacos)* cabide *m*; *(para garrafas)* porta-garrafas *m*; *(para pratos)* escorredor *m* de louça; **(luggage) rack** porta-bagagens *m inv*; **rack of lamb** peito *m* de carneiro.

racket ['rækət] *s* ESP rebatida *f*; *(barulho)* barulheira *f*.

racquet ['rækɪt] *s Brit* raquete *f*.

radar ['reɪdaːr] *s* radar *m*.

radiation [ˌreɪdɪ'eɪʃn] *s* radiação *f*.

radiator ['reɪdɪeɪtər] *s* radiador *m*.

radical ['rædɪkl] *adj* radical.

radio ['reɪdɪəʊ] (*pl* **-s**) **1** *s (aparelho)* rádio *m*; *(sistema)* rádio *f*.
2 *vt (pessoa)* chamar por rádio; **on the radio** na rádio.

radioactive [ˌreɪdɪəʊ'æktɪv] *adj* radioativo(va).

radish ['rædɪʃ] *s* rabanete *m*.

radius ['reɪdɪəs] (*pl* **radii**) *s* raio *m*.

raffle ['ræfl] *s* rifa *f*.

raft [ræft] *s (de madeira)* jangada *f*; *(inflável)* barco *m* de borracha.

rafter ['ræftr] *s* trave *f*, caibro *m*.

rag [ræg] *s (pano velho)* trapo *m*.

rage [reɪdʒ] *s* raiva *f*, fúria *f*.

raid [reɪd] **1** *s (agressão)* ataque *m*; *(policial)* batida *f*; *(roubo)* assalto *m*.
2 *vt (suj: polícia)* dar uma batida em; *(suj: ladrões)* assaltar.

rail [reɪl] **1** *s (peça longa)* barra *f*; *(para cortina)* trilho *m*; *(em escada)* corrimão *m*; *(para trem, bonde)* trilho *m*.
2 *adj* ferroviário(ria); **by rail** de trem.

railroad ['reɪlrəʊd] *Am (sistema)* ferrovia *f*; *(trilho)* estrada *f* de ferro.

railroad line *s (rota)* linha *f* de trem; *(trilho)* estrada *f* de ferro.

railway ['reɪlweɪ] *s Brit* = **railroad.**

rain [reɪn] **1** *s* chuva *f*.
2 *v impess* chover; **it's raining** está chovendo.

rainbow ['reɪnbəʊ] *s* arco-íris *m inv*.

raincoat ['reɪnkəʊt] *s* capa *f* de chuva.

rainfall ['reɪnfɔːl] *s* precipitação *f*.

rainy ['reɪnɪ] *adj* chuvoso(osa).

raise [reɪz] **1** *vt* levantar; *(subir)* aumentar; *(dinheiro)* angariar; *(criança, animais)* criar.
2 *s Am (salário)* aumento *m*.

raisin ['reɪzn] *s* passa *f* (de uva).

rake [reɪk] *s (ferramenta)* ancinho *m*.

rally ['rælɪ] *s (assembléia)* comício *m*; *(corrida de carros)* rali *m*, rally *m*; *(em tênis etc.)* troca *f* de bolas, rally.

ram [ræm] **1** *s* carneiro *m*.
2 *vt (chocar contra)* bater contra.

ramble ['ræmbl] *s* passeio *m*, caminhada *f*.

ramp [ræmp] *s (ladeira)* rampa *f*; *Am (em rodovia)* acesso *m*; *Brit (em estrada)* lombada *f*.

ran [ræn] *pt* → **run.**

ranch [ræntʃ] *s* rancho *m*.

rancid ['rænsɪd] *adj* rançoso(osa).

random ['rændəm] **1** *adj* ao acaso.
2 *s*: **at random** ao acaso.

rang [ræŋ] *pt* → **ring.**

range [reɪndʒ] **1** *s (de rádio, telescópio)* alcance *m*; *(de aeronave)* autonomia *f*; *(de preços)* leque *m*; *(de bens, serviços)* gama *f*, variedade *f*; *(de montanhas)* cadeia *f*, cordilheira *f*; *(para tiro)* linha *f* de tiro; *(para cozinhar)* fogão *m*.
2 *vi*: **to range from ... to** oscilar entre ... e.
3 age range faixa *f* etária.

ranger ['reɪndʒər] *s* guarda *mf* florestal.

rank [ræŋk] **1** *s (nas forças armadas, na polícia)* patente *f*.
2 *adj (cheiro)* fétido(da); *(gosto)* horroroso(osa).

ransom ['rænsəm] *s* resgate *m*.

rape [reɪp] **1** *s (crime)* estupro *m*.
2 *vt* estuprar.

rapid ['ræpəd] *adj* rápido(da).
❑ **rapids** *spl* corredeira *f*.

rapidly ['ræpədlɪ] *adv* rapidamente.

rapist ['reɪpəst] *s* estuprador *m*.

rare [reər] *adj* raro(ra); *(carne)* mal-passado(da).

rarely ['reərlɪ] *adv* raramente.

rash [ræʃ] **1** *s (na pele)* erupção *f* cutânea, brotoeja *f*.
2 *adj* precipitado(da).

raspberry ['ræzberɪ] *s* framboesa *f*.

rat [ræt] *s* rato *m*, ratazana *f*.

rate [reɪt] **1** *s (nível)* índice *m*, taxa *f*; *(custo)* tarifa *f*, preço *m*; *(rapidez)* velocidade *f*.
2 *vt (contemplar)* considerar; *(fazer jus)* merecer.
3 exchange rate taxa de câmbio; **at any rate** *(no mínimo)* pelo menos; *(da qualquer maneira)* de qualquer modo; **at this rate** desse jeito, nesse passo.

rather ['ræðr] *adv (bem)* bastante; **I'd rather have a beer** prefiro uma cerveja; **I'd rather not** é melhor não; **would you rather ...?** você prefere ...?; **rather than** em vez de; **that's rather a lot** é um pouco demais.

> *Rather than* pode ser seguido de um substantivo (*it's a comedy rather than an action movie* é mais uma comédia do que um filme de ação) ou um verbo (*I prefer to go on my own rather than going with my brother* prefiro ir sozinho do que com meu irmão). Atenção para o verbo no presente.

> *Would rather* pode ser contraído para *-'d rather*. Note que não se usa *to* quando a expressão for seguida por um infinitivo (*I'd rather stay a bit longer* prefiro ficar um pouco mais).

ratio ['reɪʃɪəʊ] (*pl* **-s**) *s* proporção *f*.

ration ['ræʃn] *s* porção *f*.
❑ **rations** *spl (comida)* rações *fpl*.

rational ['ræʃnəl] *adj* racional.

rattle ['rætl] **1** *s (de bebê)* chocalho *m*.
2 *vi* chocalhar.

raven ['reɪvn] *s* corvo *m*.

raw [rɔ:] *adj (não cozido)* cru (crua); *(não processado)* bruto(ta).

raw material *s* matéria-prima *f*.

ray [reɪ] *s* raio *m*.

razor ['reɪzər] *s* aparelho *m* de barbear, navalha *f*.

razor blade *s* lâmina *f* de barbear.

re [ri:] *prep* referente a, com respeito a.

reach [ri:tʃ] **1** *vt* chegar a; *(alcançar)* atingir; *(entrar em contato)* contatar.
2 *s*: **out of reach** fora de alcance; **within reach of the beach** próximo da praia.
❑ **reach out** *vi*: **to reach out (for)** estender o braço (para).

react [rɪ'ækt] *vi* reagir.

reaction [rɪ'ækʃn] *s* reação *f*.

read [ri:d] (*pt & pp* **read** [red]) **1** *vt* ler; *(suj: placa, nota)* dizer; *(suj: medidor)* marcar.
2 *vi* ler; **I read about it in the paper** fiquei sabendo pelo jornal.
❑ **read out** *vt sep* ler em voz alta.

reader ['ri:dər] *s (de jornal, livro)* leitor *m*, -ra *f*.

readily ['redɪlɪ] *adv (prontamente)* de boa vontade; *(sem problemas)* facilmente.

reading ['ri:dɪŋ] *s* leitura *f*.

ready ['redɪ] *adj (preparado)* pronto(ta); **to be ready for sthg** *(arranjado)* estar preparado para algo; **to be ready to do sthg** *(de boa vontade)* estar disposto a fazer algo; *(a ponto de)* estar prestes a fazer algo; **to get ready** preparar-se; **to get sthg ready** preparar algo.

ready-to-wear *adj* pronto para vestir.

real ['rɪəl] **1** *adj* verdadeiro(ra); *(vida, mundo)* real; *(couro)* genuíno(na).
2 *adv Am* mesmo.

real estate *s* bens *mpl* imóveis.

realistic [ˌri:ə'lɪstɪk] *adj* realista.

reality [ri:'ælətɪ] *s* realidade *f*; **in reality** na realidade.

realize ['ri:əlaɪz] *vt (dar-se conta de)* perceber; *(conhecer)* saber; *(ambição, objetivo)* realizar.

really ['ri:əlɪ] *adv (para ênfase)* mesmo, muito; *(na realidade)* realmente; **was it good? - not really** foi bom? - não muito; **really?** *(expressando surpresa)* a sério?

realtor ['ri:əltər] *s Am* corretor *m*, -ra *f* de imóveis.

rear [rɪər] **1** *adj* traseiro(ra).
2 *s (atrás)* parte *f* de trás, traseira *f*.

rearrange [ˌri:ə'reɪndʒ] *vt (quarto, mobília)* mudar; *(reunião)* alterar.

rearview mirror ['rɪərvju:-] *s* (espelho) retrovisor *m*.

reason ['ri:zn] *s* razão *f*, motivo *m*; **for some reason** por alguma razão.

reasonable ['ri:znəbl] *adj* razoável.

reasonably ['ri:znəblɪ] *adv (bem)* razoavelmente.

reasoning ['ri:znɪŋ] *s* raciocínio *m*.

reassure [ˌri:ə'ʃɔ:r] *vt* tranqüilizar.

reassuring [ˌri:ə'ʃɔ:rɪŋ] *adj* tranqüilizador(ra).

rebate ['ri:beɪt] *s* devolução *f*, reembolso *m*.

rebel [*s* 'rebl, *v* rɪ'bel] **1** *s* rebelde *mf*.
2 *vi* revoltar-se.

rebuild [ˌri:'bɪld] (*pt & pp* **-built**) *vt* reconstruir.

rebuke [rɪ'bju:k] *vt* repreender.

recall [rɪ'kɔ:l] *vt (relembrar)* recordar-se de, lembrar-se de.

receipt [rɪ'si:t] *s (de bens, dinheiro)* recibo *m*; **on receipt of** ao receber, mediante a recepção de.

> Não confundir *receipt (recibo)* com o português *receita* que em inglês é *recipe*. (*I didn't keep the receipt.* Eu não guardei o *recibo*.)

receive [rɪ'si:v] *vt* receber.

receiver [rɪ'si:vər] *s (de telefone)* fone *m*.

recent ['ri:snt] *adj* recente.

recently ['ri:sntlɪ] *adv* recentemente.

receptacle [rɪ'septəkl] *s fml* recipiente *m*.

reception [rɪ'sepʃn] *s* recepção *f*.

reception desk *s* recepção *f*.

receptionist [rɪ'sepʃnəst] *s* recepcionista *mf*.

recess ['ri:ses] *s (em parede)* nicho *m*, vão *m*; *Am* EDUC recreio *m*, intervalo *m*.

recession [rɪ'seʃn] *s* recessão *f*.

recipe ['resəpɪ] *s* receita *f*.

recite [rɪ'saɪt] *vt (poema)* recitar; *(lista)* enumerar.

reckless ['rekləs] *adj* irresponsável.

reckon ['rekn] *vt fam (pensar)*: **to reckon (that)** achar que.
❑ **reckon on** *vt fus* contar, esperar.
❑ **reckon with** *vt fus (esperar)* contar com.

reclaim [rɪ'kleɪm] *vt (bagagem)* recuperar.

reclining seat [rɪ'klaɪnɪŋ-] *s* assento *m* reclinável.

recognition [ˌrekəg'nɪʃn] *s* reconhecimento *m*.

recognize ['rekəgnaɪz] *vt* reconhecer.

recollect [ˌrekə'lekt] *vt* recordar-se de.

recommend [ˌrekə'mend] *vt* recomendar; **to recommend that sb do sthg** recomendar a alguém que faça algo.

recommendation [ˌrekəmen'deɪʃn] *s* recomendação *f*.

reconsider [ˌri:kən'sɪdər] *vt* reconsiderar.

reconstruct [ˌri:kən'strʌkt] *vt* reconstruir.

record [*s* 'rekɔ:rd, *v* rɪ'kɔ:rd] **1** *s* MÚS disco *m*; *(melhor desempenho, nível mais alto)* recorde *m*; *(conta)* registro *m*.
2 *vt (anotar)* registrar; *(em fita)* gravar.

> Não confundir *record (registrar, gravar)* com o português *recordar* que em inglês é *remember*. (*The secretary recorded the main points of the meeting.* A secretária *anotou* os principais tópicos da reunião.)

recorder [rɪ'kɔ:rdər] *s (toca-fitas)* gravador *m*; *(instrumento)* flauta *f*, pífaro *m*.

recording [rɪ'kɔ:rdɪŋ] *s* gravação *f*.

record player *s* toca-discos *m inv*.

recover [rɪ'kʌvər] *vt & vi* recuperar.

recovery [rɪ'kʌvərɪ] *s* recuperação *f*.

recreation [ˌrekrɪ'eɪʃn] *s* distração *f*, divertimento *m*.

recruit [rɪ'kru:t] **1** *s* recruta *mf*.
2 *vt* recrutar.

rectangle ['rekˌtæŋgl] *s* retângulo *m*.

rectangular [rek'tæŋgjələr] *adj* retangular.

recycle [ˌri:'saɪkl] *vt* reciclar.

red [red] **1** *adj (cor)* vermelho(lha), encarnado(da); *(cabelo)* ruivo(va).
2 *s (cor)* vermelho *m*, encarnado *m*; **in the red** com saldo negativo.

redcurrant ['redkɜ:rənt] *s* groselha *f*.

redecorate [ˌri:'dekəreɪt] *vt (casa)* reformar.

redhead ['redhed] *s* ruivo *m*, -va *f*.
red-hot *adj (metal)* incandescente, rubro(bra).
reduce [rɪ'du:s] **1** *vt (tornar menor)* reduzir, diminuir; *(tornar mais barato)* saldar, reduzir o preço de.
2 *vi Am (perder peso)* emagrecer.
reduction [rɪ'dʌkʃn] *s* redução *f*.
redundancy [rɪ'dʌndənsɪ] *s Brit (perda de emprego)* demissão *f* sem justa causa.
redundant [rɪ'dʌndənt] *adj Brit*: **to be made redundant** ser despedido(da), perder o emprego.
red wine *s* vinho *m* tinto.
reed [ri:d] *s* junco *m*.
reef [ri:f] *s* arrecife *m*.
reek [ri:k] *vi*: **to reek (of)** feder (a).
reel [ri:l] *s (de linha)* carretel *m*; *(em vara de pesca)* molinete *m*, carreto *m*; *(de filme)* rolo *m*.
refectory [rɪ'fektərɪ] *s* refeitório *m*, cantina *f*.
refer [rɪ'fɜ:r]: **refer to** *vt fus (falar sobre)* fazer referência a, referir-se a; *(perguntar)* consultar.
referee [ˌrefə'ri:] *s* ESP árbitro *m*.
reference ['refrəns] **1** *s* referência *f*.
2 *adj (livro)* de consulta; *(biblioteca)* para consultas.
3 with reference to com referência a.
referendum [ˌrefə'rendəm] *s* plebiscito *m*.
refill [*s* 'ri:fɪl, *v* ˌri:'fɪl] **1** *s (para caneta)* recarga *f*.
2 *vt* (voltar a) encher; **would you like a refill?** *fam (bebida)* mais um copo?
refinery [rɪ'faɪnərɪ] *s* refinaria *f*.
reflect [rɪ'flekt] *vt & vi* refletir.
reflection [rɪ'flekʃn] *s (imagem)* reflexo *m*.
reflector [rɪ'flektər] *s* refletor *m*.
reflex ['ri:fleks] *s* reflexo *m*.
reflexive [rɪ'fleksɪv] *adj* reflexo(xa), reflexivo(va).
reform [rɪ'fɔ:rm] **1** *s* reforma *f*.
2 *vt* reformar.
refresh [rɪ'freʃ] *vt* refrescar.
refreshing [rɪ'freʃɪŋ] *adj* refrescante.
refreshments [rɪ'freʃmənts] *spl* lanches *mpl*, comes e bebes.
refrigerator [rɪ'frɪdʒəreɪtər] *s* geladeira *f*.
refugee [ˌrefjʊ'dʒi:] *s* refugiado *m*, -da *f*.
refund [*s* 'ri:fʌnd, *v* rɪ'fʌnd] **1** *s* reembolso *m*.
2 *vt* reembolsar.
refundable [rɪ'fʌndəbl] *adj* reembolsável.
refusal [rɪ'fju:zl] *s* recusa *f*.
refuse[1] [rɪ'fju:z] *vt & vi* recusar; **to refuse to do sthg** recusar-se a fazer algo.
refuse[2] ['refju:s] *s fml* lixo *m*.
refuse collection ['refju:s-] *s fml* coleta *f* do lixo.
regard [rɪ'ga:rd] **1** *vt (contemplar)* considerar.
2 *s*: **with regard to** a respeito de; **as regards** no que diz respeito a, quanto a.
❑ **regards** *spl (em saudação)* cumprimentos *mpl*; **give them my regards** dê-lhes os meus cumprimentos.
regarding [rɪ'ga:rdɪŋ] *prep* a respeito de, no que diz respeito a.
regardless [rɪ'ga:rdləs] *adv* apesar de tudo; **regardless of** independentemente de.
regiment ['redʒɪmənt] *s* regimento *m*.
region ['ri:dʒən] *s* região *f*; **in the region of** cerca de, na região de.
regional ['ri:dʒnəl] *adj* regional.
register ['redʒəstər] **1** *s* registro *m*.
2 *vt* registrar.
3 *vi (dar o nome)* inscrever-se; *(em hotel)* preencher o registro.
registered ['redʒəstərd] *adj (carta, pacote)* registrado(da).
registration [ˌredʒə'streɪʃn] *s (em curso, conferência)* inscrição *f*.
registry office ['redʒəstrɪ-] *s* registro *m* civil.
regret [rɪ'gret] **1** *s* arrependimento *m*.
2 *vt* lamentar, arrepender-se de.
3 to regret doing sthg arrepender-se de ter feito algo; **we regret any inconvenience caused** lamentamos qualquer inconveniência.
regrettable [rɪ'gretəbl] *adj* lamentável.
regular ['regjələr] **1** *adj* regular; *(normal, em tamanho)* normal.
2 *s (freguês)* cliente *mf* habitual, habitué *mf*.
regularly ['regjələrlɪ] *adv* regularmente.
regulate ['regjəleɪt] *vt* regular.
regulation [ˌregjə'leɪʃn] *s (norma)* regra *f*.
rehearsal [rɪ'hɜ:rsl] *s* ensaio *m*.
rehearse [rɪ'hɜ:rs] *vt* ensaiar.
reign [reɪn] **1** *s* reino *m*.
2 *vi* reinar.
reimburse [ˌri:əm'bɜ:rs] *vt fml* reembolsar.

reindeer ['reɪn,dɪər] (*pl inv*) *s* rena *f*.
reinforce [,ri:ən'fɔ:rs] *vt* reforçar.
reinforcements [,ri:ən'fɔ:rsmənts] *spl* reforços *mpl*.
reins [reɪnz] *spl (para cavalo)* rédeas *fpl*; *(para criança)* andadeira *f*.
reject [rɪ'dʒekt] *vt* rejeitar.
rejection [rɪ'dʒekʃn] *s* rejeição *f*.
relapse [rɪ'læps] *s* recaída *f*.
relate [rɪ'leɪt] **1** *vt (conectar)* relacionar.
2 *vi*: **to relate to** *(ter ligação com)* estar relacionado(da) com; *(referir-se a)* dizer respeito a.
related [rɪ'leɪtəd] *adj (parente)* da mesma família, aparentado(da); *(conectado)* relacionado(da).
relation [rɪ'leɪʃn] *s (membro da família)* parente *mf*; *(conexão)* relação *f*, ligação *f*; **in relation to** em relação a.
❑ **relations** *spl* relações *fpl*.
relationship [rɪ'leɪʃnʃɪp] *s (entre países, pessoas)* relações *fpl*; *(entre amantes)* relação *f*; *(conexão)* ligação *f*, relação.
relative ['relətɪv] **1** *adj* relativo(va).
2 *s* parente *mf*.
relatively ['relətɪvlɪ] *adv* relativamente.
relax [rɪ'læks] *vi (pessoa)* descontrair-se, relaxar.
relaxation [,ri:læk'seɪʃn] *s (de pessoa)* descontração *f*, relaxamento *m*.
relaxed [rɪ'lækst] *adj* descontraído(da), relaxado(da).
relaxing [rɪ'læksɪŋ] *adj* relaxante, calmante.
relay ['ri:leɪ] *s* ESP corrida *f* de revezamento.
release [rɪ'li:s] **1** *vt (livrar)* libertar, soltar; *(não segurar)* largar, soltar; *(disco, filme)* lançar; *(freio, trinco)* soltar.
2 *s (disco, filme)* lançamento *m*.
relegate ['reləgeɪt] *vt Brit*: **to be relegated** ESP descer de divisão.
relevant ['reləvənt] *adj* relevante.
reliable [rɪ'laɪəbl] *adj (pessoa, máquina)* de confiança, confiável.
relic ['relɪk] *s (objeto)* relíquia *f*.
relief [rɪ'li:f] *s (conforto)* alívio *m*; *(socorro)* ajuda *f*.
relieve [rɪ'li:v] *vt (dor)* aliviar.
relieved [rɪ'li:vd] *adj* aliviado(da).
religion [rɪ'lɪdʒn] *s* religião *f*.
religious [rɪ'lɪdʒəs] *adj* religioso(osa).
reluctant [rɪ'lʌktənt] *adj* relutante.
rely [rɪ'laɪ] (*pt & pp* **-ied**): **rely on** *vt fus (contar com)* confiar em; *(estar sujeito a)* depender de.
remain [rɪ'meɪn] *vi (ficar)* permanecer; *(continuar a existir)* sobrar, restar.
❑ **remains** *spl (de refeição, cadáver)* restos *mpl*; *(de construções antigas etc.)* ruínas *fpl*.
remainder [rɪ'meɪndər] *s* resto *m*, restante *m*.
remaining [rɪ'meɪnɪŋ] *adj* restante.
remark [rɪ'ma:rk] **1** *s* comentário *m*.
2 *vt* comentar.
remarkable [rɪ'ma:rkəbl] *adj* extraordinário(ria), incrível.
remedy ['remədɪ] *s* remédio *m*.
remember [rɪ'membər] **1** *vt* lembrar-se de.
2 *vi (recordar-se)* lembrar-se.
3 to remember doing sthg lembrar-se de ter feito algo; **to remember to do sthg** lembrar-se de fazer algo.
remind [rɪ'maɪnd] *vt*: **to remind sb of** lembrar a alguém de algo; **to remind sb to do sthg** lembrar a alguém que tem de fazer algo.
reminder [rɪ'maɪndər] *s (de conta a pagar, livro para devolver)* lembrete *m*.
remittance [rɪ'mɪtns] *s (fml: dinheiro)* vale *m* postal.
remnant ['remnənt] *s* resto *m*.
remote [rɪ'məʊt] *adj* remoto(ta).
remote control *s (aparelho)* controle *m* remoto.
removal [rɪ'mu:vl] *s* remoção *f*; *Brit (troca de casa)* mudança *f*.
remove [rɪ'mu:v] *vt* remover.
renew [rɪ'nu:] *vt* renovar.
renovate ['renəveɪt] *vt* renovar.
renowned [rɪ'naʊnd] *adj* célebre.
rent [rent] **1** *s* renda *f*, aluguel *m*.
2 *vt* arrendar.
rental ['rentl] **1** *s* aluguel *m*.
2 *adj*: **a rental car** um carro de aluguel.
repaid [,ri:'peɪd] *pt & pp* → **repay.**
repair [rɪ'peər] **1** *vt* reparar.
2 *s*: **in good repair** em boas condições.
❑ **repairs** *spl* consertos *mpl*.
repay [,ri:'peɪ] (*pt & pp* **-paid**) *vt (dinheiro)* reembolsar; *(favor, bondade)* retribuir.
repayment [ri:'peɪmənt] *s (dinheiro)* reembolso *m*.
repeat [rɪ'pi:t] **1** *vt* repetir.
2 *s (na TV)* reprise *f*.

repetition [ˌrepəˈtɪʃn] *s* repetição *f.*
repetitive [rɪˈpetɪtɪv] *adj* repetitivo(va).
replace [rɪˈpleɪs] *vt (tomar o lugar de)* substituir; *(mercadoria defeituosa)* trocar; *(recolocar)* voltar a pôr no lugar.
replacement [rɪˈpleɪsmənt] *s (reposição)* substituto *m*, -ta *f.*
replay [ˈriːpleɪ] *s (na TV)* replay *m*; *Brit* ESP jogo *m* de desempate.
reply [rɪˈplaɪ] **1** *s* resposta *f.*
2 *vt & vi* responder.
report [rɪˈpɔːrt] **1** *s (narração)* relatório *m*; *(em jornal, TV, rádio)* reportagem *f*; *Brit* EDUC boletim *m.*
2 *vt (proclamar)* anunciar; *(roubo, desaparecimento)* dar parte; *(pessoa)* denunciar.
3 *vi (relatar)* informar; *(para jornal, TV, rádio)* fazer uma reportagem.
4 to report to sb *(prestar conta)* apresentar-se a alguém; **to report (to sb) on** informar (alguém) sobre.
reporter [rɪˈpɔːrtər] *s* repórter *mf.*
represent [ˌreprɪˈzent] *vt* representar.
representative [ˌreprɪˈzentətɪv] *s* representante *mf.*
repress [rɪˈpres] *vt* reprimir.
reprieve [rɪˈpriːv] *s (atraso)* adiamento *m.*
reprimand [ˈreprɪmænd] *vt* repreender.
reproach [rɪˈprəʊtʃ] *vt* repreender.
reproduction [ˌriːprəˈdʌkʃn] *s* reprodução *f.*
reptile [ˈreptaɪl] *s* réptil *m.*
republic [rɪˈpʌblɪk] *s* república *f.*
repulsive [rɪˈpʌlsɪv] *adj* repulsivo(va).
reputable [ˈrepjətəbl] *adj* de boa reputação.
reputation [ˌrepjəˈteɪʃn] *s* reputação *f.*
reputedly [rɪˈpjuːtɪdlɪ] *adv* supostamente.
request [rɪˈkwest] **1** *s* pedido *m.*
2 *vt* pedir.
3 to request sb to do sthg pedir a alguém que faça algo; **available on request** disponível a pedido do interessado.
require [rɪˈkwaɪər] *vt (suj: pessoa)* necessitar de; *(suj: situação)* requerer, exigir.
requirement [rɪˈkwaɪərmənt] *s (condição)* requisito *m*; *(necessário)* necessidade *f.*
rescue [ˈreskjuː] *vt* resgatar, salvar.
research [rɪˈsɜːrtʃ] *s* pesquisa *f.*
resemblance [rɪˈzembləns] *s* semelhança *f.*
resemble [rɪˈzembl] *vt* parecer-se com.
resent [rɪˈzent] *vt* ressentir-se com.
reservation [ˌrezərˈveɪʃn] *s* reserva *f*; **to make a reservation** fazer uma reserva.
reserve [rɪˈzɜːrv] **1** *s (de natureza)* reserva *f.*
2 *vt* reservar.
reserved [rɪˈzɜːvd] *adj* reservado(da).
reservoir [ˈrezəvwaːr] *s* reservatório *m*, represa *f.*
reset [ˌriːˈset] (*pt & pp* **reset**) *vt (relógio)* acertar; *(medidor, aparelho)* reajustar.
reside [rɪˈzaɪd] *vi fml* residir.
residence [ˈrezɪdəns] *s fml* residência *f*; **place of residence** *fml* (local *m* de) residência *f.*
residence permit *s* autorização *f* de residência.
resident [ˈrezɪdənt] *s (de país)* habitante *mf*; *(de hotel)* hóspede *mf*; *(de área, casa)* morador *m*, -ra *f*; **'residents only'** *(estacionamento)* 'reservado para os moradores'.
residential [ˌrezɪˈdenʃl] *adj* residencial.
residue [ˈrezɪdjuː] *s* resíduo *m.*
resign [rɪˈzaɪn] **1** *vi* demitir-se.
2 *vt*: **to resign o.s. to sthg** resignar-se com algo, conformar-se com algo.
resignation [ˌrezɪgˈneɪʃn] *s (de emprego)* (pedido de) demissão *f.*
resilient [rɪˈzɪlɪənt] *adj* forte.
resist [rɪˈzɪst] *vt* resistir a; **I can't resist chocolate cake** não resisto a bolo de chocolate; **to resist doing sthg** resistir a fazer algo.
resistance [rɪˈzɪstəns] *s* resistência *f.*
resit [ˌriːˈsɪt] (*pt & pp* **-sat**) *vt Brit* repetir *(prova, teste).*
resolution [ˌrezəˈluːʃn] *s* resolução *f.*
resolve [rɪˈzɒlv] *vt (solucionar)* resolver.
resort [rɪˈzɔːrt] *s (para férias)* local *m* turístico; **as a last resort** como último recurso.
❑ **resort to** *vt fus* recorrer a; **to resort to doing sthg** recorrer a fazer algo.
resource [rɪˈsɔːrs] *s* recurso *m.*
resourceful [rɪˈsɔːrsfl] *adj* desembaraçado(da).
respect [rɪˈspekt] **1** *s* respeito *m*; *(ângulo)* aspecto *m.*
2 *vt* respeitar.
3 with respect to com respeito a; **in some respects** sob alguns aspectos.
respectable [rɪˈspektəbl] *adj (pessoa, em-*

prego etc.) respeitável; *(aceitável)* decente.

respective [rɪ'spektɪv] *adj* respectivo(va).

respond [rɪ'spɒnd] *vi* responder.

response [rɪ'spɒns] *s* resposta *f.*

responsibility [rɪˌspɒnsə'bɪlətɪ] *s* responsabilidade *f.*

responsible [rɪ'spɒnsəbl] *adj* responsável; **to be responsible (for)** *(ser culpado)* ser responsável (por).

rest [rest] **1** *s* *(relaxamento)* descanso *m*; *(para pé, cabeça, costas)* apoio *m.*
2 *vi (relaxar)* descansar.
3 *vt*: **to rest sthg against sthg** encostar algo em algo.
4 the rest *(restante)* o resto; **to take a rest** descansar; **the ladder was resting against the wall** a escada estava encostada na parede.

restaurant ['restərɒnt] *s* restaurante *m.*

restful ['restfl] *adj* tranqüilo(la).

restless ['restləs] *adj (entediado, nervoso)* impaciente; *(agitado)* inquieto(ta).

restore [rɪ'stɔ:r] *vt (reintroduzir)* restabelecer; *(renovar)* restaurar.

restrain [rɪ'streɪn] *vt* conter.

restrict [rɪ'strɪkt] *vt* restringir.

restricted [rɪ'strɪktəd] *adj* restrito(ta).

restriction [rɪ'strɪkʃn] *s* restrição *f.*

rest room *s Am* banheiro *m.*

result [rɪ'zʌlt] **1** *s* resultado *m.*
2 *vi*: **to result in** resultar em; **as a result of** em conseqüência de.
❑ **results** *spl (de teste, exame)* resultados *mpl.*

resume [rɪ'zju:m] *vt & vi* recomeçar, retomar.

résumé ['rezəmeɪ] *s Am* curriculum *m* vitae.

retail ['ri:teɪl] **1** *s* venda *f* a varejo.
2 *vt* vender (a varejo).
3 *vi*: **to retail at** vender a.

retailer ['ri:teɪlər] *s* varejista *mf.*

retain [rɪ'teɪn] *vt fml* reter.

retaliate [rɪ'tælɪeɪt] *vi* retaliar.

retire [rɪ'taɪər] *vi (de emprego)* aposentar-se.

> Não confundir *retire (aposentar-se)* com o português *retirar* que em inglês é *remove*. (*I will retire at the age of sixty.* Eu vou *me aposentar* com 60 anos.)

retired [rɪ'taɪərd] *adj* aposentado(da).

retirement [rɪ'taɪərmənt] *s* aposentadoria *f.*

retreat [rɪ'tri:t] **1** *vi* retirar-se.
2 *s (lugar)* retiro *m.*

retrieve [rɪ'tri:v] *vt* recuperar.

return [rɪ'tɜ:rn] **1** *s (retorno)* regresso *m.*
2 *vt* devolver.
3 *vi* voltar, regressar.
4 *adj*: **in return (for)** em troca (de).
5 many happy returns! muitos anos de vida!; **to return sthg (to sb)** *(dar de volta)* devolver algo (a alguém).

return ticket *s* bilhete *m* de ida e volta.

reunite [ˌri:ju:'naɪt] *vt* reunir.

reveal [rɪ'vi:l] *vt* revelar.

revelation [ˌrevə'leɪʃn] *s* revelação *f.*

revenge [rɪ'vendʒ] *s* vingança *f.*

reverse [rɪ'vɜ:rs] **1** *adj* inverso(sa).
2 *s* AUT marcha *f* à ré; *(de moeda)* reverso *m*; *(de documento)* verso *m.*
3 *vt (carro)* dar marcha à ré em; *(decisão)* revogar.
4 *vi (carro, motorista)* dar marcha à ré.
5 in reverse order na ordem inversa, ao contrário; **the reverse** *(oposto)* o contrário.

review [rɪ'vju:] **1** *s (de livro, disco, filme)* crítica *f*; *(exame)* revisão *f.*
2 *vt Am (para teste)* rever.

revise [rɪ'vaɪz] **1** *vt* rever.
2 *vi Brit* rever a matéria.

revision [rɪ'vɪʒn] *s Brit* revisão *f.*

revive [rɪ'vaɪv] *vt (pessoa)* reanimar; *(economia, costume)* recuperar.

revolt [rɪ'vəʊlt] *s* revolta *f.*

revolting [rɪ'vəʊltɪŋ] *adj* repugnante.

revolution [ˌrevə'lu:ʃn] *s* revolução *f.*

revolutionary [revə'lu:ʃənərɪ] *adj* revolucionário(ria).

revolver [rɪ'vɒlvər] *s* revólver *m.*

revolving door [rɪ'vɒlvɪŋ-] *s* porta *f* giratória.

reward [rɪ'wɔ:rd] **1** *s* recompensa *f.*
2 *vt* recompensar.

rewind [ˌri:'waɪnd] (*pt & pp* **-wound**) *vt* rebobinar.

rheumatism ['ru:mətɪzm] *s* reumatismo *m.*

rhinoceros [raɪ'nɒsərəs] (*pl inv* ou **-es**) *s* rinoceronte *m.*

rhubarb ['ru:ba:rb] *s* ruibarbo *m.*

rhyme [raɪm] **1** *s (poema)* rima *f.*
2 *vi* rimar.

rhythm ['rɪðm] *s* ritmo *m*.
rib [rɪb] *s* costela *f*.
ribbon ['rɪbən] *s* fita *f*.
rice [raɪs] *s* arroz *m*.
rich [rɪtʃ] **1** *adj* rico(ca).
2 *spl*: **the rich** os ricos; **to be rich in sthg** ser rico em algo.
rid [rɪd] *vt*: **to get rid of** livrar-se de.
ridden ['rɪdn] *pp* → **ride**.
riddle ['rɪdl] *s (charada)* adivinha *f*; *(mistério)* enigma *m*.
ride [raɪd] (*pt* **rode**, *pp* **ridden**) **1** *s (a cavalo, de bicicleta)* passeio *m*; *(em carro)* volta *f*.
2 *vt (cavalo)* andar a; *(bicicleta)* andar de.
3 *vi (a cavalo)* andar ou montar a cavalo; *(de bicicleta)* andar de bicicleta; *(em carro)* viajar.
4 to go for a ride *(em carro)* ir dar uma volta.
rider ['raɪdər] *s (a cavalo)* cavaleiro *m*, amazona *f*; *(de bicicleta)* ciclista *mf*.
ridge [rɪdʒ] *s (de montanhas)* crista *f*; *(em superfície)* rugosidade *f*.
ridiculous [rɪ'dɪkjələs] *adj* ridículo(la).
riding ['raɪdɪŋ] *s* equitação *f*.
rifle ['raɪfl] *s* fuzil *m*, espingarda *f*.
rig [rɪg] **1** *s (no mar)* plataforma *f* petrolífera.
2 *vt* fraudar.
right [raɪt] **1** *adj* **(a)** *(correto)* certo(ta); **to be right** *(pessoa)* ter razão; **to be right to do sthg** fazer bem em fazer algo; **is this the right way?** é este o caminho certo?; **that's right!** é isso mesmo!, exatamente!
(b) *(justo)* certo(ta); **that's not right!** isso não está certo!
(c) *(posição)* direito(ta); **the right side of the road** o lado direito da estrada.
2 *s* **(a)** *(lado)*: **the right** a direita.
(b) *(prerrogativa)* direito *m*; **to have the right to do sthg** ter o direito de fazer algo.
3 *adv* **(a)** *(sentido)* à direita; **turn right at the post office** vire à direita junto aos correios.
(b) *(corretamente)* bem; **am I pronouncing it right?** estou pronunciando isso bem?
(c) *(para ênfase)* mesmo; **right here** aqui mesmo; **I'll be right back** volto já; **right away** imediatamente.
right angle *s* ângulo *m* reto.
right-hand *adj* direito(ta).
right-handed [-'hændəd] *adj (pessoa)* destro(tra); *(ferramenta)* para pessoas destras.
rightly ['raɪtlɪ] *adv (certamente)* corretamente; *(justamente)* devidamente.
right of way *s* AUT prioridade *f*; *(caminho)* direito *m* de passagem.
right-wing *adj* de direita.
rigid ['rɪdʒɪd] *adj* rígido(da).
rim [rɪm] *s (de copo)* borda *f*; *(de óculos)* armação *f*; *(para pneu)* aro *m*.
rind [raɪnd] *s (de fruta, queijo)* casca *f*; *(de bacon)* couro *m*.
ring [rɪŋ] (*pt* **rang**, *pp* **rung**) **1** *s (para dedo)* anel *m*; *(circunferência)* círculo *m*; *(som)* toque *m* de campainha, telefone; *(em fogão elétrico)* disco *m*; *(em fogão a gás)* boca *f*; *(para boxe)* ringue *m*; *(em circo)* arena *f*.
2 *vt (campainha)* tocar a.
3 *vi (campainha, telefone)* tocar; *(ouvidos)* zumbir.
4 to give sb a ring *(telefonema)* telefonar para alguém; **to ring the bell** *(em casa, escritório)* tocar a campainha.
rink [rɪŋk] *s* rinque *m*, pista *f* (de patinação).
rinse [rɪns] *vt (roupa, cabelo)* enxaguar, passar uma água; *(mãos)* lavar.
❑ **rinse out** *vt sep (roupa)* enxaguar, passar uma água; *(boca)* bochechar.
riot ['raɪət] *s (quebra-quebra)* distúrbio *m*.
rip [rɪp] **1** *s* rasgão *m*.
2 *vt* rasgar.
3 *vi* rasgar-se.
❑ **rip off** *vt sep (pessoa)* extorquir.
❑ **rip up** *vt sep* rasgar em pedaços.
ripe [raɪp] *adj* maduro(ra).
ripen ['raɪpn] *vi* amadurecer.
rip-off *s fam* roubo *m*.
rise [raɪz] (*pt* **rose**, *pp* **risen** ['rɪzn]) **1** *vi (subir)* elevar-se; *(sol, lua)* nascer; *(aumentar)* subir; *(ficar de pé)* levantar-se.
2 *s* subida *f*; *Brit (salário)* aumento *m*.
risk [rɪsk] **1** *s* risco *m*.
2 *vt* arriscar.
3 to take a risk correr um risco; **at your own risk** por sua conta e risco; **to risk doing sthg** arriscar-se a fazer algo; **to risk it** arriscar-se.
risky ['rɪskɪ] *adj* arriscado(da).
ritual ['rɪtʃʊəl] *s* ritual *m*.

rival ['raɪvl] **1** *adj* rival.
2 *s* rival *mf.*

river ['rɪvər] *s* rio *m.*

river bank *s* margem *f* do rio.

riverside ['rɪvərsaɪd] *s* beira-rio *f.*

roach [rəʊtʃ] *s Am (inseto)* barata *f.*

road [rəʊd] *s* estrada *f*; **by road** por estrada.

road sign *s* placa *f* (de trânsito).

roadwork ['rəʊdwɜ:rk] *s* obras *fpl* na pista.

roam [rəʊm] *vi* vaguear.

roar [rɔ:r] **1** *s (de multidão)* gritos *mpl*, brados *mpl*; *(de avião)* ronco *m*; *(de leão)* rugido *m.*
2 *vi (multidão)* berrar, bradar; *(leão)* rugir.

roast [rəʊst] **1** *s* assado *m.*
2 *vt* assar.
3 *adj* assado(da).
4 roast beef rosbife *m*; **roast chicken** frango *m* assado; **roast potatoes** batatas *fpl* assadas.

rob [rɒb] *vt* assaltar; **to rob sb of sthg** roubar algo de alguém.

robber ['rɒbər] *s* ladrão *m*, -dra *f.*

robbery ['rɒbərɪ] *s* assalto *m.*

robe [rəʊb] *s Am (de banho)* roupão *m.*

robot ['rəʊbɒt] *s* robô *m.*

rock [rɒk] **1** *s* rocha *f*; *Am (pedregulho)* pedra *f*; MÚS rock *m* .
2 *vt (bebê)* embalar; *(barco)* balançar.
3 on the rocks *(bebida)* com gelo.

rocket ['rɒkət] *s (militar, espacial)* foguete *m*; *(fogo de artifício)* foguete *m.*

rocking chair ['rɒkɪŋ-] *s* cadeira *f* de balanço.

rocky ['rɒkɪ] *adj (lugar)* rochoso(osa).

rod [rɒd] *s (de madeira)* vara *f*; *(de metal)* barra *f*; *(para pesca)* vara *f* de pescar.

rode [rəʊd] *pt* → **ride.**

roe [rəʊ] *s* ovas *fpl* de peixe.

role [rəʊl] *s* papel *m.*

roll [rəʊl] **1** *s (pão)* pãozinho *m*; *(de filme, papel)* rolo *m.*
2 *vi (bola, pedra)* rolar; *(veículo)* circular; *(navio)* balançar.
3 *vt (bola, pedra)* fazer rolar; *(cigarro)* enrolar; *(dado)* lançar.
❑ **roll over** *vi (pessoa, animal)* virar-se; *(carro)* capotar.
❑ **roll up** *vt sep (mapa, tapete)* enrolar; *(mangas, calças)* arregaçar.

rollerblades ['rəʊlər,bleɪdz] *spl* patins *mpl* em linha.

roller coaster ['rəʊlər-] *s* montanha-russa *f.*

rollers ['rəʊlərz] *spl (para cabelo)* bobs *mpl.*

roller skates ['rəʊlər-] *spl* patins *mpl* de rodas.

Roman Catholic *s* católico *m* romano, católica *f* romana.

romance [rəʊ'mæns] *s* romance *m.*

romantic [rəʊ'mæntɪk] *adj* romântico(ca).

roof [ru:f] *s (de prédio)* telhado *m*; *(de carro, barraca, caverna)* teto *m.*

roof rack *s* bagageiro *m.*

room [ru:m] *s (em casa, hotel)* quarto *m*; *(em prédio)* divisão *f*, sala *f*; *(lugar)* espaço *m.*

room temperature *s* temperatura *f* ambiente.

roomy ['ru:mɪ] *adj* espaçoso(osa).

root [ru:t] *s* raiz *f.*

rope [rəʊp] **1** *s* corda *f.*
2 *vt* amarrar.

rose [rəʊz] **1** *pt* → **rise.**
2 *s (flor)* rosa *f.*

rosemary ['rəʊzmərɪ] *s* alecrim *m.*

rot [rɒt] *vi* apodrecer.

rota ['rəʊtə] *s Brit* lista *f* de turnos.

rotate ['rəʊteɪt] *vi* girar.

rotten ['rɒtn] *adj (comida, madeira)* podre; *fam (ruim)* péssimo(ma); **I feel rotten** *(doente)* sinto-me péssimo.

rough [rʌf] **1** *adj (superfície, pele, pano)* áspero(ra); *(mar)* agitado(da); *(pessoa)* bruto(ta); *(cálculo)* aproximado(da); *(condições, vinho)* mau (má); *(área, cidade)* perigoso(osa).
2 *s (em campo de golfe)* rough *m.*
3 a rough guess um cálculo aproximado; **to have a rough time** passar por um período difícil.

roughly ['rʌflɪ] *adv (calcular)* aproximadamente; *(empurrar, manusear)* bruscamente, grosseiramente.

roulette [ru:'let] *s* roleta *f.*

round [raʊnd] **1** *adj* redondo(da).
2 *s* **(a)** *(de bebidas)* rodada *f*; **it's my round** é a minha rodada.
(b) *(em competição)* volta *f.*
(c) *(de golfe)* partida *f*; *(em boxe)* assalto *m.*
(d) *(de policial, leiteiro)* ronda *f.*
3 *prep* **(a)** *(aproximadamente)* cerca de; **round (about) 100** cerca de 100; **round**

ten o'clock por volta de dez horas.
(b) *(próximo)*: **round here** aqui perto.
(c) *(em frases)*: **it's just round the corner** *(por perto)* é aqui pertinho; **round the clock** 24 horas.
❑ **round off** *vt sep (refeição, dia, visita)* terminar.

roundabout ['raʊndəbaʊt] **1** *adj* indireto; **a roundabout way** de forma indireta.
2 *s Brit (em estrada)* rotatória *f*; *(em parque de diversão)* carrossel *m*.

round trip *s* viagem *f* de ida e volta.

route [raʊt] **1** *s (via)* caminho *m*; *(de trem)* linha *f*; *(de ônibus)* trajeto *m*; *(de avião)* rota *f*.
2 *vt (mudar de curso)* mudar a rota de.

routine [ru:'ti:n] **1** *s* rotina *f*.
2 *adj* rotineiro(ra).

row [rəʊ] **1** *s (fileira)* fila *f*.
2 *vt (barco)* remar.
3 *vi* remar.
4 three times in a row três vezes seguidas.

rowdy ['raʊdɪ] *adj* turbulento(ta).

rowing ['rəʊɪŋ] *s* remo *m*.

royal ['rɔɪəl] *adj* real.

royalty ['rɔɪəltɪ] *s (família real)* realeza *f*.

rub [rʌb] **1** *vt (costas, olhos)* esfregar; *(com pano)* polir.
2 *vi (com mão, pano)* esfregar, friccionar.
❑ **rub in** *vt sep (loção, óleo)* esfregar.
❑ **rub out** *vt sep Brit* apagar.

rubber ['rʌbər] **1** *adj* de borracha.
2 *s* borracha *f*; *Am fam (preventivo)* camisinha *f*, preservativo *m*.

rubber band *s* elástico *m*.

rubber ring *s* bóia *f*.

rubbish ['rʌbɪʃ] *s fam (asneira)* disparate *m*; *(sujeira)* lixo *m*; *fam (coisa sem valor)* porcaria *f*.

rubbish bin *s Brit* lata *f* de lixo.

rubble ['rʌbl] *s* entulho *m*, escombros *mpl*.

ruby ['ru:bɪ] *s* rubi *m*.

rucksack ['rʌksæk] *s* mochila *f*.

rudder ['rʌdər] *s* leme *m*.

rude [ru:d] *adj (pessoa)* mal-educado(da); *(comportamento, piada)* grosseiro(ra).

rug [rʌg] *s (para chão)* tapete *m*; *Brit (cobertor)* manta *f* (de viagem).

rugby ['rʌgbɪ] *s* rúgbi *m*.

ruin ['ru:ɪn] *vt* estragar.
❑ **ruins** *spl* ruínas *fpl*.

ruined ['ru:ɪnd] *adj (prédio)* em ruínas; *(roupas, refeição, férias)* estragado(da).

rule [ru:l] **1** *s (lei)* regra *f*.
2 *vt (país)* governar.
3 to be the rule *(normal)* ser a regra; **against the rules** contra as regras; **as a rule** geralmente.
❑ **rule out** *vt sep* excluir.

ruler ['ru:lər] *s (de país)* governante *mf*; *(para medir)* régua *f*.

rum [rʌm] *s* rum *m*.

rumor ['ru:mər] *s Am* boato *m*.

rumour ['ru:mər] *s Brit* = **rumor.**

run [rʌn] (*pt* **ran,** *pp* **run**) **1** *vi* (a) *(a pé)* correr; **we had to run for the bus** tivemos de correr para tomar o ônibus.
(b) *(trem, ônibus)* circular; **the bus runs every hour** há um ônibus de hora em hora; **the train is running an hour late** o trem está com uma hora de atraso; **this service doesn't run on Sundays** este serviço não circula aos domingos.
(c) *(operar)* funcionar; **to run on sthg** funcionar a algo; **leave the engine running** deixe o motor funcionando.
(d) *(lágrima, líquido, rio)* correr; **to leave the tap running** deixar a torneira aberta; **to run through** *(rio, estrada)* atravessar; **the path runs along the coast** o caminho segue ao longo da costa.
(e) *(peça)* estar em cartaz ou cena; *(evento)* decorrer; **'now running at the Palladium'** 'em cartaz no Palladium'.
(f) *(olhos)* chorar; *(nariz)* escorrer.
(g) *(cor, tinta, roupa)* desbotar.
(h) *(permanecer em vigor)* ser válido; **the offer runs until July** a oferta é válida até julho.
2 *vt* (a) *(a pé)* correr; **to run a race** participar de uma corrida.
(b) *(dirigir, organizar)* gerir.
(c) *(ônibus, trem)* ter em circulação; **we're running a special bus to the airport** temos em circulação um ônibus especial para o aeroporto.
(d) *(dar carona)* levar (de carro); **I'll run you home** eu levo você em casa.
(e) *(completar)*: **to run a bath** encher a banheira.
3 *s* (a) *(a pé)* corrida *f*; **to go for a run** ir dar uma corrida.
(b) *(de peça, show)*: **it had a two-year run** esteve dois anos em cartaz.
(c) *(para esquiar)* pista *f*.

(**d**) *Am (em meia-calça)* fio *m* puxado.
(**e**) *(em frases)*: **in the long run** a longo prazo.
❑ **run away** *vi* fugir.
❑ **run down 1** *vt sep (com carro etc.)* atropelar; *(censurar)* criticar.
2 *vi (relógio)* parar; *(bateria)* descarregar-se, gastar-se.
❑ **run into** *vt fus (deparar)* encontrar; *(atingir)* chocar com, bater em; *(problema, dificuldade)* deparar com.
❑ **run out** *vi (terminar)* esgotar-se.
❑ **run out of** *vt fus* ficar sem.
❑ **run over** *vt sep (derrubar)* atropelar.

runaway ['rʌnəweɪ] *s* fugitivo *m*, -va *f*.

run-down ['rʌndaʊn] *adj (acabado)* dilapidado(da), velho(lha); *(exausto)* cansado(da).

rung [rʌŋ] **1** *pp* → **ring.**
2 *s (de escada)* degrau *m*.

runner ['rʌnər] *s (pessoa)* corredor *m*, -ra *f*; *(de porta, gaveta)* calha *f*; *(para trenó)* patim *m*.

runner-up (*pl* **runners-up**) *s* segundo *m* classificado, segunda *f* classificada.

running ['rʌnɪŋ] **1** *s* ESP corrida *f*; *(gerência)* gestão *f*.
2 *adj*: **three days running** três dias seguidos; **to go running** ir correr.

running water *s* água *f* corrente.

runny ['rʌnɪ] *adj (molho)* líquido(da); *(ovo, omelete)* mal-passado(da); *(nariz)* escorrendo; *(olho)* lacrimejante.

runway ['rʌnweɪ] *s (para aviões)* pista *f* (de aterrissagem).

rural ['rʊərəl] *adj* rural.

rush [rʌʃ] **1** *s (ligeireza)* pressa *f*; *(de multidão)* onda *f* (de gente), afluência *f*.
2 *vi (mover-se rapidamente)* ir correndo; *(acelerar)* apressar-se.
3 *vt (trabalho)* fazer às pressas; *(comida)* comer às pressas; *(transportar rapidamente)* levar urgentemente.
4 to be in a rush estar com *ou* ter pressa; **there's no rush!** não há pressa!; **don't rush me!** não me apresse!

rush hour *s* hora *f* do rush.

rust [rʌst] **1** *s (corrosão)* ferrugem *f*.
2 *vi* enferrujar.

rustic ['rʌstɪk] *adj* rústico(ca).

rustle ['rʌsl] *vi* fazer ruído.

rustproof ['rʌstpru:f] *adj* inoxidável.

rusty ['rʌstɪ] *adj* enferrujado(da).

rye [raɪ] *s* centeio *m*.

S

saccharin ['sækərɪn] *s* sacarina *f.*

sachet ['sæʃeɪ] *s* pacote *m.*

sack [sæk] **1** *s (sacola)* saco *m.*
2 *vt Brit* despedir.
3 to get the sack ser despedido.

sacrifice ['sækrəfaɪs] *s fig* sacrifício *m.*

sad [sæd] *adj* triste; *(desafortunado)* lamentável.

saddle ['sædl] *s (em cavalo)* sela *f*; *(em bicicleta, moto)* selim *m.*

saddlebag ['sædlbæg] *s (em bicicleta, moto)* bolsa *f*; *(em cavalo)* alforje *m.*

sadly ['sædlɪ] *adv* infelizmente.

sadness ['sædnəs] *s* tristeza *f.*

safe [seɪf] **1** *adj* seguro(ra); *(fora de perigo)* em segurança.
2 *s* cofre *m.*
3 a safe place um local seguro; **have a safe journey!** (faça) boa viagem!; **safe and sound** são e salvo.

safe-deposit box *s* caixa-forte *f*, cofre *m.*

safely ['seɪflɪ] *adv* em segurança.

safety ['seɪftɪ] *s* segurança *f.*

safety belt *s* cinto *m* de segurança.

safety pin *s* alfinete *m* de segurança.

sag [sæg] *vi (estar pendurado)* pender; *(afundar)* ir abaixo.

sage [seɪdʒ] *s (erva)* salva *f.*

Sagittarius [ˌsædʒə'teərɪəs] *s* Sagitário *m.*

said [sed] *pt & pp* → **say.**

sail [seɪl] **1** *s* vela *f* (de barco).
2 *vi* velejar, navegar; *(partir)* zarpar.
3 *vt*: **to sail a boat** velejar.
4 to set sail zarpar.

sailing ['seɪlɪŋ] *s (atividade)* vela *f*; *(saída)* partida *f*; **to go sailing** ir velejar.

sailor ['seɪlər] *s* marinheiro *m*, -ra *f.*

saint [seɪnt] *s* santo *m*, -ta *f.*

sake [seɪk] *s*: **for my/their sake** por mim/eles; **for God's sake!** pelo amor de Deus!

salad ['sæləd] *s* salada *f.*

salad bowl *s* saladeira *f.*

salad dressing *s* molho *m* (para saladas).

salami [sə'la:mɪ] *s* salame *m.*

salary ['sælərɪ] *s* salário *m*, ordenado *m.*

sale [seɪl] *s (ato)* venda *f*; *(a preços reduzidos)* liquidação *f*; **'for sale'** 'vende-se'; **on sale** à venda.
❑ **sales** *spl* COM vendas *fpl.*

salesman ['seɪlzmən] (*pl* **-men** [-mən]) *s (em loja)* vendedor *m*; *(de empresa)* representante *m* de vendas.

saleswoman ['seɪlzˌwʊmən] (*pl* **-women** [-ˌwɪmɪn]) *s* vendedora *f.*

saliva [sə'laɪvə] *s* saliva *f.*

salmon ['sæmən] (*pl inv*) *s* salmão *m.*

salon ['sælɒn] *s (de cabeleireiro)* salão *m.*

saloon [sə'lu:n] *s Am (bar)* bar *m*; *Brit (carro)* sedã *m.*

salt [sɔ:lt] *s* sal *m.*

salty ['sɔ:ltɪ] *adj* salgado(da).

salute [sə'lu:t] **1** *s* continência *f.*
2 *vi* bater continência.

same [seɪm] **1** *adj* mesmo(ma).
2 *pron*: **the same** o mesmo (a mesma).
3 you've got the same book as me você tem o mesmo livro que eu; **they look the same** parecem iguais; **I'll have the same as her** vou tomar o mesmo que ela; **it's all the same to me** para mim tanto faz.

sample ['sæmpl] **1** *s* amostra *f.*
2 *vt (comida, bebida)* provar.

sanctions ['sæŋkʃnz] *spl* POL sanções *fpl.*

sanctuary ['sæŋktʃʊerɪ] *s (para aves, animais)* santuário *m* ecológico.

sand [sænd] **1** *s* areia *f.*

2 *vt (madeira)* lixar.
❑ **sands** *spl (praia)* areal *m*.
sandal ['sændl] *s* sandália *f*.
sandpaper ['sænd,peɪpər] *s* lixa *f*.
sandwich ['sænwɪdʒ] *s* sanduíche *m*.
sandy ['sændɪ] *adj (praia)* arenoso(osa); *(cabelo)* ruivo(va).
sang [sæŋ] *pt* → **sing.**
sanitary ['sænəterɪ] *adj* sanitário(ria).
sanitary pad, sanitary towel *Brit s* absorvente *m* feminino.
sank [sæŋk] *pt* → **sink.**
sapphire ['sæfaɪər] *s* safira *f*.
sarcastic [sa:r'kæstɪk] *adj* sarcástico(ca).
sardine [sa:r'di:n] *s* sardinha *f*.
sat [sæt] *pt & pp* → **sit.**
satchel ['sætʃəl] *s* pasta *f* (de escola).
satellite ['sætəlaɪt] *s (no espaço)* satélite *m*.
satellite dish *s* antena *f* parabólica.
satin ['sætɪn] *s* cetim *m*.
satisfaction [,sætəs'fækʃn] *s* satisfação *f*.
satisfactory [,sætəs'fæktərɪ] *adj* satisfatório(ria).
satisfied ['sætəsfaɪd] *adj* satisfeito(ta).
satisfy ['sætəsfaɪ] *vt* satisfazer.
saturate ['sætʃəreɪt] *vt* saturar.
Saturday ['sætərdeɪ] *s* sábado *m*; **it's Saturday** é sábado; **Saturday morning** sábado de manhã; **on Saturday** no sábado; **(on) Saturdays** aos sábados; **last Saturday** sábado passado; **this Saturday** este sábado; **next Saturday** o próximo sábado; **a week on Saturday** de sábado a oito (dias).
sauce [sɔ:s] *s* molho *m*.
saucepan ['sɔ:spæn] *s* panela *f*.
saucer ['sɔ:sər] *s* pires *m inv*.
sauna ['sɔ:nə] *s* sauna *f*.
sausage ['sɒsɪdʒ] *s* salsicha *f*, lingüiça *f*.
savage ['sævɪdʒ] *adj* selvagem.
save [seɪv] **1** *vt (resgatar)* salvar; *(dinheiro, tempo, espaço)* poupar; *(reservar)* guardar; *ESP* defender; *INFORM* salvar.
2 *s* defesa *f*.
❑ **save up** *vi* poupar; **to save up (for sthg)** poupar (para comprar algo).
savings ['seɪvɪŋz] *spl* poupanças *fpl*, economias *fpl*.
savings bank *s* caixa *f* econômica.
savory ['seɪvərɪ] *adj Am* salgado(da).
savoury ['seɪvərɪ] *adj Brit* = **savory.**
saw [sɔ:] (*Brit pt* **-ed,** *pp* **sawn,** *Am pt & pp* **-ed**) **1** *pt* → **see.**
2 *s (ferramenta)* serra *f*.
3 *vt* serrar.
sawdust ['sɔ:dʌst] *s* serragem *f*.
sawn [sɔ:n] *pp* → **saw.**
saxophone ['sæksəfəʊn] *s* saxofone *m*.
say [seɪ] (*pt & pp* **said**) **1** *vt* dizer; *(suj: relógio, medidor)* marcar.
2 *s*: **I don't have a say in the matter** não tenho autoridade sobre este assunto.
3 could you say that again? podia repetir o que disse?; **say we meet at nine?** que tal encontrarmo-nos às nove?; **what did you say?** (o que é) que você disse?
saying ['seɪɪŋ] *s* ditado *m*.
scab [skæb] *s* crosta *f*.
scaffolding ['skæfəldɪŋ] *s* andaimes *mpl*.
scald [skɔ:ld] *vt* escaldar, queimar.
scale [skeɪl] *s* escala *f*; *(de peixe, cobra)* escama *f*; *(em chaleira elétrica)* placa *f*, calcário *m*.
❑ **scales** *spl (para pesagem)* balança *f*.
scalp [skælp] *s* couro *m* cabeludo.
scan [skæn] **1** *vt (consulta rápida)* percorrer, dar uma vista de olhos em.
2 *s MED* ultra-sonografia *f*.
scandal ['skændl] *s* escândalo *m*.
scar [ska:r] *s* cicatriz *f*.
scarce [skeərs] *adj* escasso(a).
scarcely ['skeərslɪ] *adv (quase sem)* mal; **scarcely anyone** quase ninguém; **scarcely ever** quase nunca.
scare [skeər] *vt* assustar.
scarecrow ['skeərkrəʊ] *s* espantalho *m*.
scared [skeərd] *adj* assustado(da).
scarf [ska:rf] (*pl* **scarves**) *s (de lã)* cachecol *m*; *(para mulher)* echarpe *f*.
scarlet ['ska:rlət] *adj* vermelho(lha), escarlate.
scarves [ska:rvz] *pl* → **scarf.**
scary ['skeərɪ] *adj fam* assustador(ra).
scatter ['skætər] **1** *vt (sementes, papéis)* espalhar; *(aves)* dispersar.
2 *vi* dispersar-se.
scene [si:n] *s (em peça, filme, livro)* cena *f*; *(de crime, acidente)* local *m*; *(vista)* panorama *m*; **the music scene** o mundo da música; **to make a scene** armar um escândalo.
scenery ['si:nərɪ] *s (no campo)* paisagem *f*; *(em teatro)* cenário *m*.

scenic ['si:nɪk] *adj* pitoresco(ca).
scent [sent] *s (cheiro)* aroma *m* agradável; *(de animal)* rastro *m*; *(fragrância)* perfume *m*.
schedule ['skedʒu:l] **1** *s (de trabalho, coisas a fazer)* programa *m*; *(tabela)* horário *m*; *(rol)* lista *f*.
2 *vt (planejar)* programar.
3 according to schedule de acordo com o previsto; **behind schedule** atrasado; **on schedule** *(avião, trem)* na hora (prevista).
scheme [ski:m] *s (plano)* projeto *m*; *(pej: armação)* esquema *m*.
scholarship ['skɒlərʃɪp] *s* EDUC bolsa *f* de estudo.
school [sku:l] **1** *s* escola *f*; *(departamento universitário)* faculdade *f*; *Am (ensino superior)* universidade *f*.
2 *adj* escolar; **at school** na escola.
schoolbook ['sku:lbʊk] *s* livro *m* escolar, manual *m* escolar ou didático.
schoolboy ['sku:lbɔɪ] *s* aluno *m*.
schoolchild ['sku:ltʃaɪld] (*pl* **-children** [-ˌtʃɪldrən]) *s* aluno *m*, -na *f*.
schoolgirl ['sku:lgɜ:rl] *s* aluna *f*.
schoolteacher ['sku:lˌti:tʃər] *s* professor *m*, -ra *f*.
science ['saɪəns] *s* ciência *f*; EDUC ciências *fpl*.
science fiction *s* ficção *f* científica.
scientific [ˌsaɪən'tɪfɪk] *adj* científico(ca).
scientist ['saɪəntɪst] *s* cientista *mf*.
scissors ['sɪzərz] *spl* tesoura *f*; **a pair of scissors** uma tesoura.
scold [skəʊld] *vt* ralhar com, repreender.
scoop [sku:p] *s (para sorvete, farinha)* colher *f* grande; *(de sorvete)* bola *f*; *(na mídia)* furo *m* (jornalístico).
scooter ['sku:tər] *s (veículo motorizado)* lambreta *f*.
scope [skəʊp] *s (possível)* possibilidade *f*; *(gama)* alcance *m*.
scorch [skɔ:rtʃ] *vt* chamuscar.
score [skɔ:r] **1** *s* ESP resultado *m*; *(em teste)* ponto *m*.
2 *vt* ESP marcar; *(em teste)* obter.
3 *vi* ESP marcar.
4 what's the score? quanto está (o jogo)?
scorn [skɔ:rn] *s* desprezo *m*.
Scorpio ['skɔ:rpɪəʊ] *s* Escorpião *m*.
scorpion ['skɔ:rpjən] *s* escorpião *m*.
scotch [skɒtʃ] *s* uísque *m* escocês.
Scotch tape® *s Am* durex® *m*.
scout [skaʊt] *s (menino)* escoteiro *m*.
scowl [skaʊl] *vi* franzir a testa.
scrap [skræp] *s (de papel, pano)* tira *f*; *(metal)* ferro-velho *m*, sucata *f*.
scrapbook ['skræpbʊk] *s* álbum *m* de recortes.
scrape [skreɪp] *vt (retirar)* raspar; *(na pele)* arranhar, esfolar.
scrap paper *s Brit* papel *m* de rascunho.
scratch [skrætʃ] **1** *s (machucado)* arranhão *m*; *(marca)* risco *m*.
2 *vt (machucar)* arranhar; *(marcar)* riscar; *(roçar)* coçar, arranhar.
3 to be up to scratch ter um nível satisfatório; **to start from scratch** começar do nada.
scratch paper *s Am* papel *m* de rascunho.
scream [skri:m] **1** *s* grito *m*.
2 *vi* gritar.
screen [skri:n] **1** *s* tela *f*; *(espaço)* sala *f* de cinema; *(painel)* biombo *m*.
2 *vt (filme)* exibir; *(programa)* emitir.
screening ['skri:nɪŋ] *s (de filme)* exibição *f*.
screw [skru:] **1** *s* parafuso *m*.
2 *vt (apertar)* aparafusar; *(torcer)* enroscar.
screwdriver ['skru:ˌdraɪvər] *s* chave *f* de parafusos ou fendas.
scribble ['skrɪbl] *vi* escrevinhar, rabiscar.
script [skrɪpt] *s (de peça, filme)* roteiro *m*.
scrub [skrʌb] *vt* esfregar.
scruffy ['skrʌfɪ] *adj* desleixado(da).
scuba diving ['sku:bə-] *s* mergulho *m*.
sculptor ['skʌlptər] *s* escultor *m*, -ra *f*.
sculpture ['skʌlptʃər] *s* escultura *f*.
sea [si:] *s* mar *m*; **by sea** por mar; **by the sea** à beira-mar.
seafood ['si:fu:d] *s* frutos *mpl* do mar.
seagull ['si:gʌl] *s* gaivota *f*.
seal [si:l] **1** *s (animal)* foca *f*; *(em garrafa, marca oficial)* selo *m*.
2 *vt (envelope, caixa)* selar.
seam [si:m] *s (em roupa)* costura *f*.
search [sɜ:rtʃ] **1** *s* procura *f*, busca *f*.
2 *vt* revistar.
3 *vi*: **to search for** procurar.
search engine *s* INFORM motor *m* de pesquisa.
seashell ['si:ʃel] *s* concha *f*.
seasick ['si:sɪk] *adj* enjoado(da).
seaside ['si:saɪd] *s*: **the seaside** a beira-mar.

season ['si:zn] **1** *s (do ano)* estação *f*; *(período)* temporada *f*.
2 *vt (comida)* temperar.
3 in season *(frutas, verduras)* da época; *(para viagem)* alta temporada; **out of season** *(frutas, verduras)* fora de época; *(para viagem)* baixa temporada.

seasoning ['si:znɪŋ] *s* tempero *m*, condimento *m*.

seat [si:t] **1** *s* assento *m*; *(vaga)* lugar *m*.
2 *vt (suj: sala)* ter lugar para; *(suj: veículo)* levar.

seat belt *s* cinto *m* de segurança.

seaweed ['si:wi:d] *s* alga *f* marinha.

secluded [sə'klu:dəd] *adj* isolado(da).

second ['sekənd] **1** *s* segundo *m*.
2 *num* segundo *m*, -da *f*; **second gear** segunda *f* (marcha) → **sixth.**
❑ **seconds** *spl (mercadorias)* artigos *mpl* de qualidade inferior; *fam (de comida)*: **who wants seconds?** quem quer repetir?

secondary school ['sekənderɪ-] *s* escola *f* secundária.

second-class ['sekənd-] *adj* de segunda classe.

second-hand ['sekənd-] *adj* de segunda mão.

secret ['si:krət] **1** *adj* secreto(ta).
2 *s* segredo *m*.

secretary ['sekrə,terɪ] *s* secretário *m*, -ria *f*.

section ['sekʃn] *s* seção *f*.

sector ['sektər] *s* setor *m*.

secure [sɪ'kjʊər] **1** *adj* seguro(ra).
2 *vt (segurar)* fixar; *(fml: conseguir)* obter.

security [sɪ'kjʊərətɪ] *s* segurança *f*.

security guard *s* segurança *m*, guarda *m*.

sedan [sɪ'dæn] *s Am* sedã *m*.

sedative ['sedətɪv] *s* sedativo *m*.

seduce [sɪ'dju:s] *vt* seduzir.

see [si:] (*pt* **saw,** *pp* **seen**) **1** *vt* ver; *(observar)* acompanhar; *(contemplar)* considerar.
2 *vi* ver.
3 I see *(compreender)* estou entendendo; **I'll see what I can do** vou ver o que eu posso fazer; **to see to sthg** *(lidar)* tratar de algo; *(reparar)* consertar algo; **see you!** até mais!; **see you later!** até logo!; **see you soon!** até breve!; **see p. 14** ver pág. 14.
❑ **see off** *vt sep (dizer adeus a)* despedir-se de.

seed [si:d] *s* semente *f*.

seedy ['si:dɪ] *adj* sórdido(da).

seeing (as) ['si:ɪŋ-] *conj* visto que.

seek [si:k] (*pt & pp* **sought**) *vt fml* procurar.

seem [si:m] **1** *vi* parecer.
2 *v impess*: **it seems (that) ...** parece que ...

seen [si:n] *pp* → **see.**

seesaw ['si:sɔ:] *s* gangorra *f*.

segment ['segmənt] *s (de fruta)* gomo *m*.

seize [si:z] *vt (segurar)* agarrar; *(drogas, armas)* confiscar.
❑ **seize up** *vi (motor)* gripar; **my back seized up** senti uma fisgada nas costas.

seldom ['seldəm] *adv* raramente.

select [sə'lekt] **1** *vt* selecionar.
2 *adj* seleto(ta).

selection [sə'lekʃn] *s* seleção *f*.

self-assured [,selfə'ʃʊərd] *adj* seguro(ra) de si.

self-confident [,self-] *adj* seguro(ra) de si.

self-conscious [,self-] *adj* inibido(da).

self-defense [,self-] *s* legítima defesa *f*.

self-employed [,self-] *adj* autônomo(ma).

selfish ['selfɪʃ] *adj* egoísta.

self-service [,self-] *adj* self-service *inv*, de auto-serviço.

sell [sel] (*pt & pp* **sold**) *vt & vi* vender; **to sell for** vender-se por, ser vendido por; **to sell sb sthg** vender algo a alguém.

sell-by date *s Brit* data *f* limite de venda.

seller ['selər] *s* vendedor *m*, -ra *f*.

Sellotape® ['selәteɪp] *s Brit* durex® *m*.

semester [sə'mestər] *s EDUC* semestre *m*.

semicircle ['semɪ,sɜ:rkl] *s* semicírculo *m*.

semicolon [,semɪ'kəʊlən] *s* ponto-e-vírgula *m*.

semifinal [,semɪ'faɪnl] *s* semifinal *f*.

seminar ['semɪna:r] *s* seminário *m*.

semolina [,semə'li:nə] *s* semolina *f*.

send [send] (*pt & pp* **sent**) *vt* enviar; *(pessoa)* mandar; **to send sthg to sb** enviar algo a alguém.
❑ **send back** *vt sep* devolver.
❑ **send off 1** *vt sep (carta, pacote)* enviar.
2 *vi*: **to send off (for sthg)** pedir (algo) pelo correio.

sender ['sendər] *s* remetente *mf*.

senile ['si:naɪl] *adj* senil.

senior ['si:njər] **1** *adj (em hierarquia)* superior.

2 *s Am* EDUC finalista *mf.*

senior citizen *s* idoso *m*, -osa *f*, pessoa *f* de idade.

sensation [sen'seɪʃn] *s* sensação *f.*

sensational [sen'seɪʃnəl] *adj* sensacional.

sense [sens] **1** *s* sentido *m* ; *(lógica)* bom-senso *m.*
2 *vt* sentir.
3 there is no sense in waiting não vale a pena esperar; **to make sense** fazer sentido; **sense of direction** senso de orientação; **sense of humor** senso de humor.

sensible ['sensəbl] *adj (pessoa)* sensato(ta); *(roupa, sapato)* prático(ca).

> Não confundir *sensible (sensato)* com o português *sensível* que em inglês é *sensitive.* (*She made a sensible decision.* Ela tomou uma decisão *sensata.*)

sensitive ['sensətɪv] *adj* sensível; *(facilmente ofendido)* suscetível; *(assunto)* delicado(da).

sent [sent] *pt & pp* → **send.**

sentence ['sentəns] **1** *s* GRAM frase *f*; *(por crime)* sentença *f.*
2 *vt* condenar.

sentimental [,sentə'mentl] *adj pej* sentimental.

separate [*adj* 'seprət, *v* 'sepəreɪt] **1** *adj (individual)* diferente, distinto(ta); *(não junto)* separado(da).
2 *vt* separar.
3 *vi* separar-se.
❑ **separates** *spl (roupa) roupas que podem ser usadas em conjunto.*

separately ['seprətlɪ] *adv* separadamente.

separation [,sepə'reɪʃn] *s* separação *f.*

September [sep'tembər] *s* setembro *m*; **at the beginning of September** no início de setembro; **at the end of September** no fim de setembro; **during September** em setembro; **every September** todos os meses de setembro, todos os anos em setembro; **in September** em setembro; **last September** setembro último ou passado; **next September** no próximo mês de setembro; **this September** setembro que vem; **September 2 1997** *(em cartas etc.)* 2 de setembro de 1997.

septic ['septɪk] *adj* infectado(da).

septic tank *s* fossa *f* séptica.

sequel ['si:kwəl] *s (de livro, filme)* continuação *f.*

sequence ['si:kwəns] *s (seqüência)* série *f*; *(disposição)* ordem *f.*

sequin ['si:kwɪn] *s* lantejoula *f.*

sergeant ['sa:rdʒənt] *s (na polícia, no exército)* sargento *m.*

serial ['sɪərɪəl] *s (TV)* série *f.*

series ['sɪəri:z] (*pl inv*) *s* série *f*; TV seriado *m.*

serious ['sɪərɪəs] *adj* sério(ria); *(acidente, doença)* grave; **are you serious?** você está falando sério?

seriously ['sɪərɪəslɪ] *adv (realmente)* de verdade; *(bastante)* gravemente.

sermon ['s3:rmən] *s* sermão *m.*

servant ['s3:rvənt] *s* criado *m*, -da *f.*

serve [s3:rv] **1** *vt* servir.
2 *vi* ESP servir; *(trabalho)* prestar serviço.
3 *s* ESP serviço *m.*
4 the city is served by two airports a cidade tem dois aeroportos; **to serve as** *(ser usado para)* servir de; **'serves two'** 'para duas pessoas'; **it serves you right!** bem feito!

service ['s3:rvɪs] **1** *s* serviço *m*; *(em igreja)* culto *m*; *(de carro)* revisão *f.*
2 *vt (carro)* fazer a revisão de.
3 'out of service' 'fora de serviço'; **may I be of any service to you?** *fml* em que posso serví-lo?

service station *s* posto *m* de gasolina.

serving ['s3:rvɪŋ] *s* porção *f.*

sesame seeds ['sesəmɪ-] *spl* sementes *fpl* de gergelim.

session ['seʃn] *s* sessão *f.*

set [set] (*pt & pp* **set**) **1** *adj* **(a)** *(preso)* fixo(xa).
(b) *(localizado)* situado(da).
2 *s* **(a)** *(de selos, adesivos)* coleção *f*; *(para jogar xadrez etc.)* jogo *m*; *(de louça)* aparelho *m*; *(de ferramentas)* conjunto *m.*
(b) TV aparelho *m*; **a TV set** uma televisão, um televisor.
(c) *(em tênis)* set *m*, partida *f.*
(d) *(em peça)* cenário *m.*
(e) *(no cabeleireiro)*: **I'd like a shampoo and set** queria lavar e pentear.
3 *vt* **(a)** *(colocar)* pôr.
(b) *(causar)* pôr; **to set a machine going** pôr uma máquina em funcionamento.
(c) *(relógio, alarme, controles)* pôr; **set the alarm for 7 a.m.** ponha o despertador para despertar às sete.
(d) *(segurar)* fixar.
(e) *(a mesa)* pôr.

(**f**) *(um recorde)* estabelecer.
(**g**) *(osso quebrado)* endireitar.
(**h**) *(peça, filme, estória)*: **to be set** passar-se.
4 *vi* (**a**) *(sol)* pôr-se.
(**b**) *(cola)* secar; *(gelatina)* solidificar.
❑ **set off 1** *vt sep (alarme)* fazer soar.
2 *vi* partir.
❑ **set out 1** *vt sep (arranjar)* estabelecer.
2 *vi (em viagem)* partir.
❑ **set up** *vt sep (barreira, equipamento)* montar; *(encontro, entrevista)* marcar; *(comitê)* criar.

set meal *s* menu *m*.

settee [se'ti:] *s* sofá *m*.

setting ['setɪŋ] *s (na máquina)* posição *f*; *(arredores)* cenário *m*.

settle ['setl] **1** *vt (argumento)* resolver; *(conta)* pagar, saldar; *(estômago, nervos)* acalmar; *(arrumar)* decidir.
2 *vi (ficar para morar)* estabelecer-se; *(ave, inseto)* pousar; *(sedimento, poeira)* depositar-se.
❑ **settle down** *vi (relaxar)* acalmar-se; *(sentar-se confortavelmente)* instalar-se.
❑ **settle up** *vi* saldar as contas.

settlement ['setlmənt] *s (trato)* acordo *m*; *(lugar)* povoado *m*, colônia *f*.

seven ['sevn] *num* sete → **six.**

seventeen [ˌsevn'ti:n] *num* dezessete → **six.**

seventeenth [ˌsevn'ti:nθ] *num* décimo sétimo (décima sétima) → **sixth.**

seventh ['sevnθ] *num* sétimo(ma) → **sixth.**

seventieth ['sevntjəθ] *num* septuagésimo(ma) → **sixth.**

seventy ['sevntɪ] *num* setenta → **six.**

several ['sevrəl] **1** *adj* vários(rias).
2 *pron* vários *mpl*, -rias *fpl*.

severe [sɪ'vɪər] *adj (dano, doença, problema)* grave; *(tempestade, geada)* forte; *(crítica, pessoa, castigo)* severo(ra); *(dor)* intenso(sa).

sew [səʊ] (*pp* **sewn**) *vt & vi* coser, costurar.

sewage ['su:ɪdʒ] *s* esgotos *mpl*, águas *fpl* residuais.

sewing ['səʊɪŋ] *s* costura *f*.

sewing machine *s* máquina *f* de costura.

sewn [səʊn] *pp* → **sew.**

sex [seks] *s* sexo *m*; **to have sex (with)** ter relações sexuais (com).

sexist ['seksəst] *s* sexista *mf*.

sexual ['sekʃʊəl] *adj* sexual; **sexual equality** igualdade *f* dos sexos.

shabby ['ʃæbɪ] *adj (roupa, aposento)* em mau estado; *(pessoa)* esfarrapado(da).

shade [ʃeɪd] **1** *s (escuridão)* sombra *f*; *(de lâmpada)* abajur *m*; *(de cor)* tom *m*.
2 *vt (do sol)* proteger.
❑ **shades** *spl fam (para olhos)* óculos *mpl* escuros.

shadow ['ʃædəʊ] *s* sombra *f*.

shady ['ʃeɪdɪ] *adj (lugar)* com sombra; *fam (pessoa, acordo)* duvidoso(osa).

shaft [ʃæft] *s (de máquina)* eixo *m*; *(de elevador)* poço *m*.

shake [ʃeɪk] (*pt* **shook,** *pp* **shaken** ['ʃeɪkn])
1 *vt (garrafa)* agitar; *(árvore, tapete, pessoa)* sacudir; *(choque)* abalar.
2 *vi* tremer.
3 to shake hands (with sb) apertar a mão (de alguém), trocar um aperto de mãos (com alguém); **to shake one's head** *(dizendo não)* negar com a cabeça.

shall [ʃəl, ʃæl] *v aux* (**a**) *(expressando futuro)*: **I shall be ready soon** estarei pronto num instante.
(**b**) *(em perguntas)*: **shall I buy some wine?** quer que eu compre um vinho?; **shall we listen to the radio?** que tal se ouvíssemos rádio?; **where shall we go?** aonde vamos?
(**c**) *(fml: expressando ordem)*: **payment shall be made within a week** o pagamento deverá ser feito no prazo de uma semana.

> Pode-se usar *shall* com *I* e *we* em perguntas para sugerir algo (*shall I make you a cup of tea?* que tal uma xícara de chá?), fazer um convite (*shall we go for a picnic on Sunday?* vamos fazer um piquenique no domingo?) ou pedir conselho (*what shall I wear?* o que devo usar?).
>
> A não ser nos casos acima, *shall* não é muito usado, sobretudo em inglês americano. *Shan't*, a forma negativa, é ainda menos usada. *Should* cumpre a função de passado de shall.

shallow ['ʃæləʊ] *adj (lago, água, cova)* raso(sa).

shallow end *s (de piscina)* parte *f* rasa.

shambles ['ʃæmblz] *s* confusão *f*.

shame [ʃeɪm] *s* vergonha *f*; **it's a shame** é uma pena; **what a shame!** que pena!

shampoo [ʃæm'pu:] *s (líquido)* xampu *m*; *(ato)* lavagem *f*.

shape [ʃeɪp] *s* forma *f*; **to be in good/bad shape** estar em boa/má forma.

share [ʃeər] **1** *s (divisão)* parte *f*; *(em empresa)* ação *f*.
2 *vt* partilhar.
❑ **share out** *vt sep* partilhar.

shark [ʃa:rk] *s* tubarão *m*.

sharp [ʃa:rp] **1** *adj (lâmina, agulha, dente)* afiado(da); *(claro)* nítido(da); *(rápido, inteligente)* perspicaz; *(aumento, mudança, virada)* brusco(ca); *(dor)* agudo(da); *(comida, gosto)* ácido(da).
2 *adv (hora exata)* em ponto.

sharpen ['ʃa:rpn] *vt (faca)* afiar; *(lápis)* apontar.

shatter ['ʃætər] **1** *vt (quebrar)* estilhaçar.
2 *vi* estilhaçar-se.

shave [ʃeɪv] **1** *vt (barba, pernas)* raspar; *(rosto)* barbear.
2 *vi* barbear-se.
3 *s*: **to have a shave** barbear-se, fazer a barba.

shaver ['ʃeɪvər] *s* barbeador *m*.

shawl [ʃɔ:l] *s* xale *m*.

she [ʃi:] *pron* ela; **she's tall** ela é alta.

> *She* é o pronome pessoal utilizado para falar de mulheres e animais do sexo feminino (***there's my sister - she's a nurse*** lá está minha irmã - ela é enfermeira); seu equivalente masculino é *he* (***there's my brother - he's a teacher*** lá está meu irmão - ele é professor). *It* serve para designar o que não tem sexo, as idéias e os animais em geral (***there's my car - it's a Volkswagen*** lá está meu carro - é um Volkswagen).
>
> *She* é empregado às vezes para referir-se a navios (***the Titanic was new but she sank the first time she left port*** o Titanic era novo, mas naufragou na primeira vez que deixou o porto).
>
> Com nomes de animais e com algumas palavras referentes a pessoas, como *baby*, pode-se usar *it*, caso se desconheça o sexo (***listen to that baby - I wish it would be quiet!*** ouça aquele bebê - gostaria que ficasse quietinho!).
>
> Antigamente, em linguagem formal, empregava-se o pronome masculino, caso não se soubesse qual o sexo de uma pessoa (***if a student is sick, he must have a note from his parents*** se um aluno está doente, ele deve trazer um bilhete de seus pais). A linguagem formal moderna utiliza o masculino e o feminino juntos (***if a student is sick, he or she must have a note from his or her parents***). *They* é mais coloquial (***if a student is sick, they must have a note from their parents***).

sheaf [ʃi:f] (*pl* **sheaves**) *s (de papel, notas)* maço *m*.

shear [ʃɪər] (*pt* **-ed**, *pp* **-ed** ou **shorn**) *vt (ovelha)* tosquiar.
❑ **shears** *spl (para jardinagem)* tesoura *f* de podar ou de jardim.

sheaves [ʃi:vz] *pl* → **sheaf.**

shed [ʃed] (*pt & pp* **shed**) *vt (lágrimas, sangue)* derramar.

she'd [ʃi:d] = **she had, she would.**

sheep [ʃi:p] (*pl inv*) *s* ovelha *f*, carneiro *m*.

sheep dog *s* cão *m* pastor.

sheer [ʃɪər] *adj (límpido, total)* puro(ra); *(penhasco)* escarpado(da); *(meia de nylon)* fino(na).

sheet [ʃi:t] *s (para cama)* lençol *m*; *(de papel, metal, madeira)* folha *f*; **a sheet of glass** um vidro, uma vidraça.

shelf [ʃelf] (*pl* **shelves**) *s* prateleira *f*.

shell [ʃel] *s (de ovo, noz)* casca *f*; *(de molusco)* concha *f*; *(de tartaruga, caranguejo)* carapaça *f*; *(bomba)* projétil *m*.

she'll [ʃi:l] = **she will, she shall.**

shellfish ['ʃelfɪʃ] *s (comida)* marisco *m*.

shelter ['ʃeltər] **1** *s* abrigo *m*.
2 *vt (proteger)* abrigar.
3 *vi* abrigar-se.
4 to take shelter abrigar-se.

sheltered ['ʃeltərd] *adj (lugar)* abrigado(da).

shelves [ʃelvz] *pl* → **shelf.**

shepherd ['ʃepərd] *s* pastor *m*.

sheriff ['ʃerif] *s (nos EUA)* xerife *m*.

sherry ['ʃerɪ] *s* xerez *m*.

she's [ʃi:z] = **she is, she has.**

shield [ʃi:ld] **1** *s (de soldado, policial)* escudo *m*.
2 *vt* proteger.

shift [ʃɪft] **1** *s (troca)* mudança *f*; *(período de trabalho)* turno *m*.
2 *vt (mexer)* mover.
3 *vi (mexer-se)* mover-se; *(trocar)* mudar.

shin [ʃɪn] *s* canela *f*.

shine [ʃaɪn] (*pt & pp* **shone**) **1** *vi* brilhar.
2 *vt (sapatos)* lustrar; *(lanterna)* apontar.

shiny ['ʃaɪnɪ] *adj* brilhante.

ship [ʃɪp] *s* navio *m*; **by ship** de navio.

shipwreck ['ʃɪprek] *s (acidente)* naufrágio

m; *(embarcação)* navio *m* naufragado.
shirt [ʃɜ:rt] *s* camisa *f*.
shiver ['ʃɪvər] *vi* tremer.
shock [ʃɒk] **1** *s (surpresa)* choque *m*; *(força)* impacto *m*.
2 *vt* chocar.
3 to be in shock *MED* estar em estado de choque.
shock absorber [-əb,zɔ:rbər] *s* amortecedor *m*.
shocking ['ʃɒkɪŋ] *adj (muito ruim)* chocante.
shoe [ʃu:] *s* sapato *m*.
shoelace ['ʃu:leɪs] *s* cadarço *m*.
shoe polish *s* graxa *f*.
shone [ʃɒn] *pt & pp* → **shine.**
shook [ʃʊk] *pt* → **shake.**
shoot [ʃu:t] (*pt & pp* **shot**) **1** *vt (matar, ferir)* dar um tiro em; *(arma)* disparar; *(flecha)* atirar; *(filme)* filmar.
2 *vi (com arma)* atirar; *(mover rapidamente)* passar disparado(da); *ESP* chutar.
3 *s (de planta)* broto *m*.
shop [ʃɒp] **1** *s* loja *f*.
2 *vi* fazer compras.
shopkeeper ['ʃɒp,ki:pər] *s* comerciante *mf*.
shoplifter ['ʃɒp,lɪftər] *s* ladrão *m*, ladra *f* de lojas.
shopper ['ʃɒpər] *s* comprador *m*, -ra *f*, freguês *m*, -esa *f*.
shopping ['ʃɒpɪŋ] *s* compras *fpl*; **to do the shopping** fazer as compras; **to go shopping** ir às compras.
shopping center *s* centro *m* comercial.
shopping mall *s* centro *m* comercial.
shop steward *s* delegado *m*, -da *f* sindical.
shore [ʃɔ:r] *s (de lago)* margem *f*; *(do mar)* costa *f*; **on shore** em terra.
short [ʃɔ:rt] **1** *adj (não alto)* baixo(xa); *(em comprimento, tempo)* curto(ta).
2 *adv (cabelo cortado)* curto.
3 *s (filme)* curta-metragem *f*.
4 to be short of sthg *(tempo, dinheiro)* ter falta de algo; **I'm short of breath** estou sem fôlego; **to be short for sthg** *(ser abreviatura de algo)* ser o diminutivo de algo; **in short** em resumo.
❑ **shorts** *spl (calça curta)* short *m*; *Am (roupa íntima)* cueca *f*.
shortage ['ʃɔ:rtɪdʒ] *s* falta *f*, escassez *f*.
short-circuit *vi* ter um curto-circuito.
short cut *s* atalho *m*.
shorten ['ʃɔ:rtn] *vt* encurtar.
shorthand ['ʃɔ:rthænd] *s* estenografia *f*.
shortly ['ʃɔ:rtlɪ] *adv (logo)* daqui a pouco, em breve; **he arrived shortly before me** ele chegou (um) pouco antes de mim.
shortsighted [,ʃɔ:rt'saɪtəd] *adj Brit (vista)* míope.
short-sleeved [-,sli:vd] *adj* de mangas curtas.
short story *s* conto *m*.
short term *adj* a curto prazo.
short wave *s* onda *f* curta.
shot [ʃɒt] **1** *pt & pp* → **shoot.**
2 *s (de arma)* tiro *m*; *(em futebol)* chute *m*; *(em tênis, golfe etc.)* jogada *f*; *(fotografia)* foto *f*; *(em filmagem)* plano *m*; *fam (ensaio)* tentativa *f*; *(bebida)* trago *m*.
shotgun ['ʃɒtgʌn] *s* espingarda *f*.
should [ʃʊd] *v aux* **(a)** *(expressando algo desejável)* dever; **we should leave now** devíamos ir embora agora.
(b) *(pedindo conselho)*: **should I go too?** você acha que também devo ir?
(c) *(expressando probabilidade)* dever; **she should be home soon** ela deve estar chegando em casa.
(d) *(obrigação)* dever; **they should have won the game** eles é que deviam ter ganho o jogo.
(e) *(fml: em condicional)*: **should you need anything, call reception** se precisar de algo, ligue para a recepção.
(f) *(fml: expressando desejo)*: **I should like to come with you** gostaria de ir com você.

> *Should have*, seguido de um particípio, pode expressar arrependimento (*I should have called on her birthday* eu deveria ter ligado no aniversário dela) ou reprovação (*you should have been more careful* você deveria ter tido mais cuidado).
>
> Ver também **shall**.

shoulder ['ʃəʊldər] *s (de pessoa)* ombro *m*; *(de carne)* pá *f*; *Am (de estrada)* acostamento *m*.
shoulder pad *s* ombreira *f*.
shouldn't ['ʃʊdnt] = **should not.**
should've ['ʃʊdəv] = **should have.**
shout [ʃaʊt] **1** *s* grito *m*.
2 *vt & vi* gritar.

❑ **shout out** *vt sep* gritar.
shove [ʃʌv] *vt (com força)* empurrar.
shovel [ˈʃʌvl] *s* pá *f.*
show [ʃəʊ] (*pp* **-ed** ou **shown**) **1** *s (em teatro,TV, rádio)* espetáculo *m*; *(mostra)* exibição *f*; *(de cachorros)* concurso *m.*
2 *vt* mostrar; *(provar, demonstrar)* revelar; *(levar)* acompanhar; *(filme, programa de TV)* passar.
3 *vi (ser visível)* ver-se; *(filme)* passar.
4 to show sthg to sb mostrar algo a alguém; **to show sb how to do sthg** mostrar a alguém como fazer algo.
❑ **show off** *vi* exibir-se.
❑ **show up** *vi (vir)* aparecer; *(ser visível)* ver-se.
shower [ˈʃaʊər] **1** *s (para tomar banho)* chuveiro *m*; *(de chuva)* aguaceiro *m.*
2 *vi* tomar banho (de chuveiro); **to take a shower** tomar banho (de chuveiro).
showing [ˈʃəʊɪŋ] *s (de cinema)* sessão *f.*
shown [ʃəʊn] *pp* → **show.**
showroom [ˈʃəʊru:m] *s* salão *m* de exposições.
shrank [ʃræŋk] *pt* → **shrink.**
shrimp [ʃrɪmp] *s* camarão *m.*
shrine [ʃraɪn] *s* santuário *m.*
shrink [ʃrɪŋk] (*pt* **shrank,** *pp* **shrunk**) **1** *s fam (profissional)* psicanalista *mf.*
2 *vi (tornar menor)* encolher; *(reduzir)* diminuir.
shrub [ʃrʌb] *s* arbusto *m.*
shrug [ʃrʌg] **1** *vi* encolher os ombros.
2 *s*: **she gave a shrug** ela encolheu os ombros.
shrunk [ʃrʌŋk] *pp* → **shrink.**
shuffle [ˈʃʌfl] **1** *vt (cartas)* embaralhar.
2 *vi (caminhar)* andar arrastando os pés.
shut [ʃʌt] (*pt & pp* **shut**) **1** *adj* fechado(da).
2 *vt & vi* fechar.
❑ **shut down** *vt sep* fechar.
❑ **shut up** *vi fam (parar de falar)* calar-se.
shutter [ˈʃʌtər] *s (em janela)* persiana *f*; *(em câmera)* obturador *m.*
shy [ʃaɪ] *adj* tímido(da).
sick [sɪk] *adj (enfermo)* doente; *(enjoado)* mal disposto(osta); **to be sick** *(expelir)* vomitar; **to feel sick** sentir-se indisposto; **to be sick of** *(estar cheio de)* estar farto(ta) de.
sickness [ˈsɪknəs] *s (enfermidade)* doença *f.*
sick pay *s* auxílio-doença *m.*
side [saɪd] **1** *s* lado *m*; *(de estrada, rio, campo)* beira *f*; *(lado da folha)* página *f.*
2 *adj (porta, bolso)* lateral.
3 at the side of ao lado de; **on the other side** no outro lado; **on this side** neste lado; **side by side** lado a lado.
side effect *s* efeito *m* colateral.
side street *s* travessa *f.*
sidewalk [ˈsaɪdwɔ:k] *s Am* passeio *m.*
sideways [ˈsaɪdweɪz] *adv* de lado.
sieve [sɪv] **1** *s* coador *m*; *(para farinha)* peneira *f.*
2 *vt* coar; *(farinha)* peneirar.
sift [sɪft] *vt (farinha)* peneirar.
sigh [saɪ] **1** *s* suspiro *m.*
2 *vi* suspirar.
sight [saɪt] *s* vista *f*; **at first sight** à primeira vista; **to catch sight of** ver, avistar; **in sight** à vista; **to lose sight of** perder de vista; **to be out of sight** *(escondido)* não estar visível; *(distante)* estar longe da vista.
❑ **sights** *spl (de país)* vistas *fpl*; *(de cidade)* locais *mpl* de interesse.
sightseeing [ˈsaɪtˌsi:ɪŋ] *s*: **to go sightseeing** fazer turismo.
sign [saɪn] **1** *s* sinal *m.*
2 *vt & vi* assinar; **there's no sign of her** nem sinal dela.
❑ **sign in** *vi (em hotel, clube)* assinar o registro ao chegar.
signal [ˈsɪgnl] **1** *s* sinal *m.*
2 *vi* fazer sinal.
signature [ˈsɪgnətʃər] *s* assinatura *f.*
significant [sɪgˈnɪfɪkənt] *adj* significante.
signpost [ˈsaɪnpəʊst] *s* placa *f.*
silence [ˈsaɪləns] *s* silêncio *m.*
silent [ˈsaɪlənt] *adj* silencioso(osa).
silicon [ˈsɪlɪkən] *s* silício *m.*
silk [sɪlk] *s* seda *f.*
sill [sɪl] *s* bordo *m.*
silly [ˈsɪlɪ] *adj* bobo(ba).
silver [ˈsɪlvər] **1** *s* prata *f*; *(dinheiro)* moedas *fpl.*
2 *adj* de prata.
silver-plated [-ˈpleɪtəd] *adj* banhado(da) em prata.
similar [ˈsɪmɪlər] *adj* semelhante; **to be similar to** ser semelhante a.
similarity [ˌsɪmɪˈlærətɪ] *s* semelhança *f.*
simmer [ˈsɪmər] *vi* cozinhar em fogo brando.
simple [ˈsɪmpl] *adj* simples *inv.*

simplify ['sɪmplɪfaɪ] *vt* simplificar.
simply ['sɪmplɪ] *adv* simplesmente; *(sem dificuldade)* facilmente.
simulate ['sɪmjəleɪt] *vt* simular.
simultaneous [ˌsaɪməl'teɪnjəs] *adj* simultâneo(nea).
simultaneously [ˌsaɪməl'teɪnjəslɪ] *adv* simultaneamente.
sin [sɪn] **1** *s* pecado *m*.
2 *vi* pecar.
since [sɪns] **1** *adv* desde então.
2 *prep* desde.
3 *conj (em tempo)* desde que; *(dado que)* visto que.
4 ever since desde que.

> Atenção para os tempos verbais empregados com a preposição *since*: *we have been friends since school* (present perfect); *we had been in contact since 1985* (past perfect); *we had been working together since the summer* (past perfect continuous).
>
> Vejamos também quais os tempos verbais empregados com *since* na função de conjunção: *I haven't read much since I left school* (simple past); *his books sell very well since he's become famous* (present perfect).

sincere [sɪn'sɪər] *adj* sincero(ra).
sincerely [sɪn'sɪərlɪ] *adv* sinceramente; **Yours sincerely** Atenciosamente.
sing [sɪŋ] (*pt* **sang,** *pp* **sung**) *vt & vi* cantar.
singer ['sɪŋər] *s* cantor *m*, -ra *f*.
single ['sɪŋgl] **1** *adj (um só)* único(ca); *(estado civil)* solteiro(ra).
2 *s Brit (tíquete)* bilhete *m* de ida; *(disco)* single *m*.
3 every single cada um (uma) de; **every single day** todos os dias.
❑ **singles 1** *s (em tênis, sinuca)* simples *f inv.*
2 *adj (bar, clube)* para solteiros.
single parent *s (mãe)* mãe *f* solteira; *(pai)* pai *m* solteiro.
singular ['sɪŋgjələr] *s* singular; **in the singular** no singular.
sinister ['sɪnɪstər] *adj* sinistro(tra).
sink [sɪŋk] (*pt* **sank,** *pp* **sunk**) **1** *s (na cozinha, banheiro)* pia *f*.
2 *vi (na água, valor)* afundar-se; *(na lama)* enterrar-se.
sip [sɪp] **1** *s* gole *m*.
2 *vt* sorver.
siphon ['saɪfn] **1** *s* sifão *m*.
2 *vt* tirar com sifão.
sir [sɜːr] *s* Senhor; **Dear Sir** Caro Senhor, Exmo. Sr.; **Sir Richard Blair** Sir Richard Blair.
siren ['saɪrən] *s* sirene *f*.
sister ['sɪstər] *s (parente)* irmã *f*; *Brit (profissional)* enfermeira *f* chefe.
sister-in-law (*pl* **sisters-in-law** ou **sister-in-laws**) *s* cunhada *f*.
sit [sɪt] (*pt & pp* **sat**) **1** *vi* sentar-se; *(estar situado)* ficar.
2 *vt (pôr)* sentar, colocar; *Brit (exame)* fazer; **to be sitting** estar sentado.
❑ **sit down** *vi* sentar-se; **to be sitting down** estar sentado.
❑ **sit up** *vi (após estar deitado)* sentar-se.
site [saɪt] *s (lugar)* local *m*; *(em construção)* canteiro *m* de obra.
sitting room ['sɪtɪŋ-] *s* sala *f* de estar.
situated ['sɪtjʊeɪtəd] *adj*: **to be situated** estar ou ficar situado(da).
situation [ˌsɪtjʊ'eɪʃn] *s* situação *f*.
six [sɪks] **1** *num adj* seis *(inv).*
2 *num n* seis *m inv.*
3 to be six (years old) ter seis anos (de idade); **it's six (o'clock)** são seis horas; **a hundred and six** cento e seis; **six Hill St.** Hill St, nº 6; **it's minus six (degrees)** está (fazendo) seis graus negativos ou abaixo de zero; **six out of ten** seis em dez.
sixteen [sɪks'tiːn] *num* dezesseis → **six.**
sixteenth [sɪks'tiːnθ] *num* décimo sexto (décima sexta) → **sixth.**
sixth [sɪksθ] **1** *num adj* sexto(ta).
2 *num pron* sexto *m*, -ta *f*.
3 *num n (fração)* sexto *m*.
4 *num adv (em corrida, competição)* em sexto (lugar).
5 the sixth (of September) o dia seis (de setembro).
sixtieth ['sɪkstɪəθ] *num* sexagésimo(ma) → **sixth.**
sixty ['sɪkstɪ] *num* sessenta → **six.**
size [saɪz] *s (de quarto, cama, prédio, país)* tamanho *m*; *(de roupa, sapato, chapéu)* número *m*; **what size do you wear?** *(de roupa)* que tamanho ou número você veste?; *(de sapato)* que número você calça?; **what size is this?** que tamanho ou número é isso?
sizeable ['saɪzəbl] *adj* considerável.
skate [skeɪt] **1** *s (no gelo, de rodas)* patim *m*; *(peixe: pl inv)* raia *f*.

2 *vi (no gelo)* patinar; *(de rodas)* andar de patins.

skateboard ['skeɪtbɔːrd] *s* skate *m.*

skater ['skeɪtər] *s* patinador *m*, -ra *f.*

skeleton ['skelətən] *s (de corpo)* esqueleto *m.*

skeptical ['skeptɪkl] *adj* cético(ca).

sketch [sketʃ] **1** *s (desenho)* esboço *m*; *(humor)* esquete *m.*
2 *vt (desenhar)* esboçar.

ski [skiː] (*pt & pp* **skied,** *cont* **skiing**) **1** *s* esqui *m.*
2 *vi* esquiar; **a ski trip** férias para esquiar.

skid [skɪd] **1** *s* derrapagem *f.*
2 *vi* derrapar.

skier ['skiːər] *s* esquiador *m*, -ra *f.*

skiing ['skiːɪŋ] *s* esqui *m*; **to go skiing** ir fazer esqui, ir esquiar.

skilful ['skɪlfl] *adj Brit* = **skillful.**

ski lift *s* teleférico *m*, telesqui *m.*

skill [skɪl] *s (aptidão)* habilidade *f.*

skilled [skɪld] *adj (trabalhador, trabalho)* especializado(da); *(motorista, cozinheiro)* experiente, bom (boa).

skillful ['skɪlfʊl] *adj Am* experiente, hábil.

skim milk ['skɪm-] *s Am* leite *m* desnatado.

skin [skɪn] *s* pele *f*; *(no leite)* nata *f.*

skinny ['skɪnɪ] *adj* magricela.

skip [skɪp] **1** *vi (com corda)* pular corda; *(saltar)* saltitar.
2 *vt (omitir)* passar direto.
3 *s (para entulho)* caçamba *f.*

skipping rope ['skɪpɪŋ-] *s* corda *f* de pular.

skirt [skɜːrt] *s* saia *f.*

ski slope *s* pista *f* de esqui.

skittles ['skɪtlz] *s (jogo)* boliche *m.*

skull [skʌl] *s* crânio *m.*

sky [skaɪ] *s* céu *m.*

skylight ['skaɪlaɪt] *s* clarabóia *f.*

skyscraper ['skaɪˌskreɪpər] *s* arranha-céu *m.*

slab [slæb] *s (de pedra, concreto)* laje *f.*

slack [slæk] *adj (corda)* frouxo(xa); *(descuidado)* negligente; *(desocupado)* calmo(ma), parado(da).

slacks [slæks] *spl* calça *f.*

slam [slæm] **1** *vt* bater com.
2 *vi* bater.

slander ['slændər] *s* calúnia *f.*

slang [slæŋ] *s* gíria *f.*

slant [slænt] **1** *s (rampa)* inclinação *f.*
2 *vi* inclinar-se.

slap [slæp] **1** *s (no rosto)* bofetada *f*; *(nas costas)* palmada *f.*
2 *vt (pessoa, rosto)* esbofetear, dar uma bofetada em; *(costas)* dar uma palmada em.

slash [slæʃ] **1** *vt (talhar)* cortar; *(fig: preços)* cortar em.
2 *s (símbolo de escrita)* barra *f* (oblíqua).

slate [sleɪt] *s (pedra)* ardósia *f*; *(em telhado)* telha *f* (de ardósia).

slaughter ['slɔːtər] *vt* chacinar, massacrar.

slave [sleɪv] *s* escravo *m*, -va *f.*

sled [sled] *s Am* trenó *m.*

sledge [sledʒ] *s Brit* = **sled.**

sleep [sliːp] (*pt & pp* **slept**) **1** *s (dormida)* sono *m.*
2 *vi* dormir.
3 *vt*: **the house sleeps six** a casa tem lugar para seis pessoas dormirem.
4 try to get some sleep vê se você dorme; **I couldn't get to sleep** não conseguia dormir; **to go to sleep** dormir; **did you sleep well?** você dormiu bem?; **to sleep with sb** dormir com alguém.

sleeping bag ['sliːpɪŋ-] *s* saco *m* de dormir.

sleeping car ['sliːpɪŋ-] *s* vagão-leito *m.*

sleep mode *s INFORM* modo *m* de repouso.

sleepy ['sliːpɪ] *adj (pessoa)* sonolento(ta); **I'm sleepy** estou com sono.

sleet [sliːt] **1** *s* chuva *f* de granizo.
2 *v impess*: **it's sleeting** está chovendo granizo.

sleeve [sliːv] *s (de roupa)* manga *f*; *(de disco)* capa *f.*

sleeveless ['sliːvləs] *adj* sem mangas.

slender ['slendər] *adj* delgado(da).

slept [slept] *pt & pp* → **sleep.**

slice [slaɪs] **1** *s* fatia *f.*
2 *vt* cortar.

slide [slaɪd] (*pt & pp* **slid** [slɪd]) **1** *s (em pracinha)* escorrega *m*; *(de fotografia)* slide *m*, diapositivo *m.*
2 *vi (deslizar)* escorregar.

sliding door [ˌslaɪdɪŋ-] *s* porta *f* de correr.

slight [slaɪt] *adj (diminuto)* pequeno(na); **the slightest** o menor (a menor), o mínimo (a mínima); **not in the slightest** absolutamente nada.

slightly ['slaɪtlɪ] *adv* ligeiramente.

slim [slɪm] **1** *adj (pessoa, cintura)* delgado(da); *(livro)* fino(na).
2 *vi* emagrecer.

slimming [ˈslɪmɪŋ] *s* emagrecimento *m.*

sling [slɪŋ] (*pt & pp* **slung**) **1** *vt fam (jogar)* atirar.
2 *s*: **to have one's arm in a sling** estar com o braço na tipóia.

slip [slɪp] **1** *vi (deslizar)* escorregar.
2 *s (erro)* deslize *m*; *(de papel)* pedaço *m*; *(saia)* anágua *f*; *(roupa íntima inteira)* combinação *f.*
❑ **slip up** *vi (fazer um erro)* cometer um deslize.

slipper [ˈslɪpər] *s* chinelo *m* (de quarto), pantufa *f.*

slippery [ˈslɪpərɪ] *adj* escorregadio(dia).

slit [slɪt] *s* fenda *f.*

slob [slɒb] *s fam (sujo)* porco *m*, porca *f*; *(preguiçoso)* vadio *m*, -dia *f.*

slope [sləʊp] **1** *s (rampa)* inclinação *f*; *(colina)* encosta *f*; *(para esquiar)* pista *f.*
2 *vi (caminho, colina)* descer; *(chão, telhado, prateleira)* ser inclinado(da).

sloping [ˈsləʊpɪŋ] *adj* inclinado(da).

slot [slɒt] *s* ranhura *f.*

slow [sləʊ] **1** *adj* lento(ta); *(relógio)* atrasado(da).
2 *adv* lentamente.
3 a slow train um trem parador.
❑ **slow down** *vt sep & vi* abrandar, ir mais devagar.

slowly [ˈsləʊlɪ] *adv* lentamente.

slug [slʌg] *s (animal)* lesma *f.*

slum [slʌm] *s (zona)* favela *f*, bairro *m* pobre.

slung [slʌŋ] *pt & pp* → **sling.**

slush [slʌʃ] *s* neve *f* meio derretida.

sly [slaɪ] *adj* astuto(ta).

smack [smæk] **1** *s (tapa)* palmada *f.*
2 *vt* dar uma palmada em.

small [smɔːl] *adj* pequeno(na).

small change *s* troco *m*, dinheiro *m* miúdo ou trocado.

smallpox [ˈsmɔːlpɒks] *s* varíola *f.*

smart [smaːrt] *adj (fino)* elegante; *(inteligente)* esperto(ta).

smash [smæʃ] **1** *s fam (batida de carro)* desastre *m*, acidente *m.*
2 *vt (louça, janela)* partir.
3 *vi (louça, vaso etc.)* partir-se.

smashing [ˈsmæʃɪŋ] *adj Brit fam* excelente.

smattering [ˈsmætərɪŋ] *s*: **I have a smattering of Portuguese** tenho noções de português.

smell [smel] (*pt & pp* **-ed** ou **smelt**) **1** *s* cheiro *m.*
2 *vt* cheirar.
3 *vi (ter cheiro)* cheirar; *(ter mau cheiro)* cheirar mal; **to smell of sthg** cheirar a algo.

smelly [ˈsmelɪ] *adj* malcheiroso(osa).

smelt [smelt] *pt & pp* → **smell.**

smile [smaɪl] **1** *s* sorriso *m.*
2 *vi* sorrir.

smoke [sməʊk] **1** *s (de fogo, cigarro)* fumaça *f.*
2 *vt & vi* fumar; **to have a smoke** fumar um cigarro.

smoked [sməʊkt] *adj (carne, peixe)* defumado(da); *(queijo)* curado(da).

smoker [ˈsməʊkər] *s (pessoa)* fumante *mf.*

smoking [ˈsməʊkɪŋ] *s*: **'no smoking'** 'proibido fumar'.

smoking area *s* área *f* para fumantes.

smoky [ˈsməʊkɪ] *adj (ambiente)* enfumaçado(da).

smooth [smuːð] *adj (superfície, estrada)* plano(na); *(pele)* macio(cia); *(decolagem, aterrissagem, vinho)* suave; *(viagem, vôo)* sem incidentes; *(vida)* tranqüilo(la); *(mistura, líquido)* homogêneo(nea), cremoso(osa); *(pej: suave)* meloso(osa).
❑ **smooth down** *vt sep* alisar.

smother [ˈsmʌðər] *vt (envolver)* cobrir.

smudge [smʌdʒ] *s* mancha *f.*

smuggle [ˈsmʌgl] *vt* contrabandear; **to smuggle in** *(trazer escondido)* introduzir clandestinamente.

snack [snæk] *s* lanche *m.*

snack bar *s* lanchonete *f.*

snail [sneɪl] *s* caracol *m.*

snake [sneɪk] *s* cobra *f.*

snap [snæp] **1** *vt & vi (quebrar)* partir.
2 *s fam (imagem)* foto *f.*

snare [sneər] *s* armadilha *f.*

snatch [snætʃ] *vt (tirar)* arrancar à força; *(assaltar)* roubar.

sneakers [ˈsniːkərz] *spl Am (calçado)* tênis *mpl.*

sneeze [sniːz] **1** *s* espirro *m.*
2 *vi* espirrar.

sniff [snɪf] **1** *vi (por resfriado, choro)* fungar.
2 *vt* cheirar.

snip [snɪp] *vt* cortar (com tesoura).

snob [snɒb] *s* esnobe *mf.*
snooze [snu:z] *s* soneca *f.*
snore [snɔ:r] *vi* roncar, ressonar.
snorkel ['snɔ:kl] *s* respirador *m*, tubo *m* respiratório.
snout [snaʊt] *s* focinho *m.*
snow [snəʊ] **1** *s* neve *f.*
2 *v impess*: **it's snowing** está nevando.
snowdrift ['snəʊdrɪft] *s* monte *m* de neve *(formado pelo vento).*
snowflake ['snəʊfleɪk] *s* floco *m* de neve.
snowman ['snəʊmæn] (*pl* **-men** [-men]) *s* boneco-de-neve *m.*
snug [snʌg] *adj (pessoa)* aconchegado(da); *(lugar)* aconchegante.
so [səʊ] **1** *adv* **(a)** *(enfatizando grau)* tão; **don't be so stupid!** não seja tão idiota!; **it's so difficult (that ...)** é tão difícil (que ...); **so much** tanto(ta); **so many** tantos(tas).
(b) *(referente ao passado)*: **I don't think so** acho que não; **I'm afraid so** receio que sim; **so you knew already** então você já sabia; **if so** nesse caso.
(c) *(igualmente)* também; **so do I** eu também.
(d) *(desta forma)* deste modo, assim.
(e) *(expressando concordância)*: **so there is** pois é, é verdade.
(f) *(em frases)*: **or so** mais ou menos; **so as** para; **so that** para.
2 *conj* **(a)** *(portanto)* por isso; **I'm away next week so I won't be there** viajo na semana que vem, portanto não estarei lá.
(b) *(resumindo)* então; **so what have you been up to?** então, o que é que você tem feito?
(c) *(em frases)*: **so what?** *fam* e daí?; **so there!** *fam* pronto!, nada a fazer!
soak [səʊk] **1** *vt (deixar na água)* pôr de molho; *(tornar muito molhado)* ensopar, empapar.
2 *vi*: **to soak through sthg** ensopar algo.
❑ **soak up** *vt sep* absorver.
soaked [səʊkt] *adj* encharcado(da), ensopado(da).
soaking ['səʊkɪŋ] *adj* encharcado(da), ensopado(da).
soap [səʊp] *s* sabonete *m*; *(para roupas)* sabão *m.*
soap opera *s* novela *f*, telenovela *f.*
soap powder *s Brit* sabão *m* em pó.
sob [sɒb] **1** *s* soluço *m.*
2 *vi* soluçar.
sober ['səʊbər] *adj* sóbrio(bria).
soccer ['sɒkər] *s* futebol *m.*
sociable ['səʊʃəbl] *adj* sociável.
social ['səʊʃl] *adj* social.
socialist ['səʊʃələst] **1** *adj* socialista.
2 *s* socialista *mf.*
social security *s* previdência *f* social.
social worker *s* assistente *mf* social.
society [sə'saɪətɪ] *s* sociedade *f.*
sociology [ˌsəʊsɪ'ɒlədʒɪ] *s* sociologia *f.*
sock [sɒk] *s* meia *f.*
socket ['sɒkət] *s (para plugue)* tomada *f*; *(para lâmpada)* bocal *m.*
soda ['səʊdə] *s Am (bebida com gás)* refrigerante *m.*
soda water *s* água *f* com gás.
sofa ['səʊfə] *s* sofá *m.*
sofa bed *s* sofá-cama *m.*
soft [sɒft] *adj (cama, comida)* mole; *(pele, tecido)* macio(cia), suave; *(brisa)* suave; *(som)* fraco(ca); *(voz)* doce; *(passos)* leve.
soft drink *s* refrigerante *m.*
software ['sɒftweər] *s* software *m.*
soil [sɔɪl] *s* solo *m.*
solarium [sə'leərɪəm] *s* solário *m*, solarium *m.*
solar panel ['səʊlər-] *s* painel *m* solar.
sold [səʊld] *pt & pp* → **sell.**
soldier ['səʊldʒər] *s* soldado *m.*
sold out *adj* esgotado(da).
sole [səʊl] **1** *adj* único(ca).
2 *s (de sapato)* sola *f*; *(do pé)* planta *f*; *(peixe: pl inv)* linguado *m.*
solemn ['sɒləm] *adj* solene.
solicitor [sə'lɪsɪtər] *s Brit* advogado *m*, -da *f*, *advogado que pode atuar apenas nos tribunais de primeira instância.*
solid ['sɒlɪd] *adj* sólido(da); *(cadeira, parede)* resistente; *(pedra, ouro, madeira)* maciço(ça).
solo ['səʊləʊ] (*pl* **-s**) *s MÚS* solo *m.*
soluble ['sɒljəbl] *adj* solúvel.
solution [sə'lu:ʃn] *s* solução *f.*
solve [sɒlv] *vt* resolver.
some [sʌm] **1** *adj* **(a)** *(certa ou grande quantidade de)* algum (alguma); **some meat** um pouco de carne; **some money** um pouco de dinheiro; **I had some difficulty getting here** tive algumas dificuldades para chegar aqui.

(**b**) *(certa ou grande quantidade de)* alguns (algumas); **some sweets** alguns doces; **some people** algumas pessoas; **I've known him for some years** já o conheço há alguns anos.
(**c**) *(nem todos)* alguns (algumas); **some jobs are better paid than others** alguns empregos são mais bem pagos que outros.
(**d**) *(em afirmações imprecisas)* um (uma) ... qualquer; **some woman phoned** telefonou uma mulher.
2 *pron* (**a**) *(certa quantidade)* algum *m*, alguma *f*, parte *f*; **can I have some?** posso ficar com uma parte?; **some of the money** algum dinheiro, parte do dinheiro.
(**b**) *(um certo número)* alguns *mpl*, algumas *fpl*; **can I have some?** posso ficar com alguns?; **some (of them) left early** alguns (deles) foram embora cedo.
3 *adv (estimativa)* aproximadamente; **there were some 7,000 people there** havia umas 7.000 pessoas.

> O adjetivo ou pronome *some* só é usado em sentenças afirmativas (*there are some cookies left; some of my old school friends are married*; 'sobraram alguns biscoitos'; 'alguns dos meus velhos amigos de escola são casados'). Para as frases negativas, usamos o adjetivo *no* ou o pronome *none* (*there are no cookies left, none of my old school friends are married*; 'não sobrou nenhum biscoito'; 'nenhum dos meus velhos amigos de escola é casado').
>
> Para perguntas podemos usar *some* se a resposta esperada é *'yes'* (*would you like some soup?*, você gostaria de uma sopa'?). Do contrário, usamos *any* (*did you put any salt in the soup?*, 'você colocou sal na sopa?').
>
> Ver também **no**, **none**.

somebody ['sʌmbədɪ] = **someone.**

somehow ['sʌmhaʊ] *adv (de uma forma ou de outra)* de alguma maneira; *(por algum motivo)* por alguma razão; **somehow I don't think he'll come** tenho a impressão de que ele não virá.

someone ['sʌmwʌn] *pron* alguém.

someplace ['sʌmpleɪs] *Am* = **somewhere.**

somersault ['sʌmərsɔːlt] *s* cambalhota *f*.

something ['sʌmθɪŋ] *pron* algo, alguma coisa; **it's really something** é demais; **or something** *fam* ou (qualquer) coisa parecida; **something like** *(aproximadamente)* uns (umas), qualquer coisa como.

sometime ['sʌmtaɪm] *adv*: **sometime in June** em junho.

sometimes ['sʌmtaɪmz] *adv* às ou por vezes.

somewhere ['sʌmweər] *adv (em lugar não específico)* em algum lugar, em alguma parte; *(em lugar específico)* a alguma parte; **somewhere around** ou **between** *(estimativa)* aproximadamente.

son [sʌn] *s* filho *m*.

song [sɒŋ] *s* canção *f*.

son-in-law (*pl* **sons-in-law**) *s* genro *m*.

soon [suːn] *adv (logo)* em breve; *(prematuramente)* cedo; **how soon can you do it?** para quando é que estará pronto?; **as soon as** assim que; **as soon as possible** o mais cedo possível, assim que for possível; **soon after** pouco depois; **sooner or later** mais cedo ou mais tarde.

soot [sʊt] *s* fuligem *f*.

soothe [suːð] *vt* acalmar.

sophisticated [sə'fɪstəkeɪtəd] *adj* sofisticado(da).

sorbet ['sɔːrbət] *s* sorvete *m* de frutas.

sore [sɔːr] **1** *adj (machucado)* dolorido(da); *Am fam (furioso)* zangado(da).
2 *s* ferida *f*.
3 to have a sore throat estar com dor de garganta.

sorry ['sɒrɪ] *adj*: **he isn't even sorry** ele nem sequer está arrependido; **I'm sorry!** desculpe!; **I'm sorry I'm late** desculpem o atraso; **I'm sorry about the mess** desculpe a confusão; **I'm sorry you didn't get the job** sinto muito que você não tenha conseguido o emprego; **sorry?** *(pedindo repetição)* perdão?; **to feel sorry for sb** sentir pena de alguém.

sort [sɔːrt] **1** *s* tipo *m*.
2 *vt* organizar.
3 sort of *(aproximadamente)* mais ou menos.
❑ **sort out** *vt sep (classificar)* organizar; *(solucionar)* resolver.

so-so *fam* **1** *adj fam* mais ou menos.
2 *adv fam* assim assim.

sought [sɔːt] *pt & pp* → **seek.**

soul [səʊl] *s (espírito)* alma *f*; *MÚS* música *f* soul.

sound [saʊnd] **1** *s* som *m.*
2 *vt (buzina, campainha)* (fazer) soar.
3 *vi (fazer barulho)* soar; *(aparentar)* parecer.
4 *adj (em boas condições)* sólido(da); *(saúde)* sadio(a); *(coração, mente)* são (sã), bom (boa).
5 to sound like *(fazer barulho como)* soar como; *(aparentar ser)* parecer ser.
soundcard ['saʊndka:d] *s INFORM* placa *f* de som.
soundproof ['saʊndpru:f] *adj* à prova de som.
soup [su:p] *s* sopa *f.*
sour ['saʊər] *adj (gosto)* ácido(da); *(leite)* azedo(da); **to go sour** azedar.
source [sɔ:rs] *s (origem)* fonte *f*; *(causa)* origem *f*; *(de rio)* nascente *f.*
south [saʊθ] **1** *s* sul *m.*
2 *adj (vento)* sul.
3 *adv (estar situado)* ao sul; *(voar, andar)* para o sul.
4 in the south of the country no sul do país.
southbound ['saʊθbaʊnd] *adj* em direção ao sul.
southeast [ˌsaʊθ'i:st] *s* sudeste *m.*
southern ['sʌðərn] *adj* do sul.
South Pole *s*: **the South Pole** o Pólo Sul.
southward ['saʊθwərd] *adv* em direção ao sul, para o sul.
southwest [ˌsaʊθ'west] *s* sudoeste.
souvenir [ˌsu:və'nɪər] *s* lembrança *f.*
sow[1] [səʊ] (*pp* **sown** [səʊn]) *vt (sementes)* semear.
sow[2] [saʊ] *s (porco)* porca *f.*
soy ['sɔɪ] *s* soja *f.*
soy bean *s* grão *m* de soja.
soy sauce [ˌsɔɪ-] *s* molho *m* de soja.
spa [spa:] *s* estância *f* hidromineral.
spa bath *s* hidromassagem *m.*
space [speɪs] **1** *s* espaço *m.*
2 *vt* espaçar.
spaceship ['speɪsʃɪp] *s* nave *f* espacial.
space shuttle *s* ônibus *m* espacial.
spacious ['speɪʃəs] *adj* espaçoso(osa).
spade [speɪd] *s (ferramenta)* pá *f.*
❑ **spades** *spl (em cartas)* espadas *fpl.*

> Não confundir *spade (pá)* com o português *espada* que em inglês é *sword*. (*I left my spade in the garden.* Deixei minha *pá* no jardim.)

spaghetti [spə'getɪ] *s* espaguete *m.*
span [spæn] **1** *pt* → **spin.**
2 *s (comprimento)* distância *f*, palmo *m*; *(tempo)* espaço *m* de tempo.
spank [spæŋk] *vt* dar uma palmada em.
spanner ['spænər] *s Brit* chave-inglesa *f.*
spare [speər] **1** *adj (como reserva)* a mais; *(livre)* disponível.
2 *s (peça)* peça *f* sobressalente; *(pneu)* pneu *m* sobressalente.
3 *vt*: **to spare sb sthg** *(dinheiro)* dispensar algo a alguém.
4 I can't spare the time não tenho tempo; **with ten minutes to spare** com dez minutos de antecedência.
spare ribs *spl* costeleta *f* de porco.
spare room *s* quarto *m* de hóspedes.
spark [spa:rk] *s (de fogo)* fagulha *f*; *(elétrico)* faísca *f.*
sparkling ['spa:rklɪŋ] *adj (água mineral, refrigerante)* gaseificado(da), com gás.
sparkling wine *s* espumante *m.*
spark plug *s* vela *f.*
sparrow ['spærəʊ] *s* pardal *m.*
spat [spæt] *pt & pp* → **spit.**
speak [spi:k] (*pt* **spoke,** *pp* **spoken**) **1** *vt (idioma)* falar; *(falar)* dizer.
2 *vi* falar.
3 who's speaking? *(no telefone)* quem fala?; **may I speak to Charlotte? - speaking!** posso falar com a Charlotte? - é a própria!; **to speak to sb about sthg** falar com alguém sobre algo.
❑ **speak up** *vi (tom mais alto)* falar mais alto.
speaker ['spi:kər] *s (pessoa)* orador *m*, -ra *f*; *(ampliador de som)* alto-falante *m*; *(de aparelho de som)* alto-falante *m*; **a Portuguese speaker** uma pessoa que fala português.
spear [spɪər] *s* lança *f.*
special ['speʃl] **1** *adj* especial.
2 *s (em restaurante)* prato *m* do dia; **'today's special'** 'prato do dia'.
special effects *spl* efeitos *mpl* especiais.
specialist ['speʃələst] *s* especialista *mf.*
speciality [ˌspeʃɪ'ælətɪ] *s Brit* = **specialty.**
specialize ['speʃəlaɪz] *vi*: **to specialize (in)** especializar-se (em).
specially ['speʃlɪ] *adv* especialmente.
special offer *s* promoção *f.*
specialty ['speʃltɪ] *s Am* especialidade *f.*
species ['spi:ʃi:z] *s* espécie *f.*

specific [spə'sɪfɪk] *adj* específico(ca).
specifications [ˌspesəfɪ'keɪʃənz] *spl (de máquina, carro)* ficha *f* técnica.
specimen ['spesəmən] *s* espécime *m*.
specs [speks] *spl fam* óculos *mpl*.
spectacle ['spektəkl] *s* espetáculo *m*.
spectacles ['spektəklz] *spl* óculos *mpl*.
spectacular [spek'tækjələr] *adj* espetacular.
spectator [spek'teɪtər] *s* espectador *m*, -ra *f*.
sped [sped] *pt & pp* → **speed.**
speech [spi:tʃ] *s (habilidade para falar)* fala *f*; *(modo de falar)* maneira *f* de falar; *(oratória)* discurso *m*.
speed [spi:d] (*pt & pp* **-ed** ou **sped**) **1** *s* velocidade *f*; *(em bicicleta)* mudança *f*.
2 *vi (mover-se rapidamente)* ir a grande velocidade; *(dirigir rapidamente)* dirigir com excesso de velocidade.
3 'reduce speed now' 'reduza a velocidade'.
❑ **speed up** *vi* acelerar.
speedboat ['spi:dbəʊt] *s* lancha *f*.
speed bump *s* quebra-molas *mpl*.
speeding ['spi:dɪŋ] *s* excesso *m* de velocidade.
speedometer [spɪ'dɒmɪtər] *s* velocímetro *m*.
spell [spel] (*Am pt & pp* **-ed**, *Brit pt & pp* **-ed** ou **spelt**) **1** *vt (palavra, nome)* soletrar; *(suj: letras)* dar, formar a palavra.
2 *s (tempo)* período *m*; *(magia)* feitiço *m*.
spell-checker [-tʃekər] *s* corretor *m* ortográfico.
spelling ['spelɪŋ] *s* ortografia *f*.
spend [spend] (*pt & pp* **spent** [spent]) *vt (dinheiro)* gastar; *(tempo)* passar.
sphere [sfɪər] *s* esfera *f*.
spice [spaɪs] **1** *s* tempero *m*.
2 *vt* condimentar.
spicy ['spaɪsɪ] *adj* apimentado(da).
spider ['spaɪdər] *s* aranha *f*; **spider's web** teia *f* de aranha.
spike [spaɪk] *s* espigão *m*.
spill [spɪl] (*Am pt & pp* **-ed**, *Brit pt & pp* **-ed** ou **spilt**) **1** *vt* entornar.
2 *vi* entornar-se.
spin [spɪn] (*pt* **span** ou **spun,** *pp* **spun**) **1** *vt (roda, hélice)* rodar; *(roupa lavando)* centrifugar.
2 *s (em bola)* efeito *m*.
3 to go for a spin *fam* ir dar uma volta.
spinach ['spɪnɪtʃ] *s* espinafre *m*.
spine [spaɪn] *s* ANAT espinha *f* (dorsal), coluna *f* (vertebral); *(de livro)* lombada *f*.
spiral ['spaɪrəl] *s* espiral *f*.
spire ['spaɪər] *s* cume *m*.
spirit ['spɪrɪt] *s (alma)* espírito *m*; *(animação)* vigor *m*, energia *f*; *(ânimo)* coragem *f*; *(estado de ânimo)* humor *m*.
❑ **spirits** *spl Brit (bebida)* bebidas *fpl* alcoólicas *(destiladas)*.
spit [spɪt] (*Am pt & pp* **spit**, *Brit pt & pp* **spat**) **1** *vi (pessoa)* cuspir; *(fogo)* crepitar; *(comida)* espirrar.
2 *s (saliva)* cuspe *m*; *(para assar)* espeto *m*.
spite [spaɪt]: **in spite of** *prep* apesar de.
spiteful ['spaɪtfʊl] *adj* maldoso(osa).
splash [splæʃ] **1** *s (som)* splash *m*.
2 *vt* salpicar.
splendid ['splendɪd] *adj* esplêndido(da).
splint [splɪnt] *s* tala *f*.
splinter ['splɪntər] *s* falha *f*, lasca *f*.
split [splɪt] (*pt & pp* **split**) **1** *s (corte)* rasgão *m*; *(fenda, na saia)* racha *f*.
2 *vt (madeira, pedra)* rachar; *(cortar)* rasgar; *(conta, lucros, trabalho)* dividir.
3 *vi (madeira, pedra)* partir-se; *(cortar-se)* rasgar-se.
❑ **split up** *vi (grupo, casal)* separar-se.
spoil [spɔɪl] (*pt & pp* **-ed** ou **spoilt**) *vt (arruinar)* estragar; *(criança)* mimar.
spoke [spəʊk] **1** *pt* → **speak.**
2 *s* raio *m*.
spoken ['spəʊkn] *pp* → **speak.**
spokesman ['spəʊksmən] (*pl* **-men** [-mən]) *s* porta-voz *m*.
spokeswoman ['spəʊksˌwʊmən] (*pl* **-women** [-ˌwɪmɪn]) *s* porta-voz *f*.
sponge [spʌndʒ] *s (para limpar, lavar)* esponja *f*.
sponge cake *s* pão-de-ló *m*.
sponsor ['spɒnsər] *s (de evento, programa de TV)* patrocinador *m*, -ra *f*.
spontaneous [spɒn'teɪnjəs] *adj* espontâneo(nea).
spoon [spu:n] *s* colher *f*.
spoonful ['spu:nfl] *s* colherada *f*, colher *f*.
sport [spɔ:rt] *s* esporte *m*.
sports center [spɔ:rts-] *s* centro *m* esportivo.
sportsman ['spɔ:rtsmən] (*pl* **-men** [-mən]) *s* esportista *m*.
sportswoman ['spɔ:rtsˌwʊmən] (*pl* **-wo-**

men [-ˌwɪmɪn]) *s* esportista *f*.

spot [spɒt] **1** *s (de tinta, chuva, sangue)* gota *f*, pingo *m*; *(em cachorro, leopardo)* mancha *f*; *Brit (acne)* espinha *f*; *(local)* lugar *m*.
2 *vt* notar, reparar em.
3 on the spot *(na hora)* imediatamente; *(no lugar)* no local.

spotless ['spɒtləs] *adj* impecável, imaculado(da).

spotlight ['spɒtlaɪt] *s* refletor *m*.

spouse [spaʊs] *s fml* esposo *m*, -sa *f*.

spout [spaʊt] *s* bico *m*.

sprain [spreɪn] *vt* torcer.

sprang [spræŋ] *pt* → **spring.**

spray [spreɪ] **1** *s (de aerosol, perfume)* spray *m*; *(pinguinhos)* gotículas *fpl*; *(do mar)* espuma *f*.
2 *vt (carro)* pintar com pistola; *(lavoura)* pulverizar; *(tinta, água etc.)* borrifar.

spread [spred] (*pt & pp* **spread**) **1** *vt (manteiga, geléia)* passar; *(cola, doença, notícias)* espalhar; *(mapa, toalha de mesa, cobertor)* estender; *(pernas, dedos, braços)* abrir.
2 *vi (doença, fogo, notícias)* espalhar-se; *(mancha)* alastrar.
3 *s (comida)*: **cheese spread** queijo *m* cremoso.
❑ **spread out** *vi (dispersar)* espalhar-se.

spring [sprɪŋ] (*pt* **sprang**, *pp* **sprung**) **1** *s (estação do ano)* primavera *f*; *(de metal)* mola *f*; *(de água)* nascente *f*.
2 *vi (pular)* saltar; **in (the) spring** na primavera.

springboard ['sprɪŋbɔːrd] *s* prancha *f* (de saltos).

spring-cleaning [-'kliːnɪŋ] *s* faxina *f* geral.

sprinkle ['sprɪŋkl] *vt*: **to sprinkle sthg with sugar/flour** polvilhar algo com açúcar/farinha; **to sprinkle water on sthg** salpicar algo com água.

sprinkler ['sprɪŋklər] *s (para fogo)* extintor *m* (automático de incêndios); *(para grama)* regador *m* (automático).

sprint [sprɪnt] **1** *s* ESP corrida *f* de velocidade.
2 *vi (correr rápido)* dar uma corrida.

sprout [spraʊt] *s (verdura)* couve-de-Bruxelas *f*.

sprung [sprʌŋ] **1** *pp* → **spring.**
2 *adj (colchão)* de molas.

spun [spʌn] *pt & pp* → **spin.**

spur [spɜːr] *s (para cavaleiro)* espora *f*; **on the spur of the moment** sem pensar duas vezes.

spurt [spɜːrt] *vi* jorrar.

spy [spaɪ] *s* espião *m*, -piã *f*.

squall [skwɔːl] *s* tempestade *f*, borrasca *f*.

squalor ['skwɒlər] *s* sordidez *f*.

square [skweər] **1** *adj (em forma)* quadrado(da).
2 *s (forma)* quadrado *m*; *(em cidade)* praça *f*; *(de chocolate)* pedaço *m*; *(em tabuleiro de xadrez)* casa *f*.
3 2 square meters 2 metros quadrados; **it's 2 meters square** tem 2 metros de cada lado; **we're (all) square now** *(sem dever dinheiro)* agora estamos quites.

squash [skwɒʃ] **1** *s* ESP squash *m*; *Brit (bebida) bebida à base de suco de fruta concentrado e água*; *Am (legume)* abóbora *f*.
2 *vt* esmagar.

squat [skwɒt] **1** *adj* atarracado(da).
2 *s casa abandonada e ocupada ilegalmente.*
3 *vi (abaixar)* agachar-se.

squeak [skwiːk] *vi* chiar.

squeeze [skwiːz] *vt* espremer.
❑ **squeeze in** *vi* arranjar lugar.

squid [skwɪd] *s* lula *f*.

squint [skwɪnt] **1** *s* estrabismo *m*.
2 *vi* semicerrar os olhos; **to squint at** olhar com os olhos semicerrados para.

squirrel ['skwɜːrəl] *s* esquilo *m*.

squirt [skwɜːrt] *vi* esguichar.

stab [stæb] *vt (com faca)* apunhalar, esfaquear.

stable ['steɪbl] **1** *adj* estável.
2 *s* estábulo *m*.

stack [stæk] *s (monte)* pilha *f*; **stacks of** *fam (um monte de)* uma pilha de.

stadium ['steɪdjəm] *s* estádio *m*.

staff [stæf] *s (funcionários)* pessoal *m*.

stage [steɪdʒ] *s (estágio)* fase *f*; *(em teatro)* palco *m*.

stagger ['stægər] **1** *vt (dividir em estágios)* escalonar.
2 *vi* cambalear.

stagnant ['stægnənt] *adj* estagnado(da).

stain [steɪn] **1** *s* nódoa *f*, mancha *f*.
2 *vt* manchar.

stained glass window [steɪnd-] *s* vitral *m*.

stainless steel ['steɪnləs-] *s* aço *m* inoxidável.

stair [steər] *s* degrau *m*.
❑ **stairs** *spl* escadas *fpl*.
staircase ['steərkeɪs] *s* escadaria *f*.
stairwell ['steərwel] *s* vão *m* das escadas.
stake [steɪk] *s (em negócios)* parte *f*; *(em jogo)* aposta *f*; *(poste)* estaca *f*; **at stake** em jogo.
stale [steɪl] *adj (pão)* velho(ha); *(salgadinho, biscoito)* mole.
stalk [stɔ:k] *s (de flor, planta)* pé *m*, caule *m*; *(de fruta)* cabo *m*; *(de folha)* talo *m*.
stall [stɔ:l] **1** *s (em exposição)* stand *m*; *(em feira)* barraca *f*; *(para cavalo)* baia *f*.
2 *vi (carro, avião, motor)* morrer.
❑ **stalls** *spl Brit (em teatro)* platéia *f*.
stallion ['stæljən] *s* garanhão *m*.
stamina ['stæmɪnə] *s* resistência *f*.
stammer ['stæmər] *vi* gaguejar.
stamp [stæmp] **1** *s (para carta)* selo *m*; *(em passaporte, documento)* carimbo *m*.
2 *vt (passaporte, documento)* carimbar.
3 *vi*: **to stamp on sthg** esmagar algo com o pé; **to stamp one's foot** bater com o pé no chão.
stand [stænd] (*pt & pp* **stood**) **1** *vi (estar ereto)* estar de ou em pé; *(estar situado)* ficar; *(ficar de pé)* levantar-se.
2 *vt (botar)* pôr, colocar; *(tolerar)* agüentar, suportar.
3 *s (em feira)* barraca *f*; *(em exposição)* stand *m*; *(para jornal)* banca *f*; *(para casaco)* cabide *m*; *(em estádio)* arquibancada *f*.
4 to be standing estar de ou em pé; **'no standing'** *Am* AUT 'proibido parar e estacionar'.
❑ **stand back** *vi* afastar-se.
❑ **stand for** *vt fus (significar)* representar; *(agüentar)* tolerar.
❑ **stand in** *vi*: **to stand in for sb** substituir alguém.
❑ **stand out** *vi (ser óbvio)* dar na vista; *(ser superior)* destacar-se.
❑ **stand up 1** *vi (estar ereto)* estar de ou em pé; *(ficar de pé)* levantar-se.
2 *vt sep fam (namorado, namorada)* deixar plantado(da).
❑ **stand up for** *vt fus* defender.
standard ['stændərd] **1** *adj (normal)* normal, padrão *(inv)*.
2 *s (altura)* nível *m*; *(ponto de comparação)* média *f*; *(para produto)* norma *f*; **to be up to standard** estar à altura.
❑ **standards** *spl (regras)* princípios *mpl*.
standby ['stændbaɪ] *adj (tíquete)* sem reserva, de última hora.
stank [stæŋk] *pt* → **stink**.
staple ['steɪpl] *s (de papel)* grampo *m*.
stapler ['steɪplər] *s* grampeador *m*.
star [sta:r] **1** *s* estrela *f*.
2 *vt (suj: filme, peça, etc)*: **'starring ...'** 'estrelando ...'.
❑ **stars** *spl (astrologia)* horóscopo *m*.
starboard ['sta:rbərd] *adj* de estibordo.
starch ['sta:rtʃ] *s (em comida)* amido *m*; *(para roupas)* goma *f*.
stare [steər] *vi*: **to stare at** fitar, olhar fixamente (para).
starfish ['sta:rfɪʃ] (*pl inv*) *s* estrela-do-mar *f*.
start [sta:rt] **1** *s (princípio)* início *m*, começo *m*; *(local)* ponto *m* de partida.
2 *vt (iniciar)* começar; *(carro, motor)* ligar; *(negócios, clube)* montar.
3 *vi (iniciar)* começar; *(carro, motor)* pegar; *(começar viagem)* sair, partir.
4 prices start at $5 preços a partir de 5 dólares; **to start doing sthg** ou **to do sthg** começar a fazer algo; **to start with ...** para começar ...
❑ **start out** *vi (em viagem)* partir; *(ser originalmente)* começar.
❑ **start up** *vt sep (carro, motor)* ligar; *(negócios)* montar.
starter ['sta:rtər] *s (de carro)* motor *m* de arranque; *Brit (de refeição)* entrada *f*.
starting point ['sta:rtɪŋ-] *s* ponto *m* de partida.
startle ['sta:rtl] *vt* assustar.
starvation [sta:r'veɪʃn] *s* fome *f*.
starve [sta:rv] *vi (não ter comida)* passar fome; **I'm starving!** estou esfomeado ou morto de fome!
state [steɪt] **1** *s* estado *m*.
2 *vt (afirmar)* declarar; *(estabelecer)* especificar, indicar.
3 the State o Estado; **the States** os Estados Unidos.
statement ['steɪtmənt] *s (afirmação)* declaração *f*; *(de conta bancária)* extrato *m*.
statesman ['steɪtsmən] (*pl* **-men** [-mən]) *s* homem *m* de estado, estadista *m*.
static ['stætɪk] *s (em rádio, TV)* interferências *fpl*.
station ['steɪʃn] *s* estação *f*.
stationary ['steɪʃənerɪ] *adj* estacionário(ria).

stationery ['steɪʃənerɪ] *s* artigos *mpl* de papelaria.

station wagon *s Am* perua *f (carro).*

statistics [stə'tɪstɪks] *spl (números)* estatística *f.*

statue ['stætʃu:] *s* estátua *f.*

status ['stætəs] *s (posição legal)* estado *m*; *(posição social)* status *m*; *(superioridade)* prestígio *m*, status *m*.

stay [steɪ] **1** *s (tempo)* estadia *f.*
2 *vi (permanecer)* ficar; *(como hóspede)* ficar (hospedado).
3 where are you staying? onde você está hospedado?; **to stay the night** passar a noite.
❑ **stay away** *vi (não comparecer)* não ir; *(não se aproximar)* ficar longe.
❑ **stay in** *vi* ficar em casa.
❑ **stay out** *vi (de casa)* ficar fora.
❑ **stay up** *vi* ficar acordado.

steady ['stedɪ] **1** *adj (sólido)* firme; *(regular)* gradual; *(relacionamento)* estável; *(emprego)* fixo(xa).
2 *vt (mesa, escada)* firmar.

steak [steɪk] *s* bife *m*.

steal [sti:l] (*pt* **stole,** *pp* **stolen**) *vt* roubar; **to steal sthg from sb** roubar algo de alguém.

steam [sti:m] **1** *s* vapor *m*.
2 *vt (comida)* cozer no vapor.

steel [sti:l] **1** *s* aço *m*.
2 *adj* de aço.

steep [sti:p] *adj (colina, ladeira)* íngreme; *(aumento, queda)* considerável.

steeple ['sti:pl] *s* torre *f* da igreja, campanário *m*.

steer ['stɪər] *vt (carro)* dirigir; *(barco, avião)* pilotar.

steering ['stɪərɪŋ] *s* direção *f.*

steering wheel *s* volante *m*.

stem [stem] *s (de planta)* talo *m*, caule *m*; *(de taça)* pé *m*.

stem cell *n* célula-tronco *f.*

step [step] **1** *s (escada)* degrau *m*; *(medida, estágio)* passo *m*.
2 *vi*: **to step on sthg** pisar em algo.
❑ **steps** *spl (degraus)* escadas *fpl.*
❑ **step aside** *vi (sair da frente)* desviar-se, afastar-se.
❑ **step back** *vi (ir para trás)* recuar, afastar-se.

stepbrother ['step,brʌðər] *s* meio-irmão *m*.

stepdaughter ['step,dɔ:tər] *s* enteada *f.*

stepfather ['step,fa:ðər] *s* padrasto *m*.

stepladder ['step,lædər] *s* escada *f* portátil.

stepmother ['step,mʌðər] *s* madrasta *f.*

stepsister ['step,sɪstər] *s* meia-irmã *f.*

stepson ['stepsʌn] *s* enteado *m*.

stereo ['sterɪəʊ] (*pl* **-s**) **1** *adj* estereofônico(ca).
2 *s (aparelho)* aparelhagem *f* de som; *(som)* estereofonia *f*, estéreo *m*.

sterile ['steraɪl] *adj (sem germes)* esterilizado(da).

sterilize ['sterəlaɪz] *vt* esterilizar.

sterling ['stɜ:rlɪŋ] **1** *adj (qualidade)* excelente.
2 *s* libra *f* esterlina.

sterling silver *s* prata *f* de lei.

stern [stɜ:rn] **1** *adj* severo(ra).
2 *s* popa *f.*

stew [stju:] *s* ensopado *m*, guisado *m*.

steward ['stjʊərd] *s (em avião, navio)* comissário *m* de bordo.

stewardess ['stjʊərdəs] *s* aeromoça *f.*

stewed [stju:d] *adj (fruta)* cozido(da).

stick [stɪk] (*pt & pp* **stuck**) **1** *s (de madeira)* pau *m*; ESP taco *m*.
2 *vt (grudar)* colar; *(empurrar, inserir)* meter, pôr; *fam (colocar)* meter, pôr.
3 *vi (ficar grudado)* grudar-se; *(ficar preso)* emperrar.
❑ **stick out** *vi* sobressair.
❑ **stick to** *vt fus (decisão, princípios, promessa)* manter-se fiel a.
❑ **stick up 1** *vt sep (cartaz, aviso)* afixar.
2 *vi*: **your hair is sticking up!** você está com o cabelo todo arrepiado!
❑ **stick up for** *vt fus* defender.

sticker ['stɪkər] *s* adesivo *m*.

sticky ['stɪkɪ] *adj (substância, mãos, bala)* pegajoso(osa); *(etiqueta, fita)* adesivo(va); *(clima)* úmido(da).

stiff [stɪf] **1** *adj (firme)* rijo(ja); *(pescoço)* duro(ra); *(costas, pessoa)* dolorido(da); *(porta, trinco, mecanismo)* emperrado(da).
2 *adv*: **to be bored stiff** *fam* estar morrendo de tédio.

still [stɪl] **1** *adv* ainda.
2 *adj (sem movimento)* imóvel; *(quieto)* calmo(ma); *(água)* sem gás.
3 we've still got 10 minutes ainda temos 10 minutos; **still more** ainda mais; **to stand still** estar quieto.

stimulate ['stɪmjəleɪt] *vt* estimular.
sting [stɪŋ] (*pt & pp* **stung**) **1** *vt* picar.
2 *vi (pele, olhos)* arder.
stingy ['stɪndʒɪ] *adj fam* pão-duro(ra).
stink [stɪŋk] (*pt* **stank** ou **stunk,** *pp* **stunk**) *vi* cheirar mal.
stipulate ['stɪpjəleɪt] *vt* estipular.
stir [stɜ:r] *vt (mover, misturar)* mexer.
stirrup ['stɜ:rəp] *s* estribo *m*.
stitch [stɪtʃ] *s (em costura, tricô)* ponto *m*; **to have a stitch** sentir uma pontada.
❑ **stitches** *spl (em ferimento)* pontos *mpl*.
stock [stɒk] **1** *s (de loja)* estoque *m*; FIN títulos *mpl*, ações *fpl*; CULIN caldo *m*.
2 *vt (mercadoria)* ter em estoque.
3 in stock em estoque, armazenado; **out of stock** esgotado.
Stock Exchange *s* bolsa *f* de valores.
stocking ['stɒkɪŋ] *s* meia *f*.
stock market *s* bolsa *f*, mercado *m* de valores.
stodgy ['stɒdʒɪ] *adj (comida)* pesado(da).
stole [stəʊl] *pt* → **steal.**
stolen ['stəʊlən] *pp* → **steal.**
stomach ['stʌmək] *s (órgão)* estômago *m*; *(região)* barriga *f*.
stomach ache *s* dor *f* de estômago.
stone [stəʊn] **1** *s (substância)* pedra *f*; *(em fruta)* caroço *m*; *Brit (unidade de peso: pl inv)* = 6,35 kg; *(gema)* pedra preciosa.
2 *adj* de pedra.
stood [stʊd] *pt & pp* → **stand.**
stool [stu:l] *s (para sentar)* banco *m*.
stop [stɒp] **1** *s* parada *f*.
2 *vt* parar.
3 *vi* parar; *(por pouco tempo)* ficar.
4 to stop sb/sthg from doing sthg impedir alguém/algo de fazer algo; **to stop doing sthg** parar de fazer algo; **to put a stop to sthg** pôr termo ou fim a algo; **'stop'** *(placa de trânsito)* 'pare'; **'stopping at ...'** *(trem, ônibus)* 'com paradas em ...'.
❑ **stop off** *vi* parar.
stopover ['stɒpˌəʊvər] *s* parada *f*; *(em viagem)* escala *f*.
stopper ['stɒpər] *s* tampa *f*.
stopwatch ['stɒpwɒtʃ] *s* cronômetro *m*.
storage ['stɔ:rɪdʒ] *s* armazenamento *m*, armazenagem *f*.
store [stɔ:r] **1** *s (estabelecimento)* loja *f*; *(mercadoria)* estoque *m*.
2 *vt* armazenar.
storey ['stɔ:rɪ] (*pl* **-s**) *s Brit* = **story.**
stork [stɔ:rk] *s* cegonha *f*.
storm [stɔ:rm] *s (mau tempo)* tempestade *f*.
story ['stɔ:rɪ] *s (conto, narrativa)* história *f*; *(de notícias)* artigo *m*; *(de prédio) Am* andar *m*.
stout [staʊt] *adj (pessoa)* corpulento(ta), forte.
stove [stəʊv] *s (para cozinhar)* fogão *m*; *(para aquecer)* estufa *f*.
straight [streɪt] **1** *adj (sem curvas)* direito(ta); *(estrada, linha)* reto(ta); *(cabelo)* liso(sa); *(seguido)* consecutivo(va); *(bebida)* puro(ra).
2 *adv (em linha reta)* reto(ta); *(ereto)* direito; *(ir)* diretamente; *(sem demora)* imediatamente.
3 straight ahead sempre em frente; **straight away** imediatamente, já; **straight in front** bem em frente.
straightforward [ˌstreɪt'fɔ:rwərd] *adj (fácil)* simples *(inv)*.
strain [streɪn] **1** *s (esforço)* força *f*; *(nervosismo)* stress *m*; *(em relacionamento)* tensão *f*; *(machucado)* distensão *f*.
2 *vt (músculo, olhos)* forçar; *(comida, bebida)* coar.
strainer ['streɪnər] *s* coador *m*.
strait [streɪt] *s* estreito *m*.
strange [streɪndʒ] *adj* estranho(nha).
stranger ['streɪndʒər] *s (pessoa não familiar)* estranho *m*, -nha *f*, desconhecido *m*, -da *f*; *(pessoa de fora)* forasteiro *m*, -ra *f*.
strangle ['stræŋgl] *vt* estrangular.
strap [stræp] *s (de bolsa)* alça *f*; *(de câmera, sapato)* correia *f*; *(de relógio)* pulseira *f*.
strapless ['stræpləs] *adj* sem alças.
strategy ['strætədʒɪ] *s* estratégia *f*.
straw [strɔ:] *s* palha *f*; *(para beber)* canudo *m*.
strawberry ['strɔ:berɪ] *s* morango *m*.
stray [streɪ] **1** *adj (animal)* abandonado(da).
2 *vi* vaguear.
streak [stri:k] *s (marca, lista)* listra *f*, risca *f*; *(tempo)* período *m*.
stream [stri:m] *s (rio)* riacho *m*; *(de tráfego, pessoas)* fluxo *m*; *(de água, ar)* corrente *f*.
street [stri:t] *s* rua *f*.
streetcar ['stri:tka:r] *s Am* bonde *m*.
strength [streŋθ] *s* força *f*; *(de estrutura)* solidez *f*; *(melhor característica)* ponto *m* forte; *(de sentimento, vento, cheiro)* inten-

sidade *f*; *(de bebida)* teor *m* alcoólico; *(de droga)* dosagem *f*.

strengthen ['streŋθn] *vt* reforçar.

stress [stres] **1** *s (tensão)* stress *m*; *(em palavra, sílaba)* acento *m* tônico.
2 *vt (enfatizar)* pôr a tônica em; *(palavra, sílaba)* acentuar.

stretch [stretʃ] **1** *s (de terra, água)* extensão *f*; *(de tempo)* período *m*.
2 *vt* esticar.
3 *vi (terra, mar)* estender-se; *(pessoa, animal)* estirar-se, espreguiçar-se, alongar-se.
4 to stretch one's legs *fig* esticar as pernas.
❑ **stretch out 1** *vt sep (mão)* estender.
2 *vi (esticar-se)* estender-se ao comprido, deitar-se.

stretcher ['stretʃər] *s* maca *f*.

strict [strɪkt] *adj* rigoroso(osa).

strictly ['strɪktlɪ] *adv (totalmente)* estritamente; *(sem exceção)* exclusivamente; **strictly speaking** a bem dizer.

stride [straɪd] *s* passada *f*.

strike [straɪk] (*pt & pp* **struck**) **1** *s (de trabalhadores)* greve *f*.
2 *vt (fml: bater)* agredir; *(fml: colidir com)* bater em, chocar-se com; *(um fósforo)* acender.
3 *vi (recusar-se a trabalhar)* fazer greve; *(acontecer de repente)* ocorrer; **the clock struck eight** o relógio bateu oito horas.

striking ['straɪkɪŋ] *adj (notável)* impressionante; *(atrativo)* atraente.

string [strɪŋ] *s* cordel *m*, fio *m*; *(de pérolas, contas)* colar *m*; *(de instrumento musical, raquete de tênis)* corda *f*; *(sucessão)* série *f*; **a piece of string** um barbante.

strip [strɪp] **1** *s (de papel, pano etc.)* tira *f*; *(de terra, água)* faixa *f*.
2 *vt (tinta)* raspar; *(papel de parede)* arrancar.
3 *vi (tirar a roupa)* despir-se.

stripe [straɪp] *s* risca *f*, listra *f*.

striped [straɪpt] *adj* de listras.

stroke [strəʊk] **1** *s* MED derrame *m*; *(em tênis)* batida *f*; *(em golfe)* tacada *f*; *(em natação)* estilo *m*.
2 *vt* afagar.
3 a stroke of luck um golpe de sorte.

stroll [strəʊl] *s* passeio *m*.

stroller ['strəʊlər] *s Am (para bebê)* carrinho *m* de bebê.

strong [strɒŋ] *adj* forte; *(estrutura, ponte, cadeira)* sólido(da); *(sotaque)* forte, acentuado(da).

struck [strʌk] *pt & pp* → **strike.**

structure ['strʌktʃər] *s (arranjo, organização)* estrutura *f*; *(prédio)* construção *f*.

struggle ['strʌgl] **1** *s (esforço)* luta *f*.
2 *vi (brigar)* lutar; *(para se libertar)* debater-se; **to struggle to do sthg** esforçar-se por fazer algo.

stub [stʌb] *s (de cigarro)* ponta *f*; *(de cheque, tíquete)* talão *m*.

stubble ['stʌbl] *s (no rosto)* barba *f* por fazer.

stubborn ['stʌbərn] *adj (pessoa)* teimoso(osa).

stuck [stʌk] **1** *pt & pp* → **stick.**
2 *adj* preso(sa).

stud [stʌd] *s (em botas)* cravo *m*; *(para segurar)* botão *m* de pressão; *(para orelhas)* brinco *m*.

student ['stju:dnt] *s (em universidade)* estudante *mf*; *(em escola)* aluno *m*, -na *f*.

student ID card *s* carteira *f* de estudante.

studio ['stju:dɪəʊ] (*pl* **-s**) *s (para filmagem, emissão de programas)* estúdio *m*; *(de artista)* ateliê *m*.

studio apartment *s Am* conjugado *m*.

studio flat *s Brit* conjugado *m*.

study ['stʌdɪ] **1** *s* estudo *m*; *(quarto)* escritório *m*.
2 *vt (para aprender)* estudar; *(observar)* examinar.
3 *vi* estudar.

stuff [stʌf] **1** *s fam (substância)* coisa *f*; *(posses)* coisas *fpl*, tralha *f*.
2 *vt (botar de qualquer maneira)* enfiar; *(encher)* rechear.

stuffed [stʌft] *adj (comida)* recheado(da); *fam (completo)* cheio (cheia); *(animal morto)* empalhado(da).

stuffy ['stʌfɪ] *adj (quarto, ar)* abafado(da).

stumble ['stʌmbl] *vi (em obstáculo)* tropeçar.

stump [stʌmp] *s (de árvore)* toco *m*.

stun [stʌn] *vt (assombrar)* chocar.

stung [stʌŋ] *pt & pp* → **sting.**

stunk [stʌŋk] *pt & pp* → **stink.**

stunning ['stʌnɪŋ] *adj* espantoso(osa).

stupid ['stju:pəd] *adj* estúpido(da).

stupidity [stju:'pɪdətɪ] *s* estupidez *f*.

sturdy ['stɜ:rdɪ] *adj* robusto(ta).

stutter ['stʌtər] *vi* gaguejar.
style [staɪl] **1** *s* estilo *m*; *(desenho)* modelo *m*.
2 *vt (cabelo)* pentear.
stylish ['staɪlɪʃ] *adj* elegante.
stylist ['staɪləst] *s (em salão)* cabeleireiro *m*, -ra *f*.
sub [sʌb] *s fam (para substituir)* substituto *m*, -ta *f*.
subdued [səb'dju:d] *adj (pessoa)* abatido(da); *(luz, cor)* tênue.
subject [*s* 'sʌbdʒekt , *v* səb'dʒekt] **1** *s (tópico)* tema *m*; *(em escola)* disciplina *f*; *(em universidade)* cadeira *f*; GRAM sujeito *m*; *(fml: de país)* cidadão *m*, -dã *f*.
2 *vt*: **to subject sb to sthg** submeter alguém a algo.
3 subject to availability dentro do limite do estoque disponível; **they are subject to an additional charge** estão sujeitos a um custo adicional.
subjunctive [səb'dʒʌŋktɪv] *s* subjuntivo *m*.
submarine [ˌsʌbmə'ri:n] *s* submarino *m*.
submit [səb'mɪt] **1** *vt* apresentar.
2 *vi* submeter-se.
subordinate [sə'bɔ:rdənət] *adj* GRAM subordinado(da).
subscribe [səb'skraɪb] *vi (jornal, revista)* assinar.
subscription [səb'skrɪpʃn] *s* assinatura *f*.
subsequent ['sʌbsɪkwənt] *adj* subseqüente.
subside [səb'saɪd] *vi (terreno)* ceder; *(sentimento)* desaparecer, dissipar-se; *(barulho)* diminuir.
substance ['sʌbstəns] *s* substância *f*.
substantial [səb'stænʃl] *adj* substancial.
substitute ['sʌbstətju:t] *s (no lugar de)* substituto *m*, -ta *f*; ESP reserva *mf*.
subtitles ['sʌbˌtaɪtlz] *spl* legendas *fpl*.
subtle ['sʌtl] *adj* sutil.
subtract [səb'trækt] *vt* subtrair.
subtraction [səb'trækʃn] *s* subtração *f*.
suburb ['sʌbɜ:rb] *s* subúrbio *m*; **the suburbs** os subúrbios.
subway ['sʌbweɪ] *s Am (meio de transporte)* metrô *m*; *Brit (para pedestres)* passagem *f* subterrânea.
succeed [sək'si:d] **1** *vi (ser sucedido)* ter êxito OU sucesso.
2 *vt (fml: ir atrás)* seguir.
3 to succeed in doing sthg conseguir fazer algo.
success [sək'ses] *s* êxito *m*, sucesso *m*.
successful [sək'sesfl] *adj (plano, pessoa)* bem-sucedido(da); *(filme, livro, programa de TV)* de sucesso.
succulent ['sʌkjʊlənt] *adj* suculento(ta).
such [sʌtʃ] **1** *adj (do mesmo tipo)* tal, semelhante; *(tão)* tamanho(nha), tal.
2 *adv*: **such a lot** tanto.
3 such a lot of books tantos livros; **it's such a lovely day** está um dia tão bonito; **she has such good luck** ela tem tanta sorte; **such a thing should never have happened** uma coisa assim nunca deveria ter acontecido; **such as** tal como.

> Quando *such* for usado na função de adjetivo, deverá ser colocado sempre antes do substantivo. *Such a/an* é usado diante de substantivos variáveis no singular (*such a fool*; *such an awful person*) e *such* diante de invariáveis (*such energy*; *such amazing stupidity*) e de variáveis no plural (*such idiots*; *such expensive tastes*).

suck [sʌk] *vt (bala, dedo)* chupar; *(mamilo)* mamar em.
sudden ['sʌdn] *adj* repentino(na); **all of a sudden** de repente.
suddenly ['sʌdnlɪ] *adv* de repente.
sue [su:] *vt* processar.
suede [sweɪd] *s* camurça *f*.
suffer ['sʌfər] *vt & vi* sofrer; **to suffer from** *(doença)* sofrer de.
suffering ['sʌfərɪŋ] *s* sofrimento *m*.
sufficient [sə'fɪʃnt] *adj fml* suficiente.
sufficiently [sə'fɪʃntlɪ] *adv fml* bastante, suficientemente.
suffix ['sʌfɪks] *s* sufixo *m*.
suffocate ['sʌfəkeɪt] *vi* sufocar.
sugar ['ʃʊgər] *s* açúcar *m*.
suggest [sə'dʒest] *vt* sugerir; **to suggest doing sthg** sugerir fazer algo.
suggestion [sə'dʒestʃən] *s* sugestão *f*.
suicide ['su:ɪsaɪd] *s* suicídio *m*; **to commit suicide** suicidar-se.
suit [su:t] **1** *s (roupa de homem)* terno *m*; *(roupa de mulher)* conjunto *m*; *(em cartas)* naipe *m*; JUR processo *m*.
2 *vt (suj: roupa, cor, sapato)* ficar bem em; *(ser conveniente para)* convir a; *(ser bom para)* ser apropriado(da) para.
suitable ['su:təbl] *adj* apropriado(da), conveniente; **to be suitable for** ser apropriado OU conveniente para.

suitcase ['su:tkeɪs] *s* mala *f.*
suite [swi:t] *s (quarto)* suíte *f*; *(mobília)* conjunto *m.*
sulk [sʌlk] *vi* ficar emburrado(da).
sultry ['sʌltrɪ] *adj (clima, ar)* abafado(da).
sum [sʌm] *s* soma *f.*
❑ **sum up** *vt sep (em suma)* resumir.
summarize ['sʌməraɪz] *vt* resumir.
summary ['sʌmərɪ] *s* resumo *m*, sumário *m.*
summer ['sʌmər] *s* verão *m*; **in the summer** no verão; **summer vacation** férias *fpl* de verão.
summertime ['sʌmərtaɪm] *s* verão *m.*
summit ['sʌmɪt] *s (de montanha)* topo *m*, cume *m*; *(reunião)* conferência *f* de cúpula.
summon ['sʌmən] *vt (chamar)* convocar; JUR intimar.
sumptuous ['sʌmptʃʊəs] *adj* suntuoso(osa).
sun [sʌn] **1** *s* sol *m.*
2 *vt*: **to sun o.s.** apanhar sol.
3 to catch the sun bronzear-se; **to sit in the sun** sentar-se no sol; **out of the sun** na sombra.
sunbathe ['sʌnbeɪð] *vi* tomar banho de sol.
sun block *s* protetor *m* solar *(com fator de proteção total).*
sunburnt ['sʌnbɜ:rnt] *adj* queimado(da) (de sol).
Sunday ['sʌndeɪ] *s* domingo *m* → **Saturday.**
sundries ['sʌndrɪz] *spl* artigos *mpl* diversos.
sunflower ['sʌnˌflaʊər] *s* girassol *m.*
sung [sʌŋ] *pt* → **sing.**
sunglasses ['sʌnˌglæsəz] *spl* óculos *mpl* de sol, óculos escuros.
sunk [sʌŋk] *pp* → **sink.**
sunlight ['sʌnlaɪt] *s* luz *f* do sol.
sunny ['sʌnɪ] *adj (dia, clima, local)* ensolarado(da).
sunrise ['sʌnraɪz] *s* nascer *m* do sol.
sunscreen ['sʌnskri:n] *s* protetor *m* solar, filtro *m* solar.
sunset ['sʌnset] *s* pôr-do-sol *m.*
sunshine ['sʌnʃaɪn] *s* luz *f* do sol; **in the sunshine** ao sol.
sunstroke ['sʌnstrəʊk] *s* insolação *f.*
suntan ['sʌntæn] *s* bronzeado *m.*
super ['su:pər] *adj (maravilhoso)* ótimo.
superb [su:'pɜ:rb] *adj* magnífico(ca), soberbo(ba).
superficial [ˌsu:pər'fɪʃl] *adj* superficial.
superfluous [su:'pɜ:rflʊəs] *adj* supérfluo(flua).
superior [su:'pɪərɪər] **1** *adj* superior.
2 *s* superior *mf.*
supermarket ['su:pərˌma:rkət] *s* supermercado *m.*
supernatural [ˌsu:pər'nætʃrəl] *adj* sobrenatural.
superstitious [ˌsu:pər'stɪʃəs] *adj* supersticioso(osa).
superstore ['su:pərstɔ:r] *s* hipermercado *m.*
supervise ['su:pərvaɪz] *vt* supervisionar.
supervisor ['su:pərvaɪzər] *s (de trabalhadores)* supervisor *m*, -ra *f*, encarregado *m*, -da *f.*
supper ['sʌpər] *s (refeição)* jantar *m*, ceia *f*; **to have supper** jantar, cear.
supple ['sʌpl] *adj* flexível.
supplement [*s* 'sʌplɪmənt, *v* 'sʌplɪˌment] **1** *s* suplemento *m.*
2 *vt* completar, complementar.
supplementary [ˌsʌplɪ'mentərɪ] *adj* suplementar.
supply [sə'plaɪ] **1** *s (provisão)* reserva *f*; *(abastecimento)* fornecimento *m.*
2 *vt* fornecer; **to supply sb with sthg** fornecer algo a alguém.
❑ **supplies** *spl* provisões *fpl.*
support [sə'pɔ:rt] **1** *s (encorajamento)* apoio *m*; *(objeto de apoio)* suporte *m.*
2 *vt (causa, campanha, pessoa)* apoiar; *Brit* ESP torcer por; *(segurar)* suportar; *(uma família)* sustentar.
supporter [sə'pɔ:tər] *s Brit* ESP torcedor *m*, -ra *f*; *(de causa, partido político)* partidário *m*, -ria *f.*
suppose [sə'pəʊz] **1** *vt*: **to suppose (that)** supor que.
2 *conj* = **supposing.**
3 I suppose so suponho que sim.
supposing [sə'pəʊzɪŋ] *conj* supondo que.
supreme [sʊ'pri:m] *adj* supremo(ma).
surcharge ['sɜ:rtʃa:rdʒ] *s* sobretaxa *f.*
sure [ʃʊər] **1** *adj (esperado)* certo(ta); *(sem dúvida)* seguro(ra).
2 *adv fam (sim)* claro.
3 are you sure? você tem certeza?; **to be sure of o.s.** ser seguro de si; **to make sure (that) ...** assegurar-se de que ...;

for sure com certeza.
surely ['ʃʊərlɪ] *adv* com certeza.
surf [sɜ:rf] **1** *s* arrebentação *f.*
2 *vi* fazer surfe.
surface ['sɜ:rfəs] *s* superfície *f.*
surfboard ['sɜ:rfbɔ:rd] *s* prancha *f* de surfe.
surfing ['sɜ:rfɪŋ] *s* surfe *m*; **to go surfing** ir surfar.
surgeon ['sɜ:rdʒən] *s* cirurgião *m*, -giã *f.*
surgery ['sɜ:rdʒərɪ] *s (operação)* cirurgia *f*; *Brit (clínica)* consultório *m*; *Brit (período)* horário *m* de atendimento.
surname ['sɜ:rneɪm] *s fml* sobrenome *m.*
surplus ['sɜ:rpləs] *s* excedente *m.*
surprise [sər'praɪz] **1** *s* surpresa *f.*
2 *vt (admirar)* surpreender.
surprised [sər'praɪzd] *adj* surpreso(sa).
surprising [sər'praɪzɪŋ] *adj* surpreendente.
surrender [sə'rendər] **1** *vi* render-se.
2 *vt (fml: passar adiante)* entregar.
surround [sə'raʊnd] *vt* rodear.
surrounding [sə'raʊndɪŋ] *adj* circundante, à volta.
▫ **surroundings** *spl* arredores *mpl.*
survey ['sɜ:rveɪ] (*pl* **-s**) *s (investigação)* inquérito *m*; *(pesquisa)* sondagem *f*; *(de terra)* levantamento *m* topográfico; *Brit (de casa)* inspeção *f*, vistoria *f.*
surveyor [sər'veɪər] *s (de terra)* agrimensor *m*, -ra *f*; *Brit (de casas)* inspetor *m*, -ra *f*, perito *m*, -ta *f.*
survival [sər'vaɪvl] *s* sobrevivência *f.*
survive [sər'vaɪv] **1** *vi* sobreviver.
2 *vt* sobreviver a.
survivor [sər'vaɪvər] *s* sobrevivente *mf.*
susceptible [sə'septəbl] *adj* suscetível; **to be susceptible to sthg** ser suscetível a algo.
suspect [*v* sə'spekt, *s & adj* 'sʌspekt] **1** *vt (não confiar)* suspeitar de.
2 *s* suspeito *m*, -ta *f.*
3 *adj* suspeito(ta).
4 to suspect sb of sthg suspeitar que alguém tenha feito algo; **to suspect (that)** suspeitar que.
suspend [sə'spend] *vt* suspender.
suspenders [sə'spendərz] *spl Am (para calça)* suspensórios *mpl*; *Brit (para meias)* ligas *fpl.*
suspense [sə'spens] *s* suspense *m.*
suspension [sə'spenʃn] *s* suspensão *f.*
suspicion [sə'spɪʃn] *s (falta de confiança)* suspeita *f*; *(traço)* vestígio *m.*
suspicious [sə'spɪʃəs] *adj (comportamento, situação)* suspeito(ta); **to be suspicious of** *(sem confiança)* desconfiar ou suspeitar de.
swallow ['swɒləʊ] **1** *s (ave)* andorinha *f.*
2 *vt & vi* engolir.
swam [swæm] *pt* → **swim.**
swamp [swɒmp] *s* pântano *m.*
swan [swɒn] *s* cisne *m.*
swap [swɒp] *vt (bens, lugar)* trocar de; *(idéias, histórias)* trocar; **to swap sthg for sthg** trocar algo por algo.
swarm [swɔ:rm] *s (de abelhas)* enxame *m.*
swear [sweər] (*pt* **swore,** *pp* **sworn**) **1** *vi (xingar)* praguejar; *(prometer)* jurar.
2 *vt*: **to swear to do sthg** jurar fazer algo.
swearword ['sweərwɜ:rd] *s* palavrão *m.*
sweat [swet] **1** *s* suor *m.*
2 *vi* suar.
sweater ['swetər] *s* suéter *m.*
sweatshirt ['swetʃɜ:rt] *s* suéter *m* de algodão.
sweep [swi:p] (*pt & pp* **swept**) *vt (com vassoura)* varrer.
sweet [swi:t] **1** *adj* doce; *(cheiro)* agradável.
2 *s Brit (doce)* bala *f*; *(sobremesa)* doce *m*; **how sweet of you!** que gentileza a sua!
sweet corn *s* milho *m* verde.
sweetener ['swi:tnər] *s (para bebida)* adoçante *m.*
sweet potato *s* batata-doce *f.*
swell [swel] (*pp* **swollen**) *vi (tornozelo, braço etc.)* inchar.
swelling ['swelɪŋ] *s* inchaço *m.*
swept [swept] *pt & pp* → **sweep.**
swerve [swɜ:rv] *vi (veículo)* dar uma guinada.
swig [swɪg] *s fam* gole *m*, trago *m.*
swim [swɪm] (*pt* **swam,** *pp* **swum**) **1** *vi (na água)* nadar.
2 *s*: **to go for a swim** ir dar um mergulho.
swimmer ['swɪmər] *s* nadador *m*, -ra *f.*
swimming ['swɪmɪŋ] *s* natação *f*; **to go swimming** nadar.
swimming pool *s* piscina *f.*
swimsuit ['swɪmsu:t] *s* traje *m* de banho.
swindle ['swɪndl] *s* fraude *f.*
swing [swɪŋ] (*pt & pp* **swung**) **1** *s (para*

criança) balanço *m.*
2 *vt (oscilar)* balançar.
3 *vi (mover-se de um lado para o outro)* balançar-se.

swipe [swaɪp] *vt (cartão magnético etc.)* passar pelo leitor.

switch [swɪtʃ] 1 *s (de luz, energia)* interruptor *m*; *(de TV, rádio)* botão *m.*
2 *vt (substituir)* mudar de; *(permutar)* trocar.
3 *vi* mudar.
❑ **switch off** *vt sep (luz)* apagar; *(motor, aparelho)* desligar.
❑ **switch on** *vt sep (luz)* acender; *(motor, aparelho)* ligar.

switchboard ['swɪtʃbɔ:rd] *s (de telefonista)* PBX *m.*

swivel ['swɪvl] *vi* girar.

swollen ['swəʊln] 1 *pp* → **swell.**
2 *adj (tornozelo, braço etc.)* inchado(da).

swop [swɒp] *vt* = **swap.**

sword [sɔ:rd] *s* espada *f.*

swore [swɔ:r] *pt* → **swear.**

sworn [swɔ:rn] *pp* → **swear.**

swum [swʌm] *pp* → **swim.**

swung [swʌŋ] *pt & pp* → **swing.**

syllable ['sɪləbl] *s* sílaba *f.*

syllabus ['sɪləbəs] *s* programa *m* (de estudos).

symbol ['sɪmbl] *s* símbolo *m.*

sympathetic [ˌsɪmpə'θetɪk] *adj* solidário(ria).

> Não confundir ***sympathetic (solidário)*** com o português ***simpático*** que em inglês é ***nice***. (***He wasn't sympathetic to the problem.*** Ele não foi ***solidário*** com o problema.)

sympathize ['sɪmpəθaɪz] *vi*: **to sympathize (with)** *(sentir pena)* compadecer-se (de); *(entender)* compreender.

sympathy ['sɪmpəθɪ] *s (entendimento)* compreensão *f.*

symphony ['simfənɪ] *s* sinfonia *f.*

symptom ['sɪmptəm] *s* sintoma *m.*

synagogue ['sɪnəgɒg] *s* sinagoga *f.*

synthesizer ['sɪnθəsaɪzər] *s* sintetizador *m.*

synthetic [sɪn'θetɪk] *adj* sintético(ca).

syringe [sə'rɪndʒ] *s* seringa *f.*

syrup ['sɪrəp] *s (para frutas, panqueca etc.)* calda *f.*

system ['sɪstəm] *s* sistema *m*; *(para gás, aquecimento etc.)* instalação *f.*

T*t*

tab [tæb] *s (de tecido, papel etc.)* etiqueta *f*; *(fatura)* conta *f*; **put it on my tab** ponha na minha conta.

table ['teɪbl] *s (móvel)* mesa *f*; *(de números etc.)* tabela *f*.

tablespoon ['teɪblspu:n] *s* colher *f* de sopa.

tablet ['tæblət] *s (pílula)* comprimido *m*; *(de sabão, chocolate)* barra *f*.

table tennis *s* pingue-pongue *m*, tênis *m* de mesa.

tabloid ['tæblɔɪd] *s* jornal *m* sensacionalista, tablóide *m*.

tack [tæk] *s (prego)* tacha *f*.

tackle ['tækl] **1** *s (em futebol, hóquei)* ataque *m*; *(em rúgbi)* marcação *f*; *(para pesca)* apetrechos *mpl*.
2 *vt* ESP marcar; *(lidar com)* enfrentar.

tacky ['tækɪ] *adj fam (jóia, estilo etc.)* cafona.

tact [tækt] *s* tato *m*.

tactful ['tæktfl] *adj* com muito tato, diplomático(ca).

tactics ['tæktɪks] *spl* tática *f*, estratégia *f*.

tag [tæg] *s (rótulo)* etiqueta *f*.

tail [teɪl] *s* cauda *f*.
❑ **tails 1** *s (de moeda)* coroa *f*.
2 *spl (roupa formal)* fraque *m*.

tailgate ['teɪlgeɪt] *s (de carro)* porta *f* do porta-malas.

tailor ['teɪlər] *s* alfaiate *m*.

take [teɪk] (*pt* **took,** *pp* **taken**) *vt* **(a)** *(carregar, dirigir, conter)* levar.
(b) *(agarrar, pegar)* segurar.
(c) *(fazer)*: **to take a bath/shower** tomar um banho/uma ducha; **to take a test** fazer um exame; **to take a picture** tirar uma foto.
(d) *(precisar)* requerer; **how long will it take?** quanto tempo é que vai demorar?
(e) *(roubar)* tirar.
(f) *(trem, táxi, avião, ônibus)* apanhar.
(g) *(rota, caminho, estrada)* seguir por.
(h) *(remédio)* tomar.
(i) *(diminuir de)* tirar, subtrair.
(j) *(concordar)* aceitar; **do you take traveler's checks?** vocês aceitam cheques de viagem?; **to take sb's advice** seguir os conselhos de alguém.
(k) *(receber)* reagir a; **to take sthg the wrong way** levar algo a mal.
(l) *(controle, poder, atitude)* assumir; **to take charge of** assumir a responsabilidade de; **to take an interest in sthg** interessar-se por algo.
(m) *(tolerar)* agüentar.
(n) *(presumir)*: **I take it that ...** presumo que ...
(o) *(pulsação)* medir; *(temperatura)* tirar.
❑ **take apart** *vt sep* desmontar.
❑ **take away** *vt sep (remover)* levar; *(diminuir de)* tirar, subtrair.
❑ **take back** *vt sep (objeto emprestado)* devolver; *(pessoa)* levar (de volta); *(aceitar)* aceitar de volta; *(afirmação)* retirar.
❑ **take down** *vt sep (quadro, decoração, cortinas)* remover.
❑ **take in** *vt sep (abranger)* incluir; *(entender)* assimilar; *(iludir)* enganar; *(roupas)* apertar.
❑ **take off 1** *vi (avião)* levantar vôo, decolar.
2 *vt sep (remover)* tirar; **to take a day/week off** *(de férias)* tirar um dia/uma semana de folga.
❑ **take out** *vt sep (de depósito, bolso)* tirar; *(livro de biblioteca)* pegar; *(apólice de seguro)* fazer; *(empréstimo)* pedir; **to take sb out for dinner** convidar alguém para jantar fora.
❑ **take over** *vi* assumir o controle.
❑ **take up** *vt sep (iniciar)* dedicar-se a; *(usar)* ocupar; *(calça, saia, vestido)* subir a bainha de.

taken ['teɪkn] *pp* → **take.**
takeoff ['teɪkɒf] *s (de avião)* decolagem *f.*
takeout ['teɪkaʊt] *s Am* comida *f* para viagem.
takings ['teɪkɪŋz] *spl* receita *f*, renda *f.*
talcum powder ['tælkəm-] *s* (pó de) talco *m.*
tale [teɪl] *s (ficção)* conto *m*; *(relato)* história *f.*
talent ['tælənt] *s* talento *m.*
talk [tɔ:k] **1** *s (diálogo)* conversa *f*; *(palestra)* conferência *f.*
2 *vi* falar.
3 to talk to sb (about sthg) falar com alguém (sobre algo); **to talk with sb** falar com alguém.
❑ **talks** *spl* negociações *fpl.*
talkative ['tɔ:kətɪv] *adj* tagarela.
tall [tɔ:l] *adj* alto(ta); **how tall are you?** qual é a sua altura?; **I'm six feet tall** meço 1,80 m.
tame [teɪm] *adj (animal)* domesticado(da).
tampon ['tæmpɒn] *s* tampão *m.*
tan [tæn] **1** *s (de sol)* bronzeado *m.*
2 *vi* bronzear.
3 *adj (cor)* cor-de-mel *(inv).*
tangerine [ˌtændʒə'ri:n] *s* tangerina *f.*
tank [tæŋk] *s* tanque *m.*
tanned [tænd] *adj (de sol)* bronzeado(da).
tap [tæp] **1** *s Brit (de água)* torneira *f.*
2 *vt (dar tapinha)* bater (ligeiramente).
tape [teɪp] **1** *s (de música, vídeo)* fita *f*, cassete *f*; *(tira de material)* fita *f*; *(material adesivo)* fita *f* adesiva.
2 *vt (música, filme etc.)* gravar; *(grudar)* colar com fita adesiva.
tape measure *s* fita *f* métrica.
tape recorder *s* gravador *m.*
tapestry ['tæpəstrɪ] *s* tapeçaria *f.*
tar [ta:r] *s* alcatrão *m.*
target ['ta:rgət] *s* alvo *m.*
tariff ['terɪf] *s (para compra)* lista *f* de preços; *(na alfândega)* tarifa *f.*
tarmac ['ta:rmæk] *s (no aeroporto)* pista *f.*
❑ **Tarmac**® *s (em estrada)* asfalto *m.*
tart [ta:rt] *s (doce)* torta *f.*
task [tæsk] *s* tarefa *f.*
taste [teɪst] **1** *s (paladar)* sabor *m*, gosto *m*; *(discernimento, senso)* gosto.
2 *vt (pequena quantidade)* provar; *(reconhecer o gosto)* detectar o sabor de.
3 *vi*: **to taste of sthg** ter gosto de algo.
4 it tastes bad/good tem um gosto ruim/bom; **to have a taste of sthg** *(comida, bebida)* provar algo; *(fig: experiência)* experimentar algo; **bad/good taste** mau/bom gosto.
tasteful ['teɪstfl] *adj* com bom gosto.
tasteless ['teɪstləs] *adj (comida)* insípido(da); *(comentário, decoração)* de mau gosto.
tasty ['teɪstɪ] *adj* saboroso(osa).
tattoo [tæ'tu:] (*pl* **-s**) *s (na pele)* tatuagem *f.*
taught [tɔ:t] *pt & pp* → **teach.**
Taurus ['tɔ:rəs] *s* Touro *m.*
taut [tɔ:t] *adj (corda, barbante)* esticado(da); *(músculo)* tenso(sa).
tax [tæks] **1** *s* imposto *m*, taxa *f.*
2 *vt (produtos)* lançar imposto sobre; *(pessoa)* cobrar impostos a.
tax-free *adj* isento(ta) de imposto, tax-free *(inv).*
taxi ['tæksɪ] **1** *s* táxi *m.*
2 *vi (avião)* taxiar.
taxi driver *s* taxista *mf*, motorista *mf* de táxi.
tea [ti:] *s* chá *m*; *Brit (refeição da tarde)* lanche *m.*
teach [ti:tʃ] (*pt & pp* **taught**) *vt & vi* ensinar; **to teach sb sthg, to teach sthg to sb** ensinar algo a alguém; **to teach sb (how) to do sthg** ensinar alguém a ou como fazer algo.
teacher ['ti:tʃər] *s* professor *m*, -ra *f.*
teaching ['ti:tʃɪŋ] *s* ensino *m.*
team [ti:m] *s* ESP time *m*; *(grupo)* equipe *f.*
teapot ['ti:pɒt] *s* bule *m* de chá.
tear[1] [teər] (*pt* **tore**, *pp* **torn**) **1** *vt (cortar)* rasgar.
2 *vi (cortar-se)* rasgar-se; *(mover-se a toda velocidade)* precipitar-se.
3 *s (corte)* rasgão *m.*
❑ **tear up** *vt sep* rasgar.
tear[2] [tɪər] (*pt* **tore**, *pp* **torn**) *s* lágrima *f.*
tease [ti:z] *vt (rir de)* gozar de.
teaspoon ['ti:spu:n] *s* colher *f* de chá.
teat [ti:t] *s (de animal)* teta *f.*
technical ['teknɪkl] *adj* técnico(ca).
technicality [ˌteknɪ'kælətɪ] *s (detalhe)* pormenor *m* técnico.
technician [tek'nɪʃn] *s* técnico *m*, -ca *f.*
technique [tek'ni:k] *s* técnica *f.*
technological [ˌteknə'lɒdʒɪkl] *adj* tecnológico(ca).
technology [tek'nɒlədʒɪ] *s* tecnologia *f.*

teddy (bear) ['tedɪ-] *s* ursinho *m* (de pelúcia).
tedious ['ti:djəs] *adj* tedioso(osa).
teenager ['ti:nˌeɪdʒər] *s* adolescente *mf.*
teeth [ti:θ] *pl* → **tooth.**
teethe [ti:ð] *vi*: **he's teething** os dentes dele estão começando a nascer.
teetotal [ti:'təʊtl] *adj* abstêmio(mia).
telecommunications [ˌtelɪkəmju:nɪ'keɪʃns] *spl* telecomunicações *fpl.*
teleconference ['telɪˌkɒnfərəns] *s* teleconferência *f.*
telegram ['telɪgræm] *s* telegrama *m.*
telegraph pole ['telɪgræf-] *s* poste *m* telegráfico.
telephone ['teləfəʊn] **1** *s* telefone *m.*
2 *vt fml* telefonar para.
3 *vi* telefonar.
4 to be on the telephone *(falando)* estar no telefone.
telephone booth *s* cabine *f* telefônica.
telephone box *s Brit* cabine *f* telefônica.
telephone call *s* chamada *f* telefônica, telefonema *m.*
telephone directory *s* catálogo *m*, lista *f* telefônica.
telephone number *s* número *m* de telefone.
telescope ['teləskəʊp] *s* telescópio *m.*
television ['teləˌvɪʒn] *s* televisão *f*; **what's on television tonight?** o que é que tem na televisão hoje à noite?
tell [tel] (*pt & pp* **told**) **1** *vt (informar)* dizer; *(estória, piada)* contar; *(verdade, mentira)* dizer, contar; *(notar)* distinguir.
2 *vi*: **can you tell?** dá para notar?.
3 could you tell me the time? podia dizer-me as horas?; **to tell sb sthg** dizer algo a alguém; **to tell sb about sthg** contar algo a alguém; **to tell sb how to do sthg** dizer a alguém como fazer algo; **to tell sb to do sthg** dizer a alguém para fazer algo; **to tell the difference** ver a diferença.
❑ **tell off** *vt sep* ralhar com, repreender.
teller ['telər] *s (em banco)* caixa *mf.*
temp [temp] **1** *s* funcionário *m* temporário, funcionária *f* temporária.
2 *vi* trabalhar como funcionário temporário.
temper ['tempər] *s*: **to be in a bad temper** estar de mau humor, estar irritado(da); **to lose one's temper** perder a paciência, irritar-se.
temperature ['temprətʃər] *s* temperatura *f*; **to have a temperature** ter febre.
temple ['templ] *s (prédio)* templo *m*; *(da testa)* têmpora *f.*
temporary ['tempərerɪ] *adj* temporário(ria).
tempt [tempt] *vt* tentar; **to be tempted to do sthg** estar ou sentir-se tentado a fazer algo.
temptation [temp'teɪʃn] *s* tentação *f.*
tempting ['temptɪŋ] *adj* tentador(ra).
ten [ten] *num* dez → **six.**
tenant ['tenənt] *s* inquilino *m*, -na *f.*
tend [tend] *vi*: **to tend to do sthg** ter tendência para fazer algo.
tendency ['tendənsɪ] *s* tendência *f.*
tender ['tendər] *adj (terno)* meigo(ga); *(machucado)* dolorido(da); *(carne)* tenro(ra).
tendon ['tendən] *s* tendão *m.*
tenement ['tenəmənt] *s* cortiço *m.*
tennis ['tenəs] *s* tênis *m.*
tennis court *s* quadra *f* de tênis.
tense [tens] **1** *adj* tenso(sa).
2 *s* GRAM tempo *m*; **the present tense** o presente.
tension ['tenʃn] *s* tensão *f.*
tent [tent] *s* barraca *f*, tenda *f.*
tenth [tenθ] *num* décimo(ma) → **sixth.**
tepid ['tepəd] *adj* tépido(da), morno (morna).
term [tɜ:rm] *s (palavra, expressão)* termo *m*; *(na escola)* período *m*; *(na universidade)* semestre *m*; **in the long term** a longo prazo; **in the short term** a curto prazo; **in terms of** no que diz respeito a; **in business terms** do ponto de vista comercial.
❑ **terms** *spl (de contrato)* termos *mpl*; *(valor)* preço *m.*
terminal ['tɜ:rmənl] **1** *adj (doença)* incurável.
2 *s* terminal *m.*
terminate ['tɜ:rməneɪt] *vi (trem, ônibus)* terminar a viagem ou o trajeto.
terminus ['tɜ:rmənəs] *s* estação *f* terminal, terminal *m.*
terrace ['terəs] *s (pátio)* terraço *m*; **the terraces** *(em estádio de futebol)* a arquibancada.
terrible ['terəbl] *adj* terrível; **to feel terrible** sentir-se péssimo(ma) ou muito mal.

terribly ['terəblı] *adv (muito)* extremamente, imensamente; *(muito mal)* imensamente, terrivelmente; **I'm terribly sorry!** sinto muito!

terrific [tə'rıfık] *adj fam* incrível.

terrified ['terəfaıd] *adj* aterrorizado(da).

territory ['terətɔ:rı] *s* território *m*.

terror ['terər] *s* terror *m*.

terrorism ['terərızm] *s* terrorismo *m*.

terrorist ['terərəst] *s* terrorista *mf*.

terrorize ['terəraız] *vt* aterrorizar.

test [test] **1** *s* teste *m*; *(de laboratório)* análise *f*.
2 *vt (checar)* testar; *(examinar)* avaliar; *(prato, bebida)* provar; **driving test** exame *m* de motorista.

testicles ['testıklz] *spl* testículos *mpl*.

tetanus ['tetənəs] *s* tétano *m*.

text [tekst] *s (material escrito)* texto *m*; *(livro)* manual *m*.

textbook ['tekstbʊk] *s* manual *m*.

textile ['tekstaıl] *s* têxtil *m*.

texture ['tekstʃər] *s* textura *f*.

than [ðn, ðæn] **1** *conj* que.
2 *prep*: **you're better than me** você é melhor (do) que eu.
3 I'd rather stay in than go out prefiro ficar em casa a sair; **more than ten** mais de dez.

> Para se fazer comparações em linguagem cotidiana, usa-se *than* seguido normalmente de um pronome oblíquo em inglês (*me, him, them etc.*) (*he's bigger than me* ele é maior do que eu; *Keith has arrived earlier than me* Keith chegou mais cedo do que eu). Na linguagem formal, no entanto, usa-se um pronome reto em inglês (*I, he, they etc.*), podendo-se omitir o verbo que o acompanha (*he's bigger than I* ou *than I am* ele é maior do que eu ou do que eu sou; *Keith has arrived earlier than I have* Keith chegou mais cedo do que eu (cheguei)).
>
> Quando *than* for seguido dos pronomes (*I, he, they etc.*), estes podem ser acompanhados da forma contraída de *be* ou *have*; mas somente se, após o verbo, houver pelo menos uma palavra. Compare: *she's quicker than she's ever been* ela está mais rápida do que jamais foi e *she's quicker than you are* (e não *you're*) ela é mais rápida do que você.

thank [θæŋk] *vt*: **to thank sb (for sthg)** agradecer a alguém (por) algo.
❑ **thanks 1** *spl* agradecimentos *mpl*.
2 *excl* obrigado!, obrigada!.
3 thanks to graças a; **many thanks** muito obrigado ou obrigada.

Thanksgiving ['θæŋks,gıvıŋ] *s* Dia *m* de Ação de Graças.

thank you *excl* obrigado!, obrigada!; **thank you very much!** muito obrigado!; **no thank you!** não, obrigado!

that [ðæt, ðət] (*pl* **those**) **1** *adj* **(a)** *(referente a objeto ou pessoa citados)* esse (essa); **I prefer that book** prefiro esse livro.
(b) *(referente a objeto ou pessoa distantes)* aquele (aquela); **that book at the back** aquele livro lá atrás; **I'll have that one** quero aquele (ali) ou esse.
2 *pron* **(a)** *(referente a objeto ou pessoa citados)* esse *m*, essa *f*; *(indefinido)* isso; **what's that?** o que é isso?; **who's that?** *(ao telefone)* quem fala?; *(apontando)* e esse, quem é?; **that's interesting** que interessante.
(b) *(referente a objeto ou pessoa distantes)* aquele *m*, aquela *f*; *(indefinido)* aquilo; **is that Lucy?** *(apontando)* aquela é a Lucy?; **I want those at the back** quero aqueles lá atrás; **what's that on the roof?** o que é aquilo no telhado?
(c) *(introduzindo cláusula relativa)* que; **a shop that sells antiques** uma loja que vende antiguidades; **the movie that I saw** o filme que eu vi; **the room that I slept in** o quarto onde ou em que dormi.
3 *adv* assim tão; **it wasn't that bad/good** não foi assim tão mau/bom; **it didn't cost that much** não custou tanto assim.
4 *conj* que; **tell him that I'm going to be late** diga-lhe que vou chegar atrasado.

> Como pronome relativo, *that* é freqüentemente omitido (*are you the person (that) the teacher's looking for?* você é a pessoa que a professora está procurando?), a não ser quando for o sujeito da oração seguinte (*she's the girl that got the job* ela é a garota que conseguiu o emprego).
>
> Também é comum omitir-se a conjunção quando esta for antecedida por verbos como *believe, say, think, tell* (*he said (that) he liked her, she told him (that) she was getting married* ele disse que gostava dela, ela disse que ia se casar).
>
> Ver também **this**.

thatched [θætʃt] *adj (casa)* com telhado de sapê.

that's [ðæts] = **that is.**

thaw [θɔ:] **1** *vi (neve, gelo)* derreter.
2 *vt (comida congelada)* descongelar.

the [ðə, ðɪ, ði:] *artigo definido* **(a)** *(gen)* o (a), os (as) *(pl)*; **the book** o livro; **the apple** a maçã; **the girls** as meninas; **the Wilsons** os Wilson; **to play the piano** tocar piano.
(b) *(com um adjetivo para formar um nome)* o (a), os (as) *(pl)*; **the British** os britânicos; **the young** os jovens; **the impossible** o impossível.
(c) *(em datas)*: **the twelfth** o dia doze; **the forties** os anos quarenta.
(d) *(em títulos)*: **Elizabeth the Second** Elizabeth Segunda.

> *The* não pode ser usado antes de substantivos incontáveis em inglês (*work*, *beer*, *money*) ou de contáveis no plural (*children*, *cats*, *houses*) quando relacionados a coisas ou idéias em geral (*money isn't important to me*; dinheiro não é importante para mim; *I don't like modern houses* não gosto de casas modernas).
>
> Às vezes, omite-se *the* antes de substantivos que se referem a um lugar em geral (*to go to school/church*; *to be in bed/hospital/prison*; *to come home*). Entretanto, deve ser usado quando se referir a um exemplo concreto de um destes lugares (*we go to the school at the end of the road* vamos à escola no final da rua; *the church is very pretty* a igreja é muito bonita).
>
> Omite-se *the* também com as refeições do dia (*to have breakfast*; *to meet for lunch*) e com as estações do ano (*in spring*; *next year*; *last term*).
>
> *The* também não deve ser usado antes de nomes próprios de pessoa (*President Kennedy*, o presidente Kennedy; *Doctor Allen*; o doutor Allen).

theater ['θɪətər] *s Am (para peças, drama)* teatro *m*; *(para filmes)* cinema *m*.

theatre ['θɪətər] *s Brit* teatro *m*.

theft [θeft] *s* roubo *m*.

their [ðeər] *adj* seu (sua), deles (delas); **their house** a casa deles, a sua casa.

theirs [ðeərz] *pron* o/a deles (o/a delas); **a friend of theirs** um amigo deles; **these books are theirs** estes livros são (os) deles; **these are ours - where are theirs?** estes são os nossos - onde estão os deles?

them [ðəm, ðem] *pron (objeto direto)* os *mpl*, as *fpl*; *(objeto indireto)* lhes; *(depois de preposição)* eles *mpl*, elas *fpl*; **I know them** eu os conheço; **it's them** são eles; **send this to them** mande-lhes isto; **tell them** diga-lhes; **Charlotte and Ricky brought it with them** a Charlotte e o Ricky trouxeram-no com eles.

theme [θi:m] *s* tema *m*.

themselves [ðəm'selvz] *pron (reflexivo)* se; *(depois de preposição)* eles *mpl* próprios, elas *fpl* próprias, si *mpl* próprios, si *fpl* próprias; **they did it themselves** fizeram-no eles mesmos ou próprios; **they blame themselves** eles culpam-se a si próprios; **they hurt themselves** eles machucaram-se.

then [ðen] *adv (tempo no passado)* então, naquela altura; *(tempo no futuro)* nessa altura; *(próximo, a seguir)* depois; *(nesse caso)* então; **from then on** daí em diante; **until then** até aí.

theory ['θɪərɪ] *s* teoria *f*; **in theory** em teoria.

therapist ['θerəpəst] *s* terapeuta *mf*.

therapy ['θerəpɪ] *s* terapia *f*.

there [ðeər] **1** *adv (disponível, existente, presente)* lá, ali; *(naquele, para aquele lugar)* lá.
2 *pron*: **there is/are** há.
3 is Bob there, please? *(ao telefone)* o Bob está?; **I'm going there next week** vou lá para a semana; **it's right there by the phone** está aí bem ao lado do telefone; **over there** ali; **there's someone at the door** tem alguém na porta; **there are several people waiting** várias pessoas estão à espera; **there you are** *(ao entregar algo)* aqui está.

thereabouts [ˌðeərə'baʊts] *adv*: **or thereabouts** aproximadamente.

therefore ['ðeərfɔ:r] *adv* portanto, por isso.

there's [ðeərz] = **there is.**

thermometer [θər'mɒmətər] *s* termômetro *m*.

Thermos (flask)® ['θɜ:rməs-] *s* garrafa *f* térmica.

thermostat ['θɜ:rməstæt] *s* termostato *m*.

these [ði:z] *pl* → **this.**

they [ðeɪ] *pron* eles *mpl*, elas *fpl*.

Ver **he**.

thick [θɪk] *adj (em espessura)* grosso (grossa); *(neblina)* cerrado(da); *(floresta, vegetação)* denso(sa); *(cabelo)* abundante; *(líquido, molho, fumaça)* espesso(a); *fam (burro)* estúpido(da); **it's 1 meter thick** tem 1 metro de espessura.

thicken ['θɪkn] **1** *vt (molho, sopa)* engrossar.
2 *vi (neblina)* tornar-se mais cerrado, aumentar.

thickness ['θɪknəs] *s (de madeira, parede)* espessura *f*; *(de floresta, vegetação)* densidade *f*; *(de cabelo)* grossura *f*.

thief [θi:f] (*pl* **thieves** [θi:vz]) *s* ladrão *m*, ladra *f*.

thigh [θaɪ] *s* coxa *f*.

thimble ['θɪmbl] *s* dedal *m*.

thin [θɪn] *adj (em espessura)* fino(na); *(esbelto)* magro(gra); *(sopa, molho)* pouco espesso(a), líquido(da).

thing [θɪŋ] *s* coisa *f*; **the thing is** o que se passa é que, acontece que.
❑ **things** *spl (roupas, posses)* coisas *fpl*; **how are things?** *fam* como (é que) vão as coisas?

think [θɪŋk] (*pt & pp* **thought**) **1** *vt (acreditar)* achar, pensar; *(ter em mente, esperar)* pensar.
2 *vi* pensar.
3 to think (that) achar ou pensar que; **to think about** pensar em; **to think of** pensar em; *(recordar)* lembrar-se de; **to think of doing sthg** pensar em fazer algo; **I think so** acho que sim; **I don't think so** acho que não; **do you think you could ...?** você acha que podia ...?; **to think highly of sb** ter muito boa opinião de alguém.
❑ **think over** *vt sep* refletir sobre.
❑ **think up** *vt sep* imaginar.

third [θɜ:rd] *num* terceiro(ra) → **sixth.**

thirst [θɜ:rst] *s* sede *f*.

thirsty ['θɜ:rstɪ] *adj*: **to be thirsty** ter sede.

thirteen [ˌθɜ:r'ti:n] *num* treze → **six.**

thirteenth [ˌθɜ:r'ti:nθ] *num* décimo *m* terceiro, décima *f* terceira → **sixth.**

thirtieth ['θɜ:rtɪəθ] *num* trigésimo(ma) → **sixth.**

thirty ['θɜ:rtɪ] *num* trinta → **six.**

this [ðɪs] (*pl* **these**) **1** *adj* **(a)** *(referente a objeto, pessoa)* este (esta); **these chocolates are delicious** estes chocolates são deliciosos; **this morning/week** esta manhã/semana; **I prefer this book** prefiro este livro; **I'll take this one** quero este.
(b) *fam (quando contando uma história)*: **there was this man ...** havia um homem ...
2 *pron (referente a objeto, pessoa)* este *m*, esta *f*; *(indefinido)* isto; **this is for you** isto é para você; **what are these?** o que é isto?, o que é que são estas coisas?; **this is David Gregory** *(apresentando alguém)* este é o David Gregory; *(ao telefone)* aqui fala David Gregory.
3 *adv*: **it was this big** era deste tamanho; **I don't remember it being this tiring** não me lembro de ser tão cansativo assim.

This e *these* referem-se a coisas próximas no tempo e no espaço (*is this your coat on the floor?*; *this music is excellent*) e dizem respeito a *here* e *now*. *That* e *those* são usados com coisas que nos parecem mais distantes (*isn't that your father over there?*; *he was born in 1915 - that's a long time ago* aquele lá não é o seu pai?; ele nasceu em 1915 - faz muito tempo) e dizem respeito a *there* e *then*.

Algumas vezes *this/these* e *that/those* são usados em comparações (*which skirt should I wear? - this one or that one?* qual saia devo usar? - esta ou aquela?), mas se quisermos realçar o contraste entre duas possibilidades é mais comum usar-se *this/these* e *the other/the others* (*Krajicek is serving from this end and Sampras receiving at the other* Krajicek está sacando deste lado e Sampras recebendo do outro).

Somente *this/these* podem referir-se a algo ainda não mencionado (*listen to this - you'll never believe it!* escute isto, você não vai acreditar!).

Como pronomes, somente *those* (e não *this/these* ou *that*) pode referir-se diretamente a pessoas. Neste caso, *those* deve ser seguido de uma frase especificativa (*those of you who agree, please put up your hands* aqueles que estiverem de acordo, levantem a mão).

thorn [θɔ:rn] *s* espinho *m*.

thorough ['θɜ:rə] *adj* minucioso(osa).

thoroughly ['θɜ:rəʊlɪ] *adv (totalmente)* completamente.

those [ðəʊz] *pl* → **that.**

though [ðəʊ] **1** *conj* se bem que.
2 *adv* no entanto; **even though it was raining** apesar de estar chovendo.

thought [θɔ:t] **1** *pt & pp* → **think.**
2 *s (imagem)* idéia *f*; *(mente)* pensamento *m*; *(consideração atenta)* reflexão *f*.
❑ **thoughts** *spl (parecer)* opinião *f*.

thoughtful ['θɔ:tfl] *adj (quieto e sério)* pensativo(va); *(gentil)* atencioso(osa).

thoughtless ['θɔ:tləs] *adj* indelicado(da).

thousand ['θaʊznd] *num* mil; **a** ou **one thousand** mil; **thousands of** milhares de → **six.**

thrash [θræʃ] *vt fam (derrotar)* esmagar *(fig)*.

thread [θred] **1** *s (de algodão etc.)* linha *f*.
2 *vt (agulha)* enfiar (uma linha em).

threadbare ['θredbeər] *adj* surrado(da), puído(da).

threat [θret] *s* ameaça *f*.

threaten ['θretn] *vt* ameaçar; **to threaten to do sthg** ameaçar fazer algo.

threatening ['θretnɪŋ] *adj* ameaçador(ra).

three [θri:] *num* três → **six.**

threshold ['θreʃhəʊld] *s (fml: de porta)* limiar *m*, soleira *f*.

threw [θru:] *pt* → **throw.**

thrifty ['θrɪftɪ] *adj* poupado(da).

thrilled [θrɪld] *adj* encantado(da).

thriller ['θrɪlər] *s* filme/livro *m* de suspense.

thrive [θraɪv] *vi (planta, animal, pessoa)* desenvolver-se; *(negócios, turismo, lugar)* prosperar.

throat [θrəʊt] *s* garganta *f*.

throb [θrɒb] *vi (cabeça)* latejar; *(ruído, motor)* vibrar.

throne [θrəʊn] *s* trono *m*.

through [θru:] **1** *prep (para o outro lado de, por meio de)* através de; *(por causa de)* graças a; *(do início ao fim de)* durante; *(durante todo)* por todo(da).
2 *adv (do início ao fim)* até o fim.
3 *adj*: **I'm through (with it)** *(terminado)* já acabei.
4 through traffic trânsito de passagem; **a through train** um trem direto; **Monday through Thursday** *Am* de segunda a quinta-feira; **to let sb through** deixar alguém passar; **to go through sthg** atravessar algo.

> *Through* é geralmente traduzido por 'através (de)' e refere-se a espaços tridimensionais, muitas vezes envolvendo obstáculos (*we walked through the woods* andamos através dos arbustos; *the sun was shining through the clouds* o sol brilhava através das nuvens). Quando associado a movimento, no entanto, pode ser traduzido pelos verbos 'atravessar' ou 'cruzar', da mesma forma que *across*.

throughout [θru:'aʊt] **1** *prep (dia, mês, ano)* ao longo de todo(da); *(lugar, país, prédio)* por todo(da).
2 *adv (tempo)* sempre, o tempo todo; *(espaço)* por todo o lado.

throw [θrəʊ] (*pt* **threw,** *pp* **thrown** [θrəʊn]) *vt* atirar; *(dardo, dado)* lançar; *(um interruptor)* ligar; **to throw sthg in the trash** jogar algo no lixo.
❑ **throw away** *vt sep (livrar-se de)* jogar fora.
❑ **throw out** *vt sep (livrar-se de)* jogar fora; *(pessoa)* pôr na rua.
❑ **throw up** *vi fam (expelir)* vomitar.

thru [θru:] *Am fam* = **through.**

thud [θʌd] *s* barulho *m* seco.

thug [θʌg] *s* marginal *mf*.

thumb [θʌm] **1** *s* polegar *m*.
2 *vt*: **to thumb a ride** pedir carona.

thump [θʌmp] **1** *s (murro)* soco *m*; *(som)* barulho *m* seco.
2 *vt* dar um soco em.

thunder ['θʌndər] *s* trovões *mpl*, trovoada *f*.

thunderstorm ['θʌndərstɔ:rm] *s* tempestade *f* (acompanhada de trovoada), temporal *m*.

Thursday ['θɜ:zdeɪ] *s* quinta-feira *f* → **Saturday.**

tick [tɪk] **1** *s (inseto)* carrapato *m*; *Brit (marca escrita)* sinal *m* de visto.
2 *vi (relógio)* fazer tiquetaque.
3 *vt Brit* marcar ou assinalar (com sinal de visto).

ticket ['tɪkət] *s (para viagem, filme, jogo)* bilhete *m*; *(rótulo)* etiqueta *f*; *(de trânsito)* multa *f*.

ticket office *s* bilheteria *f*.

tickle ['tɪkl] **1** *vt* fazer cócegas em.
2 *vi* fazer cócegas.

ticklish ['tɪklɪʃ] *adj*: **to be ticklish** ter cócegas.

tide [taɪd] *s (de mar)* maré *f*.

tidy ['taɪdɪ] *adj (quarto, escrivaninha, pes-*

soa) arrumado(da); *(cabelo, roupas)* cuidado(da).
❑ **tidy (up)** *vt sep* arrumar.

tie [taɪ] (*pt & pp* **tied,** *cont* **tying**) **1** *s (no pescoço)* gravata *f*; ESP empate *m*; *Am (em ferrovia)* dormente *m*.
2 *vt* atar; *(nó)* fazer, dar.
3 *vi* ESP empatar.
❑ **tie up** *vt sep* atar; *(retardar)* atrasar.

tier [tɪər] *s (de assentos)* fila *f*, fileira *f*.

tiger ['taɪgər] *s* tigre *m*.

tight [taɪt] **1** *adj* apertado(da); *(gaveta, torneira)* preso(sa); *(corda, material)* esticado(da).
2 *adv (segurar)* com força, bem; **my chest feels tight** estou um pouco congestionado (dos brônquios).

tighten ['taɪtn] *vt* apertar.

tightrope ['taɪtrəʊp] *s* corda *f* bamba.

tights [taɪts] *spl* meia-calça *f*; **a pair of tights** um par de meias-calças, umas meias-calças.

tile ['taɪl] *s (de telhado)* telha *f*; *(de chão)* ladrilho *m*; *(de parede)* azulejo *m*.

till [tɪl] **1** *s* caixa *f* registradora.
2 *prep & conj* até; **I'll wait till he arrives** esperarei até ele chegar OU até que ele chegue.

tilt [tɪlt] **1** *vt* inclinar.
2 *vi* inclinar-se.

timber ['tɪmbər] *s (árvore cortada)* madeira *f*; *(de telhado)* trave *f*.

time [taɪm] **1** *s* tempo *m*; *(medido pelo relógio)* horas *fpl*; *(momento)* altura *f*; *(ocasião)* vez *f*.
2 *vt (medir)* cronometrar; *(arranjar)* prever.
3 I don't have (the) time não tenho tempo; **it's time to go** está na hora de irmos embora; **what time is it?** que horas são?; **do you have the time, please?** você tem horas, por favor?; **two times two** dois vezes dois; **five times as much** cinco vezes mais; **to have a good time** divertir-se; **all the time** sempre, o tempo todo; **every time** sempre; **from time to time** de vez em quando, de tempos em tempos; **for the time being** por enquanto; **in time** *(chegar)* a tempo; **in good time** com tempo; **last time** a última vez; **most of the time** a maior parte do tempo; **on time** na hora; **some of the time** parte do tempo; **this time** desta vez; **two at a time** dois de cada vez.

timer ['taɪmər] *s* cronômetro *m*, relógio *m*.

timetable ['taɪmteɪbl] *s* horário *m*; *(de eventos)* programa *m*.

time zone *s* fuso *m* horário.

timid ['tɪmɪd] *adj* tímido(da).

tin [tɪn] **1** *s (metal)* estanho *m*; *(depósito)* lata *f*.
2 *adj* de estanho, de lata.

tinfoil ['tɪnfɔɪl] *s* papel-alumínio *m*.

tint [tɪnt] *s (para cabelo)* tinta *f* (para o cabelo); *(cor)* matiz *m*.

tinted glass [ˌtɪntəd-] *s* vidro *m* colorido OU fumê.

tiny ['taɪnɪ] *adj* pequenininho(nha), minúsculo(la).

tip [tɪp] **1** *s (extremidade)* ponta *f*; *(para garçom, motorista de táxi etc.)* gorjeta *f*; *(conselho)* dica *f*.
2 *vt (garçom, motorista de táxi etc.)* dar uma gorjeta a; *(virar)* inclinar; *(entornar)* despejar.
❑ **tip over 1** *vt sep* entornar.
2 *vi* entornar-se.

tire ['taɪər] **1** *vi* cansar-se.
2 *s* pneu *m*.

tired ['taɪərd] *adj* cansado(da); **to be tired of** *(estar cansado de)* estar farto(ta) de.

tired out *adj* exausto(ta), esgotado(da).

tiring ['taɪrɪŋ] *adj* cansativo(va).

tissue ['tɪʃu:] *s (para limpar)* lenço *m* de papel.

title ['taɪtl] *s* título *m*.

to [*sem ênfase antes da consoante* tə, *sem ênfase antes da vogal* tʊ, *sem ênfase* tu:]
1 *prep* **(a)** *(indicando direção)* para; **to go to Brazil** ir ao Brasil; **to go to school** ir para a escola.
(b) *(indicando posição)* a; **to the left/right** à esquerda/direita.
(c) *(expressando objeto indireto)* a; **to give sthg to sb** dar algo a alguém; **give it to me** dê-me isso; **to listen to the radio** ouvir rádio.
(d) *(indicando reação, efeito)*: **to my surprise** para surpresa minha; **it's to your advantage** é em seu benefício.
(e) *(indicando limite)* até; **to count to ten** contar até dez; **we work from nine to five** trabalhamos das nove (até) às cinco.
(f) *(afirmando opinião)* para; **to me, he's lying** para mim, ele está mentindo.
(g) *(indicando mudança de estado)*: **to turn to sthg** transformar-se em algo; **it**

could lead to trouble pode vir a dar problemas.
(**h**) *Brit (em expressões de tempo)* para; **it's ten to three** são dez para as três; **at quarter to seven** às quinze para as sete.
(**i**) *(em proporções, taxas)*: **40 miles to the gallon** 40 milhas por galão.
(**j**) *(de, para)*: **the answer to the question** a resposta à pergunta; **the key to the car** a chave do carro; **a letter to my daughter** uma carta para a minha filha.
(**k**) *(indicando atitude)* (para) com; **to be rude to sb** ser grosseiro com alguém.
2 *com infinitivo* (**a**) *(formando infinitivo simples)*: **to walk** andar; **to laugh** rir.
(**b**) *(seguindo outro verbo)*: **to begin to do sthg** começar a fazer algo; **to try to do sthg** tentar fazer algo.
(**c**) *(seguindo um adjetivo)*: **difficult to do** difícil de fazer; **pleased to meet you** prazer em conhecê-lo; **ready to go** pronto para partir.
(**d**) *(indicando propósito)* para; **we came here to look at the castle** viemos para ver o castelo.

toad [təʊd] *s* sapo *m*.

toast [təʊst] **1** *s (pão)* torrada *f*; *(ao beber)* brinde *m*.
2 *vt (pão)* torrar.
3 a piece ou **slice of toast** uma torrada.

toaster ['təʊstər] *s* torradeira *f*.

tobacco [tə'bækəʊ] *s* tabaco *m*.

tobacconist's [tə'bækənəsts] *s* tabacaria *f*.

today [tə'deɪ] **1** *s* hoje *m*.
2 *adv (no dia atual)* hoje; *(por esses dias)* hoje em dia.

toddler ['tɒdlər] *s criança que começa a dar os primeiros passos.*

toe [təʊ] *s (de pessoa)* dedo *m* do pé.

toffee ['tɒfɪ] *s (caramelo)* puxa-puxa *m*.

together [tə'geðər] *adv* juntos(tas); **together with** juntamente ou junto com.

toilet ['tɔɪlət] *s (vaso)* vaso *m* sanitário; *(lugar)* banheiro *m*; **to go to the toilet** ir ao banheiro.

toilet paper *s* papel *m* higiênico.

toiletries ['tɔɪlətrɪz] *spl* artigos *mpl* de toalete.

token ['təʊkən] *s (de valor)* ficha *f*.

told [təʊld] *pt & pp* → **tell**.

tolerable ['tɒlərəbl] *adj* tolerável.

tolerant ['tɒlərənt] *adj* tolerante.

tolerate ['tɒləreɪt] *vt* tolerar.

toll [təʊl] *s (em estrada, ponte)* pedágio *m*.

tollbooth ['təʊlbu:θ] *s* pedágio *m*.

toll-free *adj Am* gratuito(ta).

tomato [tə'meɪtaʊ] (*pl* **-es**) *s* tomate *m*.

tomb [tu:m] *s* túmulo *m*.

tomorrow [tə'mɒrəʊ] **1** *s* amanhã *m*.
2 *adv* amanhã.
3 the day after tomorrow depois de amanhã; **tomorrow afternoon** amanhã à tarde; **tomorrow morning** amanhã de manhã; **tomorrow night** amanhã à noite.

ton [tʌn] *s (nos EUA)* = 907 kg; *(no Reino Unido)* = 1016 kg; **tons of** *fam* toneladas de.

tone [təʊn] *s (de voz, cor)* tom *m*; *(ao telefone)* sinal *m*.

tongue [tʌŋ] *s* língua *f*.

tonic ['tɒnɪk] *s (bebida)* água *f* tônica; *(remédio)* tônico *m*.

tonight [tə'naɪt] **1** *s* esta noite *f*.
2 *adv* hoje à noite.

tonne [tʌn] *s* tonelada *f*.

tonsillitis [ˌtɒnsə'laɪtəs] *s* amigdalite *f*.

too [tu:] *adv (excessivamente)* demais, demasiado; *(adicionalmente)* também; **it's not too good** não é lá muito bom; **it's too late to go out** é tarde demais para sair; **too many** demasiados(das); **too much** demasiado(da).

took [tʊk] *pt* → **take**.

tool [tu:l] *s* ferramenta *f*.

tool kit *s* jogo *m* de ferramentas.

tooth [tu:θ] (*pl* **teeth**) *s* dente *m*.

toothache ['tu:θeɪk] *s* dor *f* de dentes.

toothbrush ['tu:θbrʌʃ] *s* escova *f* de dentes.

toothpaste ['tu:θpeɪst] *s* pasta *f* de dentes.

toothpick ['tu:θpɪk] *s* palito *m* (de dentes).

top [tɒp] **1** *adj (topo)* de cima; *(mais importante)* melhor.
2 *s (parte mais alta)* topo *m*, alto *m*; *(de mesa, cama)* cabeceira *f*; *(melhor lugar)* primeiro *m*, -ra *f*; *(de garrafa etc.)* tampa *f*; *(roupa)* blusa *f*; *(de rua, estrada)* final *m*.
3 at the top (of) *(na parte mais alta)* no topo (de); **on top of** *(na parte mais alta de)* em cima de; *(de montanha)* no topo de; *(em adição a)* além de; **at top speed** a toda velocidade.

❑ **top up 1** *vt sep (copo, bebida)* voltar a encher.
2 *vi (com gasolina)* completar.

topic ['tɒpɪk] *s* tópico *m*.

topical ['tɒpɪkl] *adj* atual.

topping ['tɒpɪŋ] *s*: **with a chocolate topping** coberto(ta) com chocolate; **the topping of your choice** *(em pizza)* com os ingredientes que desejar.

torch [tɔ:rtʃ] *s* tocha *f*; *Brit (a pilha)* lanterna *f*.

tore [tɔ:r] *pt* → **tear.**

torment [tɔ:r'ment] *vt (chatear)* atormentar.

torn [tɔ:rn] **1** *pp* → **tear.**
2 *adj (cortado)* rasgado(da).

tornado [tɔ:r'neɪdəʊ] (*pl* **-es** ou **-s**) *s* tornado *m*.

tortoise ['tɔ:rtəs] *s* tartaruga *f*.

tortoiseshell ['tɔ:rtəsʃel] *s* tartaruga *f (material)*.

torture ['tɔ:rtʃər] **1** *s* tortura *f*.
2 *vt* torturar.

toss [tɒs] *vt (jogar)* atirar; *(moeda)* atirar ao ar; *(salada, legumes)* misturar, mexer.

total ['təʊtl] **1** *adj* total.
2 *s* total *m*; **in total** no total.

touch [tʌtʃ] **1** *s (sentido)* tato *m*; *(pequena quantidade)* pitada *f*; *(detalhe)* toque *m*, retoque *m*.
2 *vt* tocar em; *(emocionalmente)* tocar.
3 *vi* tocar-se.
4 **to get in touch (with sb)** entrar em contato (com alguém); **to keep in touch (with sb)** manter o contato (com alguém).
❑ **touch down** *vi (avião)* aterrissar.

touching ['tʌtʃɪŋ] *adj (emotivo)* comovente.

tough [tʌf] *adj (robusto)* forte; *(duro, forte)* resistente; *(carne, condições, política)* duro(ra); *(dificuldade)* difícil.

tour [tʊər] **1** *s (viagem)* volta *f*; *(de cidade, castelo etc.)* visita *f*; *(de grupo pop, companhia teatral)* turnê *f*.
2 *vt* visitar, viajar por; **on tour** em turnê.

tourism ['tʊərɪzm] *s* turismo *m*.

tourist ['tʊərəst] *s* turista *mf*.

tournament ['tɔ:rnəmənt] *s* torneio *m*.

tow [təʊ] *vt* rebocar.

toward(s) [tə'wɔ:rd(z)] *prep (indo para)* em direção a.

towel ['taʊəl] *s* toalha *f*.

tower ['taʊər] *s* torre *f*.

tower block *s Brit* arranha-céu *m*, espigão *m*.

town [taʊn] *s (pequeno)* vilarejo *m*; *(grande)* cidade *f*; *(centro)* centro *m* (da cidade).

tow truck *s Am* reboque *m*.

toxic ['tɒksɪk] *adj* tóxico(ca).

toy [tɔɪ] *s* brinquedo *m*.

trace [treɪs] **1** *s* indício *m*, vestígio *m*.
2 *vt (achar)* localizar.

track [træk] *s (trilha)* caminho *m*; *(de ferrovia)* trilho *m*; ESP pista *f*; *(em disco ou fita)* música *f*.
❑ **track down** *vt sep* localizar.

tractor ['træktər] *s* trator *m*.

trade [treɪd] **1** *s* COM comércio *m*; *(trabalho)* ofício *m*.
2 *vt* trocar.
3 *vi* comercializar, negociar.

trademark ['treɪdma:rk] *s* marca *f* (registrada).

trader ['treɪdər] *s* comerciante *mf*.

trade union *s* sindicato *m*.

tradition [trə'dɪʃn] *s* tradição *f*.

traditional [trə'dɪʃnəl] *adj* tradicional.

traffic ['træfɪk] (*pt & pp* **-ked**) **1** *s (carros etc.)* trânsito *m*.
2 *vi*: **to traffic in** traficar.

traffic jam *s* engarrafamento *m*.

traffic lights *spl* sinal *m* de trânsito, semáforo *m*.

tragedy ['trædʒədɪ] *s* tragédia *f*.

tragic ['trædʒɪk] *adj* trágico(ca).

trail [treɪl] **1** *s (trilha)* caminho *m*; *(pista)* rastro *m*.
2 *vi (estar atrás)* estar perdendo.

trailer ['treɪlər] *s (para barco, bagagem)* reboque *m*; *Am (para férias)* trailer *m*; *(de filme, programa)* trailer *m*.

train [treɪn] **1** *s (em ferrovia)* trem *m*.
2 *vt & vi* treinar; **by train** de trem.

trainee [treɪ'ni:] *s* estagiário *m*, -ria *f*.

trainer ['treɪnər] *s (de atleta etc.)* treinador *m*, -ra *f*.
❑ **trainers** *spl Brit (calçado)* tênis *m inv*.

training ['treɪnɪŋ] *s (instrução)* estágio *m*; *(exercício)* treino *m*.

tram [træm] *s Brit* bonde *m*.

tramp [træmp] *s* vagabundo *m*, -da *f*, mendigo *m*, -ga *f*.

trampoline ['træmpəli:n] *s* trampolim *m*.

trance [træns] *s* transe *m*.

tranquilizer ['træŋkwəlaɪzər] *s Am* calmante *m*.
tranquillizer ['træŋkwɪlaɪzər] *Brit* = **tranquilizer.**
transaction [træn'zækʃn] *s* transação *f*.
transatlantic [ˌtrænzət'læntɪk] *adj* transatlântico(ca).
transfer [*s* 'trænsfɜ:r, *v* træns'fɜ:r] **1** *s* transferência *f*.
2 *vt* transferir.
3 *vi (trocar de ônibus, avião etc.)* efetuar conexões.
4 'transfers' *(em aeroporto)* 'conexões'.
transform [træns'fɔ:rm] *vt* transformar.
transfusion [træns'fju:ʒn] *s* transfusão *f*.
transgenic [trænz'dʒenik] *adj* transgênico(ca).
transit ['trænzɪt]: **in transit** *adv* em trânsito.
transitive ['trænzətɪv] *adj* transitivo(va).
translate [træns'leɪt] *vt* traduzir.
translation [træns'leɪʃn] *s* tradução *f*.
translator [træns'leɪtər] *s* tradutor *m*, -ra *f*.
transmission [trænz'mɪʃn] *s* transmissão *f*.
transmit [trænz'mɪt] *vt* transmitir.
transparent [træns'pærənt] *adj* transparente.
transplant ['trænsplænt] *s* transplante *m*.
transport [*s* 'trænspɔ:t, *v* træn'spɔ:t] **1** *s Brit* transporte *m*.
2 *vt* transportar.
transportation [ˌtrænspɔ:r'teɪʃn] *s Am* transporte *m*.
trap [træp] **1** *s* armadilha *f*.
2 *vt*: **to be trapped** *(não estar livre)* estar preso(sa).
trapdoor [ˌtræp'dɔ:r] *s* alçapão *m*.
trash [træʃ] *s Am* lixo *m*.
trashcan ['træʃkæn] *s Am* lata *f* de lixo.
trauma ['trɔ:mə] *s* trauma *m*.
traumatic [trə'mætɪk] *adj* traumático(ca).
travel ['trævl] **1** *s* viagem *f*.
2 *vt (distância)* percorrer.
3 *vi* viajar.
traveler ['trævlər] *s Am* viajante *mf*.
traveler's check *s Am* cheque *m* de viagem.
travel insurance *n* seguro *m* de viagem.
traveller ['trævlər] *Brit* = **traveler.**
traveller's cheque *Brit* = **traveler's check.**
trawler ['trɔ:lər] *s* traineira *f*.
tray [treɪ] *s* bandeja *f*, tabuleiro *m*.
treacherous ['tretʃərəs] *adj (pessoa)* traiçoeiro(ra); *(estrada, condições)* perigoso(osa).
tread [tred] (*pt* **trod,** *pp* **trodden**) **1** *s (de pneu)* banda *f* de rodagem.
2 *vi*: **to tread on sthg** pisar em algo.
treadmill ['tredmɪl] *n* esteira *f*.
treasure ['treʒər] *s* tesouro *m*.
treat [tri:t] **1** *vt* tratar.
2 *s (coisa especial)* presente *m*; **to treat sb to sthg** oferecer algo a alguém.
treatment ['tri:tmənt] *s* tratamento *m*.
treble ['trebl] *adj* triplo(pla).
tree [tri:] *s* árvore *f*.
trek [trek] *s* caminhada *f*.
tremble ['trembl] *vi* tremer.
tremendous [trə'mendəs] *adj (muito grande)* tremendo(da); *fam (muito bom)* espetacular.
trench [trentʃ] *s (fosso)* vala *f*; *MIL* trincheira *f*.
trend [trend] *s* tendência *f*.
trendy ['trendɪ] *adj fam (pessoa)* que segue a moda; *(lugar, coisa)* muito na moda.
trespasser ['trespəsər] *s* intruso *m*, -sa *f*; **'trespassers will be prosecuted'** 'é proibido passar, sob pena de multa'.
trial ['traɪəl] *s JUR* julgamento *m*; *(teste)* prova *f*; **a trial period** um período de experiência.
triangle ['traɪæŋgl] *s* triângulo *m*.
triangular [traɪ'æŋgjələr] *adj* triangular.
tribe [traɪb] *s* tribo *f*.
tributary ['trɪbjəterɪ] *s* afluente *m*.
trick [trɪk] **1** *s* truque *m*.
2 *vt* enganar; **to play a trick on sb** pregar uma peça em alguém.
trickle ['trɪkl] *vi (líquido)* pingar.
tricky ['trɪkɪ] *adj* difícil.
trigger ['trɪgər] *s* gatilho *m*.
trim [trɪm] **1** *s (cabelo)* corte *m* (de cabelo).
2 *vt (cabelo)* cortar (as pontas de); *(barba, cerca viva)* aparar.
trinket ['trɪŋkət] *s* bugiganga *f*.
trio ['tri:əʊ] (*pl* **-s**) *s* trio *m*.
trip [trɪp] **1** *s (jornada)* viagem *f*; *(saída)* excursão *f*.
2 *vi* tropeçar.
❑ **trip up** *vi* tropeçar.
triple ['trɪpl] *adj* triplo(pla).
tripod ['traɪpɒd] *s* tripé *m*.

triumph ['traɪʌmf] *s* triunfo *m.*
trivial ['trɪvɪəl] *adj pej* trivial.
trod [trɒd] *pt* → **tread.**
trodden ['trɒdn] *pp* → **tread.**
trolley ['trɒlɪ] (*pl* **-s**) *s Brit (em supermercado, aeroporto)* carrinho *m*; *Am (meio de transporte)* bonde *m.*
trombone [trɒm'bəʊn] *s* trombone *m.*
troops [tru:ps] *spl* tropas *fpl.*
trophy ['trəʊfɪ] *s* troféu *m.*
tropical ['trɒpɪkl] *adj* tropical.
trot [trɒt] **1** *vi (cavalo)* andar a trote, trotar.
2 *s* trote *m.*
trouble ['trʌbl] **1** *s* problemas *mpl.*
2 *vt (inquietar)* preocupar; *(chatear)* incomodar.
3 to be in trouble ter problemas; **to get into trouble** meter-se em problemas; **to take the trouble to do sthg** dar-se ao trabalho de fazer algo; **it's no trouble** não custa nada, não é problema nenhum.
troublesome ['trʌblsəm] *adj (joelho, resfriado)* problemático(ca); *(pessoa, carro, emprego)* que só causa problemas.
trough [trɒf] *s (para animais)* cocho *m.*
trousers ['traʊzərz] *spl* calça *f*; **a pair of trousers** uma calça, um par de calças.
trout [traʊt] (*pl inv*) *s* truta *f.*
truant ['tru:ənt] *s*: **to play truant** matar aula.
truce [tru:s] *s* trégua *f.*
truck [trʌk] *s* caminhão *m.*
true [tru:] *adj* verdadeiro(ra); **it's true** é verdade.
truly ['tru:lɪ] *adv*: **yours truly** cordialmente.
trumpet ['trʌmpət] *s* trompete *m.*
trumps [trʌmps] *spl* trunfo *m.*
truncheon ['trʌntʃən] *s* cassetete *m*, cacete *m.*
trunk [trʌŋk] *s (de árvore)* tronco *m*; *Am (de carro)* mala *f* (do carro); *(caixa)* baú *m*; *(de elefante)* tromba *f.*
trunks [trʌŋks] *spl (para natação)* sunga *f.*
trust [trʌst] **1** *s (fé)* confiança *f.*
2 *vt (acreditar em)* confiar em; *(fml: contar)*: **to trust (that)** esperar que.
trustworthy ['trʌstˌwɜ:rðɪ] *adj* de confiança.
truth [tru:θ] *s (fato verdadeiro)* verdade *f*; *(qualidade de ser verdadeiro)* veracidade *f.*
truthful ['tru:θfʊl] *adj (afirmação, relato)* verídico(ca); *(pessoa)* honesto(ta).
try [traɪ] **1** *s (ensaio)* tentativa *f.*
2 *vt (ensaiar)* tentar; *(testar)* experimentar; *(comida)* provar; JUR processar.
3 *vi* tentar; **to try to do sthg** tentar fazer algo.
❑ **try on** *vt sep (roupas)* experimentar.
❑ **try out** *vt sep (plano, idéia)* pôr à prova; *(carro, máquina)* testar.

> Em inglês coloquial, o verbo *try*, em vez de ser seguido pelo infinitivo, é seguido por *and* e o infinitivo sem *to* (*try and come tonight* = *try to come tonight* tente vir esta noite).

tub [tʌb] *s (de margarina etc.)* pacote *m*, caixa *f*; *fam (para banho)* banheira *f.*
tube [tju:b] *s* tubo *m*; *Brit fam (meio de transporte)* metrô *m*; **by tube** de metrô.
tuck [tʌk]: **tuck in 1** *vt sep (camisa)* enfiar (dentro das calças); *(criança, pessoa)* aconchegar.
2 *vi fam*: **tuck in!** pode comer!
Tuesday ['tju:zdeɪ] *s* terça-feira *f* → **Saturday.**
tuft [tʌft] *s* tufo *m.*
tug [tʌg] *vt* puxar (com força).
tuition [tju:'ɪʃn] *s* aulas *mpl*; **private tuition** aulas *fpl* particulares.
tulip ['tju:ləp] *s* tulipa *f.*
tummy ['tʌmɪ] *s fam* barriga *f.*
tumor ['tu:mər] *s Am* tumor *m.*
tumour ['tju:mər] *Brit* = **tumor.**
tuna (fish) ['tju:nə] *s* atum *m.*
tune [tju:n] **1** *s* melodia *f.*
2 *vt (rádio, TV)* sintonizar; *(motor, instrumento)* afinar.
3 in tune afinado; **out of tune** desafinado.
tunic ['tju:nɪk] *s* túnica *f.*
tunnel ['tʌnl] *s* túnel *m.*
turban ['tɜ:rbən] *s* turbante *m.*
turbo ['tɜ:rbəʊ] (*pl* **-s**) *s (carro)* turbo *m.*
turbulence ['tɜ:rbjələns] *s* turbulência *f.*
turf [tɜ:rf] *s (grama)* gramado *m.*
turkey ['tɜ:rkɪ] (*pl* **-s**) *s* peru *m.*
turn [tɜ:rn] **1** *s (em estrada)* curva *f*; *(de maçaneta, chave, botão)* volta *f*; *(chance)* vez *f.*
2 *vt* virar; *(virar)* tornar-se, ficar; *(causar)* pôr, deixar.
3 *vi (pessoa)* virar-se; *(carro)* virar; *(rodar)* girar.

4 it's your turn é a sua vez; **at the turn of the century** na virada do século; **to take turns doing sthg** fazer algo revezando; **to turn into sthg** *(tornar-se)* transformar-se em algo; **to turn left/right** virar à esquerda/direita; **to turn sthg into sthg** transformar algo em algo; **to turn sthg inside out** virar algo pelo avesso.
❑ **turn back 1** *vt sep (pessoa)* mandar voltar.
2 *vi* voltar.
❑ **turn down** *vt sep (rádio, volume, aquecimento)* baixar; *(oferta, pedido)* recusar.
❑ **turn off 1** *vt sep (luz, TV, motor)* desligar; *(água, gás, torneira)* fechar.
2 *vi (sair da estrada)* virar.
❑ **turn on** *vt sep (luz, TV, motor)* ligar; *(água, gás, torneira)* abrir.
❑ **turn out 1** *vt sep (luz, fogo)* apagar.
2 *vi (ser no final)* acabar; *(vir, comparecer)* aparecer; **to turn out to be sthg** acabar por ser algo.
❑ **turn over 1** *vi (na cama)* virar-se.
2 *vt sep (página, baralho, omelete)* virar.
❑ **turn round 1** *vt sep (carro, mesa etc.)* virar.
2 *vi (pessoa)* virar-se.
❑ **turn up 1** *vt sep (rádio, volume, aquecimento)* aumentar.
2 *vi (vir, comparecer)* aparecer.

turning ['tɜ:rnɪŋ] *s* entrada *f (em estrada)*.
turnip ['tɜ:rnəp] *s* nabo *m*.
turquoise ['tɜ:rkwɔɪz] *adj* turquesa *(inv)*.
turtle ['tɜ:rtl] *s* tartaruga *f*.
turtleneck ['tɜ:rtlnek] *s* suéter *m* de gola rulê.
tutor ['tju:tər] *s (explicador)* professor *m*, -ra *f* particular.
tuxedo [tʌk'si:dəʊ] (*pl* **-s**) *s (traje formal) Am* smoking *m*.
tweezers ['twi:zərz] *spl* pinça *f*.
twelfth [twelfθ] *num* décimo segundo (décima segunda) → **sixth.**
twelve [twelv] *num* doze → **six.**
twentieth ['twentɪəθ] *num* vigésimo(ma) → **sixth.**
twenty ['twentɪ] *num* vinte → **six.**
twice [twaɪs] *adv* duas vezes; **it's twice as good** é duas vezes melhor; **twice as much** o dobro.
twig [twɪg] *s* galho *m*.
twilight ['twaɪlaɪt] *s* crepúsculo *m*, lusco-fusco *m*.
twin [twɪn] *s* gêmeo *m*, -mea *f*.
twine [twaɪn] *s* barbante *m*.
twist [twɪst] *vt* torcer; *(tampa de garrafa, maçaneta)* girar.
two [tu:] *num* dois (duas) → **six.**
tying ['taɪɪŋ] *cont* → **tie.**
type [taɪp] **1** *s (modelo)* tipo *m*.
2 *vt & vi* bater à máquina.
typewriter ['taɪpraɪtər] *s* máquina *f* de escrever.
typhoon [taɪ'fu:n] *s* tufão *m*.
typical ['tɪpɪkl] *adj* típico(ca).
typist ['taɪpəst] *s* datilógrafo *m*, -fa *f*.
tyre ['taɪər] *Brit* = **tire.**

Uu

ugly ['ʌglɪ] *adj* feio (feia).
ulcer ['ʌlsər] *s* úlcera *f.*
ultimate ['ʌltɪmət] *adj (último)* final; *(melhor, maior)* máximo(ma).
ultraviolet [ˌʌltrə'vaɪələt] *adj* ultravioleta.
umbrella [ʌm'brelə] *s* guarda-chuva *m.*
umpire ['ʌmpaɪər] *s* árbitro *m.*
unable [ʌn'eɪbl] *adj*: **to be unable to do sthg** não ser capaz de fazer algo; **I'm afraid I'm unable to attend** sinto muito mas não poderei estar presente.
unacceptable [ˌʌnək'septəbl] *adj* inaceitável.
unaccustomed [ˌʌnə'kʌstəmd] *adj*: **to be unaccustomed to sthg** não estar acostumado(da) a algo.
unanimous [juː'nænɪməs] *adj* unânime.
unattended [ˌʌnə'tendəd] *adj* sem vigilância, abandonado(da).
unavoidable [ˌʌnə'vɔɪdəbl] *adj* inevitável.
unaware [ˌʌnə'weər] *adj*: **to be unaware (that)** ignorar que; **to be unaware of sthg** não ter conhecimento de algo.
unbearable [ʌn'beərəbl] *adj* insuportável.
unbelievable [ˌʌnbə'liːvəbl] *adj* inacreditável.
unbutton [ˌʌn'bʌtn] *vt* desabotoar.
uncertain [ʌn'sɜːrtn] *adj (não definitivo)* incerto(ta); *(sem certeza)* indeciso(sa).
uncertainty [ʌn'sɜːrtntɪ] *s* incerteza *f.*
uncle ['ʌŋkl] *s* tio *m.*
unclear [ˌʌn'klɪər] *adj* pouco claro(ra); *(sem certeza)* pouco seguro(ra).
uncomfortable [ˌʌn'kʌmftərbl] *adj* incômodo(da); **to feel uncomfortable** *(sentir-se estranho)* sentir-se pouco à vontade.
uncommon [ʌn'kɒmən] *adj (raro)* invulgar.
unconscious [ʌn'kɒnʃəs] *adj (depois de acidente)* inconsciente; **to be unconscious of** não ter consciência de.
uncover [ʌn'kʌvər] *vt* descobrir.
under ['ʌndər] *prep (sob)* embaixo de; *(quantidade)* menos de; *(de acordo com)* segundo; *(em classificação)* em; **children under ten** crianças com menos de dez anos; **under the circumstances** nas ou dadas as circunstâncias; **to be under pressure** estar sob pressão.
underestimate [ˌʌndər'estɪmeɪt] *vt* subestimar.
undergo [ˌʌndər'gəʊ] (*pt* **-went,** *pp* **-gone)** *vt (mudança, dificuldades)* sofrer; *(operação)* submeter-se a.
undergraduate [ˌʌndər'grædʒʊət] *s* estudante *m* universitário, estudante *f* universitária.
underground ['ʌndərgraʊnd] **1** *adj (abaixo da terra)* subterrâneo(nea); *(secreto)* clandestino(na).
2 *s Brit (meio de transporte)* metrô *m.*
undergrowth ['ʌndərgrəʊθ] *s* vegetação *f* rasteira, mato *m.*
underline [ˌʌndə'laɪn] *vt* sublinhar.
underneath [ˌʌndər'niːθ] **1** *prep* embaixo de.
2 *adv* debaixo, embaixo, por baixo.
3 *s* parte *f* inferior ou de baixo.
understand [ˌʌndər'stænd] (*pt* & *pp* **-stood) 1** *vt* entender; *(acreditar)* crer.
2 *vi* entender.
3 I don't understand não entendo; **to make o.s. understood** fazer-se entender.
understanding [ˌʌndər'stændɪŋ] **1** *adj* compreensivo(va).
2 *s (trato)* acordo *m*; *(saber)* conhecimento *m* .
3 *(explicação)* interpretação *f*; *(entendimento)* compreensão *f.*

understatement [ˌʌndər'steɪtmənt] *s*: **that's an understatement** isso é um eufemismo.

understood [ˌʌndər'stʊd] *pt & pp* → **understand.**

undertake [ˌʌndər'teɪk] (*pt* **-took,** *pp* **-taken**) *vt* empreender; **to undertake to do sthg** comprometer-se a fazer algo.

undertaking [ˌʌndər'teɪkɪŋ] *s (compromisso)* promessa *f*; *(trabalho)* tarefa *f*.

undertook [ˌʌndər'tʊk] *pt* → **undertake.**

underwear ['ʌndərweər] *s* roupa *f* de baixo.

underwent [ˌʌndər'went] *pt* → **undergo.**

undesirable [ˌʌndɪ'zaɪərəbl] *adj* indesejável.

undo [ˌʌn'du:] (*pt* **-did,** *pp* **-done**) *vt (casaco, camisa)* desabotoar; *(cadarço, gravata)* desamarrar, desapertar; *(pacote)* abrir.

undone [ˌʌn'dʌn] *adj (casaco, camisa)* desabotoado(da); *(cadarço, gravata)* desamarrado(da), desapertado(da).

undress [ˌʌn'dres] **1** *vi* despir-se.
2 *vt* despir.

uneasy [ʌn'i:zɪ] *adj* inquieto(ta).

unemployed [ˌʌnɪm'plɔɪd] **1** *adj* desempregado(da).
2 *spl*: **the unemployed** os desempregados.

unemployment [ˌʌnɪm'plɔɪmənt] *s* desemprego *m*.

unequal [ˌʌn'i:kwəl] *adj* desigual.

uneven [ˌʌn'i:vn] *adj (superfície, velocidade, batida)* irregular; *(partilha, distribuição, competição)* desigual.

uneventful [ˌʌnɪ'ventfl] *adj* sem incidentes, tranqüilo(la).

unexpected [ˌʌnɪk'spektəd] *adj* inesperado(da).

unexpectedly [ˌʌnɪk'spektədlɪ] *adv* inesperadamente.

unfair [ˌʌn'feər] *adj* injusto(ta).

unfairly [ˌʌn'feərlɪ] *adv* injustamente.

unfaithful [ˌʌn'feɪθfl] *adj* infiel.

unfamiliar [ˌʌnfə'mɪljər] *adj* desconhecido(da); **to be unfamiliar with** não estar familiarizado(da) com.

unfasten [ʌn'fæsn] *vt (botão)* desabotoar; *(cinto)* desapertar; *(nó)* desfazer.

unfavorable [ˌʌn'feɪvrəbl] *adj* desfavorável.

unfinished [ˌʌn'fɪnɪʃt] *adj* inacabado(da).

unfit [ˌʌn'fɪt] *adj*: **to be unfit** *(sem saúde)* não estar em forma; **to be unfit for sthg** *(não ser apropriado)* não ser adequado(da) para algo.

unfold [ʌn'fəʊld] *vt (mapa, lençol)* desdobrar.

unforgettable [ˌʌnfər'getəbl] *adj* inesquecível.

unforgivable [ˌʌnfər'gɪvəbl] *adj* imperdoável.

unfortunate [ʌn'fɔ:rtʃənət] *adj (sem sorte)* infeliz; *(acidente)* lamentável.

unfortunately [ʌn'fɔ:rtʃənətlɪ] *adv* infelizmente.

unfriendly [ˌʌn'frendlɪ] *adj* hostil.

ungrateful [ʌn'greɪtfl] *adj* ingrato(ta).

unhappy [ʌn'hæpɪ] *adj (triste)* infeliz; *(insatisfeito)* descontente; **to be unhappy about sthg** não estar feliz ou contente com algo.

unharmed [ˌʌn'ha:rmd] *adj* ileso(sa).

unhealthy [ʌn'helθɪ] *adj (pessoa)* doente, pouco saudável; *(comida, fumo)* prejudicial para a saúde; *(lugar)* pouco saudável.

unhelpful [ˌʌn'helpfl] *adj (pessoa)* imprestável; *(conselho, informação)* inútil.

unhurt [ˌʌn'hɜ:rt] *adj* ileso(sa).

unhygienic [ˌʌnhaɪ'dʒɪenɪk] *adj* pouco higiênico(ca).

unification [ˌju:nɪfɪ'keɪʃn] *s* unificação *f*.

uniform ['junɪfɔ:m] *s* uniforme *m*.

uninjured [ˌʌn'ɪndʒərd] *adj* ileso(sa).

unintentional [ˌʌnɪn'tenʃnəl] *adj* involuntário(ria).

uninterested [ˌʌn'ɪntrəstɪd] *adj* desinteressado(da), pouco interessado(da).

uninteresting [ˌʌn'ɪntrestɪŋ] *adj* sem interesse, pouco interessante.

union ['ju:njən] *s (de trabalhadores)* sindicato *m*.

unique [ju:'ni:k] *adj* único(ca); **to be unique to** ser típico(ca) de.

unit ['ju:nɪt] *s* unidade *f*; *(grupo)* equipe *f*.

unite [ju:'naɪt] **1** *vt (pessoas)* unir; *(país, partido)* unificar.
2 *vi* unir-se.

unity ['ju:nətɪ] *s* unidade *f*.

universal [ˌju:nɪ'vɜ:rsl] *adj* universal.

universe ['ju:nɪvɜ:rs] *s* universo *m*.

university [ˌju:nɪ'vɜ:rsətɪ] *s* universidade *f*.

unjust [ˌʌn'dʒʌst] *adj* injusto(ta).

unkind [ʌn'kaɪnd] *adj* cruel.

unknown [ˌʌn'nəʊn] *adj* desconhecido(da).

unleaded (gasoline) [ˌʌn'ledəd-] *s* gasolina *f* sem chumbo.
unless [ən'les] *conj* a não ser que.
unlike [ˌʌn'laɪk] *prep (distinto)* diferente de; *(em contraste com)* ao contrário de; **it's unlike her to be late** ela não é de chegar atrasada.
unlikely [ʌn'laɪklɪ] *adj (probabilidade)* pouco provável; **she's unlikely to agree** é pouco provável que ela concorde.
unlimited [ʌn'lɪmətəd] *adj* ilimitado(da).
unload [ˌʌn'ləʊd] *vt* descarregar.
unlock [ˌʌn'lɒk] *vt* abrir (com chave), destrancar.
unlucky [ʌn'lʌkɪ] *adj (triste)* infeliz; *(que causa infortúnio)* que traz má sorte.
unmarried [ˌʌn'mərɪd] *adj* solteiro(ra).
unnatural [ʌn'nætʃrəl] *adj (pouco comum)* invulgar; *(comportamento, pessoa)* pouco natural.
unnecessary [ʌn'nesəsərɪ] *adj* desnecessário(ria).
unobtainable [ˌʌnəb'teɪnəbl] *adj* inacessível.
unoccupied [ˌʌn'ɒkjəpaɪd] *adj (lugar, assento)* desocupado(da).
unofficial [ˌʌnə'fɪʃl] *adj* não oficial.
unpack [ˌʌn'pæk] **1** *vt* desfazer. **2** *vi* desfazer as malas.
unpleasant [ʌn'pleznt] *adj* desagradável.
unpredictable [ˌʌnprɪ'dɪktəbl] *adj* imprevisível.
unprepared [ˌʌnprɪ'peərd] *adj* mal preparado(da).
unprotected [ˌʌnprə'tektəd] *adj* desprotegido(da).
unqualified [ˌʌn'kwɒlɪfaɪd] *adj (pessoa)* sem qualificação.
unreal [ˌʌn'rɪəl] *adj* irreal.
unreasonable [ʌn'ri:znəbl] *adj* absurdo(da), irracional.
unrecognizable [ˌʌnrekəg'naɪzəbl] *adj* irreconhecível.
unreliable [ˌʌnrɪ'laɪəbl] *adj* pouco confiável, de pouca confiança.
unrest [ˌʌn'rest] *s* agitação *f*.
unsafe [ˌʌn'seɪf] *adj (arriscado)* perigoso(osa); *(em perigo)* inseguro(ra).
unsatisfactory [ˌʌnsætɪs'fæktrɪ] *adj* insatisfatório(ria).
unscrew [ˌʌn'skru:] *vt (tampa)* desenroscar.
unsightly [ʌn'saɪtlɪ] *adj* feio (feia).
unsociable [ʌn'səʊʃəbl] *adj* insociável.
unsound [ˌʌn'saʊnd] *adj (prédio, estrutura)* inseguro(ra); *(argumento, método)* errôneo(nea).
unspoiled [ˌʌn'spɔɪld] *adj* intacto(ta), não destruído(da).
unsteady [ˌʌn'stedɪ] *adj* instável; *(mão)* trêmulo(la).
unstuck [ˌʌn'stʌk] *adj*: **to come unstuck** *(etiqueta, cartaz etc.)* descolar-se.
unsuccessful [ˌʌnsək'sesfl] *adj* malsucedido(da).
unsuitable [ˌʌn'su:təbl] *adj* inadequado(da).
unsure [ˌʌn'ʃʊər] *adj*: **to be unsure (about)** não ter certeza (de).
untidy [ʌn'taɪdɪ] *adj* desarrumado(da).
untie [ˌʌn'taɪ] (*cont* **untying**) *vt (nó)* desatar; *(pessoa)* desprender.
until [ən'tɪl] *prep & conj* até; **wait until he arrives** espere até ele chegar ou até que ele chegue.
untrue [ˌʌn'tru:] *adj* falso(sa).
unusual [ʌn'ju:ʒʊəl] *adj (incomum)* invulgar; *(distinto)* fora do comum.
unusually [ʌn'ju:ʒʊəlɪ] *adv (inusitadamente)* excepcionalmente.
unwell [ˌʌn'wel] *adj* maldisposto(osta); **to feel unwell** sentir-se mal.
unwilling [ˌʌn'wɪlɪŋ] *adj*: **to be unwilling to do sthg** não estar disposto(osta) a fazer algo.
unwind [ˌʌn'waɪnd] (*pt & pp* **unwound** [ˌʌnwaʊnd]) **1** *vt* desenrolar. **2** *vi (descansar)* relaxar.
unwrap [ˌʌn'ræp] *vt* desembrulhar.
unzip [ˌʌn'zɪp] *vt* abrir o fecho ecler de.
up [ʌp] **1** *adv* **(a)** *(para posição ou nível mais alto)* para cima; **to go up** subir; **prices are going up** os preços estão subindo; **we walked up to the top** subimos até o topo; **to pick sthg up** apanhar algo. **(b)** *(em posição mais alta)*: **she's up in her bedroom** está lá em cima no seu quarto; **up there** ali ou lá em cima. **(c)** *(ereto)*: **to stand up** pôr-se em ou de pé; **to sit up** *(de posição deitada)* sentar-se; *(endireitar-se)* sentar-se direito. **(d)** *(para o norte)*: **up in Canada** no Canadá. **(e)** *(em frases)*: **to walk up and down** andar de um lado para o outro; **to jump up and down** dar pulos; **up to six weeks** até seis semanas; **up to ten people** até dez pessoas; **are you up to**

traveling? você está em condições de viajar?; **what are you up to?** o que você está tramando?; **it's up to you** depende de você; **up until ten o'clock** até às dez horas.

2 *prep* (a) *(para posição mais alta)*: **to walk up a hill** subir um monte; **I went up the stairs** subi as escadas.

(b) *(em posição mais alta)* no topo de; **up a hill** no topo de um monte; **up a ladder** no topo de uma escada.

(c) *(no final de)*: **they live up the block from us** eles vivem no final da nossa rua.

3 *adj* (a) *(fora da cama)* levantado(da); **I got up at six today** levantei-me às seis hoje.

(b) *(no final)*: **time's up** acabou-se o tempo.

(c) *(subindo)*: **the up escalator** a escada rolante ascendente.

4 *s*: **ups and downs** altos e baixos *mpl*.

update [ˌʌp'deɪt] *vt* atualizar.

uphill [ˌʌp'hɪl] *adv*: **to go uphill** subir.

upholstery [ʌp'həʊlstərɪ] *s (material)* estofamento *m*.

upkeep ['ʌpki:p] *s* manutenção *f*.

upmarket [ˌʌp'ma:rkət] *adj* de alta categoria.

upon [ə'pɒn] *prep fml (ao)* em, sobre; **upon hearing the news ...** ao ouvir a notícia ...

upper ['ʌpər] *adj* superior.

upright ['ʌpraɪt] **1** *adj* direito(ta).

2 *adv* direito.

upset [ʌp'set] (*pt & pp* **upset**) **1** *adj (abalado)* transtornado(da).

2 *vt* transtornar; *(arriar)* derrubar; **to have an upset stomach** estar indisposto(osta).

upside down [ˌʌpsaɪd-] **1** *adj* invertido(da), ao contrário.

2 *adv* de pernas para o ar.

upstairs [ˌʌp'steərz] **1** *adj* de cima.

2 *adv (num andar mais alto)* lá em cima; **to go upstairs** ir lá para cima.

up-to-date *adj (contemporâneo)* moderno(na); *(bem informado)* atualizado(da).

upward ['ʌpwərd] *adv* para cima; **upward of 100 people** mais de 100 pessoas.

urban ['3:rbən] *adj* urbano(na).

urge [3:rdʒ] *vt*: **to urge sb to do sthg** incitar alguém a fazer algo.

urgent ['3:rdʒənt] *adj* urgente.

urgently ['3:rdʒəntlɪ] *adv (imediatamente)* urgentemente.

urinate ['jʊərəneɪt] *vi fml* urinar.

urine ['jʊərən] *s* urina *f*.

URL *s* (*abrev de* **uniform resource locator**) *INFORM* URL *m*.

us [ʌs] *pron (direto)* nos; *(indireto, depois de preposição)* nós; **they know us** conhecem-nos; **it's us** somos nós; **send it to us** envie-nos isso; **tell us** diga-nos; **we brought it with us** trouxemo-lo conosco.

usable ['ju:zəbl] *adj* utilizável.

use [*s* ju:s, *v* ju:z] **1** *s* uso *m*.

2 *vt* usar; *(funcionar a)* levar.

3 **to be of use** ser útil; **to have the use of sthg** poder utilizar algo; **to make use of sthg** aproveitar algo; **'out of use'** 'fora de serviço'; **to be in use** estar em funcionamento; **it's no use** não vale a pena; **what's the use?** de que vale?; **to use sthg as sthg** usar algo como algo; **'use before/by ...'** 'consumir de preferência antes de ...'.

❑ **use up** *vt sep* gastar.

used [*adj* ju:zd, *v aux* ju:st] **1** *adj* usado(da).

2 *v aux*: **I used to live near here** costumava viver perto daqui.

3 **I used to go there every day** costumava ir lá todos os dias; **to be used to sthg** estar acostumado a algo; **to get used to sthg** acostumar-se a algo.

Used to tem três usos distintos que convém não confundir.

Em primeiro lugar, é usado seguido do infinitivo sem *to* para falar de uma ação que ocorria de forma habitual ou que ocorreu durante um período de tempo no passado (*they used to live next door but they've moved now* eles moravam ao lado, mas agora se mudaram).

Em segundo lugar, é usado seguido de um particípio presente para expressar o costume de se fazer algo (*I don't mind leaving at 6 o'clock tomorrow morning - I'm used to getting up early* não me importo de sair amanhã às 6 da manhã - estou acostumado a acordar cedo).

Finalmente, *used to* pode fazer parte de uma construção passiva que expresse intenção ou finalidade (*this part is used to increase the speed of the engine* esta peça serve ou é usada para aumentar a velocidade do motor). Neste caso, deve ser antecedido pelo verbo *be* e seguido do infinitivo sem *to*.

useful ['ju:sfl] *adj* útil.

useless ['ju:sləs] *adj* inútil; *fam (muito ruim)* péssimo(ma).

user ['ju:zər] *s (de produto, máquina, serviço público)* usuário *m*, -ria *f*.

usher ['ʌʃər] *s (em cinema)* lanterninha *m*.

usual ['ju:ʒʊəl] *adj* habitual; **as usual** *(do modo habitual)* como de costume; *(como acontece freqüentemente)* como sempre.

usually ['ju:ʒʊəlɪ] *adv* normalmente.

utensil [ju:'tensl] *s* utensílio *m*.

utilize ['ju:təlaɪz] *vt fml* utilizar.

utmost ['ʌtməʊst] **1** *adj* extremo(ma). **2** *s*: **to do one's utmost** fazer o possível e o impossível.

utter ['ʌtər] **1** *adj* total. **2** *vt* proferir.

utterly ['ʌtərlɪ] *adv* totalmente.

Vv

vacancy ['veɪkənsɪ] *s* vaga *f*; **'vacancies'** 'vagas'; **'no vacancies'** 'completo'.
vacant ['veɪkənt] *adj (quarto, lugar)* vago(ga); **'vacant'** 'livre'.
vacate ['veɪkeɪt] *vt fml (quarto, casa)* vagar, desocupar.
vacation [veɪ'keɪʃn] **1** *s Am* férias *fpl.*
2 *vi Am* passar férias; **to go on vacation** ir de férias.
vaccination [ˌvæksɪ'neɪʃn] *s* vacinação *f.*
vaccine [væk'si:n] *s* vacina *f.*
vacuum ['vækjʊəm] *vt* aspirar.
vacuum cleaner *s* aspirador *m* de pó.
vague [veɪg] *adj* vago(ga).
vain [veɪn] *adj (pej: presunçoso)* vaidoso(osa); **in vain** em vão.
valid ['vælɪd] *adj (tíquete, passaporte)* válido(da).
valley ['vælɪ] *s* vale *m.*
valuable ['væljəbl] *adj* valioso(osa).
❑ **valuables** *spl* objetos *mpl* de valor.
value ['vælju:] *s* FIN valor *m*; *(utilidade)* sentido *m*; **a value pack** um pacote de tamanho econômico; **to be good value (for money)** ter um preço módico, estar em conta.
❑ **values** *spl (princípios)* valores *mpl.*
valve [vælv] *s* válvula *f.*
van [væn] *s* caminhonete *f.*
vandal ['vændl] *s* vândalo *m*, -la *f.*
vandalize ['vændəlaɪz] *vt* destruir, destroçar.
vanilla [və'nɪlə] *s* baunilha *f.*
vanish ['vænɪʃ] *vi* desaparecer.
vapor ['veɪpər] *s Am* vapor *m.*
vapour ['veɪpər] *Brit* = **vapor.**
variable ['veərɪəbl] *adj* variável.
varicose veins ['værɪkəʊs-] *spl* varizes *fpl.*
varied ['veərɪd] *adj* variado(da).
variety [və'raɪətɪ] *s* variedade *f.*
various ['veərɪəs] *adj* vários(rias).
varnish ['va:rnɪʃ] **1** *s (para madeira)* verniz *m.*
2 *vt (madeira)* envernizar.
vary ['veərɪ] *vt & vi* variar; **to vary from sthg to sthg** variar entre algo e algo; **'prices vary'** 'os preços variam'.
vase [veɪz] *s* jarra *f.*
vast [væst] *adj* vasto(ta).
vat [væt] *s* tina *f.*
vault [vɔ:lt] *s (em banco)* caixa-forte *f*; *(teto)* abóbada *f*; *(em igreja)* cripta *f.*
VCR *s (abrev de* **video cassette recorder)** *(aparelho)* vídeo *m.*
VDU *s (abrev de* **visual display unit)** INFORM monitor *m.*
veal [vi:l] *s* vitela *f.*
vegan ['vi:gən] **1** *adj* estritamente vegetariano(na).
2 *s* vegetariano *m*, -na *f* estrito.
vegetable ['vedʒtəbl] *s* vegetal *m*, legume *m.*
vegetarian [ˌvedʒə'teərɪən] **1** *adj* vegetariano(na).
2 *s* vegetariano *m*, -na *f.*
vegetation [ˌvedʒə'teɪʃn] *s* vegetação *f.*
vehicle ['vi:əkl] *s* veículo *m.*
veil [veɪl] *s* véu *m.*
vein [veɪn] *s* veia *f.*
velvet ['velvət] *s* veludo *m.*
vending machine ['vendɪŋ-] *s* máquina *f* de venda automática.
venetian blind [vɪˌni:ʃn-] *s* persiana *f.*
venison ['venəzən] *s* carne *f* de veado.
vent [vent] *s (para ar, fumaça etc.)* saída *f* de ar, ventilador *m.*
ventilation [ˌventɪ'leɪʃn] *s* ventilação *f.*
ventilator ['ventɪleɪtər] *s* ventilador *m.*
venture ['ventʃər] **1** *s* aventura *f.*
2 *vi (ir)* aventurar-se.

venue ['venju:] *s* local para reunião, acontecimento esportivo ou cultural.
veranda [və'rændə] *s* varanda *f* coberta, alpendre *m*.
verb [vɜ:rb] *s* verbo *m*.
verdict ['vɜ:rdɪkt] *s JUR* veredicto *m*; *(opinião)* parecer *m*.
verge [vɜ:rdʒ] *s Brit (de estrada)* acostamento *m*; **to be on the verge of sthg** estar à beira de algo.
verify ['verɪfaɪ] *vt* verificar.
vermin ['vɜ:rmən] *s* bichos *mpl (nocivos ou parasitas)*.
versatile ['vɜ:rsətl] *adj* versátil.
verse [vɜ:rs] *s (de canção, poema)* verso *m*; *(poesia)* versos *mpl*.
version ['vɜ:rʃn] *s* versão *f*.
versus ['vɜ:rsəs] *prep* versus, contra.
vertical ['vɜ:rtɪkl] *adj* vertical.
vertigo ['vɜ:rtɪgəʊ] *s* vertigens *fpl*.
very ['verɪ] **1** *adv* muito.
2 *adj*: **that's the very thing I need** é disso mesmo que eu preciso.
3 you're the very person I wanted to see era com você mesmo que eu queria falar; **very much** muito; **not very** não muito; **my very own room** o meu próprio quarto.
vessel ['vesl] *s fml (navio)* embarcação *f*.
vest [vest] *s Am (roupa de cima)* colete *m*; *Brit (roupa de baixo)* camiseta *f*.
vet [vet] *s* veterinário *m*, -ria *f*.
veteran ['vetrən] *s* veterano *m*, -na *f*.
veterinarian [ˌvetərɪ'neərɪən] *Am* = **vet.**
via ['vaɪə] *prep* via.
viaduct ['vaɪədʌkt] *s* viaduto *m*.
vibrate ['vaɪbreɪt] *vi* vibrar.
vibration [vaɪ'breɪʃn] *s* vibração *f*.
vicar ['vɪkər] *s Brit* vigário *m*, pároco *m*.
vicarage ['vɪkərɪdʒ] *s* casa *f* paroquial.
vice [vaɪs] *s (falha moral)* vício *m*; *(crime)* crime *m*; *Brit (ferramenta)* torno *m*.
vice-president *s* vice-presidente *mf*.
vice versa [ˌvaɪs'vɜ:rsə] *adv* vice-versa.
vicinity [vɪ'sɪnətɪ] *s*: **in the vicinity** nas proximidades.
vicious ['vɪʃəs] *adj (ataque, animal)* violento(ta); *(comentário)* cruel; **a vicious circle** um círculo vicioso.
victim ['vɪktɪm] *s* vítima *f*.
victory ['vɪktərɪ] *s* vitória *f*.
video ['vɪdɪəʊ] (*pl* **-s**) *s* vídeo *m*; *(aparelho)* videocassete *m*; **on video** em vídeo.
video cassette recorder *s* (aparelho de) videocassete *m*.
video game *s* videogame *m*.
videotape ['vɪdɪəʊteɪp] *s* videoteipe *m*, videocassete *m*.
view [vju:] **1** *s (cenário, campo de visão)* vista *f*; *(parecer)* opinião *f*; *(atitude)* visão *f*.
2 *vt (olhar para)* ver.
3 in my view na minha opinião; **in view of** *(em vista de)* tendo em consideração; **to come into view** aparecer.
viewer ['vju:ər] *s (de TV)* telespectador *m*, -ra *f*.
viewpoint ['vju:pɔɪnt] *s (opinião)* ponto *m* de vista; *(lugar)* mirante *m*.
vigilant ['vɪdʒɪlənt] *adj fml* atento(ta).
villa ['vɪlə] *s* casa *f* de campo.
village ['vɪlɪdʒ] *s* vilarejo *m*.
villager ['vɪlɪdʒər] *s* habitante *mf* de vilarejo.
villain ['vɪlən] *s (de livro, filme)* vilão *m*, -lã *f*; *(bandido)* criminoso *m*, -osa *f*.
vine [vaɪn] *s (parreira)* videira *f*; *(planta que sobe)* trepadeira *f*.
vinegar ['vɪnɪgər] *s* vinagre *m*.
vineyard ['vɪnjərd] *s* vinha *f*, vinhedo *m*.
vintage ['vɪntɪdʒ] **1** *adj (vinho)* de boa safra.
2 *s (ano)* colheita *f*, safra *f*.
vinyl ['vaɪnɪl] *s* vinil *m*.
viola [vɪ'əʊlə] *s MÚS* viola *f*.
violence ['vaɪələns] *s* violência *f*.
violent ['vaɪələnt] *adj* violento(ta).
violet ['vaɪələt] **1** *adj* roxo(xa), violeta *(inv)*.
2 *s (flor)* violeta *f*.
violin [ˌvaɪə'lɪn] *s* violino *m*.
virgin ['vɜ:rdʒɪn] *s* virgem *mf*.
Virgo ['vɜ:rgəʊ] (*pl* **-s**) *s* Virgem *f*.
virtually ['vɜ:rtʃʊəlɪ] *adv* praticamente.
virtual reality ['vɜ:rtʃʊəl-] *s* realidade *f* virtual.
virus ['vaɪrəs] *s* vírus *m inv*.
visa ['vi:zə] *s* visto *m*.
visibility [ˌvɪzɪ'bɪlətɪ] *s* visibilidade *f*.
visible ['vɪzəbl] *adj* visível.
visit ['vɪzət] **1** *vt* visitar.
2 *s* visita *f*.
visiting hours ['vɪzətɪŋ-] *spl* horário *m* de visita.
visitor ['vɪzətər] *s (à pessoa)* visita *f*; *(a lugar)* visitante *mf*.
visor ['vaɪzər] *s (de capacete)* viseira *f*; *(de chapéu)* pala *f*.

vital ['vaɪtl] *adj* vital.
vitamin ['vaɪtəmɪn] *s* vitamina *f.*
vivid ['vɪvɪd] *adj* vivo(va).
vocabulary [və'kæbjələrɪ] *s* vocabulário *m.*
vodka ['vɒdkə] *s* vodca *f.*
voice [vɔɪs] *s* voz *f.*
voice mail *s* telemensagem *f*; **to check one's voice mail** checar o seu voice mail.
volcano [vɒl'keɪnəʊ] (*pl* **-es** ou **-s**) *s* vulcão *m.*
volleyball ['vɒlɪbɔːl] *s* voleibol *m*, vôlei *m.*
volt [vəʊlt] *s* volt *m.*
voltage ['vəʊltɪdʒ] *s* voltagem *f.*
volume ['vɒljʊm] *s* volume *m.*
voluntary ['vɒlənterɪ] *adj* voluntário(ria).
volunteer [ˌvɒlən'tɪər] **1** *s* voluntário *m*, -ria *f.*
2 *vt*: **to volunteer to do sthg** oferecer-se para fazer algo.
vomit ['vɒmɪt] **1** *s* vômito *m.*
2 *vi* vomitar.
vote [vəʊt] **1** *s (escolha)* voto *m*; *(processo, número de votos)* votação *f.*
2 *vi*: **to vote (for)** votar (em).
voter ['vəʊtər] *s* eleitor *m*, -ra *f.*
voucher ['vaʊtʃər] *s* vale *m.*
vowel ['vaʊəl] *s* vogal *f.*
voyage ['vɔɪɪdʒ] *s* viagem *f.*
vulgar ['vʌlgər] *adj* ordinário(ria), comum.
vulture ['vʌltʃər] *s* abutre *m.*

Ww

wad [wɒd] *s (de papel, dinheiro)* maço *m*; *(de algodão)* bola *f*, chumaço *m*.

waddle ['wɒdl] *vi* bambolear-se.

wade [weɪd] *vi* caminhar *(com dificuldade pela água)*.

wag [wæg] *vt* abanar.

wage [weɪdʒ] *s* ordenado *m*.

❑ **wages** *spl* ordenado *m*.

wagon ['wægən] *s (veículo)* carroça *f*; *Brit (de trem)* vagão *m*.

wail [weɪl] **1** *s* lamento *m*, gemido *m*.

2 *vi (pessoa, bebê)* chorar.

waist [weɪst] *s* cintura *f*.

waistcoat ['weɪstkəʊt] *s* colete *m*.

wait [weɪt] **1** *s* espera *f*.

2 *vi* esperar.

3 to wait for sb to do sthg esperar que alguém faça algo; **I can't wait!** mal posso esperar!

❑ **wait for** *vt fus* esperar por; **I'm waiting for someone** estou à espera de alguém.

waiter ['weɪtər] *s* garçom *m*.

waiting room ['weɪtɪŋ-] *s* sala *f* de espera.

waitress ['weɪtrəs] *s* garçonete *f*.

wake [weɪk] (*pt* **woke**, *pp* **woken**) *vt & vi* acordar.

❑ **wake up** *vt sep & vi* acordar.

walk [wɔːk] **1** *s (excursão a pé)* caminhada *f*; *(para lazer)* passeio *m*; *(via)* trilha *f*, caminho *m*.

2 *vi* andar; *(como hobby)* caminhar.

3 *vt (percorrer distância)* andar; *(com cachorro)* passear.

4 to go for a walk dar um passeio; **it's a short walk** não é muito longe (a pé), fica pertinho; **to take the dog for a walk** levar o cachorro para passear; **'walk'** *Am sinal aberto para pedestres*; **'don't walk'** *Am sinal fechado para pedestres*.

❑ **walk away** *vi* ir-se embora.

❑ **walk in** *vi* entrar.

❑ **walk out** *vi (sair zangado)* ir-se embora.

walker ['wɔːkər] *s* caminhante *mf*.

walking stick ['wɔːkɪŋ-] *s* bengala *f*.

Walkman® ['wɔːkmən] *s* walkman® *m*.

wall [wɔːl] *s (de prédio, quarto)* parede *f*; *(em jardim, campo, rua)* muro *m*.

wallet ['wɒlət] *s* carteira *f* (de dinheiro).

wallpaper ['wɔːlˌpeɪpər] *s* papel *m* de parede.

walnut ['wɔːlnʌt] *s (fruto seco)* noz *f*.

waltz [wɔːlts] *s* valsa *f*.

wander ['wɒndər] *vi* vagar, perambular.

want [wɒnt] *vt (desejar)* querer; *(necessitar)* precisar de; **to want to do sthg** querer fazer algo; **to want sb to do sthg** querer que alguém faça algo.

war [wɔːr] *s* guerra *f*.

ward [wɔːrd] *s (em hospital)* enfermaria *f*.

warden ['wɔːrdn] *s* guarda *mf*.

wardrobe ['wɔːrdrəʊb] *s* guarda-roupa *m*, armário *m*.

warehouse ['weərhaʊs, *pl* -haʊzɪz] *s* armazém *m*.

warm [wɔːrm] **1** *adj* quente; *(amistoso)* caloroso(osa).

2 *vt* aquecer.

❑ **warm up 1** *vt sep* aquecer.

2 *vi* aquecer; *(fazer exercício)* fazer aquecimento.

warmth [wɔːrmθ] *s* calor *m*.

warn [wɔːrn] *vt* avisar; **to warn sb about sthg** avisar alguém de algo; **to warn sb not to do sthg** avisar alguém para não fazer algo.

warning ['wɔːrnɪŋ] *s* aviso *m*.

warranty ['wɒrəntɪ] *s fml* garantia *f*.

warship ['wɔːrʃɪp] *s* navio *m* de guerra.

wart [wɔːrt] *s* verruga *f*.

was [wɒz] *pt* → **be**.

wash [wɒʃ] **1** *vt* lavar.

2 *vi* lavar-se.
3 *s*: **your shirt is in the wash** sua camisa está para lavar.
4 **to have a wash** lavar-se; **to wash one's hands** lavar as mãos.
❑ **wash up** *vi Am (limpar-se)* lavar-se; *Brit (trabalho doméstico)* lavar a louça.

washable ['wɒʃəbl] *adj* lavável.

washbasin ['wɒʃˌbeɪsn] *s* pia *f.*

washbowl ['wɒʃbəʊl] *s Am* pia *f.*

washer ['wɒʃər] *s (para vedação)* arruela *f*; *(eletrodoméstico)* máquina *f* de lavar (roupa).

washing ['wɒʃɪŋ] *s (atividade)* lavagem *f*; *(roupas)* roupa *f* suja.

washing line *s Brit* corda *f (para estender a roupa)*, varal *m.*

washing machine *s* máquina *f* de lavar (roupa).

washing powder *s Brit* sabão *m* em pó.

washing-up *s Brit*: **to do the washing-up** lavar a louça.

washing-up liquid *s Brit* detergente *m* para lavar louça.

washroom ['wɒʃru:m] *s Am* banheiro *m.*

wasn't [wɒznt] = **was not.**

wasp [wɒsp] *s* vespa *f.*

waste [weɪst] **1** *s (dejetos)* lixo *m.*
2 *vt (dinheiro, energia, oportunidade)* desperdiçar; *(tempo)* perder.
3 **a waste of money** um desperdício de dinheiro; **a waste of time** um desperdício ou uma perda de tempo.

waste ground *s* terreno *m* abandonado, descampado *m.*

watch [wɒtʃ] **1** *s (de pulso)* relógio *m.*
2 *vt (observar)* ver; *(observar sem ser visto)* espiar, vigiar; *(ser cauteloso)* ter cuidado com.
❑ **watch out** *vi (ter cautela)* ter cuidado; **to watch out for** *(ficar alerta)* estar atento a.

water ['wɔ:tər] **1** *s* água *f.*
2 *vt (plantas, jardim)* regar.
3 *vi (olhos)* lacrimejar; **to make one's mouth water** dar água na boca.

water bottle *s* cantil *m.*

watercolor ['wɔ:tərˌkʌlər] *s* aquarela *f.*

watercress ['wɔ:tərkres] *s* agrião *m.*

waterfall ['wɔ:tərfɔ:l] *s* queda *f* d'água, catarata *f.*

watering can ['wɔ:tərɪŋ-] *s* regador *m.*

watermelon ['wɔ:tərˌmelən] *s* melancia *f.*

waterproof ['wɔ:tərpru:f] *adj* à prova d'água.

watt [wɒt] *s* watt *m*; **a 60-watt bulb** uma lâmpada de 60 watts.

wave [weɪv] **1** *s* onda *f.*
2 *vt (mão)* acenar com; *(bandeira)* agitar.
3 *vi (com a mão)* acenar, dizer adeus.

wavelength ['weɪvleŋθ] *s* comprimento *m* de onda.

wavy ['weɪvɪ] *adj* ondulado(da).

wax [wæks] *s* cera *f.*

way [weɪ] *s (modo)* maneira *f*, forma *f*; *(rota, distância percorrida)* caminho *m*; *(sentido)* direção *f*; **which way is the station?** para que lado é a estação?; **the town is out of our way** a cidade não fica no nosso caminho; **to be in the way** estar no caminho; **to be on the** ou **one's way** *(vindo)* estar a caminho; **to get out of the way** sair da frente; **to get under way** começar; **it's a long way to the station** a estação fica muito longe; **to be a long way away** ficar muito longe; **to lose one's way** perder-se; **on the way back** na volta; **on the way there** no caminho; **that way** *(daquele modo)* daquela maneira, assim; *(naquela direção)* por ali; **this way** *(desse modo)* assim; *(nessa direção)* por aqui; **no way!** *fam* nem pensar!

we [wi:] *pron* nós; **we're young** (nós) somos jovens.

weak [wi:k] *adj* fraco(ca); *(delicado)* frágil.

weaken ['wi:kn] *vt* enfraquecer.

weakness ['wi:knəs] *s (ponto fraco)* fraqueza *f*; *(desejo)* fraco *m.*

wealth [welθ] *s* riqueza *f.*

wealthy ['welθɪ] *adj* rico(ca).

weapon ['wepən] *s* arma *f.*

wear [weər] (*pt* **wore,** *pp* **worn**) **1** *vt (roupa, sapato, jóia)* usar.
2 *s (vestimenta)* roupa *f*; **wear and tear** uso *m.*
❑ **wear off** *vi* desaparecer.
❑ **wear out** *vi* gastar-se.

weary ['wɪərɪ] *adj* cansado(da).

weasel ['wɪ:zl] *s* doninha *f.*

weather ['weðər] *s* tempo *m*; **what's the weather like?** como está o tempo?; **to be under the weather** *fam* estar um pouco adoentado.

weather forecast *s* previsão *f* do tempo.

weather report *s* boletim *m* meteorológico.

weather vane [-veɪn] *s* cata-vento *m*.

weave [wiːv] (*pt* **wove,** *pp* **woven**) *vt* tecer.

web [web] *s (de aranha)* teia *f*; INFORM: **the Web** a Web; **on the Web** na Web.

web site *s* INFORM web site *m*.

wedding [ˈwedɪŋ] *s* casamento *m*.

wedding anniversary *s* aniversário *m* de casamento.

wedding dress *s* vestido *m* de noiva.

wedding ring *s* aliança *f*.

wedge [wedʒ] *s (de torta)* fatia *f*; *(de madeira etc.)* cunha *f*, calço *m*.

Wednesday [ˈwenzdeɪ] *s* quarta-feira *f* → **Saturday.**

wee [wiː] **1** *adj* pequeno(na).
2 *s fam* xixi *m*.

weed [wiːd] *s* erva *f* daninha.

week [wiːk] *s* semana *f*; **a week from today** daqui a uma semana OU oito dias; **in a week** daqui a uma semana OU oito dias.

weekday [ˈwiːkdeɪ] *s* dia *m* útil.

weekend [ˌwiːkˈend] *s* fim de semana *m*.

weekly [ˈwiːklɪ] **1** *adj* semanal.
2 *adv* semanalmente.
3 *s* semanário *m*.

weep [wiːp] (*pt & pp* **wept**) *vi* chorar.

weigh [weɪ] *vt* pesar; **how much does it weigh?** quanto é que (isso) pesa?

weight [weɪt] *s* peso *m*; **to lose weight** emagrecer; **to put on weight** engordar.
❑ **weights** *spl (para musculação)* pesos *mpl*.

weightlifting [ˈweɪtˌlɪftɪŋ] *s* halterofilismo *m*.

weight training *s* musculação *f*.

weir [wɪər] *s* represa *f*.

weird [wɪərd] *adj* esquisito(ta), estranho(nha).

welcome [ˈwelkəm] **1** *adj* bem-vindo(da).
2 *s* boas-vindas *fpl*.
3 *vt (saudar)* dar as boas-vindas a; *(ser grato)* agradecer.
4 *excl* bem-vindo!
5 you're welcome to use our car você pode usar o nosso carro à vontade; **to make sb feel welcome** fazer alguém sentir-se bem-vindo; **you're welcome!** de nada!

weld [weld] *vt* soldar.

welfare [ˈwelfeər] *s (felicidade, conforto)* bem-estar *m*; *Am (dinheiro)* subsídio *m* da segurança social.

well [wel] (*comp* **better,** *sup* **best**) **1** *adj* bom (boa).
2 *adv* bem.
3 *s* poço *m*.
4 to get well melhorar; **to go well** correr bem; **well done!** muito bem!; **it may well happen** pode muito bem acontecer; **it's well worth it** vale bem a pena; **as well** *(adicionalmente)* também; **as well as** *(além de)* assim como.

we'll [wiːl] = **we shall, we will.**

well-behaved [-bɪˈheɪvd] *adj* bem-comportado(da).

well-built *adj* bem constituído(da), robusto(ta).

well-done *adj (carne)* bem passado(da).

wellington (boot) [ˈwelɪŋtən-] *s Brit* bota *f* de borracha, galocha *f*.

well-known *adj* conhecido(da).

well-off *adj (com dinheiro)* rico(ca).

well-paid *adj* bem pago(ga), bem remunerado(da).

went [went] *pt* → **go.**

wept [wept] *pt & pp* → **weep.**

were [wɜːr] *pt* → **be.**

we're [wɪər] = **we are.**

weren't [wɜːrnt] = **were not.**

west [west] **1** *s* oeste *m*.
2 *adj* ocidental, oeste.
3 *adv (estar situado)* a oeste; *(voar, andar)* em direção ao oeste, para o oeste; **in the west of England** no oeste da Inglaterra.

westbound [ˈwestbaʊnd] *adj* em direção ao oeste.

western [ˈwestərn] **1** *adj* ocidental.
2 *s* western *m*, filme *m* de faroeste.

westward [ˈwestwərd] *adv* em direção ao oeste, para o oeste.

wet [wet] (*pt & pp* **wet** OU **-ted**) **1** *adj (ensopado, úmido)* molhado(da); *(tempo)* chuvoso(osa).
2 *vt* molhar.
3 to get wet molhar-se; **'wet paint'** 'tinta fresca'.

we've [wiːv] = **we have.**

whale [weɪl] *s* baleia *f*.

wharf [wɔːrf] (*pl* **-s** OU **wharves** [wɔːrvz]) *s* cais *m inv*.

what [wɒt] **1** *adj* **(a)** *(em interrogações)*

que; **what color is it?** de que cor é?; **he asked me what color it was** ele perguntou-me de que cor era.
(b) *(em exclamações)* que; **what a surprise!** mas que surpresa!; **what a beautiful day!** mas que dia lindo!
2 *pron* **(a)** *(em interrogações)* o que; **what is going on?** o que é que está acontecendo?; **what is that?** o que é isso?; **what is that thing called?** como é que se chama aquilo?; **what is the problem?** qual é o problema?; **she asked me what had happened** ela perguntou-me o que é que tinha acontecido; **she asked me what I had seen** ela perguntou-me o que é que eu tinha visto.
(b) *(em interrogação: depois de preposição)* que; **what are they talking about?** de que é que eles estão falando?; **what is it for?** para que é isso?; **she asked me what I was thinking about** ela me perguntou em que eu estava pensando.
(c) *(introduzindo cláusula relativa)* o que; **I didn't see what happened** não vi o que aconteceu; **you can't have what you want** você não pode ter o que quer.
(d) *(em frases)*: **what for?** para quê?; **what about going out for a meal?** que tal irmos comer fora?
3 *excl* o quê!

Cuidado para não confundir *which* e *what*. *Which* é usado quando há um número limitado de possibilidades (*which is your car?* qual é o seu carro?; *which one do you want?* qual deles você quer?). *What* sugere uma gama de possibilidades muito maior (*what is that?* o que é aquilo?; *what songs do you know?* que músicas você conhece?).

Em linguagem coloquial, *what for* significa o mesmo que *why* (*what did she tell me that for?* por que ela me disse isto?; *I don't know what she told me that for* não sei por que ela me disse isto).

Convém lembrar que, em perguntas, *what* é usado no início da oração e caso venha acompanhado de alguma preposição (*about*, *for etc.*), esta permanece no seu lugar de costume, ou seja, após o verbo (*what are you thinking about?* o que você está pensando?; *what did you do that for?* para que você fez aquilo?).

What about e *how about* são usados em inglês falado para sugerir ou propor algo. Ambos podem ser seguidos por um substantivo (*what/how about a game of cards* que tal um jogo de cartas?), um pronome (*what/how about this one?* que tal este aqui?), ou um verbo no gerúndio (*what/how about going to the movies?* que tal irmos ao cinema?).

whatever [wɒt'evər] *pron*: **take whatever you want** leve o que quiser; **whatever I do, I'll lose** faça o que fizer, perco sempre; **whatever that may be** seja lá o que for.
wheat [wi:t] *s* trigo *m*.
wheel [wi:l] *s (de carro, bicicleta etc.)* roda *f*; *(para direção)* volante *m*.
wheelbarrow ['wi:l,bərəʊ] *s* carrinho *m* de mão.
wheelchair ['wi:l,tʃeər] *s* cadeira *f* de rodas.
wheezy ['wi:zɪ] *adj*: **to be wheezy** respirar com dificuldade.
when [wen] *adv & conj* quando.
whenever [wen'evər] *conj* sempre que; **whenever you like** quando você quiser.
where [weər] *adv & conj* onde; **that's where you're wrong** aí é que você se engana.
whereabouts [*adv* weərə'baʊts, *s* 'weərəd' baʊts] **1** *adv* onde.
2 *spl* paradeiro *m*.
whereas [weər'æz] *conj* enquanto que.
wherever [weər'evər] *conj* onde quer que; **wherever that may be** onde quer que isso seja; **wherever you like** onde você quiser.
whether ['weðər] *conj (indicando escolha, dúvida)* se; **whether you like it or not** queira ou não queira.
which [wɪtʃ] **1** *adj (em interrogações)* qual, que; **which room do you want?** qual é o quarto que você quer?, que quarto você quer?; **which one?** qual (deles)?; **she asked me which room I wanted** ela perguntou-me qual ou que quarto eu queria.
2 *pron* **(a)** *(em interrogações)* qual; **which one is the cheapest?** qual é o mais barato?; **which one do you prefer?** qual (é o que) você prefere?; **he asked me which one was the best** ele perguntou-me qual era o melhor; **he asked me which one I preferred** ele perguntou-

me qual é que eu preferia; **he asked me which one I was talking about** ele me perguntou de qual eu estava falando.
(b) *(introduzindo cláusula relativa: sujeito)*: **I can't remember which was better** não me lembro qual era o melhor.
(c) *(introduzindo cláusula relativa: objeto, depois de preposição)* que; **the sofa on which I'm sitting** o sofá em que estou sentado.
(d) *(referindo-se ao que foi dito antes)* o que; **he's late, which annoys me** ele está atrasado, o que me aborrece; **he's always late, which I don't like** ele está sempre atrasado, coisa que eu detesto.

> Quando *which* for o sujeito da oração, o verbo ficará no singular ou plural dependendo do contexto, mesmo no caso de *which* ser invariável (*which is the right answer?* qual é a resposta correta?; *which are our presents?* quais são os nossos presentes?).
>
> Em perguntas, *which* é usado no início da oração e caso venha acompanhado de alguma preposição (*to, in, etc.*), esta permanece em seu lugar de costume após o verbo (*which movie are you going to tonight?* que filme você vai ver esta noite?; *which department do you work in?* em qual departamento você trabalha?).
>
> Ver também **what**.

whichever [wɪtʃ'evər] **1** *pron* o que (a que).
2 *adj*: **whichever place you like** o lugar que você preferir; **whichever way you do it** faça como fizer.
while [waɪl] **1** *conj (tempo)* enquanto; *(embora)* se bem que; *(contraste)* enquanto que.
2 *s*: **a while** um pouco.
3 a while ago há algum tempo; **it's been quite a while since I last saw him** há muito que não o vejo; **for a while** durante algum tempo; **in a while** daqui a pouco.
whim [wɪm] *s* capricho *m*.
whine [waɪn] *vi (fazer barulho)* gemer; *(reclamar)* queixar-se; *(cachorro)* ganir.
whip [wɪp] **1** *s* chicote *m*.
2 *vt* chicotear.
whirlpool ['wɜ:rlpu:l] *s* redemoinho *m*.
whisk [wɪsk] **1** *s (utensílio)* batedeira *f*.
2 *vt (ovos, creme)* bater.
whiskers ['wɪskərz] *spl (de pessoa)* suíças *fpl*; *(de animal)* bigodes *mpl*.
whisk(e)y ['wɪskɪ] (*pl* **-s**) *s* uísque *m*.
whisper ['wɪspər] *vt & vi* murmurar.
whistle ['wɪsl] **1** *s (instrumento)* apito *m*; *(som)* assobio *m*.
2 *vi* assobiar.
white [waɪt] **1** *adj* branco(ca).
2 *s (cor)* branco *m*; *(de ovo)* clara *f*; *(pessoa)* branco *m*, -ca *f*.
whitewash ['waɪtwɒʃ] *vt* caiar.
who [hu:] *pron (em interrogações)* quem; *(em cláusulas relativas)* que.

> Quando *who* for o sujeito da oração o verbo ficará no singular ou plural dependendo do contexto, ainda que *who* seja indeterminado (*who is coming to the concert?* quem vai ao concerto?; *who are they?* quem são eles?).
>
> Em perguntas, *who* é usado no início da oração e, caso seja acompanhado de alguma preposição (*at, from etc.*), esta permanece em seu lugar de costume, ou seja, após o verbo (*who are you staring at?* para quem você está olhando?; *what are you sitting on?* sobre o que você está sentado?).
>
> *Who*, como pronome relativo, pode ser omitido caso não seja o sujeito da oração seguinte (*I just met some friends (who) I know from university* acabei de encontrar alguns amigos que conheço da universidade). Todavia, quando for o sujeito, não se pode omiti-lo (*I have a brother who is a teacher* tenho um irmão que é professor).

whoever [hu:'evər] *pron* quem; **whoever it is** quem quer que seja, seja quem for.
whole [həʊl] **1** *adj* inteiro(ra).
2 *s*: **the whole trip** a viagem inteira, toda a viagem; **on the whole** em geral.
wholemeal bread ['həʊlmi:l-] *s Brit* pão *m* integral.
whole milk *s Am* leite *m* integral.
wholesale ['həʊlseɪl] *adv* COM por atacado.
wholewheat bread ['həʊlˌwi:t-] *s Am* pão *m* integral.
whom [hu:m] *pron fml (em interrogações)* quem; *(em cláusulas relativas: depois de preposição)* que; **to whom** a quem.

Whom pode ser omitido quando for usado como pronome relativo (*I just met some friends (whom) I know from university* acabei de encontrar alguns amigos que conheço da universidade), a não ser que venha acompanhado de alguma preposição como *to*, *with* *etc.*, quando, então, não pode ser omitido (*these are the friends with whom I went to the theater* estes são os amigos com quem fui ao teatro).

Ver também **quem** no lado Português-Inglês do dicionário.

whooping cough ['hu:pɪŋ-] *s* coqueluche *f.*

who're ['hu:ər] = **who are.**

whose [hu:z] **1** *adj (em interrogações)* de quem; *(em cláusulas relativas)* cujo(ja).
2 *pron* de quem; **whose book is this?** de quem é este livro?

why [waɪ] *adv & conj* porque; **why not?** porque não?; **tell me why** (diga-me) porquê; **I know why James isn't here** eu sei porque é que o James não está.

Why seguido de *not* ou *don't* serve para sugerir algo (*why don't we try again?* por que não tentamos outra vez?) ou dar um conselho (*why not take a little more exercise?* por que não fazer um pouco mais de exercício?).

wick [wɪk] *s (de vela, isqueiro)* mecha *f*, pavio *m.*

wicked ['wɪkəd] *adj (cruel)* mau (má); *(levado)* travesso(a).

wicker ['wɪkər] *adj* de vime.

wide [waɪd] **1** *adj* largo(ga); *(gama, variedade, vão)* grande.
2 *adv*: **to open sthg wide** abrir bem algo.
3 how wide is the road? qual é a largura da estrada?; **it's 12 meters wide** tem 12 metros de largura; **wide open** escancarado.

widely ['waɪdlɪ] *adv* muito.

widen ['waɪdn] **1** *vt (tornar mais largo)* alargar.
2 *vi (vão, diferença)* aumentar.

wide screen *s TV* tela *f* grande.
▫ **wide-screen** *adj (televisão, filme, formato)* em tela grande.

widespread ['waɪdspred] *adj* generalizado(da).

widow ['wɪdəʊ] *s* viúva *f.*

widower ['wɪdəʊər] *s* viúvo *m.*

width [wɪdθ] *s* largura *f.*

wife [waɪf] (*pl* **wives**) *s* esposa *f*, mulher *f.*

wig [wɪg] *s* peruca *f.*

wild [waɪld] *adj (animal, terra, área)* selvagem; *(planta)* silvestre; *(sem controle)* descontrolado(da); *(doido)* louco(ca); **to be wild about** *fam* ser louco por.

wildlife ['waɪldlaɪf] *s* a fauna e a flora.

will[1] [wɪl] *v aux* **(a)** *(expressando tempo futuro)*: **it will be difficult to repair** vai ser difícil de consertar; **will you be here next Friday?** você vai estar aqui na próxima sexta?; **I will see you next week** te vejo semana que vem; **yes I will** sim; **no I won't** não.
(b) *(expressando vontade)*: **I won't do it** recuso-me a fazê-lo.
(c) *(em pergunta cortês)*: **will you have some more tea?** você quer mais um chá?
(d) *(em ordens, pedidos)*: **will you please be quiet!** pode ficar calado, por favor!; **close that window, will you?** feche a janela, por favor.

Existe um uso especial de *will* que nos permite descrever hábitos cotidianos ou fazer afirmações genéricas (*cats won't eat vegetables* gatos não comem legumes). Freqüentemente este uso contém um tom de irritação (*he will call when we're in the middle of dinner* ele vai ligar quando estivermos no meio do jantar).

Em perguntas, *will you* pode servir para pedir algo (*will you cook dinner this evening?* você pode fazer o jantar esta noite? *Would* pode ser usado da mesma forma, so que é mais polido (*would you cook dinner this evening?* você poderia fazer o jantar esta noite?).

will[2] [wɪl] *s (documento)* testamento *m*; **against my will** contra a minha vontade.

willing ['wɪlɪŋ] *adj*: **to be willing to do sthg** estar disposto(osta) a fazer algo.

willingly ['wɪlɪŋlɪ] *adv* de boa vontade.

win [wɪn] (*pt & pp* **won**) **1** *s* vitória *f.*
2 *vt* ganhar; *(apoio, aprovação)* obter.
3 *vi* ganhar.

wind[1] [wɪnd] *s (corrente de ar)* vento *m*; *Brit (no estômago)* gases *mpl.*

wind[2] [waɪnd] **1** *vi (estrada, rio)* serpentear.

2 *vt*: **to wind sthg around sthg** enrolar algo à volta de algo.
❑ **wind up** *vt sep (janela do carro)* subir; *(relógio)* dar corda em; *Brit fam (provocar)* irritar.

windbreak ['wɪndbreɪk] *s* quebra-vento *m*.

windmill ['wɪndmɪl] *s* moinho *m* de vento.

window ['wɪndəʊ] *s* janela *f*; *(de loja)* vitrine *f*.

windowpane ['wɪndəʊ,peɪn] *s* vidro *m*, vidraça *f*.

window-shopping *s*: **to go window-shopping** ir ver vitrines.

windowsill ['wɪndəʊsɪl] *s* peitoril *m* da janela.

windscreen ['wɪndskri:n] *s Brit* pára-brisas *m inv*.

windshield ['wɪndʃi:ld] *s Am* pára-brisa *m*.

windshield wipers *spl Am* limpador *m* de pára-brisa.

windsurfing ['wɪnd,sɜ:rfɪŋ] *s* windsurfe *m*; **to go windsurfing** fazer windsurfe.

windy ['wɪndɪ] *adj* ventoso(osa), com muito vento; **it's windy** está ventando muito.

wine [waɪn] *s* vinho *m*.

wine list *s* carta *f* de vinhos.

wine tasting [-'teɪstɪŋ] *s* degustação *f* de vinhos.

wing [wɪŋ] *s* asa *f*; *(de prédio)* ala *f*; *Brit (de carro)* pára-lama *m*.
❑ **wings** *spl*: **the wings** *(em teatro)* os bastidores.

wink [wɪŋk] *vi* piscar o olho.

winner ['wɪnər] *s* vencedor *m*, -ra *f*.

winning ['wɪnɪŋ] *adj (pessoa, time)* vencedor(ra); *(bilhete, número)* premiado(da).

winter ['wɪntər] *s* inverno *m*; **in the winter** no inverno.

wintertime ['wɪntərtaɪm] *s* inverno *m*.

wipe [waɪp] *vt* limpar; **to wipe one's hands/feet** limpar as mãos/os pés.
❑ **wipe up** *vt sep & vi* limpar.

wiper ['waɪpər] *s (em carro)* limpador *m* de pára-brisa.

wire ['waɪər] **1** *s* arame *m*; *(para eletricidade)* fio *m* (elétrico).
2 *vt (plugue)* conectar.

wireless ['waɪəlɪs] *adj* sem fio.

wiring ['waɪərɪŋ] *s* instalação *f* elétrica.

wisdom tooth ['wɪzdəm-] *s* dente *m* do siso.

wise [waɪz] *adj (pessoa)* sábio(bia); *(decisão, idéia)* sensato(ta).

wish [wɪʃ] **1** *s (vontade)* desejo *m*.
2 *vt*: **I wish I was younger** quem me dera ser mais jovem.
3 I wish you'd told me sooner que pena você não me disse isso antes; **to wish for sthg** desejar algo; **to wish to do sthg** *fml* desejar fazer algo; **to wish sb happy birthday** dar os parabéns a alguém; **to wish sb luck** desejar boa sorte a alguém; **if you wish** *fml* se assim o desejar; **best wishes** cumprimentos.

> Quando *wish* for seguido do verbo *be*, podemos utilizar a forma subjuntiva *were* no lugar do passado *was* (*I wish I was/were rich*). *Were* é mais formal do que *was*.

witch [wɪtʃ] *s* bruxa *f*.

with [wɪð] *prep* **(a)** *(na companhia de)* com; **come with me/us** venha comigo/conosco; **can I go with you?** posso ir com você?; **we stayed with friends** ficamos em casa de amigos.
(b) *(em descrições)* com; **a man with a beard** um homem de barba; **a room with a bathroom** um quarto com banheiro.
(c) *(indicando modo)* com; **I washed it with detergent** lavei-o com detergente; **they won with ease** ganharam com facilidade.
(d) *(indicando emoção)* de; **to tremble with fear** tremer de medo.
(e) *(em relação a)* com; **be careful with that!** tenha cuidado com isso!
(f) *(indicando oposição)* com; **to argue with sb** discutir com alguém.
(g) *(indicando conteúdo, cobertura)*: **to fill sthg with sthg** encher algo com ou de algo; **packed with people** cheio de gente; **topped with cream** coberto com creme.

> Ver **by**.

withdraw [wɪð'drɔ:] (*pt* **-drew**, *pp* **-drawn**) **1** *vt (tirar)* retirar; *(dinheiro)* levantar.
2 *vi (de corrida, competição)* desistir.

withdrawal [wɪð'drɔ:əl] *s (de conta corrente)* retirada *f*.

withdrawn [wɪð'drɔ:n] *pp* → **withdraw**.

withdrew [wɪð'dru:] *pt* → **withdraw**.

wither ['wɪðər] *vi* murchar.

within [wɪ'ðɪn] **1** *prep (no interior)* dentro de; *(certa distância)* a; *(certo tempo)* em.
2 *adv* dentro.
3 within 10 miles of ... a 10 milhas de ...; **it arrived within a week** chegou em menos de uma semana; **within the next week** durante a próxima semana.

without [wɪð'aʊt] *prep* sem; **without doing sthg** sem fazer algo.

withstand [wɪð'stænd] (*pt & pp* **-stood**) *vt* resistir a, agüentar.

witness ['wɪtnəs] **1** *s* testemunha *f*.
2 *vt (ver)* testemunhar.

witty ['wɪtɪ] *adj* espirituoso(osa).

wives [waɪvz] *pl* → **wife.**

wobbly ['wɒblɪ] *adj (mesa, cadeira)* em falso.

woke [wəʊk] *pt* → **wake.**

woken ['wəʊkn] *pp* → **wake.**

wolf [wʊlf] (*pl* **wolves** [wʊlvz]) *s* lobo *m*.

woman ['wʊmən] (*pl* **women**) *s* mulher *f*.

womb [wu:m] *s* útero *m*.

women ['wɪmɪn] *pl* → **woman.**

won [wʌn] *pt & pp* → **win.**

wonder ['wʌndər] **1** *vi (pensar)* perguntar a si mesmo(ma).
2 *s (que causa admiração)* maravilha *f*.
3 to wonder if perguntar a si mesmo se; **I wonder if I could ask you a favor?** podia fazer-me um favor?; **I wonder if they'll come** será que eles vêm?

wonderful ['wʌndərfl] *adj* maravilhoso(osa).

won't [wəʊnt] = **will not.**

wood [wʊd] *s (substância)* madeira *f*; *(pequena floresta)* bosque *m*.

wooden ['wʊdn] *adj* de madeira.

woodland ['wʊdlənd] *s* floresta *f*.

woodpecker ['wʊd,pekər] *s* pica-pau *m*.

woodwork ['wʊdwɜ:rk] *s (atividade)* carpintaria *f*.

wool [wʊl] *s* lã *f*.

woolen ['wʊlən] *adj Am* de lã.

woollen ['wʊlən] *adj Brit* = **woolen.**

woolly ['wʊlɪ] *adj* de lã.

wooly ['wʊlɪ] *Am* = **woolly.**

word [wɜ:rd] *s* palavra *f*; **in other words** em outras palavras; **to have a word with sb** falar com alguém.

wording ['wɜ:rdɪŋ] *s* texto *m*.

word processing [-'prəʊsesɪŋ] *s* processamento *m* de texto.

word processor [-'prəʊsesər] *s* processador *m* de texto.

wore [wɔ:r] *pt* → **wear.**

work [wɜ:rk] **1** *s* trabalho *m*; *(pintura, livro etc.)* obra *f*.
2 *vi* trabalhar; *(operar, ter efeito desejado)* funcionar; *(entrar em vigor)* ter efeito.
3 *vt (máquina, controles)* operar.
4 out of work desempregado, sem trabalho; **to be at work** estar trabalhando; **to be off work** *(de férias)* estar de folga; **the works** *fam (totalidade)* tudo; **how does it work?** como é que funciona?; **it's not working** não está funcionando.
❑ **work out 1** *vt sep (preço, total)* calcular; *(solução, razão, plano)* descobrir; *(entender)* compreender.
2 *vi (ter sucesso)* resultar; *(exercitar-se)* fazer exercício.
3 it works out to $20 each *(conta, total)* sai a 20 dólares cada.

worker ['wɜ:rkər] *s* trabalhador *m*, -ra *f*.

working ['wɜ:rkɪŋ] *adj (em operação)* em funcionamento; *(com emprego)* que trabalha; *(dia, condições)* de trabalho.
❑ **workings** *spl (de sistema, máquina)* mecanismo *m*.

working class *s*: **the working class** a classe trabalhadora.

working hours *spl* horário *m* de trabalho.

workman ['wɜ:rkmən] (*pl* **-men** [-mən]) *s* trabalhador *m* (manual), operário *m*.

work of art *s* obra *f* de arte.

workout ['wɜ:rkaʊt] *s* sessão *f* de exercícios.

work permit [-,pɜ:rmɪt] *s* autorização *f* de trabalho.

workplace ['wɜ:rkpleɪs] *s* local *m* de trabalho.

workshop ['wɜ:rkʃɒp] *s (para reparos)* oficina *f*.

world [wɜ:rld] **1** *s* mundo *m*.
2 *adj* mundial; **the best in the world** o melhor do mundo.

worldwide [,wɜ:rld'waɪd] *adv* no mundo inteiro.

worm [wɜ:rm] *s* minhoca *f*.

worn [wɔ:rn] **1** *pp* → **wear.**
2 *adj (roupa, tapete)* gasto(ta).

worn-out *adj (roupa, sapato etc.)* gasto(ta); *(cansado)* exausto(ta).

worried ['wɜ:rɪd] *adj* preocupado(da).

worry ['wɜ:rɪ] **1** *s* preocupação *f.*
2 *vt* preocupar.
3 *vi*: **to worry (about)** preocupar-se (com).
worrying ['wɜ:rɪɪŋ] *adj* preocupante.
worse [wɜ:rs] *adj & adv* pior; **to get worse** piorar; **worse off** em pior situação.
worsen ['wɜ:rsn] *vi* piorar.
worship ['wɜ:rʃɪp] **1** *s* *(em igreja)* culto *m.*
2 *vt* adorar.
worst [wɜ:rst] **1** *adj & adv* pior.
2 *s*: **the worst** o pior (a pior).
worth [wɜ:rθ] *prep*: **how much is it worth?** quanto é que vale?; **it's worth $50** vale 50 dólares; **it's worth seeing** vale a pena ver; **it's not worth it** não vale a pena; **fifty dollars worth of traveler's checks** 50 dólares em cheques de viagem.
worthless ['wɜ:rθləs] *adj (jóias, bens)* sem valor; *(pessoa, projeto)* inútil.
worthwhile [ˌwɜ:rθ'waɪl] *adj* que vale a pena.
worthy ['wɜ:rðɪ] *adj* merecedor(ra); **to be worthy of sthg** merecer algo.
would [wʊd] *v aux* **(a)** *(em relato)*: **she said she would come** ela disse que vinha.
(b) *(indicando condição)*: **what would you do?** o que é que você faria?; **what would you have done?** o que é que você teria feito?; **I would be most grateful** ficaria muito agradecido.
(c) *(indicando vontade, determinação)*: **she wouldn't go** ela não queria ir embora; **he would do anything for her** ele faria qualquer coisa por ela.
(d) *(em pergunta cortês)*: **would you like a drink?** você gostaria de beber alguma coisa?; **would you mind closing the window?** importa-se de fechar a janela?
(e) *(indicando o esperado)*: **he would say that** não me surpreende que ele tenha dito isso.
(f) *(dando conselho)*: **I would report him if I were you** eu, no seu lugar, denunciava-o.
(g) *(expressando opinião)*: **I would prefer** eu preferia; **I would have thought (that) ...** eu pensava que ...

Ver **will**.

wound¹ [wu:nd] **1** *s* ferida *f.*
2 *vt* ferir.
wound² [waʊnd] *pt & pp* → **wind.**
wove [wəʊv] *pt* → **weave.**
woven ['wəʊvn] *pp* → **weave.**
wrap [ræp] *vt (enrolar)* embrulhar; **to wrap sthg round sthg** enrolar algo em volta de algo.
❑ **wrap up 1** *vt sep (pacote)* embrulhar.
2 *vi (abrigar-se)* agasalhar-se.
wrapper ['ræpər] *s (para bala)* papel *m.*
wrapping ['ræpɪŋ] *s* invólucro *m*, embrulho *m.*
wrapping paper *s* papel *m* de embrulho.
wreath [ri:θ] *s* coroa *f* de flores, grinalda *f.*
wreck [rek] **1** *s (de avião, carro)* destroços *mpl*; *(de navio)* restos *mpl.*
2 *vt (aniquilar)* destruir; *(danificar)* estragar.
3 to be wrecked *(navio)* naufragar.
wreckage ['rekɪdʒ] *s* *(de avião, carro)* destroços *mpl* ; *(de prédio)* escombros *mpl.*
wrench [rentʃ] *s (ferramenta)* chave *f* inglesa.
wrestler ['reslər] *s* lutador *m*, -ra *f* de luta livre.
wrestling ['reslɪŋ] *s* luta *f* livre.
wretched ['retʃəd] *adj (miserável)* desgraçado(da); *(muito ruim)* péssimo(ma).
wring [rɪŋ] (*pt & pp* **wrung**) *vt* torcer.
wrinkle ['rɪŋkl] *s* ruga *f.*
wrist [rɪst] *s* pulso *m.*
write [raɪt] (*pt* **wrote,** *pp* **written**) **1** *vt* escrever; *(cheque, receita)* passar; *Am (mandar carta para)* escrever a.
2 *vi* escrever; **to write (to sb)** escrever (para alguém).
❑ **write back** *vi* responder.
❑ **write down** *vt sep* anotar.
❑ **write off 1** *vt sep Brit fam (carro)* destruir.
2 *vi*: **to write off for sthg** escrever pedindo algo.
❑ **write out** *vt sep (ensaio)* escrever; *(lista)* fazer; *(cheque, recibo)* passar.
writer ['raɪtər] *s (autor)* escritor *m*, -ra *f.*
writing ['raɪtɪŋ] *s* *(caligrafia)* letra *f*; *(palavras escritas)* texto *m*; *(atividade)* escrita *f*; **in writing** por escrito.
writing paper *s* papel *m* de carta.
written ['rɪtn] **1** *pp* → **write.**
2 *adj* escrito(ta).
wrong [rɒŋ] **1** *adj* errado(da).
2 *adv* mal.
3 what's wrong? o que é que está acon-

tecendo?; **something's wrong with the car** o carro está com algum problema; **to be in the wrong** estar errado; **to get sthg wrong** enganar-se em algo; **to go wrong** *(máquina)* avariar; **'wrong way'** *Am* 'contramão'.

wrongly ['rɒŋlɪ] *adv* mal.

wrong number *s* número *m* errado; **sorry, you have the wrong number** desculpe, o sr. discou o número errado.

wrote [rəʊt] *pt* → **write.**

wrought iron [rɔːt-] *s* ferro *m* forjado.

wrung [rʌŋ] *pt & pp* → **wring.**

Xx

X-ray 1 *s (imagem)* raio X *m.*
2 *vt* radiografar; **to take an X-ray** fazer uma radiografia.

Yy

yacht [jɒt] *s* iate *m.*

yard [jaːrd] *s (unidade de medida)* = 91,44 cm, jarda *f*; *(área fechada)* pátio *m*; *Am (atrás da casa)* jardim *m.*

yarn [jaːrn] *s (fio)* linha *f.*

yawn [jɔːn] *vi* bocejar.

year [jɪər] *s* ano *m*; **next year** o ano que vem; **this year** este ano; **I'm 15 years old** tenho 15 anos; **I haven't seen her for years** *fam* há anos que não a vejo.

yearly ['jɪərlɪ] *adj* anualmente.

yeast [jiːst] *s* fermento *m.*

yell [jel] *vi* gritar.

yellow ['jeləʊ] **1** *adj* amarelo(la).
2 *s* amarelo *m.*

yes [jes] *adv* sim; **to say yes** dizer que sim.

yesterday ['jestərdeɪ] **1** *s* ontem *m.*
2 *adv* ontem.
3 the day before yesterday anteontem; **yesterday afternoon** ontem à tarde; **yesterday morning** ontem de manhã.

yet [jet] **1** *adv* ainda.
2 *conj* contudo.
3 have they arrived yet? já chegaram?; **the best one yet** o melhor até agora; **not yet** ainda não; **I've yet to do it** ainda não o fiz; **yet again** mais uma vez; **yet another delay** mais um atraso.

yield [jiːld] **1** *vt (lucro)* render; *(em investimento)* ganhar.
2 *vi (dar passagem)* ceder; **'yield'** *Am* AUT *sinal de perda de prioridade.*

yoga ['jəʊgə] *s* ioga *m ou f.*

yogurt, yoghurt ['jəʊgərt] *s* iogurte *m.*

yolk [jəʊk] *s* gema *f.*

you [juː] *pron* **(a)** *(sujeito: singular)* você, tu; *(sujeito: singular formal)* o senhor (a senhora); *(sujeito: plural)* vocês; *(sujeito: plural formal)* os senhores (as senhoras); **do you speak Portuguese?** *(singular)* você fala português?; *(formal)* (o senhor) fala português?; **you Brazilians** vocês brasileiros.
(b) *(objeto direto: singular)* o (a), te; *(objeto direto: singular formal)* o senhor (a senhora); *(objeto direto: plural)* os (as), vos; *(objeto direto: plural formal)* os (as), os senhores (as senhoras); **I saw you** *(singular)* eu o vi; **can I help you?** *(formal: singular)* em que posso ajudá-lo?; *(formal: plural)* em que posso ajudá-los?; **I'll see you later** *(plural)* vejo-os mais tarde.
(c) *(objeto indireto: singular)* lhe, te; *(objeto indireto: singular formal)* lhe; *(objeto indireto: plural)* lhes, vos; **I would like to ask you something** *(formal: singular)* gostaria de perguntar algo a você; **didn't I tell you what happened?** *(formal: plural)* não lhes contei o que aconteceu?
(d) *(depois de preposição: singular)* você, ti; *(depois de preposição: singular formal)* o senhor (a senhora), si; *(depois de preposição: plural)* vocês; *(depois de preposição: plural formal)* os senhores (as senhoras), vós; **this is for you** isto é para você/o senhor etc.; **with you** *(singular)* com você, contigo; *(singular: formal)* com o senhor (a senhora); *(plural)* com vocês; *(plural: formal)* com os senhores (as senhoras).
(e) *(uso indefinido: sujeito)*: **the coffee you get in Brazil is very strong** o café que se bebe no Brasil é muito forte; **you never know** nunca se sabe.
(f) *(uso indefinido: objeto)*: **exercise is good for you** exercício faz bem (para a saúde).

> *You* pode ser usado tanto no singular quanto no plural e sua utilização independe do grau de familiaridade que temos com a pessoa ou pessoas às quais nos dirigimos.
>
> *You* é usado também para referir-se a pessoas em geral, por exemplo, ao fornecer ou pedir informações (***how do you get to the station?*** como se chega à estação?). Há também uma maneira muito mais formal de se expressar o mesmo com o pronome *one* (***how does one get to the station?***)

young [jʌŋ] **1** *adj* novo (nova).
2 *spl*: **the young** os jovens.

younger ['jʌŋgər] *adj (irmão, irmã)* mais novo (nova).

youngest ['jʌŋgəst] *adj (irmão, irmã)* mais novo (nova).

youngster ['jʌŋstər] *s* jovem *mf*.

your [jɔ:r] *adj* **(a)** *(sujeito singular)* o seu (a sua), o teu (a tua); *(sujeito singular: formal)* o/a do senhor (da senhora); *(sujeito plural)* o vosso (a vossa); *(sujeito plural: formal)* o/a dos senhores (das senhoras); **your dog** o seu/teu/vosso cão, o cão do senhor (da senhora), o cão dos senhores (das senhoras); **your house** a sua/tua/vossa casa etc.; **your children** os seus/teus/vossos filhos etc.
(b) *(sujeito indefinido)*: **it's good for your health** é bom para a saúde.

> *Your* pode ser usado tanto no singular quanto no plural e sua utilização independe do grau de familiaridade que temos com a pessoa ou pessoas às quais nos dirigimos.
>
> Não devemos esquecer que ao falar das partes do corpo utilizamos o adjetivo possessivo *your* no lugar do artigo *the* (***your hair, your legs***).

yours [jɔ:rz] *pron (sujeito singular)* o seu (a sua), o teu (a tua); *(sujeito singular: formal)* o/a do senhor (da senhora); *(sujeito plural)* o vosso (a vossa); *(sujeito plural: formal)* o/a dos senhores (das senhoras); **a friend of yours** um amigo seu/teu/vosso/do senhor/da senhora/dos senhores/das senhoras; **these shoes are yours** estes sapatos são (os) teus/seus/vossos, etc; **these are mine - where are yours?** estes são os meus - onde estão os seus/teus/vossos etc.?

> *Yours* pode ser usado tanto no singular como no plural e será sempre utilizado independente do grau de familiaridade que haja com a pessoa ou pessoas a quem nos dirigimos.

yourself [jɔ:r'self] *pron* **(a)** *(reflexivo: singular)* se, te; *(reflexivo: plural)* se; **did you hurt yourself?** *(singular)* você se machucou?
(b) *(depois de preposição: singular)* você mesmo(ma), tu mesmo(ma); *(depois de preposição: plural)* vocês mesmos(mas); *(depois de preposição: plural formal)* os senhores mesmos (as senhoras mesmas), vós mesmos(mas); **did you do it yourself?** *(singular)* você fez isso sozinho?; *(formal)* foi o senhor mesmo que o fez?; **did you do it yourselves?** vocês fizeram isso sozinhos?; *(formal)* foram os senhores mesmos que o fizeram?

youth [ju:θ] *s* juventude *f*; *(homem novo)* jovem *m*.

youth hostel *s* albergue *m* da juventude.

yuppie ['jʌpɪ] *s* yuppie *mf*.

Zz

zebra ['zi:brə] *s* zebra *f*.

zebra crossing *s Brit* faixa *f* (para pedestres).

zero ['zɪərəʊ] *s* zero *m*; **five degrees below zero** cinco graus abaixo de zero.

zest [zest] *s (de limão, laranja)* raspa *f*.

zigzag ['zɪgzæg] *vi* ziguezaguear.

zinc [zɪŋk] *s* zinco *m*.

zip [zɪp] **1** *s Brit* fecho ecler *m*.
2 *vt* fechar o fecho ecler de.
❑ **zip up** *vt sep* fechar o zíper.

zip code *s Am* código *m* postal.

zipper ['zɪpər] *s Am* fecho ecler *m*.

zit [zɪt] *s fam* espinha *f*.

zodiac ['zəʊdɪæk] *s* zodíaco *m*.

zone [zəʊn] *s* zona *f*.

zoo [zu:] (*pl* **-s**) *s* zôo *m*.

zucchini [zu:'ki:nɪ] (*pl inv*) *s Am* abobrinha *f*.

SUPLEMENTO

No telefone

Para ligar para um conhecido

– Hello, this is Tom. Could I speak to Lucy, please?
– *Speaking.*

– Hello, this is Tom. Is Lucy there, please?
– *I'll get her for you.*

Mais formal

– Hello, would it be possible to speak to Jane Richards, please?
– *Yes, who's calling?*

– It's Andrew Simpson.

Se Jane não está

– *I'm sorry, she's not here. Can she call you back?*

Se discou para o número errado

– *I'm afraid you have the wrong number.*

Para ligar para uma empresa

– Hello, is this United Airways?
– *Yes, how can I help?*

Para pedir um ramal

– Could I have extension 227 (two two seven), please?
– *Yes, I'm connecting you now.*

– Can you connect me to accounting, please?
– *I'm afraid the line is busy. Can you hold, please?*

– Yes, I'll hold. / No, thank you, I'll try again later.

Para deixar um recado

– Would you like to leave a message?
– *Yes, please. Could you tell her that Mr. Wilson called?*

– Certainly.
– *Can I take a message?*

– Yes, please. Would you ask her to call me back?
– *Of course. Does she have your number?*

Conhecendo-se

Apresentar-se

– Hello, my name is Tom.
– Hi, I'm Lucy.

Apresentar alguém

– Do you know everybody?
– Have you two met?
– Lucy, this is my mom.
– Paul, do you know Katie?

Mais formal

– John, I'd like you to meet my teacher, Mrs Kline.
– I'd like to introduce you to Tom Webb.

Muito prazer

– Pleased / Nice to meet you.
– How do you do? *Brit* (*mais formal*)

Antes de despedir-se

– Nice meeting you.
– Take care.
– Have a nice day!

Ao se despedir

– Goodbye!
– Bye! / So long! / See you! (*familiar*)

Correio eletrônico

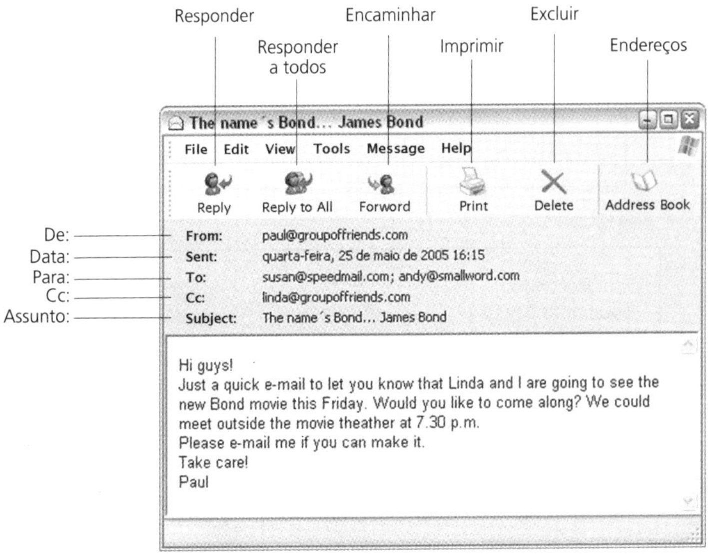

Escrevendo uma carta informal

Dear Lucy

Just a quick note to let you know that we're all really excited about your visit to Texas next month. I wrote to the tourist office to see if there's anything special happening in this area while you're here, and there are lots of things I'm sure you'll be interested in.

See you at the airport on the 10th! Say hello to your mom and dad for me.

Love

Tom

Tom Fleetwood
640 South Bay Drive
Smalltown, TX 63007

Lucy Simpson
620 Lake Boulevard
Chicago, IL 77321

Os números

Os numerais cardinais são usados para contar:

0	zero, nought *Brit*	**17**	seventeen	**50**	fifty
1	one	**18**	eighteen	**60**	sixty
2	two	**19**	nineteen	**70**	seventy
3	three	**20**	twenty	**80**	eighty
4	four	**21**	twenty-one	**90**	ninety
5	five	**22**	twenty-two	**100**	one hundred
6	six	**23**	twenty-three	**101**	one hundred and one
7	seven	**24**	twenty-four	**102**	one hundred and two
8	eight	**25**	twenty-five	**110**	one hundred and ten
9	nine	**26**	twenty-six	**200**	two hundred
10	ten	**27**	twenty-seven	**201**	two hundred and one
11	eleven	**28**	twenty-eight	**202**	two hundred and two
12	twelve	**29**	twenty-nine	**300**	three hundred
13	thirteen	**30**	thirty	**400**	four hundred
14	fourteen	**31**	thirty-one	**500**	five hundred
15	fifteen	**32**	thirty-two		
16	sixteen	**40**	forty		

1,000	one thousand	**10,000**	ten thousand
1,001	one thousand and one	**100,000**	one hundred thousand
1,002	one thousand and two	**1,000,000**	one million
1,100	one thousand one hundred	**2,000,000**	two million
1,200	one thousand two hundred	**1,000,000,000**	one billion/one thousand million *Brit*
2,000	two thousand		

notas:

- Tanto no inglês americano como no britânico, é comum chamar **one billion** ao número **1.000.000.000** (ou seja, o bilhão em português). Contudo, alguns britânicos preferem dizer **one thousand million**, e chamar billion a **1.000.000.000.000** (um milhão de milhões, o trilhão em português); porém, isso é considerado antiquado.
- No inglês britânico, usa-se sempre a palavra **and** em números como **four hundred and twenty-six**, enquanto no americano costuma-se omitir o **and** (**four hundred twenty-six**).

• A palavra **dozen** é usada às vezes no lugar de **twelve** (**there were about a dozen people at the meeting**), especialmente se nos referimos a quantidades aproximadas (**a dozen red roses**). Da mesma forma, **half a dozen** pode ser empregado no lugar de **six** (**half a dozen eggs**).

• **Dozen, hundred, thousand, million** e **billion** não costumam levar **s** antes de substantivo no plural (**a few hundred books, a million people**). Por outro lado, acrescenta-se **s** quando seguidos de **of** (**hundreds of books, millions of people**).

• Tanto a como one podem ser usados antes de **dozen, hundred, thousand, million** e **billion**. O uso de **one** implica um tom mais formal ou de maior precisão (**the experiment was repeated one hundred times; the total is one thousand four hundred and seventy**).

• Em inglês, ao contrário do português, marcam-se os decimais com um ponto: **6.5** (**6 point 5** = 6 vírgula 5). Por outro lado, em números como **one thousand** ou **forty million**, utilizam-se vírgulas em vez de pontos (**1,000; 40,000,000**), ou ainda espaços (**1 000; 40 000 000**). Números de apenas quatro dígitos não necessitam dessa separação (**1000**).

Os numerais ordinais servem para ordenar as coisas:

1st	first	**10th**	tenth	**72nd**	seventy-second
2nd	second	**11th**	eleventh	**83rd**	eighty-third
3rd	third	**12th**	twelfth	**94th**	ninety-fourth
4th	fourth	**13th**	thirteenth	**100th**	one hundredth
5th	fifth	**20th**	twentieth	**101st**	one hundred and first
6th	sixth	**30th**	thirtieth	**1,000th**	one thousandth
7th	seventh	**40th**	fortieth		
8th	eighth	**50th**	fiftieth		
9th	ninth	**61st**	sixty-first		

nota:

• Para formar os ordinais costuma-se acrescentar **th** ao cardinal, salvo no caso de **first**, **second**, **third** e seus derivados. Às vezes pode ocorrer uma ligeira variação ortográfica (p. ex., **nine ► ninth, twelve ► twelfth, twenty ► twentieth**).

Para mais informações sobre os numerais consulte as entradas de **seis** e **sexto** no lado Português-Inglês do dicionário, ou as de **six** e **sixth** no lado Inglês-Português.

A data

As formas mais comuns de se perguntar a data são: **what date is it today?, what's the date today?** ou **what's today's date?** Um americano responderá **it's July fifth**, enquanto um britânico dirá **it's July the fifth** ou **it's the fifth of July**.

Lembremos que em inglês se usam os ordinais para dizer a data: **January tenth, February twenty-fifth, September first**. Até 1999, lêem-se os anos como dois pares de números: 1999 – nineteen ninety-nine. A partir do ano 2000, lê-se o numeral normalmente: 2005 – **two thousand and five**.

Consideremos outra importante diferença entre o inglês americano e o britânico: **4.12.01** nos Estados Unidos é o dia doze do mês quatro (12 de abril de 2001 = **April 12 2001**), enquanto na Grã-Bretanha é o dia quatro do mês doze (4 de dezembro de 2001 = **4 December 2001**).

Os dias da semana são:

Monday	segunda-feira
Tuesday	terça-feira
Wednesday	quarta-feira
Thursday	quinta-feira
Friday	sexta-feira
Saturday	sábado
Sunday	domingo

Os meses do ano são:

January	janeiro
February	fevereiro
March	março
April	abril
May	maio
June	junho
July	julho
August	agosto
September	setembro
October	outubro
November	novembro
December	dezembro

Em inglês, os dias da semana e os meses do ano sempre começam com maiúscula. Para mais informações sobre dias e meses consulte as entradas **sábado** e **setembro** no lado Português-Inglês do dicionário, ou **Saturday** e **September** no lado Inglês-Português.

A hora

A forma mais comum de se perguntar a hora é: **what time is it**? ou **what's the time**? Eis aqui várias respostas possíveis:

it's five o'clock *ou*
it's five a.m./p.m.

it's five past five *ou*
five after five *Am*.

it's (a) quarter past five *ou*
(a) quarter after five *Am.*

it's five thirty/
half past five *Brit.*

it's twenty-five to six/
twenty-five of six *Am.*

it's (a) quarter to six/
(a) quarter of six *Am.*

it's one o'clock (in the
morning/afternoon)

it's twelve noon/
it's midnight

No inglês britânico, usa-se às vezes o horário de 24 horas: **the train leaves at 14.40**. Porém, no inglês americano este não é utilizado, a não ser pelos militares.

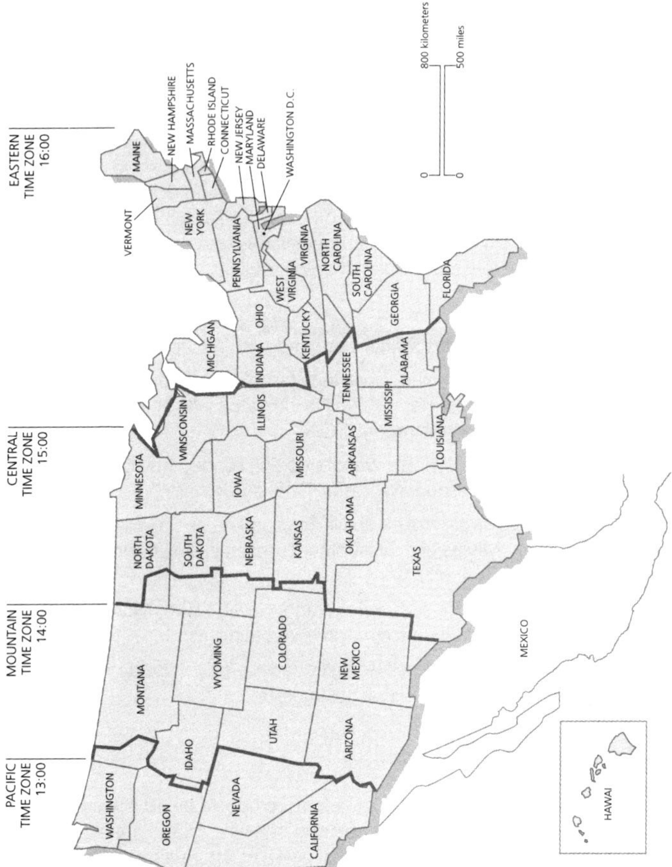

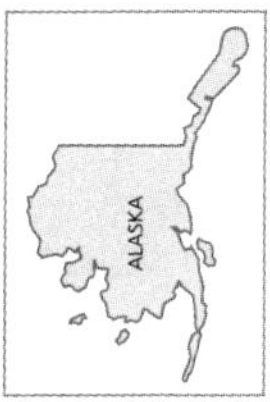

As 5 maiores cidades

Cidade	População
Nova York (Nova York)	8.008.278
Los Angeles (Califórnia)	3.694.820
Chicago (Illinóis)	2.896.016
Houston (Texas)	1.953.631
Filadélfia (Pensilvânia)	1.517.550

Fonte: U.S. Census Bureau, Census 2000.

A geografia dos EUA

Os Estados Unidos da América (United States of America, também denominados US ou USA) são o quarto país do mundo em extensão. Sua superfície é de 9.364.000 km², incluindo o Alasca e o Havaí. Em população, é o terceiro país do mundo, com mais de 280 milhões de habitantes. Ocupa a parte central da América do Norte, abrangendo 4 mil quilômetros entre o Oceano Atlântico e o Pacífico e 1.900 quilômetros da fronteira canadense ao Golfo do México. O Alasca situa-se a noroeste do Canadá e o Havaí é um arquipélago do Pacífico Central. Os Estados Unidos também incluem vários territórios insulares no Pacífico e no Caribe, tais como Guam, Samoa, as Ilhas Virgens e o estado livre associado de Porto Rico.

Regiões – Os Estados Unidos dividem-se em quatro regiões:

Nordeste – Delaware, Maryland, Nova Inglaterra (integrado por Connecticut, Maine, Massachusetts, New Hampshire, Rhode Island e Vermont), Nova Jersey, Nova York, Pensilvânia e Washington D.C.

Centro-Oeste – Dakota do Norte, Dakota do Sul, Illinois, Indiana, Iowa, Kansas, Michigan, Minnesota, Missouri, Nebraska, Ohio e Wisconsin.

Sul – Alabama, Arkansas, Carolina do Norte, Carolina do Sul, Flórida, Geórgia, Kentucky, Louisiana, Mississippi, Oklahoma, Tennessee, Texas, Virgínia e West Virginia.

Oeste – Alasca, Arizona, Califórnia, Colorado, Havaí, Idaho, Montana, Nevada, Novo México, Oregon, Utah, Washington e Wyoming.

A maioria da população concentra-se nas cidades e povoados do nordeste, do sul, ao redor dos Grandes Lagos e na costa oeste.

Governo federal e estadual

Os Estados Unidos são uma república federal composta de 50 estados e do distrito de Colúmbia, território da costa leste onde se situa a capital, Washington D.C. O poder divide-se entre os governos locais, os estaduais e o federal.

O governo federal controla áreas como defesa, relações exteriores, emissão de moeda e comércio interestadual. É dirigido pelo presidente, o Congresso (a Câmara dos Deputados e o Senado) e o Supremo Tribunal.

Os governos estaduais se encarregam de assuntos fiscais, assim como de saúde, educação e ordem pública. À sua frente costumam estar um governador e um congresso estadual com duas câmaras.

Os estados se dividem em condados, que se compõem de municípios (cidades, distritos), cada um com sua Prefeitura. Quase todas as cidades são governadas por um prefeito e vereadores. As Prefeituras se encarregam dos serviços locais.

A educação nos EUA

O sistema educativo norte-americano varia conforme as regiões. A maior parte das escolas e universidades compõe-se de instituições mistas e estaduais, mas cerca de 25% das escolas e 45% das universidades pertencem a entidades privadas ou religiosas. Quase todos os estados proporcionam educação gratuita a partir do jardim-de-infância (onde as crianças entram aos 4 ou 5 anos) e durante os 12 anos seguintes. Na maioria dos estados, a educação é obrigatória por lei desde os 5 ou 6 anos até os 16 ou 18 anos.

Educação infantil (**até os 5 anos**, *pre-school education*, também conhecida por *Kindergarten* nos Estados Unidos e *Nursery School* na Grã-Bretanha). Cerca de 35% das crianças de 3 e 4 anos vão para creches e quase todas as de 4 e 5 anos vão ao jardim-de-infância.

Educação fundamental (de 6 a 13; *elementary school*) **e ensino médio** (**até os 18 anos**, *high school*) O tempo de permanência na escola varia. Quase todos os alunos seguem algum destes sistemas:

- seis anos de *elementary school* (séries 1ª a 6ª), três de *junior high school* (séries 7ª a 9ª) e três de *senior high school* (séries 10ª a 12ª).
- séries 1ª a 8ª de escola primária seguidas de outras quatro de *high school*.
- quatro ou cinco anos de escola primária, seguidos de quatro de *middle school* e mais quatro de escola secundária.

Terminologia

	High School		**College**
	Idade	**séries**	**idade**
freshman	14-15	9ª	18
sophomore	15-16	10ª	19
junior	16-17	11ª	20
senior	17-18	12ª	21

Currículo

Não existe um currículo oficial. A maioria dos estudantes de escola secundária deve cursar algumas matérias básicas (*core curriculum*) e pode escolher outras optativas (*electives*) nas últimas séries, que serão de caráter puramente escolar ou para formação profissional.

Exames

Nos Estados Unidos, não são tão importantes como em outros países. O trabalho dos alunos é avaliado ao longo de seus anos escolares. As notas que recebem por seus trabalhos, as discussões em classe e as provas dão sua nota média global ou Grade Point Average (*GPA*). Os que desejam ir para a universidade podem prestar exames como o *Scholastic Achievement Test* (*SAT*) ou o *American College Test* (*ACT*). Estes, com o *GPA*, determinam o acesso a cursos superiores.

Graduação

Aqueles que são aprovados na 12ª série podem participar da cerimônia conhecida como *graduation* (*ou commencement*). Vestem-se com uma beca e um barrete e recebem um diploma. Podem inclusive comprar um exemplar do anuário (*yearbook*) com fotos dos alunos e professores. O melhor aluno talvez seja o *valedictorian* (orador da turma) e faça o discurso de despedida aos graduados.

Educação superior (de 18 a 26 anos)

Mais de 60% dos graduados na escola secundária seguem cursos superiores. Existem dois níveis: *undergraduate* (licenciatura) e *graduate* ou *postgraduate* (mestrado ou doutorado). Os pais pagam a matrícula, mas cerca de 50% dos alunos recebem ajuda econômica em forma de bolsas de estudo, redução de taxas ou empréstimos a juros baixos.

Educação de adultos

Milhões de norte-americanos adultos fazem cursos, em meio período ou em período integral, que vão desde aprender a ler até a educação superior em universidades, centros de especialização, institutos municipais etc.

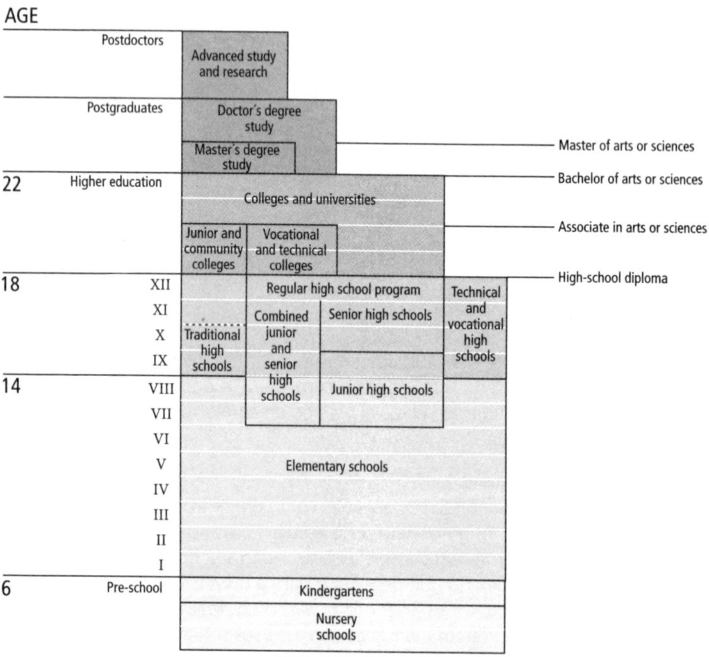

Os meios de comunicação nos EUA

Canais de televisão e emissoras de rádio

Existem quatro cadeias comerciais de televisão de âmbito nacional nos Estados Unidos: a *American Broadcasting Company* (*ABC*), a *Columbia Broadcasting Service* (*CBS*), a *National Broadcasting Service* (*NBC*) e a *Fox TV*. Há cerca de 1.300 canais comerciais e 400 não comerciais. A maioria dos canais comerciais tem conexão com alguma cadeia nacional.

Emissoras em cadeia

Difundem programas de entretenimento de interesse geral: concursos, comentários, esportes, programas humorísticos, filmes antigos e seriados. Financiam-se com publicidade.

TV a cabo e satélite

Nas grandes cidades, há por volta de 35 canais de televisão por cabo, geralmente temáticos: esportes, cinema, religião, notícias (como a *CNN*), compras, música (como a *MTV*), saúde, pornografia ou programas em língua estrangeira. Muitos bares, clubes e hotéis têm antena parabólica para assistir aos eventos esportivos.

Public Broadcasting Service

PBS é uma cadeia não comercial financiada em parte pelo patrocínio de empresas e doações dos espectadores. Seus programas são de maior qualidade do que os dos canais comerciais.

Rádio

Muitas emissoras têm conexão com alguma cadeia nacional, como *ABC*, *CBS* e *NBC*. Também existem mais de 100 cadeias regionais, muitas de caráter temático (p. ex., emissoras em língua estrangeira). As emissoras de notícias e comentários costumam transmitir em AM e as de música, em FM. Há também cadeias não comerciais com transmissões mais sérias, como a *National Public Radio* (*NPR*), especializada em notícias e programas de atualidades.

Jornais

A maioria dos jornais diários é de âmbito regional. Os únicos nacionais são o *Christian Science Monitor, USA Today* (com fotos em cores e esportes) e o *Wall Street Journal*, o líder da imprensa econômica. Os jornais regionais de mais prestígio (p. ex., *New York Times, Washington Post* ou *Los Angeles Times*) estão à venda em outras cidades.

Jornais diários sensacionalistas como o *Daily News* (Nova York) e o *Herald* (Boston) divulgam muitas notícias e fotos sobre esportes e pessoas famosas.

Os jornais dominicais costumam ser vendidos sábado à tarde. Quase todos os jornais diários têm sua edição dominical com grande número de seções.

Revistas

Semanários como *Newsweek* ou *Time* cobrem a atualidade nacional e internacional e são muito populares. As revistas mais lidas são as de esportes, as de moda e os guias de programação da televisão.

A Internet

Milhões de americanos acessam a Internet diariamente, seja em casa, no trabalho ou na escola. A aplicação mais utilizada é o correio eletrônico - mais de 5 bilhões de e-mails são enviados todos os dias nos Estados Unidos. Outra aplicação bastante conhecida são os programas que permitem ao usuário conversar com os amigos via Internet em tempo real. Além dessas aplicações, na Internet é possível ainda pesquisar todo tipo de informação para fazer trabalhos escolares e até mesmo consultar enciclopédias e dicionários. Existem centenas de provedores de acesso à Internet (*Internet Service Providers - ISPs*), entre os quais os mais conhecidos são a *America Online* (*AOL*), a *MSN* e a *Compuserve*. A maioria cobra por seus serviços, mas alguns são gratuitos, como a *NetZero*. Os provedores de acesso normalmente permitem a seus usuários selecionar o tipo de informação desejada, facilitando-lhes o acesso a notícias, informações sobre esporte, economia e entretenimento. Muitas pessoas utilizam acesso discado para se conectar (*dial up*), mas métodos de conexão bem mais rápidos, como modems a cabo, estão se tornando cada vez mais populares.

O lazer nos EUA

O trabalho não deixa muito tempo livre para os americanos, que, por isso, costumam passar os feriados e as férias com a família.

Festividades

Além dos feriados nacionais, cada estado tem seus próprios dias festivos. Muitos caem na segunda-feira, possibilitando um fim de semana prolongado (*long weekend*).

Natal e Ano Novo são importantes festividades familiares. Em muitos lugares se arma uma árvore de Natal (*Christmas tree*) com luzes e enfeites, as pessoas trocam presentes (*Christmas presents*) e se reúnem para a ceia de Natal (*Christmas dinner*), com peru assado, batatas e verduras. Na noite de Ano Novo é tradição ir a uma festa.

4th of July é o Dia da Independência. É comemorado com desfiles em muitas cidades e com grandes queimas de fogos de artifício, em que predominam as cores azul, vermelha e branca. É tradição fazer um piquenique com a família, com cachorros-quentes e melancia.

Thanksgiving é o Dia de Ação de Graças, que comemora o primeiro banquete compartilhado entre colonos e indígenas. As famílias se reúnem para uma refeição à base de peru, abóbora e torta de maçã.

Feriados Nacionais

1° de janeiro	New Year's Day
Terceira segunda-feira de janeiro	Martin Luther King Day
Terceira segunda-feira de fevereiro	Presidents´ Day (aniversário dos presidentes Lincoln e Washington)
Última segunda-feira de maio	Memorial Day (em memória dos soldados mortos em combate)
4 de julho	Independence Day
Primeira segunda-feira de setembro	Labor Day
Segunda segunda-feira de outubro	Columbus Day
11 de novembro	Veterans Day
Quarta quinta-feira de novembro	Thanksgiving
25 de dezembro	Christmas Day

Clubes sociais

Existem muitos clubes sociais que, com a igreja local, coordenam a atividade social e comercial em pequenas localidades.

Esportes

Os norte-americanos levam os esportes muito a sério. Natação, ciclismo, esqui, pesca, corrida e aeróbica são os mais praticados. Os esportes coletivos mais populares são o beisebol (esporte nacional), o futebol americano e o basquete.

Pesos e medidas

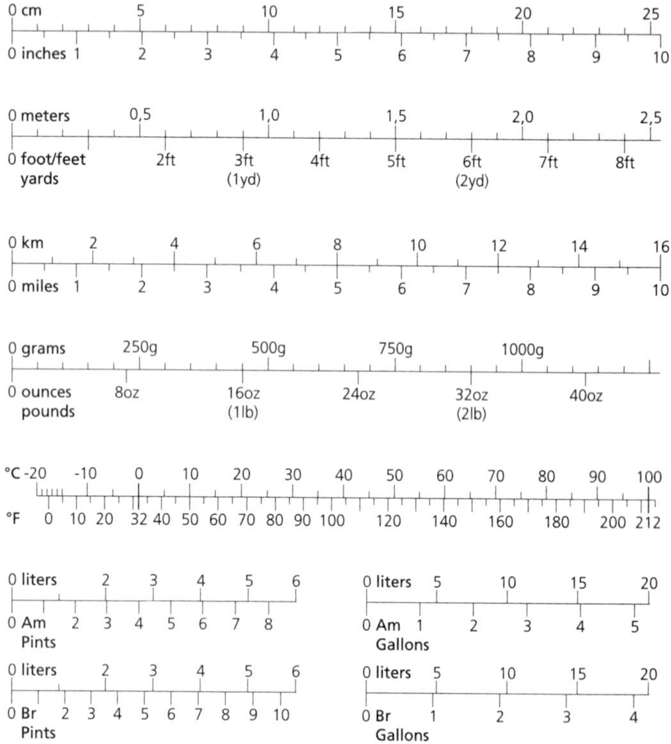

O sistema americano se baseia no antigo sistema britânico de jarda, galão e libra, se bem que algumas medidas diferem um pouco (como o pint, o galão e o quarto americanos). Na Grã-Bretanha usa-se em geral o sistema métrico, embora muitos continuem empregando os termos antigos, sobretudo ao se referir a distâncias.

Abreviaturas: cm = centímetro(s); ft = pé(s) (*foot/feet*); yd = jarda(s); km = quilômetro(s); g = grama(s); kg = quilograma(s); oz = onça(s) (*ounce/ounces*); lb = libra(s) (*pound/pounds*); C = Celsius; F = Fahrenheit.

GRAMÁTICA INGLESA

Os substantivos

Os substantivos e seus plurais

Plurais regulares

Em inglês, a maioria dos plurais é formada acrescentando-se um **s** ao substantivo:

book	►	book**s**	hat	►	hat**s**
car	►	car**s**	bear	►	bear**s**

No entanto, alguns plurais são formados de maneira diferente:

es — acrescenta-se **es** aos substantivos terminados em **s, sh, ch** ou **x**:

bus	►	bus**es**	box	►	box**es**
dish	►	dish**es**	watch	►	watch**es**

y ► ies — substitui-se o **y** por **ies** nos substantivos terminados em "consoante + y":

baby	►	bab**ies**	city	►	cit**ies**

f ou **fe ► ves** — na maior parte dos substantivos terminados em **f** ou **fe**, substitui-se o **f** ou **fe** por **ves**:

wolf	►	wol**ves**	life	►	li**ves**

Plurais irregulares

Observe como as vogais mudam nos seguintes casos:

foot	►	feet	tooth	►	teeth
man	►	men	mouse	►	mice

Alguns substantivos são iguais no singular e no plural:

sheep	fish	deer	series	aircraft

Os substantivos contáveis e incontáveis

Substantivos contáveis

Os substantivos contáveis são aqueles que possuem forma singular e forma plural e podem ser precedidos de **a**, **the**, **some** ou ainda de um número.

singular	►	**a** cat	**the** cat	**one** cat
plural	►	**some** cats	**the** cats	**three** cats

Substantivos incontáveis

Os substantivos incontáveis possuem somente uma forma. São chamados incontáveis porque não se pode contá-los ou quantificá-los:

water food rain advice

Um substantivo incontável **não** pode ser precedido de **a/an** nem de um número. No entanto, pode vir acompanhado de **the** ou **some**:

I want **some** toast. I need **some** advice. Where's **the** milk?

O possessivo

Formas

Em inglês, a terminação **'s** pode ser utilizada para indicar posse:

- Acrescenta-se **'s** aos substantivos no singular:
  Lucy**'s** tent Tom**'s** apple
- Acrescenta-se apenas **'** aos substantivos no plural:
  the student**s'** textbooks the boy**s'** father
- Acrescenta-se **'s** aos substantivos com plural irregular:
  children**'s** toys men**'s** clothes

Uso

O nome do possuidor precede o nome da coisa possuída:

our **uncles'** houses = *the houses of our uncles*

O nome do possuidor pode aparecer sozinho após o verbo **to be**:

That tent over there, is it **Lucy's**?

O nome do possuidor pode aparecer sozinho para se referir a um local:

Dad has gone to the **butcher's**. = *the butcher's shop*
I am going to the **newsagent's**. = *the newsagent's shop*

O possessivo pode ser utilizado também para indicar um período de tempo:

I took a **week's** holiday at Easter.

's ou **of**?

O ´**s** apóstrofo é normalmente utilizado com pessoas:

Lucy**'s** tent (e não *the tent of Lucy*)

A construção com **of** é normalmente utilizada com coisas:

the corner **of** the room (e não *the room's corner*)

Os artigos

Existem dois tipos de artigo em inglês: o indefinido e o definido.

O artigo indefinido "a" ou "an"

Formas

o artigo **a** é empregado antes de palavras que começam com consoantes:

a book **a** game

a é também empregado antes de palavras que começam com **u**, quando este **u** é pronunciado como na palavra **you**:

a university **a** union

an é empregado antes de palavras que começam com vogais:

an apple **an** old boat

an é também empregado antes de palavras que começam com "h" mudo:

an honour **an** hour

Uso

a e **an** são empregados apenas com substantivos contáveis no singular (ver página 2).

a e **an** são empregados para referir-se a uma coisa ou pessoa que é citada pela primeira vez:

Adam has bought **a** new personal stereo.

a é empregado antes de certos numerais:

a dozen **a** hundred **a** million

a e **an** são empregados para descrever a profissão de alguém:

Lucy's mother is **a** dentist

▲ **Cuidado** para não confundir **a** ou **an** com o número **one**. Compare:
A car is no good. We need **a** van.
One car is no good. We need two or three.

O artigo definido: "the"

Forma

the é o artigo definido usado com todos os substantivos:

the book **the** game **the** time

Uso

the é empregado para se referir a um objeto ou a alguém em particular:

Lucy bought a T-shirt and a dress yesterday. **The** dress is red.

the é empregado diante de pessoa ou coisa que seja única:

Tom wrote to **the** President. **The** sun is shining.

the é empregado com instrumentos musicais: **Adam plays *the* piano.**

Os adjetivos

Uso dos adjetivos

Forma

Os adjetivos em inglês não mudam de acordo com o gênero do substantivo:

an **old** man	an **old** woman
old men	**old** women

Posição

Os adjetivos sempre precedem os substantivos:

Adam has a **new** toy.

Podem também vir depois de verbos como **be, seem, look, get**:

Lucy's hands are **dirty**. Tom looks **sad**.

Ordem

Quando se usam vários adjetivos para qualificar um substantivo, eles seguem a seguinte ordem:

TAMANHO/FORMA + IDADE + COR + NACIONALIDADE + MATERIAL
a **small cotton** T-shirt a new **yellow** bicycle

Grau dos adjetivos

Formas

	Adjetivos de uma sílaba	Adjetivos de mais de uma sílaba
Regular	a **tall** tree	a **famous** woman
Comparativo	a **taller** tree	a **more famous** woman
Superlativo	the **tallest** tree in the garden	the **most famous** woman in the world

Comparativos e superlativos

Geralmente, os graus comparativo e superlativo de superioridade são formados como segue:

aos adjetivos de uma sílaba, acrescenta-se **er** e **est** (o superlativo vem precedido pelo artigo **the**):

fast ► fast**er** ► **the** fast**est** long ► long**er** ► **the** long**est**

Ortografia: dobra-se a consoante final depois de uma vogal breve:

big ► bigg**er** ► **the** bigg**est** fat ► fatt**er** ► **the** fatt**est**

com adjetivos de duas sílabas ou mais, usa-se more e the most:

difficult	► **more** difficult	► the **most** difficult
beautiful	► **more** beautiful	► the **most** beautiful

Os adjetivos abaixo têm comparativos e superlativos irregulares:

good	► better	► the best	little	► less	► the least
bad	► worse	► the worst	much/many	► more	► the most

Os pronomes pessoais

Formas

		Pronomes Retos	Pronomes Oblíquos
Singular	1ª pessoa	I	me
	2ª pessoa	you	you
	3ª pessoa		
	masculino	he	him
	feminino	she	her
	impessoal	one	one
	neutro	it	it
Plural	1ª pessoa	we	us
	2ª pessoa	you	you
	3ª pessoa	they	them

Uso

Os substantivos em inglês não possuem gênero gramatical. No entanto, muda-se o pronome pessoal dependendo do gênero da pessoa ou do objeto a que se refere.

sujeito *complemento*

Adam is running towards ***Lucy and Tom.***

He is running towards ***them.***

pronome reto *pronome oblíquo*

he e **him** são empregados para pessoas e animais do sexo masculino:

> There's Tom's brother. **He's** a student.
> Do you know **him**?

she e **her** são empregados para pessoas e animais do sexo feminino:

> There's Lucy's mother. **She's** a dentist.
> Have you met **her**?

it é empregado para objetos e animais quando não se conhece o sexo:

> There's my car. **It's** a limousine.
> I like **it** very much.

you tem a mesma forma para o singular e o plural e equivale a "tu" ou "você", "vós" ou "vocês".

Os adjetivos e pronomes possessivos

Formas

		Pronomes Retos	Pronomes Oblíquos
Singular	1ª pessoa	my	mine
	2ª pessoa	your	yours
	3ª pessoa		
	masculino	his	his
	feminino	her	hers
	impessoal	one's	
	neutro	its	
Plural	1ª pessoa	our	ours
	2ª pessoa	your	yours
	3ª pessoa	their	theirs

Uso

Os adjetivos possessivos precedem os substantivos. Os pronomes possessivos são usados em substituição ao substantivo quando este é óbvio ou foi previamente mencionado.

This bike belongs to Lucy. It's **her** bike. It's **hers**.

Lembre-se de que a escolha do adjetivo ou pronome possessivo depende do gênero do possuidor, não do objeto possuído:

There's Tom's bike. It's **his** bike. It's **his**.

Lembre-se de que o artigo definido jamais é usado com pronomes possessivos:

This is my bag, **yours** is over there. (não *the yours is over there*)

Com as partes do corpo, utiliza-se o adjetivo possessivo:

Adam hurt **his** leg. Lucy broke **her** arm.

▲ **Cuidado** para não confundir **its** com **it's**:

This is my new teddy bear. **It's** brown and **its** name is 'Ted'.
it's = it is **its** = *adjetivo possessivo*

As preposições

Preposições de lugar

•The cat is **on** the table.
•The mouse is **under** the table.

•The vase is **on top of** the fireplace.
•The picture is **above** the fireplace.

•Lucy is **in** the tent.
•The plane is flying **below** the clouds.

•Adam is **next to** Lucy.
•Tom is standing **near** Adam and Lucy.
•Lucy is **between** Adam and Tom.

•The tractor is **in front of** the car.
•The bus is **behind** the car.

Preposições de movimento

•Tom is going **up** the steps.
•Lucy is going **down** the slide.

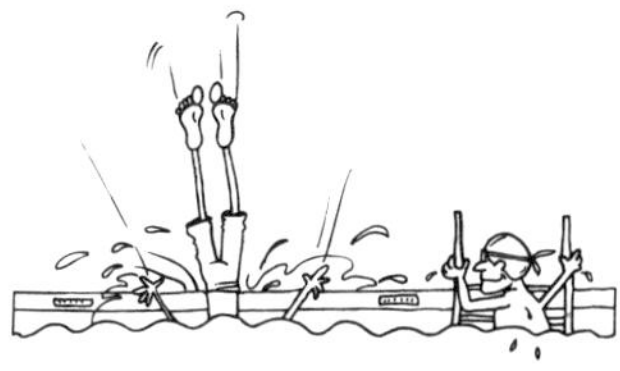

•Tom is diving **into** the pool.
•Adam is getting **out of** the pool.

•The cat is crawling **through** the fence.
•The dog is jumping **over** the fence.

•Lucy is walking **across** the street.
•Tom is walking **along** the street.

•Adam is running **towards** his friends.

Os advérbios

Uso dos advérbios

Formas

Em inglês, para se formar os advérbios, acrescenta-se geralmente **ly** ao adjetivo:

ADJETIVO + ly ► ADVÉRBIO

slow	►	slow**ly**	quick	►	quick**ly**
clear	►	clear**ly**	careful	►	careful**ly**

Contudo, alguns advérbios são formados de modo diferente:

y ► ily

O **y** transforma-se em **ily** nos adjetivos terminados em "consoante + **y**":

happy ► happ**ily** tidy ► tid**ily**

le ► ly

O **le** transforma-se em **ly** nos adjetivos terminados em **le**:

gentle ► gent**ly** simple ► simp**ly**

ll ► lly

Aos adjetivos terminados em **ll**, acrescenta-se **y**:

full ► fu**lly** dull ► du**lly**

ic ► ically

Aos adjetivos terminados em **ic**, acrescenta-se **ally**:

drastic ► drastic**ally** historic ► historic**ally**

Alguns advérbios são iguais aos adjetivos:

late	►	late	early	►	early
hard	►	hard	fast	►	fast

A forma adverbial de **good** é **well**.

Posição

Os advérbios podem ser colocados:

Depois de um verbo intransitivo:

Adam works **carefully.** Lucy can run **fast.**

Depois do complemento de um verbo:

Tom finished his homework **quickly.**
(e não *Tom finished quickly his homework*)

Grau dos advérbios

Os comparativos e superlativos de superioridade da maior parte dos advérbios são formados acrescentando-se as palavras **more** e **most**:

The teacher spoke more **angrily** than he had before.

Alguns comparativos e superlativos são formados acrescentando-se **er** e **est**:

They completed their homework **sooner** than I'd expected.

Os verbos

Formas

Em sua conjugação, a maioria dos verbos ingleses não tem mais de cinco formas. Por exemplo, o verbo **write**:

Forma básica (infinitivo sem *to*):	**write**
FORMA **s** (terceira pessoa do singular):	Lucy **writes** letters.
FORMA **ing** (usada no presente contínuo):	I am **writing** a letter.
o passado:	I **wrote** a letter.
o particípio passado:	I have **written** a letter.

Tempos

Presente

Formação

O presente é formado da seguinte maneira:

Infinitivo:	**play**
SINGULAR	I/you **play**
	he/she/it **plays**
PLURAL	we/you/they **play**

Na terceira pessoa do singular, acrescenta-se **s** ao infinitivo (sem o **to**) na maioria dos verbos:

eat ► **he/she/it eats**

No entanto, quando o infinitivo termina em:

o, ss, sh, ch, x ou z, acrescenta-se **es** na 3ª pessoa:
wash ► **he/she/it washes**

"consoante + **y**", substitui-se o **y** por **i** e acrescenta-se **es** na 3ª pessoa:

cry ► **he/she/it cries**

Uso

O presente é utilizado para expressar:

um acontecimento:	I **am** from Argentina.
ações que se repetem:	She **plays** tennis every Saturday.
sentimentos:	They **love** chocolate.

O Presente Contínuo (Present Continuous)

Formação

O presente contínuo é formado da seguinte maneira:

be + forma **ing**

A forma **ing** é construída normalmente acrescentando-se **ing** ao infinitivo:

watch ► watch**ing** — I **am watching** TV.

Contudo, quando o infinitivo termina em:
"consoante + **e**", tira-se o **e** , acrescentando-se **ing**:

have ► hav**ing** — come ► com**ing**

ie, substitui-se o **ie** por **y**, acrescentando-se **ing**:

die ► d**ying**

"uma vogal breve tônica + uma consoante", a consoante normalmente dobra:

rob ► rob**bing** — sit ► sit**ting**

Uso

O presente contínuo é utilizado para falar de:
acontecimentos que estão ocorrendo no momento:

It**'s snowing**.

acontecimentos que ocorrem durante um período de tempo ilimitado, incluindo o atual:

I**'m learning** English.

planos e preparativos:

I**'m playing** football tomorrow.

Passado ou Pretérito Simples (*Simple Past*)

Formação

O passado simples de muitos verbos é formado da seguinte maneira:

Infinitivo + ed — I/you/he/she/it/we/they *watched* TV.

No entanto, quando o infinitivo termina em:
"consoante + e", acrescenta-se apenas **d**:

like ► like**d** — hope ► hope**d**

"consoante + **y**", substitui-se o **y** por **i**, acrescentando-se **ed**:

cry ► cr**ied** — try ► tr**ied**

"uma vogal breve tônica + uma consoante", geralmente dobra-se a consoante:

drop ► drop**ped** — clap ► clap**ped**

Consulte os verbos irregulares na tabela da página 33.

Uso

O passado simples é utilizado para descrever acontecimentos e situações já finalizadas:

I **lived** in Mexico for two years. Lucy **tidied** her room.

Present Perfect

Formação
O present perfect é formado da seguinte maneira:

have + particípio passado do verbo principal

I **have eaten** my ice cream. Adam **has arrived** home.

O particípio passado regular é formado da mesma maneira que o passado simples.

Uso
O present perfect é utilizado para falar de:
acontecimentos recentes (que acabaram de acontecer):

Tom **has finished** his homework.

ações que começaram no passado e ainda continuam ocorrendo no presente:

I **have lived** in Brazil for ten years.

quando não há referência a quando ocorre a ação.

I **have chosen** a career in medicine.

Verbos auxiliares
Os verbos **to be**, **to do** e **to have** são muito importantes porque, além de funcionarem como verbos principais, são também usados com outros verbos para formar novos tempos verbais.

O verbo "to be"

FORMA COMPLETA	FORMA CONTRAÍDA	FORMA CONTRAÍDA NEGATIVA	PRETÉRITO SIMPLES
I am	I'm	I'm not	I was
you are	you're	you aren't	you were
he/she/it is	he's/she's/it's	he/she/it isn't	he/she/it was
we are	we're	we aren't	we were
you are	you're	you aren't	you were
they are	they're	they aren't	they were

GERÚNDIO ► *being* **PARTICÍPIO** ► *been*

O verbo **to be** é usado para formar o presente contínuo (**be + ing**) e a voz passiva (**be + particípio passado**).

O verbo "to have"

FORMA COMPLETA	FORMA CONTRAÍDA	FORMA CONTRAÍDA NEGATIVA	PRETÉRITO SIMPLES
I have	I've	I haven't	I had
you have	you've	you haven't	you had
he/she/it has	he's/she's/it's	he/she/it hasn't	he/she/it had
we have	we've	we haven't	we had
you have	you've	you haven't	you had
they have	they've	they haven't	they had

GERÚNDIO ► *having* **PARTICÍPIO** ► *had*

O verbo "**to have**" é utilizado para formar o present perfect (**have + particípio passado**) e o pretérito mais-que-perfeito (**had + particípio passado**).

O verbo "to do"

FORMA COMPLETA	FORMA CONTRAÍDA NEGATIVA	PRETÉRITO SIMPLES
I do	I don't	I did
you do	you don't	you did
he/she/it does	he/she/it doesn't	he/she/it did
we do	we don't	we did
you do	you don't	you did
they do	they don't	they did

GERÚNDIO ► *doing* **PARTICÍPIO** ► *done*

Do é usado para formar sentenças negativas e interrogativas no Presente Simples.

Os verbos irregulares em inglês

Infinitvo	Pretérito Simples	Particípio
arise	arose	arisen
awake	awoke	awoken
be	was/ were	been
bear	bore	born(e)
beat	beat	beaten
begin	began	begun
bend	bent	bent
bet	bet/betted	bet/betted
bid	bid	bid
bind	bound	bound
bite	bit	bitten
bleed	bled	bled
blow	blew	blown
break	broke	broken
breed	bred	bred
bring	brought	brought
build	built	built
burn	burnt/burned	burnt/burned
burst	burst	burst
buy	bought	bought
can	could	-
cast	cast	cast
catch	caught	caught
choose	chose	chosen
come	came	come
cost	cost	cost
creep	crept	crept
cut	cut	cut
deal	dealt	dealt
dig	dug	dug
do	did	done
draw	drew	drawn
dream	dreamed/dreamt	dreamed/dreamt
drink	drank	drunk

Infinitvo	**Pretérito Simples**	**Particípio**
drive	drove	driven
eat	ate	eaten
fall	fell	fallen
feed	fed	fed
feel	felt	felt
fight	fought	fought
find	found	found
fling	flung	flung
fly	flew	flown
forget	forgot	forgotten
freeze	froze	frozen
get	got	gotten (*Brit* got)
give	gave	given
go	went	gone
grind	ground	ground
grow	grew	grown
hang	hung/hanged	hung/hanged
have	had	had
hear	heard	heard
hide	hid	hidden
hit	hit	hit
hold	held	held
hurt	hurt	hurt
keep	kept	kept
kneel	knelt/kneeled	knelt/kneeled
know	knew	known
lay	laid	laid
lead	led	led
lean	leant/leaned	leant/leaned
leap	leapt/leaped	leapt/leaped
learn	learnt/learned	learnt/learned
leave	left	left
lend	lent	lent
let	let	let
lie	lay	lain
light	lit/lighted	lit/lighted
lose	lost	lost

Infinitvo	Pretérito Simples	Particípio
make	made	made
may	might	-
mean	meant	meant
meet	met	met
mow	mowed	mown/mowed
pay	paid	paid
put	put	put
quit	quit/quitted	quit/quitted
read	read	read
rid	rid	rid
ride	rode	ridden
ring	rang	rung
rise	rose	risen
run	ran	run
saw	sawed	sawn
say	said	said
see	saw	seen
seek	sought	sought
sell	sold	sold
send	sent	sent
set	set	set
shake	shook	shaken
shall	should	-
shed	shed	shed
shine	shone	shone
shoot	shot	shot
show	showed	shown
shrink	shrank	shrunk
shut	shut	shut
sing	sang	sung
sink	sank	sunk
sit	sat	sat
sleep	slept	slept
slide	slid	slid
sling	slung	slung
smell	smelt/smelled	smelt/smelled
sow	sowed	sown/sowed

Infinitvo	Pretérito Simples	Particípio
speak	spoke	spoken
speed	sped/speeded	sped/speeded
spell	spelt/spelled	spelt/spelled
spend	spent	spent
spill	spilt/spilled	spilt/ spilled
spin	spun	spun
spit	spat/spit (*Am*)	spat/spit (*Am*)
split	split	split
spoil	spoiled/spoilt	spoiled/spoilt
spread	spread	spread
spring	sprang	sprung
stand	stood	stood
steal	stole	stolen
stick	stuck	stuck
sting	stung	stung
stink	stank	stunk
strike	struck	struck/stricken
swear	swore	sworn
sweep	swept	swept
swell	swelled	swolled/swelled
swim	swam	swum
swing	swung	swung
take	took	taken
teach	taught	taught
tear	tore	torn
tell	told	told
think	thought	thought
throw	threw	thrown
tread	trod	trodden
wake	woke/waked	woken/waked
wear	wore	worn
weave	wove/weaved	woven/weaved
weep	wept	wept
win	won	won
wind	wound	wound
wring	wrung	wrung
write	wrote	written

Falsos cognatos

actual ≠ atual
The *actual* price is $10.00.
► O preço *real* é $10.00.

Meu salário *atual* é muito baixo.
► My *current* salary is very low.

agenda ≠ agenda
The first point on the *agenda* is...
► O primeiro assunto da *ordem do dia* é...

Eu tenho uma *agenda* lotada para os próximos dias.
► I have a very busy *schedule* for the next few days.

attend ≠ atender
She *attended* the meeting.
► Ela *participou* da reunião.

Deixe-me *atender* o telefone.
► Let me *answer* the phone.

balcony ≠ balcão
She was standing near the *balcony*.
► Ela estava de pé perto da *varanda*.

Pergunte à mulher que está atrás do *balcão*.
► Ask the woman behind the *counter*.

baton ≠ batom
A *baton* is a part of the police uniform.
► Um *cassetete* faz parte do uniforme do policial.

Eu sempre levo um *batom* na minha bolsa.
► I always carry a *lipstick* in my purse.

beef ≠ bife
Do you prefer *beef* or chicken?
► Você prefere *carne de vaca* ou frango?

Eu vou comer um *bife* com batatas assadas.
► I'll have a *steak* with roast potatoes.

carton ≠ cartão
I need a *carton* of milk.
► Eu preciso de um *pacote* de leite.

Eu recebi um lindo *cartão* de aniversário.
► I received a nice birthday *card*.

casual ≠ casual
He can only get *casual* work.
► Ele só consegue trabalho *informal*.

A amizade deles foi o resultado de um encontro *casual*.
► Their friendship was the result of a *chance* meeting.

cigar ≠ cigarro
Cigar smoke irritates my eyes.
► Fumaça de *charuto* irrita meus olhos.

Ele fuma um maço de *cigarros* por dia.
► He smokes a pack of *cigarettes* a day.

collar ≠ colar
Your shirt *collar* is dirty.
► O *colarinho* da sua camisa está sujo.

Ele deu a ela um *colar* como presente de aniversário.
► He gave her a *necklace* as a birthday present.

college ≠ colégio
I hope to study Maths at *college* next year.
► Eu espero estudar Matemática na *universidade* o ano que vem.

Com dezessete anos ela terá terminado o *colégio*.
► At the age of seventeen she will have finished *school*.

costume ≠ costume
A *costume* party.
► Uma festa à *fantasia*.

Ela tem alguns *costumes* que eu realmente acho irritantes.
► She has some *habits* that I find really irritating.

data ≠ data
She inputs *data* at work.
► Ela digita *informações* no trabalho.

O professor mudou a *data* do exame mais uma vez.
► The teacher changed the examination *date* once again.

deception ≠ decepção
It was the *deception* that hurt me.
► Foi a *trapaça* que me magoou.

Foi uma *decepção* não encontrá-lo na festa.
► It was a *disappointment* not to meet him at the party.

eventually ≠ eventualmente
I *eventually* arrived at the restaurant 30 minutes late.
► *Finalmente* cheguei ao restaurante 30 minutos atrasado.

Eventualmente, eu vou para o trabalho de carro.
► *Sometimes* I go to work by car.

exit ≠ êxito
Where's the nearest *exit*?
► Onde fica a *saída* mais próxima?

Qual é o segredo do seu *êxito* na vida?
► What is the secret of your *success* in life?

expert ≠ esperto
He is an *expert* in child psychology.
► Ele é um *especialista* em psicologia infantil.

Ele é um garoto muito *esperto*.
► He is a very *smart* boy.

exquisite ≠ esquisito
An *exquisite* dinner.
► Um jantar *requintado*.

O cheiro desta sopa está *esquisito*.
► This soup smells *weird*.

fabric ≠ fábrica
I'll need more *fabric* to make the dress.
► Vou precisar de mais *tecido* para fazer o vestido.

O pai dele trabalha em uma *fábrica*.
► His father works in a *factory*.

intoxication ≠ intoxicação
His level of *intoxication* was high.
► Seu nível de *embriaguez* era alto.

O médico acha que eu tive uma *intoxicação* alimentar.
► The doctor thinks I had food *poisoning*.

library ≠ livraria
I'm going to the *library* to study.
► Estou indo para a *biblioteca* estudar.

Eu estou indo para a *livraria* comprar um livro.
► I'm going to the *bookstore* to buy a book.

lunch ≠ lanche
Are you coming with me for *lunch*?
► Você vem *almoçar* comigo?

Eu sei que não deveria comer esse *lanche* antes do jantar.
► I know I shouldn't eat this *snack* before dinner.

notice ≠ notícia
There's a new *notice* on the board.
► Há um novo *aviso* no quadro.

Ele ficou feliz em ouvir a *notícia*.
► He was very happy to hear the *news*.

parents ≠ parentes
He is still living with his *parents*.
► Ele ainda está morando com os *pais*.

Encontrei meus *parentes* na festa de casamento da minha prima.
► I met my *relatives* at my cousin´s wedding party.

policy ≠ polícia
The present government's *policy* on education.
► A *política* do governo atual para a educação.

Quando a *polícia* chegou, já era tarde demais.
► When the *police* arrived, it was already too late.

pretend ≠ pretender
I am tired of having to *pretend* all the time.
► Estou cansado de ter de *fingir* o tempo todo.

Nós *pretendemos* viajar amanhã de manhã.
► We *intend* to travel tomorrow morning.

push ≠ puxar
Could you *push* the door please?
► Você poderia *empurrar* a porta?

Ele *puxou* minha camiseta para chamar a atenção.
► He *pulled* on my t-shirt to get attention.

realize ≠ realizar

I *realize* that the teacher does not like me.
► Eu *percebo* que o professor não gosta de mim.

Eu *realizei* todos os meus objetivos profissionais até agora.
► I have *achieved* all my professional goals so far.

receipt ≠ receita

I didn't keep the *receipt*.
► Eu não guardei o *recibo*.

Você tem a *receita* desse bolo?
► Do you have the *recipe* for this cake?

record ≠ recordar

The secretary *recorded* the main points of the meeting.
► A secretária *anotou* os principais tópicos da reunião.

Eu não me *recordo* do meu primeiro dia na escola.
► I don't *remember* my first day at school.

retire ≠ retirar

I will *retire* at the age of sixty.
► Eu vou *me aposentar* com 60 anos.

Vou *retirar* os pratos da mesa.
► I'll *remove* the dishes from the table.

sensible ≠ sensível

She made a *sensible* decision.
► Ela tomou uma decisão *sensata*.

Cuidado com seus comentários porque ela é uma pessoa muito *sensível*.
► Be careful with your comments because she is a very *sensitive* person.

spade ≠ espada

I left my *spade* in the garden.
► Deixei minha *pá* no jardim.

O cavaleiro carregava sua *espada*.
► The knight was carrying his *sword*.

sympathetic ≠ simpático

He wasn't *sympathetic* to the problem.
► Ele não foi *solidário* com o problema.

Ele é um rapaz muito *simpático*.
► He is a very *nice* guy.

Português-Inglês

Portuguese-English

Aa

a [a] **1** *artigo definido* → **o.**
2 *prep* **(a)** *(introduz um complemento indireto)* to; **mostrar algo a alguém** to show sthg to sb; **diga ao Zé para vir** tell Zé to come; **peça o chapéu ao Paulo** ask Paulo for the hat.
(b) *(relativo a direção)* to; **fomos à praia** we went to the beach; **vamos ao cinema** we're going to the movies; **cheguei a Salvador ontem** I arrived in Salvador yesterday.
(c) *(relativo a posição, lugar, distância)*: **é à esquerda/direita** it's on the left/right; **fica a 10 quilômetros** it's 10 kilometers away.
(d) *(relativo a quantidade, medida, preço)*: **às centenas/dúzias** by the hundred/ dozen; **a quanto estão as peras?** how much are the pears?; **a quilo/metro** by the kilo/meter.
(e) *(indica modo, maneira)*: **feito à mão** handmade; **bater à máquina** to type; **ir a pé/cavalo** to go on foot/horseback; **viajar a trabalho/passeio** to go on a business/pleasure trip; **à moda da casa** house style; **sal a gosto** salt to taste.
(f) *(relativo a velocidade)*: **dirigir a 60 km/h** to drive at 60 kph; **ela ia a 100km/h** she was going at 100 kph.
(g) *(indica freqüência)*: **três vezes ao dia** three times a day; **estou lá às terças e quintas** I'm there onTuesdays andThursdays.
(h) *(introduz complemento de tempo)*: **as lojas abrem às 9 horas** the stores open at 9 (o'clock); **chegam daqui a 2 horas** they're arriving in 2 hours' time; **fica a dez minutos daqui** it's ten minutes from here; **à noite** at night.
(i) *(indica série)*: **de ... a** from ... to; **façam os exercícios de um a dez** do exercises one to ten.
(j) *(seguido de infinitivo para exprimir momento)*: **ele começou a falar** he started speaking; **ele tropeçou ao subir no ônibus** he tripped as he was getting on the bus.

à [a] = **a + a** → **a.**

aba ['aba] *f (de chapéu)* brim.

abacate [aba'katʃi] *m* avocado.

abacaxi [abaka'ʃi] *m* pineapple.

abadia [aba'dʒia] *f* abbey.

abafado, da [aba'fadu, da] *adj (ar)* stuffy; *(tempo)* close.

abafar [aba'fa(x)] **1** *vt (ruído)* to muffle.
2 *vi (sufocar)* to stifle.

abagunçado, da [abagũn'sadu, da] *adj* messed up.

abagunçar [abagũn'sa(x)] *vt* to mess sthg up.

abaixar [abaj'ʃa(x)] *vt* to lower; *(volume)* to turn down; *(preço, juros)* to lower.
❑ **abaixar-se** *vp* to bend down.

abaixo [a'bajʃu] *adv* down; **jogar abaixo** *(árvore)* to cut down; **mais abaixo** further down; **abaixo de** below; **abaixo o governo!** down with the government!

abaixo-assinado [a,bajʃuasi'nadu] (*pl* **abaixo-assinados** [a,bajʃuasi'naduʃ]) *m* petition.

abajur [aba'ʒu(x)] (*pl* **-res** [-riʃ]) *m* lampshade.

abalar [aba'la(x)] *vt (estremecer)* to shake.

abalo [a'balu] *m*: **abalo (sísmico** ou **de terra)** earth tremor.

abanar [aba'na(x)] *vt (cabeça)* to shake; *(rabo)* to wag.

abandonado, da [abãndo'nadu, da] *adj (lugar)* deserted; *(cão, carro)* abandoned.

abandonar [abãndo'na(x)] *vt* to abandon.

abandono [abãn'donu] *m* abandonment;

ao abandono abandoned; **abandono do lar** desertion.

abarcar [abax'ka(x)] *vt* to cover.

abarrotado, da [abaxo'tadu, da] *adj* packed.

abarrotar [abaxo'ta(x)] **1** *vi* to be full. **2** *vt* to pack; **abarrotar de** to pack with.

abastecer [abaʃte'se(x)] *vt* to supply; *AUT* to fill up.
❑ **abastecer-se** *vp* to stock up.

abater [aba'te(x)] *vt (baixar)* to reduce; *(avião)* to shoot down; *(árvore)* to fell; *(animal)* to slaughter.

abatimento [abatʃi'mẽntu] *m (desconto)* reduction; *(fraqueza)* weakness.

abcesso [ab'sɛsu] *m* abscess.

abdicar [abdʒi'ka(x)] *vi* to abdicate.

abdômen [ab'domẽ] *m* abdomen.

abdominal [abdomi'naw] (*pl* **-ais** [-ajʃ]) *adj* abdominal.
❑ **abdominais** *mpl*: **fazer abdominais** to do sit-ups.

abecedário [abese'darju] *m* alphabet.

abelha [a'beʎa] *f* bee.

aberração [abexa'sãw] (*pl* **-ões** [-õjʃ]) *f* aberration.

aberto, ta [a'bɛxtu, ta] **1** *pp* → **abrir.** **2** *adj* open.

abertura [abex'tura] *f* opening; *MÚS* overture; *FOT* aperture; **'abertura fácil'** 'easy to open'.

abismo [a'biʒmu] *m* abyss.

abóbada [a'bɔbada] *f* vault.

abóbora [a'bɔbora] *f* pumpkin.

abobrinha [abo'briɲa] *f* zucchini *Am*, courgette *Brit*.

abolir [abo'li(x)] *vt* to abolish.

abordagem [abox'daʒẽ] (*pl* **-ns** [-ʃ]) *f (de tema, situação)* handling, treatment.

abordar [abox'da(x)] *vt (pessoa)* to approach; *(assunto)* to broach.

aborrecer [aboxe'se(x)] *vt (irritar)* to annoy; *(entediar)* to bore.
❑ **aborrecer-se** *vp (irritar-se)* to get annoyed; *(entediar-se)* to get bored.

aborrecido, da [aboxe'sidu, da] *adj (chato)* tedious; *(zangado)* annoyed.

aborrecimento [aboxesi'mẽntu] *m (tédio)* boredom; *(contrariedade)* annoyance.

abortar [abox'ta(x)] *vi MED (espontaneamente)* to have a miscarriage; *(intencionalmente)* to have an abortion.

aborto [a'boxtu] *m MED (espontâneo)* miscarriage; *(intencional)* abortion.

abotoar [abo'twa(x)] *vt* to button (up).

abraçar [abra'sa(x)] *vt* to hug.
❑ **abraçar-se** *vp* to hug each other.

abraço [a'brasu] *m* hug; **um abraço** *(em carta, postal)* best wishes.

abrandar [abrãn'da(x)] **1** *vt (dor)* to ease. **2** *vi (vento)* to drop; *(chuva)* to ease off.

abranger [abrã'ʒe(x)] *vt* to include.

abreviação [abrevja'sãw] (*pl* **-ões** [-õjʃ]) *f* abbreviation.

abreviatura [abrevja'tura] *f* abbreviation.

abridor [abri'do(x)] (*pl* **-res** [-riʃ]) *m*: **abridor de garrafa** bottle opener; **abridor de lata** can opener *Am*, tin opener *Brit*.

abrigar [abri'ga(x)] *vt* to shelter.
❑ **abrigar-se** *vp* to take cover.

abrigo [a'brigu] *m* shelter; **ao abrigo de** under cover of.

abril [a'briw] *m* April → **setembro.**

abrir [a'bri(x)] *vt & vi* to open; **abrir a boca** *(bocejar)* to yawn; **abrir uma exceção** to make an exception; **abrir um processo** to file a case; **abrir mão de algo** *fig* to forego sthg.
❑ **abrir-se** *vp*: **abrir-se com alguém** to confide in sb.

absolutamente [abso,luta'mẽntʃi] **1** *adv* absolutely. **2** *excl* not at all!

absoluto, ta [abso'lutu, ta] *adj* absolute.

absolver [absow've(x)] *vt (perdoar)* to absolve; *JUR* to acquit.

absorção [absox'sãw] *f* absorption.

absorvente [absox'vẽntʃi] **1** *adj* absorbent. **2** *m* sanitary pad.

absorver [absor've(x)] *vt* to absorb.

abstêmio, mia [abʃ'temju, mja] *m, f* teetotaller.

abstenção [abʃtẽ'sãw] *f (de bebida, fumo)* abstinence; *(em votação)* abstention.

abstrato, ta [abʃ'tratu, ta] *adj* abstract.

absurdo, da [ab'suxdu, da] **1** *adj* absurd. **2** *m* nonsense.

abundância [abũn'dãsja] *f* abundance.

abundante [abũn'dãntʃi] *adj* abundant.

abusado, da [abu'zadu, da] *adj (atrevido)* forward.

abusar [abu'za(x)] *vi* to overdo things; **abusar de alguém** to abuse sb; **abusar da bebida/do fumo** to drink/smoke too much.

abuso [a'buzu] *m (de álcool, droga)* abuse; *JUR* indecent assault.

acabamento [akaba'mẽntu] *m* finish.

acabar [aka'ba(x)] **1** *vt* to finish.
2 *vi (tempo, programa, filme)* to finish, to end; *(água, pão, leite)* to run out.
3 acabar com algo to put an end to sthg; **acabar com alguém** *(matar)* to kill sb; **acabar de fazer algo** to have just done sthg; **acabar bem** to end well; **acabar por fazer algo** to end up doing sthg.
❑ **acabar-se** *vp* to run out; **acabou-se!** that's enough!

academia [akade'mia] *f* academy; **academia de belas-artes** Academy of Fine Arts; **academia de ginástica** gymnasium.

açafrão [asa'frãw] *m* saffron.

acalmar [akaw'ma(x)] **1** *vt* to calm.
2 *vi (vento, dor)* to abate.
❑ **acalmar-se** *vp* to calm down.

acampamento [akãmpa'mẽntu] *m* camp.

acampar [akãm'pa(x)] *vi* to camp.

acanhado, da [aka'ɲadu, da] *adj* shy.

acanhar-se [aka'ɲaxsi] *vp* to feel shy.

ação [a'sãw] (*pl* **-ões** [-õjʃ]) *f* action; *(título de crédito)* share; *(de peça teatral)* plot; *JUR* case.

acariciar [akari'sja(x)] *vt* to caress.

acaso [a'kazu] *m* chance, accident; **ao acaso** at random; **por acaso** by chance OU accident.

acatar [aka'ta(x)] *vt (ordem, lei)* to obey.

aceder [ase'de(x)] *vi* to consent.

aceitar [asej'ta(x)] *vt* to accept.

aceito, ta [a'sejtu, ta] *pp* → **aceitar.**

acelerador [aselera'do(x)] (*pl* **-res** [-riʃ]) *m AUT* gas pedal *Am*, accelerator *Brit.*

acelerar [asele'ra(x)] **1** *vt* to speed up.
2 *vi* to accelerate.

acenar [ase'na(x)] *vi (com braço)* to wave; *(com cabeça)* to nod.

acender [asẽn'de(x)] *vt (cigarro, vela, lareira)* to light; *(lâmpada, luminária)* to switch OU turn on.

aceno [a'senu] *m (com braço)* gesture; **um aceno de cabeça** a nod.

acento [a'sẽntu] *m (sinal gráfico)* accent; *(inflexão)* stress; **acento agudo/grave** acute/grave accent; **acento circunflexo** circumflex.

acepção [asep'sãw] (*pl* **-ões** [-õjʃ]) *f* sense.

acerca [a'sexka]: **acerca de** *prep* about, concerning.

acertar [asex'ta(x)] **1** *vt (relógio)* to set.
2 *vi*: **acertar em** *(em alvo)* to hit; *(em resposta)* to get right.
3 acertar com *(com lugar, local)* to find; **acertou!** *(adivinhou)* you got it right!

aceso, sa [a'sezu, za] **1** *pp* → **acender.**
2 *adj (luz, fogo)* on; *(excitado)* excited.

acessível [ase'sivɛw] (*pl* **-eis** [-ejʃ]) *adj* accessible; *(preço)* affordable; *(pessoa)* approachable.

acesso [a'sɛsu] *m* access; *(de raiva, histeria)* fit; **de fácil acesso** easy to get to.

acessório [ase'sɔrju] *m* accessory.

acetona [ase'tona] *f* nail polish remover.

achado [a'ʃadu] *m (descoberta)* find; *(pechincha)* bargain.

achar [a'ʃa(x)] *vt* to find; **achar que** to think (that); **acho que não** I don't think so; **acho que sim** I think so.

acidentado, da [asidẽn'tadu, da] **1** *adj (terreno)* rough; *(viagem, férias)* eventful.
2 *m, f* injured person.

acidental [asidẽn'taw] (*pl* **-ais** [-ajʃ]) *adj* accidental.

acidente [asi'dẽntʃi] *m* accident; *(de terreno)* bump.

acidez [asi'deʒ] *f* acidity.

ácido, da ['asidu, da] **1** *adj (sabor)* sour.
2 *m* acid.

acima [a'sima] *adv* up; **mais acima** higher up; **acima de** above; **acima de tudo** above all.

acionar [asjo'na(x)] *vt* to set in motion; **acionar alguém** *JUR* to prosecute sb.

acionista [asjo'niʃta] *mf* shareholder.

acne ['akni] *f* acne.

aço ['asu] *m* steel; **aço inoxidável** stainless steel.

acocorar-se [akoko'raxsi] *vp* to squat (down).

ações → **ação.**

acolhimento [akoʎi'mẽntu] *m* welcome.

acompanhamento [akõmpaɲa'mẽntu] *m (de evolução, situação)* following; *(de prato de carne, peixe)* side dish, side order; *MÚS* accompaniment.

acompanhante [akõmpa'ɲãntʃi] *mf* companion; *MÚS* accompanist.

acompanhar [akõmpa'ɲa(x)] *vt* to accompany; *(programa, situação)* to follow.

aconchegante [akõʃe'gãntʃi] *adj* cosy.

aconselhar [akõse'ʎa(x)] *vt* to advise.
❑ **aconselhar-se** *vp* to get advice.

aconselhável [akõse'ʎavɛw] (*pl* **-eis** [-ejʃ]) *adj* advisable; **pouco aconselhável** inadvisable.

acontecer [akõnte'se(x)] *vi* to happen; **(mas) acontece que ...** but as it happens ...; **aconteça o que acontecer** come what may.

acontecimento [akõntesi'mẽntu] *m* event.

acordar [akox'da(x)] *vt & vi* to wake up.

acorde [a'kɔxdʒi] *m* MÚS chord.

acordeão [akox'dʒjãw] (*pl* **-ões** [-õjʃ]) *m* accordion.

acordo [a'koxdu] *m* agreement; JUR accord; **de acordo!** all right!; **estar de acordo com** to agree with; **de acordo com** in accordance with.

acostamento [akoʃta'mẽntu] *m* shoulder *Am*, hard shoulder *Brit*.

acostumado, da [akoʃtu'madu, da] *adj*: **estar acostumado a algo** to be used to sthg.

acostumar-se [akoʃtu'maxsi] *vp*: **acostumar-se com algo** to get used to sthg; **acostumar-se a fazer algo** to get used to doing sthg.

açougue [a'sogi] *m* butcher shop.

açougueiro, ra [aso'gejru, ra] *m, f* butcher.

acre ['akri] *adj (sabor)* bitter; *(cheiro)* acrid.

acreditar [akredʒi'ta(x)] *vi* to believe; **acreditar em** to believe in.

acrescentar [akresẽn'ta(x)] *vt* to add.

acréscimo [a'kresimu] *m* increase.

açúcar [a'suka(x)] *m* sugar; **açúcar mascavo** dark brown sugar.

açucareiro [asuka'rejru] *m* sugar bowl.

acumular [akumu'la(x)] *vt* to accumulate.

acupunctura [akupũn'tura] *f* acupuncture.

acusação [akuza'sãw] (*pl* **-ões** [õjʃ]) *f (denúncia)* accusation; *(queixa)* complaint; JUR *(declaração)* charge; JUR *(acusador)* plaintiff.

acusar [aku'za(x)] *vt* to accuse; *(revelar)* to reveal.

adaptação [adapta'sãw] (*pl* **-ões** [-õjʃ]) *f* adaptation.

adaptador [adapta'do(x)] (*pl* **-res** [-riʃ]) *m* adaptor.

adaptar [adap'ta(x)] *vt* to adapt.
❑ **adaptar-se** *vp*: **adaptar-se a** to adapt to.

adepto, ta [a'dɛptu, ta] *m, f* supporter.

adequado, da [ade'kwadu, da] *adj* appropriate.

aderente [ade'rẽntʃi] **1** *adj (pneu)* nonskid.
2 *mf (partidário)* supporter.

aderir [ade'ri(x)] *vi* to stick; **aderir a algo** *fig (a idéia, partido)* to support sthg.

adesão [ade'zãw] (*pl* **-ões** [-õjʃ]) *f (a idéia, partido)* support.

adesivo, va [ade'zivu, va] **1** *adj* adhesive.
2 *m* adhesive tape.

adesões → **adesão.**

adeus [a'dewʃ] **1** *m* goodbye.
2 *interj* goodbye.
3 dizer adeus to say goodbye.

adiantado, da [adʒjãn'tadu, da] **1** *adj (no tempo)* ahead of schedule; *(no espaço)* advanced.
2 *adv*: **chegar adiantado** to arrive early.
3 estar adiantado *(relógio)* to be fast; **pagar adiantado** to pay in advance.

adiantar [adʒjãn'ta(x)] **1** *vt (relógio)* to put forward; *(dinheiro)* to advance; *(trabalho)* to get ahead with.
2 *v impess*: **não adianta gritar** there's no point in shouting.
❑ **adiantar-se** *vp (no espaço)* to get ahead.

adiante [a'dʒjãntʃi] **1** *adv* ahead.
2 *interj* forward!
3 mais adiante further on; **passar adiante** to overlook; **e por aí adiante** and so forth.

adiar [adʒi'a(x)] *vt* to postpone.

adição [adʒi'sãw] (*pl* **-ões** [-õjʃ]) *f* addition.

adicionar [adʒisjo'na(x)] *vt (acrescentar)* to add; *(somar)* to add up.

adições → **adição.**

adivinha [adʒi'viɲa] *f* riddle.

adivinhar [adʒivi'ɲa(x)] *vt* to guess; *(futuro)* to predict; *(decifrar)* to solve.

adjetivo [adʒɛ'tʃivu] *m* adjective.

administração [adʒiminiʃtra'sãw] *f* administration; *(os administradores)* management; *(local)* administrative office.

administrador, ra [adʒiminiʃtra'do(x), ra] (*mpl* **-res** [-riʃ], *fpl* **-s** [-ʃ]) *m, f* administrator.

administrar [adʒiminiʃ'tra(x)] *vt* to administer.

admiração [adʒimira'sãw] *f (espanto)*

amazement; *(respeito, estima)* admiration.

admirador, ra [adʒimira'do(x), ra] (*mpl* **-res** [-riʃ], *fpl* **-s** [-ʃ]) *m, f* admirer.

admirar [adʒimi'ra(x)] *vt (contemplar)* to admire; *(espantar)* to amaze.
❑ **admirar-se** *vp* to be surprised.

admirável [adʒimi'ravɛw] (*pl* **-eis** [-ejʃ]) *adj (incrível)* amazing; *(digno de respeito)* admirable.

admissão [adʒimi'sãw] (*pl* **-ões** [-õjʃ]) *f* admission.

admitir [adʒimi'tʃi(x)] *vt (permitir)* to allow; *(deixar entrar)* to admit.

adoção [ado'sãw] (*pl* **-ões**) [-õjʃ] *f* adoption.

adoçar [ado'sa(x)] *vt* to sweeten.

adoecer [adoe'se(x)] *vi* to get sick.

adolescência [adole'sẽsja] *f* adolescence.

adolescente [adole'sẽntʃi] *mf* adolescent.

adorar [ado'ra(x)] *vt* to adore, to love.

adorável [ado'ravɛw] (*pl* **-eis** [-ejʃ]) *adj* adorable.

adormecer [adoxme'se(x)] **1** *vt* to send to sleep.
2 *vi* to fall asleep.

adotado, da [ado'tadu, da] *adj* adopted.

adotar [ado'ta(x)] *vt* to adopt; *(livro)* to choose.

adquirir [adʒiki'ri(x)] *vt* to acquire.

adrenalina [adrena'lina] *f* adrenalin.

adultério [aduw'tɛrju] *m* adultery.

adulto, ta [a'duwtu, ta] *adj & m, f* adult.

advérbio [ad'vɛxbju] *m* adverb.

adversário, ria [adʒivex'sarju, rja] **1** *adj* opposing.
2 *m, f* opponent.

advertência [adʒivex'tẽsja] *f* warning.

advogado, da [adʒivo'gadu, da] *m, f* lawyer, attorney *Am*.

aéreo, rea [a'erju, rja] *adj* air *(antes de s)*; **via aérea** air mail; *fig (distraído)* absent-minded.

aerodinâmico, ca [aerodʒi'namiku, ka] *adj* aerodynamic.

aeródromo [aɛ'rɔdromu] *m* airfield.

aeromoça [aero'mosa] *f* flight attendant.

aeronáutica [aero'nawtʃika] *f* air force.

aeroporto [aero'poxtu] *m* airport.

aerossol [aero'sɔw] (*pl* **-óis** [-ɔjʃ]) *m* aerosol.

afagar [afa'ga(x)] *vt* to stroke.

afastado, da [afaʃ'tadu, da] *adj (distante)* remote; *(retirado)* isolated.

afastar [afaʃ'ta(x)] *vt (desviar)* to move away; *(apartar)* to separate.
❑ **afastar-se** *vp (desviar-se)* to move away; *(distanciar-se)* to distance o.s.

afável [a'favɛw] (*pl* **-eis** [-ejʃ]) *adj* friendly.

afeição [afej'sãw] *f (afeto)* affection; *(inclinação)* liking.

afetar [afe'ta(x)] *vt* to affect.

afetivo, va [afe'tʃivu, va] *adj (pessoa)* affectionate; *(carência, problema, vida)* emotional.

afeto [a'fɛtu] *m* affection.

afetuoso, osa [afe'tuozu, ɔza] *adj* affectionate.

afiado, da [a'fjadu, da] *adj* sharp.

afiar [afi'a(x)] *vt* to sharpen.

aficionado, da [afisjo'nadu, da] *m, f* enthusiast.

afilhado, da [afi'ʎadu, da] *m, f* godson.

afim [a'fĩ] (*pl* **-ns** [-ʃ]) **1** *adj* related.
2 *m (parente)* relative, relation.

afinado, da [afi'nadu, da] *adj (instrumento musical)* in tune.

afinal [afi'naw] *adv*: **afinal (de contas)** after all.

afinar [afi'na(x)] *vt (instrumento, motor)* to tune.

afinidade [afini'dadʒi] *f* affinity.

afins → **afim.**

afirmação [afixma'sãw] (*pl* **-ões** [-õjʃ]) *f* statement.

afirmar [afix'ma(x)] *vt* to state.

afirmativo, va [afixma'tʃivu, va] *adj* affirmative.

afixar [afik'sa(x)] *vt (cartaz, aviso)* to put up.

aflição [afli'sãw] (*pl* **-ões** [-õjʃ]) *f* distress.

afligir [afli'ʒi(x)] *vt* to worry.
❑ **afligir-se** *vp* to worry; **afligir-se com** to worry about.

afluência [aflu'ẽsja] *f* stream.

afogador [afoga'do(x)] (*pl* **-res** [-riʃ]) *m* choke.

afogamento [afoga'mẽntu] *m* drowning.

afogar [afo'ga(x)] *vt* to drown.
❑ **afogar-se** *vp* to drown.

afônico, ca [a'foniku, ka] *adj*: **estar afônico** to lose one's voice.

afortunado, da [afoxtu'nadu, da] *adj* lucky, fortunate.

afresco [a'freʃku] *m* fresco.

afronta [a'frõnta] *f* insult.

afrouxar [afro'ʃa(x)] *vt (cinto, laço de sapato)* to loosen.

afta ['afta] *f* mouth ulcer.

afugentar [afugẽn'ta(x)] *vt* to drive away.

afundar [afũn'da(x)] *vt* to sink.
❑ **afundar-se** *vp* to sink.

agachar-se [aga'ʃaxsi] *vp* to squat.

agarrar [aga'xa(x)] *vt (apanhar, segurar)* to grab; *(alcançar, apanhar no ar)* to catch.
❑ **agarrar-se** *vp*: **agarrar-se a** *(segurar-se a)* to grab hold of; *(pegar-se a)* to stick to; *(dedicar-se a)* to work hard at; **agarrar-se aos livros** to study hard.

agasalhar-se [agaza'ʎaxsi] *vp* to wrap up warm.

agasalho [aga'zaʎu] *m (casaco)* coat; *(pulôver)* sweater.

ágeis → **ágil.**

agência [a'ʒẽsja] *f* office; **agência bancária** branch *(of a bank)*; **agência de câmbio** foreign exchange; **agência de correio** post office; **agência funerária** funeral home; **agência imobiliária** real estate office *Am*, estate agent's *Brit*; **agência de viagens** travel agency.

agenda [a'ʒẽnda] *f (livro)* diary; *(plano de reunião)* agenda.

> Não confundir ***agenda (schedule)*** com o inglês ***agenda*** que em português é ***pauta***. (*Eu tenho uma agenda lotada para os próximos dias.* I have a very busy ***schedule*** for the next few days.)

agente [a'ʒẽntʃi] *mf (de polícia)* policeman; *(de vendas)* sales representative; **agente secreto** secret agent.

ágil ['aʒiw] (*pl* **ágeis** ['aʒejʃ]) *adj* agile.

agilidade [aʒili'dadʒi] *f* agility.

agir [a'ʒi(x)] *vi* to act.

agitação [aʒita'sãw] *f* agitation.

agitado, da [aʒi'tadu, da] *adj (pessoa)* agitated; *(mar)* rough; *(tempo)* unsettled.

agitar [aʒi'ta(x)] *vt (líquido)* to shake; **'agite antes de usar'** 'shake well before opening'.
❑ **agitar-se** *vp* to get agitated.

aglomeração [aglomera'sãw] (*pl* **-ões** [-õjʃ]) *f (de pessoas)* crowd; *(de detritos)* pile.

agonia [ago'nia] *f (angústia)* agony; *(náusea)* nausea; *(antes da morte)* death throes *pl.*

agora [a'gɔra] *adv* now; **é agora ou nunca** it's now or never; **só agora!** at last!; **só agora é que cheguei** I just got here; **agora mesmo** right now; **agora que** now that; **essa agora!** whatever next!; **por agora** for the time being.

agosto [a'goʃtu] *m* August → **setembro.**

agradar [agra'da(x)] *vi*: **agradar a alguém** to please sb.

agradável [agra'davɛw] (*pl* **-eis** [-ejʃ]) *adj* pleasant.

agradecer [agrade'se(x)] **1** *vt* to thank.
2 *vi*: **agradecer a alguém algo, agradecer algo a alguém** to thank sb for sthg.

agradecido, da [agrade'sidu, da] *adj* grateful; **muito agradecido!** many thanks!

agradecimento [agradesi'mẽntu] *m* thanks *(pl).*

agravamento [agrava'mẽntu] *m* worsening.

agravante [agra'vãntʃi] **1** *adj* aggravating.
2 *f* aggravating circumstance.

agravar [agra'va(x)] *vt* to make worse.

agredir [agre'dʒi(x)] *vt* to attack.

agressão [agre'sãw] (*pl* **-ões** [-õjʃ]) *f (ataque)* attack.

agressivo, va [agre'sivu, va] *adj* aggressive.

agressões → **agressão.**

agrião [agri'ãw] (*pl* **-ões** [-õjʃ]) *m* watercress.

agrícola [a'grikola] *adj* agricultural.

agricultor, ra [agrikuw'to(x), ra] (*mpl* **-res** [-riʃ], *fpl* **-s** [-ʃ]) *m, f* farmer.

agricultura [agrikuw'tura] *f* agriculture.

agriões → **agrião.**

agronomia [agrono'mia] *f* agronomy.

agrupar [agru'pa(x)] *vt* to group together.

água ['agwa] *f* water; **água doce/salgada** fresh/salt water; **água corrente** running water; **água mineral com gás** ou **gaseificada** fizzy ou sparkling mineral water; **água mineral sem gás** still mineral water; **água oxigenada** peroxide; **água potável** drinking water; **água sanitária** household bleach; **água tônica** tonic water; **de dar água na boca** mouthwatering; **ir por água abaixo** to be called off.

aguaceiro [agwa'sejru] *m* downpour.

água-de-colônia [ˌagwadʒiko'lonja] *f* eau de cologne.

aguado, da [a'gwadu, da] *adj* watery.

aguardar [agwar'da(x)] *vt* to wait for.
aguardente [agwax'dẽntʃi] *f* liquor *Am*, spirit *Brit*; **aguardente de cana** rum; **aguardente de pêra** pear brandy.
água-viva [ˌagwa'viva] (*pl* **águas-vivas** [ˌagwaʒ'vivaʃ]) *f* jellyfish.
aguçado, da [agu'sadu, da] *adj* sharp.
aguçar [agu'sa(x)] *vt* to sharpen.
agudo, da [a'gudu, da] *adj (dor)* sharp; *(som, voz)* shrill; *(doença)* acute.
agüentar [agwẽn'ta(x)] *vt* to stand.
❑ **agüentar com** *v + prep (peso)* to support.
águia ['agja] *f* eagle.
agulha [a'guʎa] *f* needle.
aí [a'i] *adv* there; *(então)* then; **por aí** *(direção)* that way; *(em lugar indeterminado)* over there.
AIDS [ajdʒs] *f* AIDS.
ainda [a'ĩnda] *adv* still; **ainda agora** only just; **ainda assim** even so; **ainda bem!** thank goodness!; **ainda bem que** thank goodness; **ainda não** not yet; **ainda por cima** to cap it all; **ainda que** even though.
aipim [aj'pĩ] (*pl* **-ns** [-ʃ]) *m* cassava, manioc.
aipo ['ajpu] *m* celery.
ajeitar [aʒej'ta(x)] *vt (cabelo)* to tidy up; *(gravata, saia)* to straighten.
❑ **ajeitar-se** *vp (acomodar-se)* to make o.s. comfortable.
ajoelhar-se [aʒwe'ʎaxsi] *vp* to kneel down.
ajuda [a'ʒuda] *f* help.
ajudante [aʒu'dãntʃi] *mf* helper.
ajudar [aʒu'da(x)] *vt* to help.
ajuste [a'ʒuʃtʃi] *m*: **ajuste de contas** revenge.
ala ['ala] *f (fileira)* row; *(de edifício)* wing.
alameda [ala'meda] *f* avenue.
alargar [alax'ga(x)] **1** *vt (estrada)* to widen; *(peça de roupa)* to let out; *(em tempo, influência)* to extend; *(negócio)* to expand.
2 *vi (pulôver, luvas etc.)* to stretch.
alarmante [alax'mãntʃi] *adj* alarming.
alarme [a'laxmi] *m* alarm; **alarme falso** false alarm.
alastrar [alaʃ'tra(x)] *vt* to spread.
❑ **alastrar-se** *vp* to spread.
alavanca [ala'vãŋka] *f* lever.
albergue [aw'bɛxgi] *m* hostel; **albergue da juventude** youth hostel.
álbum ['awbũ] (*pl* **-ns** [-ʃ]) *m* album.
alça ['awsa] *f (de vestido, combinação, arma)* strap; *(de bolsa, mala)* handle.
alcachofra [awka'ʃofra] *f* artichoke.
alcançar [awkã'sa(x)] *vt* to reach; *(apanhar)* to catch up; *(obter)* to get; *(compreender)* to grasp.
alcance [aw'kãsi] *m (de mão)* reach; *(de vista, projétil)* range; **ao alcance de** *(de mão)* within reach of; *(de vista, projétil)* within range of; **fora do alcance de** *(de mão)* out of reach of; *(de vista, projétil)* out of range of.
alçapão [awsa'pãw] (*pl* **-ões** [-õjʃ]) *m* trapdoor.
alcaparras [awka'paxaʃ] *fpl* capers.
alçapões → **alçapão.**
alcatrão [awka'trãw] *m* tar.
álcool ['awk(w)ɔw] *m (bebidas alcoólicas)* alcohol; *(etanol)* ethanol; **álcool etílico** ethyl alcohol.
alcoólatra [aw'kɔlatra] *m, f* alcoholic.
alcoólico, ca [aw'kwɔliku, ka] *adj & m, f* alcoholic.
alcunha [aw'kuɲa] *f* nickname.
aldeia [aw'deja] *f* village.
alecrim [ale'krĩ] *m* rosemary.
alegar [ale'ga(x)] *vt* to state; *(explicar)* to claim.
alegoria [alego'ria] *f* allegory.
alegrar [ale'gra(x)] *vt (pessoa)* to cheer up; *(ambiente, casa)* to brighten up; *(festa)* to liven up.
❑ **alegrar-se** *vp* to cheer up.
alegre [a'lɛgri] *adj (dia, cor)* bright; *(pessoa)* cheerful; *fig (bêbado)* merry.
alegria [ale'gria] *f* joy.
aleijado, da [alej'ʒadu, da] *adj* crippled.
aleijar [alej'ʒa(x)] *vt (mutilar)* to cripple.
além [a'lẽj] **1** *adv* over there.
2 *m*: **o além** the hereafter.
3 além disso besides; **além do mais** besides which; **mais além** further on.
alergia [alex'ʒia] *f* allergy; *fig (a trabalho, estudo)* aversion.
alérgico, ca [a'lɛxʒiku, ka] *adj* allergic.
alerta [a'lɛxta] **1** *adv* on the alert.
2 *m* alert.
alfabético, ca [awfa'bɛtʃiku, ka] *adj* alphabetical.
alfabeto [awfa'bɛtu] *m* alphabet.
alface [aw'fasi] *f* lettuce.
alfaiate [awfa'jatʃi] *m* tailor.

alfândega [aw'fãndega] *f* customs *pl*.
alfazema [awfa'zema] *f* lavender.
alfinete [awfi'netʃi] *m* pin; *(jóia)* brooch; **alfinete de gravata** tie pin; **alfinete de segurança** safety pin.
alga ['awga] *f* seaweed.
algarismo [awga'riʒmu] *m* numeral.
algazarra [awga'zaxa] *f* racket.
álgebra ['awʒebra] *f* algebra.
algemas [aw'ʒemaʃ] *fpl* handcuffs.
algo ['awgu] *pron* something.

> *Something* só é usado em sentenças afirmativas (*there's something missing* está faltando algo); nas negativas, emprega-se *nothing* (*nothing happened*, não aconteceu nada). Em períodos compostos, se a oração principal for negativa, emprega-se anything (*I don't know if anything exciting happened*, não sei se aconteceu algo emocionante).
>
> Em sentenças interrogativas, usa-se *something* se esperamos uma resposta afirmativa (*did he say something rude to you?* ele disse algo grosseiro para você?). Caso contrário, usaremos anything (*did she tell you anything about her new job?* ela te contou algo sobre seu novo trabalho?).

algodão [awgo'dãw] *m* cotton; **algodão doce** cotton candy *Am*, candyfloss *Brit*; **algodão hidrófilo** cotton.
alguém [aw'gẽj] *pron (em afirmações)* somebody, someone; *(em perguntas)* anybody, anyone; **ser alguém** *(ser importante)* to be somebody.

> *Someone* e *somebody* só são usados em sentenças afirmativas (*there's someone/somebody at the door* tem alguém na porta). Se a oração principal for negativa, usaremos *anyone* ou *anybody* (*I don't know if anyone, anybody will come to my party* não sei se alguém virá à minha festa).
>
> Em sentenças interrogativas, usa-se *someone* ou *somebody* se esperamos uma resposta afirmativa (*are you going to the party with someone/somebody nice?* voce vai à festa com alguém interessante? Caso contrário, usaremos *anyone* (*is anyone/anybody there?* há alguém aí?).

algum, algumas [aw'gũ, ma] (*mpl* **-ns** [-ʃ], *fpl* **-s** [-ʃ]) **1** *adj (indeterminado)* some; *(em interrogativas, negativas)* any.
2 *pron (indicando pessoa)* somebody; *(indicando coisa)* one; *(em interrogativas: pessoa)* anybody; *(em interrogativas: coisa)* any.
3 algum dia one ou some day; **alguma coisa** something, anything; **alguma vez** sometime.
❑ **alguns** *pron pl* some.
alheio, alheia [a'ʎeju, a'ʎeja] *adj (de outrem)* someone else's; *(desconhecido)* foreign; *(distraído)* distracted; **alheio a** *(sem consciência de)* oblivious to.
alho ['aʎu] *m* garlic.
alho-porro [aʎupo'rɔ] (*pl* **alhos-porros** [aʎuʃpo'rɔjʃ]) *m* leek.
ali [a'li] *adv* there; **aqui e ali** here and there; **até ali** up until then; **logo ali** just there; **ele foi por ali** he went that way.
aliado, da [a'ljadu, da] **1** *adj* allied.
2 *m, f* ally.
aliança [a'ljãsa] *f* alliance; *(anel)* wedding ring.
aliar [ali'a(x)] *vt* to ally.
❑ **aliar-se** *vp* to form an alliance.
aliás [a'ljajʃ] *adv (a propósito)* as a matter of fact; *(além disso)* moreover.
álibi ['alibi] *m* alibi.
alicate [ali'katʃi] *m* pliers *(pl)*; **alicate de unhas** nail clippers.
alicerce [ali'sɛxsi] *m* foundation.
aliciante [ali'sjãntʃi] **1** *adj* enticing.
2 *m* enticement.
aliciar [alisi'a(x)] *vt* to entice.
alienado, da [alje'nadu, da] *adj (pessoa)* alienated; *(bem)* transferred.
alimentação [alimẽnta'sãw] *f (alimentos)* food; *(ato)* feeding; *(dieta alimentar)* diet; *(de máquina)* supply.
alimentar [alimẽn'ta(x)] (*pl* **-res** [-riʃ]) **1** *adj* food *(antes de s)*.
2 *vt (pessoa, animal)* to feed; *(máquina)* to fuel.
❑ **alimentar-se** *vp* to eat.
alimentício, cia [alimẽn'tʃisju, sja] *adj* nutritious.
alimento [ali'mẽntu] *m (comida)* food.
alinhado, da [ali'ɲadu, da] *adj (em linha)* aligned; *(pessoa)* elegant.
alinhamento [aliɲa'mẽntu] *m* INFORM justification.
alinhar [ali'ɲa(x)] *vt (pôr em linha)* to align; INFORM *(texto)* to justify.
alisar [ali'za(x)] *vt* to smooth.
alistar [aliʃ'ta(x)] *vt* to recruit.

❑ **alistar-se** *vp (em exército)* to enlist; *(em partido)* to join.
aliviar [alivi'a(x)] *vt (dor)* to relieve; *(peso)* to lighten.
alívio [a'livju] *m* relief; *(de peso)* lightening.
alma ['awma] *f* soul.
almoçar [awmo'sa(x)] **1** *vi* to have lunch.
2 *vt* to have for lunch.
almoço [aw'mosu] *m* lunch.
almofada [awmo'fada] *f (de cama)* pillow; *(de sofá)* cushion; *(de carimbo)* inkpad.
almôndega [aw'mõndega] *f* meatball.
alô [a'lo] *interj* hello!
alojamento [aloʒa'mẽntu] *m (ato)* housing; *(lugar)* accommodations *pl Am*, accommodation *Brit.*
alojar [alo'ʒa(x)] *vt* to put up.
❑ **alojar-se** *vp* to stay.
alpendre [aw'pẽndri] *m* porch.
alpinismo [awpi'niʒmu] *m* mountaineering; **fazer alpinismo** to go climbing.
alpinista [awpi'niʃta] *mf* mountaineer.
alta ['awta] *f (de preço, valor)* rise; **dar alta a** *(doente)* to discharge; **ter alta** *(de hospital)* to be discharged.
altar [aw'ta(x)] (*pl* **-res** [-riʃ]) *m* altar.
alteração [awtera'sãw] (*pl* **-ões** [-õjʃ]) *f* alteration; **sem alteração** unaltered.
alterar [awte'ra(x)] *vt* to alter.
alternar [awtex'na(x)] *vt* to alternate.
alternativa [awtexna'tʃiva] *f* alternative.
altitude [awtʃi'tudʒi] *f* altitude.
altivo, va [aw'tʃivu, va] *adj (orgulhoso)* proud; *(arrogante)* haughty.
alto, ta ['awtu, ta] **1** *adj* high; *(pessoa, árvore, edifício)* tall; *(som, voz)* loud.
2 *interj* stop!
3 *m (cume)* top; *(céu)* heaven.
4 *adv (falar, rir)* loud; *(relativo a posição)* high.
5 alta costura haute couture; **do alto de** from the top of; **por alto** *fig* superficially; **o mais alto/a mais alta** *(pessoa)* the tallest; *(objeto)* the highest.

> Use *tall* quando referir-se a pessoas, prédios e árvores (*my brother's very tall* meu irmão é muito alto).
>
> Use *high* quando referir-se a algo mais abstrato (*high levels of unemployment* altos níveis de desemprego).

alto-falante ['awtofa'lãtʃi] *m* loudspeaker.
altura [aw'tura] *f (de pessoa, objeto)* height; *(de som)* level; *(altitude)* altitude; *(ocasião, época)* time; *(momento)* moment; **o muro tem um metro de altura** the wall is a meter high; **a certa** ou **dada altura** at a given moment; **nessa altura** at that time; **por altura de** around; **estar à altura da situação** to be equal to the task.
alucinação [alusina'sãw] (*pl* **-ões** [-õjʃ]) *f* hallucination.
alucinante [alusi'nãntʃi] *adj* amazing.
aludir [alu'di(x)]: **aludir a** *v + prep* to allude to.
alugar [alu'ga(x)] *vt (casa)* to rent; *(carro)* to rent *Am*, to hire *Brit.*
aluguel [alu'gɛw] (*pl* **-éis** [-ɛjʃ]) *m (de casa)* rent; *(de carro)* rental *Am*, hire *Brit.*
alumínio [alu'minju] *m* aluminum.
aluno, na [a'lunu, na] *m, f (de escola)* pupil; *(de universidade)* student; **aluno ouvinte** visiting student.
alusão [alu'zãw] (*pl* **-ões** [-õjʃ]) *f* allusion; **fazer alusão a** to allude to.
alvejar [awve'ʒa(x)] *vt* to shoot.
alvo ['awvu] *m* target.
alvorada [awvo'rada] *f* dawn.
alvoroço [awvo'rosu] *m (gritaria)* uproar; *(excitação)* commotion.
amabilidade [amabili'dadʒi] *f* kindness.
amaciante [ama'sjãntʃi] *m*: **amaciante (de roupa)** fabric softener.
amador, ra [ama'do(x), ra] (*mpl* **-res** [-riʃ], *fpl* **-s** [-ʃ]) *adj & m, f* amateur.
amadurecer [amadure'se(x)] *vi (fruta)* to ripen; *(pessoa)* to mature; *fig (idéia)* to develop.
âmago ['ãmagu] *m* heart.
amainar [amaj'na(x)] *vi fig (vento, chuva)* to abate.
amaldiçoar [amawdi'swa(x)] *vt* to curse.
amálgama [a'mawgama] *f* amalgam.
amamentar [amamẽn'ta(x)] *vt* to breastfeed, to nurse *Am.*
amanhã [ama'ɲã] *adv & m* tomorrow; **amanhã de manhã** tomorrow morning; **amanhã à noite/tarde** tomorrow evening/afternoon; **depois de amanhã** the day after tomorrow; **o amanhã** the future.
amanhecer [amaɲe'se(x)] **1** *m* dawn.
2 *v impess*: **já amanheceu** dawn has broken.

amansar [amã'sa(x)] *vt* to tame.
amante [a'mãntʃi] *mf* lover; **ser amante de** to be a lover of.
amar [a'ma(x)] *vt* to love.
amarelo, la [ama'rɛlu, la] *adj & m* yellow.
amargar [amax'ga(x)] **1** *vi* to taste bitter. **2** *vt (desilusão)* to suffer.
amargo, ga [a'maxgu, ga] *adj* bitter; *fig (vida)* hard.
amarrar [ama'xa(x)] *vt (barco)* to moor; *(pessoa, animal)* to tie up.
amarrotar [amaxo'ta(x)] *vt (papel)* to crumple (up); *(roupa)* to crease.
amassar [ama'sa(x)] *vt (cimento)* to mix; *(pão)* to knead; *(carro)* to smash up.
amável [a'mavɛw] (*pl* **-eis** [-ejʃ]) *adj* kind.
âmbar ['ãnba(x)] *m* amber.
ambição [ãnbi'sãw] (*pl* **-ões** [-õjʃ]) *f* ambition.
ambiental [ãnbjẽn'taw] (*pl* **-ais** [-ajʃ]) *adj* environmental.
ambientalista [ãnbjẽnta'liʃta] *mf* environmentalist.
ambiente [ãn'bjẽntʃi] *m (natural)* environment; *(ar)* atmosphere.
ambigüidade [ãnbigwi'dadʒi] *f* ambiguity.
ambíguo, gua [ãn'bigwu, gwa] *adj* ambiguous.
âmbito ['ãnbitu] *m* sphere.
ambos, bas ['ãnbuʃ, baʃ] **1** *adj pl* both. **2** *pron pl* both (of them).
ambulância [ãnbu'lãsja] *f* ambulance.
ambulante [ãnbu'lãntʃi] *adj* traveling.
ambulatório [ãnbula'tɔrju] *m (de hospital)* outpatient (department); *(de escola, fábrica)* medical room.
ameaça [ame'asa] *f* threat; **sob ameaça** under threat.
ameaçar [amea'sa(x)] *vt* to threaten; **ameaça chover** it looks like rain.
amedrontar [amedrõn'ta(x)] *vt* to frighten.
ameixa [a'mejʃa] *f* plum.
amêndoa [a'mẽndwa] *f* almond.
amendoim [amẽn'dwĩ] (*pl* **-ns** [-ʃ]) *m* peanut; **amendoim torrado** roasted peanuts *pl.*
ameno, na [a'menu, na] *adj (temperatura, clima)* mild.
ametista [ame'tʃiʃta] *f* amethyst.
amianto [a'mjãntu] *m* asbestos.
amido [a'midu] *m* starch.
amigável [ami'gavɛw] (*pl* **-eis** [-ejʃ]) *adj* friendly.
amígdalas [a'migdalaʃ] *fpl* tonsils.
amigdalite [amigda'litʃi] *f* tonsillitis.
amigo, ga [a'migu, ga] **1** *m, f* friend. **2** *adj* friendly.
amistoso, osa [amiʃ'tozu, ɔza] *adj* friendly.
amizade [ami'zadʒi] *f* friendship.
amnésia [am'nɛzja] *f* amnesia.
amolação [amola'sãw] (*pl* **-ões** [-õjʃ]) *f (chateação)* nuisance.
amolar [amo'la(x)] *vt (afiar)* to sharpen; *(aborrecer)* to bother.
amolecer [amole'se(x)] *vt* to soften.
amoníaco [amo'niaku] *m* ammonia.
amontoar [amõn'twa(x)] *vt* to pile up; *(dinheiro, riquezas)* to amass.
❑ **amontoar-se** *vp* to pile up.
amor [a'mo(x)] (*pl* **-res** [-riʃ]) *m* love; **fazer amor** to make love; **ser um amor** *(pessoa)* to be a warm person; *(objeto)* to be lovely; **pelo amor de Deus!** for God's sake!
amora [a'mɔra] *f (de arbusto)* blackberry; *(de amoreira)* mulberry.
amordaçar [amoxda'sa(x)] *vt* to gag.
amoroso, osa [amo'rozu, ɔza] *adj* affectionate.
amor-próprio [a,mox'prɔpriu] *m* self-esteem.
amortecedor [amoxtese'do(x)] (*pl* **-res** [-riʃ]) *m* shock absorber.
amostra [a'mɔʃtra] *f* sample; *(prova)* show; **amostra grátis** free sample.
amparar [ãmpa'ra(x)] *vt* to support.
amparo [ãm'paru] *m* support.
ampliação [ãmplia'sãw] (*pl* **-ões** [-õjʃ]) *f (de fotografia)* enlargement.
ampliar [ãmpli'a(x)] *vt (fotografia)* to enlarge.
amplificador [ãmplifika'do(x)] (*pl* **-res** [-riʃ]) *m (de som)* amplifier.
amplificar [ãmplifi'ka(x)] *vt (som)* to amplify.
amplo, pla ['ãmplu, pla] *adj (quarto, cama)* spacious; *(estrada)* wide; *(conhecimento)* extensive.
amputar [ãmpu'ta(x)] *vt* to amputate.
anã → **anão.**
analfabetismo [anawfabe'tʃiʒmu] *m* illiteracy.
analfabeto, ta [anawfa'bɛtu, ta] *m, f & adj* illiterate.

analgésico [anaw'ʒɛziku] *m* painkiller.
analisar [anali'za(x)] *vt* to analyze.
análise [a'nalizi] *f* analysis; **em última análise** in the final analysis; **análise clínica** clinical analysis.
analista [ana'liʃta] *mf* analyst; **analista de sistemas** systems analyst.
anão, anã [a'nãw, a'nã] (*mpl* **-ões** [-õjʃ], *fpl* **-s** [-ʃ]) *m, f* dwarf.
anarquia [anax'kia] *f* anarchy.
anatomia [anato'mia] *f* anatomy.
anca ['ãŋka] *f* hip.
ancinho [ã'siɲu] *m* rake.
âncora ['ãŋkora] *f* anchor; *TV* news anchor.
andaime [ãn'dajmi] *m* scaffold.
andamento [ãnda'mẽntu] *m* *(velocidade)* speed; *(rumo)* direction; *MÚS* tempo; **em andamento** *(em progresso)* in progress.
andar [ãn'da(x)] (*pl* **-res** [-riʃ]) **1** *vi* to walk.
2 *vt (distância, tempo)* to walk for.
3 *m (de edifício)* floor; *(maneira de caminhar)* walk.
4 andar fazendo algo to be doing sthg; **ele anda um pouco deprimido ultimamente** he has been a bit depressed lately; **gosto de andar a cavalo** I like horseback riding; **andar de bicicleta** to cycle; **andar a pé** to walk; **o andar de baixo** *(de casa)* downstairs; **o andar de cima** *(de casa)* upstairs.
andorinha [ãndo'riɲa] *f* swallow.
anedota [ane'dɔta] *f* joke.
anel [a'nɛw] (*pl* **-éis** [-ɛjʃ]) *m* ring; *(de cabelo)* ringlet; *(de corrente)* link; **anel de noivado** engagement ring.
anemia [ane'mia] *f* anemia.
anestesia [aneʃte'zia] *f* anesthetic; **anestesia geral/local** general/local anesthetic.
anestesiar [aneʃtezi'a(x)] *vt* to anesthetize.
anexar [anek'sa(x)] *vt* to attach; **anexar algo a algo** to attach sthg to sthg.
anexo, xa [a'nɛksu, ksa] *adj* attached.
anfiteatro [ãfi'tʒjatru] *m* amphitheater; *(sala de aula)* lecture hall.
angariar [ãŋgari'a(x)] *vt (dinheiro)* to raise.
anglicano, na [ãŋgli'kanu, na] *adj* Anglican.
angra ['ãŋgra] *f* inlet.
ângulo ['ãŋgulu] *m* angle.
angústia [ãŋ'guʃtʒja] *f* anguish.
animação [anima'sãw] *f (alegria)* liveliness; *(entusiasmo)* enthusiasm; *(movimento)* bustle.
animado, da [ani'madu, da] *adj (alegre)* lively; *(entusiasmado)* enthusiastic; *(movimentado)* bustling.
animal [ani'maw] (*pl* **-ais** [-ajʃ]) *m* animal; **animal doméstico** pet; **animal selvagem** wild animal.
animar [ani'ma(x)] *vt (alegrar)* to cheer up.
❑ **animar-se** *vp (alegrar-se)* to cheer up.
ânimo ['ãnimu] *m* courage.
aniquilar [aniki'la(x)] *vt* to annihilate.
anistia [aniʃ'tʃia] *f* amnesty.
aniversário [anivex'sarju] *m (de pessoa)* birthday; *(de acontecimento)* anniversary; **feliz aniversário!** Happy Birthday!
anjo ['ãʒu] *m* angel.
ano ['ãnu] *m* year; **quantos anos você tem?** how old are you?; **faço anos amanhã** it's my birthday tomorrow; **ano bissexto** leap year; **ano letivo** academic year; **Ano-Novo** New Year; **ano após ano** year after year.
anões → **anão.**
anoitecer [anojte'se(x)] **1** *m* dusk, nightfall.
2 *v impess* to get dark.
anomalia [anoma'lia] *f* anomaly.
anorexia [anorɛk'sia] *f* anorexia.
anormal [anox'maw] (*pl* **-ais** [-ajʃ]) **1** *adj* abnormal; *(idiota)* stupid; *(incomum)* unusual.
2 *m, f (idiota)* moron.
anotação [anota'sãw] (*pl* **-ões** [-õjʃ]) *f* note.
anotar [ano'ta(x)] *vt* to note down.
ânsia ['ãsja] *f* anxiety.
ansiar [ã'sja(x)]: **ansiar por** *v + prep* to long for.
ansiedade [ãsje'dadʒi] *f* anxiety.
ansioso, osa [ã'sjozu, ɔza] *adj* anxious.
antebraço [ãntʃi'brasu] *m* forearm.
antecedência [ãntese'dẽsja] *f*: **com antecedência** in advance.
antecedente [ãntese'dẽntʃi] *adj* preceding.
❑ **antecedentes** *mpl (médicos)* records; *(criminais)* record *sg*.
antecipadamente [ãntesi,pada'mẽntʃi] *adv* in advance, beforehand.
antecipar [ãntesi'pa(x)] *vt* to anticipate.
❑ **antecipar-se** *vp* to get there first.

antemão [ãnte'mãw]: **de antemão** *adv* beforehand.

antena [ãn'tena] *f* antenna; **antena parabólica** satellite dish.

anteontem [ãntʃi'õntẽ] *adv* the day before yesterday.

antepassado [ãntʃipa'sadu] *m* ancestor.

anterior [ãnteri'o(x)] (*pl* **-res** [-riʃ]) *adj* previous.

antes ['ãntiʃ] *adv* before; *(primeiramente)* first; **antes assim** (it's) just as well; **antes de** before; **antes de mais nada** first of all; **antes da hora** ou **do tempo** ahead of time; **o quanto antes** as soon as possible.

antiaderente [ãntʃiade'rẽntʃi] *adj* non-stick.

antibiótico [ãntʃi'bjɔtʃiku] *m* antibiotic.

anticoncepcional [ãntʃikõsɛpsju'naw] (*pl* **-ais** [-ajʃ]) **1** *adj* contraceptive.
2 *m* contraceptive; **tomar anticoncepcional** to be on the pill.

anticongelante [ãntʃikõʒe'lãntʃi] *m* antifreeze.

anticorpo [ãntʃi'koxpu] *m* antibody.

antídoto [ãn'tʃidotu] *m* antidote.

antigamente [ãntʃiga'mẽntʃi] *adv (antes)* formerly; *(no passado)* in the old days.

antigo, ga [ãn'tʃigu, ga] *adj (livro, objeto)* old; *(costume, era)* ancient; *(objeto valioso)* antique.

antiguidade [ãntʃigwi'dadʒi] *f* antiquity; *(em emprego)* seniority; **a Antiguidade** Antiquity.
❑ **antiguidades** *fpl* antiques.

antipático, ca [ãntʃi'patʃiku, ka] *adj* unfriendly.

antiquado, da [ãntʃi'kwadu, da] *adj* old-fashioned.

antiquário [ãntʃi'kwarju] *m* antique dealer.

anti-séptico, ca [antʃi'sɛptʃiku, ka] *adj* antiseptic.

antivírus [ãntʃi'viruʃ] *m inv* INFORM antivirus software.

anual [a'nwaw] (*pl* **-ais** [-ajʃ]) *adj* annual.

anulação [anula'sãw] (*pl* **-ões** [-õjʃ]) *f* cancellation.

anular [anu'la(x)] **1** *vt* to cancel.
2 *m* ring finger.

anunciar [anũ'sja(x)] *vt* to announce; *(produto)* to advertise.

anúncio [a'nũsju] *m (de produto)* advertisement; *(aviso)* announcement.

ânus ['ãnuʃ] *m* anus.

anzol [ã'zɔw] (*pl* **-óis** [-ɔjʃ]) *m* fish-hook.

ao [aw] = **a + o** → **a.**

aonde [a'õndʒi] *adv* where; **aonde quer que ...** wherever...

aos [awʃ] = **a + os** → **a.**

apagado, da [apa'gadu, da] *adj (luz, fogo)* out; *(televisão, rádio)* off; *(escrita, desenho)* faint; *(pessoa)* dull.

apagar [apa'ga(x)] *vt (fogo)* to put out; *(televisão, rádio, luz)* to turn ou switch off; *(escrita, desenho)* to erase.

apaixonado, da [apajʃo'nadu, da] *adj* in love; *(exaltado)* passionate; **estar apaixonado por** to be in love with.

apaixonante [apajʃo'nãntʃi] *adj* fascinating.

apaixonar [apajʃo'na(x)] *vt*: **o futebol apaixona as massas** soccer thrills the masses.
❑ **apaixonar-se** *vp* to fall in love; **apaixonar-se por** to fall in love with.

apalpar [apaw'pa(x)] *vt* to touch; **apalpar o terreno** *fig* to see how the land lies.

apanhar [apa'ɲa(x)] *vt* to catch; *(levantar do chão)* to pick up; **apanhar chuva** to get wet; **apanhar sol** to sunbathe.

aparar [apa'ra(x)] *vt (barba)* to trim; *(sebe, arbusto)* to prune; *(segurar)* to catch.

aparecer [apare'se(x)] *vi (surgir)* to appear; *(apresentar-se)* to show up; *(algo perdido)* to turn up.

aparelhagem [apare'ʎaʒẽ] (*pl* **-ns** [-ʃ]) *f*: **aparelhagem (de som)** sound system, stereo.

aparelho [apa'reʎu] *m (máquina)* appliance; *(de cozinha)* kitchen appliance; **aparelho de som** hi-fi; **aparelho de barbear** shaver; **aparelho digestivo** digestive system; **aparelho para os dentes** braces.

aparência [apa'rẽsja] *f* appearance.

aparentar [aparẽn'ta(x)] *vt* to look like; **aparenta ter uns 40 anos** he looks about 40.

aparente [apa'rẽntʃi] *adj* apparent.

apartamento [apaxta'mẽntu] *m* apartment *Am*, flat *Brit*.

apavorado, da [apavo'radu, da] *adj* terrified.

apelar [ape'la(x)] *vi*: **apelar para** to appeal to.

apelido [ape'lidu] *m (alcunha)* nickname.
apelo [a'pelu] *m* appeal; **fazer um apelo a** to appeal to.
apenas [a'penaʃ] **1** *adv* only.
2 *conj* as soon as; **quero apenas um copo de água** all I want is a glass of water.
apêndice [a'pẽndʒisi] *m* appendix.
apendicite [apẽndʒi'sitʃi] *f* appendicitis.
aperceber-se [apexse'bexsi] *vp*: **aperceber-se de algo** to realize; **aperceber-se de que** *(verificar)* to realize (that).
aperfeiçoamento [apexfejswa'mẽntu] *m* improvement.
aperfeiçoar [apexfej'swa(x)] *vt* to improve.
aperitivo [aperi'tʃivu] *m (vinho)* aperitif; *(tira-gosto)* appetizer.
apertado, da [apex'tadu, da] *adj* tight; *(estrada)* narrow.
apertar [apex'ta(x)] *vt (comprimir)* to squeeze; *(botão, interruptor)* to press; *(cinto de segurança)* to fasten; *(parafuso, porca)* to tighten; *(casaco, vestido)* to take in.
aperto [a'pextu] *m (de parafuso)* tightening; *(aglomeração)* crush; *fig (dificuldade)* tight corner; **aperto de mão** handshake.
apesar [ape'za(x)]: **apesar de** *prep* despite, in spite of.
apetecer [apete'se(x)] *vi (comida)* to look appetizing; **esse bolo me apetece muito** this cake looks very tasty.
apetite [ape'tʃitʃi] *m* appetite; **bom apetite!** enjoy your meal!
apetitoso, osa [apetʃi'tozu, ɔza] *adj* appetizing.
apetrecho [ape'treʃu] *m* tool; **apetrechos de pesca** fishing tackle *sg.*
apimentado, da [apimẽn'tadu, da] *adj (com pimenta)* peppery; *(picante)* spicy.
apinhado, da [api'ɲadu, da] *adj*: **apinhado de** packed with.
apitar [api'ta(x)] *vi (trem)* to whistle; *(árbitro)* to blow the whistle.
apito [a'pitu] *m* whistle.
aplaudir [aplaw'di(x)] *vt & vi* to applaud.
aplauso [a'plawzu] *m* applause.
aplicação [aplika'sãw] (*pl* **-ões** [-õjʃ]) *f (em estudo, trabalho)* diligence; *(acessório)* appliqué; *(de dinheiro)* investment.
aplicado, da [apli'kadu, da] *adj (aluno)* diligent; *(matemática, lingüística)* applied.
aplicar [apli'ka(x)] *vt* to apply; *(curativo, injeção)* to administer.
apoderar-se [apode'raxsi]: **apoderar-se de** *vp + prep* to take control of.
apodrecer [apodre'se(x)] *vt & vi* to rot.
apoiar [apo'ja(x)] *vt* to support; **apoiar algo em algo** to rest sthg on OU against sthg.
❑ **apoiar-se** *vp* to hold on; **apoiar-se em** OU **a** to lean on OU against.
apoio [a'poju] *m* support.
apólice [a'pɔlisi] *f*: **apólice (de seguro)** (insurance) policy.
apontador [apõnta'do(x)] (*pl* **-res** [-riʃ]) *m (de lápis)* pencil sharpener.
apontamento [apõnta'mẽntu] *m* note.
apontar [apõn'ta(x)] **1** *vt (arma)* to aim; *(erro, falha)* to point out; *(tomar nota de)* to note down; *(razões, argumentos)* to put forward.
2 *vi*: **apontar para algo** to point to sthg.
aporrinhação [apoxiɲa'sãw] (*pl* **-ões** [-õjʃ]) *f (aborrecimento)* annoyance.
após [a'pɔjʃ] **1** *prep* after.
2 *adv* afterward.
aposentado, da [apozẽn'tadu, da] **1** *adj* retired.
2 *m, f* retiree.
aposentadoria [apozẽntado'ria] *f (fato)* retirement; *(dinheiro)* pension.
aposento [apo'zẽntu] *m* room.
aposta [a'pɔʃta] *f* bet.
apostar [apoʃ'ta(x)] *vt* to bet.
apostila [apoʃ'tʃila] *f* class notes *pl.*
apóstrofo [a'pɔʃtrofu] *m* apostrophe.
apreciação [apresja'sãw] (*pl* **-ões** [-õjʃ]) *f (avaliação)* assessment.
apreciar [apresi'a(x)] *vt (gostar)* to like; *(avaliar)* to judge, to assess; *(paisagem, vista)* to admire.
apreender [apriẽn'de(x)] *vt (confiscar)* to seize; *(assimilar)* to grasp.
apreensão [apriẽ'sãw] (*pl* **-ões** [-õjʃ]) *f (de bens, produtos)* seizure; *(de novos conhecimentos)* grasp; *(preocupação)* apprehension.
apreensivo, va [apriẽ'sivu, va] *adj* apprehensive.
aprender [aprẽn'de(x)] *vi & vt* to learn; **aprender a fazer algo** to learn to do sthg.
aprendiz [aprẽn'dʒiʒ] (*pl* **-zes** [-ziʃ]) *m (de ofício)* apprentice; *(principiante)* beginner.
aprendizagem [aprẽndʒi'zaʒẽ] *f* learning.
aprendizes → **aprendiz.**

apresentação [aprezẽnta'sãw] (*pl* **-ões** [-õjʃ]) *f* presentation; *(aspecto)* appearance; **a apresentação do programa estará a cargo de um ator** the program will be hosted by an actor.

apresentador, ra [aprezẽnta'do(x), ra] (*mpl* **-res** [-riʃ], *fpl* **-s** [-ʃ]) *m, f* host.

apresentar [aprezẽn'ta(x)] *vt (espetáculo)* to host; *(pessoa)* to introduce; *(exibir)* to show.
❑ **apresentar-se** *vp (comparecer)* to report; **apresentar-se a alguém** *(a desconhecido)* to introduce o.s. to sb.

apressado, da [apre'sadu, da] **1** *adj (pessoa)* rushed; *(decisão)* hasty.
2 *adv*: **sair/entrar apressado** to rush out/in.

apressar-se [apre'saxsi] *vp* to hurry up.

aprofundar [aprofũn'da(x)] *vt fig (assunto)* to study in depth.

aprovação [aprova'sãw] (*pl* **-ões** [-õjʃ]) *f* approval; *(em exame)* pass.

aprovado, da [apro'vadu, da] *adj*: **ser aprovado** *EDUC* to pass.

aprovar [apro'va(x)] *vt* to approve; *(em exame)* to pass.

aproveitamento [aprovejta'mẽntu] *m (uso)* use; *EDUC* progress.

aproveitar [aprovej'ta(x)] *vt (a ocasião)* to take advantage of; *(férias)* to make the most of; *(utilizar)* to make use of.
❑ **aproveitar-se** *vp*: **aproveitar-se de** to take advantage of.

aproximadamente [aprosi,mada'mẽntʃi] *adv* approximately.

aproximado, da [aprosi'madu, da] *adj* approximate.

aproximar [aprosi'ma(x)] *vt (objetos)* to bring closer; *(pessoas)* to bring together.
❑ **aproximar-se** *vp* to come closer; **aproximar-se de** to approach; **aproxima-se uma pessoa/um carro** someone/a car is coming.

aptidão [aptʃi'dãw] (*pl* **-ões** [-õjʃ]) *f* aptitude; *(vocação)* talent.

apunhalar [apuɲa'la(x)] *vt* to stab.

apuração [apura'sãw] (*pl* **-ões** [-õjʃ]) *f* selection.

apurado, da [apu'radu, da] *adj* selected; *(sabor)* distinctive; *(visão, olfato)* keen.

apurar [apu'ra(x)] *vt (selecionar)* to pick; *(averiguar)* to find out; *(sabor)* to bring out.

apuro [a'puru] *m (dificuldade)* fix; **estar em apuros** to be in a fix; **meter-se em apuros** to get into trouble.

aquarela [akwa'rɛla] *f* watercolor.

aquário [a'kwarju] *m* aquarium.
❑ **Aquário** *m* Aquarius.

aquático, ca [a'kwatʃiku, ka] *adj* aquatic; *ESP* water *(antes de s)*.

aquecedor [akese'do(x)] (*pl* **-res** [-riʃ]) *m (para o ar)* heater; *(para a água)* boiler; **aquecedor a gás** gas heater.

aquecer [ake'se(x)] *vt & vi* to heat up.
❑ **aquecer-se** *vp* to warm o.s. up.

aquecimento [akesi'mẽntu] *m* heating; **aquecimento central** central heating.

aqueduto [ake'dutu] *m* aqueduct.

àquela ['akɛla] = **a + aquela** → **aquele.**

aquele, aquela [a'keli, a'kɛla] **1** *adj* that, those *pl.*
2 *pron* that one.
3 aquele ali that one there; **aquele que** *(relativo a pessoa)* the one who, those who *pl*; *(relativo a objeto)* the one which; **peça àquele homem/àquela mulher** ask that man/woman.

àquele ['akeli] = **a + aquele** → **aquele.**

aqui [a'ki] *adv* here; **até aqui** *(relativo a tempo)* up until now; **por aqui** this way; **por aqui em algum canto** somewhere around here.

> As expressões *here is* e *here are* servem para anunciar uma chegada, uma aparição ou uma descoberta (*here's Charlie!* aqui está o Charlie!; *here are the answers*, aqui estão as respostas). O sujeito (*Charlie; answers*) aparece no final da oração, exceto quando se trata de um pronome pessoal como *I, you, he* etc. (*here's Charlie! - here he is; here are the answers - here they are*).

aquilo [a'kilu] *pron* that; **você chama aquilo de carro!** you call that a car!

àquilo ['akilu] = **a + aquilo** → **aquilo.**

aquisição [akizi'sãw] (*pl* **-ões** [-õjʃ]) *f* acquisition.

ar [a(x)] (*pl* **ares** ['ariʃ]) *m* air; *(brisa)* breeze; **dar ares de** to pretend to be; **dar-se ares de importante** to put on airs (and graces); **ir ao/sair do ar** *(em rádio, TV)* to go on/off the air; **ir pelos ares** *(explodir)* to blow up; **ter ar de** to look ou seem like; **ar-condicionado** air conditioning; **ao ar** *(lançar, atirar)* into the air.

arame [a'rami] *m* wire; **arame farpado** barbed wire.

aranha [a'raɲa] *f* spider.

arbitragem [axbi'traʒẽ] (*pl* **-ns** [-ʃ]) *f (de jogo)* refereeing; *(de litígio)* arbitration.

arbitrar [axbi'tra(x)] *vt (jogo)* to referee.

árbitro ['axbitru] *m (de jogo)* referee.

arborizado, da [axbori'zadu, da] *adj* wooded.

arbusto [ax'buʃtu] *m* bush.

arca ['axka] *f* trunk.

arcaico, ca [ax'kajku, ka] *adj* archaic.

arco ['axku] *m (de edifício, construção)* arch; *(curva)* arc; *(de flechas)* bow; *(brinquedo)* hoop.

arco-íris [ax'kwiriʃ] *m inv* rainbow.

ardência [ax'dẽnsja] *f (de pele)* stinging; *(de estômago)* heartburn.

ardente [ax'dẽntʃi] *adj fig (amor, paixão)* passionate.

arder [ax'de(x)] *vi* to burn; *(pele)* to sting.

ardor [ax'do(x)] (*pl* **-res** [-riʃ]) *m (de pele)* stinging; **com ardor** ardently.

árduo, dua ['axdwu, dwa] *adj* arduous.

área ['arja] *f* area; *fig (campo de ação)* field; **área de serviço** *(em apartamento)* utility area; **grande área** *(em futebol)* penalty area.

areia [a'reja] *f* sand; **areia movediça** quicksand.

arejar [are'ʒa(x)] **1** *vt* to air.
2 *vi fig (sair)* to get some air.

arena [a'rena] *f (de circo)* ring; *(de praça de touros)* bullring.

arenoso, osa [are'nozu, ɔza] *adj* sandy.

arenque [a'rẽŋki] *m* herring.

ares → **ar.**

argila [ax'ʒila] *f* clay.

argola [ax'gɔla] *f (anel)* ring; *(de porta)* knocker.
❑ **argolas** *fpl* ESP rings; *(brincos)* hoop earrings.

argumentar [axgumẽn'ta(x)] *vt & vi* to argue.

argumento [axgu'mẽntu] *m* argument; *(de filme)* plot.

árido, da ['aridu, da] *adj* arid.

Áries ['ariʃ] *m* Aries.

arma ['axma] *f* weapon; **arma branca** knife; **arma de fogo** firearm.

armação [axma'sãw] (*pl* **-ões** [-õjʃ]) *f* frame; *(de barco)* rigging; *(de óculos)* frames *pl.*

armadilha [axma'diʎa] *f* trap.

armadura [axma'dura] *f* suit of armor; *(de edifício)* framework.

armamento [axma'mẽntu] *m* armaments *pl*; *(de navio)* armament.

armar [ax'ma(x)] *vt* to arm; *(tenda)* to put up.

armário [ax'marju] *m* cabinet, cupboard; *(de roupa)* closet.

armazém [axma'zẽ] (*pl* **-ns** [-ʃ]) *m* warehouse.

aro ['aru] *m (de roda)* rim; *(de janela)* frame.

aroma [a'roma] *m* aroma.

arpão [ax'pãw] (*pl* **-ões** [-õjʃ]) *m* harpoon.

arqueologia [axkjolo'ʒia] *f* archeology.

arquibancada [axkibãŋ'kada] *f* bleachers *pl.*

arquipélago [axki'pɛlagu] *m* archipelago.

arquiteto, ta [axki'tɛtu, ta] *m, f* architect.

arquitetura [axki'tɛtura] *f* architecture.

arquivo [ax'kivu] *m* archive; *(móvel)* filing cabinet; *(cartório)* registry office; INFORM file.

arraial [axa'jaw] (*pl* **-ais** [-ajʃ]) *m* fair.

arrancar [axãŋ'ka(x)] **1** *vt (árvore, batatas)* to dig up; *(folhas, pêlos)* to pull out; *(dente)* to extract.
2 *vi (partir)* to set off.
3 arrancar algo das mãos de alguém to snatch sthg from sb.

arranha-céu [a,xaɲa'sɛw] *m inv* skyscraper.

arranhão [axa'ɲãw] (*pl* **-ões** [-õjʃ]) *m* scratch.

arranhar [axa'ɲa(x)] *vt* to scratch; *(parede, carro)* to scrape; **arranhar um pouco de algo** to get by in sthg.
❑ **arranhar-se** *vp* to scratch o.s.

arranhões → **arranhão.**

arranjar [axã'ʒa(x)] *vt (reparar)* to fix, to repair; *(adquirir)* to get; **arranjar confusão** to get into trouble.

arrasar [axa'za(x)] *vt* to devastate.

arrastar [axaʃ'ta(x)] *vt* to drag (along ou away).

arrecadar [axeka'da(x)] *vt (objeto)* to store away; *(dinheiro)* to collect.

arredondado, da [axedõn'dadu, da] *adj (forma)* round, rounded; *fig (valor)* rounded up.

arredondar [axedõn'da(x)] *vt (forma)* to make round; *fig (valor)* to round up.

arredores [axe'dɔriʃ] *mpl* outskirts.
arregaçar [axega'sa(x)] *vt (mangas, calças)* to roll up.
arreios [a'xejuʃ] *mpl (de cavalo)* harness *sg*.
arremessar [axeme'sa(x)] *vt (pedra, flecha)* to hurl.
arrendamento [axẽnda'mẽntu] *m* lease.
arrendar [axẽn'da(x)] *vt* to lease.
arrendatário, ria [axẽnda'tarju, rja] *m, f* tenant.
arrepender-se [axepẽn'dexsi] *vp*: **arrepender-se de (ter feito) algo** to regret (doing) sthg.
arrepiar [axe'pja(x)] *vt (pêlo, cabelo)* to make stand on end.
❑ **arrepiar-se** *vp (de frio)* to shiver; *(de medo)* to shudder.
arrepio [axe'piu] *m (de frio)* shiver; *(de medo)* shudder.
arriscado, da [axiʃ'kadu, da] *adj (perigoso)* risky; *(corajoso)* daring.
arriscar [axiʃ'ka(x)] *vt (pôr em risco)* to risk.
❑ **arriscar-se** *vp* to take a risk.
arroba [a'xoba] *f* INFORM at (sign).
arrogância [axo'gãsja] *f (presunção)* arrogance.
arrogante [axo'gãntʃi] *adj (presumido)* arrogant.
arrombar [axõm'ba(x)] *vt (porta, janela, cofre)* to force (open).
arrotar [axo'ta(x)] *vi* to burp, to belch.
arroto [a'xotu] *m* burp, belch.
arroz [a'xoʒ] *m* rice.
arruaça [a'xwasa] *f* street riot.
arruaceiro, ra [axwa'sejru, ra] **1** *adj* riotous.
2 *m, f* rioter.
arrumado, da [axu'madu, da] *adj (casa, secretária, gaveta)* neat; *(mala)* packed; *fig (resolvido)* sorted (out).
arrumar [axu'ma(x)] *vt (casa, secretária, gaveta)* to tidy up; *(mala)* to pack.
arte ['axtʃi] *f* art; **artes marciais** martial arts; **a sétima arte** the movies *pl Am*, cinema *Brit*.
artéria [ax'tɛrja] *f* artery.
artesanato [axteza'natu] *m* craftwork, handicraft.
articulação [axtʃikula'sãw] (*pl* **-ões** [-õjʃ]) *f (de ossos)* joint; *(de palavras)* articulation.
artificial [axtʃifi'sjaw] (*pl* **-ais** [-ajʃ]) *adj* artificial.
artigo [ax'tʃigu] *m* article; *(produto)* item; **artigos de primeira necessidade** essential goods.
artista [ax'tʃiʃta] *mf* artist.
artístico, ca [ax'tʃiʃtʃiku, ka] *adj* artistic.
artrite [ax'tritʃi] *f* arthritis.
árvore ['axvori] *f* tree.
as [aʃ] → **a.**
ás ['ajʃ] (*pl* **ases** ['azeʃ]) *m* ace; **ser um ás** to be a whiz.
às [ajʃ] = **a + as** → **a.**
asa ['aza] *f* wing; *(de utensílio)* handle.
ascensor [aʃsẽ'so(x)] (*pl* **-res** [-riʃ]) *m (em prédio)* elevator *Am*, lift *Brit*; *(em rua, encosta)* funicular.
asco ['aʃku] *m* disgust.
ases → **ás.**
asfalto [aʃ'fawtu] *m* asphalt.
asfixia [aʃfik'sia] *f* asphyxia, suffocation.
asma ['aʒma] *f* asthma.
asmático, ca [aʒ'matʃiku, ka] *adj & m, f* asthmatic.
asneira [aʒ'nejra] *f (tolice)* nonsense; *(obscenidade)* swear word.
asno ['aʒnu] *m* donkey; *fig (estúpido)* ass.
aspargo [aʃ'paxgu] *m* asparagus.
aspecto [aʃ'pɛktu] *m* appearance; *(ponto de vista)* aspect.
áspero, ra ['aʃperu, ra] *adj* rough; *(voz)* harsh.
aspirador [aʃpira'do(x)] (*pl* **-res** [-riʃ]) *m* vacuum cleaner.
aspirar [aʃpi'ra(x)] *vt* to vacuum.
❑ **aspirar a** *v + prep (desejar)* to aspire to.
aspirina [aʃpi'rina] *f* aspirin.
asqueroso, osa [aʃke'rozu, ɔza] *adj* disgusting, revolting.
assado, da [a'sadu, da] *adj & m (culinário)* roast.
assadura [asa'dura] *f (em bebê)* diaper rash.
assalariado, da [asala'rjadu, da] *m, f* (salaried) employee.
assaltante [asaw'tãntʃi] *mf* burglar.
assaltar [asaw'ta(x)] *vt (pessoa)* to mug; *(casa)* to burglarize; *(banco)* to rob.
assalto [a'sawtu] *m (a pessoa)* mugging; *(a casa)* burglary; *(a banco)* robbery; *(em boxe)* round; **assalto à mão armada** armed robbery.
assar [a'sa(x)] *vt* to roast.

assassinar [asasi'na(x)] *vt* to murder.

assassino, na [asa'sinu, na] *m, f* murderer.

assédio [a'sɛdʒju] *m* harassment; **assédio sexual** sexual harassment.

assegurar [asegu'ra(x)] *vt* to assure.
❑ **assegurar-se** *vp*: **assegurar-se de que** to make sure (that).

asseio [a'seju] *m (limpeza)* cleanliness.

assembléia [asẽm'blɛja] *f* assembly; *(reunião)* meeting; **assembléia geral** annual general meeting; **Assembléia Legislativa** legislative assembly.

assemelhar-se [aseme'ʎaxsi]: **assemelhar-se a** *vp + prep* to look like.

assento [a'sẽntu] *m* seat.

assim [a'sĩ] *adv (do mesmo modo)* like this; *(deste modo)* therefore; **assim, sim!** that's better!; **como assim?** excuse me?; **assim mesmo** just so; **assim, assim** so-so; **assim que** as soon as.

assimilar [asimi'la(x)] *vt* to assimilate.

assinar [asi'na(x)] *vt* to sign; *(revista)* to subscribe to.

assinatura [asina'tura] *f* signature; *(de revista)* subscription; *(de trem)* season ticket.

assistência [asiʃ'tẽsja] *f (auxílio)* help; *(público)* audience; **assistência médica** medical aid.

assistir [asiʃ'tʃi(x)] *vt (ajudar)* to help.
❑ **assistir a** *v + prep (a espetáculo)* to attend; *(a programa)* to watch; *(a acidente, acontecimento)* to witness.

assoalho [a'soaʎu] *m (de casa)* floor.

assoar [asw'a(x)] *vt* to blow.
❑ **assoar-se** *vp* to blow one's nose.

assobiar [asobi'a(x)] *vi* to whistle.

assobio [aso'biu] *m* whistle.

associação [asosja'sãw] (*pl* **-ões** [-õjʃ]) *f* association.

assombrado, da [asõm'bradu, da] *adj fig (casa, local)* haunted.

assombro [a'sõmbru] *m* amazement.

assunto [a'sũntu] *m* subject; **assunto encerrado!** subject closed!

assustador, ra [asuʃta'do(x), ra] (*mpl* **-res** [-riʃ], *fpl* **-s** [-ʃ]) *adj* frightening.

assustar [asuʃ'ta(x)] *vt* to frighten.
❑ **assustar-se** *vp* to be frightened.

asterisco [aʃte'riʃku] *m* asterisk.

astro ['aʃtru] *m* star.

astrologia [aʃtrolo'ʒia] *f* astrology.

astronauta [aʃtro'nawta] *mf* astronaut.

astronomia [aʃtrono'mia] *f* astronomy.

astúcia [aʃ'tusja] *f* astuteness.

atacadista [ataka'diʃta] *mf* wholesaler.

atacado [ata'kadu] *m*: **comprar por atacado** to buy wholesale.

atacante [ata'kãntʃi] **1** *adj* ESP attacking.
2 *mf* ESP forward.

atacar [ata'ka(x)] *vt* to attack.

atadura [ata'dura] *f* bandage.

atalho [a'taʎu] *m* short cut.

ataque [a'taki] *m* attack; **ataque cardíaco** heart attack.

atar [a'ta(x)] *vt (sapatos)* to lace ou do up; *(saco)* to do up; *(corda, cordão, fio)* to tie.

atarracado, da [ataxa'kadu, da] *adj* stocky.

até [a'tɛ] **1** *prep (limite no espaço)* as far as; *(limite no tempo)* until.
2 *adv* even.
3 até agora so far; **até amanhã!** see you tomorrow!; **até logo!** see you later!; **até mais!** *(em conversa)* talk to you soon!; **até que enfim!** at (long) last!; **até porque** because.

atear [ate'a(x)] *vt (incendiar)* to set fire to; *(avivar)* to rekindle.

atéia → **ateu.**

ateliê [ate'lje] *m* = **atelier.**

atemorizar [atemori'za(x)] *vt* to terrify.

atenção [atẽ'sãw] (*pl* **-ões** [-õjʃ]) **1** *f* attention; *(cuidado)* care; *(cortesia)* courtesy.
2 *interj* watch ou look out!
3 chamar a atenção de alguém para algo to draw sb's attention to sthg; **prestar atenção** to pay attention; **obrigado pela atenção** thank you for your help.

atender [atẽn'de(x)] *vt (telefone)* to answer; *(em loja)* to serve; *(em hospital)* to see.

> Não confundir ***atender (answer)*** com o inglês ***attend*** que em português é ***participar***. (***Deixe-me atender ao telefone.*** Let me ***answer*** the phone.)

atendimento [atẽndʒi'mẽntu] *m (de telefone)* answering; *(em loja, hospital)* service.

atentado [atẽn'tadu] *m* attempt *(on sb's life)*.

atenuar [ate'nwa(x)] *vt* to soften.

aterrissagem [atexi'saʒẽj] (*pl* **-ns** [-ʃ]) *f* landing.

aterrissar [atexi'sa(x)] *vi* to land.

aterro [a'texu] *m* landfill.
aterrorizar [atexori'za(x)] *vt* to terrify.
atestado [ateʃ'tadu] *m* certificate; **atestado médico** medical certificate; **atestado de óbito** death certificate.
ateu, atéia [a'tew, a'tɛja] *m, f* atheist.
atiçar [atʃi'sa(x)] *vt (fogo)* to poke.
atingir [atʃĩ'ʒi(x)] *vt* to reach; *(ferir, afetar)* to hit; *(objetivo)* to achieve; *(compreender)* to grasp; *(abranger)* to cover.
atirar [atʃi'ra(x)] **1** *vt* to throw.
2 *vi (com arma)* to shoot.
atitude [atʃi'tudʒi] *f* attitude.
atividade [atʃivi'dadʒi] *f* activity.
ativo, va [a'tivu, va] *adj* active.
Atlântico [at'lãntʃiku] *m*: **o Atlântico** the Atlantic.
atlas ['atlaʃ] *m inv* atlas.
atleta [at'lɛta] *mf* athlete.
atletismo [atle'tʃiʒmu] *m* track and field.
atmosfera [atmoʃ'fɛra] *f* atmosphere.
ato ['atu] *m (ação)* action; *(de peça de teatro)* act.
atômico, ca [a'tomiku, ka] *adj* atomic.
ator, atriz [a'to(x), a'triʒ] (*mpl* **-res** [-riʃ], *fpl* **-zes** [-ziʃ]) *m, f* actor.
atordoado, da [atox'dwadu, da] *adj* stunned.
atores → **ator.**
atormentado, da [atoxmẽn'tadu, da] *adj* troubled.
atração [atra'sãw] (*pl* **-ões** [-õjʃ]) *f* attraction; *(de pessoa)* attractiveness.
atrações → **atração.**
atraente [atra'ẽntʃi] *adj* attractive.
atraiçoar [atraj'swa(x)] *vt* to betray.
❑ **atraiçoar-se** *vp* to give o.s. away.
atrair [atra'i(x)] *vt* to attract.
atrapalhar [atrapa'ʎa(x)] *vt (perturbar)* to confuse; *(dificultar)* to get in the way of.
❑ **atrapalhar-se** *vp* to get all confused.
atrás [a'trajʃ] *adv (detrás)* behind; *(para trás)* back there; **dias atrás** a few days ago; **atrás de** *(no espaço)* behind; *(no tempo)* after; **estar atrás de algo** to be after sthg; **ficar com o pé atrás** *fig* to be on one's guard.
atrasado, da [atra'zadu, da] *adj (pessoa)* late; *(país, região)* backward; **chegar atrasado** to arrive late; **estar atrasado** to be late.
atrasar [atra'za(x)] **1** *vi (trem, ônibus)* to be delayed.
2 *vt (trabalho)* to delay; *fig (prejudicar)* to hinder.
❑ **atrasar-se** *vp* to be late.
atraso [a'trazu] *m* delay; *(de país)* backwardness.
atrativo, va [atra'tʃivu, va] **1** *adj* attractive.
2 *m* attraction.
através [atra'vɛjʃ]: **através de** *prep (pelo meio de)* through; *(por meio de)* by.
atravessar [atrave'sa(x)] *vt (rua, rio)* to cross; *(pôr ao través)* to put across; *fig (situação, fase)* to go through.
atrever-se [atre'vexsi]
❑ **atrever-se** *vp (ousar)* to dare; **atrever-se a fazer algo** to dare to do sthg.
atrevido, da [atre'vidu, da] *adj (malcriado)* cheeky; *(audaz)* daring.
atrevimento [atrevi'mẽntu] *m (audácia)* daring; **que atrevimento!** what a nerve!
atribuir [atri'bwi(x)] *vt* to attribute; *(cargo)* to give.
atributo [atri'butu] *m* attribute.
atrito [a'tritu] *m* friction.
❑ **atritos** *mpl* disagreements.
atriz → **ator.**
atropelamento [atropela'mẽntu] *m* road accident *(involving a pedestrian being run over)*.
atropelar [atrope'la(x)] *vt* to run over.
atuação [atwa'sãw] (*pl* **-ões**) [-õjʃ] *f (procedimento)* behavior; *(em espetáculo)* acting; *(espetáculo)* performance.
atual [a'twaw] (*pl* **-ais** [-ajʃ]) *adj (presente)* current; *(moderno)* modern.

> Não confundir ***atual (current)*** com o inglês ***actual*** que em português é ***real***. (***Meu salário atual é muito baixo.*** My ***current*** salary is very low.)

atualizar [atwali'za(x)] *vt (tornar atual)* to modernize; INFORM *(arquivo)* to update.
atualmente [atwaw'mẽntʃi] *adv* currently.

> Algo semelhante ao caso do adjetivo 'atual' em português, ocorre com o advérbio 'atualmente', que nunca deve ser traduzido como ***actually***, uma vez que este significa 'realmente' ou 'na verdade'. Assim, a sentença ***it is actually quite dangerous*** quer dizer, na verdade, 'é bastante perigoso', e não 'é atualmente perigoso'.

atuar [atw'a(x)] *vi* to act.

atum [a'tũ] *m* tuna.
aturdido, da [atur'dʒidu, da] *adj* stunned.
audácia [aw'dasja] *f* audacity.
audição [awdʒi'sãw] (*pl* **-ões** [-õjʃ]) *f* hearing; *(de peça musical, concerto)* recital.
audiência [aw'dʒjẽsja] *f* JUR hearing.
audiovisual [ˌawdʒjovi'zwaw] (*pl* **-ais** [-ajʃ]) *adj* audiovisual.
auditório [awdʒi'tɔrju] *m* auditorium; *(público ouvinte)* audience.
auge ['awʒi] *m* peak.
aula ['awla] *f* class, lesson.
aumentar [awmẽn'ta(x)] *vt & vi* to increase.
aumento [aw'mẽntu] *m* increase; *(de ordenado)* raise *Am*, rise *Brit*.
auréola [aw'rɛwla] *f* halo.
aurora [aw'rɔra] *f* dawn; **aurora boreal** the northern lights *pl*.
ausência [aw'zẽsja] *f* absence.
ausentar-se [awzẽn'taxsi] *vp*: **ausentar-se de** *(de país, sala)* to leave.
ausente [aw'zẽntʃi] *adj* absent.
autenticar [awtẽntʃi'ka(x)] *vt* JUR *(documento, assinatura)* to authenticate.
autêntico, ca [aw'tẽntʃiku, ka] *adj (verdadeiro)* real; JUR authenticated.
autodomínio [ˌawtodo'minju] *m* self-control.
autódromo [aw'tɔdromu] *m* racetrack.
auto-escola [ˌawtoiʃ'kɔla] *m* driving school.
auto-estima [ˌawtoeʃ'tʃima] *f* self-esteem.
auto-estrada [ˌawtoʃ'trada] *f* freeway *Am*, motorway *Brit*.
autografar [awtogra'fa(x)] *vt* to autograph.
autógrafo [aw'tɔgrafu] *m* autograph.
automático, ca [awto'matʃiku, ka] *adj* automatic.
automobilismo [awtomobi'liʒmu] *m* car racing.
automobilista [awtomobi'liʃta] *mf* (car) driver.
automóvel [awto'mɔvɛw] (*pl* **-eis** [-ejʃ]) *m* automobile *Am*, motorcar *Brit*.
autópsia [aw'tɔpsja] *f* MED autopsy.
autor, ra [aw'to(x), ra] (*mpl* **-res** [-riʃ], *fpl* **-s** [-ʃ]) *m, f* author; *(de idéia)* originator; *(de brincadeira)* instigator; JUR *(de crime)* perpetrator.
auto-retrato [ˌawtoxe'tratu] *m* self-portrait.
autoridade [awtori'dadʒi] *f* authority.
autorização [awtoriza'sãw] (*pl* **-ões** [-õjʃ]) *f* authorization.
autorizar [awtori'za(x)] *vt* to authorize.
auxiliar [awsili'a(x)] (*pl* **-res** [-riʃ]) **1** *adj* auxiliary.
2 *mf* assistant.
3 *vt* to assist.
auxílio [aw'silju] *m* help.
avalanche [ava'lãʃi] *f* avalanche.
avaliação [avalja'sãw] (*pl* **-ões** [-õjʃ]) *f* assessment; JUR valuation.
avaliar [ava'lja(x)] *vt* to assess; *(gastos)* to estimate; *(valor de objeto)* to value.
avançado, da [avã'sadu, da] *adj* advanced; *(pessoa)* progressive.
avançar [avã'sa(x)] *vi* to advance.
avarento, ta [ava'rẽntu, ta] *adj* miserly.
avaria [ava'ria] *f* breakdown.
avariado, da [ava'rjadu, da] *adj* out of order; *(carro)* broken down.
ave ['avi] *f* bird.
aveia [a'veja] *f* oats *pl*.
avelã [ave'lã] *f* hazelnut.
avenida [ave'nida] *f* avenue.
avental [avẽn'taw] (*pl* **-ais** [-ajʃ]) *m* apron.
aventura [avẽn'tura] *f* adventure; *(amorosa)* affair.
aventureiro, ra [avẽntu'rejru, ra] *m, f* adventurer.
averiguação [averigwa'sãw] (*pl* **-ões** [-õjʃ]) *f* investigation.
averiguar [averi'gwa(x)] *vt* to investigate; *(verdade)* to find out.
avesso [a'vesu] **1** *m (de casaco, saco)* reverse; *(contrário)* opposite.
2 *adj*: **avesso a** averse to.
3 **pelo avesso** inside out.
avestruz [aveʃ'truʃ] (*pl* **-zes** [-ziʃ]) *f* ostrich.
avião [a'vjãw] (*pl* **-ões** [-õjʃ]) *m* plane.
ávido, da ['avidu, da] *adj*: **ávido de** greedy for.
aviões → **avião**.
avisar [avi'za(x)] *vt* to warn; *(notificar)* to inform.
aviso [a'vizu] *m (advertência)* warning; *(sinal, letreiro, notificação)* notice; **aviso de recepção** acknowledgement of receipt.
avistar [aviʃ'ta(x)] *vt* to see.
avô, avó [a'vo, a'vɔ] *m, f* grandfather (*f* grandmother).
avós [a'vɔʃ] *mpl* grandparents.
avulso, sa [a'vuwsu, sa] **1** *adj* separate.

2 *adv* separately.

axila [ak'sila] *f* armpit.

azar [a'za(x)] (*pl* **-res** [-riʃ]) *m (falta de sorte)* bad luck; **azar!** too bad!; **estar com azar** to be out of luck; **por azar** as luck would have it.

azarado, da [aza'radu, da] *m, f* unlucky person.

azares → **azar.**

azedar [aze'da(x)] *vi* to turn sour.

azedo, da [a'zedu, da] *adj* sour.

azeite [a'zejtʃi] *m* olive oil; **azeite de dendê** palm oil.

azeitona [azej'tona] *f* olive; **azeitonas pretas** black olives.

azul [a'zuw] (*pl* **azuis** [a'zujʃ]) *adj & m* blue.

azulejo [azu'lejʒu] *m* glazed tile.

azul-marinho [a,zuwma'riɲu] *adj inv* navy (blue).

Bb

babá [ba'ba] *f* nanny.
bacalhau [baka'ʎaw] *m (peixe)* cod; *(em culinária)* salt cod.
bacia [ba'sia] *f* basin; ANAT pelvis.
baço, ça ['basu, sa] **1** *adj (metal, espelho)* tarnished; *(tinta, cor)* matt.
2 *m* ANAT spleen.
bactéria [bak'tɛrja] *f* bacterium.
bafo ['bafu] *m* breath.
baforada [bafo'rada] *f* puff.
bagageiro [baga'ʒejru] *m (em carro)* roof-rack.
bagagem [ba'gaʒẽ] (*pl* **-ns** [-ʃ]) *f* baggage *Am*, luggage *Brit*; **despachar/depositar a bagagem** to check in/leave one's baggage.
bagatela [baga'tɛla] *f* trifle.
bago ['bagu] *m (de uva)* grape; *(de trigo)* grain.
bagunça [ba'gũsa] *f* mess.
baía [ba'ia] *f* bay.
bailarino, na [bajla'rinu, na] *m, f* ballet dancer.
baile ['bajli] *m* ball.
bainha [ba'iɲa] *f (de calças, saia etc.)* hem; *(de espada)* scabbard.
bairro ['bajxu] *m* neighborhood; *(divisão administrativa)* district.
baixa ['bajʃa] *f (em quantidade)* decrease; *(de preço)* reduction; *(médica)* discharge; *(em guerra)* casualty.
baixar [baj'ʃa(x)] **1** *vt* to lower; INFORM to download.
2 *vi (preço, valor)* to come down.
❑ **baixar-se** *vp* to bend down.
baixo, xa ['bajʃu, ʃa] **1** *adj* low; *(pessoa)* short; *(qualidade)* poor; *(profundidade)* shallow; *fig (desprezível)* mean.
2 *adv (falar, rir)* quietly; *(relativo a posição)* low.
3 *m (instrumento)* bass.
4 o mais baixo/a mais baixa *(pessoa)* the shortest; *(objeto, preço)* the lowest; **para baixo** down; **por baixo de** under(neath).
bajulador, ra [baʒula'do(x), ra] **1** *adj* obsequious.
2 *m, f* flatterer.
bajular [baʒu'la(x)] *vt*: **bajular alguém** to flatter sb.
bala ['bala] *f* bullet; *(doce)* candy; **bala perdida** stray bullet; **à prova de bala** bullet-proof.
balança [ba'lãsa] *f* scales *pl*.
❑ **Balança** *f* Libra.
balançar [balã'sa(x)] *vt & vi (balanço)* to swing; *(barco)* to rock.
balanço [ba'lãsu] *m (de criança)* swing; *(ação)* swinging.
balão [ba'lãw] (*pl* **-ões** [-õjʃ]) *m* balloon; *(de transporte)* hot-air balloon.
balbuciar [bawbu'sja(x)] *vt & vi* to mumble.
balbúrdia [baw'buxdʒja] *f (desordem)* shambles *sg*; *(barulho)* racket.
balcão [baw'kãw] (*pl* **-ões** [-õjʃ]) *m (de bar, loja)* counter; *(de teatro)* balcony; *(de casa)* balcony.
balde ['bawdʒi] *m* bucket, pail.
baldeação [bawdʒja'sãw] (*pl* **-ões** [-õjʃ]) *f* change; **fazer baldeação** to change.
balé [ba'lɛ] *m* ballet.
baleia [ba'leja] *f* whale.
balneário [baw'njarju] *m* spa.
balões → **balão.**
bálsamo ['bawsamu] *m* balsam, balm; *fig (alívio)* comfort.
banal [ba'naw] (*pl* **-ais** [-ajʃ]) *adj* banal.
banana [ba'nana] *f* banana.
banca ['bãŋka] *f*: **banca de jornais** newsstand.

bancada [bãŋ'kada] *f (de cozinha)* counter; *(de trabalho)* bench; *POL* political caucus.

bancário, ria [bãŋ'karju, rja] **1** *adj* banking *(antes de s)*.
2 *m, f* bank clerk.

banco ['bãŋku] *m (de cozinha)* stool; *(de carro)* seat; *FIN* bank; **banco de areia** sandbank; **banco de dados** *INFORM* database; **banco de jardim** (park) bench.

banda ['bãnda] *f* side; *(filarmônica)* brass band; *(de rock)* band; **de banda (de lado)** sideways; **pôr de banda** *fig (pessoa)* to shun; **banda larga** *INFORM* broadband.

bandeira [bãn'dejra] *f* flag; **dar bandeira** to give the game away.

bandeja [bãn'deʒa] *f* tray; **de bandeja** given on a plate.

bandido, da [bãn'dʒidu, da] *m, f* criminal.

bando ['bãndu] *m (de aves)* flock; *(de criminosos)* gang.

banha ['baɲa] *f*: **banha (de porco)** lard.

banheira [ba'ɲejra] *f* bathtub.

banheiro [ba'ɲejru] *m* bathroom.

banhista [ba'ɲiʃta] *mf* swimmer.

banho ['baɲu] *m (em banheira)* bath; *(em piscina, mar)* swim; **tomar banho** *(em banheira)* to have a bath; *(em chuveiro)* to have a shower; *(em piscina, mar)* to have a swim; **tomar um banho de sol** to sunbathe.

banir [ba'ni(x)] *vt (proibir)* to ban; *(expulsar)* to banish.

banquete [bãŋ'ketʃi] *m* banquet.

bar ['ba(x)] (*pl* **-res** [-riʃ]) *m* bar.

baralho [ba'raʎu] *m (de cartas)* deck *(of cards) Am*, pack *(of cards) Brit.*

barata [ba'rata] *f* cockroach.

barato, ta [ba'ratu, ta] **1** *adj* cheap.
2 *adv* cheaply.
3 *m* fun.
4 mais barato cheaper; **o mais barato** the cheapest; **foi o maior barato!** it was great!; **que barato!** swell!

barba ['baxba] *f* beard; **fazer a barba** to shave.

barbante [bax'bãntʃi] *m* string.

barbatana [baxba'tana] *f (de peixe)* fin.

barbeador [barbja'do(x)] (*pl* **-res** [-riʃ]) *m*: **barbeador (elétrico)** (electric) shaver.

barbear-se [bax'bjaxsi] *vp* to shave.

barbeiro [bax'bejru] *m* barber shop.

barca ['baxka] *f* ferry.

barco ['baxku] *m* boat; **barco a motor** speedboat; **barco a remo** rowboat; **barco à vela** sailing boat.

bares → **bar.**

barra ['baxa] *f* bar; *(foz)* mouth *(of a river)*; *(situação)* situation.

barraca [ba'xaka] *f (de feira)* stand; *(de camping)* tent.

barraco [ba'xaku] *m* shack.

barragem [ba'xaʒẽ] (*pl* **-ns** [-ʃ]) *f* dam.

barranco [ba'xãŋku] *m* ravine.

barrar [ba'xa(x)] *vt* to bar.

barreira [ba'xejra] *f (de rio, estrada)* embankment; *ESP* hurdle; *fig (obstáculo)* obstacle.

barriga [ba'xiga] *f* belly; **minha barriga está roncando** my stomach's rumbling; **barriga da perna** calf; **de barriga para cima/para baixo** face up/down.

barril [ba'xiw] (*pl* **-is** [-iʃ]) *m* barrel.

barro ['baxu] *m* clay.

barroco, ca [ba'xoku, ka] *adj & m* baroque.

barulhento, ta [baru'ʎẽntu, ta] *adj* noisy.

barulho [ba'ruʎu] *m (ruído)* noise; *(confusão)* commotion.

base ['bazi] *f* base; *(de maquiagem)* foundation; *(fundamento)* basis.

básico, ca ['baziku, ka] *adj* basic.

basílica [ba'zilika] *f* basilica.

basquete ['baʃkɛtʃi] *m* basketball.

bastante [baʃ'tãntʃi] **1** *adv (muito)* a lot; *(suficiente)* enough.
2 *adj (muito)* a lot of; *(suficiente)* enough; **ele é bastante feio** he is quite ugly.

bastar [baʃ'ta(x)] *vi* to be enough; **basta!** that's enough!

bastidores [baʃti'doreʃ] *mpl* wings; *(da política, de negociação)* behind the scenes.

bata ['bata] *f (de mulher)* robe; *(de médico)* (white) coat.

batalha [ba'taʎa] *f* battle; **batalha naval** *(jogo)* battleships *sg.*

batata [ba'tata] *f* potato; **batatas fritas** French fries *Am*, chips *Brit*; **batatas fritas (de pacote)** chips *Am*, crisps *Brit.*

batata-doce [ba,tata'dosi] *f* sweet potato.

batente [ba'tẽntʃi] *m (porta)* door frame; **pegar no batente** to work hard.

bate-papo [,batʃi'papu] (*pl* **bate-papos** [,batʃi'papuʃ]) *m* chat.

bater [ba'te(x)] **1** *vt* to beat; *(asas)* to flap; *(roupa)* to scrub.

2 *vi (coração)* to beat; *(porta, janela)* to bang.
3 **ela estava batendo o queixo** her teeth were chattering; **bater à** *(a porta, a janela, o portão)* to knock at; **bater a porta** to slam the door; **bater com algo contra** ou **em algo** to hit sthg against sthg; **bater com o carro** to crash one's car; **bater em** to hit; **bater à máquina** to type; **bater papo** to chat; **bater o pé** *(teimar)* to put one's foot down; **bater com a porta** to slam the door; **bater as botas** *(morrer)* he bought the farm; **ela não bate bem** she's a nutcase.

bateria [bate'ria] *f (de carro, motor)* battery; *MÚS* drums *pl.*

baterista [bate'riʃta] *mf* drummer.

batida [ba'tʃida] *f (de veículo)* crash; *(de polícia)* raid.

batismo [ba'tʃiʒmu] *m* baptism.

batizado [batʃi'zadu] *m* christening.

batom [ba'tõ] (*pl* **-ns** [-ʃ]) *m* lipstick.

> Não confundir ***batom (lipstick)*** com o inglês *baton* que em português é *cassetete*. (*Eu sempre levo um batom na minha bolsa.* I always carry a *lipstick* in my purse.)

batucar [batu'ka(x)] *vi* to drum.

batuque [ba'tuki] *m MÚS percussion music.*

baú [ba'u] *m* trunk.

baunilha [baw'niʎa] *f* vanilla.

bebê [be'be] *m* baby.

bebedeira [bebe'dejra] *f* drunkenness; **tomar uma bebedeira** to get drunk.

beber [be'be(x)] *vt & vi* to drink; **beber (muito)** to get drunk.

bebida [be'bida] *f* drink.

beça ['bɛsa]: **à beça 1** *adv* a lot.
2 *adj* loads of, a lot of; **o concerto foi bom à beça** the concert was really good.

beco ['beku] *m* alley; **beco sem saída** dead end.

bege ['bɛʒi] *adj inv* beige.

beija-flor [ˌbejʒa'flo(x)] (*pl* **beija-flores** [ˌbejʒa'floriʃ]) *m* hummingbird.

beijar [bej'ʒa(x)] *vt* to kiss.
❑ **beijar-se** *vp* to kiss.

beijo ['bejʒu] *m* kiss.

beira ['bejra] *f (de estrada)* side; *(de rio)* bank; *(de precipício)* edge; **à beira de** *(no limiar de)* on the verge of.

beira-mar [ˌbejra'ma(x)] *f* seaside; **à beira-mar** by the sea.

beira-rio [ˌbejra'xiu] *f* riverside; **à beira-rio** by the river.

beisebol [bejze'bɔw] *m* baseball.

belas-artes [ˌbɛla'zaxtʃiʃ] *fpl* fine arts.

beldade [bew'dadʒi] *f* beauty.

beleza [be'leza] *f* beauty; **beleza?** *(tudo bem?)* how's it going?; **que beleza!** how wonderful!

beliche [be'liʃi] *m* bunk.

beliscar [beliʃ'ka(x)] *vt* to pinch.

belo, la ['bɛlu, la] *adj* beautiful; *(homem)* handsome; *(momento)* wonderful; *(dia, sentimento, livro)* fine.

bem ['bẽj] **1** *adv* **(a)** *(de forma satisfatória, correta)* well; **fala bem inglês** she speaks English well; **fez bem!** you did the right thing!
(b) *(exprime opinião favorável)*: **estar bem** *(de saúde)* to be well; *(de aspecto)* to look good; *(relativo a comodidade)* to be comfortable; **cheirar bem** to smell good.
(c) *(suficiente)*: **estar bem** to be enough.
(d) *(muito)* very; **queria o bife bem passado** I'd like my steak well-done; **queria uma bebida bem gelada** I'd like an ice-cold drink.
(e) *(bastante)* quite; **é um carro bem espaçoso** it's quite a spacious car; **é um lugar bem bonito** it's quite a pretty spot.
(f) *(exatamente)* right; **não é bem assim** it isn't quite like that; **não é bem aqui, é mais adiante** it isn't here exactly, it's farther down.
(g) *(em locuções)*: **eu bem que lhe avisei** I told you so; **eu bem que ajudaria, mas não posso** I'd be glad to help but I can't; **bem como** as well as; **bem feito!** it serves you right!; **está bem!** OK!, all right!; **muito bem!** very good!; **você vai ter que ir por bem ou por mal** you'll have to go whether you like it or not; **se bem que** although, even though.
2 *m* **(a)** *(o que é bom)* good.
(b) *(bem-estar, proveito)* good; **praticar o bem** to do good; **é para o seu bem** it's for your own good; **meu bem** *(tratamento)* sweetheart.
❑ **bens** *mpl (posses)* property *sg*; *(produtos)* goods; **bens imóveis** ou **de raiz** real estate *sg*; **bens de consumo** consumer goods.

bem-disposto, osta [bẽjdʒiʃ'poʃtu, ɔʃta]

adj (bem-humorado) good-humored.
bem-estar [bẽjʃ'ta(x)] *m* wellbeing.
bem-vindo, da [bẽj'vĩndu, da] *adj* welcome.
beneficência [benefi'sẽsja] *f* charity.
beneficiar [benefi'sja(x)] *vt* to benefit.
benefício [bene'fisju] *m* benefit.
benéfico, ca [be'nɛfiku, ka] *adj* beneficial.
bengala [bẽŋ'gala] *f* cane.
benigno, na [be'nignu, na] *adj* benign.
bens → **bem.**
benzer [bẽ'ze(x)] *vt* to bless.
❑ **benzer-se** *vp* to cross o.s.
berço ['bexsu] *m* crib *Am*, cot *Brit*.
berinjela [berĩ'ʒɛla] *f* eggplant *Am*, aubergine *Brit*.
besouro [be'zoru] *m* beetle.
besta ['beʃta] *f (animal)* beast of burden; *(pessoa)* idiot.
besteira [beʃ'tejra] *f (asneira)* nonsense; *(insignificância)* trifle.
beterraba [bete'xaba] *f* beet.
bexiga [be'ʃiga] *f* bladder.
bezerro [be'zexu] *m* calf.
Bíblia ['biblia] *f* Bible.
biblioteca [bibljo'tɛka] *f* library.
bibliotecário, ria [bibljote'karju, rja] *m, f* librarian.
bica ['bika] *f (de água)* faucet *Am*, tap *Brit*.
bicar [bi'ka(x)] *vt & vi* to peck.
bicho ['biʃu] *m (animal)* animal; *(inseto)* bug.
bicho-da-seda [ˌbiʃuda'seda] (*pl* **bichos-da-seda** [ˌbiʃuʃda'seda]) *m* silkworm.
bicicleta [bisi'klɛta] *f* bicycle.
bico ['biku] *m (de sapato)* toe; *(de ave)* beak; *(de fogão)* burner; *(do seio)* nipple; *(trabalho)* odd job.
bife ['bifi] *m* steak.

> Não confundir ***bife (steak)*** com o inglês ***beef*** que em português é *carne de vaca*. (*Eu vou comer um bife com batatas assadas.* I'll have a *steak* with roast potatoes.)

bifurcação [bifuxka'sãw] (*pl* **-ões** [-õjʃ]) *f* fork.
bigode [bi'gɔdʒi] *m* mustache.
bijuteria [biʒute'ria] *f* costume jewelry.
bilhão [bi'ʎãw] (*pl* **-ões** [-õjʃ]) *num (mil milhões)* billion *Am*, thousand million *Brit*.
bilhar [bi'ʎa(x)] (*pl* **-res** [-riʃ]) *m (jogo)* pool *sg*; *(mesa)* pool table; **jogar bilhar** to play pool.
bilhete [bi'ʎetʃi] *m* ticket; **bilhete de ida e volta** round-trip ticket *Am*, return ticket *Brit*; **bilhete simples** *(em metrô)* one-way (ticket); **bilhete de loteria** lottery ticket.
bilheteria [biʎete'ria] *f (de teatro, cinema)* box office.
bilhões → **bilhão.**
bilíngüe [bi'lĩŋgwi] *adj* bilingual.
bílis ['biliʃ] *f* bile.
binóculo [bi'nɔkulu] *m* binoculars *pl*.
biodiversidade [bjodʒivexsi'dadʒi] *f* biodiversity.
biografia [bjogra'fia] *f* biography.
biologia [bjolo'ʒia] *f* biology.
biólogo, ga ['bjɔlogu, ga] *m, f* biologist.
biombo ['bjõmbu] *m* screen.
biópsia [bjɔp'sia] *f* biopsy.
birra ['bixa] *f* tantrum; **fazer birra** to throw a tantrum.
bis [biʃ] *interj* encore!
bisavô, vó [biza'vo, vɔ] *m, f* great-grandfather (*f* great-grandmother).
bisavós [biza'vɔʃ] *mpl* great-grandparents.
biscoito [biʃ'kojtu] *m* cookie *Am*, biscuit *Brit*; **biscoitos amanteigados** shortbread.
bisnaga [biʒ'naga] *f (tubo)* tube; *(de pão)* French stick.
bisneto, ta [biʒ'nɛtu, ta] *m, f* great-grandson (*f* great-granddaughter).
bispo ['biʃpu] *m* bishop.
bit ['bitʃi] *m* bit.
bizarro, a [bi'zaxu, a] *adj* bizarre.
blasfêmia [blaʃ'femja] *f* blasphemy.
bloco ['blɔku] *m (de folhas)* writing pad; *(de apontamentos, notas)* notepad; *(de apartamentos)* (apartment) building; *(de concreto)* block.
blog ['blɔgi] *m* INFORM blog.
bloquear [blo'kja(x)] *vt* to block.
blusa ['bluza] *f* blouse.
blusão [blu'zãw] (*pl* **-ões** [-õjʃ]) *m* jacket.
boa → **bom.**
boas festas [ˌboaʒ'fɛʃtaʃ] *fpl*: **dar as boas festas a alguém** to wish sb a Merry Christmas.
boas-vindas [ˌboaʒ'vĩndaʃ] *fpl*: **dar as boas-vindas a alguém** to welcome sb.
boate ['bwatʃi] *f* nightclub.
boato ['bwatu] *m* rumor.

bobagem [bo'baʒẽ] (*pl* **-ns** [-ʃ]) *f* nonsense *sg.*
bobina [bɔ'bina] *f (de circuito elétrico)* coil; *(de fio, corda)* reel.
bobo, ba ['bobu, ba] *adj* silly.
boca ['boka] *f* mouth; *(de rua, túnel)* entrance; *(de fogão)* ring.
bocado [bo'kadu] *m (de pão, bolo, queijo)* piece.
bocal [bo'kaw] (*pl* **-ais** [-ajʃ]) *m (de castiçal)* mouth; *(de instrumento musical)* mouthpiece.
bocejar [bose'ʒa(x)] *vi* to yawn.
bochecha [bu'ʃeʃa] *f* cheek.
bochechar [boʃe'ʃa(x)] *vi* to gargle.
boda ['boda] *f* wedding; **bodas de ouro/prata** golden/silver wedding (anniversary) *sg.*
bofetada [bofe'tada] *f* slap.
boi ['boj] *m* ox.
bóia ['bɔja] *f* float; *(de barco)* life preserver *Am,* life buoy *Brit.*
boiada [bo'jada] *f* herd of cattle.
boina ['bɔjna] *f* flat cap.
bola ['bɔla] *f* ball; *(cabeça)* head; **dar bola para** *(flertar com)* to flirt with; **não dar bola para** *(não dar importância a)* to not care less; **não bater bem da bola** to not be right in the head.
boletim [bole'tʃĩ] (*pl* **-ns** [-ʃ]) *m (de notícias)* bulletin; *(revista)* newsletter; *EDUC* report; **boletim médico** medical report; **boletim meteorológico** weather forecast.
bolha ['boʎa] *f (em pele)* blister; *(em líquido)* bubble.
bolo ['bolu] *m* cake; **bolo inglês** fruit cake; **dar o bolo em alguém** to stand sb up.
bolor [bo'lo(x)] *m* mold.
bolsa ['bowsa] *f (mala)* bag; **bolsa de estudos** scholarship; **bolsa de valores** stock exchange.
bolso ['bowsu] *m* pocket.
bom, boa ['bõ, 'boa] (*mpl* **bons** ['bõʃ], *fpl* **boas** ['boaʃ]) *adj* good; *(bondoso)* kind, nice; *(são)* well; *(adequado)* suitable; **bom dia** ou **boa tarde** ou **boa noite** good morning ou afternoon/evening ou night; **essa é boa!** that's a good one!; **é bom você fazer isso direito!** you'd better do that well!; **estar numa boa** to have it good; **ficar bom** *(trabalho)* to come out well; *(pessoa)* to get well; **tudo bom?** how's it going?, how are you doing?
bomba ['bõmba] *f (de ar, água)* pump; *(explosivo)* bomb; **bomba atômica** atomic bomb; **bomba de chocolate** chocolate éclair; **bomba de gasolina** gas pump *Am,* petrol pump *Brit;* **levar bomba** to fail.
bombardear [bõmbax'dʒja(x)] *vt* to bomb.
bombeiro [bõm'bejru] *m* firefighter; *(encanador)* plumber; **os bombeiros (voluntários)** fire department *Am,* fire brigade *Brit.*
bombom [bõm'bõ] (*pl* **-ns** [-ʃ]) *m* chocolate.
bondade [bõn'dadʒi] *f* goodness.
bonde ['bõndʒi] *m* streetcar *Am,* tram *Brit.*
bondoso, osa [bõn'dozu, ɔza] *adj* kind.
boné [bɔ'nɛ] *m* cap.
boneca [bo'nɛka] *f* doll; **boneca de trapos** rag doll.
boneco [bo'nɛku] *m (brinquedo)* doll; *(desenho)* stick figure; **boneco de neve** snowman.
bonito, ta [bo'nitu, ta] *adj* pretty; *(homem)* good-looking; *(momento)* wonderful; *(gesto, atitude, sentimento)* kind; *(dia)* nice.
bons → **bom.**
bônus ['bonuʃ] *m inv (de empresa)* bonus; *(de loja)* voucher.
borboleta [boxbo'leta] *f* butterfly.
borbulha [box'buʎa] *f (de água, champanhe)* bubble.
borda ['bɔxda] *f* edge; *(de estrada, rio)* side; *(de torta, pizza)* crust.
bordado, da [box'dadu, da] **1** *adj* embroidered.
2 *m* embroidery.
bordar [box'da(x)] *vt & vi* to embroider.
bordel [box'dɛw] (*pl* **-éis** [-ɛjʃ]) *m* brothel.
bordo ['boxdu] *m (de navio, passeio)* side; **a bordo** on board.
borra ['boxa] *f (de café)* grounds *pl*; *(de vinho)* dregs *pl.*
borracha [bo'xaʃa] *f* eraser *Am,* rubber *Brit*; *(material)* rubber.
borracheiro [boxa'ʃejru] *m person who repairs and sells tires.*
borrifar [boxi'fa(x)] *vt*: **borrifar algo com algo** to sprinkle sthg with sthg.
bosque ['bɔʃki] *m* wood.

bota ['bɔta] *f* boot.

botânica [bo'tãnika] *f* botany → **botânico.**

botânico, ca [bo'tãniku, ka] **1** *m, f* botanist.

2 *adj m* → **jardim.**

botão [bo'tãw] (*pl* **-ões** [-õjʃ]) *m (de vestuário, aparelho)* button; *(de flor)* bud.

botar [bo'ta(x)] *vt* to put; *(vestir, calçar)* to put on; *(suj: ave)* to lay; *(defeito)* to find; **botar algo em dia** to update sthg; **botar algo fora** to throw sthg away.

bote ['bɔtʃi] *m* boat; **bote salva-vidas** lifeboat.

botijão [botʃi'ʒãw] (*pl* **-ões** [-õjʃ]) *m (de gás)* bottle.

botões → **botão.**

boxe ['bɔksi] *m* boxing.

braçadeira [brasa'dejra] *f (para natação)* armband; *(de cano, mangueira)* bracket; *(de cortina)* tieback.

bracelete [brase'letʃi] *m* bracelet.

braço ['brasu] *m* arm; *(de viola, violino, violoncelo)* neck; *(de rio)* branch; *(de mar)* inlet; **não dar o braço a torcer** not to give in; **meter o braço em alguém** to hit sb; **ser o braço direito de alguém** to be sb's right hand; **de braço dado** arm in arm.

bradar [bra'da(x)] **1** *vt* to cry out.

2 *vi* to clamor.

braguilha [bra'giʎa] *f* flies *pl.*

branco, ca ['brãŋku, ka] **1** *adj & m* white.

2 *m, f (pessoa)* white man (*f* white woman).

3 em branco *(folha, cheque)* blank.

brando, da ['brãndu, da] *adj* gentle; **cozinhar em fogo brando** to simmer.

brasa ['braza] *f* ember.

brasão [bra'zãw] (*pl* **-ões** [-õjʃ]) *m* coat of arms.

brasões → **brasão.**

bravio, via [bra'viu, via] *adj* wild.

bravo, va ['bravu, va] **1** *adj (valente)* brave; *(selvagem)* wild; *(tempestuoso)* rough; *fig (furioso)* angry.

2 *interj* bravo!

brejo ['brɛʒu] *m* swamp.

breve ['brɛvi] *adj* short; **em breve** soon; **até breve!** see you soon!

brevemente [ˌbrɛvi'mẽntʃi] *adv* shortly.

briga ['briga] *f* fight.

brigada [bri'gada] *f (de trânsito)* patrol; *(de trabalhadores)* crew.

brilhante [bri'ʎãntʃi] **1** *adj (cabelo, metal)* shiny; *(olhos)* bright; *fig (excelente)* brilliant.

2 *m* diamond.

brilhar [bri'ʎa(x)] *vi* to shine.

brilho ['briʎu] *m (de cabelo, metal)* shine; *(de olhos, sol)* brightness.

brincadeira [brĩŋka'dejra] *f (jogo)* game; *(gracejo)* joke.

brincar [brĩŋ'ka(x)] *vi (criança)* to play; *(gracejar)* to joke.

brinco ['brĩŋku] *m* earring.

brindar [brĩn'da(x)] **1** *vi (fazer um brinde)* to drink a toast.

2 *vt (presentear)*: **brindar alguém com algo** to give sthg as a present to sb; **brindar à saúde de alguém** to drink to sb.

brinde ['brĩndʒi] *m (presente)* present; **fazer um brinde** to propose a toast.

brinquedo [brĩŋ'kedu] *m* toy.

brisa ['briza] *f* breeze.

broca ['brɔka] *f* drill.

broche ['brɔʃi] *m* brooch.

brochura [bro'ʃura] *f* paperback.

brócolis ['brɔkoliʃ] *mpl* broccoli *sg.*

bronca ['brõŋka] *f (repreensão)* scolding.

bronquite [brõŋ'kitʃi] *f* bronchitis.

bronze ['brõzi] *m* bronze.

bronzeado, da [brõ'zeadu, da] **1** *adj* tanned.

2 *m* (sun)tan.

bronzeador [brõzea'do(x)] (*pl* **-res** [-riʃ]) *m* suntan lotion.

bronzear-se [brõ'zjaxsi] *vp* to get a (sun)tan.

brotar [bro'ta(x)] **1** *vi (água)* to well up; *(flor, planta)* to sprout.

2 *vt (líquido)* to spurt.

bruços ['brusuʃ] *mpl*: **de bruços** *(posição)* face down.

bruma ['bruma] *f* mist.

brusco, ca ['bruʃku, ka] *adj (pessoa)* brusque; *(gesto, movimento)* sudden.

brutal [bru'taw] (*pl* **-ais** [-ajʃ]) *adj* brutal.

bruto, ta ['brutu, ta] *adj* rough; *(peso)* gross; **em bruto** raw.

bruxa ['bruʃa] *f* witch.

búfalo ['bufalu] *m* buffalo.

bufê [bu'fe] *m (de sala de jantar)* sideboard; *(de festas)* buffet.

bugigangas [buʒi'gaŋgaʃ] *fpl* knick-knacks.

bula ['bula] *f (de remédio)* instruction leaflet.

bulbo ['buwbu] *m* bulb.
bule ['buli] *m (para chá)* teapot; *(para café)* coffee pot.
bunda ['bũnda] *f* bottom.
buraco [bu'raku] *m* hole.
burla ['burla] *f* fraud.
burocracia [burokra'sia] *f* bureaucracy.
burro, a ['buxu, a] **1** *m, f* donkey. **2** *adj (estúpido)* stupid.
busca ['buʃka] *f* search; **em busca de** in search of.
buscar [buʃ'ka(x)] *vt* to search for, to look for.
bússola ['busola] *f* compass.
busto ['buʃtu] *m* bust.
buzina [bu'zina] *f* horn.
buzinar [buzi'na(x)] *vi* to sound the horn.
búzio ['buzju] *m* conch.

C c

cá ['ka] *adv* here; **venha cá, por favor** come here, please.

cabana [ka'bana] *f* hut.

cabeça [ka'besa] *f* head; *(de alho)* bulb; **por cabeça** per head; **à cabeça** *(à frente)* at the front; **de cabeça para baixo** upside down; **fazer a cabeça de alguém** to convince sb; **não ter pé nem cabeça** to make no sense; **perder a cabeça** to lose one's head.

cabeçada [kabe'sada] *f (pancada com a cabeça)* head butt; *(em futebol)* header.

cabeceira [kabe'sejra] *f* head.

cabeçudo, da [kabe'sudu, da] *adj (teimoso)* stubborn.

cabedal [kabe'daw] (*pl* **-ais** [-ajʃ]) *m* personal possession.

cabeleira [kabe'lejra] *f (verdadeira)* head of hair; *(postiça)* wig.

cabeleireiro, ra [kabelej'rejru, ra] **1** *m, f (profissão)* hairdresser.
2 *m (local)* beauty parlor.

cabelo [ka'belu] *m* hair; **ir cortar o cabelo** to get one's hair cut.

caber [ka'be(x)] *vi* to fit in.
❑ **caber a** *v + prep*: **caber a alguém fazer algo** to be up to sb to do sthg.

cabide [ka'bidʒi] *m (de chapéu)* hat stand; *(de roupa)* (clothes) hanger.

cabine [ka'bini] *f (telefônica)* telephone booth; *(de navio, avião)* cabin; *(de trem)* compartment.

cabo ['kabu] *m* cable; *(de utensílio)* handle; *(de terra)* cape; *(de exército)* corporal; **ao cabo de** after; **de cabo a rabo** from beginning to end; **dar cabo de algo** to wreck sthg.

cabra ['kabra] *f* goat.

cabrito [ka'britu] *m* kid (goat).

caça ['kasa] *f (ação)* hunting; *(animal caçado)* game.

caçador, ra [kasa'do(x), ra] (*mpl* **-res** [-riʃ], *fpl* **-s** [-ʃ]) *m, f* hunter.

caçar [ka'sa(x)] *vt* to hunt.

caçarola [kasa'rɔla] *f (de barro)* earthenware pot; *(panela)* saucepan.

cacetada [kase'tada] *f* blow.

cacete [ka'setʃi] *m (pau)* stick; **ela é chata para cacete!** she's a real bore!

cachaça [ka'ʃasa] *f* sugar cane spirit.

cachecol [kaʃe'kɔw] (*pl* **-óis** [-ɔjʃ]) *m* scarf.

cachimbo [ka'ʃĩmbu] *m* pipe.

cacho ['kaʃu] *m (de uvas, flores)* bunch; *(de cabelo)* lock.

cacto ['ka(k)tu] *m* cactus.

cada ['kada] *adj (um)* each; *(todos)* every; **cada duas semanas** every two weeks; **cada qual** each one; **cada um/uma** each (one); **um/uma de cada vez** one at a time; **cada vez mais** more and more; **cada vez que** every time; **aqui é cada um por si** everyone looks out for themselves here; **você tem cada uma!** you came out with real good ones!

'Cada' se traduz por *every* e *each*. Usa-se *every* quando falamos da totalidade de um grupo (*the company gave every worker a bonus* a empresa deu a cada funcionário (ou a todos os funcionários) uma gratificação). Usa-se *each* quando nos referimos a todos os elementos de um grupo, mas considerados individualmente (*the managers gave each of the workers a different task* os gerentes deram uma tarefa distinta para cada operário).

Tanto *each* como *every* são usados com substantivos contáveis no singular, com o verbo também no singular. *Each* pode funcionar como pronome (*their aunt gave them 10 dollars each* a tia deles deu 10 dólares a cada um), mas *every* não.

cadarço [ka'daxsu] *m* shoelace.
cadastro [ka'daʃtru] *m (registro)* register; *(de criminosos)* criminal record.
cadáver [ka'davɛ(x)] (*pl* **-res** [-riʃ]) *m* corpse.
cadê [ka'de] *adv*: **cadê ...?** where's ...?, where are ...? *pl.*
cadeado [ka'dʒjadu] *m* padlock.
cadeia [ka'deja] *f (fila)* chain; *(prisão)* prison.
cadeira [ka'dejra] *f (assento)* chair; *(disciplina)* subject; **cadeira de rodas** wheelchair.
cadela [ka'dɛla] *f* bitch.
cadência [ka'dẽsja] *f* rhythm.
caderno [ka'dɛrnu] *m* notebook.
caducar [kadu'ka(x)] *vi* to expire.
caduco, ca [ka'duku, ka] *adj (pessoa)* senile.
cães → **cão.**
café [ka'fɛ] *m* coffee; *(local)* café; **café com leite** coffee with cream *Am*, white coffee *Brit*; **café da manhã** breakfast; **café expresso** espresso; **café moído/solúvel** ground/instant coffee.
cafeteira [kafe'tejra] *f* coffee pot.
cafezinho [kafe'ziɲu] *m* small black coffee.
cágado ['kagadu] *m* terrapin.
caiar [ka'ja(x)] *vt* to whitewash.
caibo ['kajbu] → **caber.**
cãibra ['kãjmbra] *f* cramp.
caipira [kaj'pira] **1** *adj* provincial.
2 *mf* hick.
cair [ka'i(x)] *vi* to fall; *(luz)* to shine; **cair bem/mal** *(comida)* to go down well/badly; **cair na realidade** OU **em si** to come to one's senses; **nessa não caio eu!** I won't fall for that!
cais ['kajʃ] *m inv (de rio, mar)* harbor; **cais de embarque** quay.
caixa ['kajʃa] **1** *f* box; *(seção de banco, loja)* counter; *(em supermercado)* checkout; *(banco)* savings bank; *(segurança social)* social security; *(de arma)* chamber.
2 *mf (profissão)* cashier.
3 caixa-alta/baixa upper/lower case; **caixa automático** OU **24 horas** ATM; **caixa de mudanças** gearbox; **caixa craniana** cranium; **caixa do correio** mailbox; **caixa de fósforos** matchbox; **caixa postal** P.O. box; **caixa registradora** cash register; **caixa torácica** thorax.
caixão [kaj'ʃãw] (*pl* **-ões** [-õjʃ]) *m* coffin, casket *Am.*
caixilho [kaj'ʃiʎu] *m* frame.
caixões → **caixão.**
caixote [kaj'ʃɔtʃi] *m* box.
caju [ka'ʒu] *m* cashew nut.
calado, da [ka'ladu, da] *adj* quiet; **fique calado!** shut up!, be quiet!
calamidade [kalami'dadʒi] *f* calamity.
calar-se [ka'laxsi] *vp* to fall silent; **cale-se!** shut up!
calça ['kawsa] *f* pants *pl Am*, trousers *pl Brit.*
calçada [kaw'sada] *f* sidewalk *Am*, pavement *Brit.*
calçado, da [kaw'sadu, da] **1** *adj (rua)* cobbled.
2 *m* footwear.
calcanhar [kawka'ɲa(x)] (*pl* **-res** [-riʃ]) *m* heel.
calção [kaw'sãw] (*pl* **-ões** [-õjʃ]) *m* shorts *pl*; **calção de banho** bathing suit.
calcar [kaw'ka(x)] *vt (pisar)* to stand on; *(comprimir)* to press down.
calçar [kaw'sa(x)] *vt (sapatos, meias, luvas)* to put on; *(rua, passeio)* to pave; **que número você calça?** what size (shoe) do you wear?; **calço 37** I'm a (size) 37.
calcário [kaw'karju] *m* limestone.
calcinha [kaw'siɲa] *f* panties *pl Am*, knickers *pl Brit.*
cálcio ['kawsju] *m* calcium.
calço ['kawsu] *m* wedge.
calculadora [kawkula'dora] *f* calculator; **calculadora de bolso** pocket calculator.
calcular [kawku'la(x)] *vt (número, valor)* to calculate; *(conjecturar)* to reckon.
cálculo ['kawkulu] *m (aritmético, algébrico)* calculation; *(disciplina)* calculus; **pelos meus cálculos estaremos lá em uma hora** I figure we'll be there in an hour.
calda ['kawda] *f* syrup.
caldo ['kawdu] *m (sopa)* broth; *(de carne, sopa, vegetais)* stock; *(suco de fruto, planta)* juice.
calendário [kalẽn'darju] *m* calendar.
calhamaço [kaʎa'masu] *m (livro)* tome.
calhar [ka'ʎa(x)] *vi (vir a propósito)*: **calhou eu estar lá** I happened to be there; **ela calhou de telefonar** she happened to call; **vir a calhar** to come at just the right time.
calibragem [kali'braʒẽ] (*pl* **-ns** [-ʃ]) *f*: **cali-**

bragem (dos pneus) tire pressure.

cálice ['kalisi] *m (vinho)* wine glass; *(sagrado)* chalice.

calista [ka'liʃta] *mf* podiatrist *Am*, chiropodist *Brit*.

calma ['kawma] **1** *f* calm.
2 *interj* take it easy!, calm down!
3 ter calma to keep calm.

calmo, ma ['kawmu, ma] *adj* calm; *(lugar)* quiet.

calo ['kalu] *m* callus; *(de pé)* corn; **é melhor não pisar no meu calo!** you'd better not bother me!

calor [ka'lo(x)] *m* heat; **estar com calor** to feel hot; **fazer calor** to be hot.

caloria [kalo'ria] *f* calorie.

calouro, ra [ka'loru, ra] *m, f* freshman *Am*, fresher *Brit*.

calúnia [ka'lunja] *f* slander.

calvo, va ['kawvu, va] *adj* bald.

cama ['kama] *f* bed; **cama de campismo** cot; **cama de casal** full ou double bed; **cama de solteiro** single bed; **estar de cama** to be bedridden; **ir para a cama** *(fazer amor)* to go to bed with sb.

camada [ka'mada] *f* layer; *(de tinta, verniz)* coat; **a camada do ozônio** the ozone layer.

câmara ['kãmara] *f*: **câmara fotográfica** camera; **câmara municipal** *(elementos)* city council; **câmara de vídeo** camcorder; **em câmara lenta** in slow motion.

camarada [kama'rada] **1** *mf (de partido)* comrade; *(forma de tratamento)* buddy, pal.
2 *adj (preço)* good.

câmara-de-ar [ˌkãmara'dʒia(x)] (*pl* **câmaras-de-ar** [ˌkãmaraʒ'dʒia(x)]) *f* inner tube.

camarão [kama'rãw] (*pl* **-ões** [-õjʃ]) *m* shrimp.

camarim [kama'rĩ] (*pl* **-ns** [-ʃ]) *m* dressing room.

camarões → **camarão.**

camarote [kama'rɔtʃi] *m (de navio)* cabin; *(de teatro)* box.

cambalear [kãmba'lja(x)] *vi* to stagger.

cambalhota [kãmba'ʎɔta] *f* somersault.

câmbio ['kãmbju] *m (troca de valores)* exchange; *(preço de transação)* exchange rate; *(de veículo)* gearshift.

camelo [ka'melu] *m* camel.

camelô [kame'lo] *m* street peddler.

caminhada [kami'ɲada] *f* walk.

caminhão [kami'ɲãw] (*pl* **-ões** [-õjʃ]) *m* truck *Am*, lorry *Brit*.

caminhar [kami'ɲa(x)] *vi* to walk.

caminho [ka'miɲu] *m* way; *(via)* path; **estou a caminho** I'm on my way; **a caminho de** on the way to; **pelo caminho** on the way; **cortar caminho** to take a short cut.

caminhões → **caminhão.**

caminhoneiro, ra [kamiɲo'nejru, ra] *m, f* truck driver *Am*, lorry driver *Brit*.

caminhonete [kamjɲo'nɛtʃi] *f (para passageiros)* minibus; *(para mercadorias)* van.

camisa [ka'miza] *f* shirt.

camiseta [kami'zeta] *f* T-shirt.

camisinha [kami'ziɲa] *f (preservativo)* condom.

camisola [kami'zɔla] *f (de dormir)* nightdress.

campainha [kãmpa'iɲa] *f* bell.

campanário [kãmpa'narju] *m* belfry.

campanha [kãm'paɲa] *f* campaign; **campanha eleitoral** election campaign; **campanha de verão/inverno** summer/winter season.

campeão, peã [kãm'pjãw, pjã] (*mpl* **-ões** [-õjʃ], *fpl* **-s** [-ʃ]) *m, f* champion.

campeonato [kãmpjo'natu] *m* championship.

campestre [kãm'pɛʃtri] *adj* country *(antes de s)*.

camping [kãm'pĩŋ] *m* camping; *(local)* campsite.

campismo [kãm'piʒmu] *m* camping.

campista [kãm'piʃta] *mf* camper.

campo ['kãmpu] *m* country(side); *(de esporte)* field; **campo de futebol** soccer field; **campo de golfe** golf course; **campo de jogos** playing field; **campo de tiro** firing range.

camurça [ka'muxsa] *f* suede.

cana ['kana] *f (planta)* bamboo; *(material)* cane; *(bengala)* cane; *(cana-de-açúcar)* sugar cane; *(cachaça)* sugar cane spirit; **ir em cana** to be arrested.

canal [ka'naw] (*pl* **-ais** [-ajʃ]) *m* channel; *(de navegação)* canal.

canalização [kanaliza'sãw] (*pl* **-ões** [-õjʃ]) *f (de água)* plumbing; *(de gás)* piping.

canalizar [kanali'za(x)] *vt (água, gás)* to lay pipes for; *fig (esforços, fundos)* to channel.

canção [kã'sãw] (*pl* **-ões** [-õjʃ]) *f* song.
cancela [kã'sɛla] *f (de casa, jardim)* gate; *(de passagem de nível)* barrier.
cancelamento [kãsela'mẽntu] *m* cancellation.
cancelar [kãse'la(x)] *vt* to cancel.
câncer ['kãse(x)] (*pl* **-res** [-riʃ]) *m* cancer.
❑ **Câncer** *m* Cancer.
cancerígeno, na [kãse'riʒenu, na] *adj* carcinogenic.
canções → **canção.**
candeeiro [kãn'djejru] *m (a petróleo)* oil lamp.
candelabro [kãnde'labru] *m (lustre)* chandelier; *(castiçal)* candelabra.
candidato, ta [kãndʒi'datu, ta] *m, f*: **candidato (a)** candidate (for).
caneca [ka'nɛka] *f* mug.
canela [ka'nɛla] *f (condimento)* cinnamon; *(de perna)* shin; **esticar a canela** *fig (morrer)* to buy the farm.
caneta [ka'neta] *f* pen; **caneta esferográfica** ballpoint pen; **caneta de tinta permanente** fountain pen.
canguru [kãŋgu'ru] *m* kangaroo.
canhão [ka'ɲãw] (*pl* **-ões** [-õjʃ]) *m (arma)* cannon; *(vale)* canyon.
canhoto, ota [ka'ɲotu, ɔta] **1** *adj* left-handed.
2 *m, f* left-handed person.
canibal [kani'baw] (*pl* **-ais** [-ajʃ]) *mf* cannibal.
caniço [ka'nisu] *m* reed.
canil [ka'niw] (*pl* **-is** [-iʃ]) *m* kennel.
canis → **canil.**
canivete [kani'vɛtʃi] *m* penknife.
canja ['kãʒa] *f*: **canja (de galinha)** chicken broth; **é canja!** it's a piece of cake!
cano ['kanu] *m* pipe; *(de arma)* barrel; **cano de esgoto** drainpipe.
canoa [ka'noa] *f* canoe.
canoagem [ka'nwaʒẽ] *f* canoeing; **fazer canoagem** to go canoeing.
cansaço [kã'sasu] *m* tiredness.
cansado, da [kã'sadu, da] *adj*: **estar cansado** to be tired.
cansar [kã'sa(x)] *vt* to tire out.
❑ **cansar-se** *vp* to get tired.
cansativo, va [kãsa'tʃivu, va] *adj (fatigante)* tiring; *(maçante)* tedious.
cantar [kãn'ta(x)] *vi & vt* to sing.
cantarolar [kãntaro'la(x)] *vi & vt* to hum.
cantiga [kãn'tʃiga] *f (canção)* ballad.
cantil [kãn'tʃiw] (*pl* **-is** [-iʃ]) *m* flask.
cantina [kãn'tʃina] *f* canteen; *(de instituição de caridade)* soup kitchen.
cantis → **cantil.**
canto ['kãntu] *m* corner; *(forma de cantar)* singing; *(de galo)* crowing; **estou aprendendo canto** I'm taking singing lessons.
cantor, ra [kãn'to(x), ra] (*mpl* **-res** [-riʃ], *fpl* **-s** [-ʃ]) *m, f* singer.
canudo [ka'nudu] *m* tube; *(para bebida)* straw; *(diploma de curso)* diploma.
cão ['kãw] (*pl* **cães** ['kãjʃ]) *m* dog; **cão de guarda** guard dog.
caos ['kawʃ] *m* chaos.
caótico, ca [ka'ɔtiku, ka] *adj* chaotic.
capa ['kapa] *f (dossiê, pasta)* folder; *(peça de vestuário)* cape; *(de livro, caderno)* cover; **capa frontal** *(para celular)* fascia; **capa impermeável** raincoat.
capacete [kapa'setʃi] *m (de moto)* crash helmet; *(de proteção)* hard hat.
capacidade [kapasi'dadʒi] *f* capacity; *fig (talento)* ability.
capar [ka'pa(x)] *vt* to castrate; *(animal de estimação)* to neuter; *(cavalo)* to geld.
capaz [ka'paʃ] (*pl* **-zes** [-ziʃ]) *adj* capable; **ser capaz de fazer algo** to be able to do sthg; **é capaz de chover** it might rain.
capela [ka'pɛla] *f* chapel.
capitã → **capitão.**
capitães → **capitão.**
capital [kapi'taw] (*pl* **-ais** [-ajʃ]) *f & m* capital.
capitão, tã [kapi'tãw, tã] (*mpl* **-ães** [-ãjʃ], *fpl* **-s** [-ʃ]) *m, f* captain.
capítulo [ka'pitulu] *m* chapter.
capô [ka'po] *m (de carro)* hood *Am*, bonnet *Brit.*
capota [ka'pɔta] *f (de carro)* hood *Am*, bonnet *Brit.*
capotar [kapo'ta(x)] *vi* to overturn.
capricho [ka'priʃu] *m* whim.
Capricórnio [kapri'kɔrnju] *m* Capricorn.
captar [kap'ta(x)] *vt (água)* to collect; *(sinal, onda)* to receive; *(atenção)* to attract.
capuz [ka'puʃ] (*pl* **-zes** [-ziʃ]) *m* hood.
caqui [ka'ki] *m* khaki.
cara ['kara] **1** *f* face; *(aspecto)* appearance.
2 *m* guy.
3 cara ou coroa? heads or tails?; **cara a cara** face to face; **dar de cara com** *fig* to come face to face with; **não vou com a cara dele** I don't like the look of him; **ter**

cara de poucos amigos to look like a hard nut.

caracol [kara'kɔw] (*pl* **-óis** [-ɔjʃ]) *m (animal)* snail; *(de cabelo)* curl.

caractere-curinga [karak'tɛr(e)-ku'rĩŋga] *m INFORM* wildcard.

característica [kara(k)te'riʃtʃika] *f* characteristic.

característico, ca [kara(k)te'riʃtʃiku, ka] *adj* characteristic.

caramelo [kara'mɛlu] *m* caramel.

caranguejo [karãŋ'gejʒu] *m* crab.

caratê [kara'te] *m* karate.

caráter [ka'rate(x)] (*pl* **-res** [-riʃ]) *m* character; *(tipo)* type.

caravana [kara'vana] *f (de gente)* caravan.

carbonizado, da [kaxboni'zadu, da] *adj* charred.

carbono [kax'bonu] *m* carbon.

carburador [kaxbura'do(x)] (*pl* **-res** [-riʃ]) *m* carburetor.

cardápio [kax'dapju] *m* menu.

cardume [kax'dumi] *m* shoal.

careca [ka'rɛka] **1** *adj* bald.
2 *f* bald patch.

carecer [kare'se(x)]: **carecer de** *v + prep (ter falta de)* to lack; *(precisar de)* to need.

carência [ka'rẽsja] *f (falta)* lack; *(necessidade)* need.

careta [ka'reta] *f* grimace; **fazer caretas** to pull faces.

carga ['kaxga] *f (de barco, avião)* cargo; *(de trem, caminhão)* freight; *(de pessoa, animal)* load; *(de projétil)* charge; **carga máxima** maximum load.

cargo ['kaxgu] *m (função)* post; *(responsabilidade)* responsibility; **deixar a cargo de** to leave in charge of; **estar a cargo de** to be the responsibility of; **ter a cargo** to be in charge of.

cariado, da [ka'rjadu, da] *adj* decayed.

carícia [ka'risja] *f* caress.

caridade [kari'dadʒi] *f* charity.

cárie ['kari] *f* tooth decay.

carimbar [karĩm'ba(x)] *vt* to stamp.

carimbo [ka'rĩmbu] *m* stamp; *(em carta)* postmark.

carinho [ka'riɲu] *m* affection.

carnal [kax'naw] (*pl* **-ais** [-ajʃ]) *adj* carnal.

Carnaval [kaxna'vaw] *m* Carnival.

carne ['kaxni] *f (de comer)* meat; *(tecido muscular)* flesh; **carne de carneiro** lamb; **carne moída** ground beef *Am,* mince *Brit*; **carne de porco** pork; **carne de vaca** beef; **em carne e osso** in the flesh.

> Em inglês, a carne (***meat***) nem sempre leva o mesmo nome do animal de origem. ***Beef*** é usado para carne de vaca (***cow***), ***pork*** para carne de porco (***pig***), ***veal*** para novilhos (***calves***), ***mutton*** para carneiro (***sheep***). No entanto, para carne de cordeiro (***lamb***) usa-se ***lamb*** mesmo.

carnê [kax'ne] *m (caderno)* notebook; *(de pagamentos)* payment book.

carneiro [kax'nejru] *m (animal)* sheep; *(reprodutor)* ram; *(carne)* mutton.

carnudo, da [kax'nudu, da] *adj (lábios)* full; *(fruto)* fleshy.

caro, ra ['karu, ra] *adj (de preço elevado)* expensive; *(querido)* dear.

caroço [ka'rosu] *m (de fruto)* stone; *(em corpo)* lump.

carona [ka'rona] *f* lift, ride *Am*; **pegar uma carona** to hitch a ride; **dar uma carona a alguém** to give sb a ride; **pedir carona** to hitchhike.

carpete [kax'pɛtʃi] *m* carpet.

carpinteiro [kaxpĩn'tejru] *m* carpenter.

carregado, da [kaxe'gadu, da] *adj (cor)* dark; *(tempo)* muggy; **estar carregado de** to be loaded down with.

carregador [kaxega'do(x)] (*pl* **-res** [-riʃ]) *m (em estação, hotel)* porter.

carregar [kaxe'ga(x)] **1** *vt* to load; *(transportar)* to carry; *(pilha, bateria)* to charge.
2 *vi (pesar)* to be heavy.
3 carregar em algo *(exagerar)* to overdo sthg.

carreira [ka'xejra] *f (profissão)* career; *(fileira)* row; *(de transportes coletivos)* route; *(pequena corrida)* race.

carrinho [ka'xiɲu] *m*: **carrinho de bebê** stroller *Am,* pushchair *Brit*; **carrinho de mão** wheelbarrow; **carrinho de supermercado** shopping cart *Am,* trolley *Brit.*

carro ['kaxu] *m* car; **carro alegórico** carnival float; **carro de aluguel** rental car; **carro de corrida** race car; **carro de passeio** sedan *Am,* saloon (car) *Brit*; **carro de praça** taxi.

carroça [ka'xɔsa] *f* cart.

carroceria [kaxosɛ'ria] *f* bodywork.

carro-chefe [ˌkaxũ'ʃɛfi] (*pl* **carros-chefes** [ˌkaxuʃ'ʃɛfiʃ]) *m (coisa mais importante)* flagship; *(de desfile)* main float.

carrossel [kaxɔ'sɛw] (*pl* **-éis** [-ɛjʃ]) *m* merry-go-round, carousel *Am.*

carta ['kaxta] *f* letter; *(mapa)* map; *(de baralho)* card; **carta de apresentação** covering letter; **carta de vinhos** wine list; **carta registrada** registered letter.

cartão [kax'tãw] (*pl* **-ões** [-õjʃ]) *m* card; *(papelão)* cardboard; **cartão bancário** ATM card; **cartão de crédito** credit card; **cartão bancário** debit card; **cartão de embarque/desembarque** boarding/landing card; **cartão postal** postcard.

> Não confundir *cartão (card)* com o inglês *carton* que em português é *pacote*. (*Eu recebi um lindo cartão de aniversário.* I received a nice birthday *card*.)

cartão-de-visita [kax,tãwdʒivi'zita] (*pl* **cartões-de-visita** [kax,tõiʒdʒivi'zita]) *m* business card.

cartaz [kax'taʃ] (*pl* **-zes** [-ziʃ]) *m* poster.

carteira [kax'tejra] *f (de dinheiro)* wallet; *(de sala de aula)* desk; **carteira de motorista** driver's license *Am*, driving licence *Brit*; **carteira de identidade** I.D. card.

carteiro [kax'tejru] *m* mailman *Am*, postman *Brit*.

cartões → **cartão.**

cartolina [kaxto'lina] *f* card.

cartório [kax'tɔrju] *m* registry (office); **cartório notarial** notary's office.

cartucho [kax'tuʃu] *m (munição)* cartridge.

carvalho [kax'vaʎu] *m* oak.

casa ['kaza] *f* house; *(lar)* home; COM business; *(de botão)* buttonhole; **em casa** at home; **ir para casa** to go home; **casa de câmbio** exchange bureau; **casa de campo/praia** country/beach house; **casa de saúde** hospital; **ser de casa** to be like one of the family; **sinta-se em casa!** make yourself at home!

casaco [ka'zaku] *m* jacket; **casaco comprido** coat; **casaco de malha** cardigan.

casado, da [ka'zadu, da] *adj* married.

casal [ka'zaw] (*pl* **-ais** [-ajʃ]) *m* couple.

casamento [kaza'mẽntu] *m* marriage; *(cerimônia)* wedding.

casar [ka'za(x)] **1** *vt* to marry.
2 *vi* to get married.
▫ **casar-se** *vp* to get married.

casca ['kaʃka] *f (de ovo, noz etc.)* shell; *(de laranja, maçã etc.)* peel.

cascalho [kaʃ'kaʎu] *m* rubble.

cascata [kaʃ'kata] *f* waterfall.

cascavel [kaʃka'vɛw] (*pl* **-éis** [-ɛjʃ]) *f* rattlesnake.

casco ['kaʃku] *m (de vinho)* cask; *(de navio)* hull; *(de animal)* hoof.

caseiro, ra [ka'zejru, ra] **1** *adj* homemade; *(pessoa)* home-loving.
2 *m, f* housekeeper.

caso ['kazu] **1** *m (circunstância)* case; *(acontecimento)* affair.
2 *conj* in case.
3 no caso de in the event of; **'em caso de emergência ...'** 'in an emergency ...'; **em todo caso** in any case; **em último caso** as a last resort; **fazer pouco-caso de algo/alguém** to belittle sthg/sb.

caspa ['kaʃpa] *f* dandruff.

casquinha [kaʃ'kiɲa] *f (de sorvete)* cone.

cassete [ka'sɛtʃi] *f* cassette, tape; **cassete (de vídeo)** (video)tape.

cassetete [kase'tɛtʃi] *m* nightstick *Am*, truncheon *Brit*.

cassino [ka'sinu] *m* casino.

castanha [kaʃ'taɲa] *f (fruto da castanheira)* chestnut; **castanha de caju** cashew nut; **castanhas assadas** roast chestnuts.

castanha-do-pará [-pa'ra] *f* Brazil nut.

castanho, nha [kaʃ'taɲu, ɲa] **1** *adj* brown; **castanho claro/escuro** light/dark brown.
2 *m (madeira)* chestnut.

castelo [kaʃ'tɛlu] *m* castle.

castiçal [kaʃtʃi'saw] (*pl* **-ais** [-ajʃ]) *m* candlestick.

castigar [kaʃti'ga(x)] *vt* to punish.

castigo [kaʃ'tʃigu] *m* punishment.

casto, ta ['kaʃtu, ta] *adj* chaste.

castor [kaʃ'to(x)] (*pl* **-res** [-riʃ]) *m* beaver.

castrar [kaʃ'tra(x)] *vt* to castrate.

casual [ka'zwaw] (*pl* **-ais** [-ajʃ]) *adj* chance *(antes de s)*.

> Não confundir *casual (chance)* com o inglês *casual* que em português é *informal*. (*A amizade deles foi o resultado de um encontro casual.* Their friendship was the result of a *chance* meeting.)

casualidade [kazwali'dadʒi] *f* chance; **por casualidade** by chance.

casulo [ka'zulu] *m* cocoon.

catálogo [ka'talogu] *m* catalog.

catarata [kata'rata] *f* waterfall; *MED* cataract; **as cataratas do Iguaçu** the Iguaçu Falls.

catarro [ka'taxu] *m* catarrh.

catástrofe [ka'taʃtrofi] *f* catastrophe.

cata-vento [kata'vẽntu] (*pl* **cata-ventos** [kata'vẽntuʃ]) *m* weather vane.

catedral [kate'draw] (*pl* **-ais** [-ajʃ]) *f* cathedral.

categoria [katego'ria] *f* category; *(posição)* position; *(qualidade)* class; **de categoria** first-rate.

cativar [katʃi'va(x)] *vt* to captivate.

cativeiro [katʃi'vejru] *m*: **em cativeiro** in captivity.

catolicismo [katoli'siʒmu] *m* Catholicism.

católico, ca [ka'tɔliku, ka] *adj & m, f* Catholic.

catorze [ka'toxzi] *num* fourteen → **seis.**

caução [kaw'sãw] (*pl* **-ões** [-õjʃ]) *f JUR* bail; **pagar caução** to pay bail.

cauda ['kawda] *f (de animal)* tail; *(de manto, vestido)* train.

causa ['kawza] *f (motivo)* reason; *(de acidente, doença)* cause; *JUR (ação judicial)* case; **por causa de** because of.

causar [kaw'za(x)] *vt* to cause; **causar danos a** to damage.

cautela [kaw'tɛla] *f* caution; *(penhor)* pawn ticket; **ter cautela com** to be careful with; **com cautela** cautiously; **por cautela** as a safeguard.

cauteloso, osa [kawte'lozu, ɔza] *adj* cautious.

cavala [ka'vala] *f* mackerel.

cavaleiro [kava'lejru] *m* rider; *(medieval)* knight.

cavalete [kava'letʃi] *m* easel.

cavalgar [kavaw'ga(x)] **1** *vi* to ride.
2 *vt (cavalo)* to ride; *(obstáculo, barreira)* to jump.

cavalheiro [kava'ʎejru] *m* gentleman.

cavalo [ka'valu] *m* horse.

cavanhaque [kava'ɲaki] *m* goatee (beard).

cavar [ka'va(x)] *vt (terra)* to dig; *(decote)* to lower.

caveira [ka'vejra] *f* skull.

caverna [ka'vɛxna] *f* cave.

caviar [ka'vja(x)] *m* caviar.

cavidade [kavi'dadʒi] *f* cavity.

caxemira [kaʃe'mira] *f* cashmere.

caxumba [ka'ʃũmba] *f* mumps *sg.*

cear ['sea(x)] **1** *vi* to have supper.
2 *vt* to have for supper.

cebola [se'bola] *f* onion.

cebolinha [sebo'liɲa] *f (erva comestível)* chives *pl*; *(de conserva)* pickled onions *pl.*

ceder [se'de(x)] **1** *vt (lugar)* to give up; *(objeto)* to lend.
2 *vi (dar-se por vencido)* to give in; *(ponte)* to give way; *(corda, nó)* to slacken; *(chuva)* to ease up; *(vento)* to drop; **'ceder a passagem'** 'give way'.

cedilha [se'diʎa] *f* cedilla.

cedo ['sedu] *adv* early; *(depressa)* soon; **muito cedo** very early; **desde muito cedo** *(desde criança)* from an early age; **mais cedo ou mais tarde** sooner or later.

cedro ['sɛdru] *m* cedar.

cegar [se'ga(x)] **1** *vt* to blind.
2 *vi* to go blind.

cego, ga ['sɛgu, ga] **1** *adj (pessoa)* blind; *(faca)* blunt.
2 *m, f* blind man.
3 às cegas blindly.

cegonha [se'goɲa] *f* stork.

ceia ['seja] *f* supper.

cela ['sɛla] *f* cell.

celebração [selebra'sãw] (*pl* **-ões** [-õjʃ]) *f* celebration.

celebrar [sele'bra(x)] *vt* to celebrate; *(casamento)* to hold; *(contrato)* to sign.

célebre ['sɛlebri] *adj* famous.

celebridade [selebri'dadʒi] *f* celebrity.

célula ['sɛlula] *f* cell.

celular [selu'la(x)] *m (telefone)* cellular phone.

célula-tronco ['sɛlula-'trõŋku] *f* stem cell.

cem [sẽ] *num* one ou a hundred; **cem mil** a hundred thousand → **seis.**

cemitério [semi'tɛrju] *m* cemetery.

cena ['sena] *f* scene; *(palco)* stage; **entrar em cena** *fig* to come on the scene; **fazer uma cena** *fig* to make a scene.

cenário [se'narju] *m* scenery; *(de programa televisivo)* set.

> A palavra 'cenário' pode referir-se a *scenario* e *scenery* em inglês, mas é preciso ter cuidado para não confundi-las. *Scenario* quer dizer 'cenário', por exemplo, de um filme, ou, mais freqüentemente, 'situação hipotética no futuro' ou 'panorama', como na sentença *there are two possible scenarios* há duas situações possíveis. Quanto à palavra *scenery*, ela também tem dois significados: paisagem e cenário (de uma peça de teatro).

cenoura [se'nora] *f* carrot.
censo ['sẽsu] *f* census.
censura [sẽ'sura] *f (crítica)* criticism; *(de Estado, autoridade)* censorship.
centavo [sẽn'tavu] *m* cent *Am*, penny *Brit*.
centeio [sẽn'teju] *m* rye.
centelha [sẽn'teʎa] *f* spark.
centena [sẽn'tena] *f* hundred; **uma centena de pessoas** a hundred people.
centenário [sẽnte'narju] *m* centenary.
centésimo, ma [sẽn'tɛzimu, ma] *num* hundredth → **sexto.**
centímetro [sẽn'tʃimetru] *m* centimeter.
cento ['sẽntu] *m* hundred; **cento e vinte** a hundred and twenty; **por cento** percent.
centopéia [sẽnto'pɛja] *f* centipede.
central [sẽn'traw] (*pl* **-ais** [-ajʃ]) **1** *adj* central.
2 *f (de instituição, organização)* head office; *(de eletricidade, energia atômica)* power plant.
centrar [sẽn'tra(x)] *vt (atenção, esforço)* to focus; *(texto, página)* to center.
centro ['sẽntru] *m* center; **centro da cidade** down town; **centro comercial** shopping mall *Am*, shopping centre *Brit*; **centro de saúde** health clinic.
CEP *m* (**Código de Endereçamento Postal**) zip code *Am*, postcode *Brit*.
cera ['sera] *f* wax; **cera depilatória** hair-removing ou depilatory wax.
cerâmica [se'rãmika] *f (objeto)* piece of pottery; *(atividade)* ceramics *sg*.
ceramista [sera'miʃta] *mf* potter.
cerca ['sexka] **1** *f* fence.
2 *adv*: **cerca de** about.
cercar [sex'ka(x)] *vt* to surround.
cereal [se'real] (*pl* **-ais** [-ajʃ]) *m* cereal.
cérebro ['sɛrebru] *m* brain.
cereja [se'reʒa] *f* cherry.
cerimônia [seri'monja] *f (religioso)* ceremony; *(etiqueta)* formality.
cerrado, da [se'xadu, da] *adj (nevoeiro)* thick.
certeza [sex'teza] *f* certainty; **dar certeza de algo** to be sure of sthg; **ter certeza de que** to be sure (that); **você pode ter certeza de que vou** I'm definitely going; **com certeza** *(sem dúvida)* of course; **com certeza!** of course!
certidão [sextʃi'dãw] (*pl* **-ões** [-õjʃ]) *f* certificate; **certidão de nascimento/óbito** birth/death certificate.
certificado [sextʃifi'kadu] *m* certificate.
certificar-se [sextʃifi'kaxsi] *vp* to check; **certificar-se de algo** to check sthg.
certo, ta ['sɛxtu, ta] **1** *adj (exato)* right; *(infalível)* certain.
2 *adv* correctly.
3 certas pessoas certain people; **a conta não bate certo** the check doesn't add up; **dar certo** to work out; **o certo é ele não vir** I'm sure he won't come; **ao certo** *(exatamente)* exactly.
cerveja [sex'veʒa] *f* beer; **cerveja preta** stout beer.
cervejaria [sexveʒa'ria] *f* bar.
cervical [sexvi'kaw] (*pl* **-ais** [-ajʃ]) *adj* cervical.
cessar [se'sa(x)] *vi & vt* to cease.
cesta ['seʃta] *f* small basket.
cesto ['seʃtu] *m* basket; **cesto de vime** wicker basket.
cético, ca ['sɛtʃiku, ka] **1** *adj* skeptical.
2 *m, f* skeptic.
cetim [se'tʃĩ] *m* satin.
céu ['sɛw] *m* sky; *RELIG* heaven.
céu-da-boca ['sɛwda,boka] *m* roof of the mouth.
cevada [se'vada] *f* barley.
chá [ʃa] *m* tea; **chá com limão** tea with lemon; **chá de limão** lemon tea.
chacota [ʃa'kɔta] *f* mockery.
chafariz [ʃafa'riʃ] (*pl* **-zes** [-ziʃ]) *m* fountain.
chafurdar [ʃafux'da(x)] *vi* to wallow.
chalé [ʃa'lɛ] *m* chalet.
chaleira [ʃa'lejra] *f* kettle.
chama ['ʃama] *f* flame.
chamada [ʃa'mada] *f (de telefone)* call; *(de exame)* sitting; **fazer a chamada** *EDUC* to call the register; **chamada a cobrar** *(no destinatário)* collect call *Am*, reverse charge call *Brit*; **chamada interurbana/local** long-distance/local call.
chamar [ʃa'ma(x)] **1** *vt* to call.
2 *vi (telefone)* to ring.
❑ **chamar-se** *vp* to be named; **como é que você se chama?** what's your name?; **eu me chamo Carlos** my name is Carlos.
chaminé [ʃami'nɛ] *f* chimney; *(de lareira)* chimney-piece; *(de fábrica)* chimney stack.
champanhe [ʃãm'paɲi] *m* champagne.

chamuscar [ʃamuʃ'ka(x)] *vt* to singe.
chantagem [ʃãn'taʒẽ] (*pl* **-ns** [-ʃ]) *f* blackmail.
chão ['ʃãw] *m (solo)* ground; *(pavimento)* floor; **cair no chão** *(cair)* to fall down.
chapa ['ʃapa] *f* AUT license plate *Am*, number plate *Brit*.
chapéu [ʃa'pɛw] *m* hat; *(de sol, chuva)* umbrella; **ser de tirar o chapéu** to be superb.
charco ['ʃaxku] *m* puddle.
charme ['ʃaxmi] *m* charm.
charuto [ʃa'rutu] *m* cigar.
chatear [ʃa'tʃja(x)] *vt* to annoy.
chatice [ʃa'tʃisi] *f (tédio)* drag.
chato, ta ['ʃatu, ta] *adj (tedioso)* boring; *(pé)* flat.
chauvinista [ʃovi'niʃta] *m, f* chauvinist.
chave ['ʃavi] *f* key.
chave-de-fenda [ˌʃavidʒi'fẽnda] (*pl* **chaves-de-fenda** [ˌʃaviʒdʒi'fẽnda]) *f* screwdriver.
chaveiro [ʃa'vejru] *m* keyring.
check-up [tʃɛ'kapi] *m* check-up; **fazer um check-up** to have a medical check-up.
chefe ['ʃɛfi] *mf (de trabalhadores)* boss; *(de partido)* leader; *(de empresa)* head; *(de tribo, organização)* chief.
chegada [ʃe'gada] *f* arrival.
chegado, da [ʃe'gadu, da] *adj* close.
chegar [ʃe'ga(x)] *vi* to arrive; *(momento, altura, hora)* to come; *(ser suficiente)* to be enough; **chegar bem** to arrive safely; **chegar ao fim** to come to an end.
❑ **chegar-se** *vp (aproximar-se)* to come closer; *(afastar-se)* to move over; **chegar-se a** to come closer to.
cheia ['ʃeja] *f* flood.
cheio, cheia ['ʃeju, 'ʃeja] *adj* full; **cheio de** full of; **estar cheio** to have had enough.
cheirar [ʃej'ra(x)] *vt & vi* to smell; **cheirar bem/mal** to smell good/bad.
cheiro ['ʃejru] *m* smell.
cheque ['ʃɛki] *m* check; **cheque em branco** blank check; **cheque sem fundos** rubber check; **cheque pré-datado** predated check; **cheque de viagem** traveler's check; **cheque cruzado** crossed check.
chiar ['ʃja(x)] *vi* to squeak; *(porco)* to squeal; *(pneu)* to screech.
chiclete [ʃi'klɛtʃi] *m* chewing gum.
chicória [ʃi'kɔrja] *f* chicory.
chifre ['ʃifri] *m* horn.
chimpanzé [ʃĩmpã'zɛ] *m* chimpanzee.
chinelos [ʃi'nɛluʃ] *mpl* flip-flops, thongs *Am*; **chinelos (de quarto)** slippers.
chique ['ʃiki] *adj* chic.
chocalhar [ʃoka'ʎa(x)] **1** *vt (líquido)* to shake.
2 *vi (tilintar)* to jingle.
chocalho [ʃo'kaʎu] *m* bell.
chocante [ʃo'kãntʃi] *adj* shocking.
chocar [ʃo'ka(x)] **1** *vi (veículos)* to crash; *(galinha)* to brood.
2 *vt (indignar)* to shock; *(ovos)* to hatch.
3 chocar com *(pessoa)* to bump into; *(veículo)* to crash into.
chocho, cha ['ʃoʃu, ʃa] *adj (noz)* empty; *(festa)* dull.
chocolate [ʃoko'latʃi] *m* chocolate; *(bebida)* hot chocolate; **chocolate amargo** dark chocolate; **chocolate branco** white chocolate; **chocolate ao leite** milk chocolate.
chofer [ʃo'fɛ(x)] (*pl* **-res** [-riʃ]) *m* driver.
chope ['ʃopi] *m* draft beer; **chope claro/escuro** lager/dark beer; **chope com/sem colarinho** beer with/without head.
choque ['ʃɔki] *m (colisão)* crash; *(comoção)* shock.
choramingar [ʃoramĩŋ'ga(x)] *vi* to snivel.
chorar [ʃo'ra(x)] *vi & vt (verter lágrimas)* to cry; **chorar de rir** to cry with laughter.
choro ['ʃoru] *m* crying.
chorões → **chorão.**
chover [ʃo've(x)] *v impess* to rain; **chover a cântaros** to pour with rain.
chuchu [ʃu'ʃu] *m* chayote; **pra chuchu** *(muito)* loads.
chulo, la ['ʃulu, la] *adj* vulgar.
chumbar [ʃũm'ba(x)] *vt (soldar)* to solder; *(atirar em)* to fire at.
chumbo ['ʃũmbu] *m* lead; *(tiro)* gunshot; **a caixa está um chumbo** the box weighs a ton.
chupar [ʃu'pa(x)] *vt* to suck.
chupeta [ʃu'peta] *f* pacifier *Am*, dummy *Brit*.
churrasco [ʃu'xaʃku] *m* barbecue.
churrasquinho [ʃuxaʃ'kiɲu] *m* kebab.
chutar [ʃu'ta(x)] *vt & vi* to kick.
chuteira [ʃu'tejra] *f* cleats *pl*.
chuva ['ʃuva] *f* rain.
chuveiro [ʃu'vejru] *m* shower.
chuviscar [ʃuviʃ'ka(x)] *vi* to drizzle.

chuvoso, osa [ʃu'vozu, ɔza] *adj* rainy.

ciberespaço [ˌsibɛreʃ'pasu] *m* cyberspace.

cibernética [sibex'nɛtʃika] *f* cybernetics *sg.*

cicatriz [sika'triʃ] (*pl* **-zes** [-ziʃ]) *f* scar.

cicatrizar [sikatri'za(x)] *vi (ferida)* to heal (up).

cicatrizes → **cicatriz.**

cicerone [sise'roni] *m* guide.

ciclismo [si'kliʒmu] *m* cycling; **fazer ciclismo** to go cycling.

ciclista [si'kliʃta] *mf* cyclist.

ciclo ['siklu] *m* cycle; *(de conferências)* series.

ciclone [si'klɔni] *m* cyclone; *(região de baixas pressões)* depression.

cidadã → **cidadão.**

cidadania [sidada'nia] *f* citizenship.

cidadão, dã [sida'dãw, dã] (*mpl* **-ãos** [-ãwʃ], *fpl* **-s** [-ʃ]) *m, f* citizen.

cidade [si'dadʒi] *f* city; **cidade universitária** campus.

ciência ['sjẽsja] *f* science; **ciências físico-químicas** physical sciences; **ciências naturais** natural sciences; **ciências sociais** social sciences.

ciente ['sjẽntʃi] *adj* aware; **estar ciente de** to be aware of.

científico, ca [sjẽn'tʃifiku, ka] *adj* scientific.

cientista [sjẽn'tʃiʃta] *mf* scientist.

cifra ['sifra] *f* sum; *(número)* figure.

cigano, na [si'ganu, na] *m, f* gypsy.

cigarra [si'gaxa] *f* cicada.

cigarro [si'gaxu] *m* cigarette; **cigarros com filtro** filter-tipped cigarettes; **cigarros sem filtro** unfiltered cigarettes; **cigarros mentolados** menthol cigarettes.

> Não confundir *cigarro (cigarette)* com o inglês *cigar* que em português é *charuto*. (*Ele fuma um maço de cigarros por dia.* He smokes a packet of *cigarettes* a day.)

cilindro [si'lĩndru] *m* cylinder; *(rolo)* roller; *(de aquecimento de água)* boiler.

cílio ['silju] *m* eyelash.

cima ['sima] *f*: **de cima** from above; **ainda por cima** on top of which; **de cima a baixo** from top to bottom; **de cima de** off; **em cima** above; **em cima de** on top of; **para cima** up; **para cima de** over; **por cima de** over; **estar por cima (da carne seca)** to be doing extremely well (for o.s.); **olhar alguém de cima a baixo** to look sb up and down.

cimeira [si'mejra] *f* summit.

cimentar [simẽn'ta(x)] *vt* to cement.

cimento [si'mẽntu] *m* cement.

cimo ['simu] *m* top.

cinco ['sĩŋku] *num* five → **seis.**

cineasta [si'njaʃta] *mf* (movie) director.

cinema [si'nema] *m (local)* movie theater *Am*, cinema *Brit*; *(arte)* cinema.

cinemateca [sinema'tɛka] *f (local)* art house; *(coleção de filmes)* film library.

cinematográfico, ca [sinemato'grafiku, ka] *adj* movie *US film & Brit (antes de s).*

cínico, ca ['siniku, ka] *adj* shameless.

cinismo [si'niʒmu] *m* impudence.

cinqüenta [sĩŋ'kwẽnta] *num* fifty → **seis.**

cinta ['sĩnta] *f (faixa de pano)* sash; *(cintura)* waist; *(roupa interior)* girdle.

cintilar [sĩntʃi'la(x)] *vi* to twinkle.

cinto ['sĩntu] *m* belt; **cinto de segurança** seatbelt.

cintura [sĩn'tura] *f* waist.

cinturão [sĩntu'rãw] (*pl* **-ões** [-õjʃ]) *m* belt; **cinturão industrial** industrial belt; **cinturão verde** green belt.

cinza ['sĩza] **1** *f* ash.
2 *adj & m* gray.
❑ **cinzas** *fpl (restos mortais)* ashes.

cinzeiro [sĩ'zejru] *m* ashtray.

cinzel [sĩ'zɛw] (*pl* **-éis** [-ɛjʃ]) *m* chisel.

cinzento, ta [sĩ'zẽntu, ta] *adj & m* gray.

cio ['siu] *m*: **estar no cio** *(fêmeas)* to be in heat; *(machos)* to be in rut.

circo ['sixku] *m* circus.

circuito [six'kwitu] *m* circuit; **circuito elétrico** electric circuit; **circuito turístico** tourist trail.

circulação [sixkula'sãw] *f* circulation; *(de veículos)* traffic.

circular [sixku'la(x)] (*pl* **-res** [-riʃ]) **1** *vi* to circulate; *(pedestre)* to walk about; *(carro)* to drive.
2 *adj & f* circular.

círculo ['sixkulu] *m* circle; **círculo polar** polar circle; **círculo vicioso** vicious circle.

circunferência [sixkũfe'rẽsja] *f* circumference.

circunstância [sixkũʃ'tãsja] *f* circumstance; **nas circunstâncias** under the circumstances.

cirurgia [sirux'ʒia] *f* surgery; **cirurgia plástica** plastic surgery.
cirurgião, giã [sirux'ʒjãw, ʒjã] (*mpl* **-ões** [-õjʃ], *fpl* **-s** [-ʃ]) *m, f* surgeon.
cirurgiões → **cirurgião.**
cisco ['siʃku] *m* speck.
cisma ['siʒma] *f* fixation.
cisne ['siʒni] *m* swan.
cisterna [siʃ'tɛxna] *f* tank.
cistite [siʃ'tʃitʃi] *f* cystitis.
citação [sita'sãw] (*pl* **-ões** [-õjʃ]) *f* quotation.
citar [si'ta(x)] *vt* to quote.
ciúme ['sjumi] *m* jealousy; **ter ciúmes de alguém** to be jealous of sb.
ciumento, ta [sju'mẽntu, ta] *adj* jealous.
cívico, ca ['siviku, ka] *adj* civic.
civil [si'viw] (*pl* **-is** [-iʃ]) *adj* civil.
civilização [siviliza'sãw] (*pl* **-ões** [-õjʃ]) *f* civilization.
civilizar [sivili'za(x)] *vt* to civilize.
civis → **civil.**
cl. (*abrev de* **centilitro**) cl.
clamar [kla'ma(x)] *vi* to cry out.
clamor [kla'mo(x)] (*pl* **-res** [-riʃ]) *m* outcry.
clandestino, na [klãndeʃ'tʃinu, na] **1** *adj* clandestine.
2 *m, f* stowaway.
clara ['klara] *f* egg white.
clarabóia [klara'bɔja] *f* skylight.
clareza [kla'reza] *f*: **falar com clareza** to speak clearly.
claridade [klari'dadʒi] *f* brightness.
clarinete [klari'netʃi] *m* clarinet.
claro, ra ['klaru, ra] **1** *adj (com luz)* bright; *(cor)* light; *(preciso, sincero)* clear.
2 *adv* clearly.
3 claro que sim! of course!; **é claro!** of course!; **passar a noite em claro** to have a sleepless night.
classe ['klasi] *f* class; **ter classe** to have class; **de primeira/segunda classe** first/second class; **classe social** social class; **classe turística** tourist ou economy class; **classe executiva** business class.
clássico, ca ['klasiku, ka] **1** *adj* classic; *(música)* classical.
2 *m*: **um clássico** a classic; **os clássicos** the Classics.
classificação [klasifika'sãw] (*pl* **-ões** [-õjʃ]) *f* results *pl.*
classificados [klasifi'kaduʃ] *mpl* classifieds.
classificar [klasifi'ka(x)] *vt* EDUC *(aluno)* to place; *(ordenar)* to classify.
❑ **classificar-se** *vp (em competição)* to qualify.
claustro ['klawʃtru] *m* cloister.
cláusula ['klawzula] *f* clause.
clave ['klavi] *f* clef; **clave de sol** treble clef.
clavícula [kla'vikula] *f* collarbone.
clero ['klɛru] *m* clergy.
cliente [kli'ẽntʃi] *mf* client.
clientela [kliẽn'tɛla] *f* customers *pl.*
clima ['klima] *m* climate; *fig (ambiente)* atmosphere.
clímax ['klimaks] *m inv* climax; **atingir o clímax** to reach a climax.
clínica ['klinika] *f* clinic; **clínica dentária** dental practice; **clínica geral** general practice.
clínico ['kliniku] *m* clinician; **clínico geral** general practitioner.
clipe ['klipi] *m* paper clip.
clonagem [klo'naʒẽ] *f* cloning.
clonar [klo'na(x)] *vt* to clone.
cloro ['klɔru] *m* chlorine.
clube ['klubi] *m* club; **clube de futebol/vídeo** soccer/video club.
coador [kwa'do(x)] (*pl* **-res** [-riʃ]) *m* strainer.
coagir [kwa'ʒi(x)] *vt* to coerce.
coagular [kwagu'la(x)] *vt & vi* to clot.
coágulo ['kwagulu] *m* clot.
coalhada [kwa'ʎada] *f type of live yogurt.*
coalhar [kwa'ʎa(x)] *vt & vi* to curdle.
coar ['kwa(x)] *vt* to strain.
coberta [ko'bɛxta] *f (de cama)* bedspread; *(de navio)* deck.
coberto, ta [ko'bɛxtu, ta] **1** *adj* covered.
2 *m* shelter.
cobertor [kobex'to(x)] (*pl* **-res** [-riʃ]) *m* blanket.
cobertura [kobex'tura] *f (teto)* roof; *(apartamento)* penthouse; *(de acontecimento, situação)* coverage.
cobiça [ko'bisa] *f (avidez)* greed; *(inveja)* envy.
cobiçar [kobi'sa(x)] *vt (ambicionar)* to covet; *(invejar)* to envy.
cobra ['kɔbra] *f* snake.
cobrança [ko'brãsa] *f (ação de cobrar)* charging.
cobrar [ko'bra(x)] *vt* to charge; *(imposto, dívida)* to collect.

cobre ['kɔbri] *m* copper.
cobrir [ko'bri(x)] *vt* to cover.
cocada [ko'kada] *f dessert made with dried coconut, sugar and milk.*
cocaína [koka'ina] *f* cocaine.
coçar [ko'sa(x)] *vt* to scratch.
❑ **coçar-se** *vp* to scratch o.s.
cócegas ['kɔsigaʃ] *fpl*: **fazer cócegas** to tickle; **ter cócegas** to be ticklish.
coceira [ko'sejra] *f* itch.
cochichar [koʃi'ʃa(x)] *vt & vi* to whisper.
cochilo [ko'ʃilu] *m* nap; **tirar um cochilo** to take a nap.
coco ['koku] *m* coconut.
cocô [ko'ko] *m* poop.
cócoras ['kɔkoraʃ] *fpl*: **pôr-se de cócoras** to squat.
código ['kɔdʒigu] *m* code; **código de barras** bar code; **código civil** civil law; **código de trânsito** traffic law; **código postal** zip code.
codorniz [kodox'niʃ] (*pl* **-zes** [-ziʃ]) *f* quail.
coelho ['kweʎu] *m* rabbit.
coentro [ko'ẽntru] *m* cilantro, coriander *Brit*.
coerência [koe'rẽsja] *f* coherence.
coerente [koe'rẽntʃi] *adj* coherent.
cofre ['kɔfri] *m* safe.
cofre-forte [ˌkɔfri'fɔxti] (*pl* **cofres-fortes** [ˌkɔfriʃ'fɔxtiʃ]) *m* safe.
cogitar [koʒi'ta(x)] **1** *vt* to think (up).
2 *vi (pensar)* to think.
cogumelo [kogu'mɛlu] *m* mushroom.
coice ['kojsi] *m* kick; *(de arma)* recoil.
coincidência [koĩsi'dẽsja] *f* coincidence; **por coincidência** as it happens.
coincidir [kwĩsi'di(x)] *vi* to coincide.
❑ **coincidir com** *v + prep* to coincide with; *(opinião)* to agree with.
coisa ['kojza] *f* thing; **(deseja) mais alguma coisa?** would you like anything else?; **não comprei coisa nenhuma** I didn't buy anything; **alguma coisa** something; **coisa de** roughly; **a coisa está preta!** things are tough!; **não ser grande coisa** to be nothing special; **que coisa!** gosh!
coitado, da [koj'tadu, da] **1** *adj* poor, unfortunate.
2 *interj* poor thing!
cola ['kɔla] *f* glue.
colaborar [kolabo'ra(x)] *vi* to collaborate.
colapso [ko'lapsu] *m* collapse.
colar [ko'la(x)] (*pl* **-res** [-riʃ]) **1** *vt* to glue, to stick.
2 *vi* to stick.
3 *m* necklace.
❑ **colar de** *v + prep* to crib from.

> Não confundir *colar (necklace)* com o inglês *collar* que em português é *colarinho*. (*Ele deu a ela um colar como presente de aniversário.* He gave her a *necklace* as a birthday present.)

colarinho [kola'riɲu] *m* collar.
colcha ['kowʃa] *f* bedspread; **colcha de retalhos** *(fig)* odds and ends.
colchão [kow'ʃãw] (*pl* **-ões** [-õjʃ]) *m* mattress; **colchão de molas/palha** spring/straw mattress.
colchete [kow'ʃetʃi] *m (de vestuário)* hook; *(sinal de pontuação)* bracket.
colchões → **colchão.**
coleção [kole'sãw] (*pl* **-ões** [-õjʃ]) *f* collection; **fazer coleção de algo** to collect sthg; **coleção de selos** stamp collection.
colecionador, ra [kolesjona'do(x), ra] (*mpl* **-res** [-riʃ], *fpl* **-s** [-ʃ]) *m, f* collector.
colecionar [kolesjo'na(x)] *vt* to collect.
coleções → **coleção.**
colega [ko'lɛga] *mf* colleague; **colega de trabalho** coworker; **colega de turma** classmate.
colégio [ko'lɛʒju] *m* school; **colégio interno** boarding school.

> Não confundir *colégio (school)* com o inglês *college* que em português é *universidade*. (*Com dezessete anos ela terá terminado o colégio.* At the age of seventeen she will have finished *school*.)

coleira [ko'lejra] *f* collar.
cólera ['kɔlera] *f* fury; MED cholera.
colérico, ca [ko'lɛriku, ka] *adj* furious.
colesterol [koleʃte'rɔw] *m* cholesterol.
colete [ko'letʃi] *m* waistcoat; **colete salva-vidas** life jacket.
coletivo, va [kole'tʃivu, va] *adj (decisão)* collective; *(reunião)* general; *(transport)* public.
colheita [ko'ʎejta] *f* harvest.
colher[1] [ko'ʎe(x)] *vt (fruto, vegetal, flores)* to pick; *(cereais)* to harvest.
colher[2] [ko'ʎɛ(x)] (*pl* **-res** [-riʃ]) *f (utensílio)* spoon; *(quantidade)* spoonful; **colher de café** *(quantidade)* half teaspoon; **colher**

de chá teaspoon; **colher de pau** wooden spoon; **colher de sopa** *(utensílio)* soup spoon; *(quantidade)* tablespoon.

cólica ['kɔlika] *f* colic.

colidir [koli'dʒi(x)] *vi* to collide; **colidir com** to collide with.

coligação [koliga'sãw] (*pl* **-ões** [-õjʃ]) *f* coalition.

colina [ko'lina] *f* hill.

colisão [koli'zãw] (*pl* **-ões** [-õjʃ]) *f* collision.

collant [ko'lã] *mpl* panty hose *Am*, tights *Brit*; *(blusa)* skin-tight blouse.

colméia [kow'meja] *f* beehive.

colo ['kɔlu] *m* lap; **levar uma criança no colo** to carry a child.

colocação [koloka'sãw] (*pl* **-ões** [-õjʃ]) *f* placing; *(de roda, vidro)* fitting; *(emprego)* post, job.

colocar [kolo'ka(x)] *vt* to place; *(roda, vidro)* to fit; *(cortina)* to put up; *(empregar)* to employ; *(problema)* to pose.

cólon ['kɔlõ] *m* colon.

colônia [ko'lonja] *f* colony; *(perfume)* cologne; **colônia de férias** summer camp.

coloquial [kolo'kjaw] (*pl* **-ais** [-ajʃ]) *adj* colloquial.

colóquio [ko'lɔkju] *m* conference.

colorante [kolo'rãntʃi] *m* coloring.

colorau [kolo'raw] *m* paprika.

colorido, da [kolo'ridu, da] *adj* colored; *(com muitas cores)* colorful.

colorir [kolo'ri(x)] *vt* to color in.

coluna [ko'luna] *f* column; *(de rádio, hi-fi)* speaker; **coluna vertebral** spinal column.

com [kõ] *prep* with; *(indica causa)* because of; **só com muito esforço é que ele conseguiu** he only managed it through a lot of hard work; **estar com dor de cabeça** to have a headache; **estar com fome** to be hungry; **estar com pressa** to be in a hurry.

coma ['koma] *m ou f MED* coma.

comandante [komãn'dãntʃi] *m (de navio, polícia)* commander; *(de exército)* major.

comandar [komãn'da(x)] *vt* to command, to be in charge of.

comando [ko'mãndu] *m* command; *(de máquina, sistema)* control; **estar no comando de algo** to be in charge of sthg.

combate [kõm'batʃi] *m (luta)* fight; *(batalha)* fighting.

combater [kõmba'te(x)] *vi* to fight.

combinação [kõmbina'sãw] (*pl* **-ões** [-õjʃ]) *f* combination; *(acordo)* agreement; *(plano)* arrangement; *(peça de vestuário)* slip.

combinar [kõmbi'na(x)] **1** *vt* to combine; *(planejar)* to plan.
2 *vi (cores, roupas)* to go together.
3 está combinado! it's a deal!; **combinar com** to go with; **combinar algo com alguém** to arrange sthg with sb.

começar [kome'sa(x)] *vt & vi* to start, to begin; **começar a fazer algo** to start ou begin to do sthg; **começar de/por** to start from/with; **começar por fazer algo** to start by doing sthg; **para começar** to start (with).

começo [ko'mesu] *m* start, beginning.

comédia [ko'mɛdʒja] *f* comedy.

comediante [kome'dʒjãntʃi] *mf* comic actor.

comemorar [komemo'ra(x)] *vt* to commemorate.

comentar [komẽn'ta(x)] *vt (mencionar)* to mention; *(analisar)* to comment on; *(criticar maliciosamente)* to make comments about.

comentário [komẽn'tarju] *m* comment; *(de evento esportivo)* commentary.

comentarista [komẽta'riʃta] *mf*: **comentarista esportivo/político** sports/political commentator.

comer [ko'me(x)] (*pl* **-res** [-riʃ]) **1** *vt* to eat; *(em xadrez, damas)* to take.
2 *vi (alimentar-se)* to eat.
3 *m (alimento)* food; *(refeição)* meal.
4 comer mosca to be daydreaming.

comercial [komexsi'aw] (*pl* **-ais** [-ajʃ]) *adj* commercial.

comercialização [komexsjaliza'sãw] *f* sale.

comercializar [komexsjali'za(x)] *vt* to sell.

comerciante [komex'sjãntʃi] *mf* storekeeper.

comércio [ko'mɛxsju] *m* commerce; *(lojas)* shops *pl*; **comércio eletrônico** e-commerce.

comestível [komeʃ'tʃivɛw] (*pl* **-eis** [-ejʃ]) *adj* edible.

cometer [kome'te(x)] *vt (delito)* to commit; *(erro)* to make.

comichão [komi'ʃãw] (*pl* **-ões** [-õjʃ]) *f* itch; **dar comichão** to itch.

cômico, ca ['komiku, ka] *adj (actor)* comic; *(engraçado)* funny, comical.

comida [ko'mida] *f* food; *(refeição)* meal; **comida para bebê** baby food; **comida a** ou **por quilo** food by the kilo; **comida caseira** home cooking; **comida congelada** frozen food.

comigo [ko'migu] *pron* with me; **estava falando comigo mesmo** I was talking to myself.

comilão, lona [komi'lãw, lona] (*mpl* **-ões** [-õjʃ], *fpl* **-s** [-ʃ]) *m, f* glutton.

cominho [ko'miɲu] *m* cumin.

comissão [komi'sãw] (*pl* **-ões** [-õjʃ]) *f* commission.

comissário [komi'sarju] *m (de polícia)* superintendent; *(de navio)* purser; **comissário de bordo** flight attendant.

comissões → **comissão.**

como ['komu] **1** *adv* **(a)** *(comparativo)* like; **não é como o outro** it's not like the other one; **como quem não quer nada** casually; **como se nada estivesse acontecendo** as if nothing was going on.
(b) *(de que maneira)* how; **como?** *(o que disse)* excuse me?, I'm sorry?; **como assim?** *(para explicação)* what do you mean?
(c) *(marca intensidade)*: **e como!** isn't it just!; **como ele é inteligente!** he's so clever!, how clever he is!; **como é difícil arranjar lugar para estacionar!** it's so difficult to find a parking space!; **como você se engana!** you are so wrong!
2 *conj* **(a)** *(introduz comparação)* like; **é bonita, como a mãe** she's pretty, (just) like her mother.
(b) *(da forma que)* as; **como quiser!** as you like!; **seja como for** in any case.
(c) *(por exemplo)* like, such as; **as cidades grandes como São Paulo** big cities like São Paulo.
(d) *(na qualidade de)* as; **como mãe fiquei muito preocupada** as a mother I felt very concerned; **como prêmio ela ganhou um carro** she won a car as a prize.
(e) *(visto que)* as, since; **como estávamos atrasados fomos de táxi** we took a taxi because we were running late; **como não atenderam pensamos que não estavam** we thought you weren't in because there was no answer.
(f) *(em locuções)*: **como deve ser** *(corretamente)* properly; *(próprio)* suitable.

> A tradução de 'como', quando usado como advérbio interrogativo, varia segundo o verbo que o acompanha ('ser' ou 'estar'). Compare (como ele está? ele está bem *how is he? he's fine*) com (como ele é? ele é alto e bonito *what's he like? he's tall and good looking*).

comoção [komo'sãw] (*pl* **-ões** [-õjʃ]) *f* *(emoção)* emotion; *(agitação)* commotion.

cômoda ['komoda] *f* chest of drawers.

comodidade [komodʒi'dadʒi] *f* comfort.

cômodo, da ['komodu, da] *adj* comfortable.

comovedor, ra [komove'do(x), ra] (*mpl* **-res** [-riʃ], *fpl* **-s** [-ʃ]) *adj* moving.

comovente [komo'vẽntʃi] *adj* touching.

comover [komo've(x)] *vt* to move.
❑ **comover-se** *vp* to be moved.

comovido, da [komo'vidu, da] *adj* moved.

compacto, ta [kõm'paktu, ta] **1** *adj* compact; *(denso)* thick; *(sólido)* hard.
2 *m (disco)* a single.

companheiro, ra [kõmpa'ɲejru, ra] *m, f* *(acompanhante)* companion; *(de turma)* classmate; *(em casal)* partner ou mate.

companhia [kõmpa'ɲia] *f* company; **fazer companhia a alguém** to keep sb company; **companhia de aviação** airline; **companhia de seguros** insurance company.

comparação [kõmpara'sãw] (*pl* **-ões** [-õjʃ]) *f* comparison; **não ter comparação com** to bear no comparison with; **em comparação com** in comparison with.

comparar [kõmpa'ra(x)] *vt* to compare; **comparar algo a** ou **com algo** to compare sthg to ou with sthg.

comparecer [kõmpare'se(x)] *vi* to appear, to attend.

compartilhar [kõmpaxtʃi'ʎa(x)] *vt* to share; **compartilhar algo com alguém** to share sthg with sb.

compartimento [kõmpaxtʃi'mẽntu] *m* compartment; *(de casa)* room.

compartir [kõmpax'tʃi(x)] *vt* to share.

compasso [kõm'pasu] *m* compass; MÚS time.

compatível [kõmpa'tʃivɛw] (*pl* **-eis** [-ejʃ]) *adj* compatible; **compatível com** compatible with.

compatriota [kõmpatrj'ɔta] *mf* compatriot.

compensação [kõmpẽsa'sãw] (*pl* **-ões** [-õjʃ]) *f* compensation; *(vantagem)* advantage.

compensar [kõmpẽ'sa(x)] *vt* to compensate; *(recompensar)* to make up for; **não compensa o esforço** it isn't worth the effort.

competência [kõmpe'tẽsja] *f* competence; *(responsabilidade)* responsibility.

competente [kõmpe'tẽntʃi] *adj* competent.

competição [kõmpetʃi'sãw] (*pl* **-ões** [-õjʃ]) *f* competition.

competir [kõmpe'tʃi(x)] *vi* to compete; **competir com** *(rivalizar com)* to compete with.

competitivo, va [kõmpetʃi'tʃivu, va] *adj* competitive.

complementar [kõmplemẽn'ta(x)] (*pl* **-res** [-riʃ]) *adj* complementary.

complemento [kõmple'mẽntu] *m* complement; *(em trem)* supplement.

completamente [kõm,pleta'mẽntʃi] *adv* completely.

completar [kõmple'ta(x)] *vt (preencher)* to fill in; *(terminar)* to complete.

completo, ta [kõm'plɛtu, ta] *adj* completed; *(cheio)* full; *(inteiro)* complete.

complexo, xa [kõm'plɛksu, ksa] *adj & m* complex; **complexo de vitaminas** multivitamin.

complicação [kõmplika'sãw] (*pl* **-ões** [-õjʃ]) *f* complication.

complicado, da [kõmpli'kadu, da] *adj* complicated.

complicar [kõmpli'ka(x)] *vt* to complicate.
❑ **complicar-se** *vp* to become complicated.

compor [kõm'po(x)] *vt (música, poema)* to compose; *(consertar)* to repair; *(arrumar)* to straighten up; *(fazer parte de)* to make up.
❑ **compor-se** *vp (arranjar-se)* to clean o.s. up.
❑ **compor-se de** *vp + prep (ser formado por)* to be made up of.

comportamento [kõmpoxta'mẽntu] *m* behavior.

comportar [kõmpox'ta(x)] *vt (conter em si)* to hold; *(admitir)* to permit.
❑ **comportar-se** *vp* to behave.

composição [kõmpozi'sãw] (*pl* **-ões** [-õjʃ]) *f* composition; EDUC essay.

compositor, ra [kõmpozi'to(x), ra] (*mpl* **-res** [-riʃ], *fpl* **-s** [-ʃ]) *m, f* MÚS composer.

composto, osta [kõm'poʃtu, ɔʃta] **1** *m* GRAM compound.
2 *adj*: **ser composto por** to be composed of.

compostura [kõmpoʃ'tura] *f* composure; *(boa educação)* manners *pl*; **perder a compostura** to lose one's composure.

compra ['kõmpra] *f* purchase; **ir às** ou **fazer compras** to go shopping.

comprar [kõm'pra(x)] *vt* to buy.

compreender [kõmprjẽn'de(x)] *vt* to understand; *(incluir)* to comprise.

compreensão [kõmprjẽ'sãw] *f* understanding.

compreensivo, va [kõmprjẽ'sivu, va] *adj* understanding.

> Embora 'compreensivo' e ***comprehensive*** se pareçam, seus significados são bem diferentes. Por exemplo, eu sempre a considerei uma pessoa compreensiva equivale a ***I have always thought she was an understanding person***. Todavia, a sentença ***it was the most comprehensive glossary on the subject*** deve ser traduzida por era o glossário mais completo sobre o assunto.

comprido, da [kõm'pridu, da] *adj* long; **deitar-se ao comprido** to lie down flat.

comprimento [kõmpri'mẽntu] *m* length; **tem 5 metros de comprimento** it's 5 meters long.

comprimido, da [kõmpri'midu, da] **1** *adj* compressed.
2 *m* pill.
3 comprimido para dormir sleeping pill; **comprimido para a dor** painkiller.

comprimir [kõmpri'mi(x)] *vt (apertar)* to squeeze; *(reduzir de volume)* to compress.

comprometer [kõmprome'te(x)] *vt* to compromise.
❑ **comprometer-se** *vp* to compromise o.s.; **comprometer-se a fazer algo** to commit o.s. to doing sthg.

compromisso [kõmpro'misu] *m (obrigação)* commitment; *(acordo)* agreement; **tenho um compromisso** I've got a prior engagement.

comprovação [kõmprova'sãw] (*pl* **-ões** [-õjʃ]) *f* proof.

comprovar [kõmpro'va(x)] *vt* to prove.

computador [kõmputa'do(x)] (*pl* **-res** [-riʃ]) *m* computer; **computador pessoal** personal computer.

comum [ko'mũ] (*pl* **-ns** [-ʃ]) *adj (freqüente)* common; *(vulgar)* ordinary; *(partilhado)* shared.

comunhão [komu'ɲãw] (*pl* **-ões** [-õjʃ]) *f* RELIG Communion; **comunhão de bens** joint ownership *(in marriage).*

comunicação [komunika'sãw] (*pl* **-ões** [-õjʃ]) *f* communication; *(comunicado)* announcement.

comunicado [komuni'kadu] *m* communiqué.

comunicar [komuni'ka(x)] **1** *vt* to communicate; *(mensagem)* to pass on.
2 *vi* to communicate.
3 comunicar a alguém algo to inform sb of sthg; **comunicar com** to communicate with.

comunidade [komuni'dadʒi] *f* community.

comuns → **comum.**

conceber [kõse'be(x)] *vt (filho)* to conceive; *(plano, sistema)* to think up.

conceder [kõse'de(x)] *vt (dar)* to give; *(prêmio, bolsa)* to award.

conceito [kõ'sejtu] *m* concept.

conceituado, da [kõsej'twadu, da] *adj* respected.

concentração [kõsẽntra'sãw] (*pl* **-ões** [-õjʃ]) *f* concentration; *(de pessoas)* gathering.

concentrar [kõsẽn'tra(x)] *vt (atenção, esforços)* to concentrate; *(reunir)* to bring together.
❑ **concentrar-se** *vp* to concentrate; **concentrar-se em** *(estudo, trabalho)* to concentrate on; *(lugar)* to group together in.

concepção [kõsep'sãw] (*pl* **-ões** [-õjʃ]) *f* concept; *(de filho)* conception.

concerto [kõ'sextu] *m* concert.

concessionária [kõsesjo'narja] *f* licensed dealer; **concessionária de automóveis** car dealer.

concha ['kõʃa] *f* shell; *(de sopa)* ladle.

conciliar [kõsi'lja(x)] *vt* to reconcile.

concluir [kõŋklu'i(x)] *vt* to conclude; *(acabar)* to finish.

conclusão [kõŋklu'zãw] (*pl* **-ões** [-õjʃ]) *f* conclusion; **em conclusão** in conclusion.

concordância [kõŋkox'dãsja] *f* agreement; **em concordância com** in accordance with.

concordar [kõŋkox'da(x)] *vi* to agree; **concordar com** to agree with; **concordar em fazer algo** to agree to do sthg.

concorrência [kõŋko'xẽsja] *f* competition.

concorrente [kõŋko'xẽntʃi] **1** *adj (equipe)* opposing; *(produto, empresa)* rival.
2 *mf (em concurso, competição)* contestant; *(em disputa)* rival.

concorrer [kõŋko'xe(x)] *vi* to compete; **concorrer a algo** *(emprego, posição)* to apply for sthg.

concretizar [kõŋkreti'za(x)] *vt* to realize.

concreto, ta [kõŋ'krɛtu, ta] *adj & m* concrete.

concurso [kõŋ'kuxsu] *m (de televisão)* game show; *(de rádio)* contest; *(de música, literatura)* competition; *(para emprego)* open competition.

condenação [kõndena'sãw] (*pl* **-ões** [-õjʃ]) *f* condemnation; JUR *(sentença)* sentence.

condenar [kõnde'na(x)] *vt* to condemn; JUR *(sentenciar)* to sentence.

condensação [kõndẽsa'sãw] *f* condensation.

condensar [kõndẽ'sa(x)] *vt* to condense.

condescender [kõndesẽn'de(x)] *vi* to agree; **condescender em fazer algo** to agree to do sthg.

condição [kõndʒi'sãw] (*pl* **-ões** [-õjʃ]) *f* condition; *(classe social)* status; **estar em boas/más condições** to be in good/bad condition.

condicionado, da [kõndʒisjo'nadu, da] *adj* restricted.

condicional [kõndʒisjo'naw] *m* GRAM: **o condicional** the conditional.

condicionar [kõndʒisjo'na(x)] *vt* to restrict.

condições → **condição.**

condimentar [kõndʒimẽn'ta(x)] *vt* to season.

condimento [kõndʒi'mẽntu] *m* seasoning.

condizer [kõndʒi'ze(x)] *vi* to go together; **condizer com** to go with.

condolências [kõndo'lẽsjaʃ] *fpl* condolences; **as minhas condolências** my condolences.

condomínio [kõndo'minju] *m* service charge.

condômino, na [kõn'dominu, na] *m, f* proprietor *(in a block of flats).*

condução [kõndu'sãw] *f (de governo)* running; *(transporte)* transportation; **tomar uma condução para** to catch a bus somewhere.

conduta [kõn'duta] *f (comportamento)* behavior; **boa/má conduta** good/bad behavior.

conduto [kõn'dutu] *m (tubo)* tube; *(cano)* pipe; *(de canalização)* channel.

condutor, ra [kõndu'to(x), ra] (*mpl* **-res** [-riʃ], *fpl* **-s** [-ʃ]) **1** *m, f* driver.
2 *adj* conductive.

conduzir [kõndu'zi(x)] *vt (administrar)* to run.

cone ['kɔni] *m* cone.

conectar [konek'ta(x)] *vi INFORM* to log on.

conexão [konek'sãw] (*pl* **-ões** [-õjʃ]) *f* connection.

confecção [kõfɛk'sãw] (*pl* **-ões** [-õjʃ]) *f (fábrica)* garment factory; *(de peça de vestuário)* making; *(de prato culinário)* preparation.

confeccionar [kõfɛksjo'na(x)] *vt* to make.

confecções → **confecção.**

confeitaria [kõfejta'ria] *f* candy store *Am*, sweet shop *Brit*.

conferência [kõfe'rẽsja] *f* conference.

conferir [kõfe'ri(x)] **1** *vt* to check.
2 *vi (estar exato)* to be correct.

confessar [kõfe'sa(x)] *vt* to confess.
❑ **confessar-se** *vp* to confess.

confiança [kõ'fjãsa] *f (fé)* trust; *(segurança)* confidence; *(familiaridade)* familiarity; **ter confiança em** to trust; **ser de confiança** to be reliable.

confiar [kõfi'a(x)] *vt*: **confiar algo a alguém** *(segredo)* to tell sb sthg in confidence; **confiar alguém a alguém** to leave sb in sb's care.
❑ **confiar em** *v + prep (pessoa)* to trust; *(futuro, resultado)* to have faith in.

confidência [kõfi'dẽsja] *f* confidence.

confidencial [kõfidẽ'sjaw] (*pl* **-ais** [-ajʃ]) *adj* confidential.

confirmação [kõfixma'sãw] (*pl* **-ões** [-õjʃ]) *f* confirmation.

confirmar [kõfix'ma(x)] *vt* to confirm.
❑ **confirmar-se** *vp* to come true.

confiscar [kõfiʃ'ka(x)] *vt* to confiscate.

conflito [kõ'flitu] *m* conflict; *(desavença)* argument.

conformar-se [kõfox'maxsi] *vp (resignar-se)* to resign o.s.; **conformar-se com** to resign o.s. to.

conforme [kõ'fɔxmi] **1** *conj* as.
2 *prep (dependendo de como)* depending on; *(de acordo com)* according to.

conformidade [kõfoxmi'dadʒi] *f* conformity; **em conformidade com** in accordance with.

confortar [kõfox'ta(x)] *vt* to comfort.

confortável [kõfox'tavɛw] (*pl* **-eis** [-ejʃ]) *adj* comfortable.

conforto [kõ'foxtu] *m* comfort.

confrontar [kõfrõn'ta(x)] *vt* to confront; *(comparar)* to compare.
❑ **confrontar-se** *vp* to come face to face; **confrontar-se com** *(deparar com)* to be confronted with.

confronto [kõ'frõntu] *m* confrontation; *(comparação)* comparison.

confundir [kõfũn'di(x)] *vt (pessoa)* to confuse; *(rua, significado)* to mistake; *(números)* to mix up.
❑ **confundir-se** *vp (enganar-se)* to make a mistake; **confundir-se com** *(ser muito parecido com)* to be taken for.

confusão [kõfu'zãw] (*pl* **-ões** [-õjʃ]) *f* confusion; *(tumulto)* commotion; **armar confusão** to cause trouble; **fazer confusão** to get mixed up.

confuso, sa [kõ'fuzu, za] *adj (desordenado)* mixed up; *(obscuro)* confusing; *(confundido)* confused.

confusões → **confusão.**

congelado, da [kõʒe'ladu, da] *adj* frozen.

congelar [kõʒe'la(x)] *vt & vi* to freeze.

congestão [kõʒeʃ'tãw] (*pl* **-ões** [-õjʃ]) *f* congestion.

congestionamento [kõʒeʃtʃjona'mẽntu] *m (de trânsito)* congestion.

congestionar [kõʒeʃtʃjo'na(x)] *vt (trânsito)* to block.

congestões → **congestão.**

congratular [kõŋgratu'la(x)] *vt* to congratulate.

congresso [kõŋ'grɛsu] *m* congress.

conhecedor, ra [koɲese'do(x), ra] (*mpl* **-res** [-riʃ], *fpl* **-s** [-ʃ]) *m, f*: **ser conhecedor de** to be an authority on.

conhecer [koɲe'se(x)] *vt* to know; *(ser apresentado a)* to meet; *(reconhecer)* to recognize.

conhecido, da [koɲe'sidu, da] **1** *adj* well-known.
2 *m, f* acquaintance.

conhecimento [koɲesi'mẽntu] *m* knowl-

edge; *(experiência)* experience; **dar conhecimento de algo a alguém** to inform sb of sthg; **tomar conhecimento de algo** to find out about sthg; **é do conhecimento de todos** it is common knowledge.
❑ **conhecimentos** *mpl* contacts; *(cultura)* knowledge *sg*; **(ele) é uma pessoa com conhecimentos** he is a knowledgeable ou cultured person.

conjugado [kõʒu'gadu] *m* studio apartment.

cônjuge ['kõʒuʒi] *mf* spouse.

conjunção [kõʒũ'sãw] (*pl* **-ões** [-õjʃ]) *f* GRAM conjunction; *(união)* union.

conjuntivite [kõʒũntʃi'vitʃi] *f* conjunctivitis.

conjunto [kõ'ʒũntu] *m* set; *(de rock)* band; *(de roupa)* outfit.

conosco [ko'noʃku] *pron* with us.

conquanto [kõŋ'kwãntu] *conj* even though.

conquista [kõŋ'kiʃta] *f* conquest.

conquistar [kõŋkiʃ'ta(x)] *vt* to conquer; *(posição, trabalho)* to get; *(seduzir)* to win over.

consciência [kõʃ'sjẽsja] *f* conscience; *(conhecimento)* awareness; **má consciência** heavy conscience; **ter consciência de algo** to be aware of sthg; **ter a consciência pesada** to have a guilty conscience; **tomar consciência de algo** to become aware of sthg.

consciente [kõʃ'sjẽntʃi] **1** *adj (acordado)* conscious; *(responsável)* aware; **estar consciente de algo** to be aware of sthg. **2** *m*: **o consciente** the conscious mind.

conseguinte [kõse'gĩntʃi]: **por conseguinte** *adv* consequently.

conseguir [kõse'gi(x)] *vt* to get; **conseguir fazer algo** to manage to do sthg.

conselho [kõ'seʎu] *m* piece of advice; *(órgão coletivo)* council; **dar conselhos** to give advice.

consenso [kõ'sẽsu] *m* consensus.

consentimento [kõsẽntʃi'mẽntu] *m* consent.

consentir [kõsẽn'ti(x)] *vt* to consent to.

conseqüência [kõse'kwẽsja] *f* consequence; **em conseqüência** as a consequence.

consertar [kõsex'ta(x)] *vt* to repair, to fix.

conserto [kõ'sextu] *m* repair.

conserva [kõ'sɛrva] *f*: **em conserva** canned, tinned.
❑ **conservas** *fpl* canned food *sg*.

conservação [kõsexva'sãw] *f* conservation; *(de alimento)* preservation.

conservante [kõser'vãtʃi] *m* preservative; **'sem conservantes'** 'without preservatives'.

conservar [kõsex'va(x)] *vt* to preserve.

consideração [kõsidera'sãw] (*pl* **-ões** [-õjʃ]) *f* consideration; *(crítica)* point; **falta de consideração (por)** lack of consideration (for); **levar algo em consideração** to take sthg into consideration.

considerar [kõside'ra(x)] *vt* to consider; **considerar que** to consider (that).
❑ **considerar-se** *vp*: **ele considera-se o maior** he thinks he's the best.

considerável [kõside'ravɛw] (*pl* **-eis** [-ejʃ]) *adj* considerable; *(feito, conquista)* significant.

consigo [kõ'sigu] *pron (com ele)* with him; *(com ela)* with her; *(com você)* with you; *(com eles, elas)* with them; *(relativo a coisa, animal)* with it; **ela estava falando consigo própria** she was talking to herself.

consistência [kõsiʃ'tẽsja] *f* consistency; *(de objeto, madeira)* solidity.

consistente [kõsiʃ'tẽntʃi] *adj (coerente)* consistent; *(espesso)* thick; *(sólido)* solid.

consistir [kõsiʃ'ti(x)]: **consistir em** *v + prep (ser composto por)* to consist of; *(basear-se em)* to consist in.

consoante [kõ'swãntʃi] **1** *f* consonant. **2** *prep (dependendo de)* depending on; *(conforme)* according to.

consolar [kõso'la(x)] *vt* to console.
❑ **consolar-se** *vp* to console o.s.

constante [kõʃ'tãntʃi] *adj* constant.

constar [kõʃ'ta(x)] *v impess*: **consta que ...** it is said that ...
❑ **constar de** *v + prep (consistir em)* to consist of; *(figurar em)* to appear in.

constatar [kõʃta'ta(x)] *vt*: **constatar que** *(notar que)* to realize (that).

consternado, da [kõʃter'nadu, da] *adj* distraught.

constipação [kõʃtʃipa'sãw] (*pl* **-ões** [-õjʃ]) *f (prisão de ventre)* constipation.

constipado, da [kõʃtʃi'padu, da] *adj*: **estar constipado** *(ter prisão de ventre)* to be constipated; *(resfriado)* to have a cold.

> Cuidado para não confundir ***constipated*** em inglês com 'constipado' em português. Em português, 'constipado' pode referir-se tanto a resfriado como à prisão de ventre, mas em inglês apenas à prisão de ventre.

constituição [kõʃtʃitwi'sãw] (*pl* **-ões** [-õjʃ]) *f* constitution.

constituir [kõʃtʃi'twi(x)] *vt (formar)* to set up; *(representar)* to constitute.

constranger [kõʃtrã'ʒe(x)] *vt (embaraçar)* to embarrass; *(obrigar)* to force.
❑ **constranger-se** *vp (embaraçar-se)* to be embarrassed.

constrangimento [kõʃtrãʒi'mẽntu] *m (embaraço)* embarrassment; *(obrigação)* constraint.

construção [kõʃtru'sãw] (*pl* **-ões** [-õjʃ]) *f* construction.

construir [kõʃtru'i(x)] *vt* to build; *(frase)* to construct.

construtivo, va [kõʃtru'tivu, va] *adj* constructive.

cônsul ['kõsuw] (*pl* **-es** [-iʃ]) *mf* consul.

consulado [kõsu'ladu] *m* consulate.

cônsules → **cônsul.**

consulta [kõ'suwta] *f (com médico)* appointment; *(de texto, dicionário)* consultation.

consultar [kõsuw'ta(x)] **1** *vi (médico)* to have office hours.
2 *vt* to consult.

consultoria [kõsuwto'ria] *f* consultancy.

consultório [kõsuw'tɔrju] *m (de médico)* doctor's office; **consultório dental** dental practice; **consultório sentimental** *(em revista)* advice column.

consumidor, ra [kõsumi'do(x), ra] (*mpl* **-res** [-riʃ], *fpl* **-s** [-ʃ]) *m, f* consumer.

consumir [kõsu'mi(x)] *vt & vi* to consume.

consumo [kõ'sumu] *m* consumption.

conta ['kõnta] *f (cálculo)* calculation; *(de restaurante, café etc.)* check *Am*, bill *Brit*; *(fatura)* bill; *(de banco)* account; *(de colar)* bead; **a conta, por favor** could I have the check, please?; **o jantar é por minha conta** dinner's on me; **abrir uma conta** to open an account; **dar-se conta de que** to realize (that); **fazer de conta que** to pretend (that); **levar em conta** to take into account; **tomar conta de** to take care of; **conta bancária** bank account; **conta corrente** checking account; **conta de poupança** savings account; **vezes sem conta** countless times; **isso não é da sua conta!** it's none of your business!

contabilidade [kõntabili'dadʒi] *f* accountancy; *(departamento)* accounts department.

contador, ra [kõnta'do(x), ra] (*mpl* **-res** [-iʃ], *fpl* **-s** [-ʃ]) *m, f (profissional)* accountant; *(medidor)* meter; **contador de estórias** storyteller.

contagem [kõn'taʒẽ] (*pl* **-ns** [-ʃ]) *f (de gasto de água, de luz etc.)* meter-reading; *(de votos, bilhetes etc.)* count.

contagioso, osa [kõnta'ʒjozu, ɔza] *adj* contagious, infectious.

conta-gotas [ˌkõnta'gotaʃ] *m inv* dropper.

contaminar [kõntami'na(x)] *vt* to contaminate.

contar [kõn'ta(x)] **1** *vt* to count; *(narrar, explicar)* to tell.
2 *vi (calcular)* to count.
3 contar algo a alguém to tell sb sthg; **contar fazer algo** *(tencionar)* to expect to do sthg; **contar com** to count on.

contatar [kõnta'ta(x)] to contact.

contato [kõn'tatu] *m* contact; *(de motor)* ignition; **entrar em contato com** *(contatar)* to get in touch with.

contemplar [kõntẽm'pla(x)] *vt* to contemplate; **contemplar alguém com algo** to give sb sthg.

contemporâneo, nea [kõntẽmpo'ranju, nja] *adj & m, f* contemporary.

contentamento [kõntẽnta'mẽntu] *m* contentment.

contentar [kõntẽn'ta(x)] *vt* to keep happy.
❑ **contentar a** *v + prep* to please.
❑ **contentar-se com** *vp + prep* to content o.s. with.

contente [kõn'tẽntʃi] *adj* happy.

conter [kõn'te(x)] *vt (ter)* to contain; *(refrear)* to hold back.
❑ **conter-se** *vp* to restrain o.s.

contestação [kõnteʃta'sãw] (*pl* **-ões** [-õjʃ]) *f (resposta)* answer; *(polêmica)* controversy.

contestar [kõnteʃ'ta(x)] *vt (refutar)* to dispute; *(replicar)* to answer.

conteúdo [kõn'tjudu] *m (de recipiente)* contents *pl*; *(de carta, texto)* content.

contexto [kõn'teʃtu] *m* context.

contigo [kõn'tigu] *pron* with you.

continente [kõntʃi'nẽntʃi] *m* continent.

continuação [kõntʃinwa'sãw] (*pl* **-ões** [-õjʃ]) *f* continuation.

continuamente [kõn,tʃinwa'mẽntʃi] *adv (sem interrupção)* continuously; *(repetidamente)* continually.

continuar [kõntʃi'nwa(x)] **1** *vt* to continue.
2 *vi* to carry on.
3 continuar a fazer algo to continue doing sthg; **continuar com algo** to carry on with sthg.

contínuo, nua [kõn'tʃinwu, nwa] **1** *adj (sem interrupção)* continuous; *(repetido)* continual.
2 *m, f* caretaker.

conto ['kõntu] *m (história)* story; *(literário)* short story; **conto de fadas** fairy tale.

conto-do-vigário ['kõntudovi'garju] *m* confidence trick; **cair no conto-do-vigário** to fall for a confidence trick.

contornar [kõntox'na(x)] *vt (edifício, muro etc.)* to go around; *(problema, situação)* to get around.

contra ['kõntra] **1** *prep* against.
2 *m*: **pesar** ou **ver os prós e os contras** to weigh up the pros and the cons.

contrabando [kõntra'bãndu] *m (de mercadorias)* smuggling; *(mercadoria)* contraband.

contracepção [,kõntrasɛp'sãw] *f* contraception.

contraceptivo, va [,kõntrasɛp'tʃivu, va] *adj & m* contraceptive.

contradição [,kõntradʒi'sãw] (*pl* **-ões** [-õjʃ]) *f* contradiction.

contradizer [,kõntradʒi'ze(x)] *vt* to contradict.

contrafilé [kõntrafi'lɛ] *m* rump steak.

contra-indicação [,kõntraĩndʒika'sãw] (*pl* **-ões** [-õjʃ]) *f (de medicamento)* warning label; **'sem contra-indicações'** 'no restrictions on use'.

contrair [kõntra'i(x)] *vt (doença)* to catch, to contract; *(dívida)* to run up; *(vício, hábito)* to acquire; **contrair matrimônio** to get married.

contramão [kõntra'mãw] *f (de rua, estrada)* the wrong way on a road; **ir pela contramão** to drive the wrong way down a road.

contrapartida [,kõntrapar'tʃida] *f* compensation; **em contrapartida** on the other hand.

contrariar [kõntrari'a(x)] *vt (contradizer)* to contradict; *(aborrecer)* to annoy.

contrariedade [kõntrarje'dadʒi] *f (aborrecimento)* annoyance.

contrário, ria [kõn'trarju, rja] **1** *adj (oposto)* opposite; *(adversário)* opposing.
2 *m*: **o contrário** the opposite.
3 ser contrário a algo to be against sthg; **do contrário** otherwise; **pelo contrário** (quite) the contrary; **em sentido contrário** in the opposite direction.

contra-senso [,kõntra'sẽsu] *m (absurdo)* nonsense.

contrastar [kõntraʃ'ta(x)] *vt & vi* to contrast; **contrastar com** to contrast with.

contraste [kõn'traʃtʃi] *m* contrast; **em contraste com** in contrast with.

contratar [kõntra'ta(x)] *vt* to hire.

contratempo [,kõntra'tẽmpu] *m* setback.

contrato [kõn'tratu] *m* contract.

contribuinte [kõntri'bwĩntʃi] *mf* taxpayer.

contribuir [kõntri'bwi(x)] *vi* to contribute; **contribuir com algo** to contribute sthg; **contribuir para algo** to contribute toward sthg.

controlar [kõntro'la(x)] *vt* to control.
❑ **controlar-se** *vp* to control o.s.

controle [kõn'troli] *m* control; **controle remoto** remote control.

controvérsia [kõntro'vɛrsja] *f* controversy.

controverso, sa [kõntro'vɛrsu, sa] *adj* controversial.

contudo [kõn'tudu] *conj* however.

contusão [kõntu'zãw] (*pl* **-ões** [-õjʃ]) *f* bruise.

convalescença [kõvaleʃ'sẽsa] *f* convalescence.

convenção [kõvẽ'sãw] (*pl* **-ões** [-õjʃ]) *f* convention.

convencer [kõvẽ'se(x)] *vt* to convince; **convencer alguém a fazer algo** to persuade sb to do sthg; **convencer alguém de algo** to convince sb of sthg; **convencer alguém de que** to convince sb (that).
❑ **convencer-se** *vp* to be convinced; **convencer-se de que** to become convinced (that).

convencido, da [kõvẽ'sidu, da] *adj* conceited.

convencional [kõvẽsjo'naw] (*pl* **-ais** [-ajʃ]) *adj* conventional.

convenções → **convenção.**

conveniência [kõve'njẽsja] *f* convenience; **por conveniência** for the sake of convenience.

conveniente [kõve'njẽntʃi] *adj* convenient.

convento [kõ'vẽntu] *m* convent.

conversa [kõ'vɛxsa] *f* conversation; **conversa fiada** chitchat; **não cair na conversa** not to be taken in.

conversar [kõvex'sa(x)] *vi* to talk; **conversar com** to talk to.

conversível [kõvex'sivew] (*pl* **-eis** [-ejʃ]) *m* *(carro)* convertible.

converter [kõvex'te(x)] *vt* *(transformar)*: **converter algo/alguém em** to convert sthg/sb into.

❑ **converter-se** *vp* to convert; **converter-se a** to convert to; **converter-se em** to turn into.

convés [kõ'vɛʃ] (*pl* **-eses** [-ɛziʃ]) *m* deck.

convidado, da [kõvi'dadu, da] **1** *adj* guest *(antes de s).*

2 *m, f* guest.

convidar [kõvi'da(x)] *vt* to invite.

convir [kõ'vi(x)] *vi* *(ser útil)* to be a good idea; *(ser adequado)* to be suitable; **é de convir que** admittedly.

convite [kõ'vitʃi] *m* invitation.

convivência [kõvi'vẽsja] *f* *(vida em comum)* living together; *(familiaridade)* familiarity.

conviver [kõvi've(x)]: **conviver com** *v + prep* *(ter convivência com)* to live with; *(amigos, colegas)* to socialize with.

convívio [kõ'vivju] *m* *(convivência)* contact; *(festa)* social gathering.

convocar [kõvo'ka(x)] *vt* to summon; **convocar alguém para algo** to summon sb to sthg.

convosco [kõ'voʃku] *pron* with you.

cooperação [kwopera'sãw] (*pl* **-ões** [-õjʃ]) *f* cooperation.

cooperar [kwope'ra(x)] *vi* to cooperate.

coordenar [kworde'na(x)] *vt* to coordinate.

copa ['kɔpa] *f* *(divisão de casa)* pantry; *(de árvore)* top; *(de chapéu)* crown; *(torneio esportivo)* cup.

❑ **copas** *fpl* *(naipe de cartas)* hearts.

cópia ['kɔpja] *f* copy.

copiar [ko'pja(x)] *vt* to copy.

copo ['kɔpu] *m* glass; **ser um bom copo** to be able to hold one's drink.

coqueiro [ko'kejru] *m* coconut palm.

coquetel [koke'tɛw] (*pl* **-éis** [-ɛiʃ]) *m* cocktail.

cor[1] ['kɔ(x)]: **de cor** *adv*: **aprender/saber algo de cor** to learn/know sthg by heart; **saber algo de cor e salteado** to know sthg through and through.

cor[2] ['ko(x)] (*pl* **-res** [-riʃ]) *f* color; **mudar de cor** to change color; **perder a cor** to fade.

coração [kora'sãw] (*pl* **-ões** [-õjʃ]) *m* heart; **ter bom coração** to be kind-hearted.

corado, da [ko'radu, da] *adj* *(pessoa)* red, flushed; *(frango, assado etc.)* brown.

coragem [ko'raʒẽ] **1** *f* courage.

2 *interj* chin up!

corais → **coral.**

corajoso, osa [kora'ʒozu, ɔza] *adj* courageous.

coral [ko'raw] (*pl* **-ais** [-ajʃ]) *m* coral.

corante [ko'rãntʃi] *m* coloring; **'sem corantes nem conservantes'** 'without coloring or preservatives'.

corar [ko'ra(x)] **1** *vi* to blush.

2 *vt* *(frango, assado etc.)* to brown.

Corcovado [koxko'vadu] *m*: **o Corcovado** *the Corcovado mountain in Rio de Janeiro.*

corda ['kɔrda] *f* rope; *(de instrumento musical)* string; *(de relógio, brinquedo)* clockwork; **dar corda a** ou **em** *(relógio, brinquedo)* to wind up; *(fig)* to encourage; **pular corda** to jump rope; **cordas vocais** vocal cords.

cordão [kor'dãw] (*pl* **-ões** [-õjʃ]) *m* *(jóia)* gold chain; **cordão umbilical** umbilical cord.

cordeiro [kor'dejru] *m* lamb.

cordel [kor'dɛw] (*pl* **-éis** [-ɛiʃ]) *m* string.

cor-de-rosa [ˌkordʒi'xɔza] *adj inv* pink.

cordões → **cordão.**

cores → **cor**[2]**.**

coreto [ko'retu] *m* bandstand.

córnea ['kɔxnja] *f* cornea.

corneta [kox'neta] *f* cornet.

coro ['koru] *m* choir; *(de música)* chorus; **em coro** in unison.

coroa [ko'roa] *f* crown; *(de enterro)* wreath.

corpo ['koxpu] *m* body; *(cadáver)* corpse; **corpo de bombeiros** fire department.

correção [koxe'sãw] (*pl* **-ões** [-õjʃ]) *f* correctness; *(de exame, teste)* correction.

correções → **correção.**

corredor, ra [koxe'do(x), ra] (*mpl* **-res** [-riʃ], *fpl* **-s** [-ʃ]) **1** *m, f* runner.
2 *m (de casa)* corridor.

correia [ko'xeja] *f (tira de couro)* strap; **correia da ventoinha** fan belt.

correio [ko'xeju] *m* mail; *(local)* post office; **correio eletrônico** e-mail, electronic mail; **correio expresso** express mail; **pelo correio** by mail.

corrente [ko'xẽntʃi] **1** *adj* current; *(água)* running.
2 *f* current; *(de bicicleta)* chain.
3 corrente alternada alternating current; **corrente de ar** draft.

correr [ko'xe(x)] **1** *vi* to run; *(tempo)* to pass; *(notícia, rumor)* to go around.
2 *vt* to run.
3 correr as cortinas to draw the curtains; **correr perigo** to be in danger; **fazer algo correndo** to do sthg in a rush.

correspondência [koxeʃpõn'dẽsja] *f* correspondence.

correspondente [koxeʃpõn'dẽntʃi] **1** *adj* corresponding.
2 *mf* correspondent.

corresponder [koxeʃpõn'de(x)] *vi* to correspond; *(retribuir)* to reciprocate; **corresponder a** to correspond with.
❑ **corresponder-se** *vp (escrever-se)* to write to each other; **corresponder-se com alguém** to correspond with sb.

corretor, ra [koxe'to(x), ra] (*mpl* **-res** [-riʃ], *fpl* **-s** [-ʃ]) **1** *m, f* broker.
2 *m (fluido)* correction fluid.
3 corretor de imóveis real estate agent *Am*, estate agent *Brit*; **corretor da Bolsa** stockbroker; **corretor de seguros** insurance broker; **corretor ortográfico** spell-checker.

corrida [ko'xida] *f (de velocidade)* race; *(de táxi)* fare; **corrida de automóveis** rally.

corrigir [koxi'ʒi(x)] *vt* to correct.
❑ **corrigir-se** *vp* to mend one's ways.

corrimão [koxi'mãw] (*pl* **-s** [-ʃ]) *m (de escada)* handrail, banister; *(de varanda)* railing.

corrimento [koxi'mẽntu] *m (de vagina)* discharge.

corroborar [koxobo'ra(x)] *vt* to corroborate.

corromper [koxõm'pe(x)] *vt* to corrupt; *(subornar)* to bribe.

corrupção [koxup'sãw] (*pl* **-ões** [-õjʃ]) *f* corruption; **corrupção de menores** JUR corruption of minors.

corrupto, ta [ko'xuptu, ta] *adj* corrupt.

cortar [kox'ta(x)] **1** *vt* to cut; *(carne assada)* to carve; *(gás, eletricidade)* to cut off; *(rua, estrada)* to block off.
2 *vi* to be sharp.
3 cortar relações (com alguém) to break up (with sb).
❑ **cortar-se** *vp* to cut o.s.

corte ['kɔxtʃi] *m* cut; **corte de cabelo** haircut.

cortejo [kox'teʒu] *m* procession; **cortejo fúnebre** funeral procession.

cortesia [koxte'zia] *f* courtesy.

cortiça [kox'tʃisa] *f* cork.

cortiço [kox'tʃisu] *m* slum tenement.

cortina [kox'tʃina] *f* curtain.

cortinados [koxtʃi'naduʃ] *mpl* curtains.

coruja [ko'ruʒa] *f* owl.

corvina [kox'vina] *f* bream.

corvo ['koxvu] *m* crow.

coser [ko'ze(x)] *vt & vi* to sew.

costa ['kɔʃta] *f* coast; *(de montanha)* slope; **dar à costa** to wash ashore.
❑ **costas** *fpl* back *sg*; **dar as costas para algo/alguém** to turn your back on sthg/sb.

costela [koʃ'tɛla] *f* rib.

costeleta [koʃte'leta] *f (de porco, carneiro)* chop; *(de vitela)* cutlet.

costumar [koʃtu'ma(x)] **1** *vt*: **costumar fazer algo** to usually do sthg; **ela costuma chegar na hora** she usually arrives on time.
2 *v impess*: **costuma chover muito** it tends to rain a lot.

costume [koʃ'tumi] *m (hábito)* habit; *(uso social)* custom; **como de costume** as usual; **por costume** usually.

> Não confundir ***costume (habit)*** com o inglês ***costume*** que em português ***significa roupa, traje, fantasia***. (***Ela tem alguns costumes que eu realmente acho irritantes.*** She has some ***habits*** that I find really irritating.)

costura [koʃ'tura] *f (atividade)* sewing; *(de peça de roupa)* seam.

costurar [koʃtu'ra(x)] *vt (roupa)* to sew (up).

cotação [kota'sãw] (*pl* **-ões** [-õjʃ]) *f (de mercadoria, título)* quoted price; **cotação bancária** interest rate.

cotidiano [kotʃi'dʒjanu] **1** *adj* daily.
2 *m* everyday life.

cotonetes [koto'nɛtiʃ] *mpl* cotton swabs.

cotovelada [kotove'lada] *f* poke with the elbow; **dar uma cotovelada em alguém** to elbow sb.

cotovelo [koto'velu] *m* elbow.

coube ['kobi] → **caber.**

couchette [ko'ʃɛtʃi] *f* sleeping berth.

couro ['koru] *m* leather; **couro cabeludo** scalp.

couve ['kovi] *f* spring greens *pl*; **couve à mineira** *chopped spring greens lightly fried in butter and garlic*; **couve portuguesa** kale.

couve-flor [ˌkove'flo(x)] (*pl* **couves-flores** [ˌkoveʃ'floreʃ]) *f* cauliflower.

couvert [ku'vɛ(x)] *m* cover charge.

cova ['kɔva] *f* pit; *(sepultura)* grave.

covarde [ko'vaxdʒi] **1** *adj* cowardly.
2 *m* coward.

covardia [kovax'dʒia] *f* cowardice.

coxa ['koʃa] *f* thigh; **coxa de galinha** chicken leg.

coxia [ko'ʃia] *f* aisle.

coxo, xa ['koʃu, ʃa] *adj* lame.

cozer [ko'ze(x)] *vt* to boil; *(bolo, torta, empada)* to bake.

cozido, da [ko'zidu, da] *adj* boiled; *(bolo, torta, empada)* baked.

cozinha [ko'ziɲa] *f* kitchen; *(arte)* cookery.

cozinhar [kozi'ɲa(x)] *vt & vi* to cook.

cozinheiro, ra [kozi'ɲejru, ra] *m, f* cook.

crachá [kra'ʃa] *m* badge.

crânio ['kranju] *m* skull.

craque ['kraki] *mf* expert.

cratera [kra'tɛra] *f* crater.

cravar [kra'va(x)] *vt*: **cravar algo em algo** *(unhas)* to dig sthg into sthg; *(dentes, faca)* to sink sthg into sthg; **cravar os olhos em** to stare at.

cravo ['kravu] *m (flor)* carnation; *(instrumento)* harpsichord; *(em rosto)* blackhead; *(especiaria)* clove.

creche ['krɛʃi] *f* crèche.

crediário [kre'dʒjarju] *m* installment plan *Am*, hire purchase *Brit*; **abrir um crediário** to start a payment plan.

crédito ['krɛdʒitu] *m* credit; **comprar/vender a crédito** to buy/sell on credit.

credor, ra [kre'do(x), ra] (*mpl* **-res** [-riʃ], *fpl* **-s** [-ʃ]) *m, f* creditor.

cremar [kre'ma(x)] *vt* to cremate.

crematório [krema'tɔrju] *m* crematorium.

creme ['krɛmi] *m* cream; *(licor)* cream liqueur; **creme de barbear** shaving cream; **creme hidratante** moisturizer; **creme de leite** cream; **creme de limpeza** cleanser; **creme de noite** cold cream; **creme rinse** conditioner.

cremoso, osa [kre'mozu, ɔza] *adj* creamy.

crença ['krẽsa] *f* belief.

crente ['krẽntʃi] *mf* believer.

crepe ['krɛpi] *m (tecido)* seersucker; *(panqueca)* pancake.

crepúsculo [kre'puʃkulu] *m (de manhã)* daybreak; *(à noite)* twilight.

crer ['kre(x)] **1** *vi* to believe; *(supor)* to suppose.
2 *vt*: **crer que** *(acreditar)* to believe (that); *(supor)* to suppose (that); **ver para crer** seeing is believing.

crescente [kre'sẽntʃi] **1** *adj* growing.
2 *m (fase da lua)* crescent.

crescer [kre'se(x)] *vi* to grow; *(aumentar)* to rise.

crespo, pa ['kreʃpu, pa] *adj (cabelo)* very curly; *(rugoso)* rough.

cretino, na [kre'tinu, na] *m, f* idiot.

cria ['kria] *f* young.

criado, da [kri'adu, da] *m, f* servant.

criador, ra [kria'do(x), ra] (*mpl* **-res** [-riʃ], *fpl* **-s** [-ʃ]) *m, f* creator; *(de animais)* breeder.

criança [kri'ãsa] *f* child; **criança de colo** infant; **quando criança** as a child; **ser criança** to be childish.

criar [kri'a(x)] *vt* to create; *(filhos)* to bring up; *(animais)* to raise; **criar caso** to make trouble.
❑ **criar-se** *vp (produzir-se)* to form; *(pessoa)* to grow up.

criatividade [kriatʃivi'dadʒi] *f* creativity.

criativo, va [kria'tʃivu, va] *adj* creative.

criatura [kria'tura] *f* creature.

crime ['krimi] *m* crime.

criminalidade [kriminali'dadʒi] *f* crime.

criminoso, osa [krimi'nozu, ɔza] *m, f* criminal.

crina ['krina] *f* mane.

crise ['krizi] *f* crisis; *(em doença)* attack; *(de nervos, histeria)* fit.

crista ['kriʃta] *f (de ave)* crest; *(de monta-*

nha) ridge; **estar na crista da onda** to be all the rage.

cristã → **cristão.**

cristal [kriʃ'taw] (*pl* **-ais** [-ajʃ]) *m* crystal.

cristão, ã [kriʃ'tãw, ã] *adj & m, f* Christian.

critério [kri'tɛrju] *m* criterion.

crítica ['kritika] *f (de obra, peça, filme)* review; *(censura)* criticism.

criticar [kriti'ka(x)] *vt (obra)* to review; *(pessoa, atitude)* to criticize.

crocante [kro'kãntʃi] *adj* crunchy.

crocodilo [kroko'dilu] *m* crocodile.

crônica ['kronika] *f (de jornal)* (newspaper) column; *(conto)* short story.

crônico, ca ['kroniku, ka] *adj (doença)* chronic.

cronológico, ca [krono'lɔʒiku, ka] *adj* chronological.

cronometrar [kronome'tra(x)] *vt* to time.

cronômetro [kro'nometru] *m* stopwatch.

croquete [kro'kɛtʃi] *m* croquette.

crosta ['kroʃta] *f (de ferida)* scab; *(da Terra)* crust.

cru, crua ['kru, 'krua] *adj (comida)* raw; *(tecido)* unbleached; *(realidade)* harsh.

crucifixo [krusi'fiksu] *m* crucifix.

cruel [kru'ɛw] (*pl* **-éis** [-ɛiʃ]) *adj* cruel.

cruz [kruʃ] (*pl* **-zes** [-ziʃ]) *f* cross; **a Cruz Vermelha** the Red Cross; **cada um carrega a sua cruz** everyone has their own cross to bear.

cruzamento [kruza'mẽntu] *m (em estrada)* crossroads *sg*; *(de raças)* crossbreed.

cruzar [kru'za(x)] *vt* to cross; *(braços)* to fold.

cruzeiro [kru'zejru] *m* cruise; *(antiga unidade monetária)* cruzeiro.

cúbico, ca ['kubiku, ka] *adj* cubic.

cubo ['kubu] *m* cube; **cubo de gelo** ice cube.

cuco ['kuku] *m* cuckoo.

cueca ['kwɛka] *f* underpants *pl.*

cuidado, da [kui'dadu, da] **1** *adj (casa, jardim etc.)* well looked after.
2 *m* care.
3 *interj*: **cuidado!** (be) careful!; **ter cuidado** to take care, to be careful.
4 aos cuidados de alguém in the care of sb; **com cuidado** carefully, with care.

cuidar [kui'da(x)]: **cuidar de** *v + prep* to take care of.
❑ **cuidar-se** *vp* to take care of o.s.

cujo, ja ['kuʒu, ʒa] *pron (de quem)* whose; *(de que)* of which.

culinária [kuli'narja] *f* cookery.

culminar [kuwmi'na(x)]: **culminar em** *v + prep* to culminate in.

culpa ['kuwpa] *f* fault; **ter culpa de algo** to be to blame for sthg; **por culpa de** due to.

culpado, da [kuw'padu, da] *adj* guilty.

cultivar [kuwti'va(x)] *vt* to cultivate.
❑ **cultivar-se** *vp* to educate o.s.

culto, ta ['kuwtu, ta] **1** *adj* well-educated.
2 *m* cult.

cultura [kuw'tura] *f* culture; *(agrícola)* crop; *(conhecimentos)* knowledge.

cultural [kuwtu'raw] (*pl* **-ais** [-ajʃ]) *adj* cultural.

cume ['kumi] *m* summit.

cumplicidade [kũmplisi'dadʒi] *f* complicity.

cumprimentar [kũmprimẽn'ta(x)] *vt* to greet.

cumprimento [kũmpri'mẽntu] *m* greeting; *(de lei, ordem)* observance *(of the law).*
❑ **cumprimentos** *mpl* regards; **Com os cumprimentos de ...** Yours sincerely; **meus cumprimentos a ...** give my regards to ...

cumprir [kũm'pri(x)] **1** *vt (tarefa, ordem, missão)* to carry out; *(promessa)* to keep; *(pena, sentença)* to serve; *(lei)* to obey.
2 *v impess*: **cumprir a alguém fazer algo** *(caber a)* to be sb's turn to do sthg; *(ser o dever de)* to be sb's responsibility to do sthg.

cúmulo ['kumulu] *m* height; **é o cúmulo!** that's the limit!

cunha ['kuɲa] *f* wedge.

cunhado, da [ku'ɲadu, da] *m, f* brother-in-law.

cupom [ku'põ] (*pl* **-ns** [-ʃ]) *m* coupon.

cúpula ['kupula] *f* dome.

cura ['kura] *f* cure; *(de queijo, presunto etc.)* curing.

curar [ku'ra(x)] **1** *vt* to cure.
2 *vi (sarar)* to heal.
❑ **curar-se** *vp* to recover.

curativo [kura'tʃivu] *m* dressing.

curinga [ku'rĩŋga] *m (de jogo de cartas)* joker.

curiosidade [kurjozi'dadʒi] *f* curiosity.

curioso, osa [ku'rjozu, ɔza] **1** *adj* curious.
2 *m, f (bisbilhoteiro)* busybody; *(espectador)* onlooker; *(amador)* amateur.

curral [ku'xaw] (*pl* **-ais** [-ajʃ]) *m* pen.

currículo [ku'xikulu] *m* résumé.

curriculum vitae [kə'rɪkjələm'viːtaɪ] *m* résumé *Am*, curriculum vitae *Brit*.

curso ['kursu] *m* course; *(de universidade)* college course; **ter um curso de algo** *(universitário)* to have a degree in sthg; **curso intensivo** intensive course; **curso superior** (college) degree; **em curso** *(ano, semana etc.)* current; *(em funcionamento)* in operation; *(em andamento)* in progress.

cursor [kux'so(x)] (*pl* **-res** [-riʃ]) *m* INFORM cursor.

curtir [kux'ti(x)] *vt (peles, couros)* to tan; *(desfrutar)* to enjoy.

curto, ta ['kuxtu, ta] *adj* short; **a curto prazo** in the short term.

curva ['kuxva] *f (de estrada, caminho etc.)* bend; *(de corpo)* curve.

curvar [kux'va(x)] *vt* to bend; *(cabeça)* to bow.
❑ **curvar-se** *vp (inclinar-se)* to bend over; *fig (humilhar-se)* to lower o.s.

cuscuz [kuʃ'kuʃ] *m* couscous.

cuspe ['kuʃpi] *m* spit.

cuspir [kuʃ'pi(x)] *vi & vt* to spit.

custa ['kuʃta]: **à custa de** *prep* at the expense of.
❑ **custas** *fpl* JUR costs.

custar [kuʃ'ta(x)] *vt & vi (valer)* to cost; **custa muito a fazer** it's hard to do; **quanto custa?** how much is it?; **custe o que custar** at all costs, at any cost.

custo ['kuʃtu] *m (preço, despesa)* cost; *fig (dificuldade)* difficulty; **custo de vida** cost of living; **a custo** with difficulty.

C.V. *m* (**curriculum vitae**) résumé *Am*, CV *Brit*.

Dd

da [da] = **de + a** → **de.**

dá ['da] → **dar.**

dádiva ['dadiva] *f* donation.

dado, da ['dadu, da] **1** *adj (sociável)* sociable; *(determinado)* given.
2 *m (de jogar)* dice; *(de problema, cálculo)* factor; *(informação)* fact.
3 dado que *(visto que)* given that.
❑ **dados** *mpl (jogo)* dice; INFORM data *sg*; **jogar dados** to play dice.

daí [da'i] *adv* = **de + aí**; *(relativo a espaço)* from there; *(relativo a tempo)*: **daí a um mês/um ano/dez minutos** a month/a year/ten minutes later; **daí em** ou **por diante** from then on; **e daí?** so what?; **sai daí!** get out of there!

dali [da'li] *adv* = **de + ali**; *(relativo a espaço)* from there; *(relativo a tempo)*: **dali a uma semana/um mês/uma hora** a week/a month/an hour later; **dali em** ou **por diante** from then on.

dama ['dama] *f (senhora)* lady; *(de baralho de cartas)* queen; **dama de honra** bridesmaid.
❑ **damas** *fpl* checkers *sg Am,* draughts *sg Brit*; **jogar damas** to play checkers.

damasco [da'maʃku] *m* apricot.

dança ['dãsa] *f* dance; **danças folclóricas** country dancing *sg.*

dançar [dã'sa(x)] **1** *vi* to dance; *(oscilar)* to sway.
2 *vt* to dance.

dano ['danu] *m* damage.

dantes ['dãntiʃ] *adv* in the old days.

dão ['dãw] → **dar.**

daquela [da'kɛla] = **de + aquela** → **aquele.**

daquele [da'keli] = **de + aquele** → **aquele.**

daqui [da'ki] *adv* = **de + aqui**; *(deste lugar)* from here; *(deste momento)*: **daqui a um ano/mês** in a year/month; **ele saiu daqui às nove** he left here at nine; **daqui a pouco** in a little while; **daqui em** ou **por diante** from now on.

daquilo [da'kilu] = **de + aquilo** → **aquilo.**

dar [da(x)] **1** *vt* **(a)** *(entregar, presentear)* to give; **dar algo a alguém** to give sb sthg, to give sthg to sb.
(b) *(produzir)* to produce.
(c) *(causar, provocar)* to give; **isto me dá sono/pena** it makes me sleepy/sad; **isto vai dar muito que fazer** this is going to be a lot of work; **só dá problemas** it's nothing but trouble.
(d) *(filme, programa)*: **deu no noticiário hoje** it was on the news today.
(e) *(exprime ação)* to give; **dar um berro** to cry out; **dar um pontapé em alguém** to kick sb; **dar um passeio** to go for a walk.
(f) *(festa, concerto)* to hold; **vão dar uma festa** they're going to have ou throw a party.
(g) *(dizer)* to say; **ele me deu boa-noite** he said good night to me.
(h) *(ensinar)* to teach; **o que é que você está dando nas suas aulas?** what are you teaching (at the moment)?; **ela dá aula numa escola** she teaches at a school; **gostaria de dar aulas de Inglês** I would like to teach English.
(i) *(aprender, estudar)* to do; **o que é que estão dando em Inglês?** what are you doing in English (at the moment)?; **estamos dando o verbo to be** we're doing the verb to be.
2 *vi* **(a)** *(horas)*: **já deram cinco horas** the clock just struck five.
(b) *(condizer)*: **dar com** to go with; **as cores não dão umas com as outras** the colors clash.

(**c**) *(proporcionar)*: **dar de beber a alguém** to give sb something to drink; **dar de comer a alguém** to feed sb.
(**d**) *(em locuções)*: **dá no mesmo** it doesn't matter.
❑ **dar com** *v + prep (encontrar, descobrir)* to meet; **dei com ele no cinema** I met him at the movies.
❑ **dar em** *v + prep (resultar)*: **a discussão não vai dar em nada** the discussion will come to nothing.
❑ **dar para** *v + prep (servir para, ser útil para)* to be good for; *(suj: varanda, janela)* to look onto; *(suj: porta)* to lead to; *(ser suficiente para)* to be enough for; *(ser possível)* to be possible; **dá para você fazer isso hoje?** could you do it today?; **dá para ir a pé?** is it within walking distance?; **não vai dar para eu chegar na hora** I won't be able to get there on time.
❑ **dar por** *v + prep (aperceber-se de)* to notice.
❑ **dar-se** *vp*: **dar-se bem/mal com alguém** to get on well/badly with sb; **não me dou bem com condimentos** spices don't agree with me; **deu-se mal com a brincadeira** his plan backfired; **dar-se por vencido** to give in.

dardo ['daxdu] *m (arma)* spear; *ESP* javelin.
❑ **dardos** *mpl* darts *sg*; **jogar dardos** to play darts.

das [daʃ] = **de + as** → **de.**

data ['data] *f* date; **data de nascimento** date of birth.

> Não confundir *data (date)* com o inglês *data* que em português significa *dados, informações*. (*O professor mudou a data do exame mais uma vez.* The teacher changed the examination *date* one again.)

datilografar [datʃilogra'fa(x)] *vt* to type.

d.C. (*abrev de* **depois de Cristo**) AD.

de [dʒi] *prep* (**a**) *(indica posse)* of; **o lápis do Mário** Mário's pencil; **o carro daquele homem** that man's car; **a recepção do hotel** the hotel reception; **a casa é dela** it's her house.
(**b**) *(indica matéria)* (made) of; **um bolo de chocolate** a chocolate cake; **um relógio de ouro** a gold watch.
(**c**) *(indica conteúdo)* of; **um copo d'água** a glass of water.
(**d**) *(usado em descrições, determinações)*: **uma camiseta de manga curta** a short-sleeved T-shirt; **uma nota de 50 reais** a 50-real note; **o senhor de preto** the man in black.
(**e**) *(indica assunto)* about; **fale da viagem** tell me about the trip; **um livro de informática** a book about ou on computers; **um livro de geografia** a geography book.
(**f**) *(indica origem)* from; **sou de Salvador** I'm from Salvador; **os habitantes do bairro** the locals; **um produto do Brasil** a Brazilian product.
(**g**) *(indica tempo)*: **o jornal das nove** the nine o'clock news; **partimos às três da tarde** we left at three in the afternoon; **trabalho das nove às cinco** I work from nine to five.
(**h**) *(indica uso)*: **a sala de espera** the waiting room; **uma máquina de calcular** a calculator; **a porta de entrada** the front door.
(**i**) *(usado em denominações, nomes)* of.
(**j**) *(indica causa, modo)*: **chorar de alegria** to cry with joy; **está tudo de pernas para o ar** everything is upside down; **morrer de frio** to freeze to death; **viajou de carro** he traveled by car.
(**k**) *(indica autor)* by; **um filme de Glauber Rocha** a film by Glauber Rocha; **o último livro de Ferreira Gullar** Ferreira Gullar's latest book.
(**l**) *(introduz um complemento)*: **cheio de gente** full of people; **desconfiar de alguém** to distrust sb; **difícil de esquecer** hard to forget; **gostar de algo/alguém** to like sthg/sb.
(**m**) *(em comparações)*: **do que** than; **é mais rápido do que este** it's faster than this one.
(**n**) *(em superlativos)* of; **o melhor de todos** the best of all.
(**o**) *(dentre)* of; **uma daquelas cadeiras** one of those chairs; **um dia destes** one of these days; **um desses hotéis serve** any one of those hotels will do.
(**p**) *(indica série)*: **de dois em dois dias** every two days; **de quinze em quinze minutos** every fifteen minutes; **de três em três metros** every three meters.

> Para indicar posse, às vezes pode-se usar *-'s*, dando-lhe o mesmo significado que teria uma frase com *of* (*the company's profits* = *the profits of the company* os lucros da empresa).

No caso de nomes de pessoas, somente a forma *-s* é correta (*Bill's clothes* as roupas de Bill).

Of é mais usado para referir-se a objetos (*the front of the house; the corner of the room*). Também soa mais natural em sentenças longas e complicadas (*I know the son of the woman who teaches you English* eu conheço o filho da mulher que ensina inglês para você, e não *I know the woman who teaches you English's son*).

Deve-se distinguir as duas formas possessivas: *-'s* para singular e *s'* para plural. Compare *my sister's friends* (uma só irmã) com *my sisters' friends* (mais de uma irmã).

debaixo [de'bajʃu] *adv* underneath; **debaixo de** under.

debate [de'batʃi] *m* debate.

debater [deba'te(x)] *vt* to debate.
❑ **debater-se** *vp* to struggle.

débil ['dɛbiw] (*pl* **-beis** [-bejʃ]) **1** *adj* weak. **2** *mf*: **débil mental** mentally disabled person.

debitar [debi'ta(x)] *vt* to debit.

débito ['dɛbitu] *m* debit.

debruçar-se [debru'saxsi] *vp* to lean over; **debruçar-se sobre algo** *(problema, questão)* to look into sthg.

década ['dɛkada] *f* decade; **na década de oitenta/noventa** in the 80s/90s.

decadente [deka'dẽntʃi] *adj* decadent.

decência [de'sẽsja] *f* decency.

decente [de'sẽntʃi] *adj* decent.

decepção [dese'sãw] (*pl* **-ões** [-õjʃ]) *f* disappointment.

Não confundir *decepção (disappointment)* com o inglês *deception* que em português significa *trapaça*. (*Foi uma decepção não encontrá-lo na festa.* It was a *disappointment* not to meet him at the party.)

decidido, da [desi'dʒidu, da] *adj (pessoa)* determined; *(resolvido)* settled.

decidir [desi'dʒi(x)] *vt* to decide; **decidir fazer algo** to decide to do sthg.
❑ **decidir-se** *vp* to make up one's mind; **decidir-se a fazer algo** to make up one's mind to do sthg.

decifrar [desi'fra(x)] *vt* to decipher.

decimal [dɛsi'maw] (*pl* **-ais** [-ajʃ]) *adj* decimal.

décimo, ma ['dɛsimu, ma] **1** *num* tenth. **2** *m (em loteria)* tenth share of a lottery ticket → **sexto.**

decisão [desi'zãw] (*pl* **-ões** [-õjʃ]) *f (resolução)* decision.

declaração [deklara'sãw] (*pl* **-ões** [-õjʃ]) *f* statement; *(de amor)* declaration.

declarar [dekla'ra(x)] *vt* to declare.
❑ **declarar-se** *vp (confessar sentimentos)* to declare one's love; *(manifestar-se)* to express an opinion.

declínio [de'klinju] *m* decline.

decolagem [deko'laʒẽ] *f (de avião)* take-off.

decoração [dekora'sãw] (*pl* **-ões** [-õjʃ]) *f* decoration.

decorar [deko'ra(x)] *vt (ornamentar)* to decorate; *(memorizar)* to memorize.

decorativo, va [dekora'tʃivu, va] *adj* decorative.

decotado, da [deko'tadu, da] *adj* low-cut.

decote [de'kɔtʃi] *m* neckline; **decote em V** V-neck; **decote redondo** crew neck.

decrescer [dekre'se(x)] *vi* to decrease.

decreto [de'krɛtu] *m* decree.

decurso [de'kursu] *m*: **no decurso de** in the course of.

dedal [de'daw] (*pl* **-ais** [-ajʃ]) *m* thimble.

dedão [de'dãw] (*pl* **-ões** [-õjʃ]) *m (de mão)* thumb; *(de pé)* big toe.

dedicação [dedʒika'sãw] (*pl* **-ões** [-õjʃ]) *f* dedication.

dedicar [dedʒi'ka(x)] *vt (livro, música, obra)* to dedicate; *(tempo, atenção, energias)* to devote.
❑ **dedicar-se a** *vp + prep* to devote o.s. to; **a que se dedica?** what do you do?

dedo ['dedu] *m (de mão)* finger; *(de pé)* toe; *(medida)* inch; **levantar o dedo** to put one's hand up.

dedões → **dedão.**

dedução [dedu'sãw] (*pl* **-ões** [-õjʃ]) *f* deduction.

deduzir [dedu'zi(x)] *vt (descontar)* to deduct; *(concluir)* to deduce.

defeito [de'fejtu] *m* defect.

defeituoso, osa [defej'twozu, ɔza] *adj (produto)* defective.

defender [defẽn'de(x)] *vt* to defend.
❑ **defender-se** *vp* to defend o.s.; **defender-se de** to defend o.s. against.

defensor, ra [defẽ'so(x), ra] (*mpl* **-res** [-riʃ], *fpl* **-s** [-ʃ]) *m, f* defender.

deferimento [deferi'mẽntu] *m* approval;

'pede deferimento' *expression used at the end of any formal letter of request sent to an institution or government office asking them to grant a request.*

defesa [de'feza] *f* defense; *JUR* the defense; *ESP (ato)* save; *(jogadores)* defense; *(de tese)* viva voce.

deficiência [defi'sjẽsja] *f* deficiency; *(física)* disability.

deficiente [defi'sjẽntʃi] **1** *adj* deficient.
2 *mf* disabled person.
3 deficiente físico physically disabled person; **deficiente mental** mentally disabled person.

déficit ['dɛfisitʃ] *m* deficit.

definir [defi'ni(x)] *vt (palavra, sentido)* to define; *(estratégia, plano, regras)* to set out.
❑ **definir-se** *vp* to make up one's mind.

definitivamente [defini,tʃiva'mẽntʃi] *adv (para sempre)* for good; *(sem dúvida)* definitely.

definitivo, va [defini'tʃivu, va] *adj (decisão, resposta)* final; *(separação, mudança)* permanent.

deformação [defoxma'sãw] (*pl* **-ões** [-õjʃ]) *f (de corpo)* deformity; *(de forma, realidade)* distortion.

deformar [defox'ma(x)] *vt (corpo)* to deform; *(forma, imagem, realidade)* to distort.

defronte [de'frõntʃi] *adv* opposite; **defronte de** opposite.

defumar [defu'ma(x)] *vt* to smoke.

degelo [de'ʒelu] *m* thaw.

degolar [dego'la(x)] *vt* to behead.

degradar [degra'da(x)] *vt* to degrade.
❑ **degradar-se** *vp (saúde, relações)* to deteriorate; *(humilhar-se)* to demean o.s.

degrau [de'graw] *m* step.

degustação [deguʃta'sãw] *f* tasting.

degustar [deguʃ'ta(x)] *vt* to taste.

dei → **dar.**

deitar [dej'ta(x)] *vt (estender)* to lay (down); *(em cama)* to put to bed.
❑ **deitar-se** *vp (na cama)* to go to bed; *(no chão)* to lie down.

deixa ['dejʃa] *f* hint; *(teatro)* cue.

deixar [dej'ʃa(x)] **1** *vt* to leave; *(permitir)* to allow, to let; *(vício, estudos)* to give up.
2 *vi*: **deixar de fazer algo** to stop doing sthg.
3 não deixar de fazer algo to be sure to do sthg; **deixe que eu acabe isto** let me finish this; **você deixou a cama por fazer** you didn't make the bed; **deixar alguém fazer algo** to let sb do sthg; **deixar algo para** to leave sthg for; **deixar algo de lado** to put sthg aside; **deixar algo/alguém em paz** to leave sthg/sb alone; **deixar algo/alguém para trás** to leave sthg/sb behind; **deixar cair** to drop.
❑ **deixar-se** *vp*: **deixar-se levar por** to get carried away with; **deixe de brincadeiras!** stop messing around!; **ela não se deixou enganar** they couldn't fool her.

dela ['dɛla] = **de + ela** → **de.**

dele ['deli] = **de + ele** → **de.**

delegacia [delega'sia] *f* police station.

delegado, da [dele'gadu, da] *m, f (de polícia)* police captain *Am*, police superintendent *Brit*; *(de país, governo, instituição)* delegate.

delgado, da [dɛw'gadu, da] *adj (pessoa)* slim; *(fio, corda, pau, barra)* thin.

deliberar [delibe'ra(x)] **1** *vt* to decide on.
2 *vi* to deliberate.

delicadeza [delika'deza] *f* delicacy; *(cortesia)* courtesy; *(cuidado)* care.

delícia [de'lisja] *f (sensação)* pleasure; *(manjar)* delicacy; **que delícia!** how lovely!

delicioso, osa [deli'sjozu, ɔza] *adj* delicious.

delinqüência [delĩŋ'kwẽsja] *f* delinquency; **delinqüência juvenil** juvenile delinquency.

delinqüente [delĩŋ'kwẽntʃi] *mf* delinquent.

delirante [deli'rãntʃi] *adj fig (incrível)* amazing.

delirar [deli'ra(x)] *vi* to be delirious.

delírio [de'lirju] *m MED* delirium; *fig (excitação)* excitement.

delito [de'litu] *m* crime.

demais [de'majʃ] **1** *adv (com verbos)* too much; *(com adjetivos)* too.
2 *pron*: **os/as demais** the rest.
3 isto já é demais! this really is too much!; **ser demais** *(ser o máximo)* to be excellent.

demasia [dema'zia]: **em demasia** *adv* too much.

demasiado, da [dema'zjadu, da] **1** *adj*

(com substantivos singulares) too much; *(com substantivos plurais)* too many.
2 *adv (com verbos)* too much; *(com adjetivos)* too.

demência [de'mẽsja] *f* dementia.

demissão [demi'sãw] (*pl* **-ões** [-õjʃ]) *f (involuntária)* dismissal; *(voluntária)* resignation; **pedir demissão** to resign.

demitir [demi'tʃi(x)] *vt* to dismiss.
❑ **demitir-se** *vp* to resign.

democracia [demokra'sia] *f* democracy.

democrata [demo'krata] **1** *mf* democrat.
2 *adj* democratic.

democrático, ca [demo'kratʃiku, ka] *adj* democratic.

demolição [demoli'sãw] (*pl* **-ões** [-õjʃ]) *f* demolition.

demolir [demo'li(x)] *vt* to demolish.

demonstração [demõʃtra'sãw] (*pl* **-ões** [-õjʃ]) *f* demonstration; *(prova)* display.

demonstrar [demõʃ'tra(x)] *vt* to demonstrate; *(revelar)* to show.

demora [de'mɔra] *f* delay; **sem demora** without delay; **desculpe a demora (em responder seu email)** sorry for the delay (in replying to your email).

demorado, da [demo'radu, da] *adj (longo)* lengthy; *(lento)* slow.

demorar [demo'ra(x)] **1** *vi* to take time.
2 *vt (tardar)* to be late; *(atrasar)* to delay; **vai demorar muito?** will it take long?
❑ **demorar-se** *vp* to take too long; **demorei-me por causa do trânsito** I got held up in traffic.

denegrir [dene'gri(x)] *vt fig (manchar)* to blacken.

dengo ['dẽgu] *m (charme)* coyness; *(de criança)* whimpering.

denominação [denomina'sãw] (*pl* **-ões** [-õjʃ]) *f* denomination.

densidade [dẽsi'dadʒi] *f* density.

denso, sa ['dẽsu, sa] *adj* dense.

dentada [dẽn'tada] *f* bite.

dentadura [dẽnta'dura] *f (natural)* teeth *pl*; *(postiça)* dentures *pl*.

dente ['dẽntʃi] *m* tooth; *(de elefante, elefante-marinho)* tusk; *(de garfo, ancinho)* prong; **dente de alho** clove of garlic; **dente do siso** wisdom tooth; **dentes postiços** false teeth.

dentifrício, cia [dẽtʃi'frisju, sja] **1** *adj* dental.
2 *m* toothpaste.

dentista [dẽn'tʃiʃta] *mf* dentist.

dentre ['dẽntri] = **de + entre** → **entre.**

dentro ['dẽntru] *adv (no interior)* in, inside; **dentro de** *(relativo a espaço físico)* in, inside; *(relativo a espaço temporal)* in, within; **dentro em breve** soon; **aqui dentro** in here; **lá dentro** inside; **por dentro** inside; **por dentro de** on the inside of; **estar por dentro de algo** to be in the know about sthg.

denúncia [de'nũsja] *f (revelação)* exposure; *(acusação)* accusation.

denunciar [denũ'sja(x)] *vt* to report.

deparar [depa'ra(x)]: **deparar com** *v + prep (encontrar)* to come across; *(enfrentar)* to come up against.
❑ **deparar-se** *vp (surgir)* to arise.

departamento [departa'mẽntu] *m* department.

dependência [depẽn'dẽsja] *f (de casa)* room; *(de vício, droga)* dependency; *(de chefe, pai, mãe)* dependence.

dependente [depẽn'dẽntʃi] *adj* dependent.

depender [depẽn'de(x)] *vi*: **depende ...** it depends ...
❑ **depender de** *v + prep (de droga, pai, mãe)* to be dependent on; *(de circunstâncias, tempo, dinheiro)* to depend on.

depilar [depi'la(x)] *vt* to remove hair from; *(com cera)* to wax.

depilatório, ria [depila'tɔrju, rja] **1** *adj* hair-removing.
2 *m* depilatory.

depoimento [depoj'mẽntu] *m (na polícia)* statement; **prestar depoimento** to give evidence.

depois [de'pojʃ] *adv (relativo a espaço)* after; *(relativo a tempo)* afterward; **depois se vê!** we'll see!; **e depois?** so?; **a sobremesa fica para depois** we'll leave dessert for later; **deixar algo para depois** to leave sthg for later; **dias/semanas/anos depois** days/weeks/years later; **depois de amanhã** the day after tomorrow; **depois de** after; **depois que** since; **logo depois** straight afterward.

depor [de'po(x)] **1** *vi* JUR to give evidence.
2 *vt (governo, ministro)* to overthrow.

depositar [depozi'ta(x)] *vt* to pay in; **depositar confiança em alguém** to place one's trust in sb.
❑ **depositar-se** *vp* to settle.

depósito [de'pɔzitu] *m (em banco)* deposit; *(armazém)* warehouse; *(reservatório)* tank; *(sedimento)* sediment; **depósito de bagagens** baggage room *Am*, left-luggage office *Brit*.

depravação [deprava'sãw] (*pl* **-ões** [-õjʃ]) *f* depravity.

depreciação [depresja'sãw] (*pl* **-ões** [-õjʃ]) *f* depreciation.

depressa [de'prɛsa] **1** *adv* quickly.
2 *interj* hurry up!; **anda depressa com isso!** hurry up with that!

depressão [depre'sãw] (*pl* **-ões** [-õjʃ]) *f* depression; **depressão econômica** (economic) depression.

deprimente [depri'mẽntʃi] *adj* depressing.

deprimir [depri'mi(x)] *vt* to depress.

deputado, da [depu'tadu, da] *m, f* deputy.

deriva [de'riva] *f*: **ir à deriva** to drift; **estar à deriva** to be adrift.

derivar [deri'va(x)] *vi* to drift.
❑ **derivar de** *v + prep (palavra, termo)* to derive from; *(produto)* to be made from; *(problema)* to stem from.

dermatologista [dɛrmatolo'ʒiʃta] *mf* dermatologist.

derramamento [dexama'mẽntu] *m (de líquido)* spillage; *(de lágrimas, sangue)* shedding.

derramar [dexa'ma(x)] *vt (líquido)* to spill; *(lágrimas, sangue)* to shed; *(farinha, feijão)* to drop.

derrame [de'xami] *m* MED stroke.

derrapagem [dexa'paʒẽ] (*pl* **-ns** [-ʃ]) *f* skid.

derrapar [dexa'pa(x)] *vi* to skid.

derreter [dexe'te(x)] *vt* to melt.
❑ **derreter-se** *vp* to melt.

derrota [de'xɔta] *f* defeat.

derrotar [dexo'ta(x)] *vt* to defeat.

derrubar [dexu'ba(x)] *vt (objeto, pessoa)* to knock over; *(casa)* to tear down; *(árvore)* to cut down; *fig (governo, sistema)* to overthrow.

desabafar [dʒizaba'fa(x)] *vi* to get sthg off one's chest.

desabamento [dʒizaba'mẽntu] *m (de terra, pedras)* landslide; *(de edifício)* collapse.

desabar [dʒiza'ba(x)] *vi* to collapse.

desabitado, da [dʒizabi'tadu, da] *adj* unoccupied.

desabotoar [dʒizabo'twa(x)] *vt* to unbutton.

desabrigado, da [dʒizabri'gadu, da] *adj (sem casa, lar)* homeless; *(exposto ao tempo)* exposed.

desabrochar [dʒizabro'ʃa(x)] *vi* to open.

desacompanhado, da [dʒizakõmpa'ɲadu, da] *adj* unaccompanied.

desaconselhar [dʒizakõse'ʎa(x)] *vt*: **desaconselhar algo (a alguém)** to advise (sb) against sthg.

desaconselhável [dʒizakõse'ʎavɛw] (*pl* **-eis** [-ejʃ]) *adj* inadvisable.

desacordado, da [dʒizakor'dadu, da] *adj* unconscious.

desacreditar [dʒizakredi'ta(x)] *vt* to discredit.
❑ **desacreditar-se** *vp* to be discredited.

desafinado, da [dʒizafi'nadu, da] *adj (instrumento)* out of tune; *(voz)* tuneless.

desafinar [dʒizafi'na(x)] *vi* to be out of tune.

desafio [dʒiza'fiu] *m* challenge.

desafortunado, da [dʒizafoxtu'nadu, da] *adj* unlucky.

desagradar [dʒizagra'da(x)]: **desagradar a** *v + prep* to displease.

desaguar [dʒiza'gwa(x)] *vi*: **desaguar em** to flow into.

desajeitado, da [dʒizaʒej'tadu, da] *adj* clumsy.

desalinhado, da [dʒizali'ɲadu, da] *adj* untidy.

desalojar [dʒizalo'ʒa(x)] *vt* to evict.

desamarrar [dʒizama'xa(x)] *vt* to untie.

desamparado, da [dezãmpa'radu, da] *adj* abandoned.

desamparar [dʒizãmpa'ra(x)] *vt* to abandon.

desanimado, da [dʒizani'madu, da] *adj* down.

desanimar [dʒizani'ma(x)] **1** *vt* to discourage.
2 *vi* to lose heart.

desânimo [dʒi'zanimu] *m* dejection.

desanuviar [dʒizanu'vja(x)] **1** *vt fig (cabeça)* to clear; *(espírito)* to lift.
2 *vi (céu)* to clear; *fig (espairecer)* to unwind.

desaparafusar [dʒizaparafu'za(x)] *vt* to unscrew.

desaparecer [dʒizapare'se(x)] *vi* to disappear.

desaparecido, da [dʒizapare'sidu, da] **1** *adj* missing.
2 *m, f* missing person.

desaparecimento [dʒizaparesiˈmẽntu] *m* disappearance.
desapertar [dʒizaperˈta(x)] *vt* to undo.
desapontado, da [dʒizapõnˈtadu, da] *adj* disappointed.
desapontamento [dʒizapõntaˈmẽntu] *m* disappointment.
desapontar [dʒizapõnˈta(x)] *vt* to disappoint.
desarmamento [dʒizaxmaˈmẽntu] *m* disarmament.
desarmar [dʒizaxˈma(x)] *vt* to disarm; *(barraca, cama, estante)* to dismantle.
desarranjado, da [dʒizaxãˈʒadu, da] *adj* disheveled.
desarrumado, da [dʒizaxuˈmadu, da] *adj* messy.
desarticulado, da [dʒizaxtʃikuˈladu, da] *adj* dislocated.
desastrado, da [dʒizaʃˈtradu, da] *adj* clumsy.
desastre [dʒiˈzaʃtri] *m (de automóvel)* accident, crash; *(desgraça)* disaster.
desatar [dʒizaˈta(x)] **1** *vt* to untie.
2 *vi*: **desatar a fazer algo** to start doing sthg; **desatar a rir/chorar** to burst out laughing/crying.
desatento, ta [dʒizaˈtẽntu, ta] *adj* distracted.
desatino [dʒizaˈtinu] *m (chatice)* hassle.
desatualizado, da [dʒizatwaliˈzadu, da] *adj (máquina, livro, sistema)* outdated; *(pessoa)* out of touch.
desavença [dʒizaˈvẽsa] *f* quarrel.
desavergonhado, da [dʒizavexgoˈɲadu, da] **1** *adj* cheeky.
2 *m, f* shameless person.
desbaratar [dʒiʒbaraˈta(x)] *vt* to squander.
desbastar [dʒiʒbaʃˈta(x)] *vt (cabelo)* to thin; *(madeira, vegetação)* to trim.
desbotar [dʒiʒboˈta(x)] *vt & vi* to fade.
desbravar [dʒiʒbraˈva(x)] *vt* to clear.
descabido, da [dʒiʃkaˈbidu, da] *adj* inappropriate.
descafeinado, da [dʒiʃkafejˈnadu, da] **1** *adj* decaffeinated.
2 *m* decaffeinated coffee.
descalçar [dʒiʃkawˈsa(x)] *vt* to take off.
descalço, ça [dʒiʃˈkawsu, sa] **1** *pp* → **descalçar.**
2 *adj* barefoot.
descampado, da [dʒiʃkãmˈpadu, da] **1** *adj* exposed.
2 *m* open ground.
descansado, da [dʒiʃkãˈsadu, da] *adj* carefree; **fique descansado!** don't worry!
descansar [dʒiʃkãˈsa(x)] *vi* to rest.
descanso [dʒiʃˈkãsu] *m* rest; *(para prato)* place mat.
descarado, da [dʒiʃkaˈradu, da] *adj* impudent.
descarga [dʒiʃˈkaxga] *f (descarregamento)* unloading; *(de arma)* shot; *(de vaso sanitário)* flush; **dar a descarga** to flush the toilet; **descarga elétrica** electrical discharge.
descarregar [dʒiʃkaxeˈga(x)] *vt (carga)* to unload; *(arma)* to fire; *fig (raiva, frustração)* to vent.
❑ **descarregar-se** *vp (bateria, pilha)* to go dead.
descarrilamento [dʒiʃkaxilaˈmẽntu] *m* derailment.
descarrilar [dʒiʃkaxiˈla(x)] *vi* to be derailed.
descartar [dʒiʃkaxˈta(x)] *vt (no jogo de cartas)* to discard; *(desconsiderar)* to rule out.
❑ **descartar-se de** *vp + prep* to get rid of.
descartável [dʒiʃkaxˈtavɛw] (*pl* **-eis** [-ejʃ]) *adj* disposable.
descascar [dʒiʃkaʃˈka(x)] *vt (fruta, batatas)* to peel; *(nozes)* to shell.
descendência [desẽnˈdẽsja] *f* descendants *pl.*
descender [desẽnˈde(x)]: **descender de** *v + prep* to descend from.
descentralizar [dʒiʃsẽntraliˈza(x)] *vt* to decentralize.
descer [deˈse(x)] **1** *vt (escadas, rua, montanha)* to go/come down.
2 *vi (temperatura, preço)* to go down.
3 descer (de) *(de muro, escada, mesa)* to go/come down (from); *(de cavalo)* to dismount (from); *(de carro)* to get out (of); *(de ônibus, trem)* to get off.
descida [deˈsida] *f (de rua, estrada)* slope; *(de avião)* descent; *(de preço, valor)* fall; **'descida perigosa'** 'steep descent'.
descoberta [dʒiʃkoˈbɛxta] *f (descobrimento)* discovery; *(invento)* invention.
descobrimento [dʒiʃkobriˈmẽntu] *m* discovery.
descobrir [dʒiʃkoˈbri(x)] *vt* to discover; *(destapar, desvendar)* to uncover.
descolar [deʃkuˈlar] *vt (selo, fita adesiva)* to remove.

descoloração [dʒiʃkolora'sãw] (*pl* **-ões** [-õjʃ]) *f* discoloration; **fazer uma descoloração** to have one's hair bleached.

descompor [dʒiʃkõm'po(x)] *vt* to reprimand.

descompostura [dʒiʃkõmpoʃ'tura] *f* reprimand; **passar uma descompostura em alguém** to give sb a good talking to.

descomunal [dʒiʃkomu'naw] (*pl* **-ais** [-ajʃ]) *adj* huge.

desconcentrar [dʒiʃkõsẽn'tra(x)] *vt* to distract.

desconectar [dʒiʃkõ'ekta(x)] *vi* INFORM to log off.

desconfiar [dʒiʃkõfi'a(x)] *vt*: **desconfiar que** to suspect (that).
❑ **desconfiar de** *v + prep (não ter confiança em)* to distrust; *(suspeitar de)* to suspect.

desconfortável [dʒiʃkõfor'tavɛw] (*pl* **-eis** [-ejʃ]) *adj* uncomfortable.

desconforto [dʒiʃkõ'fortu] *m* discomfort.

descongelar [dʒiʃkõʒe'la(x)] *vt* to defrost.

desconhecer [dʒiʃkoɲe'se(x)] *vt*: **desconheço a resposta** I don't know the answer; **desconheço o seu paradeiro** I don't know where he is.

desconhecido, da [dʒiʃkoɲe'sidu, da] **1** *adj* unknown.
2 *m, f* stranger.

desconsolado, da [dʒiʃkõso'ladu, da] *adj (triste)* disheartened; *(insípido)* insipid.

descontar [dʒiʃkõn'ta(x)] *vt (deduzir)* to deduct; *(cheque)* to debit.

descontentamento [dʒiʃkõntẽnta'mẽntu] *m* discontent.

desconto [dʒiʃ'kõntu] *m* discount.

descontraído, da [dʒiʃkõntra'idu, da] *adj* relaxed.

descontrair [dʒiʃkõntra'i(x)] *vt* to relax.
❑ **descontrair-se** *vp* to relax.

descontrolado, da [dʒiʃkõntro'ladu, da] *adj (pessoa)* hysterical; *(máquina)* out of control.

descontrolar-se [dʒiʃkõntru'laxsi] *vp* to lose control.

desconversar [dʒiʃkõvex'sa(x)] *vi* to change the subject.

descortinar [dʒiʃkoxtʃi'na(x)] *vt* to discover.

descrever [dʒiʃkre've(x)] *vt* to describe.

descrição [dʒiʃkri'sãw] (*pl* **-ões** [-õjʃ]) *f* description.

descuidar [dʒiʃkui'da(x)] *vt* to neglect.
❑ **descuidar-se** *vp (não ter cuidado)* to be careless.

descuido [dʒiʃ'kuidu] *m (imprudência)* carelessness.

desculpa [dʒiʃ'kuwpa] *f* excuse; **pedir desculpas a alguém por algo** to apologize to sb for sthg; **minhas desculpas** my apologies.

desculpar [dʒiʃkuw'pa(x)] *vt* to excuse; **desculpe! machuquei-o?** I'm sorry! did I hurt you?; **desculpe, pode me dizer as horas?** excuse me, can you tell me the time?
❑ **desculpar-se** *vp (pedir desculpa)* to apologize; *(justificar-se)* to justify o.s.; **desculpar-se com algo** to use sthg as an excuse.

desde ['deʒdʒi] *prep (relativamente a espaço, variedade)* from; *(relativamente a tempo)* since; **desde aí** since then; **desde que** *(relativo a tempo)* since; *(indica condição)* if.

desdém [deʒ'dẽ] *m* contempt.

desdenhar [deʒde'ɲa(x)] **1** *vt* to scorn.
2 *vi*: **desdenhar de** to scoff at.

desdentado, da [dʒiʒdẽn'tadu, da] *adj* toothless.

desdizer [dziʒdi'ze(x)] *vt* to contradict.
❑ **desdizer-se** *vp* to go back on one's word.

desdobrar [dziʒdo'bra(x)] *vt (jornal, roupa, tecido)* to unfold; *(subdividir)* to divide up.

desejar [deze'ʒa(x)] *vt* to want; **o que é que você deseja?** what would you like?; **deseja mais alguma coisa?** would you like anything else?; **desejo-lhe boa sorte!** I wish you (good) luck!

desejo [de'zeʒu] *m (vontade)* wish; *(apetite sexual, anseio)* desire.

deselegante [dʒizele'gãntʃi] *adj* inelegant.

desembaraçado, da [dʒizẽmbara'sadu, da] *adj (desenrascado)* resourceful; *(expedito)* prompt.

desembaraçar [dʒizẽmbara'sa(x)] *vt* to untangle.
❑ **desembaraçar-se** *vp* to hurry up; **desembaraçar-se de algo** to rid o.s. of sthg.

desembaraço [dʒizẽmba'rasu] *m* ease.

desembarcar [dʒizẽmbax'ka(x)] **1** *vt (carga)* to unload.
2 *vi* to disembark.

desembarque [dʒizẽm'baxki] *m (de carga)* unloading; *(de passageiros)* disembarkation.

desembolsar [dʒizẽmbow'sa(x)] *vt (pagar)* to cough up.

desembrulhar [dʒizẽmbru'ʎa(x)] *vt* to unwrap, to open.

desempatar [dezẽmpa'ta(x)] *vt* to decide (the winner of).

desempenhar [dʒizẽmpe'ɲa(x)] *vt* to carry out; *(papel em peça, filme)* to play.

desempenho [dʒizẽm'peɲu] *m* performance; *(de obrigação)* fulfillment.

desemperrar [dʒizẽmpe'xa(x)] *vt* to loosen.

desempregado, da [dʒizẽmpre'gadu, da] *m, f* unemployed person.

desemprego [dʒizẽm'pregu] *m* unemployment; **estar no desemprego** to be unemployed.

desencadear [dʒizẽŋka'dʒja(x)] *vt* to give rise to.
❑ **desencadear-se** *v impess (tempestade)* to break.

desencaixotar [dʒizẽŋkajʃu'ta(x)] *vt* to unpack.

desencantar [dʒizẽŋkãn'ta(x)] *vt (achar)* to unearth; *(desiludir)* to disillusion.

desencontrar-se [dʒizẽŋkõn'traxsi] *vp* to miss each other.

desencorajar [dʒizẽŋkora'ʒa(x)] *vt* to discourage.

desencostar [dʒizẽŋkoʃ'ta(x)] *vt* to move away.
❑ **desencostar-se** *vp*: **desencostar-se de** to move away from.

desenferrujar [dʒizẽfexu'ʒa(x)] *vt* to remove the rust from; *fig (língua)* to brush up; *fig (pernas)* to stretch.

desenganar [dʒizẽŋga'na(x)] *vt (doente)* to give no hope of recovery to; *(tirar as ilusões a)* to disillusion.

desengano [dʒizẽ'ganu] *m* disillusionment.

desengonçado, da [dʒizẽŋgõ'sadu, da] *adj (pessoa)* supple; *(objeto)* loose.

desenhar [deze'ɲa(x)] *vt* to draw.
❑ **desenhar-se** *vp (aparecer)* to appear; *(esboçar-se)* to take shape.

desenho [de'zeɲu] *m* drawing; **desenho animado** cartoons.

desenlace [dʒizẽ'lasi] *m (de filme, história)* ending; *(de evento)* outcome.

desenrolar [dʒizẽxo'la(x)] *vt* to unroll.
❑ **desenrolar-se** *vp (ocorrer)* to take place.

desentendido, da [dʒizẽntẽn'dʒidu, da] *adj*: **fazer-se de desentendido** to feign ignorance.

desentupir [dʒizẽntu'pi(x)] *vt* to unblock.

desenvolver [dʒizẽvow've(x)] *vt* to develop.
❑ **desenvolver-se** *vp* to develop.

desenvolvido, da [dʒizẽvow'vidu, da] *adj* developed.

desenvolvimento [dʒizẽvowvi'mẽntu] *m* development; *(progresso)* progress; *(crescimento)* growth.

desequilibrar-se [dʒizekili'braxsi] *vp* to lose one's balance.

deserto, ta [de'zɛxtu, ta] **1** *adj* deserted.
2 *m* desert.

desesperado, da [dʒizeʃpe'radu, da] *adj* desperate.

desesperar [dʒizeʃpe'ra(x)] **1** *vt (levar ao desespero)* to drive to despair; *(encolerizar)* to infuriate.
2 *vi* to despair.

desfalecer [dʒiʃfale'se(x)] *vi* to faint.

desfavorável [dʒiʃfavo'ravɛw] (*pl* **-eis** [-ejʃ]) *adj* unfavorable.

desfazer [dʒiʃfa'ze(x)] *vt (costura, alinhavo, nó)* to undo; *(dúvida, engano)* to dispel; *(grupo)* to disperse; *(noivado)* to break off; *(contrato)* to dissolve; *(reduzir a polpa)* to mash (up).
❑ **desfazer-se** *vp* to disintegrate; **o vidro desfez-se em mil pedaços** the glass broke into a thousand pieces.
❑ **desfazer-se de** *vp + prep* to get rid of.

desfecho [dʒiʃ'feʃu] *m* outcome.

desfeito, ta [dʒiʃ'fejtu, ta] *adj (em polpa)* mashed; *(cama)* unmade; *(puzzle)* in pieces; *fig (desfigurado)* disfigured; *(acordo, casamento)* broken.

desfigurar [dʒiʃfigu'ra(x)] *vt (feições de pessoa)* to disfigure; *fig (verdade)* to distort.

desfiladeiro [dʒiʃfila'dejru] *m* gorge.

desfilar [dʒiʃfi'la(x)] *vi* to parade.

desfile [dʒiʃ'fili] *m* parade; **desfile de moda** fashion show.

desforra [dʒiʃ'fɔxa] *f* revenge.

desfrutar [dʒiʃfru'ta(x)]: **desfrutar de** *v +*

prep (possuir) to have; *(tirar proveito de)* to enjoy.

desgastante [dʒiʒgaʃ'tãntʃi] *adj* exhausting.

desgastar [dʒiʒgaʃ'ta(x)] *vt (gastar)* to wear away, to erode; *fig (cansar)* to wear out.
❑ **desgastar-se** *vp (gastar-se)* to wear down.

desgostar [dʒiʒgoʃ'ta(x)] *vt* to upset.
❑ **desgostar a** *v + prep* to displease.

desgosto [dʒiʒ'goʃtu] *m (infelicidade)* misfortune; *(mágoa)* sorrow.

desgraça [dʒiʒ'grasa] *f* misfortune.

desgrenhado, da [dʒiʒgre'ɲadu, da] *adj* disheveled.

desidratação [deʒizidrata'sãw] (*pl* **-ões** [-õjʃ]) *f* dehydration.

desidratado, da [dʒizidra'tadu, da] *adj* dehydrated.

desidratar [dʒizidra'ta(x)] *vt* to dehydrate.
❑ **desidratar-se** *vp* to become dehydrated.

design [de'zajni] *m* design.

designar [dezig'na(x)] *vt* to designate.

designer [de'zajnɛ(x)] *mf* designer.

desiludir [dʒizilu'di(x)] *vt* to let down.
❑ **desiludir-se com** *vp + prep* to become disillusioned with.

desilusão [dʒizilu'zãw] (*pl* **-ões** [-õjʃ]) *f* disillusion.

desimpedido, da [dʒizĩmpe'dʒidu, da] *adj (linha de telefone)* free; *(rua, trânsito)* clear.

desimpedir [dʒizĩmpe'dʒi(x)] *vt* to clear.

desinchar [dʒizĩ'ʃa(x)] *vi* to go down.

desinfetante [dʒizĩfɛ'tãntʃi] *adj & m* disinfectant; **desinfetante para a boca** mouthwash.

desinfetar [dʒizĩfe'ta(x)] *vt* to disinfect.

desinibido, da [dʒizini'bidu, da] *adj* uninhibited.

desintegrar-se [dʒizĩnte'graxsi] *vp* to disintegrate.

desinteressado, da [dʒizĩntere'sadu, da] *adj* uninterested; *(altruísta)* unselfish.

desinteressar-se [dʒizĩntere'saxsi]: **desinteressar-se de** *vp + prep* to lose interest in.

desinteresse [dʒizĩnte'resi] *m* lack of interest; *(abnegação)* unselfishness.

desistência [deziʃ'tẽsja] *f* cancellation.

desistir [deziʃ'tʃi(x)] *vi* to give up; **desistir de algo** *(de reserva, vôo)* to cancel sthg; **desistir de fazer algo** *(de fumar, correr, trabalhar)* to give up doing sthg.

desleal [dʒiʒ'ljaw] (*pl* **-ais** [-ajʃ]) *adj* disloyal.

desleixado, da [dʒiʒlej'ʃadu, da] *adj* slovenly.

desleixo [dʒiʒ'lejʃu] *m* carelessness.

desligado, da [dʒiʒli'gadu, da] *adj (aparelho)* switched off; *(telefone)* off the hook; *(aéreo)* absent-minded.

desligar [dʒiʒli'ga(x)] *vt (rádio, TV)* to switch off; *(telefone)* to put down.

deslizar [dʒiʒli'za(x)] *vi* to slide.

deslize [dʒiʒ'lizi] *m fig (lapso)* slip.

deslocado, da [dʒiʒlo'kadu, da] *adj* dislocated; *(desambientado)* out of place.

deslocar [dʒiʒlo'ka(x)] *vt* to dislocate.
❑ **deslocar-se** *vp* to be put out of joint; **deslocar-se para** to go to; **deslocar-se com** to move with; **deslocar-se de** to go from.

deslumbrante [dʒiʒlũm'brãntʃi] *adj* amazing.

deslumbrar [dʒiʒlũm'bra(x)] *vt* to dazzle.

desmaiado, da [dʒiʒma'jadu, da] *adj (desfalecido)* unconscious; *(desbotado)* faded.

desmaiar [dʒiʒma'ja(x)] *vi* to faint.

desmaio [dʒiʒ'maju] *m* faint.

desmancha-prazeres [dʒiʒˌmãʃapra'zeriʃ] *mf inv* killjoy.

desmanchar [dʒiʒmã'ʃa(x)] *vt (desmontar)* to take apart; *(renda, costura)* to undo; *(noivado)* to break (off).
❑ **desmanchar-se** *vp* to fall apart.

desmarcar [dʒiʒmax'ka(x)] *vt (consulta, reserva)* to cancel.

desmedido, da [dʒiʒme'dʒidu, da] *adj* excessive.

desmentir [dʒiʒmẽn'tʃi(x)] *vt (negar)* to deny; *(contradizer)* to contradict.

desmontar [dʒiʒmõn'ta(x)] *vt (máquina)* to dismantle; *(construção)* to take down; *fig (intriga, combinação)* to uncover.

desmoralizar [dʒiʒmorali'za(x)] *vt (desanimar)* to demoralize; *(tirar o bom nome de)* to disparage.

desmoronamento [dʒiʒmorona'mẽntu] *m (de casa)* collapse; *(de terra)* landslide.

desmoronar [dʒiʒmoro'na(x)] *vt* to demolish.
❑ **desmoronar-se** *vp* to collapse.

desnecessário, ria [dʒiʒnese'sarju, rja] *adj* unnecessary.

desnível [dʒiʒ'nivɛw] (*pl* **-eis** [-ejʃ]) *m (de terreno)* unevenness; *(de valor)* gap.

desobedecer [dʒizobede'se(x)]: **desobedecer a** *v + prep* to disobey.

desobediência [dʒizobe'dʒjẽsja] *f* disobedience.

desobediente [dʒizobe'dʒjẽntʃi] *adj* disobedient.

desobstruir [dʒizobʃtru'i(x)] *vt* to unblock.

desocupado, da [dʒizoku'padu, da] *adj* free; *(casa, apartamento)* unoccupied.

desocupar [dʒizoku'pa(x)] *vt* to vacate.

desodorante [dʒizodo'rãtʃi] **1** *adj* deodorant *(antes de s).*
2 *m* deodorant.

desonesto, ta [dʒizo'nɛʃtu, ta] *adj* dishonest.

desordem [dʒi'zoxdẽ] *f* disorder; **em desordem** *(quarto, papéis)* messy.

desorganizado, da [dʒizoxgani'zadu, da] *adj* disorganized.

desorientação [dʒizorjẽnta'sãw] *f* disorientation.

desorientado, da [dʒizorjẽn'tadu, da] *adj* disoriented.

despachar [dʒiʃpa'ʃa(x)] *vt (bagagem, mercadorias, encomenda)* to send off.
❑ **despachar-se** *vp (apressar-se)* to hurry *(up).*

despedida [dʒiʃpe'dʒida] *f* farewell.

despedir [dʒiʃpe'dʒi(x)] *vt* to fire.
❑ **despedir-se** *vp (dizer adeus)* to say good-bye; *(demitir-se)* to resign.

despejar [dʒiʃpe'ʒa(x)] *vt (líquido)* to empty (out); *(lixo)* to throw out; *(de casa, apartamento)* to evict.

despejo [dʒiʃ'peʒu] *m (de casa, apartamento)* eviction.
❑ **despejos** *mpl (lixo)* garbage *sg Am*, rubbish *sg Brit.*

despenteado, da [dʒiʃpẽn'tʒjadu, da] *adj* disheveled.

despercebido, da [dʒiʃpexse'bidu, da] *adj* unnoticed; **passar despercebido** to go unnoticed.

desperdiçar [dʒiʃpexdʒi'sa(x)] *vt* to waste.

desperdício [dʒiʃpex'dʒisju] *m* waste.
❑ **desperdícios** *mpl* scraps.

despertador [dʒiʃpexta'do(x)] (*pl* **-res** [-riʃ]) *m* alarm clock.

despertar [dʒiʃpex'ta(x)] **1** *vt* to wake up; *fig (estimular)* to arouse; *fig (dar origem a)* to give rise to.
2 *vi (acordar)* to wake up.

despesa [dʒiʃ'peza] *f* expense.
❑ **despesas** *fpl (de empresa, organismo)* expenses.

despido, da [dʒiʃ'pidu, da] *adj* naked.

despir [dʒiʃ'pi(x)] *vt* to undress.
❑ **despir-se** *vp* to get undressed.

desprender [dʒiʃprẽn'de(x)] *vt* to unfasten.
❑ **desprender-se** *vp* to get unfastened.

despreocupado, da [dʒiʃpreoku'padu, da] *adj* carefree.

desprevenido, da [dʒiʃpreve'nidu, da] *adj* unprepared.

desprezar [dʒiʃpre'za(x)] *vt* to scorn.

desproporcionado, da [dʒiʃpropoxsjo'nadu, da] *adj* disproportionate.

desqualificar [dʒiʃkwalifi'ka(x)] *vt* to disqualify.

desquitado, da [dʒiʃki'tadu, da] *adj* separated.

dessa ['dɛsa] = **de + essa** → **de.**

desse ['desi] = **de + esse** → **de.**

desta ['dɛʃta] = **de + esta** → **de.**

destacar [dʒiʃta'ka(x)] *vt (separar)* to detach; *(enfatizar)* to emphasize.
❑ **destacar-se** *vp (distinguir-se)* to stand out.

destacável [dʒiʃta'kavɛw] (*pl* **-eis** [-ejʃ]) **1** *adj* detachable.
2 *m (de formulário)* tear-off slip; *(de revista, jornal)* supplement.

destapar [dʒiʃta'pa(x)] *vt* to uncover.

destaque [dʒiʃ'taki] *m* prominence; **em destaque** in focus.

deste ['deʃtʃi] = **de + este** → **de.**

destinar [deʃtʃi'na(x)] *vt*: **destinar algo para** to earmark sthg for.
❑ **destinar-se a** *vp + prep (ter por fim)* to be aimed at; *(ser endereçado a)* to be addressed to.

destinatário, ria [deʃtʃina'tarju, rja] *m, f (de carta)* addressee; *(de mensagem)* recipient.

destino [deʃ'tʃinu] *m (sina)* destiny; *(de viagem)* destination; **com destino a Londres** *(vôo, trem)* to London.

destituir [deʃtʃitw'i(x)] *vt (demitir)* to dismiss.

destrancar [dʒiʃtrãŋ'ka(x)] *vt* to unlock.

destreza [deʃ'treza] *f (agilidade)* deftness; *(habilidade)* dexterity.

destro, tra ['deʃtru, tra] *adj* right-handed; *(ágil)* deft; *(hábil)* skilled.

destroços [dʒiʃ'trɔsuʃ] *mpl* wreckage *sg.*

destruição [dʒiʃtrui'sãw] *f* destruction.

destruir [dʒiʃtru'i(x)] *vt* to destroy.

desuso [dʒi'zuzu] *m*: **cair em desuso** to fall into disuse.

desvalorização [dʒiʒvaloriza'sãw] (*pl* **-ões** [-õjʃ]) *f* devaluation.

desvalorizar [dʒiʃvalori'za(x)] *vt* to devalue.
❑ **desvalorizar-se** *vp* to depreciate.

desvantagem [dʒiʒvãn'taʒẽ] (*pl* **-ns** [-ʃ]) *f* disadvantage.

desviar [dʒiʒ'vja(x)] *vt* to divert; *(dinheiro)* to embezzle; *(trânsito)* to detour.
❑ **desviar-se** *vp* to get out of the way; **desviar-se de algo** to move out of the way of sthg.

desvio [dʒiʒ'viu] *m (estrada secundária)* exit; *(de caminho)* detour; *(de dinheiro)* embezzlement.

detalhe [de'taʎi] *m* detail.

detectar [dete'ta(x)] *vt* to detect.

detector [dete'to(x)] (*pl* **-res** [-riʃ]) *m* detector.

detenção [detẽ'sãw] (*pl* **-ões** [-õjʃ]) *f* detention; *(prisão)* arrest.

deter [de'te(x)] *vt (parar)* to stop; *(prender)* to detain.
❑ **deter-se** *vp (parar)* to stop; *(conter-se)* to restrain o.s.

detergente [detex'ʒẽntʃi] *m* detergent; *(para louça)* dishwashing liquid.

deterioração [deterjora'sãw] *f* deterioration.

deteriorar [deterjo'ra(x)] *vt (danificar)* to damage.
❑ **deteriorar-se** *vp (estragar-se)* to deteriorate.

determinação [determina'sãw] *f (força de vontade)* determination; *(cálculo)* calculation; *(resolução)* decision; *(ordem)* order.

determinar [determi'na(x)] *vt (calcular, decidir)* to determine; *(ordenar)* to order.

detestar [deteʃ'ta(x)] *vt* to detest.

detrás [de'trajʃ] *adv (relativo a espaço)* behind; **(por) detrás de** *(pela retaguarda de)* behind.

deturpar [detux'pa(x)] *vt* to distort.

deu ['dew] → **dar.**

deus, sa ['dewʃ, za] (*mpl* **-ses** [-ziʃ], *fpl* **-s** [-ʃ]) *m, f* god.
❑ **Deus** *m* God; **Deus me livre!** God forbid!; **graças a Deus!** thank God!; **(meu) Deus!** my God!; **se Deus quiser!** God willing!

devagar [dʒiva'ga(x)] *adv* slowly.

dever [de've(x)] (*pl* **-res** [-riʃ]) **1** *m* duty.
2 *vt*: **dever algo a alguém** to owe sb sthg.
3 você deve escovar os dentes todos os dias you should brush your teeth every day; **o ônibus deve estar atrasado** the bus must be late; **dever cívico** civic duty; **dever de casa** homework.

devido, da [de'vidu, da] *adj (correto)* proper; **com o devido respeito** with all due respect; **devido a** due to.

devolução [devulu'sãw] (*pl* **-ões** [-õjʃ]) *f (de dinheiro)* refund; *(de objeto emprestado, compra)* return.

devolver [devow've(x)] *vt (dinheiro)* to refund; *(objeto emprestado, compra)* to return.

dez ['dɛʒ] *num* ten → **seis.**

dezembro [de'zẽmbru] *m* December → **setembro.**

dezena [de'zena] *f* (set of) ten.

dezenove [deze'nɔvi] *num* nineteen → **seis.**

dezesseis [deze'seiʃ] *num* sixteen → **seis.**

dezessete [deze'sɛtʃi] *num* seventeen → **seis.**

dezoito [de'zɔitu] *num* eighteen → **seis.**

DF *abrev* = **Distrito Federal.**

dia ['dʒia] *m* day; **bom dia!** good morning!; **já é de dia** it's morning already; **do dia** of the day; **qualquer dia** any day; **no dia seguinte** the day after; **no dia vinte** on the twentieth; **por (cada) dia** per day; **todos os dias** every day; **um dia destes** one of these days; **pôr-se em dia** to bring o.s. up-to-date; **pôr algo em dia** to update sthg; **o dia-a-dia** daily life; **dia de folga** day off; **dia santo** religious holiday; **dia da semana** weekday; **dia de Todos os Santos** All Saints' Day; **dia útil** weekday; **dia sim, dia não** every other day; **de quinze em quinze dias** every fortnight.

diabetes [dʒja'bɛtʃiʃ] *m* diabetes.

diabético, ca [dʒja'bɛtʃiku, ka] *adj & m, f* diabetic.

diabo ['dʒjabu] *m* devil; **dizer o diabo (de algo/alguém)** to badmouth sthg/sb; **o diabo que o carregue!** go to hell!; **uma trabalheira dos diabos!** it's a hell of a job!

diafragma [dʒja'fragma] *m* diaphragm; *(contraceptivo)* diaphragm.

diagnóstico [dʒjag'nɔʃtʃiku] *m* diagnosis.

dialeto [dʒja'lɛtu] *m* dialect.

dialogar [dʒjalo'ga(x)] *vi* to talk.

diálogo ['dʒjalogu] *m* dialogue.

diâmetro ['dʒjametru] *m* diameter.

diante ['dʒjãntʃi]: **diante de** *prep (relativo a espaço)* in front of; *(perante)* in the face of.

dianteira [dʒjãn'tejra] *f (frente)* front; *(liderança)* lead.

diária ['dʒjarja] *f (de pensão, hotel)* daily rate.

diariamente [ˌdʒjarja'mẽntʃi] *adv* daily, every day.

diário, ria ['dʒjarju, rja] **1** *adj* daily.
2 *m* diary.

diarréia [dʒja'xɛja] *f* diarrhea.

dica ['dʒika] *f* hint.

dicionário [dʒisjo'narju] *m* dictionary; **dicionário de bolso** pocket dictionary.

didático, ca [dʒi'datʃiku, ka] *adj* educational.

diesel ['dʒizɛw] *adj inv* diesel.

dieta ['dʒjɛta] *f* diet.

dietético, ca [dʒje'tɛtʃiku, ka] *adj (produto)* dietetic.

difamar [dʒifa'ma(x)] *vt (verbalmente)* to slander; *(por escrito)* to libel.

diferença [dʒife'rẽsa] *f* difference.

diferenciar [dʒiferẽ'sja(x)] *vt* to differentiate.

diferente [dʒife'rẽntʃi] *adj* different.

difícil [di'fisiw] (*pl* **-ceis** [-sejʃ]) *adj* difficult.

dificuldade [dʒifikuw'dadʒi] *f* difficulty.

dificultar [dʒifikuw'ta(x)] *vt* to make difficult; *(funcionamento, progresso)* to hinder.

difundir [dʒifũn'di(x)] *vt (informação, notícia)* to spread; *(calor, luz)* to give off; *(programa de rádio)* to broadcast.

difusão [dʒifu'zãw] *f (de informação, notícia)* dissemination; *(de luz, calor)* diffusion; *(por televisão, rádio)* broadcasting.

digerir [dʒiʒe'ri(x)] *vt* to digest.

digestão [dʒiʒeʃ'tãw] *f* digestion.

digestivo, va [dʒiʒeʃ'tʃivu, va] **1** *adj* digestive.
2 *m* after-dinner drink.

digital [dʒiʒi'taw] (*pl* **-ais** [-ajʃ]) *adj* digital.

digitar [dʒiʒi'ta(x)] *vt* to key in.

dígito ['dʒiʒitu] *m* digit.

dignidade [dʒigni'dadʒi] *f* dignity.

dilema [dʒi'lema] *m* dilemma.

diluir [dʒi'lwi(x)] *vt* to dilute.

dimensão [dʒimẽ'sãw] (*pl* **-ões** [-õjʃ]) *f* dimension.

diminuir [dʒimi'nwi(x)] **1** *vi (em preço, número, força)* to decrease; *(em volume, quantidade)* to diminish.
2 *vt (reduzir)* to reduce.

diminutivo [dʒiminu'tʃivu] *m* diminutive.

dinâmico, ca [dʒi'namiku, ka] *adj* dynamic.

dinamismo [dʒina'miʒmu] *m* dynamism.

dinamite [dʒina'mitʃi] *f* dynamite.

dínamo ['dʒinamu] *m* dynamo.

dinastia [dʒinaʃ'tʃia] *f* dynasty.

dinheiro [dʒi'ɲejru] *m* money; **ter dinheiro** to have money; **dinheiro miúdo** loose change; **dinheiro trocado** change.

diploma [dʒi'ploma] *m* diploma.

dique ['dʒiki] *m* dike.

direção [dʒire'sãw] (*pl* **-ões** [-õjʃ]) *f (endereço)* address; *(de veículo)* steering; *(rumo)* direction; *(de empresa)* management.

direções → **direção.**

direita [dʒi'rejta] *f*: **a direita** *(mão)* one's right hand; *(lado)* the right-hand side; *(em política)* the Right; **mantenha a direita** keep on the right; **à direita (de)** on the right (of); **virar à direita** to turn right; **ser de direita** POL to be right-wing.

direito, ta [dʒi'rejtu, ta] **1** *adj (mão, perna, lado)* right; *(corte, linha)* straight; *(pessoa)* honest; *(justo)* fair.
2 *m (privilégio)* right; *(leis, curso)* law; *(taxa, imposto)* duty.
3 *adv (corretamente)* properly.
4 os direitos humanos human rights; **não está direito!** it's not fair!

direto, ta [dʒi'rɛtu, ta] **1** *adj* direct; *(transmissão)* live; **ir direto ao assunto** to go straight to the point; **siga direto por esta rua** keep going straight down this road.

2 *adv (continuamente)* directly; **tenho trabalhado direto** I've been working straight through.

diretor, ra [dʒire'to(x), ra] (*mpl* **-res** [-riʃ], *fpl* **-s** [-ʃ]) *m, f (de escola)* principal; *(de empresa)* CEO.

dirigente [dʒiri'ʒẽntʃi] *mf* leader.

dirigir [dʒiri'ʒi(x)] **1** *vt (empresa)* to run; *(filme, peça de teatro)* to direct; *(orquestra)* to conduct; *(projeto, equipe)* to head; *(veículo)* to drive.
2 *vi* to drive.
3 **dirigir algo a alguém** to address sthg to sb; **dirigir algo para algo** to point sthg toward sthg.
❑ **dirigir-se a** *vp + prep (pessoa)* to talk to; *(público, ouvintes)* to address; *(local)* to head for; **'este aviso dirige-se a todos os usuários'** 'this is a public announcement'.
❑ **dirigir-se para** *vp + prep* to head toward.

discar [dʒiʃ'ka(x)] *vt & vi* to dial.

disciplina [dʒisi'plina] *f* discipline; *EDUC (cadeira)* subject.

disco ['dʒiʃku] *m* record; *INFORM* disk; *(de telefone)* dial; *(em atletismo)* discus; **disco compacto** compact disc; **disco rígido** hard disk; **disco voador** flying saucer.

discordar [dʒiʃkox'da(x)] *vi* to disagree; **discordar de alguém em algo** to disagree with sb about sthg.

discoteca [dʒiʃko'tɛka] *f (para dançar)* (night)club; *(coleção)* record collection.

discreto, ta [dʒiʃ'krɛtu, ta] *adj (pessoa)* discreet; *(roupa)* sensible.

discriminação [dʒiʃkrimina'sãw] *f* discrimination.

discriminar [dʒiʃkrimi'na(x)] *vt* to discriminate against.

discurso [dʒiʃ'kuxsu] *m* speech; **discurso direto/indireto** direct/indirect speech.

discussão [dʒiʃku'sãw] (*pl* **-ões** [-õjʃ]) *f (debate)* discussion; *(briga)* argument.

discutir [dʒiʃku'ti(x)] **1** *vt (idéia, assunto)* to discuss.
2 *vi (brigar)* to argue.

disfarçar [dʒiʃfax'sa(x)] **1** *vt* to disguise.
2 *vi* to pretend.
❑ **disfarçar-se** *vp* to disguise o.s.; **disfarçar-se de** to dress up as.

disfarce [dʒiʃ'faxsi] *m* disguise.

dislexia [dʒiʒlɛk'sia] *f* dyslexia.

disléxico, ca [diʒ'lɛksiku, ka] *adj & m, f* dyslexic.

disparar [dʒiʃpa'ra(x)] **1** *vt (arma, bala)* to shoot.
2 *vi (arma, máquina fotográfica)* to go off.

disparatado, da [dʒiʃpara'tadu, da] *adj* foolish.

disparate [dʒiʃpa'ratʃi] *m* nonsense.

dispensar [dʒiʃpẽ'sa(x)] *vt* to do without; **dispensar alguém de algo** to excuse sb from sthg.

dispersar [dʒiʃper'sa(x)] **1** *vt* to scatter.
2 *vi* to disperse.
❑ **dispersar-se** *vp* to disperse.

disperso, sa [dʒiʃ'pɛrsu, sa] *pp* → **dispersar.**

disponível [dʒiʃpo'nivɛw] (*pl* **-eis** [-ejʃ]) *adj* available.

dispor [dʒiʃ'po(x)] *vt (colocar)* to arrange.
❑ **dispor de** *v + prep* to have; *(de posição)* to hold.
❑ **dispor-se a** *vp + prep*: **dispor-se a fazer algo** to offer to do sthg.

disposto, osta [dʒiʃ'poʃtu, ɔʃta] *adj* ready; **estar disposto a fazer algo** to be prepared to do sthg; **estar bem disposto** *(de bom humor)* to be in a good mood.

disputa [dʒiʃ'puta] *f (competição)* competition; *(discussão)* dispute.

disputar [dʒiʃpu'ta(x)] *vt (troféu, lugar)* to compete for.

disquete [dʒiʃ'kɛtʃi] *f* diskette.

dissimular [dʒisimu'la(x)] *vt (fingir)* to hide; *(encobrir)* to cover up.

dissipar [dʒisi'pa(x)] *vt (cheiro, fumo)* to get rid of; *(mal-entendido, confusão)* to clear up.
❑ **dissipar-se** *vp* to disappear.

disso ['dʒisu] = **de + isso** → **isso.**

dissolver [dʒisow've(x)] *vt* to dissolve.
❑ **dissolver-se** *vp* to dissolve.

dissuadir [dʒiswa'di(x)] *vt* to dissuade.

distância [dʒiʃ'tãsja] *f* distance; **a que distância fica?** how far (away) is it?; **fica a um quilômetro de distância** it's one kilometer away; **à distância** from a distance.

distanciar [dʒiʃtãsi'a(x)] *vt (em espaço, tempo)* to distance; *(pessoas)* to drive apart.
❑ **distanciar-se** *vp (em espaço)* to move away; *(pessoas)* to grow apart; **distanciar-se de** *(em espaço)* to move away

from; *(em idéias, atitudes etc.)* to differ from.

distante [dʒiʃ'tãntʃi] *adj* distant.

distinção [dʒiʃtĩ'sãw] (*pl* **-ões** [-õjʃ]) *f* distinction.

distinguir [dʒiʃtĩŋ'gi(x)] *vt (ver)* to make out; *(diferenciar)* to distinguish.
❑ **distinguir-se** *vp (diferenciar-se)* to differ; *(em exame, trabalho, estudos)* to excel o.s.

distinto, ta [dʒiʃ'tʃintu, ta] *adj (diferente)* different; *(ruído, som)* distinct; *(pessoa)* distinguished.

disto ['dʒiʃtu] = **de + isto** → **isto.**

distração [dʒiʃtra'sãw] (*pl* **-ões** [-õjʃ]) *f (falta de atenção)* absent-mindedness; *(esquecimento, diversão)* distraction; *(descuido)* oversight.

distrações → **distração.**

distraído, da [dʒiʃtra'idu, da] *adj* absent-minded.

distrair [dʒiʃtra'i(x)] *vt (entreter)* to amuse; *(fazer perder atenção)* to distract.
❑ **distrair-se** *vp (divertir-se)* to enjoy o.s.; *(descuidar-se)* to get distracted.

distribuição [dʒiʃtribwi'sãw] (*pl* **-ões** [-õjʃ]) *f (de correspondência postal)* delivery; *(de trabalho, comida)* distribution.

distribuidor, ra [dʒiʃtribwi'do(x), ra] (*mpl* **-res** [-riʃ], *fpl* **-s** [-ʃ]) **1** *m, f (de produto)* distributor.
2 *m* AUT distributor.

distrito [dʒiʃ'tritu] *m* district; **Distrito Federal** *term for Brasília, home of Brazil's federal government.*

ditado [dʒi'tadu] *m (de texto, frase)* dictation; *(provérbio)* saying.

ditadura [dʒita'dura] *f* dictatorship.

ditar [dʒi'ta(x)] *vt* to dictate.

dito, ta ['dʒitu, ta] *pp* → **dizer.**

diurno, na ['dʒjuxnu, na] *adj* daytime.

divã [dʒi'vã] *m* divan.

divagar [dʒiva'ga(x)] *vi (afastar-se de assunto)* to digress; *(devanear)* to daydream; *(caminhar ao acaso)* to wander.

diversão [dʒivex'sãw] (*pl* **-ões** [-õjʃ]) *f (distração)* amusement.

diverso, sa [dʒi'vɛxsu, sa] *adj (variado)* diverse.
❑ **diversos** *adj pl (muitos)* various.

diversões → **diversão.**

divertido, da [dʒivex'tʃidu, da] *adj* amusing.

divertimento [dʒivextʃi'mẽntu] *m* amusement.

divertir [dʒivex'tʃi(x)] *vt* to amuse.
❑ **divertir-se** *vp* to enjoy o.s.

dívida ['dʒivida] *f* debt; **dívida externa/interna** foreign/national debt.

dividir [dʒivi'di(x)] **1** *vt (repartir)* to share out; *(separar)* to separate; MAT to divide.
2 *vi* MAT to divide.
❑ **dividir-se** *vp (separar-se)* to split up; *(ramificar-se)* to divide.

divino, na [dʒi'vinu, na] *adj* divine.

divisão [dʒivi'zãw] (*pl* **-ões** [-õjʃ]) *f* division.

divisas [dʒi'vizaʃ] *fpl* COM foreign currency *sg.*

divisões → **divisão.**

divorciado, da [dʒivox'sjadu, da] *adj* divorced.

divorciar-se [dʒivox'sjaxsi] *vp* to get divorced; **divorciar-se de alguém** to divorce sb.

divórcio [dʒi'vɔxsju] *m* divorce.

divulgar [dʒivuw'ga(x)] *vt (informação, idéia)* to disseminate; *(produto, serviço)* to market.

dizer [dʒi'ze(x)] *vt* to say; **dizer algo a alguém** to tell sb sthg; **dizer a alguém que faça algo** to tell sb to do sthg; **até dizer chega** as much as possible; **bem que eu disse!** I told you so!; **como se diz ...?** how do you say ...?; **digamos que ...** let's say that ...; **não dizer coisa com coisa** to make no sense; **não é preciso dizer que ...** that goes without saying ...; **por assim dizer** so to speak; **querer dizer** to mean; **quer dizer** that's to say.

DJ [di'ʒej] *mf* (*abrev de* **disc-jóquei**) DJ.

do [du] = **de + o** → **o.**

doação [dwa'sãw] (*pl* **-ões** [-õjʃ]) *f* donation.

doar ['dwa(x)] *vt* to donate.

dobra ['dɔbra] *f* fold; *(de calças)* cuff *Am,* turn-up *Brit.*

dobrado, da [do'bradu, da] *adj* folded.

dobrar [do'bra(x)] **1** *vt (jornal, lençol, roupa)* to fold; *(joelho, costas)* to bend.
2 *vi (duplicar)* to double; **dobrar a esquina** to turn the corner.
❑ **dobrar-se** *vp (curvar-se)* to bend over.

dobro ['dobru] *m*: **o dobro** double.

doca ['dɔka] *f* dock.

doce ['dosi] **1** *adj (bebida, comida)* sweet; *(pessoa)* gentle.
2 *m (sobremesa)* dessert; *(geléia, compota)* jam.
dóceis → **dócil.**
docente [do'sẽntʃi] **1** *adj* teaching.
2 *mf* teacher.
dócil ['dɔsiw] (*pl* **-ceis** [-sejʃ]) *adj* docile.
documentação [dokumẽnta'sãw] *f (documentos)* papers *pl.*
documentário [dokumẽn'tarju] *m* documentary.
documento [doku'mẽntu] *m* document.
doçura [do'sura] *f fig* gentleness.
doença ['dwẽsa] *f* disease; **doença venérea** venereal disease.
doente ['dwẽntʃi] **1** *adj* ill.
2 *mf* sick person; **doente mental** psychiatric patient.
doentio, tia [dwẽn'tʃiu, tʃia] *adj (lugar, atmosfera)* unwholesome; *(pessoa)* sickly.
doer ['dwe(x)] *vi* to hurt.
doido, da ['dojdu, da] **1** *adj* crazy.
2 *m, f* madman.
3 ser doido por to be crazy about; **doido varrido** total nutcase.
dois, duas ['doiʃ, 'duaʃ] *num* two; **dois a dois** in twos → **seis.**
dólar ['dɔla(x)] (*pl* **-res** [-riʃ]) *m* dollar.
doleiro [do'lejru] *m black market money dealer (usually in US dollars).*
dolorido, da [dolo'ridu, da] *adj* sore.
doloroso, osa [dolo'rozu, ɔza] *adj* painful.
dom [dõ] (*pl* **-ns** [-ʃ]) *m* gift.
doméstica [do'mɛʃtʃika] *f* maid.
domesticar [domeʃtʃi'ka(x)] *vt* to tame.
doméstico, ca [dɔ'mɛʃtʃiku, ka] *adj* domestic.
dominar [domi'na(x)] *vt* to control; *(país)* to rule; *(situação)* to be in control of; *(língua)* to be fluent in; *(incêndio)* to bring under control.
❑ **dominar-se** *vp (conter-se)* to control o.s.
domingo [do'mĩŋgu] *m* Sunday → **sexta-feira.**
domínio [do'minju] *m (controle)* control; *(autoridade)* authority; *(setor, campo)* field; *(território)* domain; *(de língua)* command.
dominó [dɔmi'nɔ] *m (jogo)* dominoes *sg*; **jogar dominó** to play dominoes.
dona ['dona] *f (título)* Mrs.; **dona de casa** housewife → **dono.**
dono, na ['donu, na] *m, f* owner.
dons → **dom.**
dor [do(x)] (*pl* **-res** [-riʃ]) *f (física)* pain; *(moral)* grief; **dor de barriga** belly ache; **dor de cabeça** headache; **dor de dente** toothache; **dor de estômago** stomach ache; **dor de garganta** sore throat; **dor lombar** back ache; **dor de ouvido** ear ache; **dor-de-cotovelo** jealousy.
dormida [dor'mida] *f* sleep; **dar uma dormida** to have a nap.
dormir [dor'mi(x)] **1** *vi* to sleep.
2 *vt* to sleep (for).
dormitório [dormi'tɔrju] *m* dormitory.
dosagem [du'zaʒãj] (*pl* **-ns** [-ʃ]) *f* dosage.
dose ['dɔzi] *f (de medicamento)* dose; *(de bebida)* measure.
dossiê [do'sje] *m (de documentação, processo)* file.
dotado, da [do'tadu, da] *adj (talentoso)* gifted.
dou [do] → **dar.**
dourado, da [do'radu, da] *adj* golden.
doutor, ra [do'to(x), ra] (*mpl* **-res** [-riʃ], *fpl* **-s** [-ʃ]) *m, f (médico, pessoa doutorada)* doctor.
doutrina [do'trina] *f* doctrine.
doze ['dozi] *num* twelve → **seis.**
Dr. (*abrev de* **doutor**) Dr.
Dra. (*abrev de* **doutora**) Dr.
drágea ['draʒja] *f* tablet.
drama ['drama] *m* drama.
dramatizar [dramatʃi'za(x)] *vt fig* to dramatize.
drástico, ca ['draʃtʃiku, ka] *adj* drastic.
driblar [dri'bla(x)] *vi & vt* to dribble.
drinque ['drĩŋki] *m* drink; **tomar um drinque** to have a drink.
droga ['drɔga] **1** *f* drug; *(coisa de má qualidade)* junk.
2 *interj* damn!
drogado, da [dro'gadu, da] *m, f* drug addict.
drogar [dro'ga(x)] *vt* to drug.
❑ **drogar-se** *vp* to take drugs.
drogaria [droga'ria] *f* drugstore *Am,* chemist's *Brit.*
duas → **dois.**
dublado, da [du'bladu, da] *adj* dubbed.
dublar [du'blax] *vt (filme, programa de TV)* to dub.
duna ['duna] *f* dune.
dupla ['dupla] *f (par)* duo, pair; *(em*

esporte) doubles *sg.*

duplicado [dupli'kadu] *m* duplicate.

duplicar [dupli'ka(x)] *vt & vi* to double.

duplo, pla ['duplu, pla] **1** *adj* double. **2** *m*: **o duplo** double.

duração [dura'sãw] *f (de férias, concerto, curso)* length; *(de produto deteriorável)* shelf life.

duradouro, ra [dura'doru, ra] *adj* lasting.

durante [du'rãntʃi] *prep* during; **durante 3 horas** for three hours.

> ***For*** e ***during*** podem ser traduzidos por 'durante', mas têm usos diferentes. ***For*** responde à pergunta ***how long?***, 'quanto tempo?' (***I was in Boston for three weeks*** estive em Boston durante três semanas). ***During*** responde à pergunta ***when?*** 'quando?' (***I was in Boston during the holidays*** estive em Boston durante as férias).

durar [du'ra(x)] *vi* to last.

dureza [du'reza] *f (de objeto, substância)* hardness; *(de caráter)* harshness.

durmo ['durmu] → **dormir.**

duro, ra ['duru, ra] *adj* hard; *(pão)* stale; *(carne)* tough.

dúvida ['duvida] *f* doubt; **estou em dúvida** I'm not sure; **pôr em dúvida** to doubt; **sem dúvida!** absolutely!; **tirar dúvidas** to resolve queries.

duvidoso, osa [duvi'dozu, ɔza] *adj* dubious.

duzentos, tas [du'zẽntuʃ, taʃ] *num* two hundred → **seis.**

dúzia ['duzja] *f* dozen; **uma dúzia de ovos** a dozen eggs; **vender à dúzia** to sell by the dozen; **meia dúzia** half a dozen.

E e

e [i] *conj* and; **e aquela nossa conversa?** and what about our discussion?; **disse que ia ligar e não ligou** he said he would call and he didn't.

é [ɛ] → **ser.**

E. (*abrev de* **Este**) E.

ébano ['ɛbanu] *m* ebony.

ébrio, ébria ['ɛbriu, 'ɛbria] *adj* inebriated.

ebulição [ibuli'sãw] *f (fervura)* boiling.

écharpe [e'ʃarpi] *f* scarf.

eco ['ɛku] *m* echo.

ecoar [e'kwa(x)] *vi* to echo.

ecologia [ekolo'ʒia] *f* ecology.

ecológico, ca [eko'lɔʒiku, ka] *adj* ecological.

economia [ekono'mia] *f (ciência)* economics *sg*; *(de país)* economy; *(poupança)* saving.

❑ **economias** *fpl* savings.

econômico, ca [eko'nomiku, ka] *adj (pessoa)* frugal; *(barato)* cheap; *(carro, motor, dispositivo)* economical; *(situação, crise)* economic.

economista [ekono'miʃta] *mf* economist.

economizar [ekonomi'za(x)] **1** *vt* to save. **2** *vi* to economize.

ecoturismo [ɛkotu'riʒmu] *m* ecotourism.

ecoturista [ɛkotu'riʃta] *mf* ecotourist.

ECT *f* (*abrev de* **Empresa Brasileira de Correios e Telégrafos**) *Brazilian postal services.*

eczema [ek'zema] *m* eczema.

edição [edʒi'sãw] (*pl* **-ões** [-õjʃ]) *f (exemplares)* edition; *(publicação)* publishing.

edifício [edʒi'fisju] *m* building; **edifício-garagem** multistory parking lot *Am*, multistorey car park *Brit.*

editar [edʒi'ta(x)] *vt (livro, revista)* to publish; *(programa, matéria)* to edit.

editor, ra [edʒi'to(x), ra] (*mpl* **-res** [-riʃ], *mpl* **-s** [-ʃ]) *m, f (que publica)* publisher; *(que edita)* editor.

editora [edʒi'tora] *f (empresa, estabelecimento)* publishing house → **editor.**

editores → **editor.**

edredom [edre'dõ] (*pl* **-ns** [-ʃ]) *m* comforter *Am*, duvet *Brit.*

educação [eduka'sãw] *f* education; *(cortesia)* manners *pl.*

> O vocábulo inglês, *education* é usado somente com o sentido de 'instrução'. Para 'educação' no sentido de polidez e boas maneiras, a tradução correta é *good manners*. Portanto, a sentença 'Fiquei impressionada com a educação dela durante o jantar.' deve ser traduzida por *I was impressed by her good manners during dinner.*

educado, da [edu'kadu, da] *adj* polite.

educar [edu'ka(x)] *vt (filhos)* to bring up; *(alunos)* to educate.

efeito [e'fejtu] *m* effect; **com efeito** *(realmente)* really, indeed; **sem efeito** invalid.

efetivamente [efɛˌtʃiva'mẽntʃi] *adv* indeed.

efetivo, va [efe'tʃivu, va] *adj (real)* genuine; *(funcionário, empregado)* permanent.

efetuar [efe'twa(x)] *vt (realizar)* to carry out; *(compra, pagamento, viagem)* to make.

eficácia [efi'kasja] *f (de plano, solução, sistema)* effectiveness; *(de pessoa)* efficiency.

eficaz [efi'kaʃ] (*pl* **-zes** [-ziʃ]) *adj (plano, solução, sistema)* effective; *(pessoa)* efficient.

eficiência [efi'sjẽsja] *f (de plano, método, sistema)* effectiveness; *(de pessoa)* efficiency.

eficiente [efi'sjẽntʃi] *adj (plano, método, sistema)* effective; *(pessoa)* efficient.

efusivo, va [efu'zivu, va] *adj* effusive.

egoísmo [e'gwiʒmu] *m* selfishness.

egoísta [e'gwiʃta] **1** *adj* selfish.
2 *mf* selfish person.

égua ['ɛgwa] *f* mare.

eis ['ejʃ] *adv* here is/are; **e eis que ...** and so it is that ...

eixo ['ejʃu] *m (de roda)* axle; *(de máquina)* shaft; *(em geometria)* axis.

ejacular [eʒaku'la(x)] *vt & vi* to ejaculate.

ela ['ɛla] *pron (pessoa)* she; *(coisa, animal)* it; *(com preposição: pessoa)* her; *(com preposição: coisa)* it; **e ela?** what about her?; **é ela** it's her; **ela mesma** ou **própria** she (herself).
❑ **elas** *pron pl* they; *(com preposição)* them; **elas por elas** tit for tat; **aí é que são elas** that's exactly the point.

elaboração [elabora'sãw] *f (de plano, sistema)* working out, development; *(de trabalho escrito)* writing.

elaborar [elabo'ra(x)] *vt (trabalho, texto)* to work on; *(plano, lista)* to draw up.

elástico, ca [e'laʃtʃiku, ka] **1** *adj* elastic.
2 *m (material)* elastic; *(para segurar papel)* rubber band.

ele ['eli] *pron (pessoa)* he; *(coisa, animal)* it; *(com preposição: pessoa)* him; *(com preposição: coisa, animal)* it; **e ele?** what about him?; **é ele** it's him; **ele mesmo** ou **próprio** (he) himself.
❑ **eles** *pron pl* they; *(com preposição)* them.

elefante [ele'fãntʃi] *m* elephant.

elegância [ele'gãsja] *f* elegance; *(de modos)* refinement.

elegante [ele'gãntʃi] *adj (esbelto)* slim; *(bem vestido)* elegant.

eleger [ele'ʒe(x)] *vt (ministro, presidente, deputado)* to elect; *(sistema, método, manual)* to choose.

eleição [elej'sãw] (*pl* **-ões** [-õjʃ]) *f (de presidente, deputado)* election; *(de sistema, método, manual)* choice.
❑ **eleições** *fpl* elections.

eleito, ta [e'lejtu, ta] **1** *pp* → **eleger**.
2 *adj (presidente, ministro, deputado)* elected.

eleitor, ra [elej'to(x), ra] (*mpl* **-res** [-riʃ], *fpl* **-s** [-ʃ]) *m, f* voter.

elementar [elemẽn'ta(x)] (*pl* **-res** [-riʃ]) *adj (fundamental)* basic; *(primário)* elementary.

elemento [ele'mẽntu] *m* element; *(de equipe, grupo)* member; *(informação)* factor.
❑ **elementos** *mpl* data *sg*; **os elementos** the elements.

eletricidade [eletrisi'dadʒi] *f* electricity.

eletricista [eletri'siʃta] *mf* electrician.

elétrico, ca [e'lɛtriku, ka] *adj & m* electric.

eletrizar [eletri'za(x)] *vt fig (entusiasmar)* to electrify.

eletrodoméstico [e,letrodo'mɛʃtʃiku] *m* household appliance.

eletrônica [ele'tronika] *f* electronics.

eletrônico, ca [ele'troniku, ka] *adj* electronic.

elevação [eleva'sãw] (*pl* **-ões** [-õjʃ]) *f* area of high ground.

elevado, da [ele'vadu, da] *adj* high.

elevador [eleva'do(x)] (*pl* **-res** [-riʃ]) *m* elevator *Am*, lift *Brit*.

elevar [ele'va(x)] *vt* to raise; *(promover)* to elevate.
❑ **elevar-se** *vp* to rise.

eliminar [elemi'na(x)] *vt* to eliminate.

elite [e'litʃi] *f* elite.

elogiar [elo'ʒja(x)] *vt* to praise.

elogio [elo'ʒiu] *m* praise.

em [ẽ] *prep* (**a**) *(no interior de)* in; **os papéis estão naquela gaveta** the papers are in that drawer; **vivo no norte** I live in the north.
(**b**) *(sobre)* on; **põe uma jarra nesta mesa** put a vase on this table.
(**c**) *(em certo ponto de)* in; **ela está na sala** she's in the living room; **estar em casa/no trabalho** to be at home/at work.
(**d**) *(relativo a cidade, país)* in; **em Londres/Marrocos** in London/Morocco; **no Brasil/na Alemanha** in Brazil/Germany; **nos Estados Unidos** in the (United) States.
(**e**) *(indica tempo)* in; *(dia)* on; *(época)* at; **faço isso num dia** I can do that in a day; **ela nasceu em 1970/num sábado** she was born in 1970/on a Saturday; **vou tirar férias no Verão/Natal** I'm going on vacation in the summer/at Christmas; **vou lá nas férias** I'm going there during my vacation.
(**f**) *(indica modo)* in; **paguei em reais** I paid in reals; **respondi-lhe em português** I answered him in Portuguese; **ela gastou tudo em cigarros** she spent it all on cigarettes.

(g) *(indica assunto)*: **ele é um perito em economia** he's an expert in economics; **nisso de computador, a Carlota é a melhor** when it comes to computers, Carlota is the best; **sou formada em Letras/Direito** I'm an arts/law graduate.
(h) *(indica estado)* in; **em boas condições** in good condition; **não descer com o trem em movimento** passengers should not get off until the train has stopped.
(i) *(introduz complemento)*: **a palavra caiu em desuso** the word is no longer used; **não acredito nele** I don't believe him; **não pense nele** don't think about him.

emagrecer [emagre'se(x)] *vi* to lose weight.

email ['ɪmeɪl] *m (mensagem)* email; *(caixa)* email.

emancipado, da [emãsi'padu, da] *adj* emancipated.

emaranhado, da [emara'ɲadu, da] *adj* tangled.

embaçar [ẽmba'sa(x)] *vt* to steam up.

embaixada [ẽmbaj'ʃada] *f* embassy.

embaixador, ra [ẽmbajʃa'do(x), ra] (*mpl* **-res** [-riʃ], *fpl* **-s** [-ʃ]) *m, f* ambassador.

embaixatriz [ẽmbajʃa'triʃ] *f* ambassadress.

embaixo [ẽm'bajʃu] *adv (em espaço)* downstairs; *(em lista)* at the bottom; **embaixo de** under(neath).

embalagem [ẽmba'laʒẽ] (*pl* **-ns** [-ʃ]) *f* packaging; *(pacote)* package.

embalar [ẽmba'la(x)] *vt (produto)* to package; *(bebê)* to rock.

embaraçar [ẽmbara'sa(x)] *vt (desconcertar)* to embarrass; *(estorvar)* to hinder.
❑ **embaraçar-se** *vp (atrapalhar-se)* to get flustered.

embarcação [ẽmbaxka'sãw] (*pl* **-ões** [-õjʃ]) *f* vessel.

embarcar [ẽmbax'ka(x)] *vi* to board; **embarcar em** *(navio, avião, comboio)* to board; *(aventura, negócio)* to embark on.

embarque [ẽm'baxki] *m* boarding; **embarque doméstico** domestic departures; **embarque internacional** international departures; **zona** ou **local de embarque** boarding point.

embebedar-se [ẽmbebe'daxsi] *vp* to get drunk.

embelezar [ẽmbele'za(x)] *vt* to embellish.

embora [ẽm'bɔra] **1** *conj* even though.
2 *adv*: **ir(-se) embora** to leave; **vai embora!** go away!

EMBRATUR [ẽmbra'tu(x)] *f* (*abrev de* **Empresa Brasileira de Turismo**) *Brazilian tourist board.*

embreagem [ẽmbre'aʒẽ] (*pl* **-ns** [-ʃ]) *f* clutch.

embriagar-se [ẽmbria'gaxsi] *vp* to get drunk.

embrulhar [ẽmbru'ʎa(x)] *vt* to wrap up; **essa comida me embrulhou o estômago** this food has upset my stomach.

embrulho [ẽm'bruʎu] *m* package.

embutido, da [ẽmbu'tʃidu, da] *adj* fitted.

emendar [emẽn'da(x)] *vt* to correct.
❑ **emendar-se** *vp* to mend one's ways.

emergência [emex'ʒẽsja] *f* emergency.

emigração [emigra'sãw] *f* emigration.

emigrar [emi'gra(x)] *vi* to emigrate; **emigrar para** to emigrate to.

emissão [emi'sãw] (*pl* **-ões** [-õjʃ]) *f (de programa)* broadcast; *(de calor, gases)* emission.

emissor, ra [emi'so(x), ra] (*mpl* **-res** [-riʃ], *fpl* **-s** [-ʃ]) **1** *adj* broadcasting.
2 *m (rádio)* transmitter; *(de mensagem)* sender.

emissora [emi'sora] *f (de rádio)* radio station.

emissores → **emissor.**

emitir [emi'tʃi(x)] *vt (calor, luz, som)* to emit; *(moeda)* to issue; *(programa)* to broadcast.

emoção [emo'sãw] (*pl* **-ões** [-õjʃ]) *f (comoção)* emotion; *(excitação)* excitement.

emoldurar [emowdu'ra(x)] *vt* to frame.

emotivo, va [emo'tʃivu, va] *adj* emotional.

empacotar [ẽmpako'ta(x)] *vt* to pack up.

empada [ẽm'pada] *f* pie; **empada de galinha** chicken pie.

empadinha [ẽmpa'dʒiɲa] *f* pie ou pastry; **empadinha de camarão** shrimp pie; **empadinha de palmito** palm-heart pastry; **empadinha de queijo** cheese pastry.

empalhar [ẽmpa'ʎa(x)] *vt* to stuff.

empanturrar [ẽmpãntu'xa(x)] *vt*: **empanturrar alguém com algo** to stuff sb full of sthg.
❑ **empanturrar-se** *vp* to stuff o.s.

empatar [ẽmpa'ta(x)] **1** *vi* to draw.

2 *vt (dinheiro)* to tie up.
3 **empatar alguém** *(estorvar a)* to get in sb's way.

empate [ẽm'patʃi] *m* tie.

empenhar [ẽmpe'ɲa(x)] *vt* to pawn.
❑ **empenhar-se** *vp (esforçar-se)* to do one's utmost; *(endividar-se)* to get into debt; **empenhar-se em algo** to do one's utmost to do sthg.

empilhar [ẽmpi'ʎa(x)] *vt* to pile up.

empobrecer [ẽmpobre'se(x)] **1** *vt (pessoa, país)* to impoverish; *(terreno)* to deplete.
2 *vi (pessoa, país)* to become poor; *(terreno)* to become depleted.

empolgante [ẽmpow'gãntʃi] *adj* gripping.

empreender [ẽmpriẽn'de(x)] *vt (negócio, trabalho)* to undertake.

empreendimento [ẽmpriẽndʒi'mẽntu] *m (investimento)* venture; *(empenho)* investment.

empregado, da [ẽmpre'gadu, da] *m, f (em empresa)* employee; **empregado de balcão** sales assistant; **empregado de bar** bartender; **empregado (doméstico)** domestic servant.

empregar [ẽmpre'ga(x)] *vt (pessoa, método, técnica)* to employ; *(dinheiro, tempo)* to spend; *(objeto, ferramenta)* to use.
❑ **empregar-se** *vp (arranjar emprego)* to get a job; *(utilizar-se)* to be used.

emprego [ẽm'pregu] *m (trabalho, ocupação)* job; *(uso)* use; **o emprego** *(em geral)* employment.

empregue [ẽm'prɛgi] *pp* → **empregar.**

empresa [ẽm'preza] *f* firm.

emprestado, da [ẽmpreʃ'tadu, da] *adj* borrowed; **pedir algo emprestado** to borrow sthg.

emprestar [ẽmpreʃ'ta(x)] *vt*: **emprestar algo a alguém** to lend sthg to sb.

empréstimo [ẽm'prɛʃtʃimu] *m* loan.

empunhar [ẽmpu'ɲa(x)] *vt* to hold.

empurrão [ẽmpu'xãw] (*pl* **-ões** [-õjʃ]) *m* shove.

empurrar [ẽmpu'xa(x)] *vt* to push; **'empurre'** 'push'.

empurrões → **empurrão.**

encabeçar [ẽŋkabe'sa(x)] *vt* to head.

encadernação [ẽŋkadexna'sãw] (*pl* **-ões** [-õjʃ]) *f (capa)* cover; *(ato)* binding.

encaixar [ẽŋkaj'ʃa(x)] *vt* to fit.
❑ **encaixar-se** *vp* to fit in.

encaixotar [ẽŋkajʃo'ta(x)] *vt* to box.

encalhar [ẽŋka'ʎa(x)] *vt & vi* to run aground.

encaminhar [ẽŋkami'ɲa(x)] *vt (aconselhar)* to provide guidance for ou to; **encaminhar algo/alguém para** to refer sthg/sb to.
❑ **encaminhar-se para** *vp + prep* to head toward.

encanador, ra [ẽŋkana'do(x), ra] (*mpl* **-res** [-riʃ], *fpl* **-s** [-ʃ]) *m, f* plumber.

encanamento [ẽŋkana'mẽntu] *m* plumbing.

encantador, ra [ẽŋkãnta'do(x), ra] (*mpl* **-res** [-riʃ], *fpl* **-s** [-ʃ]) *adj* delightful.

encantar [ẽŋkãn'ta(x)] *vt* to delight.

encaracolado, da [ẽŋkarako'ladu, da] *adj* curly.

encarar [ẽŋka'ra(x)] *vt* to face.
❑ **encarar com** *v + prep* to come face to face with.

encarnado, da [ẽŋkar'nadu, da] *adj* scarlet, red.

encarregado, da [ẽŋkaxe'gadu, da] *m, f* person in charge; *(de operários)* foreman.

encarregar [ẽŋkaxe'ga(x)] *vt*: **encarregar alguém de fazer algo** to put sb in charge of doing sthg.

encenação [ẽsena'sãw] (*pl* **-ões** [-õjʃ]) *f (de peça teatral)* staging.

encenar [ẽse'na(x)] *vt (peça teatral)* to stage, to put on.

encerramento [ẽsexa'mẽntu] *m (de concerto, espetáculo)* end; *(de loja)* closure.

encerrar [ẽse'xa(x)] *vt* to close; *(concerto, espetáculo)* to end.

enchente [ẽ'ʃẽntʃi] *f* flood.

enchova [ẽ'ʃova] *f* anchovy.

encoberto, ta [ẽŋko'bɛxtu, ta] *adj (céu, tempo)* overcast; *(oculto)* hidden.

encolher [ẽŋko'ʎe(x)] **1** *vt (ombros)* to shrug; *(pernas)* to bend; *(barriga)* to pull in.
2 *vi* to shrink.
❑ **encolher-se** *vp* to huddle.

encomenda [ẽŋko'mẽnda] *f* order; **feito por encomenda** made to order; **encomenda postal** mail order.

encomendar [ẽŋkomẽn'da(x)] *vt* to order; **encomendar algo a alguém** *(comprar)* to order sthg from sb; *(obra, escultura, pintura)* to commission sthg from sb.

encontrar [ẽŋkõn'tra(x)] *vt* to find; *(pessoa por acaso)* to bump into.

❑ **encontrar-se** *vp (ter encontro)* to meet; *(estar)* to be; **encontrar-se com alguém** to meet up with sb.

encontro [ẽŋ'kõntru] *m (profissional)* appointment; *(amoroso)* date.

encorajar [ẽŋkora'ʒa(x)] *vt* to encourage.

encorpado, da [ẽŋkor'padu, da] *adj (pessoa)* burly; *(vinho)* full-bodied.

encosta [ẽŋ'kɔʃta] *f* slope.

encostar [ẽŋkoʃ'ta(x)] *vt (carro)* to park; *(porta)* to leave ajar; *(cabeça)* to lay down; **encostar algo em algo** *(mesa, cadeira)* to put sthg against sthg; *(escada, vara)* to lean sthg against sthg.

❑ **encostar-se** *vp*: **encostar-se a** *(parede, carro, poste)* to lean against.

encruzilhada [ẽŋkruzi'ʎada] *f* crossroads *sg.*

endereço [ẽnde'resu] *m* address; **endereço eletrônico** email address.

endireitar [ẽndirej'ta(x)] *vt* to straighten; *(objeto caído)* to put upright.

❑ **endireitar-se** *vp (pôr-se direito)* to stand up straight.

endívia [ẽn'dʃivja] *f* chicory.

endossar [ẽndo'sa(x)] *vt* to endorse; **endossar um cheque** to endorse a check.

endurecer [ẽndure'se(x)] *vt & vi* to harden.

energia [enɛx'ʒia] *f* energy; **energia eólica/nuclear/solar** wind/nuclear/solar power.

enevoado, da [ene'vwadu, da] *adj* misty.

enfarte [ẽ'faxtʃi] *m*: **enfarte (do miocárdio)** heart attack.

ênfase ['ẽfazi] *f* emphasis.

enfatizar [ẽfatʃi'za(x)] *vt* to emphasize.

enfeitiçar [ẽfejtʃi'sa(x)] *vt* to bewitch.

enfermagem [ẽfex'maʒẽ] *f* nursing.

enfermaria [ẽfexma'ria] *f* ward.

enfermeiro, ra [ẽfex'mejru, ra] *m, f* nurse.

enfiar [ẽ'fja(x)] *vt (calça, mangas, camisola)* to pull ou put on; **enfiar algo em algo** to put sthg in sthg.

enfim [ẽ'fĩ] **1** *adv (finalmente)* at last; *(em suma)* in short.
2 *interj* oh well!

enforcar [ẽfox'ka(x)] *vt* to hang; *(em feriadão)* to have a long weekend.

❑ **enforcar-se** *vp* to hang o.s.

enfraquecer [ẽfrake'se(x)] *vt & vi* to weaken.

enfrentar [ẽfrẽn'ta(x)] *vt* to confront.

enfurecer [ẽfure'se(x)] *vt* to infuriate.

❑ **enfurecer-se** *vp* to get angry.

enganado, da [ẽŋga'nadu, da] *adj*: **estar enganado** to be wrong; **ser enganado** *(ser ludibriado)* to be deceived; *(por cônjuge)* to be cheated on.

enganar [ẽŋga'na(x)] *vt* to deceive; *(cônjuge)* to cheat on.

❑ **enganar-se** *vp (estar errado)* to be wrong; *(errar)* to make a mistake.

engano [ẽŋ'ganu] *m* mistake; **é engano** *(em conversa telefônica)* you've got the wrong number.

engarrafado, da [ẽŋgaxa'fadu, da] *adj (líquido)* bottled; *(trânsito)* jammed.

engarrafamento [ẽŋgaxafa'mẽntu] *m (de trânsito)* traffic jam; *(de líquido)* bottling.

engasgar-se [ẽŋgaʒ'gaxsi] *vp* to choke.

engenharia [ẽʒeɲa'ria] *f* engineering.

engenheiro, ra [ẽʒe'ɲejru, ra] *m, f* engineer.

engenhoso, osa [ẽʒe'ɲozu, ɔza] *adj* ingenious.

englobar [ẽŋglo'ba(x)] *vt* to encompass.

engolir [ẽŋgo'li(x)] *vt* to swallow.

engomar [ẽŋgo'ma(x)] *vt (passar a ferro)* to iron; *(com goma)* to starch.

engordar [ẽŋgor'da(x)] **1** *vi (pessoa)* to put on weight; *(alimento)* to be fattening.
2 *vt (animal)* to fatten up.

engordurado, da [ẽŋgordu'radu, da] *adj* greasy.

engraçado, da [ẽŋgra'sadu, da] *adj* funny.

engravidar [ẽŋgravi'da(x)] **1** *vi* to get pregnant.
2 *vt*: **engravidar alguém** to get sb pregnant.

engraxar [ẽŋgra'ʃa(x)] *vt* to polish.

engraxate [ẽŋgra'ʃatʃi] *m* shoeshine.

engrossar [ẽŋgro'sa(x)] *vt & vi* to thicken.

enguia [ẽŋ'gia] *f* eel.

enguiçar [ẽŋgi'sa(x)] *vi (motor, máquina)* to play up.

enigma [e'nigma] *m (adivinha)* riddle; *(mistério)* enigma.

enjoado, da [ẽ'ʒwadu, da] *adj* sick; *(em carro)* carsick; *(em barco)* seasick.

enjoar [ẽ'ʒwa(x)] **1** *vi* to get motion sickness.
2 *vt* to get sick of.

enjôo [ẽ'ʒou] *m (náusea)* nausea; *(em barco, avião, ônibus)* motion sickness.

enlatado, da [ẽla'tadu, da] **1** *adj (comida)* canned *Am,* tinned *Brit.*

2 *m pej low-quality imported film for television.*

❑ **enlatados** *mpl* canned foods *Am,* tinned foods *Brit.*

enlouquecer [ẽloke'se(x)] **1** *vt* to drive insane.

2 *vi* to go insane.

enorme [e'nɔrmi] *adj* huge, enormous.

enquanto [ẽŋ'kwantu] *conj* while; **enquanto (que)** whereas; **enquanto isso ...** meanwhile ...; **por enquanto** for the time being.

enredo [ẽ'xedu] *m* plot.

enriquecer [ẽxike'se(x)] **1** *vt* to make rich; *(melhorar)* to enrich.

2 *vi* to get rich.

enrolar [ẽxo'la(x)] *vt (papel, tapete, fio)* to roll up; *(cabelo)* to curl; *(cigarro)* to roll; *(enganar)* to take for a ride.

enroscar [ẽxoʃ'ka(x)] *vt (tampa)* to screw on; *(parafuso)* to screw in.

❑ **enroscar-se** *vp (cobra)* to coil up; *(gato, cão)* to curl up; *(emaranhar-se)* to get tangled up.

enrugar [ẽxo'ga(x)] **1** *vt & vi (roupa, papel, pele)* to wrinkle; *(pele)* to wrinkle.

2 *vi (pele)* to wrinkle.

ensaiar [ẽsa'ja(x)] *vt (peça, dança)* to rehearse; *(sistema)* to test.

ensaio [ẽ'saju] *m (de peça, dança)* rehearsal; *(de sistema)* test; *(texto literário)* essay.

enseada [ẽ'sjada] *f* cove.

ensinamento [ẽsina'mẽntu] *m (lição)* teaching; *(preceito)* proverb.

ensinar [ẽsi'na(x)] *vt (em escola, universidade)* to teach; *(caminho, direção)* to show; **ensinar alguém a fazer algo** to teach sb how to do sthg; **ensinar algo a alguém** *(língua, método)* to teach sb sthg; *(caminho)* to show sb sthg.

ensino [ẽ'sinu] *m (atividade)* teaching; *(método, sistema)* education; **ensino superior** higher education.

ensolarado, da [ẽsola'radu, da] *adj* sunny.

ensopado [ẽso'padu] **1** *adj* soaked.

2 *m* stew.

ensopar [ẽso'pa(x)] *vt* to soak.

❑ **ensopar-se** *vp* to get soaked.

ensurdecedor, ra [ẽsurdese'do(x), ra] (*mpl* **-res** [-riʃ], *fpl* **-s** [-ʃ]) *adj* deafening.

ensurdecer [ẽsurde'se(x)] **1** *vt* to deafen.

2 *vi (ficar surdo)* to go deaf.

entalar [ẽnta'la(x)] *vt (dedo, pé)* to trap; *(peça de roupa)* to tuck in.

entanto [ẽn'tãntu]: **no entanto** *conj* however.

então [ẽn'tãw] **1** *adv* then.

2 *interj* so!

3 até então up until; **desde então** since then; **e então?** well then?; **então, já se decidiu?** so have you decided yet?

enteado, da [ẽn'tʒjadu, da] *m, f* stepson.

entender [ẽntẽn'de(x)] **1** *vt (compreender)* to understand.

2 *vi (compreender)* to understand.

3 dar a entender que to give the impression (that); **entender que** to think (that).

❑ **entender de** *v + prep* to know about.

❑ **entender-se** *vp* to get along; **não me entendo com isto** I can't get the hang of this; **entender-se com alguém** *(chegar a um acordo com)* to come to an agreement with sb.

enternecedor, ra [ẽnternese'do(x), ra] (*mpl* **-res** [-riʃ], *fpl* **-s** [-ʃ]) *adj* touching.

enternecer [ẽnterne'se(x)] *vt* to touch.

enterrar [ẽnte'xa(x)] *vt* to bury.

❑ **enterrar-se** *vp* to sink.

enterro [ẽn'texu] *m* funeral.

entonação [ẽntona'sãw] *f* intonation.

entornar [ẽntor'na(x)] *vt* to spill.

entorse [ẽn'tɔxsi] *f* sprain.

entortar [ẽntor'ta(x)] *vt* to bend.

entrada [ẽn'trada] *f* entrance; *(vestíbulo)* hall; *(prato)* appetizer; *(bilhete para espetáculo)* ticket; *(de dicionário)* entry; *(pagamento inicial)* down payment, deposit; **como entrada, o que deseja?** what would you like as an appetizer?; **'entrada'** 'entrance'; **'entrada livre'** 'free admission'; **'entrada proibida'** 'no entry'.

entrar [ẽn'tra(x)] *vi* to enter, to go/come in; *(encaixar)* to go in; **entrar com algo** to contribute sthg; **entrar em algo** *(penetrar, ingressar em)* to enter sthg; *(participar em)* to take part in sthg; **entro em férias amanhã** my vacation starts tomorrow; **não entremos em discussões** let's not start arguing; *(carro)* to get in; *(ônibus, trem)* to get on; *(equipe, grupo)* to join.

entre ['ẽntri] *prep* between; *(no meio de muitos)* among; *(cerca de)* about; **aqui entre nós** between you and me; **entre si** among themselves.

entreaberto, ta [ˌẽntriaˈbɛxtu, ta] *adj (janela)* half-open; *(porta)* ajar.
entreajuda [ˌẽntreaˈʒuda] *f* teamwork.
entrecosto [ẽntreˈkoʃtu] *m* spare ribs *pl.*
entrega [ẽnˈtrɛga] *f (de encomenda, mercadoria, carta)* delivery; *(rendição)* surrender; **entrega a domicílio** home delivery.
entregar [ẽntreˈga(x)] *vt*: **entregar algo a alguém** *(dar)* to give sthg to sb; *(encomenda, carta)* to deliver sthg to sb.
❑ **entregar-se** *vp (render-se)* to surrender; **entregar-se a** *(abandonar-se a)* to abandon o.s. to; *(dedicar-se a)* to dedicate o.s. to.
entretanto [ẽntriˈtãntu] **1** *adv* meanwhile, in the meantime.
2 *conj (todavia)* however.
entreter [ẽntreˈte(x)] *vt* to entertain.
❑ **entreter-se** *vp* to amuse o.s.
entrevado, da [ẽnˈtrɛvadu, da] *adj* paralyzed.
entrevista [ẽntreˈviʃta] *f* interview; **entrevista coletiva** press conference.
entrevistador, ra [ẽntreˈviʃtado(x), ra] (*mpl* **-res** [-riʃ], *fpl* **-s** [-ʃ]) *m, f* interviewer.
entristecer [ẽntriʃteˈse(x)] **1** *vt* to sadden.
2 *vi* to grow sad.
entroncamento [ẽntrõŋkaˈmẽntu] *m* junction.
entupido, da [ẽntuˈpidu, da] *adj* blocked.
entupir [ẽntuˈpi(x)] *vt* to block.
❑ **entupir-se** *vp* to get blocked.
entusiasmar [ẽntuzjaʒˈma(x)] *vt* to excite.
❑ **entusiasmar-se** *vp* to get excited.
entusiasmo [ẽntuˈzjaʒmu] *m* enthusiasm.
entusiasta [ẽntuˈzjaʃta] *mf* enthusiast.
enunciar [enũˈsja(x)] *vt* to express.
envelhecer [ẽveʎeˈse(x)] **1** *vt* to age.
2 *vi* to grow old.
envelope [ẽveˈlɔpi] *m* envelope.
envenenamento [ẽvenenaˈmẽntu] *m* poisoning.
envenenar [ẽveneˈna(x)] *vt* to poison.
❑ **envenenar-se** *vp* to poison o.s.
enveredar [ẽvereˈda(x)]: **enveredar por** *v + prep fig* to take up.
envergonhado, da [ẽvergoˈɲadu, da] *adj* shy.
envergonhar [ẽvergoˈɲa(x)] *vt* to embarrass.
❑ **envergonhar-se** *vp (ter vergonha)* to be embarrassed.
envernizar [ẽverniˈza(x)] *vt* to varnish.
enviar [ẽˈvja(x)] *vt* to send.
envidraçado, da [ẽvidraˈsadu, da] *adj* glazed.
envio [ẽˈviu] *m* sending.
enviuvar [ẽvjuˈva(x)] *vi* to be widowed.
envolver [ẽvowˈve(x)] *vt (incluir)* to involve; *(embrulhar)* to wrap up.
❑ **envolver-se em** *vp + prep (imiscuir-se em)* to get involved in.
enxaguar [ẽʃaˈgwa(x)] *vt* to rinse.
enxame [ẽˈʃami] *m* swarm.
enxaqueca [ẽʃaˈkeka] *f* migraine.
enxergar [ẽʃexˈga(x)] *vt (descortinar)* to see; *(avistar)* to make out; **não enxergar um palmo adiante do nariz** to be as blind as a bat.
❑ **enxergar-se** *vp*: **não se enxergar** not to know one's place.
enxerto [ẽˈʃextu] *m (de planta)* cutting; MED *(de pele)* graft.
enxofre [ẽˈʃofri] *m* sulfur.
enxotar [ẽʃoˈta(x)] *vt* to chase away.
enxugar [ẽʃuˈga(x)] *vt & vi* to dry.
enxurrada [ẽʃuˈxada] *f* torrent.
enxuto, ta [ẽˈʃutu, ta] *adj* dry.
enzima [ẽˈzima] *f* enzyme.
epicentro [epiˈsẽntru] *m* epicenter.
epidemia [epideˈmia] *f* epidemic.
epilepsia [epilɛpˈsia] *f* epilepsy.
epílogo [eˈpilugu] *m* epilogue.
episódio [epiˈzɔdju] *m* episode.
época [ˈɛpoka] *f (período)* era, period; *(estação)* season; **época alta/baixa** *(de turismo)* high/low season.
equação [ekwaˈsãw] (*pl* **-ões** [-õjʃ]) *f* equation.
equador [ekwaˈdo(x)] *m*: **o equador** the equator.
equilibrar [ekiliˈbra(x)] *vt* to balance.
❑ **equilibrar-se** *vp* to balance.
equilíbrio [ekiˈlibriu] *m* balance.
equipamento [ekipaˈmẽntu] *m (esportivo)* kit; *(de empresa, fábrica)* equipment; **equipamento de som** sound system.
equipar [ekiˈpa(x)] *vt* to equip.
❑ **equipar-se** *vp* to equip o.s.
equiparar [ekipaˈra(x)] *vt* to compare.
❑ **equiparar-se** *vp* to be equal; **equiparar-se a** to equal.
equipe [eˈkipi] *f* team.
equitação [ekitaˈsãw] *f* (horse) riding.
equivalente [ekivaˈlẽntʃi] *adj & m* equivalent.

equivocar-se [ekivo'kaxsi] *vp* to make a mistake.
equívoco [e'kivoku] *m* mistake.
era[1] ['ɛra] → **ser.**
era[2] ['ɛra] *f* era.
ereto, ta [e'rɛtu, ta] *adj (em pé)* upright; *(direito)* erect.
erguer [ex'ge(x)] *vt (levantar)* to lift up; *(eregir)* to put up.
❑ **erguer-se** *vp* to get up.
eriçado, da [eri'sadu, da] *adj (cabelo, pêlo)* on end.
erigir [eri'ʒi(x)] *vt (monumento)* to erect; *(fundação)* to set up.
erosão [ero'zãw] *f* erosion.
erótico, ca [i'rɔtiku, ka] *adj* erotic.
erotismo [ero'tiʒmu] *m* eroticism.
erradicar [exadʒi'ka(x)] *vt* to eradicate.
errado, da [e'xadu, da] *adj* wrong.
errar [e'xa(x)] **1** *vt* to get wrong.
2 *vi (enganar-se)* to make a mistake.
erro ['exu] *m* mistake.
errôneo, nea [e'xonju, nja] *adj* wrong.
erudito, ta [eru'dʒitu, ta] *adj* erudite.
erupção [erup'sãw] (*pl* **-ões** [-õjʃ]) *f (em pele)* rash; *(vulcânica)* eruption.
erva ['ɛxva] *f* grass; **erva daninha** weed.
erva-doce [ˌɛxva'dosi] *f* fennel.
ervilha [ex'viʎa] *f* pea.
és → **ser.**
esbaforido, da [iʒbafu'ridu, da] *adj* breathless.
esbanjar [iʒbã'ʒa(x)] *vt (dinheiro)* to squander.
esbarrar [iʒba'xa(x)] *vi*: **esbarrar com** OU **contra** to bump into; **esbarrar em algo** *(chocar com)* to bump into sthg; *(deparar com)* to come up against sthg.
esbelto, ta [iʒ'bɛwtu, ta] *adj* slim.
esboço [iʒ'bosu] *m* sketch.
esburacar [iʒbura'ka(x)] *vt* to make holes in.
❑ **esburacar-se** *vp* to fall apart.
escada [iʃ'kada] *f (de casa, edifício)* stairs *pl*; *(portátil)* ladder; **escada em espiral** spiral staircase; **escada rolante** escalator.
escala [iʃ'kala] *f* scale; *(de avião, navio)* layover *Am*, stopover *Brit*; **fazer escala** *(avião)* to have a layover; **em grande escala** on a grand scale.
escalada [iʃka'lada] *f (de conflito)* escalation.
escalão [iʃka'lãw] (*pl* **-ões** [-õjʃ]) *m* grade.
escalar [iʃka'la(x)] *vt (montanha)* to climb.
escaldar [iʃkaw'da(x)] **1** *vt (alimento)* to blanch.
2 *vi (estar muito quente)* to be scalding hot.
❑ **escaldar-se** *vp (queimar-se)* to scald o.s.
escalões → **escalão.**
escalope [iʃka'lɔpi] *m* escalope.
escama [iʃ'kama] *f (de peixe)* scale.
escamar [iʃka'ma(x)] *vt (peixe)* to scale.
escandalizar [iʃkãndali'za(x)] *vt* to scandalize.
❑ **escandalizar-se** *vp* to be scandalized.
escândalo [iʃ'kãndalu] *m* scandal; **fazer um escândalo** to cause a scene.
escangalhar [iʃkãŋga'ʎa(x)] *vt* to ruin.
❑ **escangalhar-se** *vp* to fall apart.
escanteio [iʃkãn'teju] *m (em futebol)* corner.
escapar [iʃka'pa(x)] *vi* to escape; **escapar de** to escape from.
❑ **escapar-se** *vp (vazar)* to leak.
escaravelho [iʃkara'veʎu] *m* beetle.
escarlate [eʃkar'latʃi] *adj* scarlet.
escárnio [iʃ'karnju] *m* mockery.
escarpado, da [iʃkar'padu, da] *adj* steep.
escarrar [iʃka'xa(x)] *vi* to hawk.
escassez [iʃka'seʒ] *f* scarcity.
escasso, a [iʃ'kasu, a] *adj* scarce.
escavação [iʃkava'sãw] (*pl* **-ões** [-õjʃ]) *f* dig, excavation.
escavar [iʃka'va(x)] *vt* to excavate.
esclarecer [iʃklare'se(x)] *vt* to clarify.
esclarecimento [iʃklaresi'mẽntu] *m (informação)* information; *(explicação)* explanation.
escoar [iʃkw'a(x)] *vt* to drain.
❑ **escoar-se** *vp* to drain away.
escola [iʃ'kɔla] *f* school; **escola particular** private school; **escola primária/secundária** elementary/high school; **escola pública** public school; **escola de samba** samba school.
escolar [iʃko'la(x)] (*pl* **-res** [-riʃ]) *adj (livro, equipamento)* school *(antes de s)*.
escolha [iʃ'koʎa] *f* choice; **você tem vários livros à escolha** you have several books to choose from.
escolher [iʃko'ʎe(x)] *vt & vi* to choose.
escombros [iʃ'kõmbruʃ] *mpl* ruins.
esconder [iʃkõn'de(x)] *vt* to hide.

❑ **esconder-se** *vp* to hide.
esconderijo [iʃkõnde'riʒu] *m* hideaway, hiding place.
escondidas [iʃkõn'dʒidaʃ]: **às escondidas** *adv* in secret.
escondido, da [iʃkõn'dʒidu, da] *adj* hidden.
escorar [iʃkɔ'ra(x)] *vt (edifício, muro)* to shore up; *(árvore)* to prop up.
escorpião [iʃkox'pjãw] (*pl* **-ões** [-õjʃ]) *m* scorpion.
❑ **Escorpião** *m* Scorpio.
escorrega [iʃko'xɛga] *m* slide.
escorregadio, dia [iʃkoxega'dʒiu, dʒia] *adj* slippery.
escorregar [iʃkoxe'ga(x)] *vi (involuntariamente)* to slip; *(deslizar)* to slide.
escorrer [iʃko'xe(x)] **1** *vt* to drain.
2 *vi (pingar)* to drip.
escoteiro, ra [iʃkõ'tejru, ra] *m, f (depois dos 11 anos)* Boy Scout; *(entre os 7 e 11 anos)* Cub Scout.
escova [iʃ'kova] *f* brush; **escova de dentes** toothbrush; **escova de unhas** nailbrush.
escovar [iʃko'va(x)] *vt (cabelo, dentes, roupa)* to brush; *(cão, gato)* to groom.
escravidão [iʃkravi'dãw] *f* slavery.
escravo, va [iʃ'kravu, va] *m, f* slave.
escrever [iʃkre've(x)] *vt & vi* to write.
❑ **escrever-se** *vp* to write to one another; **como é que se escreve ...?** how do you spell ...?
escrevinhar [iʃkrevi'ɲa(x)] *vt* to scribble.
escrita [iʃ'krita] *f (caligrafia)* handwriting.
escrito, ta [iʃ'kritu, ta] **1** *pp* → **escrever.**
2 *adj* written; **por escrito** in writing.
escritor, ra [iʃkri'to(x), ra] (*mpl* **-res** [-riʃ], *fpl* **-s** [-ʃ]) *m, f* writer.
escritório [iʃkri'tɔrju] *m (de casa)* study; *(de advogado, empresa)* office.
escrivaninha [iʃkriva'niɲa] *f* writing desk.
escrúpulo [iʃ'krupulu] *m* scruple; **não ter escrúpulos** to have no scruples.
escudo [iʃ'kudu] *m (arma)* shield; *(unidade monetária)* escudo.
esculpir [iʃkuw'pi(x)] *vt* to sculpt.
escultor, ra [iʃkuw'to(x), ra] (*mpl* **-res** [-riʃ], *fpl* **-s** [-ʃ]) *m, f* sculptor.
escultura [iʃkuw'tura] *f* sculpture.
escuras [iʃ'kuraʃ]: **às escuras** *adv* in the dark; **ficou tudo às escuras** everything went dark.
escurecer [iʃkure'se(x)] **1** *vi (céu, noite)* to get dark.
2 *vt (tinta, água)* to darken.
escuridão [iʃkuri'dãw] *f* darkness.
escuro, ra [iʃ'kuru, ra] **1** *adj* dark.
2 *m* darkness.
escutar [iʃku'ta(x)] **1** *vt* to listen to.
2 *vi* to listen.
esfaquear [iʃfa'kja(x)] *vt* to stab.
esfarrapado, da [iʃfaxa'padu, da] *adj* tattered.
esfera [iʃ'fɛra] *f* sphere.
esférico, ca [iʃ'fɛriku, ka] *adj* spherical.
esferográfica [iʃfero'grafika] *f* ballpoint pen.
esfoladela [iʃfola'dɛla] *f* graze.
esfolar [iʃfo'la(x)] *vt* to skin.
esfomeado, da [iʃfɔ'mjadu, da] *adj* starving.
esforçado, da [iʃfox'sadu, da] *adj* hardworking.
esforçar-se [iʃfox'saxsi] *vp* to work hard.
esfregar [iʃfre'ga(x)] *vt (friccionar)* to rub; *(roupa)* to scrub; *(louça)* to scour.
esfriar [iʃfri'a(x)] *vi* to cool (down); *(tempo)* to get cold.
esganar [iʒga'na(x)] *vt* to strangle.
esganiçado, da [iʒgani'sadu, da] *adj* shrill.
esgotado, da [iʒgo'tadu, da] *adj (produto)* sold out; *(cansado)* exhausted.
esgotamento [iʒgota'mẽntu] *m* exhaustion; *(mental, nervoso)* breakdown.
esgotar [iʒgo'ta(x)] *vt* to use up.
❑ **esgotar-se** *vp (produto)* to sell out; *(extenuar-se)* to exhaust o.s.
esgoto [iʒ'gotu] *m (de casa)* drain; *(de rua, cidade)* sewer.
esgrima [iʒ'grima] *f* fencing; **praticar esgrima** to fence.
esgueirar-se [iʒgej'raxsi] *vp* to sneak off.
esguicho [iʒ'giʃu] *m (jato de água)* squirt; *(repuxo)* sprinkler; *(de mangueira)* nozzle.
esguio, guia [iʒ'giu, gia] *adj* slender.
esmagador, ra [iʒmaga'do(x), ra] (*mpl* **-res** [-riʃ], *fpl* **-s** [-ʃ]) *adj (vitória, maioria)* overwhelming; *(peso)* crushing.
esmagar [iʒma'ga(x)] *vt* to crush.
esmalte [iʒ'mawtʃi] *m* enamel; *(de unhas)* nail polish.
esmeralda [iʒme'rawda] *f* emerald.
esmigalhar [iʒmiga'ʎa(x)] *vt (pão, broa, bolo)* to crumble; *(vidro, porcelana)* to shatter.

❑ **esmigalhar-se** *vp (pão, broa, bolo)* to crumble; *(vidro, porcelana)* to shatter.

esmola [iʒ'mɔla] *f*: **pedir esmola** to beg; **dar esmola** to give money *(to beggars).*

esmurrar [iʒmu'xa(x)] *vt (dar murros em)* to punch.

espaçar [iʃpa'sa(x)] *vt* to space out.

espacial [iʃpa'sjaw] (*pl* **-ais** [-ajʃ]) *adj* space *(antes de s).*

espaço [iʃ'pasu] *m* space; *(de tempo)* period of time; **o espaço** (outer) space; **há espaço para muitas pessoas** there's room for a lot of people; **espaço cibernético** cyberspace; **espaço cultural** arts center.

espaçoso, osa [iʃpa'sozu, ɔza] *adj* spacious.

espada [iʃ'pada] *f* sword.

❑ **espadas** *fpl (naipe de cartas)* spades.

> Não confundir *espada (sword)* com o inglês *spade* que em português significa *pá*. (*O cavaleiro carregava sua espada.* The knight was carrying his *sword*.)

espadarte [iʃpa'daxtʃi] *m* swordfish.

espaguete [iʃpa'gɛtʃi] *m* spaghetti.

espairecer [iʃpajre'se(x)] *vi* to relax.

espalhar [iʃpa'ʎa(x)] *vt (dispersar)* to scatter; *(notícia, boato)* to spread.

❑ **espalhar-se** *vp (dispersar-se)* to scatter; *(estatelar-se)* to fall down; *(notícia, boato)* to spread.

espancar [iʃpãŋ'ka(x)] *vt* to beat (up).

espantar [iʃpãn'ta(x)] *vt* to astonish, to astound; *(afugentar)* to scare off; **tome um café para espantar o sono** have a coffee to keep you awake.

❑ **espantar-se** *vp (admirar-se)* to be astonished; *(fugir)* to run off.

espanto [iʃ'pãntu] *m (admiração)* astonishment; *(medo)* fright.

esparadrapo [iʃpara'drapu] *m* Band-Aid® *Am,* (sticking) plaster *Brit.*

espasmo [iʃ'paʒmu] *m* spasm.

espátula [iʃ'patula] *f* spatula.

especial [iʃpe'sjaw] (*pl* **-ais** [-ajʃ]) *adj* special; **em especial** especially; **especial para** especially for.

especialidade [iʃpesjali'dadʒi] *f* speciality.

especialista [iʃpesja'liʃta] **1** *m, f (perito)* expert; *(médico especializado)* specialist.
2 *adj* specialist.

especiarias [iʃpesja'riaʃ] *fpl* spices.

espécie [iʃ'pɛsji] *f (tipo)* kind, sort; *(de seres vivos)* species *sg*; **a espécie humana** the human race; **uma espécie de** a kind ou sort of; **espécie em via de extinção** endangered species.

especificar [iʃpesifi'ka(x)] *vt* to specify.

espécime [iʃ'pɛsimi] *m* specimen.

espectador, ra [iʃpɛkta'do(x), ra] (*mpl* **-res** [-riʃ], *fpl* **-ras** [-ʃ]) *m, f (de programa televisivo)* viewer; *(de evento esportivo)* spectator; *(de espetáculo de circo, teatro etc.)* member of the audience.

especulação [iʃpɛkula'sau] *f* speculation; **especulação imobiliária** property speculation.

especular [iʃpɛku'la(x)] *vi* to speculate; **especular sobre algo** to speculate on ou about sthg.

espelho [iʃ'peʎu] *m* mirror; **espelho retrovisor** rearview mirror.

espera [iʃ'pɛra] *f* wait; **estar à espera de** to be waiting for.

esperança [iʃpe'rãsa] *f* hope.

esperar [iʃpe'ra(x)] **1** *vt (aguardar)* to wait for; *(ter esperança em)* to expect.
2 *vi (aguardar)* to wait.
3 esperar que to hope (that); **fazer alguém esperar** to keep sb waiting; **ir esperar alguém** to meet sb; **como era de se esperar** as was to be expected.

esperma [iʃ'pɛxma] *m* sperm.

espertalhão, lhona [iʃpexta'ʎãw, ʎona] (*mpl* **-ões** [-õjʃ], *fpl* **-s** [-ʃ]) *m, f* smart aleck.

esperteza [iʃpex'teza] *f* cunning.

esperto, ta [iʃ'pɛxtu, ta] *adj (inteligente)* smart; *(ativo)* lively.

> Não confundir *esperto (smart)* com o inglês *expert* que em português signfica *especialista*. (*Ele é um garoto muito esperto.* He is a very *smart* boy.)

espesso, a [iʃ'pesu, a] *adj* thick.

espessura [iʃpe'sura] *f* thickness.

espetacular [iʃpɛtaku'la(x)] (*pl* **-res** [-riʃ]) *adj* spectacular.

espetáculo [iʃpe'takulu] *m (de circo, teatro)* show; **espetáculo de variedades** variety show.

espeto [iʃ'petu] *m (de ferro)* spit; *(de pau)* stake.

espevitado, da [iʃpevi'tadu, da] *adj* lively.

espezinhar [iʃpezi'ɲa(x)] *vt* to trample on.

espião, piã [iʃ'pjãw, pjã] (*mpl* **-ões** [-õjʃ], *fpl* **-s** [-ʃ]) *m, f* spy.
espiar [iʃ'pja(x)] *vt* to spy on.
espiga [iʃ'piga] *f* ear.
espinafre [iʃpi'nafri] *m* spinach.
espingarda [iʃpĩŋ'garda] *f* shotgun.
espinha [iʃ'piɲa] *f (de peixe)* bone; *(em pele)* spot; **espinha (dorsal)** backbone, spine.
espinho [iʃ'piɲu] *m (de rosa, arbusto)* thorn; *(de porco-espinho)* quill.
espiões → **espião.**
espiral [iʃpi'raw] (*pl* **-ais** [-ajʃ]) *f* spiral; **em espiral** spiral.
espírito [iʃ'piritu] *m* spirit.
espiritual [iʃpiri'twaw] (*pl* **-ais** [-ajʃ]) *adj* spiritual.
espirituoso, osa [iʃpiri'twozu, ɔza] *adj* witty.
espirrar [iʃpi'xa(x)] *vi (dar espirros)* to sneeze; *(esguichar)* to spit.
esplanada [iʃpla'nada] *f* esplanade.
esplêndido, da [iʃ'plẽndidu, da] *adj* splendid.
esplendor [iʃplẽn'do(x)] *m (luxo)* splendor; *(brilho)* brilliance.
esponja [iʃ'põʒa] *f* sponge; **passar uma esponja sobre o assunto** *fig (esquecer)* to wipe the slate clean.
espontaneidade [iʃpõntanei'dadʒi] *f* spontaneity.
espontâneo, nea [iʃpõn'tanju, nja] *adj* spontaneous.
espora [iʃ'pɔra] *f* spur.
esporte [iʃ'pɔxtʃi] *m* sports.
esportista [iʃpox'tʃiʃta] *mf* sportsman.
esportivo, va [iʃpox'tʃivu, va] *adj* sports *(antes de s).*
esposo, sa [iʃ'pozu, za] *m, f* husband.
espreguiçar-se [iʃpregi'saxsi] *vp* to stretch.
espreita [iʃ'prejta]: **à espreita** *adv* on the lookout.
espreitar [iʃprej'ta(x)] *vt* to peep at.
espremedor [iʃpreme'do(x)] (*pl* **-res** [-riʃ]) *m* (juice) squeezer.
espremer [iʃpre'me(x)] *vt* to squeeze.
espuma [iʃ'puma] *f (de mar)* surf; *(de sabão)* lather; *(de banho)* foam.
espumante [iʃpu'mãntʃi] **1** *adj* sparkling.
2 *m* sparkling wine.
espumoso, osa [iʃpu'mozu, ɔza] *adj & m* = **espumante.**
Esq. (*abrev de* **esquerdo**) L.
esquadra [eʃ'kwadra] *f* fleet.
esquadro [iʃ'kwadru] *m* set square.
esquecer [iʃke'se(x)] *vt* to forget.
❑ **esquecer-se** *vp* to forget; **esquecer-se de algo/de fazer algo** to forget sthg/to do sthg.
esquecido, da [iʃke'sidu, da] **1** *adj* absent-minded, forgetful.
2 *m, f* absent-minded person.
esquecimento [iʃkesi'mẽntu] *m* forgetfulness.
esqueleto [iʃke'letu] *m* skeleton.
esquema [iʃ'kema] *m (diagrama)* diagram; *(sistema)* scheme.
esquentar [iʃkẽn'ta(x)] *vt* to heat up.
esquerda [iʃ'kexda] *f*: **a esquerda** *(mão)* one's left hand; *(lado)* the left-hand side; *(em política)* the Left; **'só ultrapasse pela esquerda'** 'overtake on the left only'; **à esquerda (de)** on the left (of); **virar à esquerda** to turn left; **ser de esquerda** *POL* to be left-wing.
esquerdo, da [iʃ'kexdu, da] *adj (mão, perna, lado)* left; *(canhoto)* left-handed.
esqui [iʃ'ki] *m (equipamento)* ski; *(esporte)* skiing; **esqui aquático** water-skiing.
esquiar [iʃki'a(x)] *vi* to ski.
esquilo [iʃ'kilu] *m* squirrel.
esquina [iʃ'kina] *f* corner.
esquisito, ta [iʃki'zitu, ta] *adj (estranho)* strange, weird.

> Não confundir *esquisito (strange)* com o inglês *exquisite* que em português significa *requintado.* (*O cheiro desta sopa está esquisito.* This soup smells *strange.*)

esquivar-se [iʃki'vaxsi] *vp* to escape; **esquivar-se de fazer algo** to get out of doing sthg.
esquivo, va [iʃ'kivu, va] *adj (arisco)* shy.
esse, essa ['esi, 'ɛsa] **1** *adj* that, those *pl.*
2 *pron* that (one), those (ones) *pl.*
3 essa é boa! you've got to be kidding!; **é por esses e outras que ele sempre acaba demitido** it's for these and other reasons he always gets sacked; **só faltava mais essa!** that's the final straw!; **vamos nessa!** let's go!
essência [e'sẽsja] *f* essence.
essencial [esẽ'sjaw] (*pl* **-ais** [-ajʃ]) **1** *adj* essential.
2 *m*: **o essencial** *(o indispensável)* the

bare essentials *pl*; *(o importante)* the important thing.

esta ['ɛʃta] → **este.**

está [iʃ'ta] → **estar.**

estabelecer [iʃtable'se(x)] *vt* to establish.
❑ **estabelecer-se** *vp* to establish o.s.

estabelecimento [iʃtabelesi'mẽntu] *m* *(casa comercial)* business; *(instituição)* establishment; **estabelecimento de ensino** school.

estabilidade [iʃtabili'dadʒi] *f* stability.

estabilizador [iʃtabiliza'do(x)] (*pl* **-res** [-riʃ]) *m*: **estabilizador (de corrente)** stabilizer.

estábulo [iʃ'tabulu] *m* stable.

estação [iʃta'sãw] (*pl* **-ões** [-õjʃ]) *f* *(de trem, ônibus)* station; *(do ano, turismo, vendas)* season; **estação de águas** spa; **estação de rádio** radio station.

estacionamento [iʃtasjona'mẽntu] *m* *(ato)* parking; *(lugar)* parking space; **'estacionamento privativo'** 'private parking'; **'estacionamento proibido'** 'no parking'.

estacionar [iʃtasjo'na(x)] *vt & vi* to park.

estações → **estação.**

estada [iʃ'tada] *f* stay.

estadia [iʃta'dʒia] *f* = **estada.**

estádio [iʃ'tadʒju] *m (de futebol, atletismo)* stadium; *(fase)* phase.

estadista [iʃta'dʒiʃta] *mf* statesman.

estado [iʃ'tadu] *m* state; **em bom/mau estado** *(objeto)* in good/bad condition; **estado civil** marital status; **estado físico** level of fitness.
❑ **Estado** *m*: **o Estado** the State; **os Estados Unidos** the United States.

estalagem [iʃta'laʒẽ] (*pl* **-ns** [-ʃ]) *f* inn.

estalar [iʃta'la(x)] **1** *vi (porcelana, vidro, osso)* to crack; *(lenha)* to crackle.
2 *vt*: **estalar a língua** to click one's tongue; **estalar os dedos** to snap one's fingers.

estampado, da [iʃtãm'padu, da] *adj* printed.

estancar [iʃtãŋ'ka(x)] **1** *vt (líquido)* to stop; *(sangue)* to staunch.
2 *vi (sangue)* to stop.

estância [iʃ'tãsja] *f (quinta)* ranch; **estância hidromineral** spa; **estância termal** spa.

estanho [iʃ'taɲu] *m* tin.

estante [iʃ'tãntʃi] *f* bookcase.

estão [iʃ'tãw] → **estar.**

estar [iʃ'ta(x)] *vi* **(a)** *(com lugar)* to be; *(em casa)* to be at home, to be in; **ela estará lá à hora certa** she'll be there on time; **estarei no emprego às dez** I'll be at work at ten.
(b) *(exprime estado)* to be; **está quebrado** it's out of order; **estar bem/mal de saúde** to be well/unwell; **está muito calor/frio** it's very hot/cold.
(c) *(manter-se)* to be; **estive em casa toda a tarde** I was at home all afternoon; **estive esperando** I was waiting; **estive fora três anos** I lived abroad for three years; **deixe estar ...** let it be ...
(d) *(em locuções)*: **está bem** ou **certo!** OK!, all right!
❑ **estar a** *v + prep (relativo a preço)* to cost, to be; **o camarão está a 25 reais o quilo** shrimp cost ou are 25 reals a kilo.
❑ **estar de** *v + prep*: **estar de baixa/férias** to be on sick leave/vacation; **estar de saia** to be wearing a skirt; **estar de vigia** to keep watch.
❑ **estar para** *v + prep*: **estar para fazer algo** to be about to do sthg; **estou para sair** I'm about to go out, I'm on my way out; **ele está para chegar** he'll be here any minute now; **não estou para brincadeiras** I'm not in the mood for silly games.
❑ **estar perante** *v + prep (frente a)* to be facing; **você está perante um gênio** you're in the presence of a genius.
❑ **estar por** *v + prep (apoiar)* to support; *(por realizar)*: **a cama está por fazer** the bed hasn't been made yet; **a limpeza está por fazer** the cleaning hasn't been done yet.
❑ **estar sem** *v + prep*: **estou sem tempo** I don't have time; **estou sem dinheiro** I don't have any cash; **ele está sem comer há dois dias** he hasn't eaten for two days.

estardalhaço [iʃtaxda'ʎasu] *m* racket.

estarrecer [iʃtaxe'se(x)] *vt* to terrify.

estatal [iʃta'taw] (*pl* **-ais** [-ajʃ]) *adj* state *(antes de s)*.

estático, ca [iʃ'tatʃiku, ka] *adj* static.

estátua [iʃ'tatwa] *f* statue.

estatura [iʃta'tura] *f* stature.

estatuto [iʃta'tutu] *m (regulamento)* statute; *(de pessoa)* status.

este[1] ['ɛʃtʃi] *m* east; **a** ou **no este** in the east; **a este de** east of.

este[2], **esta** ['eʃtʃi, 'ɛʃta] **1** *adj* this, these *pl.*
2 *pron* this (one), these (ones) *pl.*
3 este mês (que vem) vou de férias I'm going on vacation next month; **não o vi esta semana** I haven't seen him this week.

esteira [iʃ'tejra] *f (de chão)* mat; *(de praia)* beach mat; *(em academia)* treadmill.

estender [iʃtẽn'de(x)] *vt (braços, pernas)* to stretch (out); *(jornal)* to spread out; *(roupa no varal)* to hang out; *(prazo, estadia)* to extend.
❑ **estender-se** *vp (no espaço)* to stretch out; *(no tempo)* to go on.

estepe [iʃ'tɛpi] *f* spare tire.

estéreis → **estéril.**

estereofônico, ca [iʃterjo'foniku, ka] *adj* stereo(phonic).

estéril [iʃ'tɛriw] (*pl* **-reis** [-rejʃ]) *adj* infertile.

esterilizar [iʃterili'za(x)] *vt* to sterilize.

estética [iʃ'tɛtika] *f* aesthetics *sg.*

estetoscópio [iʃtɛtoʃ'kɔpju] *m* stethoscope.

esteve [iʃ'tevi] → **estar.**

estibordo [iʃtʃi'bɔxdu] *m* starboard.

esticar [iʃtʃi'ka(x)] *vt* to stretch.
❑ **esticar-se** *vp* to stretch out.

estilo [iʃ'tʃilu] *m* style.

estima [iʃ'tʃima] *f* esteem.

estimar [iʃtʃi'ma(x)] *vt* to cherish.

estimativa [iʃʃtima'tʃiva] *f* estimate.

estimulante [iʃtʃimu'lãntʃi] **1** *adj* stimulating.
2 *m* stimulant.

estimular [iʃtʃimu'la(x)] *vt* to stimulate.

estipular [eʃtipu'la(x)] *vt* to stipulate.

estive [iʃ'tivi] → **estar.**

estojo [iʃ'toʒu] *m* set; **estojo (de lápis)** pencil case; **estojo de primeiros-socorros** first-aid kit.

estômago [iʃ'tomagu] *m* stomach.

estontear [iʃtõn'tja(x)] *vt* to bewilder.

estou [iʃ'to] → **estar.**

estourado, da [iʃto'radu, da] *adj (cansado)* exhausted.

estourar [iʃto'ra(x)] **1** *vt (balão, bola)* to burst; *(dinheiro)* to blow.
2 *vi (balão, bola)* to burst; *(pneu)* to blow out; *(bomba, explosivo)* to explode.

estouro [iʃ'toru] *m (de balão, bola, pneu)* bursting; *(ruído)* bang; **dar um estouro** *(zangar-se)* to blow a fuse.

estrábico, ca [iʃ'trabiku, ka] **1** *adj* cross-eyed.
2 *m, f* cross-eyed person.

estrada [iʃ'trada] *f* road, street; **estrada de pista dupla** divided highway *Am*, dual carriageway *Brit*; **estrada de ferro** railroad *Am*, railway *Brit*; **estrada secundária** ou **vicinal** minor road.

estrado [iʃ'tradu] *m* platform.

estragado, da [iʃtra'gadu, da] *adj (leite, comida)* off; *(pão)* stale; *(aparelho, máquina)* out of order.

estragão [iʃtra'gãw] *m* tarragon.

estragar [iʃtra'ga(x)] *vt (aparelho, máquina)* to break; *(desperdiçar)* to waste.
❑ **estragar-se** *vp (comida, leite)* to go off.

estrangeiro, ra [iʃtrã'ʒejru, ra] **1** *adj (cidade, país, língua)* foreign.
2 *m, f (pessoa)* foreigner.
3 *m*: **o estrangeiro** foreign countries *pl.*
4 ir para o estrangeiro to go abroad; **viver no estrangeiro** to live abroad.

estranhar [iʃtra'ɲa(x)] *vt* to find strange.

estranho, nha [iʃ'traɲu, ɲa] **1** *adj* strange.
2 *m, f* stranger.

estratégia [iʃtra'tɛʒja] *f* strategy.

estrear [iʃtre'a(x)] **1** *vt (roupa, sapatos)* to wear for the first time.
2 *vi (peça teatral)* to open; *(filme)* to première.

estréia [iʃ'trɛja] *f (de ator)* debut; *(de peça teatral)* opening night; *(de filme)* première.

estreitar [iʃtrej'ta(x)] **1** *vt (roupa)* to take in.
2 *vi (estrada, caminho)* to narrow.

estreito, ta [iʃ'trejtu, ta] **1** *adj* narrow; *(roupa)* tight.
2 *m (canal)* strait.

estrela [iʃ'trela] *f* star; **estrela cadente** shooting star; **ver estrelas** *fig (ter dor violenta)* to see stars.

estremecer [iʃtreme'se(x)] **1** *vt* to shake.
2 *vi (tremer)* to shake; *(assustar-se)* to be shaken.

estribo [iʃ'tribu] *m* stirrup.

estridente [iʃtri'dẽntʃi] *adj* strident.

estrofe [iʃ'trɔfi] *f* stanza.

estrondo [iʃ'trõndu] *m (som)* bang; *fig (pompa)* ostentation.

estropiar [iʃtro'pja(x)] *vt* to maim.

estrume [iʃ'trumi] *m* manure.

estrutura [iʃtru'tura] *f* structure.

estuário [iʃ'twarju] *m* estuary.
estudante [iʃtu'dãntʃi] *mf* student.
estudar [iʃtu'da(x)] *vt & vi* to study.
estúdio [iʃ'tudʒju] *m* studio; *(apartamento)* studio apartment.
estudioso, osa [iʃtu'dʒjozu, ɔza] *adj* studious.
estudo [iʃ'tudu] *m* study; **em estudo** under consideration.
estupefação [eʃtupefa'sãw] *f* astonishment.
estupefaciente [iʃtupefa'sjẽntʃi] *m* drug.
estupefato, ta [iʃtupe'fatu, ta] *adj* astounded.
estupendo, da [iʃtu'pẽndu, da] *adj (extraordinário)* remarkable; *(ótimo)* great.
estupidez [iʃtupi'deʃ] *f* stupidity.
estúpido, da [iʃ'tupidu, da] *m, f* idiot.
estupro [iʃ'tupru] *m* rape.
estuque [iʃ'tuki] *m* plaster.
esvaziar [iʒva'zja(x)] *vt* to empty.
esvoaçar [iʒvwa'sa(x)] *vi (ave)* to flutter.
etapa [i'tapa] *f* stage; **fazer algo por etapas** to do sthg by ou in stages; **queimar etapas** to skip tasks.
eternidade [etexni'dadʒi] *f* eternity; **demorar/esperar uma eternidade** to take/wait ages.
eterno, na [e'texnu, na] *adj* eternal.
ética ['ɛtʃika] *f* ethics *pl.*
ético, ca ['ɛtʃiku, ka] *adj* ethical.
etiqueta [etʃi'keta] *f (rótulo)* label, tag; *(social)* etiquette.
étnico, ca ['ɛtniku, ka] *adj* ethnic.
eu ['ew] *pron (sujeito)* I; **e eu?** what about me?; **sou eu** it's me; **eu mesmo** ou **próprio** (I) myself.
eucalipto [ewka'liptu] *m* eucalyptus.
eufemismo [ewfe'miʒmu] *m* euphemism.
euforia [ewfo'ria] *f* euphoria.
euro ['ewro] *m* euro.
evacuação [evakwa'sãw] (*pl* **-ões** [-õjʃ]) *f* evacuation.
evacuar [eva'kwa(x)] *vt* to evacuate.
evadir-se [eva'dixsi] *vp* to escape.
Evangelho [evã'ʒɛʎu] *m*: **o Evangelho** the Gospel.
evaporar [evapo'ra(x)] *vt* to evaporate.
❑ **evaporar-se** *vp (líquido)* to evaporate; *fig (desaparecer)* to vanish.
evasão [eva'zãw] (*pl* **-ões** [-õjʃ]) *f (de prisão, rotina)* escape; *(evasiva)* evasion.
evasivo, va [eva'zivu, va] *adj* evasive.
evasões → **evasão.**
evento [e'vẽntu] *m* event.
eventual [evẽn'twaw] (*pl* **-ais** [-ajʃ]) *adj (possível)* possible.
eventualmente [evẽn'twal'mẽntʃi] *adv* sometimes.

> Não confundir *eventualmente (sometimes)* com o inglês *eventually* que em português significa *finalmente*. (*Eventualmente, eu vou para o trabalho de carro. Sometimes* I go to work by car.)

evidência [evi'dẽsja] *f* evidence.
evidenciar [evidẽ'sja(x)] *vt* to show.
❑ **evidenciar-se** *vp* to draw attention to o.s.
evidente [evi'dẽntʃi] *adj* evident, obvious; **como é evidente** obviously.
evitar [evi'ta(x)] *vt* to avoid; **evitar que algo aconteça** to avoid sthg happening.
evocar [evo'ka(x)] *vt* to evoke.
evolução [evolu'sãw] *f* evolution.
evoluir [evo'lwi(x)] *vi* to evolve.
exagerar [ezaʒe'ra(x)] *vt* to exaggerate.
exagero [eza'ʒeru] *m* exaggeration, overstatement; **é um exagero!** it's too much!; **sem exagero** seriously.
exaltado, da [ezaw'tadu, da] *adj* exasperated.
exaltar [ezaw'ta(x)] *vt (elogiar)* to exalt; *(irritar)* to exasperate.
❑ **exaltar-se** *vp (irritar-se)* to lose one's temper.
exame [e'zami] *m (escolar, universitário)* exam; *(médico)* examination; **exame de sangue** blood test; **exame médico** medical examination; **exame vestibular** university entrance examination; **exame de direção** driving test.
examinar [ezami'na(x)] *vt* to examine.
exatamente [e,zata'mẽntʃi] **1** *adv* exactly. **2** *interj* exactly!
exatidão [ezatʃi'dãw] *f (precisão)* precision; *(rigor)* accuracy; **com exatidão** exactly.
exato, ta [e'zatu, ta] *adj (preciso)* precise; *(rigoroso)* accurate; *(correto)* correct.
exausto, ta [e'zawʃtu, ta] *adj* exhausted.
exaustor [ezawʃ'to(x)] (*pl* **-res** [-riʃ]) *m* extractor fan.
exceção [e(ʃ)se'sãw] (*pl* **-ões** [-õjʃ]) *f* exception; **à** ou **com exceção de** except

for; **fora de exceção** out of the ordinary; **sem exceção** without exception.

excedente [ese'dẽntʃi] *m* surplus.

exceder [ese'de(x)] *vt* to exceed.

❑ **exceder-se** *vp (exagerar)* to go too far; *(enfurecer-se)* to lose one's temper; **exceder-se em** to overdo.

excelente [ese'lẽntʃi] *adj* excellent.

excelentíssimo, ma [eselẽn'tʃisimu, ma] *superl formal term of address used in correspondence.*

excêntrico, ca [e'sẽntriku, ka] *adj* eccentric.

excepcional [esepsju'naw] (*pl* **-ais** [-ajʃ]) *adj* exceptional.

excerto [e'sextu] *m* excerpt.

excessivo, va [ese'sivu, va] *adj* excessive.

excesso [e'sɛsu] *m* excess; **em excesso** too much; **excesso de peso** *(relativo a bagagem)* excess baggage; *(relativo a pessoa)* excess weight; **excesso de velocidade** speeding.

exceto [e'sɛtu] *prep* except, apart from.

excitação [esita'sãw] *f (entusiasmo)* excitement; *(irritação)* agitation.

excitado, da [esi'tadu, da] *adj (entusiasmado)* excited; *(irritado)* agitated.

excitante [esi'tãntʃi] *adj* exciting.

exclamação [iʃklama'sãw] (*pl* **-ões** [-õjʃ]) *f* exclamation.

exclamar [iʃkla'ma(x)] *vi* to exclaim.

excluir [iʃklu'i(x)] *vt* to exclude.

exclusivo, va [iʃklu'zivu, va] *adj & m* exclusive.

excursão [iʃkux'sãw] (*pl* **-ões** [-õjʃ]) *f (de ônibus)* field trip.

execução [ezeku'sãw] *f (de objeto)* production; *(de trabalho, plano, projeto)* execution; *(de prato culinário)* preparation; **pôr algo em execução** to put sthg into practice.

executar [ezeku'ta(x)] *vt (música, cena teatral)* to perform; *(desenho, pintura)* to produce; *(ordem, plano, trabalho)* to carry out; *(matar)* to execute.

executivo, va [ezeku'tivu, va] *m, f* executive.

exemplar [ezẽm'pla(x)] (*pl* **-res** [-riʃ]) **1** *adj* exemplary.

2 *m (de espécie, raça)* specimen; *(de livro, revista)* copy.

exemplo [e'zẽmplu] *m* example; **por exemplo** for example; **a título de exemplo** as an example; **bom/mau exemplo** good/bad example; **dar o exemplo** to set an example; **ser um exemplo** to be an example.

exercer [ezex'se(x)] **1** *vt (profissão)* to practice; *(função)* to fulfill; *(influência)* to exercise.

2 *vi* to practice.

3 ela exerceu o cargo de presidente vários anos she was the president for several years.

exercício [ezex'sisju] *m* exercise; *(de profissão, atividade)* practice.

exercitar [ezexsi'ta(x)] *vt* to exercise.

❑ **exercitar-se** *vp* to exercise.

exército [e'zɛxsitu] *m* army.

exibição [ezebi'sãw] (*pl* **-ões** [-õjʃ]) *f* show; *(de peça teatral, filme)* showing.

exibir [ezi'bi(x)] *vt* to show; *(quadro, escultura)* to exhibit.

❑ **exibir-se** *vp* to show off.

exigência [ezi'ʒẽsja] *f* demand.

exigir [ezi'ʒi(x)] *vt* to demand.

existência [eziʃ'tẽsja] *f* existence.

existir [eziʃ'ti(x)] *vi* to exist.

êxito ['ezitu] *m* success; **ter êxito** to be successful.

> Não confundir ***êxito (success)*** com o inglês *exit* que em português significa ***saída***. (***Qual é o segredo do seu êxito na vida?*** What is the secret of your ***success*** in life?)

Exma. *abrev* = **excelentíssima.**

Exmo. *abrev* = **excelentíssimo.**

exótico, ca [e'zɔtʃiku, ka] *adj* exotic.

expansão [iʃpã'sãw] (*pl* **-ões** [-õjʃ]) *f (progresso)* expansion; *(alegria)* expansiveness.

expansivo, va [iʃpã'sivu, va] *adj* expansive.

expansões → **expansão.**

expectativa [iʃpɛkta'tʃiva] *f* expectation; **ficar na expectativa de** to expect.

expediente [iʃpe'dʒjẽntʃi] *m (de repartição, estabelecimento comercial)* business hours *pl.*

expedir [iʃpe'dʒi(x)] *vt* to dispatch.

experiência [iʃpe'rjẽsja] *f (ensaio)* experiment; *(conhecimento)* experience; **com experiência** experienced.

experiente [iʃpe'rjẽntʃi] *adj* experienced.

experimentar [iʃperimẽn'ta(x)] *vt (máquina)* to test; *(carro)* to test-drive; *(peça de

roupa, calçado) to try on; *(comida, bebida)* to try; *(sensação, emoção)* to experience.
expirar [iʃpi'ra(x)] **1** *vt* to exhale.
2 *vi (prazo)* to expire.
explicação [iʃplika'sãw] (*pl* **-ões** [-õjʃ]) *f* explanation.
explicar [iʃpli'ka(x)] *vt* to explain.
❑ **explicar-se** *vp* to explain o.s.
explícito, ta [iʃ'plisitu, ta] *adj* explicit.
explodir [iʃplo'di(x)] *vi* to explode.
exploração [iʃplora'sãw] *f (investigação)* exploration; *(abuso)* exploitation.
explorar [iʃplo'ra(x)] *vt (investigar)* to explore; *(abusar de)* to exploit.
explosão [iʃplo'zãw] (*pl* **-ões** [-õjʃ]) *f* explosion.
expor [iʃ'po(x)] *vt (idéia)* to put forward; *(situação)* to explain; *(exibir)* to exhibit; *(produtos)* to display.
❑ **expor-se a** *vp + prep* to expose o.s. to.
exportação [iʃpoxta'sãw] (*pl* **-ões** [-õjʃ]) *f* export.
exportar [iʃpox'ta(x)] *vt* to export.
exposição [iʃpozi'sãw] (*pl* **-ões** [-õjʃ]) *f (de pintura, fotografia)* exhibition; *(em fotografia)* exposure; *(de produtos)* display; *(narração)* account; **em exposição** on display.
exposto, ta [iʃ'poʃtu, ta] *adj (em exposição)* on show; *(produtos)* on display.
expressão [iʃpre'sãw] (*pl* **-ões** [-õjʃ]) *f* expression; **expressão corporal** physical expression; **expressão escrita** literacy; **expressão oral** oral expression.
expressar [iʃpre'sa(x)] *vt* to express.
❑ **expressar-se** *vp* to express o.s.
expressivo, va [iʃpre'sivu, va] *adj* expressive.
expresso, a [iʃ'prɛsu, a] *adj & m* express.
expressões → **expressão.**
exprimir [iʃpri'mi(x)] *vt* to express.
❑ **exprimir-se** *vp* to express o.s.
expulsar [iʃpuw'sa(x)] *vt* to expel.
expulso, sa [iʃ'puwsu, sa] **1** *pp* → **expulsar.**
2 *adj* expelled.
extensão [iʃtẽ'sãw] (*pl* **-ões** [-ojʃ]) *f* extension; *(dimensão espacial)* extent; *(dimensão temporal)* duration.
extenso, sa [iʃ'tẽsu, sa] *adj* long; *(vasto)* extensive; **escrever algo por extenso** to write sthg out in full.
extensões → **extensão.**
exterior [iʃte'rjo(x)] (*pl* **-res** [-riʃ]) **1** *adj* outside; *(calma, aparência)* outward; *(política, comércio)* foreign.
2 *m (parte exterior)* exterior; *(aparência)* outside.
3 o exterior *(o estrangeiro)* foreign countries *pl*; **para o/no exterior** abroad.
externo, na [iʃ'tɛxnu, na] *adj* external.
extinção [iʃtĩn'sãw] *f* extinction.
extinguir [iʃtĩŋ'gi(x)] *vt (fogo)* to extinguish, to put out; *(lei, norma)* to abolish.
❑ **extinguir-se** *vp (apagar-se)* to go out; *(desaparecer)* to become extinct, to die out.
extinto, ta [iʃ'tʃĩntu, ta] **1** *pp* → **extinguir.**
2 *adj (espécie animal, vegetal)* extinct; *(fogo)* extinguished; *(lei, norma)* defunct.
extintor [iʃtʃĩn'to(x)] (*pl* **-res**) [-riʃ] *m*: **extintor (de incêndio)** fire extinguisher.
extra ['ejʃtra] **1** *adj* extra.
2 *m (de automóvel)* spare part; *(em despesa)* extras *pl*; *(em emprego)* perk.
extração [iʃtra'sãw] (*pl* **-ões** [-õjʃ]) *f* extraction; *(de órgão)* removal; *(de loteria)* draw.
extrações → **extração.**
extraditar [iʃtradʒi'ta(x)] *vt* to extradite.
extrair [iʃtra'i(x)] *vt* to extract; *(número de loteria)* to draw; **extrair algo de algo** to extract sthg from sthg.
extraordinário, ria [iʃtraordʒi'narju, rja] *adj* extraordinary.
extrato [iʃ'tratu] *m* extract; *(de conta bancária)* statement.
extraviado, da [iʃtra'vjadu, da] *adj* lost.
extraviar [iʃtravi'a(x)] *vt* to lose.
❑ **extraviar-se** *vp* to get lost.
extremidade [iʃtremi'dadʒi] *f* extremity.
extremo, ma [iʃ'tremu, ma] **1** *adj (decisão, medida)* drastic; *(temperatura, condição)* extreme.
2 *m* extreme.
3 em caso extremo if the worst comes to the worst; **ir de um extremo ao outro** *fig* to go from one extreme to the other; **chegar ao extremo** to go to extremes.
extrovertido, da [iʃtrovex'tʃidu, da] *adj* outgoing.
exuberante [ezube'rãntʃi] *adj (pessoa)* exuberant; *(roupa)* garish; *(vegetação)* lush.
exumar [ezu'ma(x)] *vt* to exhume.

Ff

fábrica ['fabrika] *f* factory.

> Não confundir *fábrica (factory)* com o inglês *fabric* que em português significa *tecido*. (*O pai dele trabalha em uma fábrica.* His father works in a *factory.*)

fabricante [fabri'kãntʃi] *m* manufacturer.

fabricar [fabri'ka(x)] *vt* to make, to manufacture.

fabrico [fa'briku] *m* manufacture.

fabuloso, osa [fabu'lozu, ɔza] *adj* fabulous.

faca ['faka] *f* knife.

face ['fasi] *f* face; **fazer face a** to face up to; **em face** opposite; **em face de** in view of; **face a face** face to face.

fáceis → **fácil.**

fachada [fa'ʃada] *f* façade; **de fachada** for appearances only.

fácil ['fasiw] (*pl* **-ceis** [-sejʃ]) *adj* easy.

facilidade [fasili'dadʒi] *f (destreza)* ease; *(aptidão)* aptitude; **com facilidade** with ease.

facilitar [fasili'ta(x)] *vt* to facilitate; **ele nos facilitou o uso do seu equipamento** he let us use his equipment.

faço ['fasu] → **fazer.**

factual [fa'twaw] (*pl* **-ais** [-ajʃ]) *adj* factual.

faculdade [fakuw'dadʒi] *f* faculty.

facultativo, va [fakuwta'tʃivu, va] *adj* optional.

fada ['fada] *f* fairy.

fadiga [fa'dʒiga] *f* fatigue.

fagulha [fa'guʎa] *f* spark.

faiança [fa'jãsa] *f* glazed ceramics *pl.*

faisão [faj'zãw] (*pl* **-ões** [-õjʃ]) *m* pheasant.

faísca [fa'iʃka] *f* spark.

faisões → **faisão.**

faixa ['fajʃa] *f (em estrada)* lane; *(para cintura)* cummerbund; *(ligadura)* bandage; **faixa (de pedestres)** pedestrian crossing; **faixa de rodagem** lane.

fala ['fala] *f (dom de falar)* speech; **ser de poucas falas** to be the silent type.

falador, deira [fala'do(x), dejra] (*mpl* **-res** [-riʃ], *fpl* **-s** [-ʃ]) **1** *adj* talkative.
2 *m, f* chatterbox.

falar [fa'la(x)] **1** *vi* to talk, to speak.
2 *vt (idioma)* to speak.
3 falar com alguém to speak to sb; **falar de** to talk about; **para falar a verdade** to tell the truth; **sem falar em** not to mention; **falar claro** to speak clearly; **falar pelos cotovelos** to talk a lot; **falar a sério** to be serious.

falecer [fale'se(x)] *vi* to pass away.

falecimento [falesi'mẽntu] *m* death.

falência [fa'lẽsja] *f* bankruptcy; **ir à falência** to go bankrupt.

falha ['faʎa] *f (em terreno, sistema)* fault; *(lacuna)* omission.

falhar [fa'ʎa(x)] **1** *vt* to miss.
2 *vi* to fail; **ela falhou na primeira (tentativa)** she failed at her first attempt; *(não acertar)* to miss.

falido, da [fa'lidu, da] *adj* bankrupt.

falir [fa'li(x)] *vi* to go bankrupt.

falsificar [fawsifi'ka(x)] *vt* to forge.

falso, sa ['fawsu, sa] **1** *adj* false; *(documento, passaporte)* forged; *(dinheiro)* counterfeit; *(jóia, pele)* fake.
2 *adv*: **jurar em falso** to commit perjury.

falta ['fawta] *f* fault; *(carência)* lack; *(em futebol)* foul; *(infração)* offense; **este aluno tem muitas faltas** this student has a very poor attendance record; **falta d'água** water shortage; **falta de educação/tato** lack of manners/tact; **sinto muita falta de um relógio** I really need a watch; **sentir falta de** to miss; **na falta de algo melhor** for want of anything better; **fazer falta** to be lacking; **fazer algo sem falta** to do sthg without fail; **por falta de** for lack of.

faltar [faw'ta(x)] *vi (não haver)* to be missing; *(estar ausente)* to be absent; **falta muito para as férias** the vacation is a long way off; **falta pouco para o trem chegar** the train will arrive soon; **falta sal na comida** the food needs salt; **faltam 5 km para chegarmos lá** we've 5 km to go before we get there; **era só o que faltava!** that's all we needed!; **faltar às aulas** to play hooky; **faltar ao trabalho** not to turn up to work; **faltar à palavra** to break one's word; **faltar com o respeito a alguém** to disrespect sb.

fama ['fama] *f (renome)* fame; *(reputação)* reputation; **ter fama de ser bom/mau** *(lugar)* to have a good/bad reputation.

família [fa'milja] *f* family; **em família** among friends.

familiar [famili'a(x)] (*pl* **-res** [-riʃ]) **1** *adj (ambiente, atmosfera)* informal; *(da família)* family *(antes de s)*.
2 *m* relative.

faminto, ta [fa'mĩntu, ta] *adj* starving.

famoso, osa [fa'mozu, ɔza] *adj* famous.

fanático, ca [fa'natʃiku, ka] **1** *adj* fanatical.
2 *m, f* fanatic.

fantasia [fãnta'zia] *f (capricho)* fantasy; *(imaginação)* imagination; *(disfarce)* costume.

fantasiar [fãntazi'a(x)] *vi* to fantasize.
❑ **fantasiar-se** *vp* to dress up *(in costume)*; **fantasiar-se de** to dress up as.

fantasma [fãn'taʒma] *m* ghost.

fantástico, ca [fãn'taʃtʃiku, ka] **1** *adj* fantastic.
2 *interj* fantastic!

fantoche [fãn'tɔʃi] *m* puppet.

farda ['faxda] *f* uniform.

farei ['fa'rej] → **fazer.**

farinha [fa'riɲa] *f* flour; **farinha de centeio** rye flour; **farinha integral** whole wheat flour; **farinha de mandioca** ou **de mesa** cassava flour; **farinha de milho** cornstarch *Am*, cornflour *Brit*; **farinha de rosca** breadcrumbs *pl*; **farinha de trigo** all-purpose flour.

farmacêutico, ca [farma'sewtiku, ka] **1** *adj* pharmaceutical.
2 *m, f* pharmacist.

farmácia [fax'masja] *f (estabelecimento)* pharmacy; *(ciência)* pharmacy.

faro ['faru] *m* sense of smell.

farofa [fa'rɔfa] *f cassava flour fried with onion, bacon, eggs or olives, often served with feijoada in Brazil.*

farol [fa'rɔw] (*pl* **-óis** [-ɔjʃ]) *m (de veículo)* headlight; *(de trânsito)* traffic light; *(torre)* lighthouse; **farol alto** high beam *Am*, full beam *Brit*; **farol baixo** dipped beam.

farpa ['faxpa] *f (de madeira)* splinter; *(de metal)* hook; *(de arame)* barb.

farra ['faxa] *f*: **vamos cair na farra!** let's paint the town red!

farsa ['faxsa] *f* farce.

fartar-se [fax'taxsi] *vp (saciar-se)* to stuff o.s.; *(cansar-se)* to get fed up; **fartar-se de** *(comida)* to stuff o.s. with; *(trabalho, pessoa)* to get fed up with.

farto, ta ['faxtu, ta] *adj (saciado)* full; **estar farto (de)** *(cansado de)* to be fed up (with).

fartura [fax'tura] *f* abundance.

fascismo [fa'siʒmu] *m* fascism.

fascista [fa'siʃta] *adj & mf* fascist.

fase ['fazi] *f* phase; **é só uma fase, vai passar** it's just a phase, it won't last long.

fatal [fa'taw] (*pl* **-ais** [-ajʃ]) *adj* fatal.

fatia [fa'tʃia] *f* slice.

fatigante [fati'gãntʃi] *adj* exhausting.

fato ['fatu] *m* fact; **ser fato consumado** to be a fait accompli; **de fato** indeed; **pelo fato de** because, due to the fact that.

fator [fa'to(x)] (*mpl* **-res** [-riʃ]) *m* factor.

fatura [fa'tura] *f* invoice.

fauna ['fawna] *f* fauna.

favas ['favaʃ] *fpl* broad beans.

favela [fa'vɛla] *f* shantytown, slum.

favor [fa'vo(x)] (*pl* **-res** [-riʃ]) *m* favor; **'por favor feche a porta'** 'please close the door'; **faça o favor de entrar** do come in; **faz favor** *(para chamar a atenção)* excuse me; **fazer um favor a alguém** to do sb a favor; **ser a favor de** to be in favor of; **por favor** please.

favorável [favo'ravɛw] (*pl* **-eis** [-ejʃ]) *adj* favorable; **o resultado nos foi favorável** the result was in our favor; **ser favorável a algo** to be in favor of sthg.

favores → **favor.**

favorito, ta [favo'ritu, ta] **1** *adj* favorite.
2 *m, f*: **o/a favorito/favorita** *(em competição)* the favorite.

fax ['faksi] (*pl* **-es** [-ʃ]) *m (mensagem)* fax; *(aparelho)* fax machine; **fax modem** fax modem; **enviar** ou **mandar um fax** to send a fax.

faz [faʃ] → **fazer.**

fazenda [fa'zẽnda] *f (propriedade)* farm; *(tecido)* cloth.

fazendeiro, ra [fazẽn'dejru, ra] *m, f* farmer.

fazer [fa'ze(x)] **1** *vt* **(a)** *(produzir)* to make; **fazer muito barulho** to make a lot of noise; **fazer planos/um vestido** to make plans/a dress; **fazer uma pergunta** to ask a question.
(b) *(comida)* to cook.
(c) *(gerar)* to produce.
(d) *(realizar)*: **estou fazendo um curso de computadores** I'm taking a computer course; **vamos fazer uma festa** let's have a party.
(e) *(praticar)* to do; **você devia fazer mais exercício** you should exercise more; **faço jogging todas as manhãs** I go jogging every morning.
(f) *(cama)* to make; **fazer a cama** to make the bed.
(g) *(transformar)* to make; **fazer alguém feliz** to make sb happy.
(h) *(anos)*: **faço anos amanhã** it's my birthday tomorrow; **fazemos cinco anos de casados** we've been married (for) five years.
(i) *(obrigar)* to make; **fazer alguém fazer algo** to make sb do sthg; **fazer alguém rir/chorar** to make sb laugh/cry.
(j) *(cálculo, conta)* to do; **faz a conta para ver quanto é** work out the check to see what it comes to.
2 *vi* **(a)** *(causar)*: **fazer bem/mal a algo** to be good/bad for sthg; **fazer bem/mal a alguém** *(coisa)* to be good/bad for sb; **fazer mal a alguém** *(pessoa)* to hurt sb.
(b) *(obrigar)*: **faça (com) que ele venha** make him come; *(imaginar)*: **fazer de conta que ...** to pretend that ...
3 *v impess* **(a)**: **faz frio/calor** it's cold/hot.
(b) *(tempo)*: **faz um ano que não o vejo** it's been a year since I last saw him; **faz tempo que estou à espera** I've been waiting for a while; **o Sérgio partiu faz três meses** Sérgio left three months ago.
(c) *(importar)*: **não faz mal se está quebrado** it doesn't matter if it's broken; **tanto faz** it doesn't matter.
❑ **fazer-se** *vp (preparar-se)* to be made; *(ser correto)*: **é assim que se faz** that's the way to do it; **fazer-se com** *(ser preparado com)* to be made with.
❑ **fazer-se de** *vp + prep (pretender ser)*: **ele gosta de fazer-se de importante** he likes to act important; **fazer-se de tolo** to act stupid; **fazer-se de desentendido** to feign ignorance.

> O verbo 'fazer' pode ser traduzido por *make* ou *do*, de acordo com o contexto.
>
> *Do* é usado para referir-se a atividades em geral (*what are you doing?* o que você está fazendo?; *she never knows what to do on the weekends* ela nunca sabe o que fazer nos fins de semana). E também para referir-se a tarefas domésticas, esportes ou trabalho em geral (*you should do some swimming* você deveria fazer um pouco de natação; *you must do your homework before watching television* você deve fazer a lição de casa antes de ver televisão).
>
> *Make* implica a ação concreta de criar ou levar algo a cabo (*I'm making some soup for dinner* estou fazendo uma sopa para o jantar). Serve também para expressar a idéia de que alguém é obrigado a fazer algo (*she made the child have his medicine before leaving the house* ela fez a criança tomar o remédio antes de sair de casa).

fé [fɛ] *f* faith; **de boa/má fé** in good/bad faith.

febre ['fɛbri] *f* MED fever; **estar com febre** to have a temperature.

fechado, da [fe'ʃadu, da] *adj* shut, closed; *(torneira)* turned off; *(flor)* unopened; *fig (pessoa)* reserved; **'fechado para balanço'** 'closed for stocktaking'; **'fechado para férias'** 'closed for holidays'; **'fechado para obras'** 'closed for refurbishment'.

fechadura [feʃa'dura] *f* lock.

fechar [fe'ʃa(x)] **1** *vt (porta, janela)* to shut, to close; *(carro)* to lock; *(torneira)* to turn off; *(negócio)* to close; *(loja, estabelecimento, fábrica)* to close down.
2 *vi (ferida)* to heal; *(estabelecimento)* to shut, to close; **fechar algo à chave** to lock sthg.

▫ **fechar-se** *vp (encerrar-se)* to shut o.s. up ou away; *(calar-se)* to withdraw (into o.s.).

fecho ['feʃu] *m (de peça de vestuário)* zipper *Am*, zip *Brit*; *(de porta, janela)* lock; *(de espetáculo, acontecimento)* end; *(de colar, pulseira)* fastener; **fecho ecler** zipper *Am*, zip *Brit*.

fecundar [fekũn'da(x)] *vt* to fertilize.

federação [federa'sãw] (*pl* **-ões** [-õjʃ]) *f* federation.

feijão [fej'ʒãw] (*pl* **-ões** [-õjʃ]) *m* bean.

feijoada [fej'ʒwada] *f black bean stew.*

feijões → **feijão.**

feio, feia ['fejo, 'feja] *adj* ugly; *(atitude, situação)* nasty; **fazer feio** to commit a faux pas.

feira ['fejra] *f* market; **feira livre** street market; **feira do livro** book fair; **fazer a feira** to go to the market.

feiticeira [fejtʃi'sejra] *f* witch.

feiticeiro [fejtʃi'sejru] *m* wizard.

feitiço [fej'tʃisu] *m* spell.

feitio [fej'tʃiu] *m (forma)* shape; *(caráter)* temper; *(de peça de vestuário)* cut; **trair não é do seu feitio** betrayal is not his style.

feito, ta ['fejtu, ta] **1** *pp* → **fazer.**

2 *adj (realizado)* finished, done; *(adulto)* mature.

3 *m (façanha)* deed.

4 feito à mão handmade; **feito sob medida** made-to-measure; **feito de** made of; **dito e feito** no sooner said than done.

fel ['fɛw] *m* bile.

felicidade [felisi'dadʒi] *f (contentamento)* happiness; *(boa sorte)* luck; **felicidades!** all the best!

felicitar [felisi'ta(x)] *vt* to congratulate; **felicitar alguém por algo** to congratulate sb on sthg.

feliz [fe'liʒ] (*pl* **-zes** [-ziʃ]) *adj* happy; *(afortunado)* lucky; *(bem executado)* successful; **Feliz aniversário!** Happy birthday!; **Feliz Ano-Novo!** Happy New Year!

felizmente [feliʒ'mẽntʃi] *adv* fortunately.

felpudo, da [fɛw'pudu, da] *adj* fluffy.

feltro ['fewtru] *m* felt.

fêmea ['femja] *f* female.

feminino, na [femi'ninu, na] **1** *adj (característico)* feminine; *(sexo)* female.

2 *m LING* feminine.

feminismo [feme'niʒmu] *m* feminism.

feminista [femi'niʃta] *mf* feminist.

fenda ['fẽnda] *f* crack.

fender [fẽn'de(x)] *vt* to crack.

▫ **fender-se** *vp* to crack.

feno ['fenu] *m* hay.

fenomenal [fenome'naw] (*pl* **-ais** [-ajʃ]) *adj* phenomenal.

fenômeno [fe'nomenu] *m* phenomenon.

fera ['fɛra] *f* wild animal; **ficar uma fera** to get really mad; **ser fera (em algo)** to be a real whizz (at sthg).

feriado [fe'rjadu] *m* holiday; **feriado nacional** public holiday; **feriado religioso** saint's day.

férias ['fɛrjaʃ] *fpl* vacation *sg*; **estar de** ou **em férias** to be on vacation; **tirar férias** to go on vacation.

ferida [fe'rida] *f (ferimento)* wound → **ferido.**

ferido, da [fe'ridu, da] **1** *adj (em acidente, queda)* injured; *(em combate)* wounded; *fig (ofendido)* hurt.

2 *m, f*: **houve 20 feridos** 20 people were injured.

ferimento [feri'mẽntu] *m (de queda, acidente)* injury; *(de arma)* wound.

> O substantivo ***wound*** e o verbo ***to wound*** são usados em referência a uma ação deliberada ou quando há armas envolvidas (***the victim died from gunshot wounds*** a vítima morreu de ferimentos à bala; ***an old war wound*** um antigo ferimento de guerra).
>
> ***Injury*** e ***to injure*** referem-se a acidentes (***a sports injury*** uma contusão; ***he injured his leg in a car crash*** ele machucou a perna em um acidente de carro).

ferir [fe'ri(x)] *vt* to hurt; *(com arma)* to wound.

▫ **ferir-se** *vp (em queda, acidente)* to hurt o.s.

fermentar [fexmẽn'ta(x)] *vi* to ferment.

fermento [fex'mẽntu] *m* yeast.

feroz [fe'rɔʃ] (*pl* **-zes** [-ziʃ]) *adj* fierce.

ferradura [fexa'dura] *f* horseshoe.

ferramenta [fexa'mẽnta] *f (instrumento individual)* tool; *(conjunto de instrumentos)* tools *pl*.

ferro ['fɛxu] *m* iron.

ferrolho [fe'xoʎu] *m* bolt.

ferro-velho [ˌfɛxu'vɛʎu] (*pl* **ferros-velhos** [ˌfɛxuʒ'vɛʎuʃ]) *m* scrapyard.

ferrovia [fexo'via] *f* railroad.

ferrugem [fe'xuʒẽ] *f (de metal)* rust.

fértil ['fɛxtiw] (*pl* **-eis** [-ejʃ]) *adj* fertile.

fertilidade [fextʃili'dadʒi] *f* fertility.

ferver [fex've(x)] **1** *vt* to boil.
2 *vi (leite, água)* to boil; *fig (de raiva, indignação)* to rage.

fervor [fex'vo(x)] *m* fervor.

fervura [fex'vura] *f*: **cozer algo até levantar fervura** to bring sthg to the boil.

festa ['fɛʃta] *f* party; **boas festas!** Merry Christmas and a Happy New Year!; **festas juninas** *Brazilian religious festivals held in June in honor of St. John, St. Anthony and St. Peter.*

festejar [feʃte'ʒa(x)] *vt* to celebrate.

festival [feʃtʃi'vaw] (*pl* **-ais** [-ajʃ]) *m (de música, cinema)* festival; *(de canção)* contest.

feto ['fɛtu] *m (embrião)* fetus.

fevereiro [feve'reiru] *m* February → **setembro.**

fez ['fɛʒ] → **fazer.**

fiado ['fjadu] *adj (a crédito)* on credit; **comprar/vender fiado** to buy/sell on credit.

fiar [fi'a(x)] **1** *vt (linho, lã)* to spin.
2 *vi (vender a crédito)* to sell on credit.
❑ **fiar-se em** *vp + prep* to trust.

fibra ['fibra] *f* fiber; *fig (coragem)* courage; **fibra (acrílica)** acrylic; **fibra de vidro** fiberglass; **fibra ótica** fiber optics.

ficar [fi'ka(x)] *vi (permanecer)* to stay; *(estar situado)* to be; *(restar)* to be left (over); *(rico, gordo)* to get; **ele ficou todo corado** he went bright red; **essa roupa não lhe fica bem** those clothes don't suit you; **fiquei trabalhando até tarde** I worked late; **ficar bom** to come out well; **ficar ruim** to come out badly; **ficar (com alguém)** *(namorar)* to date (sb); **ficar de fazer algo** to promise to do sthg; **ficar em primeiro lugar** *(em prova, concurso, corrida)* to come first; **ficar por** *(custar)* to come to; **ficar sem algo** to be left without sthg; **ficar com o troco** to keep the change; **ficar com raiva** to get angry.

ficção [fik'sãw] *f* fiction; **ficção científica** science fiction.

ficha ['fiʃa] *f (médica, policial)* record; *(formulário)* form; *(em lanchonete)* ticket; *(de jogo)* tokens; **apostar todas as fichas em algo** to place all your chips on sthg.

fictício, cia [fik'tʃisju, sja] *adj* fictional.

fidelidade [fideli'dadʒi] *f* fidelity; **fidelidade (conjugal)** faithfulness (to one's partner).

fiel ['fjɛw] (*pl* **-éis** [-ɛiʃ]) **1** *adj* faithful.
2 *mf* believer.

figa ['figaʃ] *f*: **fazer figa** to cross one's fingers.

fígado ['figadu] *m* liver.

figo ['figu] *m* fig; **figos secos** dried figs.

figueira [fi'gejra] *f* fig tree.

figura [fi'gura] *f* figure; **fazer boa/má figura** to come across well/badly; **ser uma figura** to be a real character.

figurante [figu'rãntʃi] *mf* extra.

figurar [figu'ra(x)]: **figurar em** *v + prep* to appear in.

fila ['fila] *f* line *Am*, queue *Brit*; **em fila (indiana)** in single file.

filarmônica [filax'monika] *f* philharmonic orchestra.

filé [fi'lɛ] *m* fillet.

fileira [fi'lejra] *f* row.

filho, lha ['fiʎu, ʎa] *m, f* son; **os nossos filhos** our children.

filhote [fi'ʎɔtʃi] *m (de raposa, urso etc.)* cub; *(de cadela)* puppy.

filigrana [fili'grana] *f* filigree.

filmadora [fiwma'dora] *f*: **filmadora (de vídeo)** camcorder.

filmar [fiw'ma(x)] *vt* to film, to shoot.

filme ['fiwmi] *m (de cinema)* movie *Am*, film *Brit*; *(de máquina fotográfica)* film.

filosofia [filozo'fia] *f* philosophy.

filósofo, fa [fi'lɔzofu, fa] *m, f* philosopher.

filtrar [fiw'tra(x)] *vt* to filter.

filtro ['fiwtru] *m* filter.

fim ['fĩ] (*pl* **-ns** [-ʃ]) *m* end; *(objetivo)* aim; **ter por fim fazer algo** to aim to do sthg; **ter um fim em vista** to have an end in mind; **o fim do mundo** *(lugar distante)* the back of beyond; *(desgraça total)* the end of the world; **a fim de** in order to; **no fim** in the end; **ao fim e ao cabo** at the end of the day; **estar a fim de** *(coisa, projeto)* to want; *(pessoa)* to have a crush (on); **fim de semana** weekend.

Finados [fi'naduʃ] *mpl*: **os Finados** All Souls' Day *sg*.

final [fi'naw] (*pl* **-ais** [-ajʃ]) **1** *adj & f (último)* final.
2 *m* end.
3 *f* ESP final.

finalidade [finali'dadʒi] *f (objetivo)* aim, purpose; *(de máquina)* application.

finalista [fina'liʃta] *mf (em competição)* finalist.

finanças [fi'nãsaʃ] *fpl* finances.

fingir [fĩ'ʒi(x)] *vt* to pretend.

fino, na ['finu, na] *adj (fio, cabelo)* fine; *(roupa)* elegant; *(hotel, restaurante)* exclusive; *(pessoa)* refined; **ele é gente fina** *(bom)* he's a good guy.

fins → **fim.**

fio ['fiu] *m (de matéria têxtil)* thread; *(elétrico)* wire; *(de líquido)* trickle; **fio dental** dental floss; **fios de ovos** *sweet threads of egg yolk and sugar poured over cakes, desserts and pastries*; **perder o fio da meada** to lose one's thread; **sem fio** wireless.

firma ['fixma] *f (empresa)* firm.

firme ['fixmi] *adj* firm.

firmeza [fix'meza] *f (solidez)* firmness; *(estabilidade)* stability; *fig (perseverança)* resolve.

fiscal [fiʃ'kaw] (*pl* **-ais** [-ajʃ]) **1** *adj* fiscal.
2 *mf* (tax) inspector.

fisco ['fiʃku] *m (instituição)* the Internal Revenue Service *Am*, the Inland Revenue *Brit*.

física ['fizika] *f (ciência)* physics *sg* → **físico.**

físico, ca ['fiziku, ka] **1** *adj* physical.
2 *m (de pessoa)* physique.
3 *m, f (profissão)* physicist.

fisioterapia [ˌfizjotera'pia] *f* physiotherapy.

fita ['fita] *f (cassete)* cassette; *(de tecido)* ribbon; *(fingimento)* pretense; *(filme)* film; **fita (de cabelo)** hairband; **fita durex®** Scotch tape® *Am*, Sellotape® *Brit*; **fita (para máquina de escrever)** typewriter ribbon; **fita métrica** tape measure; **fita de vídeo** videocassette ou videotape; **fazer fita** *(fingir)* to put on an act.

fitar [fi'ta(x)] *vt* to stare at.

fixador [fiksa'do(x)] (*pl* **-res** [-riʃ]) *m (de cabelo)* hairspray; *(em fotografia, desenho)* fixative.

fixar [fik'sa(x)] *vt* to fix; *(aprender de cor)* to memorize.
❑ **fixar-se** *vp (estabelecer-se)* to establish o.s.

fixo, xa ['fiksu, ksa] **1** *pp* → **fixar.**
2 *adj* fixed; *(cor)* fast.

fiz [fiʒ] → **fazer.**

flanco ['flãŋku] *m* flank.

flanela [fla'nɛla] *f* flannel.

flash ['flaʃi] *m* flash.

flauta ['flawta] *f* flute; **flauta doce** recorder; **flauta de pã** panpipes *pl*.

flecha ['flɛʃa] *f* arrow.

flexível [flɛk'sivɛw] (*pl* **-eis** [-ejʃ]) *adj* flexible.

fliperama [flipe'rama] *m* pinball *sg*; **jogar fliperama** to play pinball.

floco ['flɔku] *m (de pêlo, lã)* fuzz; **floco de neve** snowflake; **flocos de aveia** oatmeal *sg*.

flor [flo(x)] (*pl* **-res** [-riʃ]) *f* flower; **em flor** in bloom; **ter os nervos à flor da pele** to be highly strung; **estar na flor da idade** to be in one's prime.

floresta [flo'rɛʃta] *f* forest.

florido, da [flo'ridu, da] *adj (árvore, campo, jardim)* full of flowers; *(tecido, papel)* flowery.

florista [flo'riʃta] *mf* florist.

fluência [flu'ẽsja] *f* fluency.

fluentemente [fluˌẽntʃi'mẽntʃi] *adv* fluently.

fluido, da ['fluidu, da] **1** *adj* fluid.
2 *m (líquido)* fluid; *(força misteriosa)* vibes *pl*.

fluminense [flumi'nẽsi] *adj* of/relating to Rio de Janeiro State.

flúor ['fluɔ(x)] *m* fluoride.

fluorescente [flureʃ'sẽntʃi] *adj* fluorescent.

flutuante [flu'twãntʃi] *adj (objeto)* floating; *(preço, inflação, temperatura)* fluctuating.

flutuar [flu'twa(x)] *vi* to float.

fluvial [flu'vjaw] (*pl* **-ais** [-ajʃ]) *adj* river *(antes de s)*.

fluxo ['fluksu] *m* flow.

fobia [fo'bia] *f* phobia.

focinho [fo'siɲu] *m* snout.

foco ['fɔku] *m (em fotografia, cinema)* focus; *(de luz, lâmpada)* beam; *(de atenção)* focus; *(de doença)* center; **fora de foco** out of focus.

fofo, fa ['fofu, fa] *adj* soft.

fofoca [fo'fɔka] *f (mexerico)* piece of gossip.

fogão [fo'gãw] (*pl* **-ões** [-õjʃ]) *m* stove *Am*, cooker *Brit*; **fogão a lenha** wood stove.

foge ['fɔʒi] → **fugir.**

fogem ['fɔʒẽ] → **fugir.**

fogo ['fogu] (*pl* **fogos** ['fɔguʒ]) *m* fire; **fogos de artifício** *(foguetes)* fireworks.
fogões → **fogão.**
fogueira [fo'gejra] *f* bonfire.
foguete [fo'getʃi] *m* rocket.
foi ['foj] → **ser, ir.**
folclore [fow'klɔri] *m* folklore.
folclórico, ca [fow'klɔriku, ka] *adj (música, dança)* folk *(antes de s).*
fôlego ['folegu] *m* breath; **tomar fôlego** to get one's breath back.
folga ['fowga] *f (de trabalho)* day off; *(espaço livre)* gap; **estar de folga** to have the day off.
folha ['foʎa] *f (de planta, árvore)* leaf; *(de jornal, livro, revista)* page; **folha de alumínio** aluminum foil; **folha (de papel)** sheet of paper; **folha de pagamento** payroll; **folha lisa/quadriculada** blank/squared paper; **folha pautada** lined paper.
folhagem [fo'ʎaʒẽ] *f* foliage.
folhear [fo'ʎja(x)] *vt* to leaf through.
folheto [fo'ʎetu] *m* leaflet.
fome ['fɔmi] *f* hunger; **estar com** ou **ter fome** to be hungry; **passar fome** to go hungry, to starve.
fone ['fɔni] *m (de telefone)* receiver, handset; **pôr o fone no gancho** to hang up.
fonética [fo'nɛtʃika] *f* phonetics *sg.*
fonte ['fõntʃi] *f (de água mineral)* spring; *(chafariz)* fountain; *fig (de texto, trabalho, informação)* source.
fora ['fɔra] **1** *adv (no exterior)* out; *(no estrangeiro)* abroad.
2 *prep* apart from.
3 *interj* get out!
4 fora de série extraordinary; **'fora de serviço'** 'out of order'; **estar/ficar fora de si** to be beside o.s.; **fora de mão** *(lugar)* out of the way; **lá fora** *(no estrangeiro)* abroad; *(no exterior)* outside; **dar um fora em alguém** to give sb the cold shoulder.
foram [fo'rãw] → **ser, ir.**
força ['foxsa] *f (energia)* strength; *(militar, policial)* force; **força de vontade** will power; **as forças armadas** the armed forces; **à força** by force; **por força de** by force of; **não cheguei na hora por razões de força maior** I didn't arrive on time for reasons beyond my control.
forçar [fox'sa(x)] *vt* to force.
forma ['fɔxma] *f* shape; *(maneira)* way; **de forma que** so that; **de qualquer forma** anyway; **em forma de** in the shape of; **em forma de estrela** star-shaped; **estar em forma** to be in shape.
fôrma ['foxma] *f (de bolos)* cake pan; *(de sapatos)* shoe tree.
formação [foxma'sãw] (*pl* **-ões** [-õjʃ]) *f* formation; *(educação)* education; *(profissional)* training.
formal [fox'maw] (*pl* **-ais** [-ajʃ]) *adj* formal.
formalidade [foxmali'dadʒi] *f* formality.
formar [fox'ma(x)] *vt* to form; *(educar)* to educate; *(profissionais)* to train.
□ **formar-se** *vp (terminar curso universitário)* to graduate.
formatar [foxma'ta(x)] *vt* to format.
formidável [foxmi'davɛw] (*pl* **-eis** [-ejʃ]) *adj* fantastic.
formiga [fox'miga] *f* ant.
formoso, osa [fox'mozu, ɔza] *adj* beautiful; *(homem)* handsome.
fórmula ['fɔxmula] *f* formula; **Fórmula 1** Formula 1.
formular [foxmu'la(x)] *vt (palavra, frase)* to formulate; *(desejo)* to express.
formulário [foxmu'larju] *m* form.
fornecedor, ra [foxnese'do(x), ra] (*mpl* **-res** [-riʃ], *fpl* **-s** [-ʃ]) *m, f (de estabelecimento)* supplier; *(de droga)* dealer.
fornecer [foxne'se(x)] *vt* to supply.
forno ['fornu] *m* oven.
forquilha [fox'kiʎa] *f* pitchfork *Am,* fork *Brit.*
forrar [fo'xa(x)] *vt* to line.
fortalecer [foxtale'se(x)] *vt* to strengthen.
fortaleza [foxta'leza] *f* fortress.
forte ['fɔxtʃi] **1** *adj* strong; *(calor, dor)* intense; *(chuva)* heavy; *(voz, som)* loud; *(comida)* filling; *(golpe, choque)* hefty; *(bebida)* stiff.
2 *m* fort.
3 ser forte em algo to be very good at sthg.
fortuna [fox'tuna] *f* fortune.
fósforo ['fɔʃforu] *m (de acender)* match.
fossa ['fɔsa] *f* septic tank; **estar na fossa** *fig (deprimido)* to be down in the dumps.
fóssil ['fɔsiw] (*pl* **-eis** [-ejʃ]) *m* fossil.
fosso ['fosu] *m* moat.
foste ['foʃtʃi] → **ser, ir.**
foto ['fɔtu] *f* photo.

fotocópia [foto'kɔpja] *f* photocopy, Xerox®.
fotografar [fotogra'fa(x)] *vt* to photograph.
fotografia [fotogra'fia] *f (arte)* photography; *(objeto)* photograph.
fotógrafo, fa [fo'tɔgrafu, fa] *m, f* photographer.
foz [fɔʃ] *f* river mouth.
fração [fra'sãw] (*pl* **-ões** [-õjʃ]) *f* fraction; **numa fração de segundos** in a split second.
fracasso [fra'kasu] *m* failure.
fraco, ca ['fraku, ka] *adj* weak; *(dor)* slight; *(chuva, vento)* light; *(voz, som)* faint; *(qualidade)* poor; **ter um fraco por alguém** *fig (paixão)* to have a crush on sb.
frações → **fração.**
frágil ['fraʒiw] (*pl* **-geis** [-ʒejʃ]) *adj* fragile.
fragmento [frag'mẽntu] *m* fragment.
fragrância [fra'grãsja] *f* fragrance.
fralda ['frawda] *f* diaper *Am,* nappy *Brit;* **fraldas descartáveis** disposable diapers.
framboesa [frãm'bweza] *f* raspberry.
francamente [ˌfrãŋka'mẽntʃi] **1** *adv* frankly.
2 *interj* honestly!
franco, ca ['frãŋku, ka] *adj* frank; **para ser franco ...** to be quite honest ...
frango ['frãŋgu] *m* chicken; *(em futebol)* sitter; **frango assado** roast chicken.
franja ['frãʒa] *f (de toalha, cortina, sofá)* fringe; *(de cabelo)* bangs *pl Am,* fringe *Brit.*
franqueza [frãŋ'keza] *f* frankness; **com franqueza** frankly.
franquia [frãŋ'kia] *f* COM franchise; *(selo postal)* postage; *(isenção)* exemption.
fraqueza [fra'keza] *f* weakness.
frasco ['fraʃku] *m* bottle.
frase ['frazi] *f* sentence.
fratura [fra'tura] *f* fracture.
fraude ['frawdʒi] *f* fraud.
frear [fre'a(x)] *vi* to brake.
freezer ['frizɛx] *m (de geladeira)* freezer; *(congelador)* freezer.
freguês, esa [frɛ'geʃ, eza] (*mpl* **-eses** [-eziʃ], *fpl* **-s** [-ʃ]) *m, f* customer.
freio ['fraju] *m (de veículo)* brake; *(de cavalo)* bit.
frente ['frẽntʃi] *f* front; **fazer frente a** to stand up to, to confront; **à frente** ahead; **à frente de** *(na dianteira de)* in front of; *(chegar, ir, partir)* ahead of; **em frente** *(defronte)* across from; **em frente de** opposite; **frente a frente** face to face.
freqüência [fre'kwẽsja] *f* frequency; **com freqüência** often, frequently.
freqüentar [frekwẽn'ta(x)] *vt (casa de alguém)* to visit frequently; *(curso)* to attend; *(local)* to frequent.
freqüentemente [freˌkwẽntʃi'mẽntʃi] *adv* often, frequently.
frescão [freʃ'kãw] (*pl* **-ões** [-õjʃ]) *m (ônibus)* air-conditioned bus.
fresco, ca ['freʃku, ka] *adj* fresh; *(tempo, bebida, roupa)* cool; *(muito exigente)* fussy; *(efeminado)* camp.
frescobol [freʃko'bɔw] *m* racquetball *(played at the beach).*
frescura [freʃ'kura] *f* freshness; *(em relação a temperatura)* coolness.
fricção [frik'sãw] *f (esfregação)* rubbing; *(atrito)* friction.
frieira [fri'ejra] *f* chilblain.
frieza [fri'eza] *f* coldness.
frigideira [friʒi'dejra] *f* frying pan.
frio, fria ['friu, 'fria] *adj & m* cold; **está frio** it's cold; **estar com** ou **ter frio** to be cold; **estava um frio de rachar** it was absolutely freezing.
❑ **frios** *mpl (comida)* cold cuts.
frisar [fri'za(x)] *vt (cabelo)* to curl; *fig (enfatizar)* to highlight.
fritar [fri'ta(x)] *vt (em pouco óleo)* to fry; *(em muito óleo)* to deep-fry.
frito, ta ['fritu, ta] *adj* fried; **estar frito** to be done for.
fritura [fri'tura] *f (alimento frito)* fried food.
fronha ['froɲa] *f* pillowcase.
fronte ['frõntʃi] *f (testa)* forehead.
fronteira [frõn'tejra] *f* border.
frota ['frɔta] *f* fleet.
frustrado, da [fruʃ'tradu, da] *adj* frustrated.
frustrante [fruʃ'trãntʃi] *adj* frustrating.
fruta ['fruta] *f* fruit; **fruta em calda** fruit in syrup; **fruta da época** fruit in season.
fruta-do-conde [ˌfrutadu'kõndʒi] (*pl* **frutas-do-conde** [ˌfrutaʒdu'kõndʒi]) *f* custard apple.
fruto ['frutu] *m* fruit; **frutos secos** dried fruits.
fubá [fu'ba] *m* cornmeal.

fuga ['fuga] *f (evasão)* escape; **pôr-se em fuga** to run away; **em fuga** on the run.

fugir [fu'ʒi(x)] *vi* to run away; **fugir a** ou **de** to run away from.

fugitivo, va [fuʒi'tʃivu, va] *adj, m, f* fugitive.

fui ['fuĩ] → **ser, ir.**

fulano, na [fu'lanu, na] *m, f* what's-his-name; **era um fulano qualquer** it was just some guy.

fuligem [fu'liʒẽ] *f* soot.

fulo, la ['fulu, la] *adj* furious; **fulo da vida** fuming.

fumaça [fu'masa] *f* smoke.

fumante [fu'mãntʃi] *mf* smoker.

fumar [fu'ma(x)] *vt & vi* to smoke.

fumo ['fumu] *m (tabaco)* leaf tobacco.

função [fũ'sãw] (*pl* **-ões** [-õjʃ]) *f (de pessoa)* role; *(de máquina)* function; **exercer a função de** to act as; **função pública** public service.

funcho ['fũʃu] *m* fennel.

funcionamento [fũsjona'mẽntu] *m* operation; **em funcionamento** in operation.

funcionar [fũsjo'na(x)] *vi (máquina)* to work; *(estabelecimento)* to be open.

funcionário, ria [fũsjo'narju, rja] *m, f* employee; **funcionário público** public servant.

funções → **função.**

fundação [fũnda'sãw] (*pl* **-ões** [-õjʃ]) *f* foundation.

fundamental [fũndamẽn'taw] (*pl* **-ais** [-ajʃ]) *adj* fundamental.

fundamento [fũnda'mẽntu] *m (motivo)* grounds *pl*; *(justificação)* basis; **sem fundamento** unfounded.

fundar [fũn'da(x)] *vt* to found; **fundar algo em algo** *(basear)* to base sthg on sthg.

fundido, da [fũn'dʒidu, da] *adj (metal)* molten; *(queijo)* melted.

fundir [fũn'dʒi(x)] *vt* to melt.
❑ **fundir-se** *vp* to melt.

fundo, da ['fũndu, da] **1** *adj* deep.
2 *m (de rio, piscina, poço)* bottom; *(em economia)* fund.
3 ir ao fundo da questão to get to the bottom of the matter; **sem fundo** bottomless.

funeral [fune'raw] (*pl* **-ais** [-ajʃ]) *m* funeral.

fungo ['fũŋgu] *m* fungus.

funil [fu'niw] (*pl* **-is** [-iʃ]) *m* funnel.

furacão [fura'kãw] (*pl* **-ões** [-õjʃ]) *m* hurricane.

furadeira [fura'dejra] *f* drill.

furador [fura'do(x)] (*pl* **-res** [-riʃ]) *m* hole punch.

furar [fu'ra(x)] *vt (folha)* to punch holes in; *(saco)* to make a hole in; *(pneu)* to puncture; *(orelha)* to pierce; *fig (fila)* to jump.

fúria ['furja] *f* fury.

furo ['furu] *m (em pneu)* puncture; *(em saco, orelha)* hole.

furtar [fux'ta(x)] *vt* to steal.
❑ **furtar-se a** *vp + prep* to avoid.

furúnculo [fu'rũŋkulu] *m* boil.

fusão [fu'zãw] (*pl* **-ões** [-õjʃ]) *f* fusion; *(de empresas)* merger.

fusível [fu'zivɛw] (*pl* **-eis** [-ejʃ]) *m* fuse.

fuso ['fuzu] *m*: **fuso horário** time zone.

fusões → **fusão.**

futebol [futʃi'bɔw] *m* soccer *Am,* football *Brit.*

fútil ['futʃiw] (*pl* **-teis** [-tejʃ]) *adj (frívolo)* frivolous; *(insignificante)* trivial; *(vão)* futile.

> Embora 'fútil' e *futile* sejam semelhantes, o vocábulo inglês deve ser traduzido como 'inútil, infrutífero'. 'Fútil' em inglês é ***frivolous***. Por exemplo, ela parece uma pessoa muito fútil deve ser traduzido por ***she seems a very frivolous person***. Todavia, ***he made some futile remarks*** equivale em português a 'ele fez alguns comentários inúteis'.

futilidade [futʃili'dadʒi] *f (frivolidade)* frivolity; *(coisa inútil)* triviality; *(inutilidade)* futility.

futuro, ra [fu'turu, ra] *adj & m* future; **o futuro** GRAM the future (tense); **de futuro** *(pessoa, empresa etc.)* with a future; **no futuro** in the future; **para o futuro** for the future; **ter futuro** to have a future.

fuzil [fu'ziw] (*pl* **-is** [-iʃ]) *m* rifle.

fuzis → **fuzil.**

Gg

g (*abrev de* **grama**) g.
gabardine [gabax'dʒini] *f* raincoat.
gabar-se [gabax'si] *vp* to boast; **gabar-se de algo** to boast about sthg.
gabinete [gabi'netʃi] *m (compartimento)* booth; *(escritório)* office; *POL* cabinet.
gado ['gadu] *m* livestock; *(bovino)* cattle.
gafanhoto [gafa'ɲotu] *m* grasshopper.
gafe ['gafi] *f* gaffe; **cometer uma gafe** to commit a faux pas.
gagueira [ga'gejra] *f* stammer.
gaguejar [gage'ʒa(x)] *vi* to stutter, to stammer.
gaiato, ta [ga'jatu, ta] *adj* funny.
gaiola [ga'jɔla] *f* cage.
gaita ['gajta] *f* harmonica.
gaita-de-foles [ˌgajtadʒi'fɔliʃ] (*pl* **gaitas-de-foles** [ˌgajtaʒdʒi'fɔliʃ]) *f* bagpipes *pl*.
gaivota [gaj'vɔta] *f* seagull.
gala ['gala] *f* gala; **de gala** *(traje)* full dress.
galão [ga'lãw] (*pl* **-ões** [-õjʃ]) *m (medida)* gallon.
galeria [gale'ria] *f* gallery; *(corredor, ala)* corridor; *(local para compras)* arcade; **galeria de arte** art gallery.
galho ['gaʎu] *m (de árvore)* branch; *(de veado)* antler; **quebrar um galho** to get by.
galinha [ga'liɲa] *f* hen.
galinheiro [gali'ɲejru] *m* henhouse.
galo ['galu] *m* rooster *Am*, cock *Brit*; *(na testa)* bump.
galões → **galão.**
gama ['gama] *f* range.
gamo ['gamu] *m* fallow deer.
gana ['gana] *f (ódio)* hatred; **ter ganas de** to feel like.
gancho ['gãʃu] *m (peça curva)* hook.
gangorra [gãŋ'goxa] *f* seesaw.
gangue ['gãŋgi] *f (turma)* gang.
ganhar [ga'ɲa(x)] **1** *vt* to win; *(dinheiro, respeito)* to earn; *(peso)* to put on; *(velocidade)* to pick up.
2 *vi (vencer)* to win.
3 ganhar de alguém to beat sb; **ganhar com algo** to benefit from sthg; **ganhar a vida** OU **o pão** to earn a living.
ganho ['gaɲu] *m* gain.
ganir [ga'ni(x)] *vi* to whine.
ganso ['gãsu] *m* goose.
garagem [ga'raʒẽ] (*pl* **-ns** [-ʃ]) *f* garage.
garanhão [gara'ɲãw] (*pl* **-ões** [-õjʃ]) *m* stallion.
garantia [garãn'tʃia] *f* guarantee.
garantir [garãn'tʃi(x)] *vt* to vouch for; **garantir que** to guarantee (that); **eu garanto que está certo** I can assure you that it's correct.
garçom [gax'sõ] (*pl* **-ns** [-ʃ]) *m* waiter OU server *Am*.
garçonete [garso'nɛtʃi] *f* waitress OU server *Am*.
garçons → **garçom.**
garfo ['gaxfu] *m (utensílio)* fork; *(de bicicleta)* forks *pl*; **ser um bom garfo** to enjoy one's food.
gargalhada [gaxga'ʎada] *f* shriek of laughter; **dar uma gargalhada** to laugh; **desatar às gargalhadas** to burst out laughing.
gargalo [gax'galu] *m* neck *(of a bottle)*.
garganta [gax'gãnta] *f* throat.
gargarejar [gaxgare'ʒa(x)] *vi* to gargle.
gari [ga'ri] *m* street sweeper.
garoto, ta [ga'rotu, ta] *m, f (criança)* boy, kid; *(chope) small glass of beer.*
garra ['gaxa] *f (de animal)* claw; *fig (talento, gênio)* flair; **ter garra** *(talento)* to show great talent.

garrafa [ga'xafa] *f* bottle; **garrafa térmica** Thermos® (bottle).

garrafão, ões [gaxa'fãw, õjʃ] *m (utensílio)* flagon; *(em estrada)* bottleneck.

garrote [ga'xɔtʃi] *m MED* tourniquet.

gás [gajʃ] (*pl* **gases** ['gaziʃ]) *m* gas; **gás butano** butane (gas); **gás lacrimogêneo** tear gas; **a gás** *(aquecedor)* gas-fired; *(motor)* gas-driven.
❑ **gases** *mpl (intestinais)* gas *sg.*

gasolina [gazo'lina] *f* gas *Am*, petrol *Brit*; **gasolina sem chumbo** unleaded gas; **gasolina aditivada** super unleaded gas.

gastar [gaʃ'ta(x)] *vt* to use; *(desperdiçar)* to waste; *(sola de sapato)* to wear down; **gastar tempo/dinheiro** *(usar)* to spend time/money; *(desperdiçar)* to waste time/money.
❑ **gastar-se** *vp (consumir-se)* to be used; *(desperdiçar-se)* to be wasted; *(desgastar-se)* to wear down.

gasto, ta ['gaʃtu, ta] **1** *pp* → **gastar.**
2 *adj (dinheiro)* spent; *(água, eletricidade)* used; *(usado)* worn.
3 *m* expense.

gastrite [gaʃ'tritʃi] *f* gastritis.

gastrônomo, ma [gaʃ'tronomu, ma] *m, f* gourmet.

gatilho [ga'tʃiʎu] *m* trigger.

gato, ta ['gatu, ta] *m, f* cat; *(homem bonito, mulher bonita)* hunk, honey.

gatuno, na [ga'tunu, na] *m, f* thief.

gaveta [ga'veta] *f* drawer.

gazela [ga'zɛla] *f* gazelle.

gazeta [ga'zeta] *f* gazette.

geada ['ʒjada] *f* frost.

geladeira [ʒela'deira] *f* refrigerator.

gelado, da [ʒe'ladu, da] *adj* chilled.

gelar [ʒe'la(x)] *vt & vi* to chill.

gelatina [ʒela'tʃina] *f (de animal)* gelatine; *(de frutas)* Jello® *Am*, jelly *Brit.*

geléia [ʒe'lɛja] *f* jelly *Am*, jam *Brit.*

gelo ['ʒelu] *m* ice; **quebrar o gelo** *fig* to break the ice.

gema ['ʒema] *f* yolk; **da gema** *(genuíno)* real.

gêmeo, mea ['ʒemju, mja] **1** *adj* twin.
2 *m, f*: **os gêmeos** the twins; **o meu irmão gêmeo** my twin brother.
❑ **Gêmeos** *m inv* Gemini *sg.*

gemer [ʒe'me(x)] *vi* to groan.

gemido [ʒe'midu] *m* groan.

gene ['ʒɛni] *m* gene.

general [gene'raw] (*pl* **-ais** [-ajʃ]) *m* general.

generalizar [generali'za(x)] **1** *vt* to make widespread.
2 *vi* to generalize.
❑ **generalizar-se** *vp* to become widespread.

gênero ['ʒeneru] *m (tipo)* kind, type; *(espécie)* genus; *GRAM* gender; *(em literatura, pintura)* genre; **o gênero humano** the human race.
❑ **gêneros** *mpl (mercadoria)* goods; **gêneros alimentícios** foodstuffs.

generosidade [ʒenerozi'dadʒi] *f* generosity.

generoso, osa [ʒene'rozu, ɔza] *adj* generous.

genética [ʒe'nɛtʃika] *f* genetics *sg.*

gengibre [ʒẽ'ʒibri] *m* ginger.

gengiva [ʒẽ'ʒiva] *f* gum.

genial [ʒe'njaw] (*pl* **-ais** [-ajʃ]) *adj* excellent.

gênio ['ʒenju] *m (pessoa)* genius; *(irascibilidade)* temper; **ter mau gênio** to have a short temper.

genital [ʒeni'taw] (*pl* **-ais** [-ajʃ]) *adj* genital.

genro ['ʒẽxu] *m* son-in-law.

gente ['ʒẽntʃi] *f (pessoas)* people *pl*; *(família)* family; **gente boa** nice person; **gente grande** grown-ups *pl*; **oi, gente!** hey, everybody!

gentil [ʒẽn'tʃiw] (*pl* **-is** [-iʃ]) *adj (amável)* kind; *(bem-educado)* polite.

genuíno, na [ʒe'nwinu, na] *adj* genuine.

geografia [ʒjogra'fia] *f* geography.

geologia [ʒjolo'ʒia] *f* geology.

geometria [ʒjome'tria] *f* geometry.

geração [ʒɛra'sãw] (*pl* **-ões** [-õjʃ]) *f* generation.

gerador [ʒɛra'do(x)] (*pl* **-res**) [-riʃ] *m* generator.

geral [ʒe'raw] (*pl* **-ais** [-ajʃ]) **1** *adj* general.
2 *f (em estádio)* bleachers *Am*, terraces *Brit.*
3 de um modo geral generally speaking; **em geral** generally; **no geral** in general.

geralmente [ʒeraw'mẽntʃi] *adv* generally.

gerânio [ʒe'ranju] *m* geranium.

gerar [ʒe'ra(x)] *vt* to create.
❑ **gerar-se** *vp* to form.

gerência [ʒe'rẽsja] *f* management.

gerente [ʒe'rẽntʃi] *mf* manager.

gerir [ʒeˈri(x)] *vt* to manage.
germe [ˈʒɛxmi] *m* germ.
gesso [ˈʒesu] *m MED* plaster cast.
gesto [ˈʒɛʃtu] *m* gesture.
gibi [ʒiˈbi] *m (revista)* comic book.
gigante [ʒiˈgãntʃi] *adj & m* giant.
gim [ʒĩ] (*pl* **-ns** [-ʃ]) *m* gin.
gim-tônica [ˌʒĩˈtonika] *m* gin and tonic.
ginásio [ʒiˈnazju] *m* gym.
ginástica [ʒiˈnaʃtʃika] *f* gymnastics *sg*; **fazer ginástica** to exercise.
ginecologista [ˌʒinɛkuluˈʒiʃta] *mf* gynecologist.
gins → **gim.**
girafa [ʒiˈrafa] *f* giraffe.
girar [ʒiˈra(x)] *vi & vt* to turn.
girassol [ˌʒiraˈsɔw] (*pl* **-óis** [-ɔjʃ]) *m* sunflower.
gíria [ˈʒirja] *f (calão)* slang; *(profissional)* jargon.
giro [ˈʒiru] *m (passeio)* stroll; *(de polícia)* beat; *(de vigilante)* rounds *pl*; **dar um giro** to go for a stroll.
giz [ʒiʒ] *m* chalk.
glacial [glaˈsjaw] (*pl* **-ais** [-ajʃ]) *adj (frio)* freezing; *(área)* glacial; *fig (olhar, ambiente)* frosty.
glândula [ˈglãndula] *f* gland.
glicerina [gliseˈrina] *f* glycerin.
global [gloˈbaw] (*pl* **-ais** [-ajʃ]) *adj* global.
globo [ˈglobu] *m* globe; *(de lâmpada)* lampshade.
glória [ˈglɔrja] *f* glory.
glossário [gloˈsarju] *m* glossary.
glutão, tona [gluˈtãw, ˈtona] (*mpl* **-ões** [-õjʃ], *fpl* **-s** [-ʃ]) *m, f* glutton.
goela [ˈgwɛla] *f* gullet; **pela goela abaixo** swallow sthg whole.
gol [ˈgow] (*pl* **goles** [ˈgoliʃ]) *m* goal; **marcar um gol** to score a goal.
gola [ˈgɔla] *f* collar; **gola rulê** turtle neck *Am*, polo neck *Brit*; **gola em V** V-neck.
gole [ˈgɔli] *m (pequeno)* sip; *(grande)* swig.
goleiro [goˈleiru] *m* goalkeeper.
goles → **gol.**
golfe [ˈgowfi] *m* golf.
golfinho [gowˈfiɲu] *m* dolphin.
golfo [ˈgowfu] *m* gulf.
golpe [ˈgɔwpi] *m* cut; *(pancada, choque)* blow; **golpe de Estado** coup (d'état); **golpe de mestre** masterstroke.
goma [ˈgoma] *f* starch.
gomo [ˈgomu] *m* segment.
gordo, da [ˈgordu, da] *adj (pessoa, animal)* fat; *(leite)* whole; *(alimento)* fatty; *(substância)* oily.
gordura [goxˈdura] *f (substância)* fat; **sem gordura** fat-free.
gorduroso, osa [goxduˈrozu, ɔza] *adj* greasy.
gorila [goˈrila] *m* gorilla.
gorjeta [goxˈʒeta] *f* tip.
gorro [ˈgoxu] *m* wooly hat.
gostar [guʃˈta(x)]: **gostar de** *v + prep* to like; **gostar de fazer algo** to like doing sthg.
gosto [ˈgoʃtu] *m* taste; **com todo o gosto!** with pleasure!; **dá gosto ver** it's a joy to behold; **faço gosto em ...** it gives me great pleasure to ...; **ter gosto de** *(sabor)* to taste like; **tomar gosto por algo** to take a liking to sthg; **bom/mau gosto** good/bad taste; **gosto não se discute** there's no accounting for taste.
gota [ˈgota] *f (pingo)* drop; *MED* gout; **gota a gota** drop by drop.
goteira [goˈtejra] *f (cano)* gutter; *(fenda)* leak.
gotejar [goteˈʒa(x)] *vi* to drip.
governo [goˈvexnu] *m* government; **para o seu governo** for your information.
gozar [goˈza(x)] **1** *vt* to enjoy.
2 *vi (brincar)* to joke.
3 gozar com *(troçar de)* to make fun of; **gozar de** *(desfrutar de)* to enjoy.
graça [ˈgrasa] *f (gracejo)* joke; *(humor)* humor; *(elegância)* grace; *(atração)* charm; **achar graça em alguém/algo** to find sb/sthg amusing; **ter graça** to be funny; **graças a** thanks to; **de graça** free *(of charge)*; **sem graça** *(desconcertado)* embarrassed.
gracejar [graseˈʒa(x)] *vi* to joke.
gracejo [graˈseʒu] *m (piada)* joke; *(galanteio)* flirtatious remark.
gracioso, osa [grasiˈozu, ɔza] *adj* graceful.
grade [ˈgradʒi] *f (vedação)* bars *pl.*
❑ **grades** *fpl (cadeia)* jail; **estar atrás das grades** to be behind bars.
graduação [gradwaˈsãw] (*pl* **-ões** [-õjʃ]) *f* graduation; *(de bebida)* alcohol content.
graduado, da [graˈdwadu, da] **1** *adj* graduated.
2 *m, f* graduate.
gradual [graˈdwaw] (*pl* **-ais** [-ajʃ]) *adj* gradual.

graduar-se [gra'dwaxsi] *vp* to graduate.
grafia [gra'fia] *f (maneira de escrever)* handwriting; *(ortografia)* spelling.
gralha ['graʎa] *f (ave)* magpie; *(erro tipográfico)* typo.
grama[1] ['grama] *m* gram.
grama[2] ['grama] *f (relva)* grass.
gramado [gra'madu] *m (terreno)* lawn; *(de campo de futebol)* field.
gramática [gra'matʃika] *f* grammar.
grampeador [grãmpja'do(x)] (*pl* **-res** [-riʃ]) *m* stapler.
grampear [grãm'pja(x)] *vt (folhas, papéis)* to staple; *(telefone)* to tap.
grampo ['grãmpu] *m (de cabelo)* bobby pin *Am*, hairgrip *Brit*; *(para grampeador)* staple; *(em ligação telefônica)* tap.
grande ['grãndʒi] *adj* big; *(em altura)* tall; *(em comprimento)* long; *(em importância)* great; *(em gravidade)* serious.
granito [gra'nitu] *m* granite.
granizo [gra'nizu] *m* hailstones *pl*, hail.
grão ['grãw] *m* grain; *(de café)* bean.
grão-de-bico [,grãwdʒi'biku] (*pl* **grãos-de-bico**) *m* chickpeas *pl*.
grasnar [graʒ'na(x)] *vi (corvo)* to caw; *(pato)* to quack; *(ganso)* to honk.
gratidão [gratʃi'dãw] *f* gratitude.
gratificação [gratʃifika'sãw] (*pl* **-ões** [-õjʃ]) *f (gorjeta)* tip; *(remuneração)* payment.
gratificar [gratʃifi'ka(x)] *vt (dar gorjeta a)* to tip; *(recompensar)* to reward.
gratinado, da [gratʃi'nadu, da] *adj* au gratin.
gratinar [gratʃi'na(x)] *vi*: **pôr algo para gratinar** to cook sthg au gratin.
grátis ['gratʃiʃ] *adv & adj inv* free.
grato, ta ['gratu, ta] *adj* grateful.
grau ['graw] *m* degree; **graus centígrados** degrees centigrade; **primeiro/segundo grau** EDUC primary/secondary school.
gravação [grava'sãw] (*pl* **-ões** [-õjʃ]) *f* recording.
gravador [grava'do(x)] (*pl* **-res** [-riʃ]) *m* tape recorder.
gravar [gra'va(x)] *vt (música, conversa)* to record; *(em metal, jóia)* to engrave.
gravata [gra'vata] *f* tie.
grave ['gravi] *adj (sério)* serious; *(voz)* deep; *(tom)* low; GRAM *(acento)* grave.
grávida ['gravida] *adj f* pregnant.
gravidade [gravi'dadʒi] *f* gravity.
gravidez [gravi'deʒ] *f* pregnancy.
gravura [gra'vura] *f (imagem)* picture.
graxa ['graʃa] *f* shoe polish.
grelha ['greʎa] *f* grill; **bife na grelha** grilled steak.
grelhado, da [gre'ʎadu, da] **1** *adj* grilled. **2** *m* grilled dish; **grelhado misto** mixed grill.
grelhar [gre'ʎa(x)] *vt* to grill.
grená [gre'na] *adj* dark red.
greve ['grɛvi] *f* strike; **fazer greve** to go on strike; **em greve** on strike; **greve de fome** hunger strike.
grilo ['grilu] *m* cricket.
grinalda [gri'nawda] *f (em funeral)* wreath; *(para cabelo)* garland.
gripe ['gripi] *f* flu; **estar com gripe** to have the flu.
grisalho, lha [gri'zaʎu, ʎa] *adj* gray.
gritar [gri'ta(x)] *vi & vt* to shout; **gritar com alguém** to shout at sb.
grito ['gritu] *m* shout; **no grito** by force.
groselha [gro'zeʎa] *f* redcurrant.
grosseiro, ra [gro'sejru, ra] *adj* crude; *(tecido)* coarse.
grosso, a ['grosu, 'grɔsa] *adj* thick; *(mal-educado)* rude; *(voz)* deep.
grua ['grua] *f* crane.
grunhido [gru'ɲidu] *m* grunt.
grunhir [gru'ɲi(x)] *vi* to grunt.
grupo ['grupu] *m* group; **em grupo** as a group; **grupo de risco** risk group; **grupo sanguíneo** blood group ou type.
gruta ['gruta] *f* cave.
guaraná [gwara'na] *m fizzy drink made from guarana seeds*; **guaraná em pó** powdered guarana seeds.
guarda ['gwaxda] **1** *mf (polícia)* policeman. **2** *f (vigilância)* guard.
guarda-chuva [,gwaxda'ʃuva] (*pl* **guarda-chuvas** [,gwaxda'ʃuvaʃ]) *m* umbrella.
guarda-costas [,gwaxda'kɔʃtaʃ] *mf inv* bodyguard.
guarda-louça [,gwaxda'losa] (*pl* **guarda-louças** [,gwaxda'losaʃ]) *m* cupboard.
guardanapo [gwaxda'napu] *m* napkin; **guardanapos de papel** paper napkins.
guarda-noturno [,gwaxdano'tuxnu] (*pl* **guardas-noturnos** [,gwaxdaʒno'tuxnuʃ]) *m* nightwatchman.
guardar [gwax'da(x)] *vt (vigiar)* to look

after; *(arrecadar)* to put away; *(reservar)* to keep.

guarda-roupa [ˌgwaxda'xopa] (*pl* **guarda-roupas** [ˌgwaxda'xopaʃ]) *m* closet.

guarda-sol [ˌgwaxda'sɔw] (*pl* **guarda-sóis** [ˌgwaxda'sɔjʃ]) *m* parasol.

guarnecido, da [gwaxne'sidu, da] *adj*: **guarnecido com** garnished with.

guarnição [gwaxni'sãw] (*pl* **-ões** [õjʃ]) *f* garnish.

gude ['gudʒi] *m* marbles *sg.*

guelra ['gɛwxa] *f* gill.

guerra ['gɛxa] *f* war; **fazer guerra a** to wage war against ou on; **estar em pé de guerra** to be at war.

guia ['gia] **1** *mf (profissão)* guide. **2** *m (livro, folheto)* guide. **3 guia intérprete** tour guide *(fluent in foreign languages)*; **guia turístico** tourist guide.

guiar ['gja(x)] **1** *vt* to guide; *(automóvel, ônibus)* to drive. **2** *vi (dirigir)* to drive.

guichê [gi'ʃe] *m* counter.

guidom [gi'dõ] (*pl* **-ns** [-ʃ]) *m (de bicicleta)* handlebars *pl.*

guincho ['gĩʃu] *m (som)* squeal; *(máquina)* winch.

guindaste [gĩn'daʃtʃi] *m* crane.

guisado, da [gi'zadu, da] **1** *adj* stewed. **2** *m* stew.

guisar [gi'za(x)] *vt* to stew.

guitarra [gi'taxa] *f*: **guitarra (elétrica)** (electric) guitar.

guitarrista [gita'xiʃta] *mf* guitarist.

guizo ['gizu] *m* bell.

gula ['gula] *f* gluttony.

guloseima [gulo'zejma] *f* candy *Am*, sweet *Brit.*

guloso, osa [gu'lozu, ɔza] **1** *adj* greedy. **2** *m, f* glutton; **ser guloso** to be greedy.

guri, ria [gu'ri, ria] *m, f* kid.

Hh

h. (*abrev de* **hora**) h, hr.

há [a] → **haver.**

hábil ['abiw] (*pl* **-beis** [-bejʃ]) *adj (capaz)* skillful; *(astuto)* clever.

habilidade [abili'dadʒi] *f (argúcia)* cleverness; *(talento)* skill.
❑ **habilidades** *fpl (malabarismos)* juggling *sg*.

habilitação [abilita'sãw] *f AUT* driver's license *Am*, driving licence *Brit*.
❑ **habilitações** *fpl* qualifications.

habitação [abita'sãw] (*pl* **-ões** [-õjʃ]) *f* residence.

habitante [abi'tãntʃi] *mf (de bairro)* resident; *(de país, região)* inhabitant.

habitar [abi'ta(x)] **1** *vt* to live in.
2 *vi* to live; **habitar em** to live in.

hábito ['abitu] *m* habit; **como é hábito** as usual; **ter o hábito de fazer algo** to have a habit of doing sthg; **por hábito** as a rule.

habitual [abi'twaw] (*pl* **-ais** [-ajʃ]) *adj (rotineiro)* regular; *(freqüente)* common.

habitualmente [abitwaw'mẽntʃi] *adv* usually.

habituar [abi'twa(x)] *vt*: **habituar alguém a algo/a fazer algo** to accustom sb to sthg/to doing sthg.
❑ **habituar-se** *vp*: **habituar-se a** to get used to.

hálito ['alitu] *m* breath; **mau hálito** bad breath.

hall ['ɔw] *m (de casa)* hall; *(de teatro, hotel)* foyer; **hall (da entrada)** (entrance) hall.

hardware [ax'dwɛri] *m* hardware.

harmonia [axmo'nia] *f* harmony.

harmônica [ax'monika] *f* harmonica.

harpa ['axpa] *f* harp.

haste ['aʃtʃi] *f (de bandeira)* pole; *(de árvore)* branch.

haver [a've(x)] **1** *v impess* **(a)** *(existir, estar, ter lugar)*: **há** there is, there are *pl*; **havia** there was, there were *pl*; **há um café muito bom no fim da rua** there's a very good café at the end of the street; **não há nada aqui** there's nothing here; **não haverá correio amanhã** there's no mail tomorrow.
(b) *(exprime tempo)*: **estou esperando há dez minutos** I've been waiting for ten minutes; **há séculos que não vou lá** I haven't been there for ages; **há três dias que não o vejo** I haven't seen him for three days.
(c) *(exprime obrigação)*: **há que esperar três dias** you'll have to wait three days.
(d) *(em locuções)*: **haja o que houver** come what may; **não há de quê!** don't mention it!
2 *v aux (em tempos compostos)* to have; **ele havia acabado de chegar** he had just arrived; **como não havia comido, eu estava com fome** I was hungry because I hadn't eaten; **havíamos reservado com antecedência** we'd reserved in advance.
❑ **haver de** *v + prep (dever)* to have; *(exprime intenção)*: **hei de ir** I'll go.
❑ **haver-se com** *vp + prep*: **haver-se com alguém** *(prestar contas a)* to answer to sb.
❑ **haveres** *mpl (pertences)* belongings; *(bens)* assets.

Tanto *there is* como *there are* são traduzidos por 'há', mas é preciso lembrar que *there is* é sempre seguido pelo substantivo no singular (*there's a large cat in the window* há um gato enorme na janela) e *there are* pelo substantivo no plural (*there are only four cookies left* há apenas quatro biscoitos sobrando). A mesma regra se aplica aos outros tempos verbais (*there has been a change in the schedule* houve uma mudança no horário e *there have been a few changes in the company* houve algumas mudanças na empresa).

hectare [ɛk'tari] *m* hectare.
hélice ['ɛlisi] *f* propeller.
helicóptero [eli'kɔpteru] *m* helicopter.
hematoma [ema'toma] *m* large bruise.
hemofílico, ca [ɛmo'filiku, ka] *m, f* hemophiliac.
hemorragia [emoxa'ʒia] *f* hemorrhage; **hemorragia cerebral** brain hemorrhage; **hemorragia interna** internal bleeding; **hemorragia nasal** nosebleed.
hemorróidas [emo'xɔidaʃ] *fpl* piles, hemorrhoids.
hepatite [epa'tʃitʃi] *f* hepatitis.
hera ['ɛra] *f* ivy.
herança [e'rãsa] *f* inheritance.
herdar [ex'da(x)] *vt* to inherit.
herdeiro, ra [ex'dejru, ra] *m, f* heir.
hermético, ca [ex'mɛtʃiku, ka] *adj* airtight.
hérnia ['ɛxnja] *f* hernia.
herói [e'rɔi] *m* hero.
heroína [e'rwina] *f (pessoa)* heroine; *(estupefaciente)* heroin.
hesitação [ezita'sãw] (*pl* **-ões** [-õjʃ]) *f* hesitation.
hesitar [ezi'ta(x)] *vi* to hesitate.
heterossexual [eterosɛk'swaw] (*pl* **-ais** [-ajʃ]) *adj & mf* heterosexual.
hibernar [ibex'na(x)] *vi* to hibernate.
híbrido, da ['ibridu, da] *adj* hybrid.
hidratante [idra'tãntʃi] *adj* moisturizing.
hidroavião [ˌidroa'vjãw] (*pl* **-ões** [-õjʃ]) *m* seaplane.
hierarquia [jerar'kia] *f* hierarchy.
hífen ['ifɛn] (*pl* **-es** [-iʃ]) *m* hyphen.
hi-fi [aj'faj] *m* hi-fi.
higiene [i'ʒjɛni] *f* hygiene.
hilariante [ila'rjãntʃi] *adj* hilarious.
hino ['inu] *m (de país)* anthem; *(de igreja)* hymn.
hipermercado [ˌipexmex'kadu] *m* superstore.
hipertensão [ˌipextẽ'sãw] *f* high blood pressure.
hípico, ca ['ipiku, ka] *adj (centro)* riding *(antes de s)*; *(concurso)* show-jumping *(antes de s)*.
hipismo [i'piʒmu] *m (equitação)* horseback riding; *(competição)* show jumping.
hipnotismo [ipnɔ'tʃiʒmu] *m* hypnotism.
hipocondríaco, ca [ˌipokõn'driaku, ka] *m, f* hypochondriac.
hipocrisia [ipokri'zia] *f* hypocrisy.
hipócrita [i'pɔkrita] *mf* hypocrite.
hipódromo [i'pɔdrumu] *m* racetrack.
hipopótamo [ipo'pɔtamu] *m* hippopotamus.
hipoteca [ipo'tɛka] *f* mortgage.
hipótese [i'pɔtezi] *f (suposição)* hypothesis; *(possibilidade)* chance; **em hipótese alguma** on no account; **na melhor das hipóteses** at best; **na pior das hipóteses** at worst.
histeria [iʃte'ria] *f* hysteria.
histérico, ca [iʃ'tɛriku, ka] *adj* hysterical.
história [iʃ'tɔrja] *f (de país, mundo, época)* history; *(narrativa)* story; **história da arte** history of art; **história da carochinha** fairy tale; **história em quadrinhos** comic strips.
hobby ['ɔbi] (*pl* **hobbies** ['ɔbiʃ]) *m* hobby.
hoje ['oʒi] *adv* today; **até hoje** up until today; **hoje em dia** nowadays; **queria o jornal de hoje** I would like today's paper; **de hoje a oito/quinze dias** a week/two weeks from today; **de hoje em diante** from now on; **por hoje é só** that's all for today.
holofote [olo'fɔtʃi] *m* floodlight.
homem ['ɔmẽ] (*pl* **-ns** [-ʃ]) *m* man; **homem de negócios** businessman.
homenagear [omena'ʒja(x)] *vt* to pay tribute to.
homens → **homem**.
homicida [omi'sida] *mf* murderer.
homicídio [omi'sidʒju] *m* murder; **homicídio involuntário** manslaughter.
homossexual [omosek'swaw] (*pl* **-ais** [-ajʃ]) *mf* homosexual.
honestidade [oneʃtʃi'dadʒi] *f* honesty.
honesto, ta [o'nɛʃtu, ta] *adj* honest.
honorário [ono'rarju] *adj* honorary.
❑ **honorários** *mpl* fees.
honra ['õxa] *f* honor; **ter a honra de fazer algo** to have the honor of doing sthg; **em honra de** in honor of.
honrado, da [õ'xadu, da] *adj* honest.
honrar [õ'xa(x)] *vt (dívida)* to honor.
❑ **honrar-se de** *vp + prep* to be proud of.
hóquei ['ɔkej] *m* ESP field hockey *Am*, hock-

ey *Brit*; **hóquei sobre gelo** (ice) hockey.

hora ['ɔra] *f (período de tempo)* hour; *(momento determinado)* time; **que horas são?** what time is it?; **são cinco horas** it's five o'clock; **a que horas é ...?** what time is ...?; **é hora de partir** it's time to leave; **está na hora do almoço** it's time for lunch; **na hora H** in the nick of time; **hora extra** overtime; **horas vagas** spare time *sg*; **de hora em hora** every hour; **na hora** on time; **horas e horas** for hours; **chegar em cima da hora** to arrive just in time; **à última hora** at the last minute.

horário [o'rarju] *m (de trem, ônibus, escola)* schedule; *(de estabelecimento)* opening hours *pl*; **horário de atendimento** ou **funcionamento** opening hours *pl*; **horário nobre** prime time.

horizontal [orizõn'taw] (*pl* **-ais** [-ajʃ]) *adj* horizontal.

horizonte [ori'zõntʃi] *m* horizon.

horóscopo [o'rɔʃkopu] *m* horoscope, stars *pl*.

horripilante [oxipi'lãntʃi] *adj* horrifying.

horrível [o'xivɛw] (*pl* **-eis** [-ejʃ]) *adj* horrible.

horror [o'xo(x)] (*pl* **-res** [-riʃ]) *m* horror; **que horror!** how awful!; **ter horror a algo** to have a horror of sthg; **dizer horrores de alguém** to say horrible things about sb.

horta ['ɔxta] *f* vegetable garden.

hortaliça [oxta'lisa] *f* greens *pl*.

hortelã [oxte'lã] *f* mint.

hortelã-pimenta [oxte,lãpi'mẽnta] *f* peppermint.

hortênsia [ox'tẽsja] *f* hydrangea.

hortigranjeiros [oxtʃigrã'ʒeiruʃ] *mpl* vegetables.

hospedagem [oʃpe'daʒẽ] *f* lodging.

hospedar [oʃpe'da(x)] *vt* to put sb up.
❑ **hospedar-se** *vp*: **hospedar-se em** to stay at.

hóspede ['ɔʃpedʒi] *mf* guest.

hospício [oʃ'pisju] *m* mental hospital.

hospital [oʃpi'taw] (*pl* **-ais** [-ajʃ]) *m* hospital.

hospitaleiro, ra [oʃpita'lejru, ra] *adj* hospitable.

hospitalidade [oʃpitali'dadʒi] *f* hospitality.

hostil [oʃ'tiw] (*pl* **-is** [-iʃ]) *adj (gente, ar, comportamento)* hostile.

hotel [o'tɛw] (*pl* **-éis** [-ɛiʃ]) *m* hotel.

houve ['ovi] → **haver**.

humanidade [umani'dadʒi] *f* humanity.

humanitário, ria [umani'tarju, rja] *adj* humanitarian.

humano, na [u'manu, na] **1** human; *(compassivo)* humane.
2 *m* human (being).

humildade [umiw'dadʒi] *f* humility.

humilde [u'miwdʒi] *adj (modesto)* humble; *(pobre)* poor.

humilhação [umiʎa'sãw] (*pl* **-ões** [-õjʃ]) *f* humiliation.

humilhante [umi'ʎãntʃi] *adj* humiliating.

humilhar [umi'ʎa(x)] *vt* to humiliate.
❑ **humilhar-se** *vp* to humble o.s.

humor [u'mo(x)] *m* humor; **estar de bom/mau humor** to be in a good/bad mood.

humorista [umo'riʃta] *mf* comedian.

hurra ['uxa] *interj* hurrah!

Ii

ia ['ia] → **ir.**

iate ['jatʃi] *m* yacht.

ibérico, ca [i'bɛriku, ka] *adj* Iberian.

içar [i'sa(x)] *vt* to hoist.

ICMS *m* (*abrev de* **Imposto sobre a Circulação de Mercadorias e Serviços**) sales tax *Am,* VAT *Brit.*

ícone ['ikɔni] *m* icon.

icterícia [ikte'risja] *f* jaundice.

ida ['ida] *f* *(partida)* departure; *(jornada)* outward journey.

idade [i'dadʒi] *f* age; **de idade** elderly; **de meia-idade** middle-aged; **oito anos de idade** eight years of age.

ideal [i'dʒjaw] (*pl* **-ais** [-ajʃ]) *adj & m* ideal.

idealista [idʒja'liʃta] **1** *adj* idealistic.
2 *mf* idealist.

idéia [i'dʒɛja] *f* idea; **idéia fixa** obsession; **que idéia!** you've got to be kidding!; **fazer uma idéia errada de algo** to have the wrong impression about sthg; **mudar de idéia** to change one's mind; **não fazer idéia** to not have a clue; **ter uma idéia** to make a proposal.

idêntico, ca [i'dʒẽntʃiku, ka] *adj* identical.

identidade [idʒẽntʃi'dadʒi] *f* identity; *(carteira)* identity card.

identificação [idʒẽntʃifika'sãw] *f* identification.

identificar [idʒẽntʃifi'ka(x)] *vt* to identify.
❑ **identificar-se** *vp* to identify o.s.

ideologia [idʒjolo'ʒia] *f* ideology.

idílico, ca [i'dʒiliku, ka] *adj* idyllic.

idioma [i'dʒjoma] *m* language.

idiota [i'dʒjɔta] **1** *adj* idiotic.
2 *mf* idiot.

ídolo ['idulu] *m* idol.

idôneo, nea [i'donju, nja] *adj* reliable.

idoso, osa [i'dozu, ɔza] **1** *adj* elderly.
2 *m, f* old man; **os idosos** the elderly.

Iemanjá [jemã'ʒa] *f* *goddess of the sea in Afro-Brazilian religion.*

ignição [igni'sãw] *f* ignition.

ignorado, da [igno'radu, da] *adj* unknown.

ignorância [igno'rãsja] *f* ignorance.

ignorante [igno'rãntʃi] **1** *adj* ignorant.
2 *mf* ignoramus.

ignorar [igno'ra(x)] *vt*: **ignorar algo** not to know sthg; **ignorar alguém** to ignore sb.

igreja [i'greʒa] *f* church.

igual [i'gwaw] (*pl* **-ais** [-ajʃ]) **1** *adj* the same; *(parecido)* similar.
2 *m (pessoa)* equal; *(sinal)* equals sign.
3 os dois são iguais they are (both) the same; **ser igual a** to be the same as; **12 e 12 igual a 24** 12 and 12 equals ou is 24; **sem igual** unrivaled.

igualar [igwa'la(x)] *vt* to make equal.
❑ **igualar-se** *vp*: **igualar-se a alguém** to be sb's equal; **igualar-se a algo** to be comparable with sthg.

igualdade [igwaw'dadʒi] *f* equality.

igualmente [igwaw'mẽntʃi] **1** *adv* equally.
2 *interj* likewise!

ilegal [ile'gaw] (*pl* **-ais** [-ajʃ]) *adj* illegal.

ilegalidade [ilegali'dadʒi] *f* crime.

ilegítimo, ma [ile'ʒitʃimu, ma] *adj (filho)* illegitimate; *(ato)* illegal.

ilegível [ile'ʒivɛw] (*pl* **-eis** [-ejʃ]) *adj* illegible.

ileso, sa [i'lezu, za] *adj* unharmed; **sair ileso (de um acidente)** to escape unhurt.

ilha ['iʎa] *f* island.

ilimitado, da [ilemi'tadu, da] *adj* unlimited.

Ilma. *abrev* = **Ilustríssima.**

Ilmo. *abrev* = **Ilustríssimo.**

ilógico, ca [i'lɔʒiku, ka] *adj* illogical.

iludir [ilu'di(x)] *vt* to deceive.
❑ **iludir-se** *vp* to delude o.s.
iluminação [ilumina'sãw] *f* lighting.
iluminado, da [ilumi'nadu, da] *adj* illuminated, lit up.
iluminar [ilumi'na(x)] *vt* to illuminate, to light up.
ilusão [ilu'zãw] (*pl* **-ões** [-õjʃ]) *f* illusion; **não ter ilusões** to have no illusions; **perder as ilusões** to become disillusioned; **ilusão de ótica** optical illusion.
ilustração [iluʃtra'sãw] (*pl* **-ões** [-õjʃ]) *f* illustration.
ilustrado, da [iluʃ'tradu, da] *adj* illustrated.
ilustrar [iluʃ'tra(x)] *vt (exemplificar)* to illustrate.
ilustre [i'luʃtri] *adj* illustrious.
ilustríssimo, ma [iluʃ'trisimu, ma] *superl (em carta) very formal term of address used in correspondence.*
ímã ['imã] *m* magnet.
imaculado, da [imaku'ladu, da] *adj* immaculate.
imagem [i'maʒẽ] (*pl* **-ns** [-ʃ]) *f* picture; *(pessoal)* image.
imaginação [imaʒina'sãw] *f* imagination.
imaginar [imaʒi'na(x)] *vt (inventar)* to think up; *(supor)* to imagine.
❑ **imaginar-se** *vp*: **ele se imagina um Adônis** he thinks he's God's gift to women.
imaginativo, va [imaʒina'tʃivu, va] *adj* imaginative.
imaturo, ra [ima'turu, ra] *adj* immature.
imbatível [ĩmba'tʃivɛw] (*pl* **-eis** [-ejʃ]) *adj* unbeatable.
imediações [imedʒja'sõiʃ] *fpl* surrounding area *sg*; **nas imediações de** in the vicinity of.
imediatamente [imeˌdʒjata'mẽntʃi] *adv* immediately.
imediato, ta [ime'dʒjatu, ta] *adj* immediate; **de imediato** immediately.
imenso, sa [i'mẽsu, sa] *adj* huge; **um imenso amor** a great love.
imergir [imex'ʒi(x)] *vt (mergulhar)* to immerse.
imigração [imigra'sãw] *f* immigration.
imigrante [imi'grãntʃi] *mf* immigrant.
imigrar [imi'gra(x)] *vi* to immigrate.
imitação [imita'sãw] (*pl* **-ões** [-õjʃ]) *f (de produto)* imitation; *(de pessoa)* impersonation.
imitar [imi'ta(x)] *vt (produto)* to copy; *(comportamento)* to imitate; *(pessoa)* to impersonate.
imobiliária [imobi'ljarja] *f* real estate office *Am*, estate agent's *Brit*.
imobilizar [imobili'za(x)] *vt* to immobilize.
❑ **imobilizar-se** *vp* to come to a standstill.
imoral [imo'raw] (*pl* **-ais** [-ajʃ]) *adj* immoral.
imóvel [i'mɔvɛw] (*pl* **-eis** [-ejʃ]) **1** *adj* motionless.
2 *m (prédio)* building; *(valor imóvel)* property.
impaciência [ĩmpa'sjẽsja] *f* impatience.
impaciente [ĩmpa'sjẽntʃi] *adj* impatient.
impacto [ĩm'paktu] *m* impact.
ímpar ['ĩmpa(x)] (*pl* **-res** [-riʃ]) *adj (número)* odd; *(objeto)* unique; *(ação)* unequalled.
imparcial [ĩmpax'sjaw] (*pl* **-ais** [-ajʃ]) *adj* impartial.
ímpares → **ímpar**.
impasse [ĩm'pasi] *m* impasse.
impecável [ĩmpe'kavɛw] (*pl* **-eis** [-ejʃ]) *adj (trabalho, roupa, limpeza)* impeccable; *(pessoa)* great.
impedido, da [ĩmpe'dʒidu, da] *adj (caminho, estrada)* blocked; *(em futebol)* offside.
impedimento [ĩmpedʒi'mẽntu] *m* obstacle; *(futebol)* offside.
impedir [ĩmpe'dʒi(x)] *vt (trânsito, circulação)* to block; **impedir alguém de fazer algo** to prevent sb from doing sthg.
impenetrável [ĩmpene'travɛw] (*pl* **-eis** [-ejʃ]) *adj* impenetrable.
impensável [ĩmpẽ'savɛw] (*pl* **-eis** [-ejʃ]) *adj* unthinkable.
imperativo, va [ĩmpera'tʃivu, va] *adj & m* imperative.
imperdoável [ĩmpex'dwavɛw] (*pl* **-eis** [-ejʃ]) *adj* unforgivable.
imperfeito, ta [ĩmpex'fejtu, ta] **1** *adj* faulty.
2 *m* GRAM imperfect.
impermeável [ĩmpex'mjavɛw] (*pl* **-eis** [-ejʃ]) **1** *m* wind breaker.
2 *adj* waterproof.
impertinente [ĩmpextʃi'nẽntʃi] *adj* impertinent.
imperturbável [ĩmpextux'bavɛw] (*pl* **-eis** [-ejʃ]) *adj* serene.

impessoal [ĩmpe'swaw] (*pl* **-ais** [-ajʃ]) *adj* impersonal.
impetuoso, osa [ĩmpe'twozu, ɔza] *adj* impetuous.
implacável [ĩmpla'kavɛw] (*pl* **-eis** [-ejʃ]) *adj* ruthless; *(vento, chuva, frio)* relentless.
implantação [ĩmplãnta'sãw] *f* introduction.
implicar [ĩmpli'ka(x)] *vt (envolver)* to implicate; *(acarretar)* to involve.
❑ **implicar com** *v + prep* to insult.
implícito, ta [ĩm'plisitu, ta] *adj* implicit.
implorar [ĩmplo'ra(x)] *vt* to implore.
imponente [ĩmpo'nẽntʃi] *adj (grandioso)* imposing; *(altivo)* arrogant.
impopular [ĩmpopu'la(x)] (*pl* **-res** [-xiʃ]) *adj* unpopular.
impor [ĩm'po(x)] *vt (respeito, silêncio)* to command; *(ordem)* to impose; **impor algo a alguém** to impose sthg on sb.
❑ **impor-se** *vp* to command respect.
importação [ĩmpoxta'sãw] (*pl* **-ões** [-õjʃ]) *f* import.
importado, da [ĩmpox'tadu, da] *adj* imported.
importância [ĩmpox'tãsja] *f (valor)* importance; *(quantia monetária)* amount.
importante [ĩmpox'tãntʃi] **1** *adj* important.
2 *m*: **o importante é ...** the important thing is ...
importar [ĩmpox'ta(x)] **1** *vt (mercadoria, produto, idéia)* to import.
2 *vi (ter importância)* to matter.
❑ **importar-se** *vp (fazer caso)* to mind; **você se importa de fechar a porta?** would you mind closing the door?
imposição [ĩmpozi'sãw] (*pl* **-ões** [-õjʃ]) *f* condition.
impossível [ĩmpo'sivɛw] (*pl* **-eis** [-ejʃ]) **1** *adj & m* impossible.
2 *m*: **querer o impossível** to ask the impossible.
imposto [ĩm'poʃtu] *m* tax; **imposto de renda** income tax.
impostor, ra [ĩmpoʃ'to(x), ra] (*mpl* **-res** [-riʃ], *fpl* **-s** [-ʃ]) *m, f* impostor.
impotente [ĩmpo'tẽntʃi] *adj* impotent.
impraticável [ĩmpratʃi'kavɛw] (*pl* **-eis** [-ejʃ]) *adj (estrada, caminho)* impassable.
impreciso, sa [ĩmpre'sizu, za] *adj* vague.
imprensa [ĩm'prẽsa] *f* press.
impressão [ĩmpre'sãw] (*pl* **-ões** [-õjʃ]) *f (sensação)* impression; *(de jornal, livro)* printing; **ter a impressão de que** to get the impression (that); **tenho a impressão que vai chover** I think it's going to rain; **impressão digital** fingerprint; **causar boa impressão** to make a good impression.
impressionante [ĩmpresju'nãntʃi] *adj (incrível)* amazing; *(comovente)* moving.
impressionar [ĩmpresju'na(x)] *vt (causar admiração a)* to amaze; *(comover)* to move.
impresso, a [ĩm'prɛsu, a] **1** *adj* printed.
2 *m* form.
impressões → **impressão.**
impressora [ĩmpre'sora] *f* printer; **impressora matricial** dot matrix printer; **impressora a jato de tinta** ink jet printer; **impressora a laser** laser printer.
imprevisível [ĩmprevi'zivɛw] (*pl* **-eis** [-ejʃ]) *adj* unpredictable.
imprevisto, ta [ĩmpre'viʃtu, ta] **1** *adj* unexpected.
2 *m* unexpected event.
imprimir [ĩmpri'mi(x)] *vt* to print.
impróprio, pria [ĩm'prɔpriu, pria] *adj*: **impróprio para** unsuitable for; **impróprio para consumo** unfit for human consumption.
improvável [ĩmpro'vavɛw] (*pl* **-eis** [-ejʃ]) *adj* unlikely.
improvisar [ĩmprovi'za(x)] *vt & vi* to improvise.
improviso [ĩmpro'vizu] *m* improvisation; **de improviso** impromptu; **fazer um discurso de improviso** to make an impromptu speech.
imprudente [ĩmpru'dẽntʃi] *adj* rash.
impulsionar [ĩmpuwsju'na(x)] *vt* to push forward.
impulsivo, va [ĩmpuw'sivu, va] *adj* impulsive.
impulso [ĩm'puwsu] *m (incitamento)* impulse; *(de ligação telefônica)* unit.
impureza [ĩmpu'reza] *f* impurity.
impuro, ra [ĩm'puru, ra] *adj* impure.
imundície [ĩmũn'dʒisji] *f (sujeira)* dirt; *(lixo)* garbage.
imune [i'muni] *adj (isento)*: **imune a** immune to.
inabitado, da [inabi'tadu, da] *adj* uninhabited.

inacabado, da [inaka'badu, da] *adj* unfinished.
inaceitável [inasej'tavɛw] (*pl* **-eis** [-ejʃ]) *adj* unacceptable.
inacessível [inase'sivɛw] (*pl* **-eis** [-ejʃ]) *adj* inaccessible.
inacreditável [inakredʒi'tavɛw] (*pl* **-eis** [-ejʃ]) *adj* unbelievable.
inadequado, da [inade'kwadu, da] *adj* inadequate.
inadiável [ina'djavɛw] (*pl* **-eis** [-ejʃ]) *adj* (*encontro, reunião, problema*) pressing.
inalador [inala'do(x)] (*pl* **-res** [-riʃ]) *m* inhaler.
inalcançável [inawkã'savɛw] (*pl* **-eis** [-ejʃ]) *adj* unattainable.
inanimado, da [inani'madu, da] *adj* inanimate.
inaptidão [inaptʃi'dãw] *f* unsuitability.
inapto, ta [i'naptu, ta] *adj* unsuited.
inarticulado, da [inaxtʃiku'ladu, da] *adj* inarticulate.
inatingível [inatʃĩ'ʒivɛw] (*pl* **-eis** [-ejʃ]) *adj* unattainable.
inatividade [inatʃivi'dadʒi] *f* inactivity; **na inatividade** (*pessoa*) unemployed.
inativo, va [ina'tʃivu, va] *adj* inactive; (*pessoa*) unemployed.
inato, ta ['inatu, ta] *adj* innate.
inauguração [inawgura'sãw] (*pl* **-ões** [-õjʃ]) *f* inauguration.
inaugurar [inawgu'ra(x)] *vt* to inaugurate.
incansável [ĩŋkã'savɛw] (*pl* **-eis** [-ejʃ]) *adj* tireless.
incapacidade [ĩŋkapasi'dadʒi] *f* inability.
incapaz [ĩŋka'paʃ] (*pl* **-zes** [-ziʃ]) *adj* incapable.
incendiar [ĩsẽn'dʒja(x)] *vt* to set fire to.
❑ **incendiar-se** *vp* to catch fire.
incêndio [ĩ'sẽndʒju] *m* fire.
incentivo [ĩsẽn'tʒivu] *m* incentive.
incerteza [ĩsex'teza] *f* doubt, uncertainty; **ficar na incerteza** to be left in doubt.
incerto, ta [ĩ'sɛxtu, ta] *adj* uncertain.
inchação [ĩʃa'sãw] *m* swelling.
inchaço [ĩ'ʃasu] *m* swelling.
inchado, da [ĩ'ʃadu, da] *adj* (*entumescido*) swollen; *fig* (*envaidecido*) puffed up with pride.
inchar [ĩ'ʃa(x)] *vi* to swell.
incidente [ĩsi'dẽntʃi] *m* incident.
incineração [ĩsinera'sãw] (*pl* **-ões** [-õjʃ]) *f* incineration.
incisivo, va [ĩsi'zivu, va] **1** *adj fig* (*penetrante*) incisive.
2 *m* (*dente*) incisor.
incitar [ĩsi'ta(x)] *vt* to incite.
inclinação [ĩŋklina'sãw] (*pl* **-ões** [-õjʃ]) *f* inclination.
inclinado, da [ĩŋkli'nadu, da] *adj* slanting.
inclinar [ĩŋkli'na(x)] *vt* to tilt.
❑ **inclinar-se** *vp* to lean.
incluir [ĩŋklu'i(x)] *vt* to include; (*inserir*) to enclose.
inclusive [ĩŋklu'zivɛ] *adv* even; **de 11 a 20, inclusive** from 11 to 20 inclusive.
incoerente [ĩŋkwe'rẽntʃi] *adj* incoherent.
incógnita [ĩŋ'kɔgnita] *f* enigma, mystery.
incolor [ĩŋko'lo(x)] (*pl* **-res** [-riʃ]) *adj* colorless.
incomodar [ĩŋkomo'da(x)] *vt* to bother; **'favor não incomodar'** 'do not disturb'.
❑ **incomodar-se** *vp* to bother; **você se incomoda se eu fumar?** do you mind if I smoke?
incômodo, da [ĩŋ'komodu, da] **1** *adj* uncomfortable.
2 *m* nuisance.
incomparável [ĩŋkõmpa'ravɛw] (*pl* **-eis** [-ejʃ]) *adj* incomparable.
incompatível [ĩŋkõmpa'tʃivɛw] (*pl* **-eis** [-ejʃ]) *adj* incompatible.
incompetente [ĩŋkõmpe'tẽntʃi] *adj & mf* incompetent.
incompleto, ta [ĩŋkõm'plɛtu, -ta] *adj* unfinished.
incomunicável [ĩŋkomuni'kavɛw] (*pl* **-eis** [-ejʃ]) *adj* (*isolado*) isolated; (*bens*) nontransferable.
inconcebível [ĩŋkõse'bivɛw] (*pl* **-eis** [-ejʃ]) *adj* inconceivable.
incondicional [ĩŋkõndʒisjo'naw] (*pl* **-ais** [-ajʃ]) *adj* unconditional.
inconfidência [ĩŋkõfi'dẽsja] *f* disloyalty; (*traição*) treason.
inconfidente [ĩŋkõfi'dẽtʃi] **1** *adj* disloyal.
2 *mf* (*traidor*) traitor.
inconformado, da [ĩŋkõfox'madu, da] *adj* unreconciled.
inconfundível [ĩŋkõfũn'dʒivɛw] (*pl* **-eis** [-ejʃ]) *adj* unmistakable.
inconsciência [ĩŋkõʃ'sjẽsja] *f* thoughtlessness.
inconsciente [ĩŋkõʃ'sjẽntʃi] **1** *adj* MED unconscious; (*irresponsável*) thoughtless.
2 *m* unconscious.

inconveniência [ĩŋkõve'njẽsja] *f* inconvenience.

inconveniente [ĩŋkõve'njẽntʃi] **1** *adj (pessoa)* tactless; *(assunto)* awkward.
2 *m (problema)* problem; *(desvantagem)* disadvantage.

incorporar [ĩŋkoxpo'ra(x)] *vt* to incorporate.

incorreto, ta [ĩŋko'xɛtu, ta] *adj (errado)* incorrect; *(malcriado)* rude.

incorrigível [ĩŋkoxi'ʒivɛw] (*pl* **-eis** [-ejʃ]) *adj* incorrigible.

incrédulo, la [ĩŋ'krɛdulu, la] *adj* incredulous.

incrível [ĩŋ'krivɛw] (*pl* **-eis** [-ejʃ]) *adj* incredible.

incubadora [ĩŋkuba'dora] *f* incubator.

inculto, ta [ĩŋ'kuwtu, ta] *adj (pessoa)* uneducated; *(terreno)* uncultivated.

incurável [ĩŋku'ravɛw] (*pl* **-eis** [-ejʃ]) *adj* incurable.

indagar [ĩnda'ga(x)] *vi* to inquire.

indecente [ĩnde'sẽntʃi] *adj* indecent.

indeciso, sa [ĩnde'sizu, za] *adj (futuro, situação)* uncertain; *(pessoa)* indecisive; **estar indeciso** to be undecided.

indecoroso, osa [ĩndeku'rozo, ɔza] *adj* improper.

indefeso, sa [ĩnde'fezu, za] *adj* defenseless.

indefinido, da [ĩndefi'nidu, da] *adj* indefinite.

indelicado, da [ĩndeli'kadu, da] *adj* offhand.

indenização [ĩndeniza'sãw] (*pl* **-ões**) [-õjʃ] *f* compensation.

indenizar [ĩndeni'zar] *vt* to compensate.

independência [ĩndepẽn'dẽsja] *f* independence.

independentemente [ĩndepẽnˌdẽntʃi'mẽntʃi]: **independentemente de** *prep* independently of.

indescritível [ĩndeʃkri'tʃivɛw] (*pl* **-eis** [-ejʃ]) *adj* indescribable.

indesejável [ĩndeze'ʒavɛw] (*pl* **-eis** [-ejʃ]) *adj* undesirable.

indestrutível [ĩndeʃtru'tʃivɛw] (*pl* **-eis** [-ejʃ]) *adj* indestructible; *fig (argumento)* watertight.

indeterminado, da [ĩndetexmi'nadu, da] *adj* indeterminate.

indevido, da [ĩnde'vidu, da] *adj* inappropriate.

indicação [ĩndʒika'sãw] (*pl* **-ões** [-õjʃ]) *f (de caminho, direção)* directions *pl*; *(sinal)* mark; *(instrução)* indication.

indicador [ĩndʒika'do(x)] (*pl* **-res** [-riʃ]) *m (dedo)* index finger; *(de temperatura, velocímetro)* indicator.

indicar [ĩndʒi'ka(x)] *vt* to show; **tudo indica que ...** everything points to ...

indicativo, va [ĩndʒika'tʃivu, va] **1** *adj* indicative.
2 *m* GRAM indicative.

índice ['ĩndʒisi] *m (em livro)* index; *(nível)* rate; **índice de audiência** the ratings; **índice de inflação** inflation rate.

indício [in'dʒisju] *f (pista)* clue; *(sinal)* sign.

indiferença [ĩndʒife'rẽsa] *f* indifference.

indiferente [ĩndʒife'rẽntʃi] *adj* indifferent; **para mim é indiferente** I don't care.

indígena [ĩn'dʒiʒena] *adj & mf (nativo)* native; *(índio)* Indian.

indigestão [ĩndʒiʒeʃ'tãw] *f* indigestion.

indigesto, ta [ĩndʒi'ʒɛʃtu, ta] *adj* indigestible.

indignação [ĩndʒigna'sãw] (*pl* **-ões** [-õjʃ]) *f* indignation.

indigno, gna [ĩn'dʒignu, gna] *adj (pessoa)* unworthy; *(situação)* degrading.

indireta [ĩndʒi'rɛta] *f fig (comentário)* dig.

indireto, ta [ĩndʒi'rɛtu, ta] *adj* indirect.

indisciplinado, da [ĩndʒiʃsipli'nadu, da] *adj* undisciplined.

indiscreto, ta [ĩndʒiʃ'krɛtu, ta] *adj* indiscreet.

indiscutível [ĩndʒiʃku'tʃivɛw] (*pl* **-eis** [-ejʃ]) *adj* indisputable.

indispensável [ĩndʒiʃpẽ'savɛw] (*pl* **-eis** [-ejʃ]) **1** *adj* indispensable.
2 *m*: **o indispensável** the bare essentials *pl*.

indisposição [ĩndʒiʃpozi'sãw] (*pl* **-ões** [-õjʃ]) *f* upset stomach.

indisposto, osta [ĩndʒiʃ'poʃtu, ɔʃta] *adj* unwell.

individual [ĩndʒivi'dwaw] (*pl* **-ais** [-ajʃ]) *adj* individual; *(quarto, tarefa)* single; *(mesa)* for one.

indivíduo [ĩnde'vidwu] *m* individual; *(homem)* guy.

indolor [ĩndo'lo(x)] (*pl* **-res** [-riʃ]) *adj* painless.

indulgência [ĩnduw'ʒẽsja] *f* leniency.

indulgente [ĩnduw'ʒẽntʃi] *adj* lenient.

indústria [ĩn'duʃtria] *f* industry; **'indústria brasileira'** made in Brazil.

induzir [ĩndu'zi(x)] *vt*: **induzir alguém a fazer algo** to persuade sb to do sthg; **induzir alguém em erro** to mislead sb.

inédito, ta [i'nɛdʒitu, ta] *adj (livro)* unpublished; *(original)* unique; *(acontecimento)* unprecedented.

ineficaz [inefi'kaʃ] (*pl* **-zes** [-ziʃ]) *adj* ineffective.

inegável [ine'gavɛw] (*pl* **-eis** [-ejʃ]) *adj* undeniable.

inércia [i'nɛxsja] *f* inertia.

inesgotável [ineʒgo'tavɛw] (*pl* **-eis** [-ejʃ]) *adj* inexhaustible.

inesperado, da [ineʃpe'radu, da] *adj* unexpected.

inesquecível [ineʃkɛ'sivɛw] (*pl* **-eis** [-ejʃ]) *adj* unforgettable.

inestimável [ineʃtʃi'mavɛw] (*pl* **-eis** [-ejʃ]) *adj* invaluable; **de valor inestimável** priceless.

inevitável [inevi'tavɛw] (*pl* **-eis** [-ejʃ]) *adj* inevitable.

inexequível [ineze'kwivɛw] (*pl* **-eis** [-ejʃ]) *adj* impracticable.

inexperiência [ineʃpe'rjẽsja] *f* inexperience.

inexperiente [ineʃpe'rjẽntʃi] *adj* inexperienced; *fig (inocente)* innocent.

infalível [ĩfa'livɛw] (*pl* **-eis** [-ejʃ]) *adj (método, sistema, plano)* infallible; *(inevitável)* certain.

infâmia [ĩ'famja] *f* slander.

infância [ĩ'fãsja] *f* childhood.

infantil [ĩfãn'tiw] (*pl* **-is** [-iʃ]) *adj (literatura, programa)* children's *(antes de s)*; *pej (imaturo)* childish.

infecção [ĩfɛ'sãw] (*pl* **-ões** [-õjʃ]) *f MED* infection.

infeccioso, osa [ĩfɛ'sjozu, ɔza] *adj* infectious.

infecções → **infecção.**

infectar [ĩfɛ'ta(x)] **1** *vi* to get infected. **2** *vt* to infect.

infelicidade [ĩfelisi'dadʒi] *f (tristeza)* unhappiness; *(desgraça)* misfortune; **mas que infelicidade!** what a shame!; **tive a infelicidade de ...** I had the misfortune of...

infeliz [ĩfe'liʒ] (*pl* **-zes** [-ziʃ]) **1** *adj (acontecimento, notícia)* sad; *(comentário, resposta)* inappropriate. **2** *mf* wretch; **ser infeliz** to be unhappy.

infelizmente [ĩfeliʒ'mẽntʃi] *adv* unfortunately.

inferior [ĩfe'rjo(x)] (*pl* **-res** [-riʃ]) *adj* lower; *(em valor, qualidade)* inferior; **andar inferior** downstairs.

inferno [ĩ'fɛxnu] *m*: **o Inferno** Hell; **isto é um inferno!** what a nightmare!; **vá para o inferno!** go to hell!

infertilidade [ĩfextʃili'dadʒi] *f* infertility.

infiel [ĩ'fjɛw] (*pl* **-éis** [-ɛiʃ]) *adj (marido, esposa)* unfaithful; *(amigo)* disloyal.

infiltrar-se [ĩfiw'traxsi] *vp (água, chuva)* to seep in.

ínfimo, ma ['ĩfimu, ma] *adj* minute; *fig (sem importância)* pointless.

infindável [ĩfĩn'davɛw] (*pl* **-eis** [-ejʃ]) *adj* endless.

infinidade [ĩfini'dadʒi] *f* infinity; **uma infinidade de** countless.

infinitivo [ĩfini'tʃivu] *m*: **o infinitivo** *GRAM* the infinitive.

infinito, ta [ĩfi'nitu, ta] *adj & m* infinite.

inflação [ĩfla'sãw] *f* inflation.

inflamação [ĩflama'sãw] (*pl* **-ões** [-õjʃ]) *f* inflammation.

inflamado, da [ĩfla'madu, da] *adj* inflamed.

inflamar [ĩfla'ma(x)] *vt (incendiar)* to set on fire, to set alight; *fig (entusiasmar)* to inflame.

inflamável [ĩfla'mavɛw] (*pl* **-eis** [-ejʃ]) *adj* flammable *Am*, inflammable *Brit.*

inflexível [ĩflɛk'sivɛw] (*pl* **-eis** [-ejʃ]) *adj* inflexible; *fig (implacável, rigoroso)* unbending.

influência [ĩflu'ẽsja] *f* influence; **ter influência** to be influential.

influente [ĩflu'ẽntʃi] *adj* influential.

influir [ĩflu'i(x)]: **influir em** *v + prep* to influence.

informação [ĩfoxma'sãw] (*pl* **-ões** [-õjʃ]) *f* information; *(notícia)* news *sg*; **ele não me deu informação nenhuma** he didn't give me any information.
❑ **informações** *fpl (serviço telefônico)* directory assistance *sg Am*, directory enquiries *Brit*; **'informações'** 'information'.

informal [ĩfox'maw] (*pl* **-ais** [-ajʃ]) *adj* informal.

informalidade [ĩfoxmali'dadʒi] *f* informality.

informar [ĩfox'ma(x)] *vt* to inform; **infor-**

mar alguém de ou **sobre algo** to inform sb of sthg.
❑ **informar-se** *vp* to find out.

informática [ĩfox'matʃika] *f* information technology, computing.

informativo, va [ĩfoxma'tʃivu, va] *adj* informative.

informatizar [ĩfurmati'za(x)] *vt* to computerize.

infração [ĩfra'sãw] (*pl* **-ões** [-õjʃ]) *f (de lei)* offense; *(de norma, regra)* breach.

infrações → **infração.**

infravermelho, lha [ĩfravex'meʎu, ʎa] *adj* infrared.

infundado, da [ĩfũn'dadu, da] *adj* unfounded.

ingenuidade [ĩʒenwi'dadʒi] *f* ingenuity.

ingênuo, nua [ĩ'ʒenwu, nwa] **1** *adj* naive. **2** *m, f* naive person.

ingerir [ĩʒe'ri(x)] *vt* to ingest.

ingratidão [ĩŋgratʃi'dãw] *f* ingratitude.

ingrato, ta [ĩŋ'gratu, ta] *adj (pessoa)* ungrateful; *(trabalho)* thankless.

ingrediente [ĩŋgre'djẽntʃi] *m* ingredient.

íngreme [ĩŋgremi] *adj* steep.

ingresso [ĩŋ'grɛsu] *m (em curso, universidade, partido)* enrollment; *(bilhete de cinema, teatro etc.)* ticket.

inhame [i'ɲami] *m* yam.

inibição [inibi'sãw] (*pl* **-ões** [-õjʃ]) *f* inhibition.

inibido, da [ini'bidu, da] *adj* inhibited.

inicial [ini'sjaw] (*pl* **-ais** [-ajʃ]) *adj & f* initial.

iniciar [ini'sja(x)] *vt* to start, to begin.
❑ **iniciar-se** *vp* to start.

iniciativa [inisja'tʃiva] *f* initiative; **ter iniciativa** to show initiative.

início [i'nisju] *m* start, beginning; **no início** at first; **desde o início** from the beginning.

inimigo, ga [ini'migu, ga] **1** *adj* enemy *(antes de s).*
2 *m, f* enemy.

ininterruptamente [inĩnteˌxupta'mẽntʃi] *adv* continuously.

injeção [ĩʒe'sãw] (*pl* **-ões** [-õjʃ]) *f* injection; **injeção eletrônica** fuel injection.

injeções → **injeção.**

injetar [ĩʒe'ta(x)] *vt* to inject.
❑ **injetar-se** *vp (drogar-se)* to be on drugs.

injúria [ĩ'ʒurja] *f* insult.

injuriar [ĩʒu'rja(x)] *vt* to insult.

injustiça [ĩʒuʃ'tʃisa] *f* injustice.

injusto, ta [ĩ'ʒuʃtu, ta] *adj* unfair.

inocência [ino'sẽsja] *f* innocence.

inocentar [inosẽn'ta(x)] *vt*: **inocentar alguém (de algo)** *JUR* to clear sb (of sthg).

inocente [ino'sẽntʃi] *adj* innocent; **ser** ou **estar inocente** to be innocent.

inoculação [inɔkula'sãw] (*pl* **-ões** [-õjʃ]) *f* inoculation.

inofensivo, va [inofẽ'sivu, va] *adj* harmless.

inoportuno, na [inopox'tunu, na] *adj (pessoa)* tactless; *(comentário, momento)* inopportune.

inovação [inova'sãw] (*pl* **-ões** [-õjʃ]) *f* innovation.

inoxidável [inoksi'davɛw] (*pl* **-eis** [-ejʃ]) *adj (aço)* stainless; *(material)* rustproof.

inquérito [ĩŋ'kɛritu] *m (sondagem)* opinion poll, survey; *(de polícia, comissão)* investigation.

inquietação [ĩŋkjeta'sãw] *f (agitação)* restlessness; *(preocupação)* worry.

inquietante [ĩŋkje'tãntʃi] *adj* worrying, disturbing.

inquilino, na [ĩŋki'linu, na] *m, f* tenant.

insatisfatório, ria [ĩsatʃiʃfa'tɔrju, rja] *adj* unsatisfactory.

insatisfeito, ta [ĩsatʃiʃ'fejtu, ta] *adj* dissatisfied.

inscrever [ĩʃkre've(x)] *vt* to enroll; **inscrever alguém em algo** to enroll sb in sthg.
❑ **inscrever-se** *vp*: **inscrever-se em algo** to enroll in sthg.

inscrição [ĩʃkri'sãw] (*pl* **-ões** [-õjʃ]) *f (em pedra)* inscription; *(em curso, cadeira)* enrollment.

insegurança [isegu'rãsa] *f* insecurity.

inseguro, ra [ĩse'guru, ra] *adj (área, rua)* unsafe; *(pessoa)* insecure.

insensato, ta [ĩsẽ'satu, ta] *adj (decisão, comportamento)* foolish.

insensibilidade [ĩsẽsibili'dadʒi] *f* insensitivity.

insensível [ĩsẽ'sivɛw] (*pl* **-eis** [-ejʃ]) *adj* insensitive.

inseparável [ĩsepa'ravɛw] (*pl* **-eis** [-ejʃ]) *adj* inseparable.

inserir [ĩse'ri(x)] *vt (colocar)* to insert; *INFORM (dados)* to enter.
❑ **inserir-se em** *vp + prep (fazer parte de)* to be part of.

inseticida [ĩsetʃi'sida] *m* insecticide.

inseto [ĩ'sɛtu] *m* insect.

insidioso, osa [ĩsi'dʒjozu, ɔza] *adj* insidious.

insígnia [ĩ'signja] *f* insignia.

insignificante [ĩsignifi'kãntʃi] *adj* insignificant.

insinuar [ĩsi'nwa(x)] *vt* to insinuate.

insípido, da [ĩ'sipidu, da] *adj* insipid.

insistência [ĩsiʃ'tẽsja] *f* insistence.

insistente [ĩsiʃ'tẽntʃi] *adj* insistent.

insistir [ĩsiʃ'ti(x)] *vi* to insist; **eu estou sempre insistindo com ela para ter cuidado** I'm always telling her to be careful; **insistir em fazer algo** to insist on doing sthg.

insolação [ĩsola'sãw] (*pl* **-ões** [-õjʃ]) *f* sunstroke.

insolente [ĩso'lẽntʃi] **1** *adj* insolent.
2 *mf* insolent person.

insólito, ta [ĩ'sɔlitu, ta] *adj* unusual.

insônia [ĩ'sonja] *f* insomnia.

insosso, a [ĩ'sosu, a] *adj* bland; *fig (pouco interessante)* insipid.

inspeção [ĩʃpe'sãw] (*pl* **-ões** [-õjʃ]) *f* inspection.

inspecionar [ĩʃpesjo'na(x)] *vt* to inspect.

inspeções → **inspeção**.

inspetor, ra [ĩʃpe'to(x), ra] (*mpl* **-res** [-riʃ], *fpl* **-s** [-ʃ]) *m, f* inspector.

inspiração [ĩʃpira'sãw] (*pl* **-ões** [-õjʃ]) *f* inspiration.

inspirador, ra [ĩʃpira'do(x), ra] (*mpl* **-res** [-riʃ], *fpl* **-s** [-ʃ]) *adj* inspiring.

inspirar [ĩʃpi'ra(x)] *vt (respirar)* to breathe in; *fig (sugerir)* to inspire.

instabilidade [ĩʃtabili'dadʒi] *f* instability.

instalação [ĩʃtala'sãw] (*pl* **-ões** [-õjʃ]) *f* installation; **instalação elétrica** wiring.
❑ **instalações** *fpl* facilities.

instalar [ĩʃta'la(x)] *vt* to install.
❑ **instalar-se** *vp (em casa, local)* to move in; *(em cadeira)* to make o.s. comfortable.

instantâneo, nea [ĩʃtãn'tanju, nja] **1** *adj* instantaneous.
2 *m* snapshot.

instante [ĩʃ'tãntʃi] *m* moment; **um instante!** just a minute!; **dentro de instantes** shortly; **de um instante para o outro** suddenly; **nesse instante** at that moment; **num instante** in a second; **faço isso num instante** it'll only take me a minute; **por instantes** for a moment; **a qualquer instante** at any moment; **a todo instante** all the time.

instintivo, va [ĩʃtʃĩn'tʃivu, va] *adj* instinctive.

instinto [ĩʃ'tʃĩntu] *m* instinct; **por instinto** instinctively.

instituição [ĩʃtʃitwi'sãw] (*pl* **-ões** [-õjʃ]) *f* institution.

instituto [ĩʃtʃi'tutu] *m* institute; **instituto de beleza** beauty parlor; **instituto de línguas** language school.

instrução [ĩʃtru'sãw] (*pl* **-ões** [-õjʃ]) *f (indicação)* instruction; *(educação)* education.

instruir [ĩʃtru'i(x)] *vt* to instruct.

instrumental [ĩʃtrumẽn'taw] (*pl* **-ais** [-ajʃ]) *adj* instrumental.

instrumento [ĩʃtru'mẽntu] *m (ferramenta)* tool; *(musical)* instrument.

instrutivo, va [ĩʃtru'tʃivu, va] *adj* instructive.

instrutor, ra [ĩʃtru'to(x), ra] (*mpl* **-res** [-riʃ], *fpl* **-s** [-ʃ]) *m, f (professor)* instructor; *(de direção)* driving instructor.

insubordinação [ĩsuboxdʒina'sãw] (*pl* **-ões** [-õjʃ]) *f (mau comportamento)* disobedience; *(rebelião)* insubordination.

insubstituível [ĩsubʃtʃi'twivɛw] (*pl* **-eis** [-ejʃ]) *adj* irreplaceable.

insucesso [ĩsu'sɛsu] *m* failure.

insuficiência [ĩsufi'sjẽsja] *f (falta, carência)* lack; *(incapacidade)* failure; **insuficiência cardíaca** heart failure.

insuficiente [ĩsufi'sjẽntʃi] **1** *adj* insufficient.
2 *m* EDUC *(nota)* 'fail'.

insuflável [ĩsu'flavɛw] (*pl* **-eis** [-ejʃ]) *adj* inflatable; *(boneca)* blow-up.

insulina [ĩsu'lina] *f* insulin.

insultar [ĩsuw'ta(x)] *vt* to insult.

insuperável [ĩsupe'ravɛw] (*pl* **-eis** [-ejʃ]) *adj* insurmountable.

insuportável [ĩsupox'tavɛw] (*pl* **-eis** [-ejʃ]) *adj* unbearable.

intato, ta [ĩn'tatu, ta] *adj* intact.

íntegra ['ĩntegra] *f*: **na íntegra** in full.

integral [ĩnte'graw] (*pl* **-ais** [-ajʃ]) *adj* whole.

integrar [ĩnte'gra(x)] *vt* to include.
❑ **integrar-se** *vp* to become integrated.

integridade [ĩntegri'dadʒi] *f* integrity.

íntegro, gra ['ĩntegru, gra] *adj* honest.

inteiramente [ĩn,tejra'mẽntʃi] *adv* entirely.

inteirar-se [ĩntej'raxsi]: **inteirar-se de** *vp*

+ *prep* to find out about.

inteiro, ra [ĩn'tejru, ra] *adj (todo)* whole; *(não partido)* intact.

intelectual [ĩntelek'twaw] (*pl* **-ais** [-ajʃ]) *adj & mf* intellectual.

inteligência [ĩnteli'ʒẽsja] *f* intelligence.

inteligente [ĩnteli'ʒẽntʃi] *adj* intelligent.

intenção [ĩntẽ'sãw] (*pl* **-ões** [-õjʃ]) *f* intention; **ter intenção de fazer algo** to intend to do sthg; **sem intenção** unintentionally; **com a intenção de** with the intention of; **com a melhor das intenções** with the best of intentions; **ter segundas intenções** to have an ulterior motive.

intensidade [ĩntẽsi'dadʒi] *f* intensity.

intensivo, va [ĩntẽ'sivu, va] *adj* intensive.

intenso, sa [ĩn'tẽsu, sa] *adj* intense; *(chuva)* heavy; *(trabalho)* hard; *(vento)* high.

interativo, va [ĩntera'tʃivu, va] *adj* interactive.

intercâmbio [ˌĩnter'kãmbju] *m* exchange.

interceder [ĩntexse'de(x)] *vi*: **interceder por alguém** to intercede on behalf of sb.

interceptar [ĩntexsep'ta(x)] *vt* to intercept.

interdição [ĩntexdʒi'sãw] (*pl* **-ões** [-õjʃ]) *f (proibição)* ban; *(encerramento)* closure.

interessado, da [ĩntere'sadu, da] *adj* interested.

interessante [ĩntere'sãntʃi] *adj* interesting.

interessar [ĩntere'sa(x)] *vi* to be of interest; **a quem interessar possa** to whom it may concern.

❑ **interessar-se por** *vp + prep* to be interested in; **só agora é que ele se interessou pelo caso** he's only recently taken an interest in the situation.

interesse [ĩnte'resi] *m* interest; *(importância)* significance; *(proveito próprio)* self-interest; **no interesse de** in the interest of; **por interesse** out of self-interest; **sem interesse** of no interest.

interferência [ĩntexfe'rẽsja] *f* interference.

❑ **interferências** *fpl (em imagem, rádio)* interference *sg.*

interferir [ĩntexfe'ri(x)]: **interferir em** *v + prep* to interfere in.

interfone [ˌĩntex'fɔni] *m* intercom.

interior [ĩnte'rjo(x)] (*pl* **-res** [-riʃ]) **1** *adj (quarto, porta)* inner.

2 *m (de área, caixa)* inside; *(de casa, país)* interior.

interjeição [ĩntexʒej'sãw] (*pl* **-ões** [-õjʃ]) *f* interjection.

interlocutor, ra [ĩntexloku'to(x), ra] (*mpl* **-res** [-riʃ], *fpl* **-s** [-ʃ]) *m, f* speaker.

intermediário, ria [ĩntexme'dʒjarju, rja] *m, f* intermediary.

intermédio [ĩnter'mɛdju] *m*: **por intermédio de** through.

interminável [ĩntexmi'navɛw] (*pl* **-eis** [-ejʃ]) *adj* endless.

intermitente [ĩntexmi'tẽntʃi] *adj* intermittent.

internacional [ĩntexnasju'naw] (*pl* **-ais** [-ajʃ]) *adj* international.

internar [ĩntex'na(x)] *vt* MED to admit.

internato [ĩntex'natu] *m* boarding school.

Internet [ĩntex'nɛtʃi] *f*: **a Internet** the Internet.

interno, na [ĩn'tɛxnu, na] *adj* internal; *(colégio)* boarding *(antes de s).*

interpretação [ĩntexpreta'sãw] (*pl* **-ões** [-õjʃ]) *f (de texto, mensagem)* interpretation; *(de papel, canção)* performance; *(tradução)* interpreting.

interpretar [ĩntexpre'ta(x)] *vt (texto, mensagem)* to interpret; *(papel)* to play; *(música)* to perform.

intérprete [ĩn'tɛxpretʃi] *mf* performer; *(tradutor)* interpreter.

interrogação [ĩntexoga'sãw] (*pl* **-ões** [-õjʃ]) *f (pergunta)* question; *(interrogatório)* interrogation.

interrogar [ĩntexo'ga(x)] *vt (perguntar a)* to question; *(em tribunal)* to cross-examine.

interrupção [ĩntexup'sãw] (*pl* **-ões** [-õjʃ]) *f* interruption; **sem interrupção** without interruption.

interruptor [ĩntexup'to(x)] (*pl* **-res** [-riʃ]) *m* switch.

interurbano, na [ˌĩntexux'banu, na] *adj (telefonema)* long-distance.

intervalo [ĩntex'valu] *m (de programa, aula)* break; *(de espetáculo)* interval.

intervenção [ĩntexvẽ'sãw] (*pl* **-ões** [-õjʃ]) *f (ação)* intervention; *(discurso)* speech; **intervenção cirúrgica** operation.

intervir [ĩntex'vi(x)] *vi (participar)* to participate; *(interferir)* to intervene; **intervir em** *(participar em)* to participate in; *(interferir em)* to intervene in.

intestino [ĩnteʃ'tʃinu] *m* intestine; **intestino delgado/grosso** small/large intestine.

intimidade [ĩntʃimi'dadʒi] *f (proximidade)* intimacy; *(privacidade)* privacy.

intimidar [ĩntʃimi'da(x)] *vt* to intimidate. ▫ **intimidar-se** *vp* to be intimidated.

íntimo, ma ['ĩntʃimu, ma] **1** *adj (pessoa)* close; *(sentimentos)* intimate; *(objetos)* personal.
2 *m*: **no íntimo** deep down; **ser íntimo de alguém** to be close to sb.

intolerância [ĩntole'rãsja] *f* intolerance.

intolerante [ĩntole'rãntʃi] *adj (pessoa)* intolerant; *(lei, atitude)* rigid.

intoxicação [ĩntoksika'sãw] (*pl* **-ões** [-õjʃ]) *f* poisoning; **intoxicação alimentar** food poisoning.

> Não confundir *intoxicação (poisoning)* com o inglês *intoxication* que em português significa *embriaguez*. (*O médico acha que eu tive uma intoxicação alimentar.* The doctor thinks I had food *poisoning*.)

intransigente [ĩntrãzi'ʒẽntʃi] *adj* intransigent.

intransitável [ĩntrãzi'tavɛw] (*pl* **-eis** [-ejʃ]) *adj* impassable.

intransponível [ĩntrãʃpo'nivɛw] (*pl* **-eis** [-ejʃ]) *adj (rio, obstáculo)* impassable; *(problema)* insurmountable.

intratável [ĩntra'tavɛw] (*pl* **-eis** [-ejʃ]) *adj (pessoa)* difficult.

intravenoso, osa [ĩntrave'nozu, ɔza] *adj* intravenous.

intriga [ĩn'triga] *f (de livro, história)* plot; *(bisbilhotice)* piece of gossip.

intrigante [ĩntri'gãntʃi] *adj (curioso)* intriguing; *(bisbilhoteiro)* gossipy.

introdução [ĩntrodu'sãw] (*pl* **-ões** [-õjʃ]) *f* introduction; *(inserção)* insertion.

introduzir [ĩntrodu'zi(x)] *vt (inserir)* to insert.

intrometer-se [ĩntrome'texsi] *vp* to interfere; **intrometer-se em** to meddle in.

intrometido, da [ĩntrome'tʃidu, da] *adj* meddling.

intromissão [ĩntromi'sãw] (*pl* **-ões** [-õjʃ]) *f* interference, meddling.

introvertido, da [ĩntrovex'tʃidu, da] *adj* introverted.

intruso, sa [ĩn'truzu, za] *m, f* intruder.

intuição [ĩntwi'sãw] (*pl* **-ões** [-õjʃ]) *f* intuition; **por intuição** intuitively.

intuito [ĩn'twitu] *m* aim; **com o intuito de fazer algo** with the aim of doing sthg.

inúmeros, ras [i'numeruʃ, raʃ] *adj pl* countless.

inundação [inũnda'sãw] (*pl* **-ões** [-õjʃ]) *f* flood.

inundar [inũn'da(x)] *vt* to flood.

inútil [i'nutʃiw] (*pl* **-teis** [-tejʃ]) *adj (desnecessário)* useless; *(vão)* pointless.

invadir [ĩva'di(x)] *vt* to invade.

invalidez [ĩvali'deʒ] *f* disability.

inválido, da [ĩ'validu, da] **1** *adj (pessoa)* disabled.
2 *m, f* disabled person.

invariável [ĩvarj'avɛw] (*pl* **-eis** [-ejʃ]) *adj* invariable.

invasão [ĩva'zãw] (*pl* **-ões** [-õjʃ]) *f* invasion.

inveja [ĩ'vɛʒa] *f* envy; **ter inveja de alguém** to envy sb.

invejar [ĩve'ʒa(x)] *vt* to envy.

invejoso, osa [ĩve'ʒozu, ɔza] *adj* envious.

invenção [ĩvẽ'sãw] (*pl* **-ões** [-õjʃ]) *f* invention.

inventar [ĩvẽn'ta(x)] *vt (criar)* to invent; *fig (mentir)* to make up.

inventário [ĩvẽn'tarju] *m* inventory.

inventor, ra [ĩvẽn'to(x), ra] (*mpl* **-res** [-riʃ], *fpl* **-s** [-ʃ]) *m, f* inventor.

inverno [ĩ'vɛxnu] *m* winter; **no inverno** in the winter.

inverossímil [ĩvero'simiw] (*pl* **-meis** [-mejʃ]) *adj* unlikely, improbable.

inversão [ĩvex'sãw] (*pl* **-ões** [-õjʃ]) *f* inversion.

inverso, sa [ĩ'vɛxsu, sa] **1** *adj* opposite.
2 *m*: **o inverso** the opposite.

inversões → **inversão.**

inverter [ĩvex'te(x)] *vt (ordem, posição)* to invert; *(sentido, marcha)* to reverse.

invés [ĩ'vɛʃ] *m*: **ao invés de** instead of.

investida [ĩveʃ'tʃida] *f (ataque)* attack; *(tentativa)* attempt.

investigação [ĩveʃtʃiga'sãw] (*pl* **-ões** [-õjʃ]) *f (policial)* investigation; *(científica)* research.

investigar [ĩveʃtʃi'ga(x)] *vt (acontecimento, crime)* to investigate; *(cientificamente)* to research.

investimento [ĩveʃtʃi'mẽntu] *m* investment.

investir [ĩveʃ'tʃi(x)] **1** *vt* to invest.
2 *vi*: **investir (em algo)** to invest (in sthg).

invisível [ĩvi'zivɛw] (*pl* **-eis** [-ejʃ]) *adj* invisible.

invólucro [ĩ'vɔlukru] *m* wrapping.

involuntário, ria [ĩvolũn'tarju, rja] *adj* involuntary.

iodo ['jodu] *m* iodine.

ioga ['jɔga] *f* yoga.

iogurte [ju'guxtʃi] *m* yoghurt.

ipê [i'pe] *m type of Brazilian tree.*

ir [i(x)] *vi* (**a**) *(deslocar-se)* to go; **fomos de ônibus** we went by bus; **iremos a pé** we'll go on foot, we'll walk; **vamos?** shall we go?
(**b**) *(assistir, freqüentar)* to go; **ele nunca vai às reuniões** he never goes to the meetings; **você não vai à aula?** aren't you going to your class?; **vou ao cinema muitas vezes** I go to the movies a lot.
(**c**) *(estender-se)* to go; **o caminho vai até ao lago** the path goes to the lake.
(**d**) *(desenrolar-se)* to go; **isto não vai nada bem** this isn't going at all well; **como vai você?** how are you?; **como vão as coisas?** how are things?; **os negócios vão mal** business is bad.
(**e**) *(exprime duração gradual)*: **ir fazendo algo** to continue doing sthg; **vá tentando!** keep trying!
(**f**) *(seguido de infinitivo)*: **vou falar com ele** I'll speak to him; **você vai gostar** you'll like it; **não vou fazer nada** I'm not going to do anything.
(**g**) *(seguido de gerúndio)*: **ia caindo** I almost fell.
(**h**) *(em locuções)*: **ir dar em** *(desembocar)* to lead to; **ir ter com** *(encontrar)* to meet.
❑ **ir de** *v + prep (ir disfarçado)* to go as; *(escolher)*: **eu vou de filé com fritas, e você?** I'll have the steak and fries, what about you?
❑ **ir por** *v + prep (auto-estrada, escadas)* to take; **ir pela esquerda/direita** to go left/right; **ir pelo jardim** to go through the garden.
❑ **ir-se** *vp (partir)* to go; **ele já se foi** he already left; **ir-se embora** to leave.

> *Be going to* refere-se a um acontecimento no futuro. Indica a intenção de fazer (ou não fazer) algo (*we're going to have a party* vamos dar uma festa; *I'm not going to work tomorrow* não vou trabalhar amanhã). Pode indicar também a certeza de que algo vai acontecer (*you're going to drop the plates!* você vai derrubar os pratos!; *he's going to be angry* ele vai ficar zangado).
>
> Ver também **go**, no lado Inglês-Português do dicionário.

irascível [iraʃ'sivɛw] (*pl* **-eis** [-ejʃ]) *adj* irascible.

íris ['iriʃ] *f inv* iris.

irmã [ix'mã] *f (freira)* nun → **irmão.**

irmão, mã [ix'mãw, mã] *m, f* brother (*f* sister).

> Em inglês, para referir-se a irmãos e irmãs você deve dizer *brothers and sisters*, ao contrário do português, em que a forma masculina pode designar ambos (*do you have any brothers and sisters?* você tem irmãos?), querendo dizer, você tem algum irmão ou irmã?

ironia [iro'nia] *f* irony.

irracional [ixasjo'naw] (*pl* **-ais** [-ajʃ]) *adj* irrational.

irradiar [ixa'dʒja(x)] *vt (luz)* to radiate.

irreal [i'xjew] (*pl* **-ais** [-ajʃ]) *adj* unreal.

irreconhecível [ixekoɲe'sivɛw] (*pl* **-eis** [-ejʃ]) *adj* unrecognizable.

irrecuperável [ixekupe'ravɛw] (*pl* **-eis** [-ejʃ]) *adj (perdido)* irretrievable; *(estragado)* irreparable; *(doente, viciado)* incurable.

irregular [ixegu'la(x)] (*pl* **-res** [-riʃ]) *adj* irregular; *(superfície)* uneven.

irremediável [ixeme'dʒjavɛw] (*pl* **-eis** [-ejʃ]) *adj* irremediable.

irreprimível [ixepri'mivɛw] (*pl* **-eis** [-ejʃ]) *adj* irrepressible.

irrequieto, ta [ixe'kjɛtu, ta] *adj (criança)* boisterous.

irresistível [ixeziʃ'tʃivɛw] (*pl* **-eis** [-ejʃ]) *adj* irresistible; *(apetite, vontade)* overwhelming.

irresponsável [ixeʃpõ'savɛw] (*pl* **-eis** [-ejʃ]) *adj* irresponsible.

irrigação [ixiga'sãw] (*pl* **-ões** [-õjʃ]) *f* irrigation.

irrisório, ria [ixi'zɔrju, rja] *adj* derisory.

irritação [ixita'sãw] (*pl* **-ões** [-õjʃ]) *f* irritation.

irritante [ixi'tãntʃi] *adj* irritating.

irritar [ixi'ta(x)] *vt* to irritate.
❑ **irritar-se** *vp* to get irritated.

isca ['iʃka] *f (para pesca)* bait.

isento, ta [i'zẽntu, ta] *adj* exempt; **isento de** exempt from.

isolado, da [izo'ladu, da] *adj (lugar)* remote; *(pessoa, objeto)* isolated.

isolamento [izola'mẽntu] *m (solidão)* isolation; *(de janela, cabo)* insulation.

isolar [izo'la(x)] *vt (pessoa)* to isolate; *(janela, cabo)* to insulate.

isopor® [izo'po(x)] *m* Styrofoam®.

isqueiro [iʃ'kejru] *m (de cigarro)* lighter.

isso ['isu] **1** *pron* that.

2 *interj* that's it!

3 é isso aí! that's right!; **foi por isso que ele não veio** that's why he didn't come; **é por isso mesmo que eu não vou!** that is exactly why I'm not going!; **isso não!** no way!; **não gosto disso** I don't like that; **não mexa nisso!** leave that alone!; **nem por isso** not really; **para isso** (in order) to do that.

istmo ['iʃtʃimu] *m* isthmus.

isto ['iʃtu] *pron* this; **disto eu não quero** I don't want any of this; **escreva nisto** write on this; **isto é** *(quer dizer)* that is (to say); **isto é que é vida!** this is the life!

itálico [i'taliku] *m* italic type, italics *pl*; **em itálico** in italics.

itinerário [itʃine'rarju] *m* itinerary; **itinerário turístico** tourist route ou trail.

Jj

já ['ʒa] *adv (agora)* now; *(de seguida)* right away, at once; **até já!** see you soon!; **é para já!** coming up!; **já acabei** I've already finished; **você já esteve em Salvador?** have you ever been to Salvador?; **você já foi a Salvador?** have you been to Salvador yet?; **já não sei o que fazer** I don't know what else I can do; **desde já** in advance; **já era** it's no good anymore; **já que** since.

jabuti [ʒabu'tʃi] *m* giant tortoise.

jacarandá [ʒakarãn'da] *m* jacaranda *(South American tree valued for its wood).*

jacaré [ʒaka'rɛ] *m* alligator.

jacinto [ʒa'sĩntu] *m* hyacinth.

jade ['ʒadʒi] *m* jade.

jaguar [ʒa'gwa(x)] (*pl* **-res** [-riʃ]) *m* jaguar.

jamais [ʒa'majʃ] *adv* never; **nenhum livro jamais o interessou** no book has ever interested him.

janeiro [ʒa'nejru] *m* January → **setembro.**

janela [ʒa'nɛla] *f* window.

jangada [ʒãŋ'gada] *f* raft.

jantar [ʒãn'ta(x)] (*pl* **-res** [-riʃ]) **1** *m* dinner.
2 *vi* to have dinner.
3 *vt* to have for dinner.

jaqueta [ʒa'keta] *f* jacket.

jararaca [ʒara'raka] *f extremely venomous snake found in South America.*

jardim [ʒax'dʒĩ] (*pl* **-ns** [-ʃ]) *m (de casa)* yard; *(público)* park; **jardim botânico** botanical gardens *pl*; **jardim-de-infância** kindergarten; **jardim-de-inverno** conservatory; **jardim zoológico** zoo.

jardineiras [ʒaxdʒi'nejraʃ] *fpl (calças)* overalls *Am,* dungarees *Brit.*

jardineiro, ra [ʒaxdʒi'nejru, ra] *m, f* gardener.

jardins → **jardim.**

jarra ['ʒaxa] *f (para flores)* vase; *(para vinho)* carafe.

jarro ['ʒaxu] *m (para bebida)* jug.

jasmim [ʒaʒ'mĩ] (*pl* **-ns**) [-ʃ] *m* jasmine.

jato ['ʒatu] *m* jet.

jaula ['ʒawla] *f* cage.

javali [ʒava'li] *m* wild boar.

jazer [ʒa'ze(x)] *vi* to lie.

jazigo [ʒa'zigu] *m* tomb.

jeans ['dʒiniʃ] *m inv* jeans *pl.*

jeito ['ʒejtu] *m (modo)* way; *(comportamento)* manner; **não tem jeito!** it's hopeless!; **com jeito** carefully; **dar um jeito em algo** *(tornozelo, pulso)* to sprain sthg; *(reparar)* to fix sthg; *(resolver)* to arrive at a solution; **ficar sem jeito** to feel embarrassed; **ter falta de jeito para algo** to be bad at sthg; **ter jeito para algo** to be good at sthg; **tomar jeito** to learn one's lesson; **de jeito nenhum!** no way!

jejum [ʒe'ʒũ] (*pl* **-ns** [-ʃ]) *m* fast; **em jejum** on an empty stomach.

jesuíta [ʒe'zwita] *m* RELIG Jesuit.

jet ski [dʒɛt'ski] *m* jet-skiing.

jibóia [ʒi'bɔja] *f* boa constrictor.

jipe ['ʒipi] *m* Jeep®.

joalheria [ʒwaʎe'ria] *f (loja)* jewelry store; *(jóias)* jewelry.

joanete [ʒwa'netʃi] *m* bunion.

joaninha [ʒwa'niɲa] *f* ladybug *Am,* ladybird *Brit.*

joelheira [ʒwe'ʎeira] *f* knee pad.

joelho ['ʒweʎu] *m* knee; **de joelhos** on one's knees.

jogada [ʒo'gada] *f (lance de jogo)* turn; *(em xadrez)* move; *(em futebol, basquete)* shot.

jogar [ʒo'ga(x)] **1** *vi* to play; *(em jogo de azar)* to gamble.
2 *vt* to play; *(apostar)* to bet; *(atirar)* to throw.
3 jogar bola to play ball; **jogar cartas**

to play cards; **jogar fora** to throw away ou out.
❑ **jogar-se a** *vp + prep (pessoa)* to lunge at; **ele jogou-se no chão** he threw himself to the floor.

jogo ['ʒogu] (*pl* **jogos** ['ʒɔguʃ]) *m (de tênis)* match; *(de futebol, xadrez)* game; *(conjunto)* set; *(jogos de azar)* gambling; **jogo do bicho** *(unlicensed) lottery in which every group of numbers is represented by an animal*; **jogos de vídeo** video games; **os Jogos Olímpicos** the Olympics.

jogo-da-velha [ˌʒoguda'vɛʎa] (*pl* **jogos-da-velha** [ˌʒɔguʒda'vɛʎa]) *m* tic-tac-toe *sg.*

jóia ['ʒɔja] *f (brincos, anel)* jewel; *(pagamento)* membership fee; **tudo jóia?** how are things?

jóquei ['ʒɔkej] *m* jockey.

jornada [ʒox'nada] *f (caminhada)* journey; **jornada de trabalho** work day.

jornal [ʒox'naw] (*pl* **-ais** [-ajʃ]) *m* newspaper; *TV* the news.

jornaleiro, ra [ʒoxna'lejru, ra] **1** *m, f* newsdealer.
2 *m* newsstand.

jornalista [ʒoxna'liʃta] *mf* journalist.

jorrar [ʒo'xa(x)] *vi* to gush.

jovem ['ʒɔvẽ] (*pl* **-ns** [-ʃ]) **1** *adj* young.
2 *mf* young man.

juba ['ʒuba] *f* mane.

judaico, ca [ʒu'dajku, ka] *adj* Jewish.

judeu, dia [ʒu'dew, dʃia] *m, f* Jew.

judicial [ʒudʃi'sjaw] (*pl* **-ais** [-ajʃ]) *adj* legal; **o poder judicial** the judiciary.

judô [ʒu'do] *m* judo.

juiz, juíza ['ʒwiʃ, 'ʒwiza] (*mpl* **-ízes** [-ziʃ], *fpl* **-s** [-ʃ]) *m, f* judge.

juízo ['ʒwizu] **1** *m (parecer)* opinion.
2 *interj* behave yourself!
3 perder o juízo to lose one's mind; **ter juízo** to be sensible.

jujuba [ʒu'ʒuba] *f (bala)* jelly bean.

julgamento [ʒuwga'mẽntu] *m (ato)* judgement; *(audiência)* trial.

julgar [ʒuw'ga(x)] **1** *vt JUR* to judge; *(achar, opinar)* to think.
2 *vi JUR* to pass sentence.
❑ **julgar-se** *vp*: **ele se julga o maior** he thinks he's the best.

julho ['ʒuʎu] *m* July → **setembro.**

jumento [ʒu'mẽntu] *m* donkey.

junho ['ʒuɲu] *m* June → **setembro.**

júnior ['ʒunjɔ(x)] (*pl* **juniores** [ʒu'njɔriʃ]) **1** *adj* youngest.
2 *mf ESP* junior.

junta ['ʒũnta] *f* joint; *POL* junta; **junta médica** medical team.

juntamente [ˌʒũnta'mẽntʃi]: **juntamente com** *prep* together with.

juntar [ʒũn'ta(x)] *vt (reunir)* to gather together; *(dinheiro)* to save; *(adicionar)* to add.
❑ **juntar-se** *vp (reunir-se)* to come together; *(encontrar-se)* to meet; *(amigar-se)* to move in together.

junto, ta ['ʒũntu, ta] **1** *pp* → **juntar.**
2 *adj* together.
3 *adv*: **junto de** ou **a** by; **junto com** along with.

juramento [ʒura'mẽntu] *m* oath.

jurar [ʒu'ra(x)] *vt & vi* to swear.

júri ['ʒuri] *m* jury.

jurídico, ca [ʒu'ridʒiku, ka] *adj* legal.

juros ['ʒuruʃ] *mpl* interest *sg.*

justeza [ʒuʃ'teza] *f (precisão)* precision; *(imparcialidade)* fairness.

justiça [ʒuʃ'tʃisa] *f* justice; *(organismo)* judiciary.

justificação [ʒuʃtʃifika'sãw] (*pl* **-ões** [-õjʃ]) *f (razão)* justification; *(escrita)* statement.

justificar [ʒuʃtʃifi'ka(x)] *vt* to justify.
❑ **justificar-se** *vp* to justify o.s.

justificativa [ʒuʃtʃifika'tiva] *f* justification.

justo, ta ['ʒuʃtu, ta] *adj (exato)* precise; *(imparcial)* fair; *(cingido)* fitted.

juvenil [ʒuve'niw] (*pl* **-is** [-iʃ]) *adj (moda, centro, literatura)* for teenagers; *(delinqüente, comportamento)* juvenile.

juventude [ʒuvẽn'tudʒi] *f (época)* youth; *(jovens)* young people *pl.*

Kk

karaokê [karao'ke] *m* karaoke.
kart ['kaxtʃi] *m* go-kart.
kg (*abrev de* **quilograma**) kg.
kit ['kitʃi] *m* kit.
kiwi ['kiwi] *m* kiwi fruit.
km (*abrev de* **quilômetro**) km.
km/h (*abrev de* **quilômetro por hora**) kph.

L l

lá [la] *adv* there; **quero lá saber!** what do I care!; **sei lá!** how should I know!; **para lá de** beyond.

lã [lã] *f* wool.

-la [la] *pron (pessoa)* her; *(coisa)* it; *(você)* you.

labareda [laba'reda] *f* flame.

lábio ['labju] *m* lip.

labirinto [labi'rĩntu] *m* labyrinth.

laboratório [labora'tɔrju] *m* laboratory.

laço ['lasu] *m* bow; *(de parentesco, amizade)* bond.

lacrar [la'kra(x)] *vt* to seal *(with sealing wax).*

lácteo, tea ['laktju, tja] *adj (produto)* dairy *(antes de s).*

lacuna [la'kuna] *f (espaço vazio)* gap; *(omissão)* omission.

ladeira [la'dejra] *f* slope.

lado ['ladu] *m* side; *(lugar)* place; **gosto de me deitar de lado** I like to sleep on my side; **deixar** ou **pôr de lado** to set aside; **o lado fraco** weak point; **o vizinho do lado** the next-door neighbor; **ao lado de** next to, beside; **lado a lado** side by side; **de lado a lado** from one end to the other; **de um lado para o outro** back and forth; **por todo o lado** ou **todos os lados** all over the place; **por um lado … por outro lado …** on the one hand … on the other hand …

ladrão, ladra [la'drãw, 'ladra] (*mpl* **-ões** [-õjʃ], *fpl* **-s** [-ʃ]) *m, f* thief.

ladrilho [la'driʎu] *m* tile.

ladrões → **ladrão.**

lagarta [la'gaxta] *f (bicho)* caterpillar.

lagartixa [lagax'tʃiʃa] *f* gecko.

lagarto [la'gaxtu] *m* lizard.

lago ['lagu] *m (natural)* lake; *(de jardim)* pond.

lagoa [la'goa] *f* lake.

lagosta [la'goʃta] *f* lobster.

lagostim [laguʃ'tʃĩ] (*pl* **-ns** [-ʃ]) *m* langoustine.

lágrima ['lagrima] *f* tear.

laje ['laʒi] *f (de pavimento)* flagstone; *(de construção)* slab.

lama ['lama] *f* mud.

lamacento, ta [lama'sẽntu, ta] *adj* muddy.

lamber [lãm'be(x)] *vt* to lick; **lamber os beiços** to lick one's lips.
❑ **lamber-se** *vp (cão)* to lick o.s.; *(gato)* to wash o.s.

lamentar [lamẽn'ta(x)] *vt* to lament.
❑ **lamentar-se** *vp* to moan.

lamentável [lamẽn'tavɛw] (*pl* **-eis** [-ejʃ]) *adj* regrettable.

lâmina ['lamina] *f* blade; **lâmina de barbear** razor blade.

lâmpada ['lãmpada] *f* (light) bulb.

lampreia [lãm'preja] *f* lamprey.

lança ['lãsa] *f* lance, spear.

lançar [lã'sa(x)] *vt (lança, bola, dardo)* to throw; *(novo filme, disco)* to release; *(campanha, livro, produto)* to launch; **lançar mão de algo** to take advantage of sthg.
❑ **lançar-se** *vp*: **lançar-se a** to launch o.s. at; **lançar-se sobre** to throw o.s. on.

lance ['lãsi] *m (em licitação)* bid; ESP *(jogada)* shot; *(fato)* fact; **lance de escada** flight of stairs.

lancha ['lãʃa] *f* launch.

lanchar [lã'ʃa(x)] *vi* to have a snack.

lanche ['lãʃi] *m* snack.

> Não confundir *lanche (snack)* com o inglês *lunch* que em português significa *almoço*. (*Eu sei que não deveria comer este lanche antes do jantar.* I know I shouldn't eat this *snack* before dinner.)

lanchonete [lãʃo'nɛtʃi] *f* snack bar.
lânguido, da ['lãŋgidu, da] *adj* languid.
lantejoula [lãnte'ʒola] *f* sequin.
lanterna [lãn'tɛxna] *f* lantern; **lanterna de bolso** flashlight *Am*, torch *Brit*.
lapela [la'pɛla] *f* lapel.
lápide ['lapidʒi] *f (em monumento, estátua)* memorial stone; *(em túmulo)* tombstone.
lápis ['lapiʃ] *m inv* pencil; **lápis de cor** colored pencil; **lápis de cera** crayon; **lápis para os olhos** eyeliner.
lapso ['lapsu] *m (de tempo)* period; *(esquecimento)* slip; **por lapso** by mistake.
laquê [la'ke] *m* hairspray.
lar ['la(x)] (*pl* **-res** [-riʃ]) *m* home.
laranja [la'rãʒa] **1** *f (fruta)* orange.
2 *adj (cor)* orange.
laranjada [larã'ʒada] *f* diluting orange juice.
laranjeira [larã'ʒejra] *f* orange tree.
lareira [la'rejra] *f* fireplace.
lares → **lar.**
largada [lax'gada] *f* start.
largar [lax'ga(x)] *vt (soltar)* to let go; *(libertar)* to set free; *(deixar cair)* to drop; *(velas)* to unfurl; *(abandonar)* to leave.
largo, ga ['laxgu, ga] **1** *adj (caminho, estrada, cama)* wide; *(roupa)* loose.
2 *m (praça)* square.
3 ao largo at a distance.
largura [lax'gura] *f* width; **tem três metros de largura** it's three meters wide.
larva ['laxva] *f* larva.
-las [laʃ] *pron pl (elas)* them; *(vocês)* you.
lasanha [la'zaɲa] *f* lasagne.
lasca ['laʃka] *f (de madeira)* splinter; *(de pedra)* chip.
laser ['lejzɛ(x)] (*pl* **-res** [-riʃ]) *m* laser.
lástima ['laʃtʃima] *f (pena)* shame; *(miséria)* misery.
lastimável [laʃtʃi'mavɛw] (*pl* **-eis** [-ejʃ]) *adj (acontecimento)* regrettable; *(erro)* unfortunate; *(situação, estado)* deplorable.
lata ['lata] *f* tin; *(de bebida)* can; **lata (de conserva)** can *Am*, tin *Brit*; **lata de lixo** trashcan *Am*, litter bin *Brit*.
latão [la'tãw] (*pl* **-ões** [-õjʃ]) *m (metal)* brass; *(vasilha)* large can.
latejar [late'ʒa(x)] *vi* to throb.
lateral [late'raw] (*pl* **-ais** [-ajʃ]) *adj* lateral.
laticínios [latʃi'sinjuʃ] *mpl* dairy products.
latido [la'tʃidu] *m* barking.
latifúndio [latʃi'fũndʒju] *m* large rural estate.
latim [la'tʃĩ] *m* Latin.
latino, na [la'tʃinu, na] *adj* Latin.
latir [la'tʃi(x)] *vi* to bark.
latitude [latʃi'tudʒi] *f* latitude.
latões → **latão.**
lava ['lava] *f* lava.
lavabo [la'vabu] *m (pia)* sink; *(banheiro)* rest room *Am*, toilet *Brit*.
lavagem [la'vaʒẽ] (*pl* **-ns** [-ʃ]) *f* washing; **lavagem automática** automatic car wash; **lavagem cerebral** brain washing; **lavagem a seco** dry-cleaning.
lavanda [la'vãnda] *f* lavender.
lavanderia [lavãnde'ria] *f (loja, local)* laundry; **lavanderia automática** laundromat; **lavanderia a seco** dry cleaner's.
lavar [la'va(x)] *vt* to wash; **lavar a louça** to do the dishes; **lavar a roupa** to do the laundry.
❑ **lavar-se** *vp* to wash up.
lavável [la'vavɛw] (*pl* **-eis** [-ejʃ]) *adj* washable.
lavrador, ra [lavra'do(x), ra] (*mpl* **-res** [-riʃ], *fpl* **-s** [-ʃ]) *m, f* farm laborer.
laxante [la'ʃãntʃi] *adj & m* laxative.
lazer [la'ze(x)] *m* leisure time.
lê ['le] → **ler.**
leal [le'aw] (*pl* **-ais** [-ajʃ]) *adj* loyal.
leão [le'ãw] (*pl* **-ões** [-õjʃ]) *m* lion.
❑ **Leão** *m* Leo.
lebre ['lɛbri] *f* hare; **comer gato por lebre** to get ripped off.
lecionar [lesjo'na(x)] *vt & vi* to teach.
lêem ['leẽ] → **ler.**
legal [le'gaw] (*pl* **-ais** [-ajʃ]) *adj (segundo a lei)* legal; great; **ser legal** *(pessoa)* to be cool; *(coisa)* to be nice; **não ser legal fazer algo** it's not a good idea to do sthg; **está legal!** ok!
legalizar [legali'za(x)] *vt (atividade)* to legalize; *(documento, assinatura)* to authenticate.
legenda [le'ʒẽnda] *f (em mapa)* key; *(em fotografia)* caption; *(mito)* legend.
❑ **legendas** *fpl (em cinema, televisão)* subtitles.
legislação [leʒiʒla'sãw] *f* legislation.
legítimo, ma [le'ʒitʃimu, ma] *adj* legitimate; *(autêntico)* genuine.
legível [le'ʒivɛw] (*pl* **-eis** [-ejʃ]) *adj* legible.
legumes [le'gumeʃ] *mpl* vegetables.

lei ['lej] *f* law; **fazer tudo pela lei do menor esforço** to do everything with the least possible effort; **segundo a lei** according to the law.

leilão [lej'lãw] (*pl* **-ões** [-õjʃ]) *m* auction.

leio ['leju] → **ler.**

leitão [lej'tãw] (*pl* **-ões** [-õjʃ]) *m* suckling pig.

leite ['lejtʃi] *m* milk; **leite integral/semidesnatado/desnatado** whole/2%/skim milk; **leite pasteurizado** pasteurized milk; **leite longa-vida** UHT milk; **leite achocolatado** chocolate milk; **leite de coco** coconut milk; **leite de magnésia** milk of magnesia; **leite condensado** condensed milk; **leite em pó** powdered milk.

leite-de-onça [ˌlejtʃi'dʒjõsa] *m milk mixed with cachaça.*

leiteiro, ra [lej'tejru, ra] *m, f* milkman.

leiteria [lejte'ria] *f* dairy.

leito ['lejtu] *m* bed.

leitões → **leitão.**

leitura [lej'tura] *f* reading.

lema ['lema] *m* motto.

lembrança [lẽm'brãsa] *f* memory; *(prenda)* memento; **dê-lhe lembranças** send him/her my regards.

lembrar [lẽm'bra(x)] *vt (recordar)* to remember; *(assemelhar-se a)* to look like; **lembrar algo a alguém** to remind sb of sthg; **lembrar a alguém para fazer algo** to remind sb to do sthg.
❑ **lembrar-se** *vp* to remember; **lembrar-se de** to remember; **lembrar-se de fazer algo** to remember to do sthg.

leme ['lɛmi] *m (posição)* helm; *(objeto)* rudder.

lenço ['lẽsu] *m* handkerchief; **lenço de cabeça** headscarf; **lenço de papel** tissue; **lenço (para o pescoço)** scarf.

lençol [lẽ'sɔw] (*pl* **-óis** [-ɔjʃ]) *m* sheet; **lençol de água** water table.

lenha ['leɲa] *f* firewood; **botar lenha na fogueira** to stir sb/sthg up.

lente ['lẽntʃi] *f* lens; **lentes de contato** contact lenses.

lentidão [lẽntʃi'dãw] *f*: **com lentidão** slowly.

lentilha [lẽn'tʃiʎa] *f* lentil.

lento, ta ['lẽntu, ta] *adj* slow.

leoa [le'oa] *f* lioness.

leões → **leão.**

leopardo [leo'paxdu] *m* leopard.

lepra ['lɛpra] *f* leprosy.

leque ['lɛki] *m* fan; *(de opções, modelos)* array.

ler ['le(x)] *vt & vi* to read; **ler nas entrelinhas** to read between the lines.

lesão [le'zãw] (*pl* **-ões** [-õjʃ]) *f (ferida, contusão)* injury; *(prejuízo)* harm.

lesar [le'za(x)] *vt (ferir)* to injure; *(prejudicar)* to harm.

lésbica ['lɛʒbika] *f* lesbian.

lesma ['leʒma] *f* slug; *fig (pessoa lenta)* slowpoke *Am*, slowcoach *Brit*.

lesões → **lesão.**

leste ['lɛʃtʃi] *m* east; **o Leste Europeu** Eastern Europe; **a** ou **no leste** in the east; **a leste de** east of.

letivo, va [le'tʃivu, va] *adj (ano)* academic, school *(antes de s)*.

letra ['letra] *f (do alfabeto)* letter; *(maneira de escrever)* handwriting; *(título de crédito)* bill; **letra maiúscula** capital letters *pl*; **letra de imprensa** print; **letra de fôrma** capital letters *pl*.
❑ **letras** *fpl (área de estudo)* arts.

letreiro [le'trejru] *m* sign.

leu ['lew] → **ler.**

léu ['lɛu] *m*: **ao léu** *(à mostra)* uncovered; *(à toa)* aimlessly.

leucemia [lewse'mia] *f* leukemia.

levantamento [levãnta'mẽntu] *m* survey; **levantamento de peso** weightlifting.

levantar [levãn'ta(x)] *vt (erguer)* to raise, to lift; **levantar dinheiro** to raise money; **levantar vôo** to take off.
❑ **levantar-se** *vp (de cama)* to get up; *(de cadeira, chão)* to stand up.

levar [le'va(x)] *vt* to take; *(carregar)* to carry; *(induzir)* to lead; *(filme)* to show; *(porrada, bofetada)* to get; **este recipiente leva cinco litros** this container holds five liters; **levar alguém a fazer algo** to make sb do sthg; **levar a cabo algo** to carry sthg out; **levar a mal algo** to take sthg the wrong way; **deixar-se levar** to get taken for a ride.

leve ['lɛvi] *adj* light.

léxico ['lɛksiku] *m* lexicon.

lha [ʎa] = **lhe + a** → **lhe.**

lhe [ʎi] *pron (ele)* (to) him; *(ela)* (to) her; *(você)* (to) you; **já lhe dei a chave do quarto** I already gave him/her/you the key to the room; **aquele livro ali, ela**

deu-lhe como presente that book there, she gave it to him/her/you as a present.

lhes [ʎeʃ] *pron pl (eles, elas)* (to) them; *(vocês)* (to) you.

lho [ʎu] = **lhe + o, lhes + o** → **lhe.**

li → **ler.**

libélula [li'bɛlula] *f* dragonfly.

liberal [libe'raw] (*pl* **-ais** [-ajʃ]) *adj & mf* liberal.

liberar [libe'ra(x)] *vt (pessoa)* to free, to liberate; *(comércio, consumo)* to deregulate.

liberdade [libex'dadʒi] *f* freedom; **pôr em liberdade** to set free; **tomar a liberdade de fazer algo** to take the liberty of doing sthg.

libertar [libex'ta(x)] *vt* to set free.

liberto, ta [li'bɛxtu, ta] *pp* → **libertar.**

libra ['libra] *f* pound.
❑ **Libra** *f (signo do Zodíaco)* Libra.

lição [li'sãw] (*pl* **-ões** [-õjʃ]) *f* lesson; **dar uma lição a alguém** to teach sb a lesson; **que isso lhe sirva de lição!** let that be a lesson to you!

licença [li'sẽsa] *f (autorização)* permission; *(de veículo)* registration; *(de arma)* license; **com licença** excuse me; **licença-maternidade** *(para mãe)* maternity leave; **estar de licença** to be on leave; **tirar uma licença** to go on leave.

licenciado, da [lisẽ'sjadu, da] *m, f* college graduate.

licenciatura [lisẽsja'tura] *f* degree.

lições → **lição.**

licor [li'ko(x)] (*pl* **-res** [-riʃ]) *m* liqueur.

lidar [li'da(x)]: **lidar com** *v + prep* to deal with.

líder ['lidɛ(x)] (*pl* **-res**) [-riʃ] *mf* leader.

lido, da ['lidu, da] *pp* → **ler.**

liga ['liga] *f (associação)* league; *(de meias)* garter.

ligação [liga'sãw] (*pl* **-ões** [-õjʃ]) *f (de amor, amizade)* relationship; *(telefônica)* connection.

ligado, da [li'gadu, da] *adj (luz, televisão)* (switched OU turned) on.

ligadura [liga'dura] *f* bandage.

ligamento [liga'mẽntu] *m* ligament.

ligar [li'ga(x)] **1** *vt (luz, televisão)* to switch OU turn on; *(em tomada)* to plug in.
2 *vi (telefonar)* to call.
3 ligar para *(telefonar para)* to call; *(dar atenção a)* to take notice of; **não ligar a mínima (para algo/alguém)** to not care less about sthg/sb; **se liga!** wake up!

ligeiro, ra [li'ʒejru, ra] *adj* light; *(ferimento)* slight.

lilás [li'laʃ] (*pl* **-ases** [-aziʃ]) *m & adj* lilac.

limão [li'mãw] (*pl* **-ões** [-õjʃ]) *m* lime.

limão-galego [li,mãwga'legu] (*pl* **limões-galegos** [li,mõiʒga'leguʃ]) *m* lemon.

limiar [limi'a(x)] *m* threshold; **no limiar de algo** on the threshold of sthg.

limitação [limita'sãw] (*pl* **-ões** [-õjʃ]) *f (de direitos, movimentos)* restriction; *(de terreno)* boundary.

limitar [limi'ta(x)] *vt* to limit.
❑ **limitar-se a** *vp + prep* to limit o.s. to.

limite [li'mitʃi] *m* limit; *(de terreno)* boundary; **limite de velocidade** speed limit; **sem limites** limitless; **passar dos limites** *fig* to overstep the mark.

limo ['limu] *m* slime.

limoeiro [li'mwejru] *m* lemon tree.

limões → **limão.**

limonada [limo'nada] *f* lemonade.

limpador [lĩmpa'do(x)] (*pl* **-res** [-riʃ]) *m*: **limpador de pára-brisas** windshield wiper *Am*, windscreen wiper *Brit*.

limpar [lĩm'pa(x)] *vt* to clean; *(boca)* to wipe; *(mãos)* to wash; *(roubar)* to clean out; **limpar o pó** to dust.

limpa-vidros [,lĩmpa'vidruʃ] *m inv (instrumento)* window wiper; *(detergente)* glass cleaner.

limpeza [lĩm'peza] *f (ação)* cleaning; *(asseio)* cleanliness.

limpo, pa ['lĩmpu, pa] **1** *pp* → **limpar.**
2 *adj (sem sujeira)* clean; *(céu)* clear.
3 estar OU **ficar limpo** to be broke; **passar algo a limpo** to do a final draft; **tirar algo a limpo** to clear sthg up.

lince ['lĩsi] *m* lynx.

lindo, da ['lĩndu, da] *adj* beautiful.

lingerie [lãʒe'xi] *f* lingerie.

lingote [lĩŋ'gɔtʃi] *m* ingot.

língua ['lĩŋgwa] *f* ANAT tongue; *(idioma)* language; **bater com a língua nos dentes** *(denunciar)* to sing; **morder a língua** to bite one's tongue; **ter algo na ponta da língua** to have sthg on the tip of one's tongue.

linguado [lĩŋ'gwadu] *m* sole.

linguagem [lĩŋ'gwaʒẽ] (*pl* **-ns** [-ʃ]) *f* language.

linguarudo, da [lĩŋgwa'rudu, da] *adj* gossipy.

lingüeta [lĩŋ'gweta] *f* catch.

lingüiça [lĩŋ'gwisa] *f long, thin, spicy dry sausage made with lean pork and seasoned with paprika*; **lingüiça calabresa** pepperoni; **encher lingüiça** to waffle on.

linha ['liɲa] *f* line; *(de coser)* thread; **linha jovem** teenage range; **manter a linha** to keep trim; **em linha** in a line.

linho ['liɲu] *m* linen.

liquidação [likida'sãw] (*pl* **-ões** [-õjʃ]) *f (de dívida)* settlement; COM liquidation; **estar em liquidação** to be on sale; **liquidação total** clearance ou closing-down sale.

liquidar [liki'da(x)] *vt (dívida)* to pay off; *(matar)* to liquidate; *(mercadorias)* to sell off.

liquidificador [likwidʒifika'do(x)] (*pl* **-res** [-riʃ]) *m* blender.

líquido, da ['likidu, da] **1** *adj (substância)* liquid; COM net.
2 *m* liquid.

lírio ['lirju] *m* lily.

liso, sa ['lizu, za] *adj (superfície)* flat; *(cabelo)* straight; *(folha)* blank; **estar** ou **ficar liso** *(sem dinheiro)* to be broke.

lista ['liʃta] *f* list; *(menu)* menu; **lista de preços** price list; **lista telefônica** phone book.

listra ['liʃtra] *f* stripe.

literário, ria [lite'rarju, rja] *adj* literary.

literatura [litera'tura] *f* literature; **literatura de cordel** *popular literature from the northeast of Brazil.*

litígio [li'tʃiʒju] *m* litigation.

litogravura [ˌlitogra'vura] *f* lithography.

litoral [lito'raw] (*pl* **-ais** [-ajʃ]) **1** *adj* coastal.
2 *m*: **o litoral** the coast.

litro ['litru] *m* liter.

lívido, da ['lividu, da] *adj* pallid.

livrar [li'vra(x)]: **livrar-se de** *vp + prep* to get rid of.

livraria [livra'ria] *f* bookstore *Am*, bookshop *Brit*.

> Deve-se tomar cuidado com a semelhança da palavra 'livraria' (***bookshop***) em português com a palavra ***library*** (biblioteca) em inglês. É comum a confusão, porque ambas estão relacionadas com locais cheios de livros. Mas os dois vocábulos possuem significados bem diferentes: comprei este dicionário numa livraria e peguei o atlas emprestado numa biblioteca será traduzido como *I bought this dictionary in a bookshop and I borrowed the atlas from a library.*

livre ['livri] *adj* free; **'livre'** *(em táxi)* 'on duty'; *(em W.C.)* 'free'.

livro ['livru] *m* book; **livro de bolso** pocket-size paperback; **livro de capa dura** hardback.

lixa ['liʃa] *f* sandpaper; *(para unhas)* nail file.

lixeira [li'ʃejra] *f (em prédio)* garbage chute; *(local)* garbage dump *Am*, rubbish dump *Brit.*

lixo ['liʃu] *m* garbage *Am*, rubbish *Brit.*

-lo [lu] *pron (pessoa)* him; *(coisa)* it; *(você)* you.

lobo ['lobu] *m* wolf.

lóbulo ['lɔbulu] *m (de orelha)* earlobe.

local [lo'kaw] (*pl* **-ais** [-ajʃ]) **1** *m* place.
2 *adj* local.

localidade [lokali'dadʒi] *f* town.

localização [lokaliza'sãw] (*pl* **-ões** [-õjʃ]) *f* location.

loção [lo'sãw] (*pl* **-ões** [-õjʃ]) *f* lotion.

locatário, ria [rja, loka'tarju] *m, f* tenant.

loções → **loção.**

locomotiva [lokomo'tʃiva] *f* locomotive.

locução [loku'sãw] (*pl* **-ões** [-õjʃ]) *f (de filme, programa)* narration; GRAM phrase.

locutor, ra [loku'to(x), ra] (*mpl* **-res** [-riʃ], *fpl* **-s** [-ʃ]) *m, f (de rádio, televisão)* announcer.

lodo ['lodu] *m* mud.

lógica ['lɔʒika] *f* logic.

logo ['lɔgu] *adv* immediately; **logo mais** later; **logo depois** immediately; **logo que** as soon as; **logo agora que** now (that).

logotipo [logo'tʃipu] *m* logo.

loja ['lɔʒa] *f* store *Am*, shop *Brit*; **loja de artigos esportivos** sporting goods store; **loja de brinquedos** toy store; **loja de bugigangas** thrift shop; **loja de ferragens** hardware store.

lombada [lõm'bada] *f* spine.

lombinho [lõm'biɲu] *m* tenderloin *(of pork).*

lombo ['lõmbu] *m* loin.

lombriga [lõm'briga] *f* roundworm.

lona ['lona] *f* canvas.

longa-metragem [ˌlõŋgame'traʒẽ] (*pl* **longas-metragens** [ˌlõŋgaʒme'traʒẽʃ]) *f* feature film.
longe ['lõʒi] *adv* far; **longe disso!** on the contrary!; **ao longe** in the distance; **de longe** *fig* by far; **ir longe demais** to go too far.
longitude [lõʒi'tudʒi] *f* longitude.
longo, ga ['lõŋgu, ga] *adj* long; **ao longo de** along; **ao longo dos anos** over time.
-los ['luʃ] *pron pl (eles)* them; *(vocês)* you.
losango [lo'zãŋgu] *m* lozenge.
lotação [lota'sãw] (*pl* **-ões** [-õjʃ]) *f (de cinema, teatro)* capacity; **'lotação esgotada'** 'sold out'.
lote ['lɔtʃi] *m (de terreno)* plot; *(de prédios)* street number.
loteria [lote'ria] *f* lottery; **loteria esportiva** soccer sweepstakes *pl Am*, football pools *pl Brit*.
loto ['lotu] *m (jogo)* lotto.
louça ['losa] *f* china; *(pratos, xícaras, pires etc.)* crockery.
louco, ca ['loku, ka] **1** *adj* crazy, mad.
2 *m, f* lunatic.
3 estar ou **ficar louco de alegria** to be over the moon; **estar louco para/por** to be dying for sthg; **ser louco por** to be crazy about.
loucura [lo'kura] *f* madness.
louro, ra ['loru, ra] **1** *adj* blond.
2 *m (condimento)* bay leaf.
louva-a-deus [ˌlova'dewʃ] *m inv* praying mantis.
louvar [lo'va(x)] *vt* to praise.
louvável [lo'vavɛw] (*pl* **-eis** [-ejʃ]) *adj* praiseworthy.
Ltda. (*abrev de* **limitada**) Ltd.
lua ['lua] *f* moon; **viver no mundo da lua** to have one's head in the clouds.
lua-de-mel [ˌluadʒi'mɛw] (*pl* **luas-de-mel** [ˌluaʒdʒi'mɛw]) *f* honeymoon.
luar ['lwa(x)] *m* moonlight.
lubrificante [lubrifi'kãntʃi] *m* lubricant.
lubrificar [lubrifi'ka(x)] *vt* to lubricate.
lucidez [lusi'deʃ] *f* clarity.
lúcido, da ['lusidu, da] *adj* lucid.
lúcio ['lusju] *m* pike.
lucrar [lu'kra(x)] *vi* to profit; **lucrar com** to profit from.
lucrativo, va [lukra'tʃivu, va] *adj* lucrative.
lucro ['lukru] *m* profit.
lúdico, ca ['ludʒiku, ka] *adj* play *(antes de s)*.
lugar [lu'ga(x)] (*pl* **-res** [-riʃ]) *m* place; **em primeiro lugar** *(em esporte)* in first place; *(antes)* first; **ter lugar** *(ocorrer)* to take place; **em lugar de** instead of; **dar o lugar a alguém** to give one's seat to sb; **tomar o lugar de alguém** to take sb's place.
lugar-comum [luˌgaxku'mũ] (*pl* **lugares-comuns** [luˌgariʃku'mũʃ]) *m* cliché.
lugares → **lugar.**
lúgubre ['lugubri] *adj* gloomy.
lula ['lula] *f* squid; **lulas grelhadas** grilled squid.
luminária [lumi'narja] *f* lamp; **luminária de mesa** table lamp; **luminária de pé** floor lamp *Am*, standard lamp *Brit*.
luminoso, osa [lumi'nozu, ɔza] *adj* bright; *fig (idéia, solução)* brilliant.
lunar [lu'na(x)] (*pl* **-res** [-riʃ]) *adj* lunar.
lunático, ca [lu'natʃiku, ka] *m, f* lunatic.
luneta [lu'neta] *f (telescópio)* telescope.
lupa ['lupa] *f* magnifying glass.
lustre ['luʃtri] *m* shine; *(luminária)* chandelier; **dar um lustre em algo** to polish sthg.
lustro ['luʃtru] *m* shine.
luta ['luta] *f* fight.
lutar [lu'ta(x)] *vi* to fight; **lutar contra/por** to fight against/for.
luto ['lutu] *m* mourning; **estar de luto** to be in mourning.
luva ['luva] *f* glove.
luxo ['luʃu] *m* luxury; **de luxo** luxury *(antes de s)*.
luxuoso, osa [lu'ʃwozu, ɔza] *adj* luxurious.
luxúria [lu'ʃurja] *f* lust.
luz ['luʃ] (*pl* **-zes** [-ziʃ]) *f* light; **dar à luz (um menino)** to give birth (to a baby boy); **luz do sol** sunlight.
luzir [lu'zi(x)] *vi* to glow.

Mm

ma [ma] = **me + a** → **me.**

má → **mau.**

maca ['maka] *f* stretcher.

maçã [ma'sã] *f* apple; **maçã assada** baked apple.

macabro, bra [ma'kabru, bra] *adj* macabre.

macacão [maka'kãw] (*pl* **-ões** [-õjʃ]) *m (roupa)* jumpsuit.

macaco, ca [ma'kaku, ka] **1** *m, f* monkey. **2** *m* AUT jack.

macacões → **macacão.**

maçaneta [masa'neta] *f* knob.

maçante [ma'sãntʃi] *adj* boring.

maçaroca [masa'rɔka] *f* corncob.

macarrão [maka'xãw] *m (massa)* pasta.

macedônia [mase'donja] *f* mixed vegetables *pl*; **macedônia (de frutas)** fruit salad.

machado [ma'ʃadu] *m* ax.

machismo [ma'ʃiʒmu] *m* male chauvinism.

machista [ma'ʃiʃta] **1** *adj* chauvinistic.
2 *m* male chauvinist.

macho ['maʃu] **1** *adj m (animal)* male; *(homem)* virile.
2 *m (animal)* male.

machucado, da [maʃu'kadu, da] *adj (ferido)* hurt.

machucar [maʃu'kax] *vt* to hurt.
❑ **machucar-se** *vp* to hurt o.s.

maciço, ça [ma'sisu, sa] *adj* solid.

macieira [ma'sjejra] *f* apple tree.

macio, cia [ma'siu, sia] *adj* soft.

maço ['masu] *m* mallet; **maço (de cigarros)** pack (of cigarettes); **maço de folhas** pad of paper.

macumba [ma'kũmba] *f* voodoo.

madeira [ma'dejra] *f* wood.

Madeira [ma'dejra] *m (vinho)* Madeira.

madeixa [ma'dejʃa] *f (de cabelo)* lock.

madrasta [ma'draʃta] *f* stepmother.

madrepérola [ˌmadre'pɛrola] *f* mother-of-pearl.

madrinha [ma'driɲa] *f (de batismo)* godmother.

madrugada [madru'gada] *f (amanhecer)* dawn; *(noite)* early morning; **de madrugada** *fig (muito cedo)* at the crack of dawn.

madrugar [madru'ga(x)] *vi* to get up very early.

maduro, ra [ma'duru, ra] *adj* mature; *(fruto)* ripe.

mãe ['mãj] *f* mother.

maestro [ma'ɛʃtru] *m* conductor.

magia [ma'ʒia] *f* magic.

mágico, ca ['maʒiku, ka] **1** *adj* magical.
2 *m, f* magician.

magistrado, da [maʒiʃ'tradu, da] *m, f* magistrate.

magnético, ca [mag'nɛtʃiku, ka] *adj* magnetic.

magnífico, ca [mag'nifiku, ka] *adj* magnificent.

magnólia [mag'nɔlja] *f* magnolia.

mago, ga ['magu, ga] *m, f* wizard.

mágoa ['magwa] *f* sorrow.

magoado, da [ma'gwadu, da] *adj* hurt.

magoar [ma'gwa(x)] *vt* to hurt.
❑ **magoar-se** *vp* to hurt o.s.

magro, gra ['magru, gra] *adj* thin.

maio ['maju] *m* May → **setembro.**

maiô [ma'jo] *m (de banho)* swimsuit.

maionese [majɔ'nɛzi] *f* mayonnaise; *(salada)* potato salad.

maior [ma'jɔ(x)] (*pl* **-res** [-riʃ]) **1** *adj (em tamanho)* bigger; *(em número)* higher; *(em quantidade, importância)* greater.
2 *mf*: **o/a maior** *(em tamanho)* the big-

gest; *(em número)* the highest; *(em quantidade, importância)* the greatest.
3 **ser maior de idade** to be an adult; **a maior parte de** most of.

maioria [majo'ria] *f* majority.

maioridade [majori'dadʒi] *f* adulthood.

mais ['majʃ] **1** *adv* (a) *(em comparações)* more; **a Ana é mais alta/inteligente** Ana is taller/more intelligent; **mais do que** more than; **mais ... do que ...** more ... than ...; **bebeu um copo a mais!** he's had one too many!; **deram-me dinheiro a mais** they gave me too much money; **é mais alta do que eu** she's taller than me.
(b) *(como superlativo)*: **o/a mais ...** the most ...; **o mais engraçado/inteligente** the funniest/most intelligent.
(c) *(indica adição)* any more; **não necessito de mais trabalho** I don't need any more work; **não necessito de mais ninguém** I don't need anyone else.
(d) *(indica intensidade)*: **que dia mais feliz!** what a great day!; **que casa mais feia!** what a horrible house!
(e) *(indica preferência)*: **vale mais a pena ficar em casa** it would be better to stay at home; **gosto mais de comida chinesa** I prefer Chinese food.
(f) *(em locuções)*: **de mais a mais** *(ainda por cima)* what's more; **mais ou menos** more or less; **por mais que se esforce** however hard he tries; **sem mais nem menos** for no apparent reason; **uma vez mais, mais uma vez** once ou yet again.
2 *adj inv* (a) *(em comparações)* more; **eles têm mais dinheiro** they have more money; **está mais calor hoje** it's hotter today; **mais ... do que** more ... than.
(b) *(como superlativo)* (the) most; **a pessoa que mais discos vendeu** the person who sold (the) most records; **os que mais dinheiro têm** those who have (the) most money.
(c) *(indica adição)* more; **mais água, por favor** I'd like some more water, please; **mais alguma coisa?** anything else?; **tenho mais três dias de férias** I have another three days of vacation left.
3 *conj* and; **quero uma sopa mais pão com manteiga** I'd like some soup and some bread and butter.
4 *prep (indica soma)* plus; **dois mais dois são quatro** two plus two is four.

maître ['mɛtre] *m* head waiter.

major [ma'ʒɔ(x)] (*pl* **-res** [-riʃ]) *m* major.

mal ['maw] (*pl* **-les** [-liʃ]) **1** *m (doença)* illness; *(dano)* harm.
2 *adv (erradamente)* wrong.
3 *conj (assim que)* as soon as.
4 **o mal** evil; **mal cheguei, telefonei logo** I phoned the minute I arrived; **estar mal** *(de saúde)* to be sick; **cheirar mal** to stink; **não faz mal** it doesn't matter; **ouço/vejo mal** I can't hear/see very well; **passar mal** *(ter enjôo)* to feel nauseous.

mala ['mala] *f (de mão, roupa)* bag; *(do carro)* trunk *Am*, boot *Brit*; **mala de viagem** suitcase; **fazer as malas** to pack.

mal-acabado, da [ˌmawaka'badu, da] *adj* badly finished.

malagueta [mala'geta] *f* chili (pepper).

malandro, dra [ma'lãndru, dra] **1** *adj (preguiçoso)* lazy; *(matreiro)* crafty.
2 *m, f (patife)* rogue.

malcriado, da [mawkri'adu, da] *adj* rude.

maldade [maw'dadʒi] *f* evil.

maldição [mawdi'sãw] (*pl* **-ões** [-õjʃ]) *f* curse.

maldito, ta [maw'dʒitu, ta] *adj* damned.

maldizer [mawdʒi'ze(x)] *vt (amaldiçoar)* to curse; *(falar mal de)* to speak ill of.

maldoso, osa [maw'dozu, ɔza] *adj* evil.

mal-educado, da [ˌmaledu'kadu, da] *adj* rude.

malefício [male'fisju] *m* hazard.

mal-entendido [ˌmalĩntẽn'dʒidu] (*pl* **mal-entendidos** [ˌmalĩntẽn'diduʃ]) *m* misunderstanding.

males → **mal.**

mal-estar [maleʃ'ta(x)] (*pl* **mal-estares** [maleʃ'tareʃ]) *m (dor física)* discomfort; *(inquietude)* uneasiness.

maleta [ma'leta] *f* travel bag.

malfeitor, ra [mawfej'to(x), ra] (*mpl* **-res** [-riʃ], *fpl* **-s** [-ʃ]) *m, f* criminal.

malha ['maʎa] *f (roupa)* knitwear; *(em rede)* mesh; *(de ginástica)* leotard.

malhado, da [ma'ʎadu, da] *adj (animal)* mottled.

malhar [ma'ʎa(x)] **1** *vt* to thresh.
2 *vi (fazer ginástica)* to work out.

mal-humorado, da [malumo'radu, da] *adj* bad-tempered.

malícia [ma'lisja] *f* malice.

maligno, gna [ma'lignu, gna] *adj* malignant.
malmequer [mawme'kɛ(x)] (*pl* **-res** [-riʃ]) *m* marigold.
mal-passado, da [mawpa'sadu, da] *adj* *(bife)* rare.
maltratar [mawtra'ta(x)] *vt (bater em)* to mistreat; *(descuidar, estragar)* to damage.
maluco, ca [ma'luku, ka] **1** *adj* crazy.
2 *m, f* lunatic.
malvadez [mawva'deʃ] *f* wickedness.
malvado, da [maw'vadu, da] *adj* wicked.
mama ['mama] *f* breast.
mamadeira [mama'deira] *f* baby bottle.
mamão [ma'mãw] (*pl* **-ões** [-õjʃ]) *m* papaya, pawpaw.
mamar [ma'ma(x)] *vi* to nurse; **dar de mamar a** *(amamentar)* to nurse; *(com mamadeira)* to bottle-feed.
mamífero [ma'miferu] *m* mammal.
mamilo [ma'milu] *m* nipple.
maminha [ma'miɲa] *f very tender rump steak.*
mamões → **mamão.**
manada [ma'nada] *f* herd.
mancar [mãŋ'ka(x)] *vi* to limp.
mancha ['mãʃa] *f (em animal, pele)* mark, spot; *(nódoa)* stain.
manchar [mã'ʃa(x)] *vt* to stain.
manchete [mã'ʃɛtʃi] *f (de jornal)* headline.
manco, ca ['mãŋku, ka] *adj* lame.
mandar [mãn'da(x)] **1** *vi* to be in charge.
2 *vt*: **mandar alguém fazer algo** to tell sb to do sthg.
3 mandar fazer algo to have sthg done; **mandar alguém passear** to send sb packing; **mandar vir** *(encomendar)* to send for; **mandar em** to be in charge of; **ele gosta de mandar nos outros** he likes to boss everyone around.
mandioca [mãn'dʒjɔka] *f* cassava, manioc; **(farinha de) mandioca** cassava flour.
maneira [ma'nejra] *f* way; **de uma maneira geral** as a rule; **temos de fazer tudo à maneira dele** we have to do everything his way; **de maneira alguma** ou **nenhuma!** certainly not!; **de maneira que** so (that); **de qualquer maneira** *(de todo jeito)* anyway; *(em desordem)* any old how; **desta maneira** this way; **de tal maneira ... que ...** so ... that ...
❑ **maneiras** *fpl*: **ter maneiras** to have good manners; **não ter maneiras** to have bad manners.
manejar [mane'ʒa(x)] *vt (carro)* to drive; *(barco)* to sail.
manejável [mane'ʒavɛw] (*pl* **-eis** [-ejʃ]) *adj* manageable.
manequim [mane'kĩ] (*pl* **-ns** [-ʃ]) **1** *m (em vitrine)* mannequin; *(tamanho)* clothes size.
2 *mf (pessoa)* model.
maneta [ma'neta] *adj* one-handed; *(sem braço)* one-armed.
manga ['mãŋga] *f (de peça de vestuário)* sleeve; *(fruto)* mango; **em mangas de camisa** in shirtsleeves.
mangueira [mãŋ'gejra] *f (para regar, lavar)* hose; *(árvore)* mango tree.
manha ['maɲa] *f*: **ter manha** to be sharp; **fazer manha** to put on an act.
manhã [ma'ɲã] (*pl* **-ãs** [-ãʃ]) *f* morning; **de manhã** in the morning; **duas da manhã** two in the morning; **ontem de manhã** yesterday morning.
mania [ma'nia] *f (obsessão)* obsession; *(hábito)* habit.
manicômio [mani'komju] *m* asylum.
manicura [mani'kura] *f* = **manicure.**
manicure [mani'kuri] *f* manicure.
manifestação [manifeʃta'sãw] (*pl* **-ões** [-õjʃ]) *f (expressão)* expression; POL demonstration.
manifestar [manifeʃ'ta(x)] *vt (afeto, fúria etc.)* to express.
❑ **manifestar-se** *vp (protestar)* to demonstrate.
manipular [manipu'la(x)] *vt (máquina)* to handle; *fig (influenciar)* to manipulate.
manivela [mani'vɛla] *f* crank.
manjericão [mãʒeri'kãw] *m* basil.
manobra [ma'nɔbra] *f (de carro)* maneuver; *(de trem)* shunting.
mansão [mã'sãw] (*pl* **-ões** [-õjʃ]) *f* mansion.
mansidão [mãsi'dãw] *f (de pessoa)* gentleness; *(de animal)* tameness.
manso, sa ['mãsu, sa] *adj (animal)* tame; *(mar)* calm.
mansões → **mansão.**
manta ['mãnta] *f* blanket.
manteiga [mãn'tejga] *f* butter.
manteigueira [mãntej'gejra] *f* butter dish.
manter [mãn'te(x)] *vt* to keep; *(família)* to support; *(relação)* to have; **manter a palavra** to keep one's word.

❑ **manter-se** *vp* to stay, to remain; **manter-se em forma** to stay in shape.

manual [ma'nwaw] (*pl* **-ais** [-ajʃ]) **1** *adj* manual.
2 *m* manual, guide; **manual (escolar)** textbook.

manuscrito, ta [manuʃ'kritu, ta] **1** *adj* hand-written.
2 *m* manuscript.

manusear [manu'zea(x)] *vt (livro)* to handle; *(objeto, ferramenta)* to use.

manutenção [manutẽ'sãw] *f* maintenance.

mão ['mãw] *f* ANAT hand; *(de estrada)* side; **apertar as mãos** to shake hands; **dar a mão a alguém** to hold sb's hand; *fig (ajudar)* to help sb out; **de mãos dadas** hand in hand; **à mão** *(lavar, escrever)* by hand; **dar uma mão a alguém** to give OU lend sb a hand; **estar à mão** to be handy; **ter algo à mão** to have sthg at hand.

mão-de-obra [mãw'dʒiɔbra] *f* workforce.

mapa ['mapa] *m* map; **mapa das estradas** road map.

mapa-múndi [ˌmapa'mũndʒi] (*pl* **mapas-múndi** [ˌmapaʒ'mũndʒi]) *m* world map.

maquete [ma'kɛtʃi] *f* model.

maquiagem [maki'aʒãj] (*pl* **-ns** [-ʃ]) *f* make-up.

maquiar [ma'kja(x)] *vt* to make up.
❑ **maquiar-se** *vp* to put on one's make-up.

máquina ['makina] *f* machine; **máquina de barbear** shaver; **máquina de costura** sewing machine; **máquina de escrever** typewriter; **máquina de filmar** film camera; **máquina fotográfica** camera; **máquina de lavar** *(para roupa)* washing machine; *(para louça)* dishwasher; **máquina de secar** dryer.

maquinaria [makina'ria] *f* machinery.

mar ['ma(x)] (*pl* **-res** [-riʃ]) *m* sea; **mar alto, alto-mar** high seas *pl*; **por mar** by sea.

maracujá [maraku'ʒa] *m* passion fruit.

maravilha [mara'viʎa] *f* wonder; **que maravilha!** how wonderful!; **correr às mil maravilhas** to be a great success; **dizer maravilhas de** to rave about; **fazer maravilhas** to do wonders.

maravilhoso, osa [maravi'ʎozu, ɔza] *adj* wonderful.

marca ['maxka] *f* mark; *(de carro, roupa)* make, brand; **marca registrada** trademark; **de marca** *(roupa)* designer *(antes de s)*.

marcação [maxka'sãw] (*pl* **-ões** [-õjʃ]) *f* reservation.

marcar [max'ka(x)] *vt (assinalar, indicar)* to mark; *(lugar)* to make reservations; ESP to score; **marcar encontro com alguém** to arrange to meet sb; **marcar uma consulta/hora** to make an appointment.

marcha ['maxʃa] *f (desfile)* march; *(ritmo)* pace; **marcha a ré** reverse, back up.

marchar [max'ʃa(x)] *vi* to march.

marcial [maxsi'aw] (*pl* **-ais** [-ajʃ]) *adj* martial.

marco ['maxku] *m (em estrada, caminho)* landmark; *(moeda)* mark.

março ['marsu] *m* March → **setembro.**

maré [ma'rɛ] *f* tide; **estar de boa maré** to be in good spirits; **maré alta** high tide; **maré baixa** low tide.

maremoto [mare'motu] *m* tidal wave.

mares → **mar.**

marfim [max'fĩ] *m* ivory.

margarida [maxga'rida] *f* daisy.

margarina [maxga'rina] *f* margarine.

margem ['maxʒẽ] (*pl* **-ns** [-ʃ]) *f (de rio)* bank; *(em texto, livro, documento)* margin; **à margem da sociedade** on the fringes of society; **pôr à margem** *fig (ignorar)* to leave out; **pôr-se à margem** to not take part.

marginal [maxʒi'naw] (*pl* **-ais** [-ajʃ]) **1** *adj* marginal.
2 *mf* criminal.

marido [ma'ridu] *m* husband.

marimbondo [marĩm'bõndu] *m* hornet.

marinada [mari'nada] *f* marinade.

marinado, da [mari'nadu, da] *adj* marinated.

marinar [mari'nax] *vt* to marinate.

marinha [ma'riɲa] *f* navy.

marinheiro, ra [mari'ɲejru, ra] *m, f* sailor.

marionete [marjo'nɛtʃi] *f* puppet.

mariposa [mari'poza] *f (inseto)* moth.

marisco [ma'riʃku] *m* shellfish.

marítimo, ma [ma'ritʃimu, ma] *adj* sea *(antes de s)*.

marmelada [maxme'lada] *f* quince jelly.

marmelo [max'mɛlu] *m* quince.

mármore ['maxmori] *m* marble.

marquise [max'kizi] *f* porch.

marrom [ma'xõ] (*pl* **-ns** [-ʃ]) *adj* brown.

martelar [maxte'la(x)] *vt* to hammer.
martelo [max'tɛlu] *m* hammer.
mártir ['maxti(x)] (*pl* **-res** [-riʃ]) *mf* martyr.
mas[1] [maʃ] = **me + as** → **me.**
mas[2] [ma(j)ʃ] **1** *conj* but.
2 *m*: **nem mas nem meio mas!** no buts!
mascar [maʃ'ka(x)] *vt* to chew.
máscara ['maʃkara] *f* mask.
mascarar-se [maʃka'raxsi] *vp* to dress up.
mascote [maʃ'kɔtʃi] *f* mascot.
masculino, na [maʃku'linu, na] *adj* masculine; *(sexo)* male.
masoquista [mazu'kiʃta] **1** *adj* masochistic.
2 *mf* masochist.
massa ['masa] *f (espaguete, lasanha)* pasta; *(de pão)* dough; *(de bolo)* mix; **massa folheada** puff pastry; **em massa** *fig (em grande número)* en masse.
massacre [ma'sakri] *m* massacre.
massagear [masa'ʒea(x)] *vt* to massage.
massagem [ma'saʒẽ] (*pl* **-ns** [-ʃ]) *f* massage.
massagista [masa'ʒiʃta] *mf* masseur.
mastigar [maʃtʃi'ga(x)] *vt* to chew.
mastro ['maʃtru] *m* NÁUT mast; *(de bandeira)* pole.
masturbar-se [maʃtux'baxsi] *vp* to masturbate.
mata ['mata] *f (bosque)* wood; *(floresta)* forest; **a Mata Atlântica** the Atlantic Rainforest.
mata-borrão [ˌmatabo'xãw] (*pl* **mata-borrões** [ˌmatabo'xõiʃ]) *m* blotting paper.
matadouro [mata'doru] *m* slaughterhouse.
matar [ma'ta(x)] *vt* to kill; *(fome)* to satiate; *(sede)* to quench; **matar aula** to skip class; **matar o tempo** to pass the time.
❑ **matar-se** *vp (suicidar-se)* to kill o.s.; **matar-se de fazer algo** to kill o.s. doing sthg.
mate ['matʃi] **1** *adj (sem brilho)* matt.
2 *m (planta, infusão)* maté.
matemática [mate'matʃika] *f* mathematics *sg.*
matéria [ma'tɛrja] *f (substância)* matter; EDUC subject; *(material)* material; **em matéria de** on the subject of.
material [materi'aw] (*pl* **-ais** [-ajʃ]) **1** *adj (bens)* material.
2 *m* materials *pl*; **material escolar** school supplies *pl.*
matéria-prima [maˌtɛrja'prima] (*pl* **matérias-primas** [maˌtɛrjaʃ'primaʃ]) *f* raw material.
maternidade [matexni'dadʒi] *f (hospital)* maternity hospital.
matinê [matʃi'ne] *f* matinée.
matizado, da [matʃi'zadu, da] *adj* speckled.
mato ['matu] *m (bosque)* wood; *(tipo de vegetação)* bush.
matrícula [ma'trikula] *f (em escola, universidade)* enrollment.
matrimônio [matri'monju] *m* marriage.
matriz [ma'triʃ] (*pl* **-zes** [-ziʃ]) *f (de foto, tipografia)* original; *(igreja)* mother church; COM *(sede)* head office.
maturidade [maturi'dadʒi] *f* maturity.
matuto, ta [ma'tutu, ta] *adj (provinciano)* provincial.
mau, má ['maw, 'ma] *adj* bad; **nada mau!** not bad at all!
maus-tratos [mawʃ'tratuʃ] *mpl* abuse *sg.*
maxilar [maksi'la(x)] (*pl* **-res** [-riʃ]) *m* jaw.
máximo, ma ['masimu, ma] **1** *adj* maximum; *(temperatura, nota)* highest.
2 *m*: **o máximo** the most.
3 faça o máximo que você puder do your best; **no máximo** at most; **ao máximo** to the full; **ser o máximo** to be the best.
me [mi] *pron (complemento direto)* me; *(complemento indireto)* (to) me; *(reflexivo)* myself; **eu nunca me engano** I'm never wrong; **eu me machuquei** I hurt myself; **você já me contou essa história** you've already told me that story.
meados ['mjaduʃ] *mpl*: **em meados de** in the middle of.
mecânica [me'kanika] *f* mechanics *sg* → **mecânico.**
mecânico, ca [me'kaniku, ka] **1** *adj* mechanical.
2 *m, f* mechanic.
mecanismo [meka'niʒmu] *m* mechanism.
mecha ['mɛʃa] *f (de cabelo)* tuft; *(de vela)* wick.
meço ['mɛsu] → **medir.**
medalha [me'daʎa] *f* medal.
média ['mɛdʒja] *f* average; **à média de** at an average of; **em média** on average; **ter média de** EDUC to average.
mediano, na [me'dʒjanu, na] *adj (médio)* medium; *(sofrível)* average.

mediante [me'dʒjãntʃi] *prep* by means of, through; **irei mediante certas condições** I'll go on certain conditions.

medicação [medʒika'sãw] (*pl* **-ões** [-õjʃ]) *f* medication.

medicamento [medʒika'mẽntu] *m* medicine.

medicina [medʒi'sina] *f* medicine.

médico, ca ['mɛdʒiku, ka] *m, f* doctor; **médico de clínica geral** G.P., general practitioner.

medida [me'dʒida] *f (grandeza, quantidade)* measurement; *(precaução, decisão)* measure; **feito sob medida** made-to-measure; **ficar na medida** to be a perfect fit; **em certa medida** to a certain extent; **na medida do possível** as far as possible; **à medida que** as; **tomar medidas** to take steps ou measures.

medieval [medʒje'vaw] (*pl* **-ais** [-ajʃ]) *adj* medieval.

médio, dia ['mɛdʒju, dja] **1** *adj (tamanho)* medium; *(qualidade)* average.
2 *m (dedo)* middle finger.

medíocre [me'dʒiukri] *adj* mediocre.

medir [me'dʒi(x)] *vt* to measure; **quanto (é que) você mede?** how tall are you?; **eu meço 1,70 m** I'm 1.70m.

meditar [me'dʒita(x)] *vi* to meditate; **meditar sobre algo** to think sthg over.

Mediterrâneo [medʒite'xanju] *m*: **o (mar) Mediterrâneo** the Mediterranean (Sea).

medo ['medu] *m* fear; **estar com medo** to be afraid; **ter medo de** to be afraid of; **você pode ir sem medo porque não é perigoso** don't be afraid to go, it's not dangerous.

medonho, nha [me'doɲu, ɲa] *adj (feio)* hideous.

medroso, osa [me'drozu, ɔza] *adj* frightened.

medula [me'dula] *f* (bone) marrow.

medusa [me'duza] *f* jellyfish.

megabyte [mɛga'bajtʃi] *m* megabyte.

meia ['meja] *f (em número)* six.

meia-calça [ˌmeja'kawsa] (*pl* **meias-calças** [ˌmeajʃ'kawsaʃ]) *f* pantyhose *Am*, tights *pl Brit*.

meia-idade [ˌmejej'dadʒi] *f* middle age; **de meia-idade** middle-aged.

meia-luz [ˌmeja'luʃ] *f* half light; **à meia-luz** in the half light.

meia-noite [ˌmeja'nojtʃi] *f* midnight.

meias ['mejaʃ] *fpl* socks; *(de mulher)* stockings.

meigo, ga ['mejgu, ga] *adj* sweet.

meio, meia ['meju, 'meja] **1** *adj* half.
2 *m (modo, recurso)* way; *(social)* circles *pl*.
3 meia pensão breakfast and one meal included; **meio ambiente** environment; **meio bilhete** half-fare; **meia hora** half an hour; **à meia-voz** under one's breath; **meio a meio** fifty-fifty; **em meio a** amidst; **no meio de** *(duas coisas)* between; *(rua, mesa, multidão)* in the middle of; **os meios financeiros/jornalísticos** financial/journalistic circles; **hoje o chefe está meio irritado** the boss is a bit angry today; **não ser de meias palavras** not to mince one's words.

meio-dia [ˌmeju'dʒia] *m* midday, noon.

meio-quilo [ˌmeju'kilu] (*pl* **meios-quilos** [ˌmejuʃ'kiluʃ]) *m* half a kilo.

meio-seco [ˌmeju'seku] *adj m (vinho)* medium dry.

mel ['mɛw] *m* honey.

melado, da [me'ladu, da] *adj (pegajoso)* sticky.

melancia [melã'sia] *f* watermelon.

melancolia [melãŋko'lia] *f* melancholy.

melancólico, ca [melãŋ'kɔliku, ka] *adj* melancholy.

melão [me'lãw] (*pl* **-ões** [-õjʃ]) *m* melon.

melhor [me'ʎɔ(x)] (*pl* **-res** [-riʃ]) **1** *adj & adv* better.
2 *m*: **o/a melhor** *(pessoa, coisa)* the best one.
3 o melhor a fazer é ... the best thing to do is ...; **o melhor é não ir** it would be best not to go; **ou melhor** or rather; **tanto melhor!** all the better!; **estar melhor** *(de saúde)* to feel better; **fazer o melhor que pôde** to do the best you could; **levar a melhor** to come off best; **ser do melhor que há** to be the best there is; **cada vez melhor** better and better.

melhorar [meʎo'ra(x)] **1** *vt* to improve.
2 *vi* to get better, to improve.

melhores → **melhor.**

melindroso, osa [melĩn'drozu, ɔza] *adj (pessoa)* touchy; *(assunto, questão, problema)* delicate.

melodia [melo'dʒia] *f* tune.

melões → **melão.**

melro ['mɛwxu] *m* blackbird.

membro [ˈmẽmbru] *m (perna, braço)* limb; *(de clube, associação)* member.

memória [meˈmɔrja] *f* memory; **de memória** by heart.

memorizar [memoriˈza(x)] *vt* to memorize.

mencionar [mẽsjoˈna(x)] *vt* to mention.

mendigar [mẽndʃiˈga(x)] *vi* to beg.

mendigo, ga [mẽnˈdʃigu, ga] *m, f* beggar.

menino, na [meˈninu, na] *m, f* boy, girl.

menopausa [menoˈpawza] *f* menopause.

menor [meˈnɔ(x)] (*pl* **-res** [-riʃ]) **1** *adj (em tamanho)* smaller; *(em número)* lower; *(em importância)* minor; *(mínimo)* least.
2 *mf* minor.
3 não faço a menor idéia I haven't got a clue; **o/a menor** the least; *(em tamanho)* the smallest; **ser menor de idade** to be underage; **menor de rua** abandoned child.

menos [ˈmenuʃ] **1** *adv* (**a**) *(em comparações)* less; **a Ana é menos inteligente** Ana is less intelligent, Ana isn't as intelligent; **menos do que** less than; **menos ... do que ...** less ...than ...; **tenho menos trabalho do que ele** I have less work than him; **tenho um livro a menos** I'm one book short; **deram-me 5 reais a menos** they gave me 5 reals too little.
(**b**) *(como superlativo)*: **o/a menos ...** the least ...; **o menos caro/interessante** the cheapest/least interesting.
(**c**) *(em locuções)*: **a menos que** unless; **ao menos, pelo menos** at least; **isso é o de menos** that's the least of it; **pouco menos de** just under.
2 *adj inv* (**a**) *(em comparações)* less, fewer *pl*; **como menos carne** I eat less meat; **eles têm menos posses** they have fewer possessions; **está menos frio do que ontem** it's not as cold as it was yesterday; **menos ... do que** less ... than, fewer ... than *pl.*
(**b**) *(como superlativo)* (the) least, (the) fewest *pl*; **as que menos bolos comeram** those who ate (the) fewest cakes; **os que menos dinheiro têm** those who have (the) least money.
3 *prep* (**a**) *(exceto)* except (for); **todos gostaram menos ele** they all liked it except (for) him; **tudo menos isso** anything but that.
(**b**) *(indica subtração)* minus; **três menos dois é igual a um** three minus two equals one.

menosprezar [menuʃpreˈza(x)] *vt* to underrate.

mensageiro, ra [mẽsaˈʒejru, ra] *m, f* messenger.

mensagem [mẽsaˈʒẽ] (*pl* **-ns** [-ʃ]) *f* message; **mensagem de texto** *INFORM* text message.

mensal [mẽˈsaw] (*pl* **-ais** [-ajʃ]) *adj* monthly.

mensalmente [mẽsawˈmẽntʃi] *adv* monthly.

menstruação [mẽʃtruaˈsãw] *f* menstruation.

mentalidade [mẽntaliˈdadʒi] *f* mentality.

mente [ˈmẽntʃi] *f* mind; **ter em mente fazer algo** to plan to do sthg.

mentir [mẽnˈti(x)] *vi* to lie.

mentira [mẽnˈtira] **1** *f* lie.
2 *interj* nonsense!; **parece mentira!** I can't believe it!

mentiroso, osa [mẽntʃiˈrozu, ɔza] *m, f* liar.

menu [meˈnu] *m* menu.

mercado [mexˈkadu] *m* market; **mercado municipal** (town) market; **mercado negro** black market.

mercadoria [mexkadoˈria] *f* goods *pl.*

mercearia [mexsjaˈria] *f* grocery store.

Mercosul [mexkoˈsuw] *m South American economic community comprising Argentina, Brazil, Paraguay and Uruguay.*

mercúrio [mexˈkurju] *m* mercury.

merecer [mereˈse(x)] *vt* to deserve; **fazer por merecer** to get what you deserve.

merecido, da [mereˈsidu, da] *adj* deserved.

merengue [meˈrẽŋgi] *m* meringue.

mergulhador, ra [merguʎaˈdo(x), ra] (*mpl* **-res** [-riʃ], *fpl* **-s** [-ʃ]) *m, f* diver.

mergulhar [merguˈʎa(x)] **1** *vi* to dive; **mergulhar em algo** *(no estudo, no trabalho) fig* to immerse o.s. in sthg.
2 *vt*: **mergulhar algo em algo** to dip sthg in sthg.

mergulho [mexˈguʎu] *m* dive; **dar um mergulho** to dive.

meridiano [meriˈdʒjanu] *m* meridian.

meridional [meridʒjoˈnaw] (*pl* **-ais** [-ajʃ]) *adj* southern.

mérito [ˈmɛritu] *m* merit; **por mérito próprio** on one's own merits.

mês [ˈmeʃ] (*pl* **meses** [ˈmeziʃ]) *m* month;

todo **mês** every month; **(de) mês a mês** every month; **por mês** a ou per month.

mesa ['meza] *f* table; **estar na mesa** *(comida)* to be on the table; *(pessoa)* to be at the table; **pôr/tirar a mesa** to lay/clear the table; **sentar-se à mesa** to sit at the table; **mesa de centro** coffee table; **mesa de bilhar/de pingue-pongue** pool/ ping-pong table; **mesa telefônica** switchboard.

mesada [me'zada] *f* monthly allowance.

mesa-de-cabeceira [,mezadʒikabe'sejra] (*pl* **mesas-de-cabeceira** [,mezaʒdʒikabe'sejra]) *f* nightstand.

meses → **mês.**

meseta [me'zeta] *f* plateau.

mesmo, ma ['meʒmu, ma] **1** *adj* same.
2 *adv (até)* even; *(exatamente)* exactly; *(para enfatizar)* really.
3 *pron*: **o mesmo/a mesma** the same.
4 eu mesmo I myself; **comprou-o para ele mesmo/ela mesma** he/she bought it for himself/herself; **isso mesmo!** that's it!; **mesmo assim** even so; **mesmo que** ou **se** even if; **nem mesmo** not even; **o mesmo que** the same thing as; **valer o mesmo que** to cost the same as; **só mesmo um louco para agir assim!** only a fool would do that!

mesquinho, nha [meʃ'kiɲu, ɲa] *adj* stingy.

mesquita [meʃ'kita] *f* mosque.

mestiço, ça [meʃ'tʃisu, sa] **1** *adj* of mixed race.
2 *m, f* person of mixed race.

mestre ['mɛʃtri] *m* master.

mestre-de-cerimônias [,mɛʃtredʒiseri'monjaʃ] (*pl* **mestres-de-cerimônias** [,mɛʃtriʒdʒiseri'monjaʃ]) *m* master of ceremonies; *(em festa)* host.

mestre-sala [,mɛʃtri'sala] (*pl* **mestres-salas** [,mɛʃtriʃ'salaʃ]) *m (em desfile) principal figure in a carnival parade.*

meta ['mɛta] *f (em corrida)* finishing line; *(objetivo)* goal.

metade [me'tadʒi] *f* half; **metade do preço** half-price; **fazer as coisas pela metade** to do things half-heartedly; **fazer algo na metade do tempo** to do sthg in half the time.

metáfora [me'tafora] *f* metaphor.

metal [me'taw] (*pl* **-ais** [-ajʃ]) *m* metal.

metálico, ca [me'taliku, ka] *adj (objeto)* metal; *(som)* metallic.

metalurgia [metalux'ʒia] *f* metallurgy.

meteorito [metju'ritu] *m* meteorite.

meteoro [me'tjoru] *m* meteor.

meteorologia [meteorolo'ʒia] *f (ciência)* meteorology; *(em televisão)* weather forecast.

meter [me'te(x)] *vt* to put; **meter algo/alguém em algo** to put sthg/sb in sthg; **meter algo na cabeça** to get sthg in one's head; **meter medo** to be frightening; **meter medo em alguém** to frighten sb.
❑ **meter-se** *vp* to get involved; **meter-se em algo** to get involved in sthg; **meter-se na vida dos outros** to poke one's nose into other people's business; **meter-se onde não é chamado** to stick one's nose in; **meter-se com alguém** to attack sb verbally.

meticuloso, osa [metʃiku'lozu, ɔza] *adj* meticulous.

metódico, ca [me'tɔdʒiku, ka] *adj* methodical.

método ['mɛtodu] *m* method.

metralhadora [metraʎa'dora] *f* machine gun.

métrico, ca ['mɛtriku, ka] *adj* metric.

metro ['mɛtru] *m (medida)* meter; *(fita métrica)* tape measure; **a metro** by the meter.

metrô [me'tro] *m* (*abrev de* **metropolitano**) subway *Am*, underground *Brit*.

meu, minha ['mew, 'miɲa] **1** *adj* my.
2 *pron*: **o meu/a minha** mine.
3 um amigo meu a friend of mine; **os meus** *(a minha família)* my family.

mexer [me'ʃe(x)] **1** *vt (corpo)* to move; *(culinária)* to stir.
2 *vi (mover-se)* to move.
3 mexer em algo to touch sthg; **mexer com algo** to get involved in sthg.
❑ **mexer-se** *vp (despachar-se)* to hurry up; *(mover-se)* to move; **mexa-se!** get a move on!

mexerica [meʃe'rika] *f* tangerine.

mexerico [meʃe'riku] *m* gossip.

mexilhão [meʃi'ʎãw] (*pl* **-ões** [-õjʃ]) *m* mussel.

mg (*abrev de* **miligrama**) mg.

miar ['mja(x)] *vi* to meow.

micro ['mikro] *m* = **microcomputador.**

micróbio [mi'krɔbju] *m* germ.

microcomputador [mikrokɔmputa'do(x)]

m personal computer.

microfone [mikro'foni] *m* microphone.

microondas [mikro'õndaʃ] *m inv* microwave.

microscópio [mikroʃ'kɔpju] *m* microscope.

migalha [mi'gaʎa] *f* crumb.

migração [migra'sãw] (*pl* **-ões** [-õjʃ]) *f* migration.

mil ['miw] *num* a ou one thousand; **três mil** three thousand; **mil novecentos e noventa e sete** nineteen ninety-seven → **seis.**

milagre [mi'lagri] *m* miracle.

milênio [mi'lenju] *m* millennium.

milha ['miʎa] *f* mile.

milhão [mi'ʎãw] (*pl* **-ões** [-õjʃ]) *num* million; **um milhão de pessoas** ou **indivíduos** a million people → **seis.**

milhar [mi'ʎa(x)] (*pl* **-res** [-riʃ]) *num* thousand → **seis.**

milho ['miʎu] *m* corn *Am*, maize *Brit*; **milho cozido** corn on the cob.

milhões → **milhão.**

milímetro [mi'limetru] *m* millimeter.

milionário, ria [miljo'narju, rja] *m, f* millionaire.

mim ['mĩ] *pron (com preposição: complemento indireto)* me; *(com preposição: reflexo)* myself; **a mim, você não engana** you don't fool me; **comprei-o para mim (mesmo** ou **próprio)** I bought it for myself.

mimar [mi'ma(x)] *vt (criança)* to spoil; *(por gestos)* to mimic.

mímica ['mimika] *f* mime.

mimo ['mimu] *m* cuddle; **cheio de mimos** spoiled.

mina ['mina] *f (de carvão, ouro)* mine.

mindinho [mĩn'dʒiɲu] *m* little finger.

mineiro, ra [mi'nejru, ra] *m, f* miner; *(de Minas Gerais)* native of Minas Gerais.

mineral [mine'raw] (*pl* **-ais** [-ajʃ]) *m* mineral.

minério [mi'nɛrju] *m* ore.

minha → **meu.**

minhoca [mi'ɲɔka] *f* earthworm.

miniatura [minja'tura] *f* miniature; **em miniatura** in miniature.

mínimo, ma ['minimu, ma] **1** *adj* minimum.

2 *m*: **o mínimo** the minimum.

3 não faço a mínima idéia! I haven't got a clue!; **no mínimo** at least.

minissaia [ˌmini'saja] *f* miniskirt.

ministério [miniʃ'tɛrju] *m* ministry.

ministro, tra [mi'niʃtru, tra] *m, f* minister.

minoria [mino'ria] *f* minority; **estar em minoria** to be in the minority.

minúscula [mi'nuʃkula] *f* lower case letter; **em minúsculas** in lower case letters.

minúsculo, la [mi'nuʃkulu, la] *adj (muito pequeno)* minuscule, tiny; *(letra)* lower case.

minuto [mi'nutu] *m* minute; **só um minuto!** hang on a minute!; **contar os minutos** to count the minutes; **dentro de poucos minutos** in a few minutes; **em poucos minutos** in no time at all.

miolo [mi'olu] *m (de pão, bolo) soft part of bread or cake.*

❑ **miolos** *mpl* brains.

míope ['mjupi] *adj* shortsighted.

miopia [mju'pia] *f* shortsightedness.

miradouro [mira'doru] *m* viewpoint.

miragem [mi'raʒẽ] (*pl* **-ns** [-ʃ]) *f* mirage.

mirar [mi'ra(x)] *vt (apontar para)* to take aim; *(observar)* to look at.

❑ **mirar-se** *vp*: **mirar-se em algo** to look at o.s. in sthg.

miscelânea [miʃse'lanja] *f (mistura)* mixture; *fig (confusão)* jumble.

miserável [mize'ravɛw] (*pl* **-eis** [-ejʃ]) *adj (pobre)* poverty-stricken; *(desgraçado)* unfortunate.

miséria [mi'zɛrja] *f (pobreza)* poverty; *(desgraça)* misery; *(sordidez)* squalor; *(pouca quantidade)* pittance.

misericórdia [mizeri'kɔrdja] *f* mercy; **pedir misericórdia** to ask for mercy.

missa ['misa] *f* mass.

missão [mi'sãw] (*pl* **-ões** [-õjʃ]) *f* mission.

míssil ['misiw] (*pl* **-eis** [-ejʃ]) *m* missile.

missionário, ria [misjo'narju, rja] *m, f* missionary.

missões → **missão.**

mistério [miʃ'tɛrju] *m* mystery.

misterioso, osa [miʃte'rjozu, ɔza] *adj* mysterious.

misto, ta ['miʃtu, ta] **1** *adj* mixed.

2 *m (culinária)*: **misto quente** *toasted sandwich filled with cheese and ham.*

mistura [miʃ'tura] *f* mixture.

misturar [miʃtu'ra(x)] *vt* to mix; *fig (confundir)* to mix up.

mito ['mitu] *m* myth.

miúdo, da [mi'udu, da] *adj* small.
❑ **miúdos** *mpl*: **miúdos de galinha** giblets; **trocar algo em miúdos** to explain sthg.

ml (*abrev de* **mililitro**) ml.

mm (*abrev de* **milímetro**) mm.

mo [mu] = **me** + **o** → **me.**

mobília [mo'bilja] *f* furniture.

mobiliário [mobi'ljarju] *m* furnishings *pl.*

mocassim [moka'sĩ] (*pl* **-ns** [-ʃ]) *m* mocassin.

mochila [mo'ʃila] *f* backpack.

mocidade [mosi'dadʒi] *f* youth.

moço, ça ['mosu, sa] **1** *adj* young.
2 *m, f* boy; *(atendente)* shop assistant.

moda ['mɔda] *f* fashion; **à moda de** in the style of; **estar fora de moda** to be out of fashion; **estar na moda** to be in fashion, to be fashionable; **sair de moda** to go out of fashion.

modalidade [modali'dadʒi] *f (de esporte)* discipline; *(de pagamento)* method.

modelo [mo'delu] *m* model; *(de roupa)* design.

modem ['mɔdɛm] *m* modem.

moderado, da [mode'radu, da] *adj* moderate.

moderar [mode'ra(x)] *vt (restringir)* to moderate; *(reunião, debate)* to chair.

modernizar [modexni'za(x)] *vt* to modernize.

moderno, na [mo'dɛxnu, na] *adj* modern.

modéstia [mo'dɛʃtja] *f* modesty; **modéstia à parte** modesty aside.

modesto, ta [mo'dɛʃtu, ta] *adj* modest.

modificar [modʒifi'ka(x)] *vt* to modify.
❑ **modificar-se** *vp* to change.

modo ['mɔdu] *m* way; GRAM mood; **modo de usar** directions *pl*; **com bons modos** politely; **com maus modos** impolitely; **de certo modo** in some ways; **de modo nenhum!** no way!; **de modo que** so (that); **de qualquer modo** anyway; **de tal modo que** so much that.

moeda ['mwɛda] *f (de metal)* coin; *(em geral)* currency; **moeda estrangeira** foreign currency.

moer ['mwe(x)] *vt* to grind.

mofo ['mofu] *m* mold.

mogno ['mɔgnu] *m* mahogany.

moído, da [mw'ido, da] *adj (café, pimenta)* ground; **estar moído** *(estar cansado)* to be done in.

moinho [mw'iɲu] *m* mill; **moinho de café** coffee grinder; **moinho de vento** windmill.

mola ['mɔla] *f (em colchão, sofá)* spring.

molar [mo'la(x)] (*pl* **-res** [-riʃ]) *m* molar.

moldar [mow'da(x)] *vt* to mold.

moldura [mow'dura] *f* frame.

mole ['mɔli] *adj* soft; *(pessoa)* docile.

molécula [mu'lɛkula] *f* molecule.

molestar [moleʃ'ta(x)] *vt (maltratar)* to hurt; *(aborrecer)* to annoy.

molhar [mo'ʎa(x)] *vt* to wet.
❑ **molhar-se** *vp* to get wet.

molho[1] ['moʎu] *m* sauce; **molho de tomate** tomato sauce; **pôr de molho** to soak.

molho[2] ['mɔʎu] *m (de lenha)* stack; *(de palha, erva)* bundle; **molho de chaves** bunch of keys.

molinete [moli'netʃi] *m (de vara de pesca)* reel.

momento [mo'mẽntu] *m* moment; **um momento!** just a moment!; **a qualquer momento** any minute now; **até o momento** (up) until now; **de/neste momento** at the moment; **dentro de momentos** shortly; **de um momento para o outro** any time now; **em dado momento** at any given moment.

monarca [mo'naxka] *mf* monarch.

monarquia [monax'kia] *f* monarchy.

monge ['mõʒi] *m* monk.

monitor, ra [moni'to(x), ra] (*mpl* **-res** [-riʃ], *fpl* **-s** [-ʃ]) **1** *m, f (em colônia de férias)* activity director.
2 *m (de televisão)* (television) screen; *(de computador)* monitor, VDU.

monopólio [mono'pɔlju] *m* monopoly.

monótono, na [mo'nɔtonu, na] *adj (pessoa)* tedious; *(vida, trabalho)* monotonous.

monstro ['mõʃtru] *m* monster.

montagem [mõn'taʒẽ] (*pl* **-ns** [-ʃ]) *f (de máquina)* assembly; *(de esquema)* drawing up; *(de fotografia)* montage; *(de filme)* editing.

montanha [mõn'taɲa] *f* mountain.

montanha-russa [mõn,taɲa'rusa] (*pl* **montanhas-russas** [mõn,taɲaʃ'rusaʃ]) *f* roller coaster.

montanhismo [mõnta'ɲiʒmu] *m* mountain climbing.

montanhoso, osa [mõnta'ɲozu, ɔza] *adj* mountainous.

montante [mõn'tãntʃi] *m* total.

montar [mõn'ta(x)] **1** *vt (barraca)* to put up; *(acampamento)* to set up; *(máquina)* to assemble; *(filme)* to edit.
2 *vi (fazer hipismo)* to ride; **montar a cavalo** to ride (horseback).

monte ['mõntʃi] *m (montanha)* mountain; **comida aos montes** loads of food; **um monte de** truckloads of.

monumento [monu'mẽntu] *m* monument; **monumento comemorativo** memorial.

moradia [mora'dia] *f* house.

morador, ra [mora'do(x), ra] (*mpl* **-res** [-riʃ], *fpl* **-s** [-ʃ]) *m, f* resident.

moral [mo'raw] (*pl* **-ais** [-ajʃ]) **1** *adj* moral.
2 *f (social)* morals *pl*; *(conclusão)* moral.
3 *m (ânimo, disposição)* morale.

morango [mo'rãŋgu] *m* strawberry.

morar [mo'ra(x)] *vi* to live.

mórbido, da ['mɔxbidu, da] *adj* morbid.

morcego [mox'segu] *m* bat.

mordaça [mox'dasa] *f (em pessoa)* gag; *(em animal)* muzzle.

morder [mox'de(x)] *vt* to bite.

mordida [mox'dida] *f* bite.

mordomo [mox'domu] *m* butler.

moreno, na [mo'renu, na] *adj (tez, pele)* dark; *(de sol)* tanned.

morfina [mox'fina] *f* morphine.

moribundo, da [mori'bũndu, da] *adj* dying.

morno, morna ['moxnu, 'mɔrna] *adj* lukewarm.

morrer [mo'xe(x)] *vi* to die; *(fogo, luz)* to die down; *(motor)* to stall; **estou morrendo de fome** I'm starving; **morrer de rir** to laugh one's head off; **morrer de vontade de fazer algo** to be dying to do sthg; **morrer na praia** to fall at the last jump.

morro ['moxu] *m (monte)* hill; *(favela)* slum.

mortadela [moxta'dɛla] *f* Mortadella.

mortal [mox'taw] (*pl* **-ais** [-ajʃ]) **1** *adj (pessoa, animal)* mortal; *(acidente, ferida)* fatal; *(doença)* terminal.
2 *mf* mortal.

mortalha [mox'taʎa] *f (de cadáver)* shroud.

mortalidade [moxtali'dadʒi] *f* mortality; **mortalidade infantil** infant mortality.

morte ['mɔxtʃi] *f (natural)* death; *(homicídio)* murder; **estar pensando na morte da bezerra** to daydream; **ser de morte** *(cômico)* to be hysterical.

morto, morta ['moxtu, 'mɔrta] **1** *pp* → **matar.**
2 *adj* dead.
3 *m, f* dead person.
4 **estar morto** to be dead; *(de cansaço) fig* to be dead tired; **estar morto para fazer algo** to be dying to do sthg; **estar morto de fome** to be starving; **ser morto** to be killed.

mos [moʃ] = **me + os** → **me.**

mosaico [mo'zajku] *m* mosaic.

mosca ['moʃka] *f* fly; **acertar na mosca** to hit the nail on the head.

moscatel [moʃka'tɛw] (*pl* **-éis** [-ɛiʃ]) *m* Muscatel.

mosquito [moʃ'kitu] *m* mosquito.

mostarda [moʃ'taxda] *f* mustard.

mosteiro [moʃ'tejru] *m* monastery.

mostrador [moʃtra'do(x)] (*pl* **-res** [-riʃ]) *m (de relógio)* face; *(de velocímetro)* dial.

mostrar [moʃ'tra(x)] *vt* to show; **mostrar algo a alguém** to show sthg to sb, to show sb sthg; **mostrar interesse em** to show an interest in.
❑ **mostrar-se** *vp* to seem; *(exibir-se)* to show off.

motim [mo'tʃĩ] (*pl* **-ns** [-ʃ]) *m* uprising.

motivar [motʃi'va(x)] *vt (causar)* to cause; *(aluno)* to motivate.

motivo [mo'tʃivu] *m* motive; **por motivo de** due to; **sem motivos** for no reason.

moto ['mɔtu] = **motocicleta.**

motocicleta [ˌmotosi'klɛta] *f* motorcycle.

motor [mo'to(x)] (*pl* **-res** [-riʃ]) *m* engine, motor; **motor de arranque** starter motor.

motorista [moto'riʃta] *mf* driver.

mourisco, ca [mo'riʃku, ka] *adj* Moorish.

móvel ['mɔvɛw] (*pl* **-eis** [-ejʃ]) **1** *adj* mobile.
2 *m* piece of furniture.
❑ **móveis** *mpl* furniture *sg.*

mover [mo've(x)] *vt* to move; *(campanha)* to instigate.
❑ **mover-se** *vp* to move.

movimentado, da [movimẽn'tadu, da] *adj (rua, local)* busy.

movimento [movi'mẽntu] *m* movement; *(em rua, estabelecimento)* activity; **em movimento** in motion.

MPB *f* (*abrev de* **Música Popular Brasilei-**

ra) *generic name for Brazilian popular music.*

mudança [mu'dãsa] *f (modificação)* change; *(de casa)* move; *(de veículo)* gear.

mudar [mu'da(x)] **1** *vt (alterar)* to change; *(de posição)* to move.
2 *vi (alterar-se)* to change.
❑ **mudar de** *v + prep* to change; *(de casa)* to move; **mudar de idéia** to change one's mind; **mudar de roupa** to change (one's clothes).
❑ **mudar-se** *vp* to move (house); **mudar-se para** to move to.

mudo, da ['mudu, da] *adj (pessoa)* dumb; *(cinema)* silent; **ficar mudo** *fig* to be lost for words.

muito, ta ['muĩntu, ta] **1** *adj* a lot of.
2 *pron* a lot.
3 *adv (com verbo)* a lot; *(com adjetivo)* very; *(demais)* too.
4 já não tenho muito tempo I don't have much time left; **há muito tempo** a long time ago; **tenho muito sono** I'm really tired; **muito bem!** very good!; **muito antes** long before; **muito pior** much OU far worse; **quando muito** at the most; **não ganho muito** I don't earn much.

mula ['mula] *f* mule.

muleta [mu'leta] *f* crutch.

mulher [mu'ʎe(x)] (*pl* **-res** [-riʃ]) *f* woman; *(esposa)* wife.

multa ['muwta] *f* fine; **levar uma multa** to get a fine.

multar [muw'ta(x)] *vt* to fine.

multidão [muwti'dãw] (*pl* **-ões** [-õjʃ]) *f (de pessoas)* crowd; *(de coisas)* host.

multimídia [muwtʃi'midʒa] *adj* INFORM multimedia.

multinacional [ˌmuwtʃinasju'naw] (*pl* **-ais** [-ajʃ]) *f* multinational.

multiplicar [muwtʃipli'ka(x)] *vt & vi* to multiply; **multiplicar por** to multiply by.
❑ **multiplicar-se** *vp (reproduzir-se)* to multiply.

múltiplo, pla ['muwtʃiplu, pla] *adj & m* multiple.

múmia ['mumja] *f* mummy.

mundial [mũn'dʒjaw] (*pl* **-ais** [-ajʃ]) **1** *adj* world *(antes de s)*.
2 *m (de futebol)* World Cup; *(de atletismo etc.)* World Championships *pl*.

mundo ['mũndu] *m* world; **o outro mundo** the hereafter; **não é nada do outro mundo** it's nothing out of the ordinary; **por nada deste mundo** for love nor money; **vai ser o fim do mundo** all hell will break loose; **todo mundo** everyone, everybody; **viver no mundo da lua** to be in one's own little world.

munição [muni'sãw] (*pl* **-ões** [-õjʃ]) *f* ammunition.

municipal [munisi'paw] (*pl* **-ais** [-ajʃ]) *adj* city *(antes de s)*, municipal.

município [muni'sipju] *m (cidade)* city; *(organismo)* city hall.

munições → **munição.**

munir [mu'ni(x)] *vt*: **munir alguém de algo** to supply sb with sthg.
❑ **munir-se de** *vp + prep* to arm o.s. with.

mural [mu'raw] (*pl* **-ais** [-ajʃ]) *m* mural.

muralha [mu'raʎa] *f* wall; *(fortaleza)* ramparts *pl*.

murchar [mux'ʃa(x)] *vi* to wilt.

murcho, cha ['muxʃu, ʃa] *adj (flor, planta)* wilted; *fig (sem animação)* listless.

murmurar [muxmu'ra(x)] *vt* to murmur.

murmúrio [mux'murju] *m* murmur.

muro ['muru] *m* wall.

murro ['muxu] *m* punch; **dar um murro em alguém** to punch sb; **dar murro em ponta de faca** to beat one's head against a wall.

musa ['muza] *f* muse.

musculação [muʃkula'sãw] *f* body building.

músculo ['muʃkulu] *m* muscle.

musculoso, osa [muʃku'lozu, ɔza] *adj* muscular.

museu [mu'zew] *m* museum; **museu de arte moderna** modern art museum.

musgo ['muʒgu] *m* moss.

música ['muzika] *f* music; **música ambiente** background music; **'música ao vivo'** 'live music'; **música clássica/folclórica** classical/folk music; **dançar conforme a música** *fig* to play along.

musical [muzi'kaw] *adj* musical.

músico, ca ['muziku, ka] *m, f* musician.

musse ['musi] *f* mousse; **musse de chocolate** chocolate mousse.

mútuo, tua ['mutwu, twa] *adj* mutual; **de mútuo acordo** by mutual agreement.

N

N (*abrev de* **Norte**) N.

na [na] = **em + a** → **em.**

-na [na] *pron (pessoa)* her; *(coisa)* it; *(você)* you.

nabo ['nabu] *m (planta)* turnip.

nação [na'sãw] (*pl* **-ões** [-õjʃ]) *f* nation.

nacional [nasjo'naw] (*pl* **-ais** [-ajʃ]) *adj* national.

nacionalidade [nasjonali'dadʒi] *f* nationality.

nações → **nação.**

nada ['nada] **1** *pron (coisa nenhuma)* nothing; *(em negativas)* anything.
2 *adv*: **não gosto nada disto** I don't like it at all.
3 não dei por nada I didn't notice a thing; **de nada!** don't mention it!; **nada de novo** nothing new; **ou tudo ou nada** all or nothing; **antes de mais nada** first of all; **é uma coisa de nada** it's nothing (at all); **não servir para nada** to be no help at all, to be useless; **não adianta nada resmungar** there's no point in whining about it.

> Use *nothing* quando a forma verbal em inglês for afirmativa (*there's nothing on television* não há nada na TV).
>
> Use *anything* quando a forma verbal em inglês for negativa (*I'm not allowed to eat anything after 7p.m.* não posso comer nada depois das sete da noite).

nadador, ra [nada'do(x), ra] (*mpl* **-res** [-riʃ], *fpl* **-s** [-ʃ]) *m, f* swimmer.

nadar [na'da(x)] *vi* to swim; **nadar em** *fig (ter muito de)* to be swimming in.

nádegas ['nadegaʃ] *fpl* buttocks.

naipe ['najpi] *m* suit.

namorado, da [namo'radu, da] *m, f* boyfriend.

não [nãw] *adv (em respostas)* no; *(em negativas)* not; **ainda não o vi** I still haven't seen him; **não é aqui, é?** it isn't here, is it?; **não tem mais ingressos** there aren't any tickets left; **não é?** isn't it?; **pelo sim, pelo não** just in case; **'não fumar'** 'no smoking'.

não-fumante [ˌnãwfu'mãntʃi] *mf* nonsmoker.

napa ['napa] *f* chamois leather.

naquela [na'kɛla] = **em + aquela** → **em.**

naquele [na'keli] = **em + aquele** → **em.**

naquilo [na'kilu] = **em + aquilo** → **em.**

narcótico [nax'kɔtʃiku] *m* narcotic.

narina [na'rina] *f* nostril.

nariz [na'riʃ] (*pl* **-zes** [-ziʃ]) *m* nose; **meter o nariz em tudo** to be a busybody; **torcer o nariz (para algo)** *fig* to turn one's nose up (at sthg).

narração [naxa'sãw] (*pl* **-ões** [-õjʃ]) *f (ato)* narration; *(conto, história)* narrative.

narrar [na'xa(x)] *vt* to narrate.

nas [naʃ] = **em + as** → **em.**

-nas [naʃ] *pron pl (elas)* them; *(vocês)* you.

nascença [naʃ'sẽsa] *f* birth; **de nascença** *(problema, defeito)* congenital.

nascente [naʃ'sẽntʃi] *f (de rio)* source; *(de água)* spring.

nascer [naʃ'se(x)] **1** *vi (pessoa, animal)* to be born; *(planta)* to sprout; *(sol)* to rise.
2 *m (de sol)* sunrise; *(de lua)* moonrise; **nascer para ser algo** to be born to be sthg.

nascimento [naʃsi'mẽntu] *m* birth.

nata ['nata] *f* cream.

natação [nata'sãw] *f* swimming.

natal [na'taw] (*pl* **-ais** [-ajʃ]) *adj* home *(antes de s)*.
❑ **Natal** *m* Christmas; **Feliz Natal!** Merry Christmas!

nativo, va [na'tʃivu, va] *adj & m, f* native.

natural [natu'raw] (*pl* **-ais** [-ajʃ]) *adj* natural; **ao natural** *(fruta)* fresh; **como é natural** as is only natural; **é natural que** it's understandable (that); **ser natural de** to be from.

naturalidade [naturali'dadʒi] *f (origem)* birthplace; *(simplicidade)* naturalness.

naturalmente [naturaw'mẽntʃi] **1** *adv* naturally.
2 *interj* naturally!, of course!

natureza [natu'reza] *f* nature; **da mesma natureza** of the same kind; **por natureza** by nature.
❑ **Natureza** *f*: **a Natureza** Nature.

natureza-morta [natu,reza'moxta] *f* still life.

nau ['naw] *f* ship.

naufragar [nawfra'ga(x)] *vi* to be wrecked.

naufrágio [naw'fraʒju] *m* shipwreck.

náusea ['nawzea] *f* nausea; **dar náuseas a alguém** to make sb feel sick OU nauseous.

náutico, ca ['nawtʃiku, ka] *adj (atividade)* water *(antes de s)*; *(clube)* sailing *(antes de s)*.

navalha [na'vaʎa] *f (barbeiro)* razor; *(faca)* knife.

nave ['navi] *f (de igreja)* nave; **nave espacial** spaceship.

navegação [navega'sãw] *f* navigation.

navegador [navega'do(x)] *m* INFORM browser.

navegar [nave'ga(x)] *vi* to sail; **navegar na Internet** to surf the Net.

navio [na'viu] *m* ship.

NB (*abrev de* **nota bene**) N.B.

NE (*abrev de* **Nordeste**) NE.

neblina [ne'blina] *f* mist.

necessário, ria [nese'sarju, rja] **1** *adj* necessary.
2 *m*: **o necessário** the bare necessities *pl*.
3 quando necessário when necessary; **se necessário** if necessary; **é necessário passaporte** you need your passport.

necessidade [nesesi'dadʒi] *f (carência)* necessity, need; **de primeira necessidade** essential; **sem necessidade** needlessly; **ter necessidade de fazer algo** to need to do sthg.
❑ **necessidades** *fpl*: **fazer necessidades** to go to the toilet.

necessitar [nesesi'ta(x)] *vt* to need.
❑ **necessitar de** *v + prep* to need.

necrotério [nekro'tɛrju] *m* morgue.

nefasto, ta [ne'faʃtu, ta] *adj (acontecimento)* terrible; *(atmosfera)* bad.

negar [ne'ga(x)] *vt* to deny.
❑ **negar-se** *vp*: **negar-se algo** to deny o.s. sthg; **negar-se a fazer algo** to refuse to do sthg.

negativo, va [nega'tʃivu, va] **1** *adj* negative; *(saldo bancário)* overdrawn; *(temperatura)* below-zero.
2 *m (de filme, fotografia)* negative.

negligente [negli'ʒẽntʃi] *adj* negligent.

negociação [negosja'sãw] (*pl* **-ões** [-õjʃ]) *f* negotiation.

negociar [negosi'a(x)] **1** *vt (acordo, preço)* to negotiate.
2 *vi* COM to do business.

negócio [ne'gɔsju] *m* business; *(transação)* deal; **fazer negócios com alguém** to do business with sb; **negócio da China** easy money; **negócios escusos** shady deals.

negro, gra ['negru, gra] **1** *adj* black; *(céu)* dark; *(raça)* black; *fig (difícil)* bleak.
2 *m, f* black man.

nela ['nɛla] = **em + ela** → **em.**

nele ['neli] = **em + ele** → **em.**

nem [nẽ] **1** *adv* not even.
2 *conj*: **não gosto nem de cerveja nem de vinho** I like neither beer nor wine.
3 não gosto nem de um nem de outro I don't like either of them; **nem por isso** not really; **nem que** even if; **nem sempre** not always; **nem tudo** not everything; **nem ... nem** neither ... nor; **nem um nem outro** neither one nor the other; **nem pensar!** don't even think about it!

nenhum, ma [ne'ɲũ, ma] (*mpl* **-ns** [-ʃ], *fpl* **-s** [-ʃ]) **1** *adj* no.
2 *pron* none.
3 não comprei livro nenhum I didn't buy a single book; **não quero nenhuma bebida** I don't want anything to drink; **não tive problema nenhum** I didn't have any problems; **nenhum professor é perfeito** no teacher is perfect; **nenhum de** none of, not one of; **nenhum dos dois** neither of them.

> Use *no* quando a forma verbal em inglês for afirmativa (*there are no birds in the cage* não há nenhum pássaro na gaiola).

Use *any* quando a forma verbal em inglês for negativa (*she didn't eat any chocolates* ela não comeu nenhum chocolate).

Use *neither* no início da oração quando a forma verbal estiver no afirmativo (*neither girl is tall* nenhuma das meninas é alta).

Use *either* quando a forma verbal em inglês for negativa (*I don't like either of them* não gosto de nenhum deles).

nervo ['nexvu] *m* nerve; *(em carne)* sinew.
❑ **nervos** *mpl* nerves.

nervosismo [nexvo'ziʒmu] *m* nerves *pl.*

nêspera ['neʃpera] *f* loquat.

nessa ['nɛsa] = **em + essa** → **em.**

nesse ['nesi] = **em + esse** → **em.**

nesta ['nɛʃta] = **em + esta** → **em.**

neste ['neʃtʃi] = **em + este** → **em.**

neto, ta ['nɛtu, ta] *m, f* grandson.

neurose [new'rɔzi] *f* neurosis.

neutralidade [newtrali'dadʒi] *f* neutrality.

neutralizar ['newtrali'za(x)] *vt* to neutralize.

neutro, tra ['newtru, tra] *adj* neutral; *GRAM* neuter.

nevar [ne'va(x)] *v impess* to snow; **está nevando** it's snowing.

neve ['nɛvi] *f* snow.

névoa ['nɛvwa] *f* mist.

nevoeiro [ne'vwejru] *m* fog.

nicotina [niko'tʃina] *f* nicotine.

ninguém [nĩŋ'gãj] *pron* nobody, no one; *(em negativas)* anyone, anybody; **não tem ninguém (em casa)** there's nobody in; **não vi ninguém** I didn't see anyone; **ninguém sabe o que aconteceu** nobody knows what happened.

Use *nobody* ou *no one* quando a forma verbal em inglês for afirmativa (*nobody knows!* ninguém sabe!).

Use *anybody* ou *anyone* quando a forma verbal em inglês for negativa (*I didn't see anybody* não vi ninguém).

ninho ['niɲu] *m* nest; *fig (lar)* home.

níquel ['nikɛw] (*pl* **-eis** [-ejʃ]) *m* nickel.

nissei [ni'sej] *mf Brazilian of Japanese parentage.*

nisso ['nisu] = **em + isso** → **em.**

nisto ['niʃtu] = **em + isto** → **em.**

nitidez [nitʃi'deʃ] *f* clarity.

nítido, da ['nitʃidu, da] *adj* clear.

nível ['nivɛw] (*pl* **-eis** [-ejʃ]) *m* level; *(qualidade)* quality; **ao nível de** in terms of; **nível do mar** sea level; **nível de vida** standard of living.

no [nu] = **em + o** → **em.**

nó ['nɔ] *m* knot; *(em dedo)* knuckle; **dar um nó** to tie a knot; **estar com um nó na garganta** to have a lump in the throat.

n° (*abrev de* **número**) no.

-no [nu] *pron (pessoa)* him; *(coisa)* it; *(você)* you.

NO (*abrev de* **Noroeste**) NW.

nobre ['nɔbri] *adj* noble.

noção [no'sãw] (*pl* **-ões** [-õjʃ]) *f* notion.

nocivo, va [no'sivu, va] *adj (produto)* noxious; *(alimento)* unwholesome.

noções → **noção.**

nódoa ['nɔdwa] *f (em roupa, toalha)* stain; *(em reputação)* blemish.

nogueira [no'gejra] *f* walnut tree.

noite ['nojtʃi] *f* night; *(fim da tarde)* evening; **boa noite!** good night!; **à noite** at night; **esta noite** *(mais tarde)* tonight; *(ao fim da tarde)* this evening; **dia e noite** night and day; **por noite** a ou per night; **da noite para o dia** overnight.

Diga *good night* a alguém apenas ao se despedir. Se quiser cumprimentar alguém, diga *good evening*.

noivado [noj'vadu] *m* engagement.

noivo, va ['nojvu, va] *m, f* fiancé; **estar noivo de alguém** to be engaged to sb.
❑ **noivos** *mpl* bride and groom; **eles estão noivos** they are engaged.

nojento, ta [no'ʒẽntu, ta] *adj* disgusting.

nojo ['noʒu] *m* disgust, revulsion; **dar nojo** to be disgusting; **ter** ou **sentir nojo de** to be disgusted by.

nome ['nomi] *m* name; *GRAM* noun; **nome de batismo** Christian name; **nome completo** full name; **nome de guerra** nom de guerre; **nome próprio, primeiro nome** first name; **de nome** by name; **em nome de** on behalf of.

nomeação [nomja'sãw] (*pl* **-ões** [-õjʃ]) *f (para prêmio)* nomination; *(para cargo)* appointment.

nomear [nomi'a(x)] *vt (mencionar nome de)* to name; *(para prêmio)* to nominate; *(para cargo)* to appoint.

nonagésimo, ma [nona'ʒɛzimu, ma] *num* ninetieth → **sexto.**

nono, na ['nonu, na] *num* ninth → **sexto.**

nora ['nɔra] *f (familiar)* daughter-in-law; *(para água)* waterwheel.

nordeste [nox'dɛʃtʃi] *m* northeast; **no nordeste** in the northeast.

nordestino, na [nɔxdɛʃ'tʃinu, na] **1** *adj* northeastern.
2 *m, f* Northeasterner.

norma ['nɔxma] *f (padrão)* standard; *(regra)* rule; **por norma** as a rule.

normal [nox'maw] (*pl* **-ais** [-ajʃ]) *adj* normal.

noroeste [no'rwɛʃtʃi] *m* northwest; **no noroeste** in the northwest.

norte ['nɔxtʃi] **1** *adj (vento, direção)* northerly.
2 *m* north.
3 a ou **no norte** in the north; **ao norte de** north of.

nos[1] [noʃ] = **em + os** → **em.**

nos[2] [noʃ] *pron pl (complemento direto)* us; *(complemento indireto)* (to) us; *(reflexo)* ourselves; *(recíproco)* each other, one another; **ela nos falou** she told us; **nós nos machucamos** we hurt ourselves; **não nos deixem!** don't leave us!; **nunca nos enganamos** we're never wrong; **nos beijamos** we kissed (each other); **odiamo-nos** we hate each other.

nós ['nɔʃ] *pron pl (sujeito)* we; *(complemento)* us; **e nós?** what about us?; **somos nós** it's us; **nós mesmos** ou **próprios** we ourselves.

-nos [noʃ] *pron pl (eles)* them; *(vocês)* you → **nos .**

nosso, a ['nosu, a] **1** *adj* our.
2 *pron*: **o nosso/a nossa** ours.
3 um amigo nosso a friend of ours; **os nossos** *(a nossa família)* our family.

nostalgia [noʃtaw'ʒia] *f* nostalgia.

nostálgico, ca [noʃ'tawʒiku, ka] *adj* nostalgic.

nota ['nɔta] *f* note; *(classificação)* mark; **tomar nota de algo** to make a note of sthg.

notário, ria [no'tarju, rja] *m, f* notary (public).

notável [no'tavɛw] (*pl* **-eis** [-ejʃ]) *adj (ilustre)* distinguished; *(extraordinário)* outstanding.

notícia [no'tʃisja] *f* piece of news.
❑ **notícias** *fpl (noticiário)* news *sg.*

> Não confundir ***notícia (news)*** com o inglês ***notice*** que em português signfica ***aviso***. (***Ele ficou feliz em ouvir a notícia.*** He was very happy to hear the ***news***.)

noticiário [notʃi'sjarju] *m* newscast, news bulletin.

notificar [notʃifi'ka(x)] *vt* to notify.

noturno, na [no'tuxnu, na] *adj (atividade)* night *(antes de s)*; *(aula)* evening *(antes de s)*; *(pessoa, animal)* nocturnal.

nova ['nɔva] *f* piece of news; **ter boas novas** to have some good news.

novamente [ˌnɔva'mẽntʃi] *adv* again.

novato, ta [no'vatu, ta] *m, f* beginner.

nove ['nɔvi] *num* nine → **seis.**

novecentos, tas [nɔve'sẽntuʃ, taʃ] *num* nine hundred → **seis.**

novela [no'vɛla] *f (livro)* novel; *(em televisão)* soap opera.

novelo [no'velu] *m* ball.

novembro [no'vẽmbru] *m* November → **setembro.**

noventa [no'vẽnta] *num* ninety → **seis.**

novidade [novi'dadʒi] *f (notícia)* piece of news; *(em vestuário)* latest fashion; *(novo disco)* new release; **há novidades?** any news?; **novidade editorial** latest publication.

novilho [no'viʎu] *m (animal)* young bull *(2-3 years old)*; *(carne)* beef.

novo, nova ['novu, 'nɔva] *adj* new; *(jovem)* young; **novo em folha** brand new.

noz ['nɔʃ] (*pl* **-zes** [-ziʃ]) *f* walnut.

noz-moscada [ˌnɔʒmoʃ'kada] *f* nutmeg.

nu, nua ['nu, 'nua] *adj* naked; **nu em pêlo** stark naked.

nublado, da [nu'bladu, da] *adj* cloudy.

nuca ['nuka] *f* nape (of the neck).

nuclear [nukle'a(x)] (*pl* **-res** [-riʃ]) *adj* nuclear.

núcleo ['nukliu] *m* nucleus.

nudez [nu'deʒ] *f* nudity.

nudista [nu'dʒiʃta] *mf* nudist.

nulo, la ['nulu, la] *adj (sem efeito, valor)* null and void; *(incapaz)* useless; *(nenhum)* nonexistent.

num [nũ] = **em + um** → **em.**

numa ['numa] = **em + uma** → **em.**

numeral [nume'raw] (*pl* **-ais** [-ajʃ]) *m* numeral.

numerar [nume'ra(x)] *vt* to number.

número ['numeru] *m* number; *(de sapatos, peça de vestuário)* size; *(de revista)* issue; **número de inscrição** application number; **número de passaporte** passport number; **número de telefone** telephone number.

numeroso, osa [nume'rozu, ɔza] *adj (família, grupo)* large; *(vantagens, ocasiões)* numerous.

nunca ['nũŋka] *adv* never; **mais do que nunca** more than ever; **nunca mais** never again; **nunca se sabe** you never know; **nunca na vida** never ever.

nuns [nũʃ] = **em + uns** → **em.**

núpcias ['nupsjaʃ] *fpl* marriage *sg.*

nutrição [nutri'sãw] *f* nutrition.

nutrir [nu'tri(x)] *vt fig (acalentar)* to nurture; **nutrir uma paixão por alguém** to carry a torch for sb.

nutritivo, va [nutri'tʃivu, va] *adj* nutritious.

nuvem ['nuvẽ] (*pl* **-ns** [-ʃ]) *f* cloud.

O o

o, a [u, a] (*mpl* **os** [uʃ], *fpl* **as** [aʃ]) **1** *artigo definido* **(a)** *(com substantivo genérico)* the; **a casa** the house; **o hotel** the hotel; **os alunos** the students.
(b) *(com substantivo abstrato)*: **a vida** life; **o amor** love; **os nervos** nerves.
(c) *(com adjetivo substantivado)*: **o melhor/pior** the best/worst; **vou fazer o possível** I'll do what I can.
(d) *(com nomes geográficos)*: **a Inglaterra** England; **o Amazonas** the Amazon; **o Brasil** Brazil; **os Estados Unidos** the United States; **os Pireneus** the Pyrenees.
(e) *(indicando posse)*: **quebrei o nariz** I broke my nose; **estou com os pés frios** my feet are cold.
(f) *(com nome de pessoa)*: **o Alexandre** Alexandre; **a Helena** Helena; **o sr. Mendes** Mr. Mendes.
(g) *(por cada)* a, per; **3 reais a dúzia** 3 reals a dozen.
(h) *(com datas)* the; **o dois de abril** the second of April, April second.
2 *pron* **(a)** *(pessoa)* him, them *pl*; **eu a deixei ali** I left her there; **ela o amava muito** she loved him very much; **não os vi** I didn't see them.
(b) *(você, vocês)* you; **prazer em conhecê-los, meus senhores** pleased to meet you, gentlemen.
(c) *(coisa)* it, them *pl*; **onde estão os papéis? não consigo achá-los** where are the papers? I can't find them.
(d) *(em locuções)*: **o/a da esquerda** the one on the left; **os que desejarem vir terão de pagar** those who wish to come will have to pay; **o que (é que) ...?** what ...?; **o que (é que) está acontecendo?** what's going on?; **era o que eu pensava** it's just as I thought; **o quê?** what?

oásis [ɔ'aziʃ] *m inv* oasis.
oba ['oba] *interj (de surpresa)* wow!; *(saudação)* hi!
obedecer [obede'se(x)] *vi* to do as one is told, to obey; **obedecer a** to obey.
obediente [obe'dʒjẽntʃi] *adj* obedient.
obesidade [obezi'dadʒi] *f* obesity.
obeso, sa [o'bezu, za] *adj* obese.
óbito ['ɔbitu] *m* death.
obituário [obitw'arju] *m* obituary.
objeção [obʒe'sãw] (*pl* **-ões** [-õjʃ]) *f* objection.
objetiva [obʒe'tʃiva] *f (de máquina fotográfica)* lens.
objetivo, va [obʒe'tʃivu, va] *adj & m* objective.
objeto [ob'ʒɛtu] *m* object.
oboé [o'bwɛ] *m* oboe.
obra ['ɔbra] *f* work; *(construção)* construction site; **obra de arte** work of art; **obra de caridade** *(instituição)* charity.
❑ **obras** *fpl (reparações)* repairs; **'em obras'** 'closed for renovation'.
obra-prima [ˌɔbra'prima] (*pl* **obras-primas** [ˌɔbraʃ'primaʃ]) *f* masterpiece.
obrigação [obriga'sãw] (*pl* **-ões** [-õjʃ]) *f* obligation; *(título de crédito)* bond.
obrigado, da [obri'gadu, da] *interj* thank you!; **muito obrigado!** thank you very much!; **obrigado por ...** thank you for...
obrigar [obri'ga(x)] *vt*: **obrigar alguém a fazer algo** to force sb to do sthg.
obrigatório, ria [obriga'tɔrju, rja] *adj* compulsory.
obs. *abrev* = **observação.**
obsceno, na [obʃ'senu, na] *adj* obscene.
observação [obsexva'sãw] (*pl* **-ões** [-õjʃ]) *f* observation; *(comentário)* comment; *(de lei, regra)* observance.
observador, ra [obsexva'do(x), ra] (*mpl*

-res [-riʃ], *fpl* **-s** [-ʃ]) *m, f* observer.

observar [obsex'va(x)] *vt* to observe; *(dizer)* to remark.

observatório [obsexva'tɔrju] *m* observatory.

obsessão [obse'sãw] (*pl* **-ões** [-õjʃ]) *f* obsession.

obstáculo [obʃ'takulu] *m* obstacle.

obstetra [obʃ'tɛtra] *mf* obstetrician.

obstinado, da [obʃtʃi'nadu, da] *adj* obstinate.

obstrução [obʃtru'sãw] (*pl* **-ões** [-õjʃ]) *f* obstruction.

obter [ob'te(x)] *vt* to get.

obturação [obtura'sãw] (*pl* **-ões** [-õjʃ]) *f* *(de dente)* filling.

óbvio, via ['ɔbvju, vja] *adj* obvious; **como é óbvio** obviously.

ocasião [oka'zjãw] (*pl* **-ões** [-õjʃ]) *f* *(momento determinado)* occasion; *(oportunidade)* opportunity; **nessa ocasião** at the time; **por ocasião de** during; **ter ocasião de fazer algo** to have occasion to do sthg; **aproveitar a ocasião para ...** to take the opportunity to ...

oceano [ose'ãno] *m* ocean.

ocidental [osidẽn'taw] (*pl* **-ais** [-ajʃ]) *adj* western.
❑ **ocidentais** *mpl*: **os ocidentais** Westerners.

ocidente [osi'dẽntʃi] *m* west.
❑ **Ocidente** *m*: **o Ocidente** the West.

ócio ['ɔsju] *m* leisure.

oco, oca ['oku, 'oka] *adj* hollow.

ocorrência [oko'xẽsja] *f* *(incidente)* incident; *(freqüência)* occurrence.

ocorrer [oko'xe(x)] *vi* to happen.

octogésimo, ma [okto'ʒɛzimu, ma] *num* eightieth → **sexto.**

oculista [oku'liʃta] *mf* *(médico)* optometrist; *(vendedor)* optician.

óculos ['ɔkuluʃ] *mpl* glasses; **óculos escuros** sunglasses.

ocultar [okuw'ta(x)] *vt* to hide.
❑ **ocultar-se** *vp* to hide.

ocupado, da [oku'padu, da] *adj* *(casa)* occupied; *(lugar, assento)* taken; *(pessoa)* busy; **'está ocupado'** *(telefone)* 'the line is busy'.

ocupar [oku'pa(x)] *vt* to take up; *(casa)* to live in; *(tempo)* to occupy.
❑ **ocupar-se** *vp* to keep o.s. busy; **ocupar-se fazendo algo** to spend one's time doing sthg; **ocupar-se de** to see to.

odiar [o'dʒja(x)] *vt* to hate.

ódio ['ɔdʒju] *m* hatred.

odor [o'do(x)] (*pl* **-res** [-riʃ]) *m* odor.

oeste ['wɛʃtʃi] *m* west; **a** ou **no oeste** in the west; **a oeste de** to the west of.

ofegante [ofe'gãntʃi] *adj* breathless.

ofegar [ofe'ga(x)] *vi* to pant.

ofender [ofẽn'de(x)] *vt* to offend.
❑ **ofender-se** *vp* to take offense; **ofender-se com algo** to take offense at sthg.

oferecer [ofere'se(x)] *vt* to offer; *(dar)* to give; **oferecer algo a alguém** *(presente, ajuda, lugar)* to give sb sthg; *(emprego)* to offer sb sthg.
❑ **oferecer-se** *vp*: **oferecer-se para fazer algo** to offer to do sthg.

oferta [o'fɛxta] *f* *(presente)* gift; *(de emprego)* offer; COM supply.

oficial [ofisi'aw] (*pl* **-ais** [-ajʃ]) **1** *adj* official.
2 *mf* *(em marinha, exército)* officer.

oficina [ofi'sina] *f* workshop; *(mecânica)* garage.

ofício [o'fisju] *m* *(profissão)* trade; *(carta)* official letter.

oftalmologista [ɔftawmolo'ʒiʃta] *mf* ophthalmologist.

ofuscar [ofuʃ'ka(x)] *vt* to dazzle.

oi ['oj] *interj* hi!

oitavo, va [oj'tavu, va] *num* eighth → **sexto.**

oitenta [oj'tẽnta] *num* eighty → **seis.**

oito ['ojtu] *num* eight; **nem oito nem oitenta!** there's no need to exaggerate! → **seis.**

oitocentos, tas [ojto'sẽntuʃ, taʃ] *num* eight hundred → **seis.**

olá [o'la] *interj* hello!

olaria [ola'ria] *f* pottery.

óleo ['ɔlju] *m* oil; **óleo de cozinha** (cooking) oil; **óleo de bronzear** suntan lotion; **óleo diesel** diesel fuel; **óleo de girassol/soja** sunflower/soy oil; **óleo motor** engine oil; **óleo sobre tela** oil painting.

oleoso, osa [oli'ozu, ɔza] *adj* greasy.

olfato [ow'fatu] *m* sense of smell.

olhadela [oʎa'dɛla] *f* glance; **dar uma olhadela em algo** to have a quick look at sthg.

olhar [o'ʎa(x)] **1** *vt* to look at.
2 *vi* to look.
3 *m* look.

4 **olhar para** to look at; **olhar por** to look after.

olheiras [o'ʎejraʃ] *fpl*: **ter olheiras** to have dark rings under one's eyes.

olho ['oʎu] (*pl* **olhos** ['ɔʎuʃ]) *m* eye; **olho mágico** peephole; **a olho nu** with the naked eye; **a olhos vistos** visibly; **aos olhos de** in the eyes of; **custar os olhos da cara** to cost an arm and a leg; **estar de olho em algo/alguém** to have one's eye on sthg/sb; **não pregar os olhos** to not sleep a wink; **ver com bons/maus olhos** to approve/disapprove of.

olímpico, ca [o'lĩmpiku, ka] *adj* Olympic.

oliveira [oli'vejra] *f* olive tree.

ombro ['õmbru] *m* shoulder; **encolher os ombros** to shrug one's shoulders.

omelete [ome'lɛtʃi] *f* omelette.

omissão [omi'sãw] (*pl* **-ões** [-õjʃ]) *f* omission.

omitir [omi'ti(x)] *vt* to omit.

onça ['õsa] *f (animal)* jaguar; *(medida)* ounce.

onda ['õnda] *f* wave; **onda média/longa/curta** medium/long/shortwave; **fazer onda** *(criar problemas)* to make waves; **ir na onda** *(deixar-se enganar)* to fall for sth.

onde ['õndʒi] *adv* where; **por onde vamos?** which way are we going?

ondulado, da [õndu'ladu, da] *adj (cabelo)* wavy; *(superfície)* rippled.

ONG *f* (*abrev de* **Organização Não Governamental**) NGO.

ônibus ['onibuʃ] *m inv* bus; *(interurbano)* coach; **ônibus espacial** space shuttle.

onipotente [ˌɔmnipo'tẽntʃi] *adj* omnipotent.

ontem ['õntẽ] *adv* yesterday; **ontem de manhã/à tarde** yesterday morning/afternoon; **ontem à noite** last night.

ONU ['ɔnu] *f* (*abrev de* **Organização das Nações Unidas**) UN.

onze ['õzi] *num* eleven → **seis.**

opaco, ca [o'paku, ka] *adj* opaque.

opção [op'sãw] (*pl* **-ões** [-õjʃ]) *f* option.

ópera ['ɔpera] *f* opera.

operação [opera'sãw] (*pl* **-ões** [-õjʃ]) *f* operation; *(comercial)* transaction.

operador, ra [opera'do(x), ra] (*mpl* **-res** [-riʃ], *fpl* **-s** [-ʃ]) *m, f*: **operador de computadores** computer operator.

operar [ope'ra(x)] **1** *vi MED* to operate.

2 *vt MED* to operate on.

❑ **operar-se** *vp (realizar-se)* to take place.

operário, ria [ope'rarju, rja] *m, f* worker.

opinar [opi'na(x)] **1** *vt* to think.

2 *vi* to give one's opinion.

opinião [opi'njãw] (*pl* **-ões** [-õjʃ]) *f* opinion; **na minha opinião** in my opinion; **na opinião dele** in his opinion; **ser da opinião de que** to be of the opinion that; **a opinião pública** public opinion.

oponente [opo'nẽntʃi] *mf* opponent.

opor-se [o'poxsi] *vp* to object; **opor-se a** to oppose.

oportunidade [opoxtuni'dadʒi] *f* opportunity; **aproveitar uma oportunidade** to take an opportunity.

oportuno, na [opox'tunu, na] *adj* opportune.

oposição [opozi'sãw] *f* opposition; *(diferença)* contrast; **a oposição** *POL* the Opposition; **um político da oposição** an Opposition politician.

oposto, osta [o'poʃtu, ɔʃta] **1** *adj* opposite.

2 *m*: **o oposto** the opposite; **oposto a** opposite.

opressão [opre'sãw] (*pl* **-ões** [-õjʃ]) *f* oppression.

opressivo, va [opre'sivu, va] *adj* oppressive.

opressões → **opressão.**

oprimir [opri'mi(x)] *vt* to oppress.

optar [op'ta(x)] *vi* to choose; **optar por algo** to opt for sthg; **optar por fazer algo** to opt to do sthg, to choose to do sthg.

ora ['ɔra] **1** *interj* come on!

2 *conj* well.

3 *adv*: **por ora** for now.

4 ora essa! well, well!; **ora ..., ora ...** one minute ..., the next ...

oração [ora'sãw] (*pl* **-ões** [-õjʃ]) *f (prece)* prayer; *(frase)* clause.

orador, ra [ora'do(x), ra] (*mpl* **-res** [-riʃ], *fpl* **-s** [-ʃ]) *m, f* (public) speaker.

oral [o'raw] (*pl* **-ais** [-ajʃ]) *adj* & *f* oral.

orar [o'ra(x)] *vi (discursar)* to give a speech; *(rezar)* to pray.

órbita ['ɔxbita] *f (de olho)* socket; *(de planeta)* orbit; *fig (de ação, influência)* sphere.

orçamento [oxsa'mẽntu] *m (de Estado, empresa)* budget; *(para trabalho, serviço)* estimate.

ordem ['ɔxdẽ] (*pl* **-ns** [-ʃ]) *f* order; **até segunda ordem** until further notice; **dar ordens** to give orders; **de primeira ordem** first-rate; **pôr algo em ordem** to straighten sthg up; **por ordem** in order; **por ordem de alguém** on sb's orders; **sempre às ordens!** don't mention it!

ordenado [oxde'nadu] *m* wage.

ordenhar [oxde'ɲa(x)] *vt* to milk.

ordens → **ordem.**

ordinário, ria [oxdʒi'narju, rja] *adj (grosseiro)* crude.

orégano [o'rɛganu] *m* oregano.

orelha [o'reʎa] *f* ANAT ear.

orfanato [oxfa'natu] *m* orphanage.

órfão, fã ['ɔxfãw, fã] *m, f* orphan.

orgânico, ca [ox'ganiku, ka] *adj* organic.

organismo [oxga'niʒmu] *m* body.

organização [oxganiza'sãw] (*pl* **-ões** [-õjʃ]) *f* organization.

órgão ['ɔxgãw] *m* organ; *(de empresa)* body; **órgãos sexuais** ou **genitais** sexual organs, genitals.

orgulhar-se [oxgu'ʎaxsi] *vp + prep*: **orgulhar-se de** to be proud of.

orgulho [ox'guʎu] *m* pride.

orientação [orjẽnta'sãw] (*pl* **-ões** [-õjʃ]) *f* direction.

oriental [orjẽn'taw] (*pl* **-ais** [-ajʃ]) *adj (do este)* eastern; *(do Extremo Oriente)* oriental.

orientar [orjẽn'ta(x)] *vt (guiar)* to direct; *(aconselhar)* to advise.
❑ **orientar-se por** *vp + prep* to follow.

oriente [o'rjẽntʃi] *m* east.
❑ **Oriente** *m*: **o Oriente** the Orient.

orifício [ori'fisju] *m* orifice.

origem [o'riʒẽ] (*pl* **-ns** [-ʃ]) *f* origin.

original [oriʒi'naw] (*pl* **-ais** [-ajʃ]) *adj & m* original.

originar [oriʒi'na(x)] *vt* to cause.
❑ **originar-se** *vp* to arise.

oriundo, da [ori'ũndu, da] *adj*: **oriundo de** from.

orixá [ori'ʃa] *mf god or goddess of any of the Afro-Brazilian religions.*

ornamentar [oxnamẽn'ta(x)] *vt* to decorate.

ornamento [oxna'mẽntu] *m* ornament.

orquestra [ox'kɛʃtra] *f* orchestra.

orquídea [ox'kidʒja] *f* orchid.

ortografia [oxtogra'fia] *f* spelling.

orvalho [ox'vaʎu] *m* dew.

os → **o.**

oscilação [oʃsila'sãw] (*pl* **-ões** [-õjʃ]) *f (balanço)* swinging; *(variação)* fluctuation.

oscilar [oʃsi'la(x)] *vi (balançar)* to swing; *(variar)* to fluctuate; **oscilar entre** to fluctuate between.

osso ['osu] (*pl* **ossos** ['ɔsuʃ]) *m* bone.

ostentar [oʃtẽn'ta(x)] *vt* to show off.

ostra ['oʃtra] *f* oyster.

OTAN [o'tã] *f* (*abrev de* **Organização do Tratado do Atlântico Norte**) NATO.

otimismo [otʃi'miʒmu] *m* optimism.

ótimo, ma ['ɔtʃimu, ma] **1** *adj* great.
2 *interj* great!, excellent!

otorrinolaringologista [ˌotoˌxinolaˌrĩŋgolo'ʒiʃta] *mf* ear, nose and throat specialist.

ou [o] *conj* or; **ou ... ou** either ... or; **você sabe do que estou falando, ou não?** do you know what I'm talking about, or don't you?

ouço ['osu] → **ouvir.**

ouriço [o'risu] *m (de castanheira)* shell.

ouriço-cacheiro [oˌrisuka'ʃejru] (*pl* **ouriços-cacheiros** [oˌrisuʃka'ʃejruʃ]) *m* hedgehog.

ouriço-do-mar [oˌrisudu'ma(x)] (*pl* **ouriços-do-mar** [oˌrisuʒdu'ma(x)]) *m* sea urchin.

ourives [o'riviʃ] *mf inv* jeweler.

ourivesaria [oriveza'ria] *f* jewelry store.

ouro ['oru] *m* gold; **um relógio de ouro** a gold watch.
❑ **ouros** *mpl (naipe de cartas)* diamonds.

ousadia [oza'dʒia] *f* audacity.

ousar [o'za(x)] *vt* to dare to.

outdoor [awt'dɔr] *m (propaganda)* outdoor advertising; *(cartaz)* billboard *Am*, hoarding *Brit*.

outono [o'tonu] *m* fall *Am*, autumn.

outro, tra ['otru, tra] **1** *adj* another *sg*, other *pl*.
2 *pron (outra coisa)* another *sg*, others *pl*; *(outra pessoa)* someone else.
3 o outro/a outra the other (one); **os outros** the others; **outro copo** another glass; **outros dois copos** another two glasses; **outro dia** another day; **no outro dia** *(no dia seguinte)* the next day; *(relativo a dia passado)* the other day; **um ou outro** one or the other; **um após o outro** one after the other.

> *Other*, como outros adjetivos em inglês, é invariável no plural (*other people; other towns*). Quando usado como pronome, deve-se acrescentar um *s* para formar o plural (*where are the others?* onde estão os outros?).
>
> Quando *other* for precedido de *an*, transforma-se numa só palavra: *another*.

outubro [o'tubru] *m* October → **setembro.**

ouve ['ovi] → **ouvir.**

ouvido [o'vidu] *m* ANAT ear; *(audição)* hearing; **dar ouvidos a alguém** to listen to sb; **ser todo ouvidos** to be all ears; **ter bom ouvido** to have good hearing; **tocar de ouvido** to play by ear.

ouvinte [o'vĩntʃi] *mf* listener.

ouvir [o'vi(x)] *vt & vi* to hear; **você está ouvindo?** are you listening?; **estar ouvindo algo/alguém** to be listening to sthg/sb.

oval [o'vaw] (*pl* **-ais** [-ajʃ]) *adj* oval.

ovário [o'varju] *m* ovary.

ovelha [o'veʎa] *f* sheep; *(fêmea)* ewe; **ovelha negra** black sheep.

OVNI ['ɔvni] *m* (*abrev de* **Objeto Voador Não Identificado**) UFO.

ovo ['ovu] (*pl* **ovos** ['ɔvuʃ]) *m* egg; **ovo cozido/pochê** boiled/poached egg; **ovo frito** ou **estrelado** fried egg; **ovos mexidos** scrambled eggs; **ovos de Páscoa** Easter eggs; **pisar em ovos** to walk on eggshells.

oxigênio [oksi'ʒenju] *m* oxygen.

ozônio [o'zonju] *m* ozone.

Pp

p. (*abrev de* **página**) p.

P. (*abrev de* **Praça**) Sq.

pá ['pa] *f (utensílio)* spade; **uma pá de** a load of.

pacato, ta [pa'katu, ta] *adj* easygoing.

paciência [pasi'ẽsja] *f* patience; *(jogo)* patience; **perder a paciência** to lose one's patience; **ter paciência** to be patient.

paciente [pasi'ẽntʃi] *adj & mf* patient.

pacífico, ca [pa'sifiku, ka] *adj* peaceful. ❑ **Pacífico** *m*: **o Pacífico** the Pacific.

pacifista [pasi'fiʃta] *mf* pacifist.

pacote [pa'kɔtʃi] *m* package; *(em turismo)* package deal; **pacote de açúcar** *(pequeno)* packet of sugar.

padaria [pada'ria] *f* bakery.

padecer [pade'se(x)] *v + prep*: **padecer de** to suffer from.

padeiro, ra [pa'dejru, ra] *m, f* baker.

padrão [pa'drãw] (*pl* **-ões** [-õjʃ]) *m (de produto)* model; *(de tecido)* pattern; **padrão de vida** standard of living.

padrasto [pa'draʃtu] *m* stepfather.

padre ['padri] *m* priest.

padrinho [pa'driɲu] *m* godfather.

padrões → **padrão.**

pães → **pão.**

pág. (*abrev de* **página**) p.

pagamento [paga'mẽntu] *m* payment; **pagamento à vista** ou **em dinheiro** cash payment; **pagamento a prazo** ou **a prestação** installment plan *Am*, hire purchase *Brit*.

pagar [pa'ga(x)] **1** *vt* to pay; *(estudos)* to pay for; *fig (conseqüências)* to suffer.
2 *vi*: **pagar por** *(sofrer conseqüências por)* to pay for.
3 pagar algo a alguém to pay sb sthg; **quanto você pagou pelo bilhete?** how much did you pay for the ticket?; **pagar à vista** to pay cash up front.

página ['paʒina] *f* page; **as Páginas Amarelas** the Yellow Pages®.

pago, ga ['pagu, ga] *pp* → **pagar.**

pagode [pa'gɔdʒi] *m (farra)* fun.

pai ['paj] *m* father.

painel [paj'nɛw] (*pl* **-éis** [-ɛiʃ]) *m* panel; *(de veículo)* dashboard; **painel solar** solar panel.

pais ['pajʃ] *mpl (progenitores)* parents.

país [pa'iʃ] (*pl* **-ses** [-ziʃ]) *m* country.

paisagem [pi'zaʒãj] (*pl* **-ns** [-ʃ]) *f (vista)* view; *(pintura)* landscape.

países → **país.**

paixão [paj'ʃãw] (*pl* **-ões** [-õjʃ]) *f* passion.

pajé [pa'ʒɛ] *m* witch doctor.

palacete [pala'setʃi] *m* small palace.

palácio [pa'lasju] *m* palace; **Palácio da Justiça** Law Courts *pl*.

paladar [pala'da(x)] (*pl* **-res** [-riʃ]) *m* taste.

palavra [pa'lavra] **1** *f* word; **palavras cruzadas** crossword (puzzle) *sg*.
2 *interj* honest!; **dar a palavra a alguém** to give sb the opportunity to speak.

palavrão [pala'vrãw] (*pl* **-ões** [-õjʃ]) *m* swearword.

palavrões → **palavrão.**

palco ['pawku] *m* stage.

palerma [pa'lɛxma] *mf* fool.

palestra [pa'lɛʃtra] *f* lecture.

paleta [pa'leta] *f* palette.

paletó [pale'tɔ] *m* jacket.

palha ['paʎa] *f* straw.

palhaço [pa'ʎasu] *m* clown.

palhinha [pa'ʎiɲa] *f* straw.

pálido, da ['palidu, da] *adj* pale.

palito [pa'litu] *m (para dentes)* toothpick; **palito de fósforo** matchstick; **ser um palito** *fig (pessoa)* to be as thin as a rake.

palma ['pawma] *f* palm.

❑ **palmas** *fpl* clapping *sg*; **bater palmas** to clap; **uma salva de palmas** a round of applause.

palmeira [paw'mejra] *f* palm tree.

palmito [paw'mitu] *m* palm heart.

palmo ['pawmu] *m* (hand) span; **palmo a palmo** inch by inch.

PALOP *mpl* (*abrev de* **Países Africanos de Lingua Oficial Portuguesa**): **os PALOP** *acronym for African countries where Portuguese is an official language.*

palpável [paw'pavɛw] (*pl* **-eis** [-ejʃ]) *adj* tangible.

pálpebra ['pawpebra] *f* eyelid.

palpitação [pawpita'sãw] (*pl* **-ões** [-õjʃ]) *f* beating.

palpitar [pawpi'ta(x)] *vi* to beat.

palpite [paw'pitʃi] *m* tip; *(suposição)* hunch; **dar um palpite** to give an opinion.

pancada [pãŋ'kada] *f (com pau, mão)* blow; *(choque)* knock; *(de relógio)* stroke; **dar pancada em alguém** to beat sb up; **pancada de chuva** sudden downpour; **ser pancada** to be crazy.

pâncreas ['pãŋkrjaʃ] *m inv* pancreas.

panda ['pãnda] *m* panda.

pandeiro [pãn'dejru] *m* tambourine.

pane ['pãni] *f* breakdown.

panela [pa'nɛla] *f* pot; **panela de pressão** pressure cooker.

panfleto [pã'fletu] *m* pamphlet.

pânico ['pãniku] *m* panic; **entrar em pânico** to panic.

pano ['pãnu] *m (tecido)* cloth; *(em teatro)* curtain; **pano de fundo** backdrop.

panorama [pano'rama] *m* panorama.

panqueca [pãŋ'kɛka] *f* pancake.

pantanal [pãnta'naw] (*pl* **-ais** [-ajʃ]) *m* swampland.

❑ **Pantanal** *m*: **o Pantanal** the Pantanal.

pântano ['pãntanu] *m* swamp.

pantera [pãn'tɛra] *f* panther.

pantomima [pãnto'mima] *f* mime.

pantufas [pãn'tufaʃ] *fpl* slippers.

pão ['pãw] (*pl* **pães** ['pãjʃ]) *m* bread; **pão de centeio** rye bread; **pão de fôrma** loaf; **pão francês** French bread; **pão integral** wholewheat bread; **o Pão de Açúcar** Sugarloaf Mountain; **comer o pão que o diabo amassou** *fig* to go through a rough patch.

pão-de-ló [,pãwdʒi'lɔ] (*pl* **pães-de-ló** [,pãjʒdʒi'lɔ]) *m* sponge cake.

papa ['papa] **1** *f (para bebê)* baby food.
2 *m* Pope; *fig (ás)* ace.

papagaio [papa'gaju] *m (ave)* parrot; *(brinquedo)* kite.

papel [pa'pɛw] (*pl* **-éis** [-ɛiʃ]) *m* paper; **papel de carta** writing paper; **papel de embrulho** wrapping paper; **papel higiênico** toilet paper; **papel de máquina** typing paper; **papel de parede** wallpaper; **papel vegetal** *(de cozinha)* greaseproof paper; *(de desenho)* tracing paper.

papel-alumínio [pa,pɛwalu'minju] *m* aluminum foil.

papelão [pape'lãw] *m* cardboard; **que papelão!** how embarassing!

papelaria [papela'ria] *f* stationery store.

papel-carbono [pa,pɛukax'bɔnu] *m* carbon paper.

papo ['papu] *m (de ave)* crop; *(conversa)* chat; **levar** ou **bater um papo** to (have a) chat.

papo-furado [,papufu'radu] *m* nonsense.

papoula [pa'pola] *f* poppy.

paquerar [pake'ra(x)] **1** *vt* to flirt with.
2 *vi* to flirt.

par ['pa(x)] (*pl* **-res** [-riʃ]) **1** *adj (número)* even.
2 *m* pair; *(casal)* couple.
3 estar a par de algo to be up to date on sthg; **par a par** side by side; **aos pares** in pairs; **par ou ímpar?** odd or even?

para ['para] *prep* **(a)** *(exprime finalidade, destinação)* for; **um telefonema para o senhor** a phone call for you; **queria algo para comer** I would like something to eat; **para que serve isto?** what's this for?
(b) *(indica motivo, objetivo)* (in order) to; **cheguei mais cedo para arranjar lugar** I arrived early (in order) to get a seat; **era só para lhe agradar** I only wanted to please you.
(c) *(indica direção)* toward; **apontou para cima/baixo** he pointed upward/downward; **olhei para ela** I looked at her; **seguiu para o aeroporto** he headed for the airport; **vá para casa!** go home!
(d) *(relativo a tempo)* for; **quero isso pronto para amanhã** I want it done by tomorrow; **estará pronto para a semana/o ano** it'll be ready next week/year; **são quinze para as três** it's a quarter of

three *Am*, it's a quarter to three *Brit*.
(e) *(em comparações)*: **é caro demais para as minhas posses** it's too expensive for my budget; **para o que come, está magro** he's thin, considering how much he eats.
(f) *(relativo a opinião, sentimento)*: **para mim** as far as I'm concerned.
(g) *(exprime a iminência)*: **estar para fazer algo** to be about to do sthg; **o ônibus está para sair** the bus is about to leave; **ele está para chegar** he'll be here any minute now.
(h) *(em locuções)*: **para mais de** well over; **para que** so that; **é para já!** coming up!

parabéns [para'bẽʃ] **1** *mpl* congratulations.
2 *interj (em geral)* congratulations!; *(por aniversário)* happy birthday!.
3 dar os parabéns a alguém *(em geral)* to congratulate sb; *(por aniversário)* to wish sb a happy birthday; **você está de parabéns** you're to be congratulated.

parabólica [para'bɔlika] *f* satellite dish.

pára-brisa [ˌpara'brizaʃ] *m* windshield *Am*, windscreen *Brit*.

pára-choque [ˌpara'ʃɔkiʃ] *m* bumper.

parada [pa'rada] *f (militar)* parade; *(de jogo)* bet, stake; **parada (de ônibus)** (bus) stop; **parada cardíaca** cardiac arrest.

paradeiro [para'dejru] *m* whereabouts *pl*.

parado, da [pa'radu, da] *adj (pessoa, animal)* motionless; *(carro)* stationary; *(máquina)* switched off; *(sem vida)* dull.

parafuso [para'fuzu] *m* screw.

paragem [pa'raʒẽ] (*pl* **-ns** [-ʃ]) *f* stop, halt.

parágrafo [pa'ragrafu] *m* paragraph.

paraíso [para'izu] *m* paradise.

pára-lama [ˌpara'lãmaʃ] *m* fender *Am*, mudguard *Brit*.

paralelo, la [para'lɛlu, la] *adj & m* parallel; **sem paralelo** unparalleled; **uma paralela** *(rua)* a parallel street.

paralisar [parali'za(x)] *vt* to paralyze.

paralisia [parali'zia] *f* paralysis.

paralítico, ca [para'litiku, ka] *m, f* paralytic.

paranóico, ca [para'nɔiku, ka] **1** *m, f* nutcase.
2 *adj* paranoid.

parapeito [para'pejtu] *m* windowsill.

pára-quedas [ˌpara'kɛdaʃ] *m inv* parachute.

pára-quedista [ˌparake'diʃta] *mf* parachutist.

parar [pa'ra(x)] *vt & vi* to stop; **'pare'** 'stop'; **'pare, olhe, escute'** 'stop, look and listen'; **ir parar em** to end up in; **parar de fazer algo** to stop doing sthg; **sem parar** non-stop.

pára-raios [ˌpara'xajuʃ] *m inv* lightning rod *Am*, lightning conductor *Brit*.

parasita [para'zita] *m* parasite.

Parati [para'ti] *m* Parati.

parceiro, ra [pax'sejru, ra] *m, f* partner.

parcela [pax'sɛla] *f (de soma)* item; *(fragmento)* fragment, bit.

parcial [par'sjaw] (*pl* **-ais** [-ajʃ]) *adj (não completo)* partial; *(faccioso)* biased.

pardal [pax'daw] (*pl* **-ais** [-ajʃ]) *m* house sparrow.

pardo, da ['paxdu, da] *adj* dark gray.

parecer [pare'se(x)] **1** *vi* to look.
2 *m* opinion.
3 *v impess*: **parece que vai chover** it looks like it's going to rain.
4 parece-me que sim I think so; **ao que parece** from the look of things; **que lhe parece?** what do you think?
❑ **parecer-se** *vp* to look similar.

parecido, da [pare'sidu, da] *adj* similar; **são muito parecidos** they are very alike.

paredão [pare'dãw] (*pl* **-ões** [-õjʃ]) *m* rock face.

parede [pa'redʒi] *f* wall.

paredões → **paredão**.

parente, ta [pa'rẽntʃi, ta] *m, f* relative; **parente próximo** close relative.

> Não confundir *parentes (relatives)* com o inglês *parents* que em português significa *pais*. (*Encontrei meus parentes na festa de casamento da minha prima.* I met my *relatives* at my cousin's wedding party.)

parêntese [pa'rẽntezi] *m (sinal, frase)* parenthesis; **abrir um parêntese** to digress; **entre parênteses** in brackets.

pares → **par**.

pargo ['paxgu] *m* sea bream.

parir [pa'ri(x)] **1** *vt* to give birth to.
2 *vi* to give birth.

parlamentar [paxlamẽn'ta(x)] *mf* parliamentarian.

parlamento [paxla'mẽntu] *m* parliament.

paróquia [pa'rɔkja] *f* parish.

parque ['paxki] *m* park; **parque de diversões** amusement park; **parque de estacionamento** parking lot *Am*, car park *Brit*; **parque nacional** national park.

parquímetro [pax'kimetru] *m* parking meter.

parte ['paxtʃi] *f* part; *(fração)* bit; *JUR* party; **dar parte de** *(informar)* to report; **fazer parte de** to be part of; **tomar parte de** to take part in; **em outra parte** somewhere else; **por toda a parte** everywhere; **da parte de** on behalf of; **de parte a parte** mutual; **em parte** in part.

parteira [pax'tejra] *f* midwife.

participação [paxtʃisipa'sãw] (*pl* **-ões** [-õjʃ]) *f* participation; *(comunicado)* announcement; *(em negócio)* involvement; *(a polícia, autoridade)* report.

participante [paxtʃisi'pãntʃi] *mf* participant.

participar [paxtʃisi'pa(x)] **1** *vi* to participate.
2 *vt*: **participar algo a alguém** *(informar)* to inform sb of sthg; *(comunicar)* to report sthg to sb; **participar de algo** to take part in sthg.

particular [paxtʃiku'la(x)] (*pl* **-res** [-riʃ]) *adj (individual)* particular; *(privado)* private, privately owned.

partida [pax'tʃida] *f (saída)* departure; *(em esporte)* match; **estar de partida** to be about to leave.

partidário, ria [parti'darju, rja] *m, f* supporter.

partido, da [pax'tʃidu, da] **1** *adj* broken.
2 *m*: **partido (político)** (political) party.

partilhar [paxtʃi'ʎa(x)] *vt* to share.

partir [pax'tʃi(x)] **1** *vt* to break.
2 *vi (ir embora)* to leave, to depart.
3 ele partiu para o estrangeiro he went abroad; **partir de** *(lugar)* to leave; **a partir de** from; **a partir de agora** from now on.
❑ **partir-se** *vp (quebrar-se)* to break.

parto ['paxtu] *m* birth.

Páscoa ['paʃkwa] *f* Easter; **Feliz Páscoa!** Happy Easter!

pasmado, da [paʒ'madu, da] *adj* dumbstruck.

passa ['pasa] *f (fruto)* raisin.

passado, da [pa'sadu, da] **1** *adj (no passado)* past; *(anterior)* last.
2 *m* past.
3 malpassado *(bife, carne)* rare; **bem passado** *(bife, carne)* well-done.

passageiro, ra [pasa'ʒejru, ra] **1** *m, f* passenger.
2 *adj* passing.

passagem [pa'saʒẽ] (*pl* **-ns** [-ʃ]) *f* passage; *(bilhete)* ticket; **passagem de ano** New Year; **passagem de ida** one-way (ticket) *Am*, single ticket *Brit*; **passagem de ida e volta** round-trip (ticket) *Am*, return ticket *Brit*; **passagem de nível** level crossing; **passagem subterrânea** underpass *Am*, subway *Brit*.

passaporte [pasa'pɔrtʃi] *m* passport.

passar [pa'sa(x)] **1** *vt* **(a)** *(deslizar, filtrar)*: **passar algo por algo** to pass sthg through sthg; **ela passou a mão pelo cabelo** she ran her hand through her hair; **passou o bronzeador nos braços** he put suntan lotion on his arms.
(b) *(chegar, fazer chegar)* to pass; **pode me passar o sal?** would you pass me the salt?
(c) *(a ferro)*: **passar algo (a ferro), passar (a ferro) algo** to iron sthg; **você já passou a roupa (a ferro)?** have you done the ironing yet?
(d) *(contagiar)* to pass on.
(e) *(mudar)*: **passar algo para** to move sthg to.
(f) *(ultrapassar)* to pass.
(g) *(tempo)* to spend; **passei um ano em Salvador** I spent a year in Salvador.
(h) *(exame)* to pass.
(i) *(fronteira)* to cross.
(j) *(vídeo, disco)* to put on.
(k) *(em televisão, cinema)* to show.
(l) *(admitir)*: **deixar passar algo** to let sthg pass.
2 *vi* **(a)** *(ir, circular)* to go; **o (ônibus) 416 não passa por aqui** the number 416 bus doesn't come this way; **o (ônibus) 416 já passou?** has the number 416 bus already been?
(b) *(tempo)* to go by; **já passa das dez horas** it's past ten o'clock; **o tempo passa muito depressa** time flies.
(c) *(terminar)* to be over; **o verão já passou** summer's over; **a dor já passou** the pain's gone.
(d) *(a nível diferente)* to go up; **ele pas-**

sou para o segundo ano he got into second grade; **passa a primeira** *(velocidade)* shift into first (gear); **quero passar para um nível mais alto** I want to move up to a more advanced level.

(e) *(mudar de ação, tema)*: **passar a** to move on to.

(f) *(em locuções)*: **como você tem passado?** *(de saúde)* how have you been?; **passar bem** *(tempo, férias)* to enjoy; **passe bem!** have a nice day!; **passar mal** *(de saúde)* to feel ill; **não passar de** to be no more than; **passar (bem) sem** to be fine without; **não passar sem** to never go without; **o que passou, passou** let bygones be bygones.

❑ **passar por** *v + prep (ser considerado como)* to pass as OU for; *fig (atravessar)* to go through; **fazer-se passar por** to pass o.s. off as.

❑ **passar-se** *vp (acontecer)* to happen; **o que é que se passa?** what's going on?

passarela [pasa'rɛla] *f (de rua, estrada)* crosswalk; *(para desfile de moda)* catwalk; *(para desfile de escola de samba)* parade route.

pássaro ['pasaru] *m* bird.

passatempo [ˌpasa'tẽmpu] *m* hobby, pastime.

passe ['pasi] *m (de ônibus)* (bus) pass; *(de trem)* season ticket.

passear [pa'sja(x)] **1** *vt (cão)* to walk.
2 *vi* to go for a walk.

passeata [pa'sjata] *f (marcha de protesto)* demonstration.

passeio [pa'seju] *m (em rua)* sidewalk *Am*, pavement *Brit*; *(caminhada)* walk.

passional [pasjo'naw] (*pl* **-ais** [-ajʃ]) *adj* passionate.

passista [pa'siʃta] *mf skilled samba dancer, especially one who dances in Carnival parades in Brazil.*

passivo, va [pa'sivu, va] **1** *adj* passive.
2 *m* COM liabilities *pl*.

passo ['pasu] *m (movimento)* step; *(modo de andar)* walk; *(ritmo)* pace; **dar o primeiro passo** to make the first move; **a dois passos (de)** around the corner (from); **ao passo que** while; **passo a passo** step by step.

pasta ['paʃta] *f* briefcase; *(de escola)* school bag; *(para papéis)* folder; *(de ministro)* portfolio; *(massa)* paste; **pasta de dentes** toothpaste.

pastar [paʃ'ta(x)] *vi* to graze.

pastel [paʃ'tɛw] (*pl* **-éis** [-ɛiʃ]) *m* pastry; *(em pintura)* pastel.

pastelaria [paʃtela'ria] *f (local)* patisserie; *(comida)* pastries *pl*.

pastilha [paʃ'tiʎa] *f (doce)* pastille; *(medicamento)* tablet, pill; **pastilha para a garganta** throat lozenge; **pastilha para a tosse** cough drop.

pasto ['paʃtu] *m* pasture.

pastor, ra [paʃ'to(x), ra] (*mpl* **-res** [-riʃ], *fpl* **-s** [-ʃ]) **1** *m, f* shepherd.
2 *m* minister.

pata ['pata] *f (perna de animal)* leg; *(de gato, cão)* paw; *(de cavalo, cabra)* hoof.

patamar [pata'ma(x)] (*pl* **-res** [-riʃ]) *m* landing.

patê [pa'te] *m* pâté.

patente [pa'tẽntʃi] **1** *adj (visível)* obvious.
2 *f (de máquina, invento)* patent; *(de militar)* rank.

paternal [patex'naw] (*pl* **-ais** [-ajʃ]) *adj (afetuoso)* fatherly.

pateta [pa'tɛta] *mf* twit.

patético, ca [pa'tɛtiku, ka] *adj* pathetic.

patife [pa'tʃifi] *m* scoundrel.

patim [pa'tʃĩ] (*pl* **-ns** [-ʃ]) *m (de rodas)* roller skate; *(de gelo)* ice skate.

patinação [patʃina'sãw] *f* skating; **patinação artística** figure skating; **patinação no gelo** ice skating.

patinar [patʃi'na(x)] *vi (com patins)* to skate; *(veículo)* to spin.

patins → **patim.**

pátio ['patʃju] *m* patio.

pato ['patu] *m* duck; **pagar o pato** to carry the can.

patrão, troa [pa'trãw, troa] (*mpl* **-ões** [-õjʃ], *fpl* **-s** [-ʃ]) *m, f* boss.

pátria ['patria] *f* native country.

patrimônio [patri'monju] *m (de empresa, fundação)* assets *pl*; *(herança)* inheritance; **patrimônio histórico** national heritage.

patriota [patri'ɔta] *mf* patriot.

patroa → **patrão.**

patrocinador, ra [patrosina'do(x), ra] (*mpl* **-res** [-riʃ], *fpl* **-s** [-ʃ]) *m, f* sponsor.

patrocinar [patrosi'na(x)] *vt* to sponsor.

patrões → **patrão.**

patrulha [pa'truʎa] *f* patrol.

pau ['paw] *m* stick.

❑ **paus** *mpl (naipe de cartas)* clubs.

paulista [paw'liʃta] *mf* native/inhabitant of São Paulo.

pausa ['pawza] *f (intervalo)* break; *(silêncio)* pause.

pauta ['pawta] *f (linha)* guideline; *(de alunos)* register; *(de música)* staff.

pavão [pa'vãw] (*pl* **-ões** [-õjʃ]) *m* peacock.

pavilhão [pavi'ʎãw] (*pl* **-ões** [-õjʃ]) *m* pavilion.

pavimento [pavi'mẽntu] *m (de estrada, rua)* pavement; *(andar de edifício)* floor.

pavões → **pavão.**

pavor [pa'vo(x)] *m* terror; **ter pavor de** to be terrified of.

paz ['paʃ] (*pl* **-zes** [-ziʃ]) *f* peace; **deixar algo/alguém em paz** to leave sthg/sb in peace; **fazer as pazes** to make up; **que descanse em paz** (may he/she) rest in peace.

PC *m* (*abrev de* **Personal Computer**) PC.

Pça. (*abrev de* **praça**) Sq.

pé ['pɛ] *m* foot; *(de planta)* stem, stalk; **andar na ponta dos pés** to tiptoe; **dar no pé** to run away; **não arredar pé (de ...)** to dig one's heels in; **pôr-se de pé** to stand up; **dar pé** *(em água)* to be able to stand; **não dar pé** *(em água)* not to be able to touch the bottom; **a pé** on foot; **em pé de igualdade** on an equal footing.

peão ['pjãw] (*pl* **-ões** [-õjʃ]) *m (em xadrez)* pawn; *(trabalhador)* laborer.

peça ['pɛsa] *f* piece; *(divisão de casa)* room; **peça (de teatro)** play.

pecado [pe'kadu] *m* sin.

pechincha [pe'ʃĩʃa] *f* bargain.

peço ['pɛsu] → **pedir.**

peculiar [pekuli'a(x)] (*pl* **-res** [-riʃ]) *adj* peculiar.

pedaço [pe'dasu] *m* piece; *(de tempo)* while; **andamos um bom pedaço** we walked a good part of the way; **estar caindo aos pedaços** to be falling to pieces.

pedágio [pe'daʒju] *m* toll.

pedal [pe'daw] (*pl* **-ais** [-ajʃ]) *m* pedal.

pede ['pɛdʒi] → **pedir.**

pedestal [pedeʃ'taw] (*pl* **-ais** [-ajʃ]) *m* pedestal.

pedestre [pe'dɛʃtri] **1** *adj (zona, faixa)* pedestrian *(antes de s).*
2 *m (indivíduo a pé)* pedestrian.

pediatra [pe'dʒjatra] *mf* pediatrician.

pedido [pe'dʒidu] *m* request; *(em restaurante)* order; **a pedido de alguém** at sb's request.

pedinte [pe'dʒĩntʃi] *mf* beggar.

pedir [pe'dʒi(x)] **1** *vt (em restaurante, bar)* to order; *(preço)* to ask.
2 *vi (mendigar)* to beg.
3 pedir algo a alguém to ask sb for sthg; **pedir a alguém que faça algo** to ask sb to do sthg; **pedir algo emprestado a alguém** to borrow sthg from sb.

pedra ['pɛdra] *f* stone; *(lápide)* tombstone; *(granizo)* hailstone; *(de isqueiro)* flint; *(de dominó)* domino; **pedra (preciosa)** precious stone, gem; **pedra de gelo** ice cube.

pedreiro [pe'drejru] *m* bricklayer.

pega ['pega] *f (ave)* magpie.

pegada [pe'gada] *f* footprint.

pegado, da [pe'gadu, da] *adj (colado)* stuck; *(contíguo)* adjoining; **pegado a** attached to.

pegajoso, osa [pega'ʒozu, ɔza] *adj* sticky.

pegar [pe'ga(x)] **1** *vt* to catch; *(hábito, vício, mania)* to pick up.
2 *vi (motor)* to start; *(idéia, moda)* to catch on; *(planta)* to take.
3 peguei uma gripe I caught the flu; **pegar em algo** to pick sthg up; **pegar fogo** to catch fire; **pegar no sono** to fall asleep.
❑ **pegar-se** *vp (agarrar-se)* to stick; *(brigar)* to come to blows.

peito ['pejtu] *m (seio)* breast; *(parte do tronco)* chest; *(de camisa, blusa)* front; *(do pé)* instep.

peitoril [pejto'riw] (*pl* **-is** [-iʃ]) *m* windowsill.

peixaria [pejʃa'ria] *f* fishmonger.

peixe ['pejʃi] *m* fish; **peixe congelado** frozen fish.
❑ **Peixes** *m inv (signo do Zodíaco)* Pisces.

peixe-espada [ˌpejʃeʃ'pada] *m* swordfish.

pejorativo, va [peʒora'tʃivu, va] *adj* pejorative.

pela ['pela] = **por + a** → **por.**

pelado, da [pe'ladu, da] *adj (cabeça)* shorn; *(nu)* stark naked.

pele ['pɛli] *f* skin; *(couro)* leather.

pelica [pe'lika] *f* kid (leather).

pelicano [peli'kanu] *m* pelican.

pelo ['pelu] = **por + o** → **por.**

pêlo ['pelu] *m (de animal)* fur; *(de pessoa)* hair.

Pelourinho [pelo'riɲu] *m*: **o Pelourinho (de Salvador)** *the Pelourinho district in Salvador.*

pelúcia [pe'lusja] *f* plush.

peludo, da [pe'ludu, da] *adj* hairy.

pena ['pena] *f (de ave)* feather; *(de escrever)* quill; *(dó)* pity; *(castigo)* sentence; **que pena!** what a shame!; **cumprir pena** to serve a prison sentence; **dar pena** to be a shame; **ter pena de alguém** to feel sorry for sb; **tenho pena de não poder ir** I'm sorry (that) I can't go; **valer a pena** to be worth one's while; **pena capital** capital punishment; **pena de morte** death penalty.

penalidade [penali'dadʒi] *f* penalty.

pênalti ['penawtʃi] *m* penalty.

pendente [pẽn'dẽntʃi] **1** *adj* pending.
2 *m* pendant.

pendurar [pẽndu'ra(x)] *vt* to hang; **pendurar algo em algo** to hang sthg on sthg.
❑ **pendurar-se em** *vp + prep* to hang from.

penedo [pe'nedu] *m* boulder.

peneira [pe'nejra] *f* sieve.

penetrante [pene'trãntʃi] *adj* penetrating.

penetrar [pene'tra(x)] *v + prep (entrar em)*: **penetrar em** to go into.

penhasco [pe'ɲaʃku] *m* cliff.

penicilina [pɛnisi'lina] *f* penicillin.

penico [pe'niku] *m* chamber pot; *(para crianças)* potty.

península [pe'nĩsula] *f* peninsula.

pênis ['peniʃ] *m inv* penis.

penitência [peni'tẽsja] *f* penance.

penitenciária [penitẽ'sjarja] *f* prison.

penoso, osa [pe'nozu, ɔza] *adj* hard.

pensamento [pẽsa'mẽntu] *m (espírito)* mind; *(reflexão)* thought.

pensão [pẽ'sãw] (*pl* **-ões** [-õjʃ]) *f (hospedaria)* boarding house; *(restaurante popular)* diner; *(renda)* pension; **pensão alimentícia** alimony; **pensão completa** all meals included.

pensar [pẽ'sa(x)] **1** *vi (raciocinar)* to think; *(refletir)* to have a think.
2 *vt (tencionar)* to intend.
3 pensar em to think about; **pensar que** to think (that); **nem pensar!** no way!

pensionista [pẽsjo'niʃta] *mf (aposentado)* pensioner.

pensões → **pensão.**

pente ['pẽntʃi] *m* comb.

penteado [pẽntʃi'adu] *m* hairstyle.

Pentecostes [pẽntʃe'kɔʃtiʃ] *m* Pentecost.

penugem [pe'nuʒẽ] *f* down.

penúltimo, ma [pe'nuwtʃimu, ma] *adj* penultimate.

penumbra [pe'nũmbra] *f* semi-darkness, half-light.

peões → **peão.**

pepino [pe'pinu] *m* cucumber.

pequeno, na [pe'kenu, na] *adj* small, little; *(em comprimento)* short.

pêra ['pera] (*pl* **peras** ['peraʃ]) *f (fruto)* pear; *(barba)* goatee (beard).

perante [pe'rãntʃi] *prep* in the presence of; **estou perante um grande problema** I've come up against a big problem.

perceber [pexse'be(x)] *vt (aperceber-se)* to realize; *(entender)* to understand.

percentagem [pexsẽn'taʒẽ] (*pl* **-ns** [-ʃ]) *f* percentage.

percevejo [pexse'veʒu] *m* bug; *(tacha)* thumbtack *Am*, drawing pin *Brit*.

perco [pexku] → **perder.**

percorrer [pexko'xe(x)] *vt (caminho, distância)* to travel; *(país)* to travel through; *(cidade, ruas)* to go around; **percorrer algo com os olhos** ou **com a vista** to skim through sthg.

percurso [pex'kuxsu] *m* route.

percussão [pexku'sãw] *f* percussion.

perda ['pexda] *f* loss; *(desperdício)* waste.

perdão [pex'dãw] **1** *m* pardon.
2 *interj* sorry!; **pedir perdão** to ask (for) forgiveness.

perde [pɛxdʒi] → **perder.**

perder [pex'de(x)] **1** *vt* to lose; *(tempo)* to waste; *(trem, ônibus)* to miss.
2 *vi* to lose.
3 perder a cabeça to lose one's head; **perder os sentidos** to pass out; **perder alguém de vista** to lose sight of sb.
❑ **perder-se** *vp* to get lost.

perdição [pexdi'sãw] *f* downfall.

perdido, da [pex'dʒidu, da] *adj* lost; **'achados e perdidos'** 'lost and found' *Am*, 'lost property' *Brit*.

perdiz [pex'dʒiʃ] (*pl* **-zes** [-ziʃ]) *f* partridge.

perdoar [pex'dwa(x)] *vt* to forgive.

peregrinação [peregrina'sãw] (*pl* **-ões** [-õjʃ]) *f* pilgrimage.

peregrino, na [pere'grinu, na] *m, f* pilgrim.

pereira [pe'rejra] *f* pear tree.

perene [pe'rɛni] *adj* perennial.

perfeição [pexfej'sãw] *f* perfection.

perfeitamente [pex,fejta'mẽntʃi] **1** *adv* perfectly.
2 *interj* exactly!

perfeito, ta [pex'fejtu, ta] *adj* perfect.

perfil [pex'fiw] (*pl* **-is** [-iʃ]) *m* profile; **de perfil** in profile.

perfumaria [pexfuma'ria] *f* perfumery.

perfume [pex'fumi] *m* perfume.

perfurar [pexfu'ra(x)] *vt* to perforate, to make a hole in.

pergaminho [pexga'miɲu] *m* parchment.

pergunta [pex'gũnta] *f* question.

perguntar [pexgũn'ta(x)] **1** *vt* to ask.
2 *vi*: **perguntar por alguém** to ask about sb.
3 perguntar sobre algo to ask about sthg; **perguntar algo a alguém** to ask sb sthg.

periferia [perife'ria] *f* outskirts *pl.*

perigo [pe'rigu] *m* danger; **'perigo de incêndio'** 'danger - fire hazard'; **'perigo - queda de materiais'** 'danger - falling rubble'.

perigoso, osa [peri'gozu, ɔza] *adj* dangerous.

perímetro [pe'rimetru] *m* perimeter.

periódico, ca [pe'rjɔdiku, ka] *adj* periodic.

período [pe'riudu] *m* period; *(de ano escolar)* semester *Am,* term *Brit.*

periquito [peri'kitu] *m* parakeet.

perito, ta [pe'ritu, ta] *m, f & adj* expert; **ser perito em algo** to be an expert in sthg.

permanecer [pexmane'se(x)] *vi* to stay, to remain.

permanência [pexma'nẽsja] *f (estada)* stay; *(de problema, situação)* persistence.

permanente [pexma'nẽntʃi] **1** *adj (emprego)* permanent; *(situação)* ongoing; *(dor, ruído)* continuous.
2 *f (penteado)* perm; **fazer um permanente** to have a perm.

permissão [pexmi'sãw] *f* permission; **pedir permissão para fazer algo** to ask permission to do sthg.

permitir [pexmi'ti(x)] *vt* to allow.

perna ['pɛxna] *f* leg.

pernil [pex'niw] (*pl* **-is** [-iʃ]) *m* haunch.

pernilongo [pexni'lõŋgu] *m (mosquito)* mosquito.

pernis → **pernil.**

pérola ['pɛrola] *f* pearl.

perpendicular [pexpẽndʒiku'la(x)] (*pl* **-res** [-riʃ]) *adj & f* perpendicular.

perpetuar [pexpetw'a(x)] *vt* to immortalize.
❑ **perpetuar-se** *vp (eternizar-se)* to last forever; *(prolongar-se)* to last.

perplexidade [pexplɛksi'dadʒi] *f* perplexity.

perplexo, xa [pex'plɛksu, -ksa] *adj* perplexed.

perseguição [pexsegi'sãw] (*pl* **-ões** [-õjʃ]) *f (de pessoa, criminoso)* pursuit; *(assédio)* persecution.

perseguir [pexse'gi(x)] *vt (seguir)* to follow; *(assediar)* to persecute.

perseverar [pexseve'ra(x)] *vi* to persevere.

persiana [pex'sjana] *f* blind.

persistente [pexsiʃ'tẽntʃi] *adj* persistent.

personagem [pexso'naʒẽ] (*pl* **-ns** [-ʃ]) *m ou f* character.

personalidade [pexsonali'dadʃi] *f* personality.

perspectiva [pexʃpɛ'tʃiva] *f* perspective.

perspicácia [pexʃpi'kasja] *f* shrewdness.

perspicaz [pexʃpi'kaʃ] (*pl* **-zes** [-ziʃ]) *adj* shrewd.

persuadir [pexswa'di(x)] *vt*: **persuadir alguém de algo** to convince sb of sthg; **persuadir alguém a fazer algo** to persuade sb to do sthg.
❑ **persuadir-se** *vp* to convince o.s.

persuasão [pexswa'zãw] *f* persuasion.

persuasivo, va [pexswa'zivu, va] *adj* persuasive.

pertencente [pextẽ'sẽntʃi] *adj*: **pertencente a** *(que pertence a)* belonging to; *(relativo a)* relating to.

pertencer [pextẽ'se(x)] *vi* to belong; **pertencer a** to belong to; **pertencer a alguém fazer algo** to be sb's responsibility to do sthg.

perto ['pɛxtu] **1** *adj* nearby.
2 *adv* near, close.
3 perto de *(relativo a tempo, quantidade)* around; *(relativo a espaço)* near; **de perto** close up.

perturbar [pextux'ba(x)] *vt* to disturb; **'não perturbe'** 'do not disturb'.

peru [pe'ru] *m* turkey.
peruca [pe'ruka] *f* wig.
perverso, sa [pex'vɛrsu, sa] *adj (malvado)* wicked.
perverter [pexver'te(x)] *vt* to corrupt.
pervertido, da [pexvex'tʃidu, da] *adj* perverted.
pesadelo [peza'delu] *m* nightmare.
pesado, da [pe'zadu, da] *adj* heavy.
pêsames ['pezamiʃ] *mpl* condolences; **os meus pêsames** my condolences.
pesar [pe'za(x)] **1** *vt* to weigh; *fig (conseqüências)* to weigh (up).
2 *vi (ser pesado)* to be heavy; *(influir)* to carry weight.
pesca ['pɛʃka] *f* fishing; **pesca com linha** angling.
pescada [peʃ'kada] *f* hake.
pescadinha [peʃka'dʒiɲa] *f* whiting.
pescador, ra [peʃka'do(x), ra] (*mpl* **-res** [-riʃ], *fpl* **-s** [-ʃ]) *m, f* fisherman.
pescar [peʃ'ka(x)] **1** *vt* to fish for.
2 *vi* to go fishing, to fish.
pescoço [peʃ'kosu] *m* neck.
peso ['pezu] *m* weight; **peso bruto/líquido** gross/net weight.
pesquisa [peʃ'kiza] *f* research.
pêssego ['pesegu] *m* peach.
pessegueiro [pese'gejru] *m* peach tree.
pessimista [pɛsi'miʃta] *mf* pessimist.
péssimo, ma ['pɛsimu, ma] *adj* horrendous, awful.
pessoa [pe'soa] *f* person; **quatro pessoas** four people; **em pessoa** in person.
pessoal [pe'swaw] (*pl* **-ais** [-ajʃ]) **1** *adj (individual)* personal; *(vida)* private.
2 *m* staff.
pestana [peʃ'tana] *f* eyelash; **queimar as pestanas** *fig (estudar muito)* to hit the books.
pestanejar [peʃtane'ʒa(x)] *vi* to blink.
peste ['pɛʃtʃi] *f* plague; **ser uma peste** *(criança, bicho)* to be a pain.
pesticida [pɛʃtʃi'sida] *m* pesticide.
pétala ['pɛtala] *f* petal.
petição [petʃi'sãw] (*pl* **-ões** [-õjʃ]) *f* petition; **em petição de miséria** in a terrible state.
petinga [petʃĩŋga] *f* whitebait.
petiscar [petʃiʃ'ka(x)] **1** *vt (provar)* to taste.
2 *vi (comer)* to nibble, to pick; **quem não arrisca não petisca** nothing ventured, nothing gained.
petisco [pe'tʃiʃku] *m (iguaria)* delicacy; *(tira-gosto)* snack.
petrificar [petrifi'ka(x)] *vt* to petrify.
petróleo [pe'trɔlju] *m (rocha sedimentar)* petroleum; *(combustível)* oil.
pia ['pia] *f* sink; **pia batismal** font.
piada ['pjada] *f (anedota)* joke; *(dito espirituoso)* wisecrack.
pianista [pja'niʃta] *mf* pianist.
piano [pi'ãnu] *m* piano.
pião ['pjãw] (*pl* **-ões** [-õjʃ]) *m (brinquedo)* spinning top.
piar ['pja(x)] *vi* to chirp.
picada [pi'kada] *f (de ave)* peck; *(de inseto)* bite.
picado, da [pi'kadu, da] *adj (carne)* ground *Am*, minced *Brit*; *(cebola, salsa)* chopped; *(furado)* pierced.
picanha [pi'kaɲa] *f* rump steak.
picante [pi'kãntʃi] *adj (apimentado)* spicy; *fig (malicioso)* saucy.
picar [pi'ka(x)] **1** *vt (com alfinete, agulha)* to prick; *(carne)* to grind *Am*, to mince *Brit*; *(cebola, salsa)* to chop.
2 *vi (peixe)* to bite.
❑ **picar-se** *vp (ferir-se)* to prick o.s.
picles ['pikleʃ] *mpl* pickled vegetables.
pico ['piku] *m (montanha)* peak; *(espinho)* thorn.
picolé [piko'lɛ] *m* Popsicle® *Am*, ice lolly *Brit*.
picotado, da [piko'tadu, da] **1** *adj* perforated.
2 *m* perforated edge.
piedade [pje'dadʒi] *f* pity; **ter piedade de alguém** to take pity on sb.
piercing ['pixsĩn] *m* body piercing.
pifar [pi'fa(x)] *vi* to break; *(carro)* to break down.
pigmento [pig'mẽntu] *m* pigment.
pijama [pi'ʒama] *m* pajamas *pl Am*, pyjamas *pl Brit*.
pilantra [pi'lãntra] *mf* crook.
pilar [pi'la(x)] (*pl* **-res** [-riʃ]) *m* pillar.
pilha ['piʎa] *f* battery; *(de papel, livros etc.)* stack; **uma pilha de nervos** a bundle of nerves; **pilhas de** tons of.
pilhar [pi'ʎa(x)] *vt (saquear)* to pillage; *(roubar)* to steal.
pilotar [pilo'ta(x)] *vt* to pilot.
piloto [pi'lotu] *m (de avião)* pilot; *(de automóvel)* driver.
pílula ['pilula] *f* pill; **tomar a pílula** to be on the pill.

pimenta [pi'mẽnta] *f* pepper *(seasoning)*; **pimenta malagueta** chili pepper.

pimentão [pimẽn'tãw] (*pl* **-ões** [-õjʃ]) *m* pepper *(vegetable)*.

pimentão-doce [pimẽntãw'dosi] *m* paprika.

pinça ['pĩsa] *f* tweezers *pl*.

píncaro ['pĩŋkaru] *m (de montanha)* summit.

pincel [pĩ'sɛw] (*pl* **-éis** [-ɛiʃ]) *m* brush.

pinga ['pĩŋga] *f (aguardente)* booze.

pingar [pĩŋ'ga(x)] *vi* to drip.

pingente [pĩ'ʒẽntʃi] *m (de colar)* pendant; *(brinco)* pendant earring.

pingo ['pĩŋgu] *m* drop; **um pingo de** a drop of.

pingue-pongue [ˌpĩŋge'põŋgi] *m* ping-pong, table tennis.

pinhal [pi'ɲaw] (*pl* **-ais** [-ajʃ]) *m* pinewood.

pinhão [pi'ɲãw] (*pl* **-ões** [-õjʃ]) *m* pine nut.

pinheiro [pi'ɲejru] *m* pine tree.

pinho ['piɲu] *m* pine.

pinhões → **pinhão**.

pinta ['pĩnta] *f (mancha)* spot; *(aparência)* look; **ter pinta de** to look like.

pintado, da [pĩn'tadu, da] *adj (colorido)* colored; **'pintado à mão'** 'hand-painted'.

pintar [pĩn'ta(x)] **1** *vt (quadro, parede)* to paint; *(olhos)* to put on make-up; *(cabelo)* to dye; *(desenho, boneco)* to color in.
2 *vi (artista, pintor)* to paint; *(pessoa)* to turn up; *(problema)* to crop up; *(oportunidade)* to come up.
3 pintar os lábios to put on lipstick; **pintar-se** to wear make-up.

pinto ['pĩntu] *m (pintainho)* chick.

pintor, ra [pĩn'to(x), ra] (*mpl* **-res** [-riʃ], *fpl* **-s** [-s]) *m, f* painter.

pintura [pĩn'tura] *f* painting.

piões → **pião**.

piolho ['pjoʎu] *m* louse.

pior ['pjɔ(x)] (*pl* **-res** [-riʃ]) **1** *adj & adv* worse.
2 *m*: **o/a pior** *(pessoa, coisa)* the worst one.
3 está cada vez pior it's getting worse and worse; **ir de mal a pior** to go from bad to worse; **ser do pior que há** to be the pits; **e o pior é que acabou o dinheiro** and worst of all the money's gone.

piorar [pjo'ra(x)] **1** *vi* to get worse.
2 *vt (situação)* to worsen.

piores → **pior**.

pipa ['pipa] *f (de vinho)* cask; *(papagaio de papel)* kite.

pipoca [pi'pɔka] *f* popcorn.

piquenique [ˌpike'niki] *m* picnic.

pirâmide [pi'ramidʒi] *f* pyramid.

piranha [pi'raɲa] *f* piranha.

pirata [pi'rata] *m* pirate.

pirataria [pirata'ria] *f* piracy.

pires ['piriʃ] *m inv* saucer.

pirilampo [piri'lãmpu] *m* firefly.

pirueta [pi'rweta] *f* pirouette.

pisar [pi'za(x)] *vt (com pé)* to step on; *(contundir)* to bruise.

pisca-pisca [ˌpiʃka'piʃka] *m* indicator.

piscar [piʃ'ka(x)] **1** *vt (olho)* to wink; *(olhos)* to blink; **num piscar de olhos** in a flash.
2 *vi (luz)* to flicker.

piscina [piʃ'sina] *f* swimming pool; **piscina ao ar livre** outdoor swimming pool; **piscina coberta** indoor swimming pool; **piscina térmica** heated swimming pool.

piso ['pizu] *m* floor; **piso escorregadio/irregular** slippery/uneven surface.

pista ['piʃta] *f (indício)* clue; *(em estrada, rua)* lane; *(de corridas)* racetrack; *(de aviação)* runway; *(de dança)* dancefloor.

pistão [piʃ'tãw] (*pl* **-ões** [-õjʃ]) *m* piston.

pistola [piʃ'tɔla] *f* pistol.

pitada [pi'tada] *f* pinch; **uma pitada de** a pinch of.

pitoresco, ca [pito'reʃku, ka] *adj* picturesque.

pivete [pi'vetʃi] *m (criança abandonada)* street child.

pizza ['piza] *f* pizza; **acabar em pizza** to end in nothing.

pizzaria [piza'ria] *f* pizzeria.

placa ['plaka] *f (de madeira, plástico)* sheet; *(de metal)* plate; *(de fogão)* hob; *(em porta)* plaque; *(em estrada, rua)* sign; AUTO license plate *Am*, number plate *Brit*; *(dentadura)* (set of) false teeth.

planador [plana'do(x)] (*pl* **-res** [-riʃ]) *m* glider.

planalto [pla'nawtu] *m* plateau; **o Planalto** *the seat of government*.

planejamento [planeʒa'mẽntu] *m* planning; **planejamento familiar** family planning.

planejar [plane'ʒa(x)] *vt* to plan; **planejar fazer algo** to plan to do sthg.

planeta [pla'neta] *m* planet.

planetário [plane'tarju] *m* planetarium.
planície [pla'nisji] *f* plain.
plano, na ['planu, na] **1** *adj* flat. **2** *m* plan.
planta ['plãnta] *f (vegetal)* plant; *(de pé)* sole; *(de cidade, casa)* plan.
plantão [plãn'tãw] (*pl* **-ões** [-õjʃ]) *m (turno)* shift; *(de telejornal)* newsflash; **estar de plantão** to be on duty.
plantar [plãn'ta(x)] *vt* to plant.
plástica ['plaʃtʃika] *f* plastic surgery.
plástico ['plaʃtiku] *m* plastic.
plataforma [plata'fɔxma] *f* platform; *(de petróleo)* oil rig.
plátano ['platanu] *m* plane (tree).
platéia [pla'tɛja] *f (local)* stalls *pl*; *(público)* audience.
platina [pla'tʃina] *f* platinum.
plausível [plaw'zivɛw] (*pl* **-eis** [-ejʃ]) *adj* plausible.
plebiscito [plebiʃ'situ] *m* referendum.
plenamente [ˌplena'mẽntʃi] *adv* totally.
pleno, na ['plenu, na] *adj* total; **pleno de** full of; **em pleno dia** in broad daylight; **em pleno inverno** in the middle of winter.
plural [plu'raw] (*pl* **-ais** [-ajʃ]) *m* plural.
plutônio [plu'tonju] *m* plutonium.
pneu ['pnew] *m* tire *Am*, tyre *Brit*; **pneu sobressalente** spare tire.
pneumonia [pnewmo'nia] *f* pneumonia.
pó ['pɔ] *m (poeira)* dust; *(substância pulverizada)* powder; **pó de talco** talcum powder; **tirar o pó** to dust.
pobre ['pɔbri] **1** *adj* poor. **2** *mf (pedinte)* beggar.
pobreza [po'breza] *f* poverty.
poça ['posa] *f* pool.
pocilga [po'siwga] *f* pigsty.
poço ['posu] *m (de água, petróleo)* well; *(buraco)* pit.
podar [po'da(x)] *vt* to prune.
pode [pɔdʒi] → **poder.**
pôde [podʒi] → **poder.**
pó-de-arroz [ˌpɔdʒja'xoʃ] *m* face powder.
poder [po'de(x)] **1** *m* **(a)** *(político, influência)* power; **estar no poder** to be in power; **poder de compra** purchasing power; **não tenho poder nenhum** I'm powerless to help.
(b) *(possessão)* possession; **estar em poder de alguém** to be in sb's hands; **ter em seu poder algo** to have sthg in one's possession.
2 *v aux* **(a)** *(ser capaz de)*: **poder fazer algo** to be able to do sthg; **posso fazê-lo** I can do it; **posso ajudar?** can I help?; **você podia tê-lo feito antes** you could have done it beforehand; **não posso mais!** *(em relação a cansaço)* I've had enough!; *(em relação a comida)* I'm full!
(b) *(estar autorizado para)*: **poder fazer algo** to be allowed to do sthg; **posso fumar?** may I smoke?; **você não pode estacionar aqui** you can't park here; **não pude sair ontem** I wasn't allowed (to go) out yesterday.
(c) *(ser capaz moralmente)* can; **não podemos magoá-lo** we can't hurt him.
(d) *(exprime possibilidade)*: **você podia ter vindo de ônibus** you could have come by bus; **cuidado que você pode se machucar!** be careful, you might hurt yourself!
(e) *(exprime indignação, queixa)*: **não pode ser!** this is outrageous!; **você podia ter nos avisado** you could have warned us!; **pudera!** no wonder!
3 *v impess (ser possível)*: **pode não ser verdade** it might not be true; **pode acontecer a qualquer um** it could happen to anyone.
❑ **poder com** *v + prep (suportar)* to be able to stand; *(rival, adversário)* to be able to handle; *(peso)* to be able to carry; **você não pode com tanto peso** you can't carry all that; **não posso com ele** I can't stand him.

May I smoke in here? e *Can I smoke in here?* significam o mesmo, porém ***may*** é mais formal.

Can só é usado no presente. Os outros tempos são criados com a expressão ***be able to*** (*I can't do it now, but maybe I'll be able to on Sunday* não posso fazer isso agora, mas talvez possa no domingo).

Entretanto, ***could*** é usado como passado de ***can*** quando significa 'era possível' ou 'havia' (*ten years ago you could buy a house for 60,000 dollars* há dez anos era possível comprar uma casa por 60.000 dólares; *I couldn't get any more tickets* não pude conseguir mais ingressos).

Ver também **can** no lado Inglês-Português do dicionário.

poderoso, osa [pode'rozu, ɔza] *adj* powerful.

podre [podri] *adj* rotten.

põe ['põi] → **pôr.**

poeira ['pwejra] *f* dust.

poema ['pwema] *m* poem.

poesia [pwe'zia] *f (gênero literário)* poetry; *(poema)* poem.

poeta ['pwɛta] *mf* poet.

poetisa ['pwɛtʃiza] *f* (female) poet.

pois ['pojʃ] *conj (porque)* because; **pois é** that's right; **pois não!** certainly!, of course!; **pois não? em que posso ajudá-lo?** may I help you?; **pois bem** now then, right then.

polegar [pole'ga(x)] (*pl* **-res** [-riʃ]) *m* thumb.

polêmica [po'lemika] *f* controversy.

pólen ['pɔlɛn] *m* pollen.

polícia [po'lisja] **1** *f* police.
2 *mf* policeman.
3 polícia militar military police; **polícia rodoviária** traffic police.

> Não confundir *polícia (police)* com o inglês *policy* que em português significa *política*. (*Quando a polícia chegou, já era tarde demais.* When the *police* arrived, it was too late.)

policial [polisi'aw] (*pl* **-ais** [-ajʃ]) **1** *adj* police *(antes de s).*
2 *mf* policeman.

polir [po'li(x)] *vt (dar lustre em)* to polish; *(alisar)* to smooth out; *fig (educar)* to educate.

política [po'litʃika] *f (arte de governar)* politics *sg*; *(de governo, partido)* policy; **política externa** foreign policy.

político, ca [po'litʃiku, ka] **1** *m, f* politician.
2 *adj* political.

pólo ['pɔlu] *m* pole; *(esporte)* polo; **pólo aquático** water polo.

polpa ['powpa] *f* pulp.

poltrona [pow'trona] *f* armchair.

poluição [polwi'sãw] *f* pollution.

poluir [polw'i(x)] *vt* to pollute.

polvo ['powvu] *m* octopus.

pólvora ['pɔwvura] *f* gunpowder.

pomada [po'mada] *f* ointment; **pomada anti-séptica** antiseptic ointment.

pombo, ba ['põmbu, ba] *m, f* pigeon; **pomba da paz** white dove.

pomposo, osa [põm'pozu, ɔza] *adj* pompous.

ponderação [põndera'sãw] *f* thought, consideration.

ponderar [põnde'ra(x)] *vt* to consider.

pônei ['ponei] *m* pony.

ponho ['poɲu] → **pôr.**

ponta ['põnta] *f (de lápis)* point; *(de vara, linha, cigarro)* end; *(de superfície)* edge; *(de dedo, língua, nariz)* tip; **tenho a palavra na ponta da língua** I've got it on the tip of my tongue; **de ponta a ponta** from one end to the other.

pontada [põn'tada] *f* twinge.

pontapé [põnta'pɛ] *m* kick; **pontapé inicial** kick off.

pontaria [põnta'ria] *f*: **fazer pontaria** to take aim; **ter pontaria** to be a good shot.

ponte ['põntʃi] *f* bridge.

ponteiro [põn'tejru] *m (de relógio)* hand.

pontiagudo, da [põntʃja'gudu, da] *adj* pointed.

ponto ['põntu] *m* point; *(de costura, ferimento, tricô)* stitch; *(marca)* dot; *(sinal ortográfico)* period *Am,* full stop *Brit*; *(parada)* stop; *(lugar)* place; **às 9 em ponto** at 9 on the dot; **estar a ponto de fazer algo** to be about to do sthg; **até certo ponto** up to a point; **dois pontos** colon; **ponto cardeal** compass point; **ponto de encontro** meeting place; **ponto de exclamação** exclamation point; **ponto final** period *Am,* full stop *Brit*; **ponto de interrogação** question mark; **ponto morto** *(em veículo)* neutral; **ponto de ônibus** bus stop; **ponto de partida** starting point; **ponto de táxi** taxi stand; **ponto de vista** point of view.

ponto-e-vírgula [,põntui'vixgula] *m* semicolon.

pontuação [põntwa'sãu] (*pl* **-ões** [-õjʃ]) *f (em gramática)* punctuation; *(em competição)* score.

pontual [põn'twaw] (*pl* **-ais** [-ajʃ]) *adj* punctual.

popa ['popa] *f* stern.

população [popula'sãw] *f* population.

popular [popu'la(x)] (*pl* **-res** [-riʃ]) *adj* popular; *(música, arte)* folk.

por [po(x)] *prep* **(a)** *(indica causa)* because of, due to; **foi por sua causa** it was your fault; **por falta de fundos** due to lack of funds; **por hábito** through force of habit.

(**b**) *(indica objetivo)* for; **lutar por algo** to fight for sthg.
(**c**) *(indica meio, modo, agente)* by; **foi escrito pela Cristina** it was written by Cristina; **por correio/fax** by mail/fax; **por escrito** in writing; **por avião** *(carta)* air mail.
(**d**) *(relativo a tempo)* for; **partiu por duas semanas** he went away for two weeks.
(**e**) *(relativo a lugar)* through; **entramos no Brasil pelo Paraguai** we crossed into Brazil via Paraguay; **está por aí** it's around there somewhere; **por onde você vai?** which way are you going?; **vamos por aqui** we're going this way.
(**f**) *(relativo a troca, preço)* for; **paguei apenas 20 reais por este casaco** I only paid 20 reals for this jacket; **troquei o carro velho por um novo** I exchanged my old car for a new one.
(**g**) *(indica distribuição)* per; **25 por cento** 25 percent; **são 100 reais por dia/mês** it's 100 reals per day/month.
(**h**) *(em locuções)*: **por que** why; **por que (é que) ...?** why ...?; **por mim tudo bem!** that's fine by me!

pôr ['po(x)] **1** *vt* to put; *(vestir, calçar)* to put on; *(problema, dúvida, questão)* to raise; *(defeitos)* to find; *(suj: ave)* to lay; *(depositar dinheiro)* to deposit.
2 *vi (galinhas)* to lay (eggs).
3 *m*: **o pôr-do-sol** sunset.
4 pôr algo em algo to put sthg in/on sthg; **pôr algo em funcionamento** to start sthg up; **pôr algo mais baixo/alto** *(música, som)* to turn sthg down/up; **pôr a mesa** to lay the table.
❑ **pôr-se** *vp (nervoso, contente)* to become; *(sol)* to set; **pôr-se a fazer algo** to begin to do sthg; **pôr-se de pé** to stand up.

porca ['pɔxka] *f (peça)* nut; *(animal)* sow.

porção [pox'sãw] (*pl* **-ões** [-õjʃ]) *f* portion, helping.

porcaria [poxka'ria] *f* garbage; *(sujeira)* mess; *(pus)* pus; **ficar uma porcaria** to turn out badly; **isto é uma porcaria** this is a piece of garbage; **(que) porcaria!** damn!

porcelana [poxse'lana] *f* porcelain.

porco ['poxku] *m (animal)* pig; *(carne)* pork.

porções → **porção.**

porém [po'rẽj] *conj* however.

pormenor [poxme'nɔ(x)] (*pl* **-res** [-riʃ]) *m* detail; **em pormenor** in detail.

poro ['pɔru] *m* pore.

porque ['poxki] *conj* because.

porquê [pox'ke] *m*: **o porquê de** the reason for.

porquinho-da-índia [pox,kiɲuda'ĩndʒja] (*pl* **porquinhos-da-índia** [pox,kiɲuʒda'ĩndʒja]) *m* guinea pig.

porta ['pɔxta] *f* door; **porta automática** automatic door; **porta corrediça** sliding door; **porta giratória** revolving door.

porta-aviões [,pɔxta'vjõiʃ] *m inv* aircraft carrier.

porta-bagagem [,pɔxtaba'gaʒẽ] (*pl* **porta-bagagens** [,pɔrtaba'gaʒẽʃ]) *m (em carro)* trunk *Am,* boot *Brit*; *(em ônibus)* luggage hold; *(em trem)* luggage rack.

portador, ra [poxta'do(x), ra] (*mpl* **-res** [-riʃ], *fpl* **-s** [-ʃ]) *m, f (de doença, vírus)* carrier; *FIN* bearer; **ao portador** *(cheque, ação, obrigação)* to cash *(on check)*.

porta-jóias [,pɔxta'ʒɔjaʃ] *m inv* jewelry box.

portal [pox'taw] (*pl* **-ais**) *m INFORM* portal.

porta-luvas [,pɔxta'luvaʃ] *m inv* glove compartment.

porta-malas [,pɔxta'malaʃ] *m inv* trunk *Am,* boot *Brit.*

porta-moedas [,pɔxta'mwɛdaʃ] *m inv* purse.

portanto [pox'tãntu] *conj* so, therefore.

portão [pox'tãw] (*pl* **-ões** [-õjʃ]) *m* gate.

portaria [poxta'ria] *f (de edifício)* main entrance; *(documento)* decree.

portátil [pox'tatʃiw] (*pl* **-eis** [-ejʃ]) *adj (telefone)* cordless; *(computador)* laptop.

porta-voz [,pɔxta'vɔjʃ] (*pl* **porta-vozes** [,pɔxta'vɔziʃ]) *mf* spokesman.

porte ['pɔrtʃi] *m (postura)* posture; *(em caminhão)* haulage; *(em avião, navio, trem)* freight; **'porte pago'** 'postage paid'.

porteiro, ra [pox'tejru, ra] *m, f* doorman.

pórtico ['pɔxtʃiku] *m* portico.

porto ['poxtu] *m* port.

portões → **portão.**

porventura [poxvẽn'tura] *adv* by any chance.

pôs ['pojʃ] → **pôr.**

posar [po'za(x)] *vi* to pose.

posição [pozi'sãw] (*pl* **-ões** [-õjʃ]) *f* position; *(moral, política)* stance.

positivo, va [pozi'tʃivu, va] **1** *adj* positive; *(valor, saldo)* in the black, in credit.
2 *m (de fotografia)* print.

posologia [pozolo'ʒia] *f* dosage.

posse ['pɔsi] *f* possession; **estar em posse de** to be in possession of; **tomar posse (de algo)** to take possession of sthg.
❑ **posses** *fpl*: **ter posses** to be wealthy.

possessão [pose'sãw] (*pl* **-ões** [-õjʃ]) *f (posse)* possession, ownership; *(domínio)* control.

possessivo, va [pose'sivu, va] *adj* possessive.

possessões → **possessão.**

possibilidade [posibili'dadʒi] *f* possibility.

possibilitar [posibili'ta(x)] *vt* to make possible.

possível [po'sivɛw] (*pl* **-eis** [-ejʃ]) **1** *adj* possible.
2 *m*: **fazer o possível (para fazer algo)** to do one's best (to do sthg).
3 não é possível! *(exprime incredulidade)* that's incredible!; **logo que possível** as soon as possible; **o mais cedo possível** as soon as possible; **o máximo possível** as much as possible; **se possível** if possible.

posso ['pɔsu] → **poder.**

possuir [posw'i(x)] *vt (carro, casa)* to own; *(desfrutar de)* to have.

postal [poʃ'taw] (*pl* **-ais** [-ajʃ]) *m* postcard.

posta-restante [ˌpɔʃtaxeʃ'tãntʃi] (*pl* **postas-restantes** [ˌpɔʃtaʒxeʃ'tãntiʃ]) *f* poste restante.

poste ['pɔʃtʃi] *m* pole; **poste (de alta tensão)** pylon; **poste (de iluminação)** lamppost.

pôster ['poʃte(x)] (*pl* **-res** [-riʃ]) *m* poster.

posteridade [poʃteri'dadʒi] *f* posterity.

posterior [poʃte'rjo(x)] (*pl* **-res** [-riʃ]) *adj (em tempo, ordem)* subsequent; *(em espaço)* back, rear.

posteriormente [puʃterjor'mẽntʃi] *adv* subsequently.

postiço, ça [poʃ'tʃisu, sa] *adj* false.

posto ['poʃtu] *m (em emprego)* position; *(de polícia, bombeiros)* station; **posto de gasolina** filling station *Am*, petrol station *Brit*; **posto de saúde** health center.

postura [poʃ'tura] *f* posture.

potência [pu'tẽsja] *f* power.

potente [po'tẽntʃi] *adj* powerful.

potro ['potru] *m* colt.

pouco, ca ['poku, ka] **1** *adj & pron (no singular)* little, not much; *(no plural)* few, not many.
2 *adv (relativo a tempo)* not long; *(relativo a quantidade)* not much; *(com adjetivo)* not very.
3 *m*: **um pouco** a little, a bit.
4 ele come pouco he doesn't eat much; **ele é pouco inteligente/amável** he isn't very bright/friendly; **falta pouco para chegarmos lá** it won't be long before we get there; **falta pouco para o verão** it's almost summer(time); **um pouco de** a bit of; **um pouco mais de** a bit more of; **custar pouco** *(ser barato)* to be cheap; **ficar a poucos passos de** to be near; **daí a pouco** shortly afterward; **daqui a pouco** in a little while; **há pouco** a short while ago; **pouco a pouco** little by little; **por pouco não** nearly; **fazer pouco de** to make fun of.

poupança [po'pãsa] *f* saving; *(conta)* savings account.
❑ **poupanças** *fpl* savings.

poupar [po'pa(x)] **1** *vt* to save.
2 *vi* to save up.

pouquinho [po'kiɲu] *m*: **só um pouquinho** just a little; **um pouquinho de** a little bit of.

pousada [po'zada] *f* inn.

pousar [po'za(x)] **1** *vt* to put down.
2 *vi (ave)* to perch; *(avião)* to land.

povo ['povu] *m* people *pl*.

povoação [povwa'sãw] (*pl* **-ões** [-õjʃ]) *f* village.

povoar [po'vwa(x)] *vt* to populate.

p.p. (*abrev de* **páginas**) pp.

praça ['prasa] *f (largo)* square; *(mercado)* market(place).

prado ['pradu] *m* meadow.

praga ['praga] *f* plague; *(palavrão, maldição)* curse.

praia ['praja] *f* beach; **praia de nudismo** nudist beach.

prancha ['prãʃa] *f* board; **prancha de surfe** surfboard.

prata ['prata] *f* silver; **(feito) de prata** (made of) silver.

prateado, da [pra'tʃjadu, da] *adj* silver(y).

prateleira [prate'lejra] *f* shelf.

prática ['pratʃika] *f (experiência)* experience; *(de esporte)* playing; **na prática** in practice; **pôr algo em prática** to put sthg into practice; **ter prática** to have experience.

praticante [pratʃi'kãntʃi] **1** *adj* practicing. **2** *mf*: **praticante de esporte** sportsman.

praticar [pratʃi'ka(x)] *vt* to practice; *(esporte)* to play.

prático, ca ['pratʃiku, ka] *adj* practical.

prato ['pratu] *m (louça)* plate; *(refeição)* dish; **prato fundo** soup bowl; **prato da casa** house speciality; **prato do dia** dish of the day; **prato raso** dinner plate; **prato de sopa** *(utensílio)* soup plate; *(comida)* bowl of soup; **pôr tudo em pratos limpos** to make a clean breast of it. ❑ **pratos** *mpl* MÚS cymbals.

praxe ['praʃi] *f (costume)* custom; **ser de praxe** to be the norm.

prazer [pra'ze(x)] (*pl* **-res** [-riʃ]) *m* pleasure; **muito prazer!** pleased to meet you!; **prazer em conhecê-lo!** pleased to meet you!; **o prazer é (todo) meu!** the pleasure is all mine!; **ela faz tudo a seu bel prazer** she does as she pleases; **com prazer** with pleasure; **por prazer** for pleasure.

prazo ['prazu] *m* period; **prazo de validade** expiry date; **a curto/longo/médio prazo** in the short/long/medium term.

pré-aviso [prɛa'vizu] (*pl* **pré-avisos** [prɛa'vizuʃ]) *m* advance warning, prior notice.

precaução [prekaw'sãw] (*pl* **-ões** [-õjʃ]) *f* precaution; **por precaução** as a precaution.

precaver-se [preka'vexsi] *vp* to take precautions; **precaver-se contra** to take precautions against.

precavido, da [preka'vidu, da] *adj* prudent; **vim precavido** I came prepared.

precedência [prese'dẽsja] *f* precedence; **ter precedência sobre** to take precedence over.

preceder [prese'de(x)] *vt* to precede.

precioso, osa [pre'sjozu, ɔza] *adj* precious.

precipício [presi'pisju] *m* precipice.

precipitação [presipita'sãw] (*pl* **-ões** [-õjʃ]) *f (pressa)* haste; *(chuva)* rainfall.

precipitar-se [presepi'taxsi] *vp (pessoa)* to act rashly; *(acontecimentos)* to gain momentum.

precisão [presi'zãw] *f* accuracy; **com precisão** accurately; **ter precisão de** to have need for.

precisar [presi'za(x)] **1** *vt (especificar)* to specify.
2 *vi (ter necessidade)* to need.
3 precisar de algo to need sthg; **precisar fazer algo** to need to do sthg.

preciso, sa [pre'sizu, za] *adj* accurate, precise; **é preciso ter calma** keep calm; **é preciso passaporte** you need your passport.

preço ['presu] *m* price; **preço de ocasião** special offer; **preço reduzido** reduced price; **preço de liquidação** sale price; **não ter preço** to be priceless.

precoce [pre'kɔsi] *adj (criança)* precocious; *(decisão)* hasty.

preconcebido, da [prɛkõse'bidu, da] *adj* preconceived.

preconceito [prekõ'sejtu] *m* prejudice.

precursor, ra [prekux'so(x), ra] (*mpl* **-res** [-riʃ], *fpl* **-s** [-ʃ]) *m, f* forerunner.

predador, ra [preda'do(x), ra] (*mpl* **-res** [-riʃ], *fpl* **-s** [-ʃ]) *adj* predatory.

predecessor, ra [predese'so(x), ra] (*mpl* **-res** [-riʃ], *fpl* **-s** [-ʃ]) *m, f* predecessor.

predileção [predʒile'sãw] (*pl* **-ões** [-õjʃ]) *f* preference; **ter predileção por** to prefer.

predileções → **predileção.**

prédio ['prɛdʒju] *m* building; **prédio de apartamentos** apartment building *Am*, block of flats *Brit*.

predominante [predomi'nãntʃi] *adj* predominant.

predominar [predomi'na(x)] *vi* to predominate.

preencher [priẽ'ʃe(x)] *vt* to fill in.

prefácio [pre'fasju] *m* preface.

prefeito, ta [pre'fejtu, ta] *m, f* mayor.

prefeitura [prefej'tura] *f* city hall *Am*, town hall *Brit*.

preferência [prefe'rẽsja] *f* preference; **dar preferência a** to give preference to; **ter preferência por** to prefer, to have a preference for; **de preferência** preferably.

preferido, da [prefe'ridu, da] *adj* favorite.

preferir [prefe'ri(x)] *vt* to prefer; **preferir fazer algo** to prefer doing sthg; **eu preferia que viajássemos de dia** I would prefer that we traveled by day.

prefixo [pre'fiksu] *m* prefix.

prega ['prɛga] *f* pleat.

pregar[1] [pre'ga(x)] *vt (prego)* to hammer in; *(botões)* to sew on.

pregar[2] [pre'ga(x)] *vt (sermão)* to preach.

prego ['prɛgu] *m* nail; *(casa de penhor)* pawn shop.

preguiça [pre'gisa] *f* laziness; **estar com** ou **ter preguiça** to be lazy.

pré-histórico, pré-histórica [prɛiʃ'tɔriku, prɛiʃ'tɔrika] *adj* prehistoric.

prejudicar [preʒudʒi'ka(x)] *vt (pessoa)* to harm; *(carreira, relação, saúde)* to damage.

prejudicial [preʒudʒi'sjaw] (*pl* **-ais** [-ajʃ]) *adj*: **prejudicial para** damaging to.

prejuízo [pre'ʒwizu] *m (dano)* damage; *(em negócio)* loss; **em prejuízo de** to the detriment of; **sem prejuízo de** without detriment to; **levar** ou **tomar um prejuízo** to run at a loss.

prematuro, ra [prema'turu, ra] *adj* premature.

premiado, da [premi'adu, da] *adj* prize-winning.

premiar [premi'a(x)] *vt* to award a prize to; *(recompensar)* to reward.

prêmio ['premju] *m (em concurso, competição)* prize; *(recompensa)* reward; *(em seguros)* premium; **grande prêmio** *(em Fórmula 1)* grand prix.

pré-natal [,prɛna'taw] (*pl* **pré-natais** [,prɛna'tawaiʃ]) *adj (roupa, vestuário)* maternity *(antes de s)*.

prenda ['prẽnda] *f* present, gift.

prendado, da [prẽn'dadu, da] *adj* gifted.

prender [prẽn'de(x)] *vt* to tie up; *(pessoa)* to arrest.

❑ **prender-se** *vp* to get stuck.

prenunciar [prenũsi'a(x)] *vt (predizer)* to foretell.

preocupação [preokupa'sãw] (*pl* **-ões** [-õjʃ]) *f* worry.

preocupado, da [prioku'padu, da] *adj* worried.

preocupar [preoku'pa(x)] *vt* to worry.

❑ **preocupar-se** *vp* to worry; **preocupar-se com** to worry about.

pré-pagamento [,prɛpaga'mẽntu] *m* prepayment.

preparação [prepara'sãw] (*pl* **-ões** [-õjʃ]) *f* preparation.

preparado, da [prepa'radu, da] **1** *adj* ready.

2 *m* preparation.

preparar [prepa'ra(x)] *vt* to prepare.

❑ **preparar-se** *vp* to get ready; **preparar-se para algo** to get ready for sthg.

preposição [prepozi'sãw] (*pl* **-ões** [-õjʃ]) *f* preposition.

prepotente [prepo'tẽntʃi] *adj* domineering.

presença [prezẽsj'a(x)] *f* presence; **na presença de** in the presence of; **presença de espírito** presence of mind.

presenciar [prezẽ'sja(x)] *vt* to witness.

presente [pre'zẽntʃi] *adj & m* present; **o presente (do indicativo)** *GRAM* the present tense; **dar/ganhar de presente** to give/receive as a present; **os presentes** those present.

preservar [prezex'va(x)] *vt* to preserve.

preservativo [prezexva'tʃivu] *m* condom.

presidência [prezi'dẽsja] *f* presidency.

presidente [prezi'dẽntʃi] *mf (de país, organização)* president; *(de empresa, associação)* president *Am*, chairman *Brit*; **Presidente da República** President of the Republic.

presidir [prezi'dʒi(x)] *vt, vi*: **presidir (a) algo** to chair sthg.

presilha [pre'ziʎa] *f* (belt) loop.

preso, sa ['prezu, za] **1** *pp* → **prender.**

2 *adj* tied up; *(capturado)* imprisoned; *(que não se move)* stuck.

3 *m, f (prisioneiro)* prisoner.

pressa ['prɛsa] *f* hurry; **estar com** ou **ter pressa** to be in a hurry ou rush; **estar sem pressa** not to be in a hurry ou rush; **às pressas** quickly, hurriedly.

presságio [pre'saʒju] *m* premonition.

pressão [pre'sãw] (*pl* **-ões** [-õjʃ]) *f* pressure; **pressão (arterial) alta/baixa** *MED* high/low blood pressure; **pressão atmosférica** atmospheric pressure; **estar sob pressão** *(pessoa)* to be under pressure.

pressentimento [presẽntʃi'mẽntu] *m* feeling; **mau pressentimento** a bad feeling about sthg.

pressentir [presẽn'tʃi(x)] *vt*: **pressentir que** to have a feeling (that).

pressionar [presjo'na(x)] *vt (botão)* to press; *(pessoa)* to pressure.

pressões → **pressão.**

pressupor [presu'po(x)] *vt* to presuppose.

prestação [preʃta'sãw] (*pl* **-ões** [-õjʃ]) *f (de serviço)* provision; *(de pagamento)* installment; **pagar em prestações** to pay in installments.

prestar [preʃ'ta(x)] **1** *vt (ajuda)* to give; *(serviço)* to provide; *(contas)* to render; *(atenção)* to pay.
2 *vi (ser útil)* to be useful.
3 isso presta para alguma coisa? is that any good?; **não prestar** to be no good; **não prestar para nada** to be totally useless; **prestar um serviço a alguém** to do sthg for sb.
❑ **prestar-se a** *vp + prep (ser adequado para)* to be appropriate for; *(estar disposto a)* to leave o.s. open to.

prestativo, va [preʃta'tʃivu, va] *adj* helpful.

prestes ['prɛʃtiʃ] *adj inv*: **estar prestes a fazer algo** to be just about to do sthg.

prestígio [preʃ'tiʒju] *m* prestige.

presumir [prezu'mi(x)] *vt* to presume.

presunçoso, osa [prezũ'sozu, ɔza] *adj (pessoa)* conceited; *(discurso, artigo)* pretentious.

presunto [pre'zũntu] *m* ham; **presunto defumado** smoked ham; **presunto de Parma** Parma ham.

prêt-a-porter [prɛtapox'te] *m inv* ready-to-wear clothes *pl.*

pretender [pretẽn'de(x)] *vt (querer)* to want; *(afirmar)* to claim; **pretender fazer algo** to intend to do sthg.

> Não confundir *pretender (intend)* com o inglês *pretend* que em português significa *fingir.* (*Nós pretendemos viajar amanhã pela manhã.* We *intend* to travel tomorrow morning.)

pretensão [pretẽn'sãw] (*pl* **-ões** [-õjʃ]) *f (desejo)* wish, aspiration; **pretensão salarial** salary expectations.
❑ **pretensões** *fpl (vaidade)* pretentiousness *sg*; **ter pretensões** to be pretentious.

pretérito [pre'tɛritu] *m* GRAM preterite, past tense; **pretérito perfeito (simples)** simple past (tense); **pretérito imperfeito (simples)** imperfect (tense).

pretexto [pre'teʃtu] *m* excuse; **sob pretexto algum** under no circumstances; **a** ou **sob o pretexto de** on the pretext of.

preto, ta ['pretu, ta] *adj & m, f* black; **pôr o preto no branco** to set the record straight.

prevalecer [prevale'se(x)] *vi* to prevail.

prevenção [prevẽ'sãw] (*pl* **-ões** [-õjʃ]) *f (de doença, acidente)* prevention; *(aviso)* warning; **estar de prevenção** to be on guard; **prevenção rodoviária** road safety and accident prevention; **por prevenção** as a precaution.

prevenido, da [preve'nidu, da] *adj* cautious; **estar prevenido** to be prepared.

prevenir [preve'ni(x)] *vt (avisar)* to warn; *(evitar)* to prevent; **prevenir alguém de algo** to warn sb of sthg.

prever [pre've(x)] *vt* to foresee; *(tempo)* to forecast.

prévio, via ['prɛvju, vja] *adj* prior.

previsão [previ'zãw] (*pl* **-ões** [-õjʃ]) *f* forecast; **previsão do tempo** weather forecast.

previsível [previ'zivɛw] (*pl* **-eis** [-ejʃ]) *adj* foreseeable.

previsões → **previsão.**

previsto, ta [pre'viʃtu, ta] *adj* expected; **como previsto** as expected.

prezado, da [pre'zadu, da] *adj (querido)* dear; **Prezado ...** *fml (em carta)* Dear ...

primário, ria [pri'marju, rja] **1** *adj (básico)* basic; EDUC primary.
2 *m (curso)* elementary education.

primavera [prima'vɛra] *f (estação)* spring; *(flor)* primrose.

primeira [pri'mejra] *f (em veículo)* first (gear) → **primeiro.**

primeiro, ra [pri'mejru, ra] **1** *adj, adv & num* first.
2 *m, f*: **o primeiro/a primeira da turma** top of the class.
3 à primeira vista at first sight; **de primeira** first-class; **em primeiro lugar** first; **primeiros socorros** MED first aid *sg*; **primeiro de tudo** *(antes de mais)* first of all → **sexto.**

primeiro-ministro, primeira-ministra [pri,mejrumi'niʃtru, pri,mejrami'niʃtra] (*mpl* **primeiros-ministros** [pri,mejruʒmi'niʃtruʃ], *fpl* **primeiras-ministras** [pri,mejraʒmi'niʃtraʃ]) *m, f* prime minister.

primitivo, va [primi'tʃivu, va] *adj* primitive.

primo, ma ['primu, ma] *m, f* cousin.

princesa [prĩ'seza] *f* princess.

principal [prĩsi'paw] (*pl* **-ais** [-ajʃ]) *adj* main.

principalmente [prĩsipaw'mẽntʃi] *adv* mainly, especially.

príncipe ['prĩsipi] *m* prince.

principiante [prĩsipi'ãntʃi] *mf* beginner.

principiar [prĩsipi'a(x)] *vt & vi* to start, to begin.
princípio [prĩ'sipju] *m* beginning; *(moral)* principle; **partir do princípio que ...** to work on the basis that ...; **a princípio** to start with; **desde o princípio** from the beginning; **em princípio** in principle; **por princípio** on principle.
prioridade [priori'dadʒi] *f* priority.
prisão [prizãw] (*pl* **-ões** [-õjʃ]) *f (ato)* imprisonment; *(local)* prison; **prisão de ventre** constipation; **prisão domiciliar** house arrest; **prisão perpétua** life imprisonment.
privação [priva'sãw] (*pl* **-ões** [-õjʃ]) *f* loss.
❑ **privações** *fpl* misery *sg*, hardship *sg*.
privacidade [privasi'dadʒi] *f* privacy.
privações → **privação.**
privada [pri'vada] *f* toilet.
privado, da [pri'vadu, da] *adj* private.
privar [pri'va(x)] *vt*: **privar alguém de algo** to deprive sb of sthg.
❑ **privar-se de** *vp + prep* to go without.
privativo, va [priva'tʃivu, va] *adj* private.
privilegiado, da [privileʒj'adu, da] *adj (pessoa)* privileged; *(local)* exceptional.
privilegiar [privileʒi'a(x)] *vt* to favor.
privilégio [privi'lɛʒju] *m* privilege.
proa ['proa] *f* prow.
probabilidade [probabili'dadʒi] *f* probability.
problema [pro'blema] *m* problem; **ter problemas com** to have problems with.
procedente [prose'dẽntʃi] *adj*: **procedente de** *(trem, ônibus, avião)* from.
proceder [prose'de(x)] *vi (agir)* to proceed, to act; **proceder com** to proceed with.
processador [prosesa'do(x)] (*pl* **-res** [-riʃ]) *m*: **processador de texto** word processor.
processamento [prosesa'mẽntu] *m* processing.
processar [prose'sa(x)] *vt* JUR *(pessoa, empresa)* to prosecute; JUR *(por danos pessoais, materiais)* to sue; INFORM *(dados, texto)* to process.
processo [pro'sɛsu] *m (sistema)* process; JUR (law)suit.
procissão [prosi'sãw] (*pl* **-ões** [-õjʃ]) *f* procession.
procura [pro'kura] *f (busca)* search; COM demand; **andar à procura de** to be looking for.
procurador, ra [prokura'do(x), ra] (*mpl* **-res** [-riʃ], *fpl* **-s** [-ʃ]) *m, f* proxy; **procurador da República** Attorney General.
procurar [prɔku'ra(x)] *vt* to look for; **procurar fazer algo** to try to do sthg.
prodígio [pro'dʒiʒju] *m* prodigy.
produção [prudu'sãw] (*pl* **-ões** [-õjʃ]) *f* production.
produtivo, va [produ'tʃivu, va] *adj (que produz)* productive; *(lucrativo)* profitable.
produto [pro'dutu] *m* product; **produto alimentar** foodstuff; **produto de limpeza** cleaning product; **produto natural** natural product.
produtor, ra [produ'to(x), ra] (*mpl* **-res** [-riʃ], *fpl* **-s** [-ʃ]) *m, f* producer.
produzir [produ'zi(x)] *vt* to produce.
proeminente [proimi'nẽntʃi] *adj (saliente)* protruding; *(importante)* prominent.
proeza [pro'eza] *f* deed.
profanar [profa'na(x)] *vt (igreja, cemitério)* to desecrate; *(memória)* to be disrespectful about.
profecia [profe'sia] *f* prophecy.
proferir [profe'ri(x)] *vt (discurso)* to give; *(palavra)* to utter; *(insulto)* to hurl; *(desejo)* to make; *(sentença)* to pronounce.
professor, ra [profe'so(x), ra] (*mpl* **-res** [-riʃ], *fpl* **-s** [-ʃ]) *m, f* teacher; *(universitário)* professor *Am*, lecturer *Brit*.
profeta [pro'fɛta] *m* prophet.
profissão [profi'sãw] (*pl* **-ões** [-õjʃ]) *f* profession.
profissional [profisjo'naw] (*pl* **-ais** [-ajʃ]) *adj & mf* professional.
profissões → **profissão.**
profundidade [profũndʒi'dadʒi] *f* depth; **tem três metros de profundidade** it's three meters deep.
profundo, da [pro'fũndu, da] *adj* deep; *(idéia, argumento, sentimento)* profound.
prognóstico [prog'nɔʃtʃiku] *m* MED prognosis; *(de tempo)* forecast.
programa [pro'grama] *m* program *Am*, programme *Brit*; EDUC syllabus, curriculum; INFORM program.
programação [programa'sãw] (*pl* **-ões** [-õjʃ]) *f (em televisão, rádio)* programming; INFORM programming.
progredir [progre'di(x)] *vi* to make progress; *(doença)* to progress; **progredir em** to make progress in.
progresso [pro'grɛsu] *m* progress; **fazer**

progressos to make progress.

proibição [proibi'sãw] (*pl* **-ões** [-õjʃ]) *f* ban.

proibido, da [proi'bidu, da] *adj* prohibited; **'proibida a entrada'** 'no entry'; **'proibido afixar anúncios'** 'no bill sticking'; **'proibido estacionar'** 'no parking'; **'proibido fumar'** 'no smoking'; **'proibido para menores de 18'** 'adults only'.

proibir [proi'bi(x)] *vt (consumo)* to forbid; *(acontecimento, publicação)* to ban; **proibir alguém de fazer algo** to forbid sb to do sthg.

projétil [pro'ʒɛtʃiw] (*pl* **-teis** [-teiʃ]) *m* projectile.

projeto [pro'ʒɛtu] *m* project, plan; **projeto de lei** bill.

projetor [proʒe'to(x)] (*pl* **-res** [-riʃ]) *m* projector; *(de luz)* spotlight.

proliferar [prolife'ra(x)] *vi* to proliferate.

prólogo ['prɔlogu] *m* prologue.

prolongado, da [prolõŋ'gadu, da] *adj* extended.

prolongar [prolõŋ'ga(x)] *vt (prazo)* to extend; *(férias, estada)* to prolong.
❑ **prolongar-se** *vp (demorar-se)* to last.

promessa [pro'mɛsa] *f* promise.

prometer [prome'te(x)] *vt* to promise; **prometer algo a alguém** to promise sb sthg; **prometer fazer algo** to promise to do sthg; **prometer que** to promise (that).

promissor, ra [promi'so(x), ra] (*mpl* **-res** [-riʃ], *fpl* **-s** [-ʃ]) *adj* promising.

promoção [promo'sãw] (*pl* **-ões** [-õjʃ]) *f* promotion; **em promoção** on special offer.

promontório [promõn'tɔrju] *m* headland.

promover [promo've(x)] *vt* to promote.

pronome [pro'nomi] *m GRAM* pronoun.

pronto, ta ['prõntu, ta] **1** *adj (preparado)* ready; *(resposta)* prompt.
2 *interj* that's that!.
3 estar pronto to be ready; **estar pronto para fazer algo** to be ready to do sthg, to be willing to do sthg.

pronto-socorro [,prõntuso'koxu] *m* emergency room *Am*, casualty *Brit*.

pronúncia [pro'nũsja] *f (pronunciação)* pronunciation; *(sotaque)* accent.

pronunciar [pronũsi'a(x)] *vt (palavra, frase)* to pronounce; *(discurso)* to give.
❑ **pronunciar-se** *vp (palavra)* to be pronounced; *(exprimir opinião)* to express one's opinion.

propaganda [propa'gãnda] *f (de produto)* advertising; *POL* propaganda.

propina [pro'pina] *f (gorjeta)* tip; *(suborno)* bribe.

propor [pro'po(x)] *vt (sugerir)* to propose; *(negócio)* to offer.

proporção [propor'sãw] (*pl* **-ões** [-õjʃ]) *f* proportion; **em proporção** in proportion.
❑ **proporções** *fpl (dimensões)* measurements.

proporções → **proporção.**

propósito [pro'pɔzitu] *m* purpose; **a propósito, quando é que você vai de férias?** by the way, when are you going on vacation?; **com o propósito de** with the intention of; **de propósito** on purpose.
❑ **propósitos** *mpl (maneiras)* manners.

propriedade [proprie'dadʒi] *f* property; **'propriedade privada'** 'private property'.

proprietário, ria [proprie'tarju, rja] *m, f* owner.

próprio, pria ['prɔpriu, pria] **1** *adj (carro, casa)* own; *(adequado)* appropriate; *(característico)* particular.
2 *m, f*: **é o próprio/a própria** *(em conversa telefônica)* speaking.
3 próprio para appropriate for; **próprio para consumo** fit for human consumption; **eu próprio** I myself; **o próprio presidente** the president himself.

prosa ['prɔza] *f* prose.

prospecto [proʃ'pɛ(k)tu] *m* leaflet.

prosperar [proʃpe'ra(x)] *vi* to prosper.

prosperidade [proʃperi'dadʒi] *f* prosperity.

prosseguir [prose'gi(x)] **1** *vt (estudos, investigações)* to continue.
2 *vi (continuar)* to proceed, to carry on; **se prosseguir com este tipo de comportamento, será despedido** if you continue to behave in this way, you will be fired.

prostituta [proʃtʃi'tuta] *f* prostitute.

protagonista [protago'niʃta] *mf* protagonist.

proteção [prote'sãw] (*pl* **-ões** [-õjʃ]) *f* protection.

proteções → **proteção.**

proteger [prote'ʒe(x)] *vt* to protect.

proteína [protɛ'ina] *f* protein.

prótese ['prɔtezi] *f MED* prosthesis; **prótese dentária** dental prosthesis.

protestante [proteʃ'tãntʃi] *adj & mf RELIG* Protestant.

protestar [proteʃ'ta(x)] *vi* to protest; **protestar contra** to protest against.

protesto [pro'tɛʃtu] *m* protest.

protetor, ra [prote'to(x), ra] (*mpl* **-res** [-riʃ], *fpl* **-s** [-ʃ]) **1** *adj & m, f* protector.
2 *adj* protective; **protetor (solar)** sunscreen.

protocolo [proto'kɔlu] *m (em audiência)* transcription; *(regras)* protocol.

prova ['prɔva] *f* proof; *ESP* event; *(teste)* test; **à prova d'água** waterproof; **à prova de fogo** fireproof; **à prova de óleo** oil-resistant; **dar provas de** to show; **pôr à prova** to put to the test; **prestar provas** *(fazer exames)* to take tests.

provar [pro'va(x)] *vt (fato)* to prove; *(comida)* to try; *(roupa)* to try on.

provável [pro'vavɛw] (*pl* **-eis** [-ejʃ]) *adj* probable; **pouco provável** unlikely.

proveito [pro'vejtu] *m* benefit; **bom proveito!** enjoy your meal!; **em proveito de** for the benefit of; **tirar proveito de algo** to benefit from sthg.

proveniente [provenj'ẽntʃi] *adj*: **proveniente de** (coming) from.

provérbio [pro'vɛrbju] *m* proverb.

prover-se [pro'vexsi]: **prover-se de** *vp + prep (abastecer-se de)* to provide o.s. with; *(munir-se de)* to equip o.s. with.

proveta [pro'veta] *f* test tube.

providência [provi'dẽsja] *f* measure; **tomar providências** to take measures.

providenciar [providẽsj'a(x)] **1** *vt* to arrange (for).
2 *vi*: **providenciar (para que)** to make sure (that).

província [pro'vĩsja] *f* province.

provisório, ria [provi'zɔrju, rja] *adj* temporary.

provocador, ra [provoka'do(x), ra] (*mpl* **-res** [-riʃ], *fpl* **-s** [-ʃ]) *adj* provocative.

provocar [provo'ka(x)] *vt (causar)* to cause; *(irritar)* to provoke.

proximidade [prosimi'dadʒi] *f* proximity.
❑ **proximidades** *fpl (arredores)* neighborhood *sg*.

próximo, ma ['prɔsimu, ma] **1** *adj (em espaço, tempo)* near; *(seguinte)* next; *(íntimo)* close.
2 *pron*: **o próximo/a próxima** the next one.
3 quem é o próximo? who's next?; **até a próxima!** see you!; **próximo de** near (to); **nos próximos dias/meses** in the next few days/months.

prudência [pru'dẽsja] *f* care, caution.

prudente [pru'dẽntʃi] *adj* careful, cautious.

prurido [pru'ridu] *m* itch.

P.S. (*abrev de* **Post Scriptum**) PS.

pseudônimo [psew'donimu] *m* pseudonym.

psicologia [psikolo'ʒia] *f* psychology.

psicológico, ca [psiko'lɔʒiku, ka] *adj* psychological.

psicólogo, ga [psi'kɔlogu, ga] *m, f* psychologist.

psiquiatra [psi'kjatra] *mf* psychiatrist.

puberdade [puber'dadʒi] *f* puberty.

publicação [publika'sãw] (*pl* **-ões** [-õjʃ]) *f* publication.

publicar [publi'ka(x)] *vt* to publish.

publicidade [publisi'dadʒi] *f (atividade, curso)* advertising; *(anúncio)* advertisement; *(divulgação, difusão)* publicity.

público, ca ['publiku, ka] **1** *adj (jardim, via)* public; *(escola)* state *(antes de s)*; *(empresa)* state-owned.
2 *m (de espetáculo)* audience.
3 o público em geral the general public; **tornar público algo** to make sthg public; **em público** in public.

pude ['pudʒi] → **poder**.

pudim [pu'dʒĩ] (*pl* **-ns** [-ʃ]) *m* pudding; **pudim de leite** caramel pudding.

puf ['pufe] *interj (de enfado)* pah!; *(de cansaço)* phew!

pugilismo [puʒi'liʒmu] *m* boxing.

pular [pu'la(x)] **1** *vi* to jump.
2 *vt* to jump over.

pulga ['puwga] *f* flea; **estar com a pulga atrás da orelha** *fig (estar suspeitoso)* to think something is up.

pulmão [puw'mãw] (*pl* **-ões** [-õjʃ]) *m* lung.

pulo ['pulu] *m* jump; **dar um pulo até** to go over to; **dar pulos** to jump up and down; **num pulo** in a flash.

pulôver [pu'lovɛ(x)] (*pl* **-res** [-riʃ]) *m* sweater.

pulsação [puwsa'sãw] (*pl* **-ões** [-õjʃ]) *f* beat.

pulseira [puw'sejra] *f* bracelet.

pulso ['puwsu] *m* wrist; *(pulsação)* pulse; **medir** ou **tirar o pulso de alguém** to take sb's pulse.

pulverizar [puwveri'za(x)] *vt (com líquido)* to spray; *(reduzir a pó)* to pulverize.

punha ['puɲa] → **pôr.**

punhado [pu'ɲadu] *m*: **um punhado de** a handful of.

punhal [pu'ɲaw] (*pl* **-ais** [-ajʃ]) *m* dagger.

punho ['puɲu] *m (mão fechada)* fist; *(pulso)* wrist; *(de casaco, camisa, blusa)* cuff; *(de arma, faca)* hilt.

punir [pu'ni(x)] *vt* to punish.

pupila [pu'pila] *f* pupil.

purê [pu're] *m* purée; **purê (de batata)** mashed potatoes *pl.*

pureza [pu'reza] *f* purity.

purgante [pux'gãntʃi] *m* purgative.

purificador, ra [purifika'do(x), ra] (*mpl* **-res** [-riʃ], *fpl* **-s** [-ʃ]) **1** *adj* purifying. **2** *m*: **purificador do ar** air freshener.

purificar [purifi'ka(x)] *vt (sangue)* to purify; *(ar)* to freshen.

puritano, na [puri'tanu, na] *adj* puritanical.

puro, ra ['puru, ra] *adj* pure; **pura lã** pure wool; **a pura verdade** the plain truth; **pura e simplesmente** simply.

puro-sangue [,puru'sãŋgi] *m inv* thoroughbred.

púrpura ['puxpura] *f* purple.

pus[1] ['puʃ] → **pôr.**

pus[2] ['puʃ] *m* pus.

puxador [puʃa'do(x)] (*pl* **-res** [-riʃ]) *m* handle.

puxão [pu'ʃãw] (*pl* **-ões** [-õjʃ]) *m* tug.

puxar [pu'ʃa(x)] *vt (cabelo, cordel)* to pull; *(banco, cadeira)* to pull up; **'puxar', 'puxe'** *(aviso em porta)* 'pull'; **puxar o saco de alguém** to suck up to sb.

> Não confundir *puxar (pull)* com o inglês *push* que em português significa *empurrar*. (*Ele puxou minha camiseta para chamar a atenção.* He *pulled* on my t-shirt to call my attention.)

puxões → **puxão.**

Qq

Q.I. *m* (*abrev de* **quociente de inteligência**) I.Q.

quadra ['kwadra] *f (quarteirão)* block; *(em poesia)* quatrain; **quadra de tênis/squash** tennis/squash court.

quadrado, da [kwa'dradu, da] *adj & m* square.

quadragésimo, ma [kwadra'ʒɛzimu, ma] *num* fortieth → **sexto.**

quadril [kwa'driw] (*pl* **-is** [-iʃ]) *m* hip.

quadro ['kwadru] *m* picture; *(em sala de aula)* board; *(pintura)* painting.

quadro-negro [ˌkwadru'negru] (*pl* **quadros-negros** [ˌkwadruʒ'negruʃ]) *m* blackboard.

quaisquer → **qualquer.**

qual [kwaw] (*pl* **-ais** [-ajʃ]) **1** *adj* which.
2 *conj fml (como)* like.
3 *interj* what!
4 *pron (em interrogativa)* what; *(especificando)* which (one).
5 o/a qual *(suj: pessoa)* who; *(complemento: pessoa)* whom; *(suj, complemento: coisa)* which; **cada qual** everyone; **qual deles ...?** which one (of them) ...?; **qual nada** ou **o quê!** no such thing!

qualidade [kwali'dadʒi] *f* quality; *(espécie)* type; **na qualidade de** in the capacity of.

qualificação [kwalifika'sãw] (*pl* **-ões** [-õjʃ]) *f* qualification.

qualificado, da [kwalifi'kadu, da] *adj* qualified.

qualquer [kwaw'kɛ(x)] (*pl* **quaisquer** [kwajʃ'kɛ(x)]) *adj & pron* any; **está por aqui em qualquer lugar** it's (around) here somewhere; **qualquer um deles** any of them; **qualquer um dos dois** either of them; **qualquer um** ou **pessoa** anyone, anybody; **a qualquer momento** at any time.

quando ['kwãndu] **1** *adv* when.
2 *conj* when; *(ao passo que)* while.
3 de quando em quando from time to time; **desde quando** how long; **quando mais não seja** at least; **quando muito** at (the) most; **quando quer que** whenever.

quantia [kwãn'tʃia] *f* amount, sum.

quantidade [kwãntʃi'dadʒi] *f* amount, quantity; **em quantidade** in large quantities.

quanto, ta ['kwãntu, ta] **1** *adj* **(a)** *(em interrogativas: singular)* how much; *(em interrogativas: plural)* how many; **quanto tempo temos?** how much time do we have?; **quanto tempo temos de esperar?** how long do we have to wait?; **quantas vezes você já esteve aqui?** how many times have you been here?
(b) *(em exclamações)* what a lot of; **quanto dinheiro!** what a lot of money!; **quantos erros!** what a lot of mistakes!
(c) *(em locuções)*: **uns quantos/umas quantas** some; **umas quantas pessoas** a few people.
2 *pron* **(a)** *(em interrogativas: singular)* how much; *(em interrogativas: plural)* how many; **quanto você quer?** how much do you want?; **quantos você quer?** how many do you want?; **quanto custam?** how much do they cost?
(b) *(relativo a pessoas)*: **todos quantos** everyone who *sg*; **agradeceu a todos quantos o ajudaram** he thanked everyone who helped him.
(c) *(tudo o que)* everything, all; **coma quanto/quantos você quiser** eat as much/as many as you like; **tudo quanto disse é verdade** everything he said is true.
(d) *(compara quantidades)*: **quanto mais**

se tem, mais se quer the more you have, the more you want.
(e) *(em locuções)*: **não há espaço para um, quanto mais para dois** there's hardly enough room for one, let alone two; **quanto a** as regards; **quanto antes** as soon as possible; **quanto mais não seja** at the very least; **quanto mais melhor** the more the merrier; **uns quantos/umas quantas** some.

quarenta [kwa'rẽnta] *num* forty → **seis.**

Quaresma [kwa'rɛʒma] *f* Lent.

quarta ['kwarta] *f (em veículo)* fourth (gear) → **quarto.**

quarta-feira [ˌkwaxta'fejra] (*pl* **quartas-feiras** [ˌkwaxtaʃ'fejraʃ]) *f* Wednesday → **sexta-feira.**

quarteirão [kwaxtej'rãw] (*pl* **-ões** [-õjʃ]) *m (área)* block.

quartel [kwax'tɛw] (*pl* **-éis** [-ɛiʃ]) *m MIL* barracks *pl.*

quarteto [kwax'tetu] *m* quartet.

quarto, ta ['kwaxtu, ta] **1** *num* fourth.
2 *m (divisão de casa)* room; *(parte)* quarter.
3 'quarto para alugar' 'room for rent'; **quarto de casal** double room; **quarto com duas camas** twin room → **sexto.**

quase ['kwazi] *adv* almost, nearly; **quase caí** I almost fell over; **quase nada** almost nothing, hardly anything; **quase nunca** hardly ever; **quase quase** very nearly; **quase sempre** nearly always.

quatro ['kwatru] *num* four → **seis.**

quatrocentos, tas [ˌkwatro'sẽntuʃ, taʃ] *num* four hundred → **seis.**

que [ki] **1** *adj inv* (a) *(em interrogativas)* what, which; **que livros você quer?** which books do you want?; **que dia é hoje?** what day is it today?; **que horas são?** what time is it?
(b) *(em exclamações)*: **mas que belo dia!** what a beautiful day!; **que fome!** I'm starving!; **que maravilha!** how wonderful!
2 *pron* (a) *(em interrogativas)* what; **que é isso?** what's that?; **o que você quer?** what do you want?; **o que você vai comer?** what are you going to have (to eat)?
(b) *(uso relativo: sujeito)* who; *(coisa)* which, that; **o homem que está correndo** the man who's running; **a guerra que começou em 1939** the war that started in 1939.
(c) *(uso relativo: complemento)* whom, that; *(coisa)* which, that; **o bolo que comi era ótimo** the cake (that) I had was great; **o homem que conheci** the man (that) I met.
3 *conj* (a) *(com complemento direto)* that; **disse-me que ia de férias** he told me (that) he was going on vacation.
(b) *(em comparações)*: **(do) que** than; **é mais caro (do) que o outro** it's more expensive than the other.
(c) *(exprime causa)*: **leva o guarda-chuva que está chovendo** take an umbrella because it's raining; **vai depressa que você está atrasado** you're late, so you'd better hurry.
(d) *(exprime conseqüência)* that; **pediu-me tanto que acabei por lhe dar** he asked me for it so persistently that I ended up giving it to him.
(e) *(exprime tempo)*: **há horas que estou à espera** I've been waiting for hours; **há muito que não vou lá** I haven't been there for ages.
(f) *(indica desejo)* that; **espero que você se divirta** I hope (that) you have a good time; **quero que você o faça** I want you to do it; **que você seja feliz!** all the best!
(g) *(em locuções)*: **que nem** like; **chorou que nem um bebê** he cried like a baby.

> Em exclamações referentes a um substantivo, acompanhado ou não de adjetivo, usa-se *what* (*what nice friends you've got!* que amigos simpáticos você tem!). Quando o substantivo for contável em inglês, no singular coloca-se *a/an* após *what* (*what a great dress!; what a hero!*). Se for incontável, não precisa de artigo (*what awful luck* que falta de sorte).
>
> Por outro lado, se a ênfase é dada a um adjetivo ou a um advérbio, usa-se *how* (*how silly you can be sometimes; how suddenly it all happened!*).

quê ['ke] **1** *interj* what!
2 *pron (interrogativo)* what.
3 *m*: **um quê** (a certain) something; **um quê de** a touch of.
4 não tem de quê! not at all!, don't mention it!; **sem quê nem para quê** *(sem motivos)* for no apparent reason.

quebra-cabeças [ˌkɛbraka'besaʃ] *m inv (passatempo)* puzzle; *fig (problema)* headache.

quebra-mar [ˌkɛbra'ma(x)] (*pl* **quebra-**

mares [ˌkɛbraˈmariʃ]) *m* breakwater.

quebra-nozes [ˌkɛbraˈnɔziʃ] *m inv* nutcracker.

quebrar [keˈbra(x)] *vt* to break; *(avariar)* to break down; **'quebrar em caso de emergência'** 'in case of emergency break glass'; **quebrar a cara** *fig* to come a cropper.
❑ **quebrar-se** *vp* to break.

queda [ˈkɛda] *f* fall; **ter queda para** *fig (vocação)* to have a flair for.

queijo [ˈkejʒu] *m* cheese; **queijo curado** cured cheese; **queijo de cabra** goat's cheese; **queijo ralado** grated cheese.

queimado, da [kejˈmadu, da] *adj* burned; *(pelo sol)* sunburned.

queimadura [kejmaˈdura] *f* burn; **queimadura de sol** sunburn.

queimar [kejˈma(x)] *vt* to burn; **queimar o filme** to put one's foot in it.
❑ **queimar-se** *vp* to burn o.s.; *(com sol)* to get sunburned.

queixa [ˈkejʃa] *f (lamentação)* moan; *(em polícia)* complaint; **apresentar queixa** *(em polícia)* to register a complaint; **fazer queixa de alguém** to complain about sb.

queixar-se [kejˈʃaxsi] *vp* to moan; **queixar-se a alguém (de algo)** to complain to sb (about sthg); **queixar-se de** to complain about.

queixo [ˈkejʃu] *m* chin; **tinha tanto frio que estava batendo queixo** he was so cold that his teeth were chattering.

queixoso, osa [kejˈʃozu, ɔza] *m, f JUR* plaintiff.

quem [ˈkẽj] *pron (interrogativo: sujeito)* who; *(interrogativo: complemento)* who, whom; *(indefinido)* whoever; **quem diria!** who would have thought it!; **quem é?** *(na porta)* who's there?; **quem fala?** *(no telefone)* who's calling?; **quem me dera ser rico!** if only I were rich!; **quem quer que** whoever; **seja quem for** no matter who it is.

> Na linguagem formal, emprega-se ***whom*** no lugar de ***who*** quando este funcionar como objeto da oração (***whom did you see?*** quem você viu?), mas nunca quando for sujeito (***who saw you?*** quem o viu?).
>
> Ver também **whom** no lado Inglês-Português do dicionário.

quente [ˈkẽntʃi] *adj* hot; *(roupa)* warm; *(informação, fonte)* reliable.

quer [kɛ(x)] *conj*: **quer ... quer** whether ... or; **quem quer que seja** whoever; **onde quer que seja** wherever; **o que quer que seja** whatever.

querer [keˈre(x)] *vt* to want; **como quiser!** as you wish!; **por favor, queria ...** excuse me, I'd like ...; **sem querer** *(sem intenção)* unintentionally, by accident; **querer muito a alguém** *(amar)* to love sb; **querer bem a alguém** to care about sb; **não querer mal a alguém** to wish sb no ill; **querer dizer** *(significar)* to mean.
❑ **querer-se** *vp*: **eles se querem muito** they're very much in love.

querido, da [keˈridu, da] *adj* dear.

querosene [kɛroˈzɛni] *m* kerosene.

questão [keʃˈtãw] (*pl* **-ões** [-õjʃ]) *f* question; *(discussão)* quarrel; **há questão de dez minutos** about ten minutes ago; **fazer questão (de fazer algo)** to insist (on doing sthg); **pôr algo em questão** to question sthg; **ser questão de** to be a matter of; **em questão** in question.

quiabo [kjˈabu] *m* okra.

quieto, ta [kjˈɛtu, ta] *adj (parado, imóvel)* still; *(calado, calmo)* quiet.

quilate [kiˈlatʃi] *m* carat.

quilo [ˈkilu] *m* kilo; **o quilo** a ou per kilo.

quilometragem [kilomeˈtraʒẽ] (*pl* **-ns** [-ʃ]) *f* mileage.

quilômetro [kiˈlometru] *m* kilometer.

química [ˈkimika] *f* chemistry → **químico.**

químico, ca [ˈkimiku, ka] *m, f* chemist.

quinhão [kiˈɲãw] (*pl* **-ões** [-õjʃ]) *m* share.

quinhentos, tas [kiˈɲẽntuʃ, taʃ] *num* five hundred → **seis.**

quinhões → **quinhão.**

quinquagésimo, ma [kwĩŋkwaˈʒɛzimu, ma] *num* fiftieth → **sexto.**

quinquilharias [kĩŋkiʎaˈriaʃ] *fpl* junk *sg.*

quinta [ˈkĩnta] *f* farm → **quinto.**

quinta-feira [ˌkĩntaˈfejra] *f* Thursday → **sexta-feira.**

quintal [kĩnˈtaw] (*pl* **-ais** [-ajʃ]) *m (terreno)* back yard.

quinteto [kĩnˈtetu] *m* quintet.

quinto, ta [ˈkĩntu, ta] *num* fifth → **sexto.**

quinze [ˈkĩzi] *num* fifteen; **quinze dias** two weeks; **três e quinze** quarter after three; **quinze para as três** quarter to three.

quinzena [kĩ'zena] *f* two weeks.

quiosque ['kjɔʃki] *m* kiosk.

quis ['kiʃ] → **querer.**

quitanda [ki'tãnda] *f (loja)* grocery store.

quites ['kitiʃ] *adj inv*: **estar quites (com alguém)** to be quits (with sb).

quociente [kwɔ'sjẽntʃi] *m* quotient.

quota ['kwɔta] *f (parte)* quota; *(de clube)* membership fee.

quotidiano [kotʃidj'ãnu] *adj* → **cotidiano.**

Rr

R. (*abrev de* **rua**) Rd., St.
R$ (*abrev de* **real**) R.
rã [ˈxã] *f* frog.
rabanete [xabaˈnetʃi] *m* radish.
rabicho [xaˈbiʃu] *m* ponytail.
rabino [xaˈbinu] **1** *adj (criança)* naughty.
2 *m (sacerdote)* rabbi.
rabiscar [xabiʃˈka(x)] *vi & vt* to scribble.
rabisco [xaˈbiʃku] *m* scrawl.
rabo [ˈxabu] *m (de ave, animal)* tail.
rabugento, ta [xabuˈʒẽntu, ta] *adj* grumpy.
raça [ˈxasa] *f* race; *(animal)* breed; **de raça** *(cão, gato)* pedigree; *(cavalo)* thoroughbred.
ração [xaˈsãw] (*pl* **-ões** [-õjʃ]) *f (de animal)* feed; *(em prisão, tropa)* food, rations *pl.*
rachadura [xaʃaˈdura] *f* crack.
rachar [xaˈʃa(x)] **1** *vt (lenha)* to chop; *(conta)* to split.
2 *vi (abrir fenda)* to crack.
raciocínio [xasjoˈsinju] *m* reasoning.
racional [xasjoˈnaw] (*pl* **-ais** [-ajʃ]) *adj* rational.
racismo [xaˈsiʒmu] *m* racism.
rações → **ração.**
radar [xaˈda(x)] (*pl* **-res** [-riʃ]) *m* radar.
radiação [xadʒjaˈsãw] (*pl* **-ões** [-õjʃ]) *f* radiation.
radiador [xadʒjaˈdo(x)] (*pl* **-res** [-riʃ]) *m* radiator.
radiante [xadʒjˈãntʃi] *adj* radiant.
radical [xadʒiˈkaw] (*pl* **-ais** [-ajʃ]) *adj* radical.
rádio [ˈxadʒju] **1** *m (aparelho)* radio; **rádio relógio** radio alarm clock.
2 *f (emissora)* radio station.
radioativo, va [ˌxadʒjoaˈtʃivu, va] *adj* radioactive.
rádio-despertador [ˌxadʒjodeʃpextaˈdo(x)] (*pl* **rádio-despertadores** [ˌxadʒjodeʃpextaˈdoriʃ]) *m* radio alarm clock.
radiografia [ˌxadʒjograˈfia] *f* X-ray.
radiotáxi [ˌxadʒjoˈtaksi] *m* minicab.
ráfia [ˈxafja] *f* raffia.
raia [ˈxaja] *f* skate.
rainha [xaˈiɲa] *f* queen.
raio [ˈxaju] *m* ray; *(de roda)* spoke; *(relâmpago)* flash of lightning; **raios X** X-rays.
raiva [ˈxajva] *f (fúria)* rage; *(doença)* rabies *sg*; **ter raiva de alguém** to hate sb.
raivoso, osa [xajˈvozu, ɔza] *adj (pessoa)* furious; *(animal)* rabid.
raiz [xaˈiʃ] (*pl* **-zes** [-ziʃ]) *f* root.
rajada [xaˈʒada] *f (de vento)* blast, gust.
ralador [xalaˈdo(x)] (*pl* **-res** [-riʃ]) *m* grater.
ralar [xaˈla(x)] *vt (alimentos)* to grate; *(joelho, cotovelo)* to graze.
ralhar [xaˈʎa(x)] *vi*: **ralhar com alguém** *(repreender)* to reprimand sb.
ralo, la [ˈxalu, la] **1** *adj (cabelo)* thin; *(café)* weak; *(sopa)* watery.
2 *m* drain.
rama [ˈxama] *f* foliage.
ramificar [xamifiˈka(x)] *vt (negócio)* to expand.
❑ **ramificar-se** *vp (negócio)* to branch out.
raminho [xaˈmiɲu] *m (de salsa, coentro etc.)* sprig.
ramo [ˈxamu] *m* branch; **mudar de ramo** to change careers.
rampa [ˈxãmpa] *f (plataforma)* ramp; *(rua, ladeira)* steep incline.
rancho [ˈxãʃu] *m (de pessoas)* group; *(refeição)* meal.
ranço [ˈxãsu] *m*: **ter ranço** *(manteiga, azeite)* to be rancid; *(queijo, carne)* to be spoiled.

rancor [xãŋ'ko(x)] *m* resentment.
rancoroso, osa [xãŋko'rozu, ɔza] *adj* resentful.
rançoso, osa [xã'sozu, ɔza] *adj (manteiga, azeite)* rancid; *(queijo, carne)* spoiled.
ranhura [xa'ɲura] *f (em madeira, parede)* groove; *(em telefone público)* slot.
rapar [xa'pa(x)] *vt (raspar)* to scrape; *(cabelo, pernas)* to shave; *(barba)* to shave off; *(roubar)* to steal.
rapaz [xa'paʒ] (*pl* **-zes** [-ziʃ]) *m* young man.
rapidez [xapi'deʃ] *f* speed.
rápido, da ['xapidu, da] **1** *adj* fast; *(breve)* quick.
2 *m (trem)* express (train); *(em rio)* rapids *pl.*
3 *adv* quickly.
raposa [xa'poza] *f* fox.
raptar [xap'ta(x)] *vt* to abduct, to kidnap.
rapto ['xaptu] *m* abduction, kidnapping.
raquete [xa'kɛtʃi] *f* racket.
raquítico, ca [xa'kitʃiku, ka] *adj fig (subdesenvolvido)* underdeveloped.
raramente [ˌxara'mẽntʃi] *adv* rarely.
rarefeito, ta [xare'fejtu, ta] *adj* rarefied.
raridade [xari'dadʒi] *f* rarity.
raro, ra ['xaru, ra] *adj* rare; *(pouco espesso)* thin; **raras vezes** rarely.
rascunho [xaʃ'kuɲu] *m* draft.
rasgado, da [xaʒ'gadu, da] *adj (tecido, folha)* torn; *(sorriso)* broad.
rasgão [xaʒ'gãw] (*pl* **-ões** [-õjʃ]) *m (em tecido, folha)* tear; *(em pele)* cut.
rasgar [xaʒ'ga(x)] *vt* to tear.
❑ **rasgar-se** *vp* to tear.
rasgões → **rasgão.**
raso, sa ['xazu, za] *adj (nivelado)* flat; *(de pouca profundidade)* shallow; *(salto)* low.
raspa ['xaʃpa] *f (de madeira)* wood shaving; *(de metal)* shard; *(de limão, laranja)* grated zest.
raspadinha [xaʃpa'dʒiɲa] *f* scratch card.
raspar [xaʃ'pa(x)] *vt (arranhar)* to scratch; *(tocar)* to graze; *(cabelo, barba)* to shave; *(pele de limão, laranja)* to grate.
rasteira [xaʃ'tejra] *f*: **passar uma rasteira em alguém** to trip sb up.
rasteiro, ra [xaʃ'tejru, ra] *adj (vegetação)* low-lying.
rastejante [xaʃte'ʒãntʃi] *adj (planta, vegetação)* trailing; *(animal)* crawling.
rastejar [xaʃte'ʒa(x)] *vi* to crawl.
rastro ['xaʃtru] *m* trace.
ratazana [xata'zana] *f* rat.
rato ['xatu] *m* rat.
ravina [xa'vina] *f* ravine.
razão [xa'zãw] (*pl* **-ões** [-õjʃ]) *f* reason; **dar razão a alguém** to admit that sb is right; **ter razão** to be right; **este comportamento não tem razão de ser** there's no reason for this kind of behavior; **com razão** rightly so; **sem razão** for no reason.
ré ['xɛ] *f* AUTO reverse.
reabastecer [xjabaʃte'se(x)] *vt* to restock; *(avião, carro)* to refuel.
❑ **reabastecer-se** *vp* to restock.
reação [xea'sãw] (*pl* **-ões** [-õjʃ]) *f* reaction.
reações → **reação.**
reagir [xea'ʒi(x)] *vi*: **reagir (a algo)** *(a provocação, idéia)* to react (to sthg); *(a medicamento, tratamento)* to respond (to sthg).
real ['xeaw] (*pl* **-ais** [-ajʃ]) **1** *adj (verdadeiro)* real; *(relativo a rei, realeza)* royal.
2 *m (moeda)* real, *Brazilian currency.*
realçar [xeaw'sa(x)] *vt (cor, traço)* to accentuate; *(fato, idéia)* to emphasize.
realejo [xea'leʒu] *m* barrel organ.
realeza [xea'leza] *f* royalty.
realidade [xeali'dadʒi] *f* reality; **na realidade** in fact; **realidade virtual** virtual reality.
realista [xea'liʃta] *mf* realist.
realização [xealiza'sãw] (*pl* **-ões** [-õjʃ]) *f (de tarefa, trabalho)* carrying out; *(de projeto, plano)* implementation; *(de sonho, desejo)* fulfillment, realization; *(de dinheiro)* realization; *(de filme)* production.
realizador, ra [xealiza'do(x), ra] (*mpl* **-res** [-riʃ], *fpl* **-s** [-ʃ]) *m, f (de filme)* director.
realizar [xeali'za(x)] *vt (tarefa, trabalho)* to carry out; *(projeto, plano)* to implement; *(sonho, desejo)* to fulfill, to realize; *(dinheiro)* to realize; *(filme)* to direct.
❑ **realizar-se** *vp (espetáculo)* to be performed; *(sonho, desejo)* to be fulfilled, to come true.

> Não confundir ***realizar (achieve)*** com o inglês ***realize*** que em português significa ***perceber***. (***Eu realizei todos os meus objetivos profissionais até agora.*** I ***achieved*** all my professional goals so far.)

realmente [xeaw'mẽntʃi] *adv (efetivamente)* actually.

reanimar [xeani'ma(x)] *vt MED (depois de parada cardíaca)* to resuscitate; *(depois de desmaio)* to revive; *(depois de derrota)* to cheer up.

reatar [xea'ta(x)] *vt (conversação)* to resume; *(amizade)* to rekindle.

reaver [xea've(x)] *vt (recuperar)* to recover.

reavivar [xeavi'va(x)] *vt (memória)* to refresh; *(chama)* to rekindle.

rebaixar [xebaj'ʃa(x)] *vt (teto, preço)* to lower; *(pessoa)* to humiliate.
❑ **rebaixar-se** *vp* to lower o.s.

rebanho [xe'baɲu] *m (ovelhas)* flock; *(gado)* herd.

rebelde [xe'bɛwdʒi] *mf* rebel.

rebelião [xebelj'ãw] *f* rebellion.

rebentar [xebẽn'ta(x)] **1** *vi (corda)* to snap; *(onda)* to break; *(mecanismo)* to break down; *(guerra)* to break out; *(bomba)* to explode.
2 *vt (corda)* to snap; *(mecanismo)* to break down; **rebentar com algo** to destroy sthg.

rebocador [xeboka'do(x)] (*pl* **-res** [-riʃ]) *m (navio)* tug(boat).

rebocar [xebo'ka(x)] *vt* to tow.

rebolar [xebo'la(x)] *vi* to sway.

rebuliço [xebu'lisu] *m* commotion.

recado [xe'kadu] *m* message; **dar um recado a alguém** to give sb a message; **deixar recado** to leave a message.

recaída [xeka'ida] *f* relapse; **ter uma recaída** to have a relapse.

recair [xeka'i(x)] *vi*: **recair sobre** to fall upon.

recanto [xe'kãntu] *m* corner.

recapitular [xekapitu'la(x)] *vt* to sum up.

recauchutar [xekawʃu'ta(x)] *vt* to retread.

recear [xese'a(x)] *vt* to fear.

receber [xese'be(x)] **1** *vt* to receive; *(bofetada, pontapé)* to get; *(dar as boas-vindas a)* to welcome; *(pessoas)* to entertain.
2 *vi (ter visitas)* to entertain.

receio [xe'seju] *m* fear.

receita [xe'sejta] *f (de médico)* prescription; *(culinária)* recipe; *(de Estado, empresa)* revenue.

> Não confundir *receita (recipe)* com o inglês *receipt* que em português significa *recibo*. (*Você tem um livro de receitas?* Do you have a *recipe* book?)

receitar [xesej'ta(x)] *vt* to prescribe.

recém-casado, da [xe,sẽka'zadu, da] *m, f* newlywed.

recém-chegado, da [xe,sẽʃe'gadu, da] *adj* recently arrived.

recém-nascido, da [xe,sẽnaʃ'sidu, da] **1** *adj* newborn.
2 *m, f* newborn baby.

recente [xe'sẽntʃi] *adj* recent.

receoso, osa [xese'ozu, ɔza] *adj* fearful; **estar receoso de** to be apprehensive about.

recepção [xesep'sãw] (*pl* **-ões** [-õjʃ]) *f* reception; *(de mensagem, carta)* receipt.

recepcionista [xesepsjo'niʃta] *mf* receptionist.

recepções → **recepção**.

receptivo, va [xesep'tʃivu, va] *adj* receptive; **mostrar-se receptivo a** to be receptive to.

recessão [xese'sãw] (*pl* **-ões** [-õjʃ]) *f* recession.

recheado, da [xe'ʃjadu, da] *adj (bolo, bombom)* filled; *(peru, vegetal)* stuffed.

rechear [xe'ʃja(x)] *vt (bolo)* to fill; *(peru)* to stuff.

recheio [xe'ʃeju] *m (de bolo, bombom)* filling; *(de peru, vegetal)* stuffing.

rechonchudo, da [xeʃõ'ʃudu, da] *adj* chubby.

recibo [xe'sibu] *m* receipt.

reciclagem [xesi'klaʒẽ] *f* recycling.

reciclar [xesi'kla(x)] *vt* to recycle.

reciclável [xesi'klavɛw] (*pl* **-eis** [-ejʃ]) *adj* recyclable.

recife [xe'sifi] *m* reef.

recinto [xe'sĩntu] *m (espaço delimitado)* enclosure; *(à volta de edifício)* grounds *pl*.

recipiente [xesipj'ẽntʃi] *m* container.

> Não se deve confundir 'recipiente' em português com *recipient* em inglês, cujo significado é 'destinatário'. Por exemplo: *the recipient of a letter* é a pessoa a quem uma carta é endereçada.

recíproco, ca [xe'siproku, ka] *adj* reciprocal.

recital [xesi'taw] (*pl* **-ais** [-ajʃ]) *m* recital.

recitar [xesi'ta(x)] *vt & vi* to recite.

reclamação [xeklama'sãw] (*pl* **-ões** [-õjʃ]) *f* complaint.

reclamar [xekla'ma(x)] *vi* to complain.

reclame [xɛ'klami] *m* advertisement.

recobrar [xeko'bra(x)] *vt* to resume.

recolher [xeko'ʎe(x)] *vt* to pick up; *(frutos, legumes)* to pick.
recolhimento [xekoʎi'mẽntu] *m (coleta)* collection; *(retiro)* retreat.
recomeçar [xekome'sa(x)] *vt* to begin again.
recomendação [xekomẽnda'sãw] (*pl* **-ões** [-õjʃ]) *f* recommendation.
❑ **recomendações** *fpl (cumprimentos)* (kind) regards.
recomendar [xekomẽn'da(x)] *vt* to recommend.
recomendável [xekomẽn'davɛw] (*pl* **-eis** [-ejʃ]) *adj* advisable; **pouco recomendável** *(lugar)* unsafe.
recompensa [xekõm'pẽsa] *f* reward.
reconciliação [xekõsilja'sãw] (*pl* **-ões** [-õjʃ]) *f* reconciliation.
reconhecer [xekoɲe'se(x)] *vt* to recognize; *(erro, culpa)* to acknowledge; *(documento, assinatura)* to witness.
reconhecimento [xekoɲesi'mẽntu] *m* recognition; *(de erro, culpa)* acknowledgment; *(de documento, assinatura)* witnessing.
reconstituir [xekõʃtʃi'twi(x)] *vt* to reconstruct.
recordação [xekorda'sãw] (*pl* **-ões** [-õjʃ]) *f (memória)* memory; *(presente)* keepsake, souvenir.
recordar [xekor'da(x)] *vt* to remember.
❑ **recordar-se** *vp* to remember; **recordar-se de** to remember.

> Não confundir *recordar (remember)* com o inglês *record* que em português significa *anotar*. (*Eu não me recordo do meu primeiro dia na escola*. I don't *remember* my first day at school.)

recorrer [xeko'xe(x)] *vi* JUR to appeal; **recorrer a** to resort to.
recortar [xekor'ta(x)] *vt* to cut out.
recreio [xe'kreju] *m (tempo)* break; EDUC recess *Am*, playtime *Brit*.
recriar [xekri'a(x)] *vt* to recreate.
recriminar [xekrimi'na(x)] *vt* to reproach.
recruta [xe'kruta] *m* recruit.
recuar [xe'kwa(x)] **1** *vt (veículo)* to back up, to reverse.
2 *vi (em espaço)* to move back; *(em tempo)* to go back.
recuperação [xekupera'sãw] *f* recovery; *(de objeto, edifício antigo)* restoration.
recuperar [xekupe'ra(x)] *vt (algo perdido)* to recover; *(objeto, edifício antigo)* to restore.
❑ **recuperar-se** *vp (de choque, doença)* to recover.
recurso [xe'kuxsu] *m* JUR appeal; *(meio)* resort; **em último recurso** as a last resort.
❑ **recursos** *mpl (bens)* resources.
recusa [xe'kuza] *f* refusal.
redator, ra [xeda'to(x), ra] (*mpl* **-res** [-riʃ], *fpl* **-s** [-ʃ]) *m, f (de jornal)* editor.
rede ['xedʒi] *f (de pesca)* net; *(de vedação)* netting; *(de cabelo)* hairnet; *(para dormir)* hammock; *(de vias de comunicação)* network; *(de água, luz, gás)* main.
rédea ['xɛdʒja] *f* rein; **assumir as rédeas de algo** *fig* to take control of sthg.
redigir [xedi'ʒi(x)] *vt* to write.
redondamente [xe,dõnda'mẽntʃi] *adv (enganar-se)* utterly.
redondo, da [xe'dõndu, da] *adj* round.
redor [xe'dɔ(x)] *m*: **ao redor (de)** around, about.
redução [xedu'sãw] (*pl* **-ões** [-õjʃ]) *f* reduction.
reduzido, da [xedu'zidu, da] *adj* reduced.
reduzir [xedu'zi(x)] *vt* to reduce.
reembolsar [xjẽmbow'sa(x)] *vt* to refund.
reembolso [xjẽm'bowsu] *m* refund; **reembolso postal** cash on delivery.
reencontro [xjẽŋ'kõntru] *m* reunion.
refazer [xefa'ze(x)] *vt* to rebuild.
❑ **refazer-se** *vp* to recover.
refeição [xefej'sãw] (*pl* **-ões** [-õjʃ]) *f* meal; **nas refeições** at mealtimes.
refeitório [xefej'tɔrju] *m* refectory, cafeteria.
refém [xe'fẽ] (*pl* **-ns** [-ʃ]) *mf* hostage.
referência [xefe'rẽsja] *f* reference; *(em biblioteca)* catalog *Am*, catalogue *Brit*; **fazer referência a** to refer to.
❑ **referências** *fpl (para emprego)* references.
referendo [xefe'rẽndu] *m* referendum.
referente [xefe'rẽntʃi] *adj*: **referente a** relating to.
referir [xefe'ri(x)] *vt* to mention.
❑ **referir-se a** *vp + prep* to refer to; **no que se refere a** in regard to.
refinado, da [xefi'nadu, da] *adj* refined.
refinaria [xefina'ria] *f* refinery.
refletir [xefle'tʃi(x)] *vt & vi* to reflect; **refletir sobre algo** to reflect on sthg.

❑ **refletir-se em** *vp + prep* to be reflected in.
refletor [xefle'to(x)] (*pl* **-res**) [-riʃ] *m* reflector.
reflexão [xeflek'sãw] (*pl* **-ões** [-õjʃ]) *f* reflection.
reflexo [xe'flɛksu] *m* reflection; *(reação)* reflex (action).
reflexões → **reflexão.**
refogado, da [xefo'gadu, da] **1** *adj (carne, peixe)* braised; *(cebola)* fried.
2 *m (molho) fried garlic and onion*; *(ensopado)* stew.
refogar [xefo'ga(x)] *vt* to braise.
reforçado, da [xefor'sadu, da] *adj (esforço, energia)* redoubled; *(objeto, substância)* reinforced.
reforçar [xefox'sa(x)] *vt (idéia, argumento)* to back up; *(objeto, substância)* to reinforce.
reforma [xe'fɔxma] *f (de sistema)* reform; *(de casa, edifício)* refurbishment; *(de pessoa)* retirement.
refrão [xe'frãw] (*pl* **-ões** [-õjʃ]) *m* chorus.
refrear [xefri'a(x)] *vt* to contain.
❑ **refrear-se** *vp* to contain o.s.
refrescante [xefreʃ'kãntʃi] *adj* refreshing.
refrescar [xefreʃ'ka(x)] *vt (bebida, ar)* to refresh; *(cabeça)* to clear.
❑ **refrescar-se** *vp* to cool down.
refresco [xe'freʃku] *m* soft drink.
refrigerante [xefriʒe'rãntʃi] *m* soft drink.
refrões → **refrão.**
refugiado, da [xefuʒj'adu, da] *m, f* refugee.
refugiar-se [xefuʒj'axsi] *vp (asilar-se)* to take refuge; *(abrigar-se)* to take shelter; *(esconder-se)* to hide.
refúgio [xe'fuʒju] *m* refuge.
refugo [xe'fugu] *m* refuse.
rega ['xɛga] *f (de plantas)* watering; *(de terra)* irrigation.
regaço [xe'gasu] *m* lap.
regador [xega'do(x)] (*pl* **-res** [-riʃ]) *m* watering can.
regalias [xega'liaʃ] *fpl (em emprego)* perks, benefits.
regar [xe'ga(x)] *vt (plantas)* to water; *(terra)* to irrigate.
regenerar-se [xeʒene'raxsi] *vp* to mend one's ways.
reger [xe'ʒe(x)] *vt (orquestra, banda)* to conduct.
região [xe'ʒjãw] (*pl* **-ões** [-õjʃ]) *f* region.
regime [xe'ʒimi] *m (político)* regime; *(dieta)* diet.
regiões → **região.**
regional [xeʒjo'naw] (*pl* **-ais** [-ajʃ]) *adj* regional.
registrado, da [xeʒiʃ'tradu, da] *adj* registered.
registrar [xeʒiʃ'tra(x)] *vt* to register; *(acontecimento, mudança)* to record.
registro [xe'ʒiʃtru] *m* register; *(repartição)* registry (office); *(de correio)* registration; **Registro Civil** registry office.
regra ['xɛgra] *f* rule; **não fugir à regra** to be no exception; **(como) regra geral** as a rule; **por regra** as a rule.
regressar [xegre'sa(x)] *vi* to return; **regressar a** to return to.
regresso [xe'grɛsu] *m* return; **estar de regresso** to be back.
régua ['xɛgwa] *f* ruler.
regulamento [xegula'mẽntu] *m* regulations *pl.*
regular [xegu'la(x)] (*pl* **-res** [-riʃ]) **1** *adj* regular; *(tamanho, qualidade)* standard; *(uniforme)* even; *(vôo)* scheduled.
2 *vt (regulamentar)* to regulate; *(mecanismo)* to adjust.
rei ['xej] *m* king.
reinado [xej'nadu] *m* reign.
reinar [xej'na(x)] *vi* to reign.
reivindicação [xejvĩndʒika'sãw] (*pl* **-ões** [-õjʃ]) *f* claim.
reivindicar [xejvĩndi'ka(x)] *vt* to claim.
rejeitar [xeʒej'ta(x)] *vt* to reject.
relação [xela'sãw] (*pl* **-ões** [-õjʃ]) *f* relation; *(entre pessoas, países)* relationship; **com** ou **em relação a** in relation to.
❑ **relações** *fpl (relacionamento)* relations; *(ato sexual)*: **ter relações com alguém** to sleep with sb; **relações públicas** public relations.
relâmpago [xe'lãmpagu] *m* flash of lightning.
relatar [xela'ta(x)] *vt (jogo de futebol)* to comment on; *(acontecimento)* to relate.
relativo, va [xela'tʃivu, va] *adj* relative; **relativo a** relating to.
relatório [xela'tɔrju] *m* report.
relaxado, da [xela'ʃadu, da] *adj* relaxed.
relaxar [xela'ʃa(x)] *vt* to relax.
❑ **relaxar-se** *vp* to relax.
relembrar [xelẽm'bra(x)] *vt* to recall.

relevo [xe'levu] *m* relief; **dar relevo a** to highlight.

religião [xeli'ʒj'ãw] (*pl* **-ões** [-õjʃ]) *f* religion.

relíquia [xe'likja] *f* relic.

relógio [xe'lɔʒju] *m (de parede, mesa)* clock; *(de pulso)* watch; **relógio de cuco** cuckoo clock; **relógio de sol** sundial.

relutância [xelu'tãsja] *f* reluctance.

remar [xe'ma(x)] *vi* to row.

rematar [xema'ta(x)] *vt (concluir)* to finish.

remediar [xeme'dʒja(x)] *vt* to remedy.

remédio [xe'mɛdʒju] *m* remedy; **não tem remédio** *fig* it can't be helped.

remendar [xemẽn'da(x)] *vt* to mend.

remendo [xe'mẽndu] *m* patch.

remessa [xe'mɛsa] *f (de produtos)* shipment, consignment; *(de dinheiro)* remittance.

remetente [xeme'tẽntʃi] *mf* sender.

remeter [xeme'te(x)] *vt* to send.

remexer [xeme'ʃe(x)] *vt* to rummage through.

remo ['xemu] *m (longo)* oar; *(curto)* paddle.

remoção [xemo'sãw] (*pl* **-ões** [-õjʃ]) *f* removal.

remorso [xe'mɔxsu] *m* remorse.

remoto [xe'mɔtu] *adj* remote.

remover [xemo've(x)] *vt* to remove.

remuneração [xemunera'sãw] (*pl* **-ões** [-õjʃ]) *f* remuneration.

renascer [xenaʃ'se(x)] *vi* to be born again.

Renascimento [xenaʃsi'mẽntu] *m*: **o Renascimento** the Renaissance.

renda ['xẽnda] *f (rendimento)* income; *(de vestido, blusa)* lace trim.

renegar [xene'ga(x)] *vt* to reject.

renovação [xenova'sãw] (*pl* **-ões** [-õjʃ]) *f (de contrato, amizade)* renewal; *(de edifício)* renovation.

renovar [xeno'va(x)] *vt* to renew; *(consertar)* to renovate; *(substituir)* to replace.

rentabilidade [xẽntabili'dadʒi] *f* profitability.

rentável [xẽn'tavɛw] (*pl* **-eis** [-ejʃ]) *adj* profitable.

renúncia [xe'nũsja] *f* renunciation.

renunciar [xenũ'sja(x)] *vt* to renounce.

reparação [xepara'sãw] (*pl* **-ões** [-õjʃ]) *f (conserto)* repair.

reparar [xepa'ra(x)] *vt (consertar)* to repair; *(restaurar)* to restore; **reparar que** to notice (that).

❑ **reparar em** *v + prep (notar)* to notice.

repartição [xepaxtʃi'sãw] (*pl* **-ões** [-õjʃ]) *f (partilha)* division; *(distribuição)* distribution; *(local)* department; **repartição pública** government office.

repartir [xepax'tʃi(x)] *vt (partilhar)* to divide; *(distribuir)* to distribute; **repartir algo com alguém** to share sthg with sb; **repartir algo em algo** to split sthg up into sthg.

repente [xe'pẽntʃi] *m* outburst; **de repente** suddenly; *(talvez)* maybe.

repentino, na [xepẽn'tʃinu, na] *adj* sudden.

repercussão [xepexku'sãw] (*pl* **-ões** [-õjʃ]) *f (impacto)* response; *(conseqüência)* repercussion.

repertório [xepex'tɔrju] *m* repertoire.

repetição [xepetʃi'sãw] (*pl* **-ões** [-õjʃ]) *f* repetition.

repetidamente [xepe,tʃida'mẽntʃi] *adv* repeatedly.

repetir [xepe'tʃi(x)] *vt* to repeat; *(prato, refeição)* to have seconds.

❑ **repetir-se** *vp* to happen again.

replicar [xepli'ka(x)] *vt*: **replicar que** to reply that.

repolho [xe'poʎu] *m* cabbage; **repolho roxo** red cabbage.

repor [xe'po(x)] *vt (dinheiro)* to replace; **repor algo no lugar** to put sthg back (where it belongs).

reportagem [xepox'taʒẽ] (*pl* **-ns** [-ʃ]) *f (em rádio, televisão)* report; *(em jornal, revista)* article.

repórter [xe'pɔxtɛ(x)] (*pl* **-res** [-riʃ]) *mf* reporter.

repousar [xepo'za(x)] *vt & vi* to rest.

repreender [xepriẽn'de(x)] *vt* to rebuke.

represa [xe'preza] *f* dam.

represália [xepre'zalja] *f* reprisal.

representação [xeprezẽnta'sãw] (*pl* **-ões** [-õjʃ]) *f* performance; *(imagem)* representation.

representante [xeprezẽn'tãntʃi] *mf* representative; **representante oficial** authorized agent; **representante de vendas** sales rep(resentative).

representar [xeprezẽn'ta(x)] **1** *vt* to represent; *(cena)* to perform; *(papel)* to play; *(pôr em cena)* to put on; *(significar)* to mean; *(em vendas)* to represent.
2 *vi (ator)* to act.

repressão [xepre'sãw] (*pl* **-ões** [-õjʃ]) *f* suppression.
reprimir [xepri'mi(x)] *vt* to suppress.
reprodução [xeprodu'sãw] (*pl* **-ões** [-õjʃ]) *f* reproduction.
reproduzir [xeprodu'zi(x)] *vt (evento)* to re-enact; *(quadro, escultura)* to reproduce.
❑ **reproduzir-se** *vp* to reproduce.
reprovar [xepro'va(x)] *vt (atitude, comportamento)* to disapprove of; *(lei, projeto)* to reject; *(ano escolar, exame)* to fail, to flunk.
réptil ['xɛptiw] (*pl* **-teis** [-tejʃ]) *m* reptile.
república [xe'publika] *f (sistema político)* republic; *(de estudantes)* fraternity; **a República Federativa do Brasil** Federal Republic of Brazil.
repudiar [xepudʒj'a(x)] *vt* to repudiate.
repugnância [xepug'nãsja] *f* repugnance.
repugnante [xepug'nãntʃi] *adj* repugnant.
repulsa [xe'puwsa] *f* repulsion.
repulsivo, va [xepuw'sivu, va] *adj* repulsive.
reputação [xeputa'sãw] (*pl* **-ões** [-õjʃ]) *f (fama)* reputation; *(importância social)* standing.
requeijão [xekej'ʒãw] (*pl* **-ões** [-õjʃ]) *m cheese spread.*
requerer [xeke're(x)] *vt (precisar de)* to require; *(por requerimento)* to request.
requerimento [xekeri'mẽntu] *m* request form.
requintado, da [xekĩn'tadu, da] *adj* exquisite.
requinte [xe'kĩntʃi] *m* style.
requisito [xeki'zitu] *m* requirement.
❑ **requisitos** *mpl (dotes)* attributes.
rescindir [xeʃsĩn'di(x)] *vt (contrato)* to break.
resenha [xe'zaɲa] *f (televisiva, de rádio)* programming guide *pl.*
reserva [xe'zɛxva] *f* reservation; *(de alimentos, provisões)* reserves *pl*; *(de animais, plantas, vinho)* reserve.
reservado, da [xezex'vadu, da] *adj* reserved; *(íntimo)* secluded.
reservar [xezex'va(x)] *vt (quarto, lugar, bilhete)* to reserve; *(guardar)* to set aside.
resfriado [xeʃfri'adu] *m* cold.
resgate [xeʒ'gatʃi] *m* ransom.
resguardar [xeʒgwax'da(x)] *vt* to protect.
❑ **resguardar-se** *vp*: **resguardar-se de** to protect o.s. from.
residência [xezi'dẽsja] *f* residence.
residir [xezi'dʒi(x)] *v + prep*: **residir em** to reside in.
resíduo [xe'zidwu] *m* residue.
resignação [xezigna'sãw] *f* resignation.
resignar-se [xezig'naxsi] *vp* to resign o.s.
resistência [xeziʃ'tẽsja] *f (de pessoa)* stamina; *(de material, parede)* strength; *(de aquecedor elétrico)* element.
resistente [xeziʃ'tẽntʃi] *adj* resistant.
resistir [xeziʃ'tʃi(x)] *vi* to resist; **resistir a algo** *(ataque, doença)* to resist sthg; *(suportar)* to withstand sthg.
resmungar [xeʒmũŋ'ga(x)] **1** *vt* to mutter. **2** *vi* to grumble.
resolver [xezow've(x)] *vt* to solve; **resolver fazer algo** to decide to do sthg.
❑ **resolver-se** *vp* to make up one's mind.
respectivo, va [xeʃpek'tivu, va] *adj* respective.
respeitar [xeʃpej'ta(x)] *vt* to respect.
respeitável [xeʃpej'tavɛw] (*pl* **-eis** [-ejʃ]) *adj* respectable; *fig (grande)* considerable.
respeito [xeʃ'pejtu] *m* respect; **dizer respeito a** to concern; **ter respeito por** to have respect for; **a respeito de, com respeito a** with respect to.
respiração [xeʃpira'sãw] *f* breathing.
respirar [xeʃpi'ra(x)] *vt & vi* to breathe.
resplandecente [xeʃplãnde'sẽntʃi] *adj* dazzling.
responder [xeʃpõn'de(x)] **1** *vt* to answer. **2** *vi (dar resposta)* to answer; *(replicar)* to answer back; *(ir a tribunal)* to appear (in court); *(reagir)* to respond. **3 responder a** *(carta, pergunta)* to answer.
❑ **responder por** *v + prep* to answer for.
responsabilidade [xeʃpõsabili'dadʒi] *f* responsibility.
responsabilizar [xeʃpõsabili'za(x)] *vt*: **responsabilizar alguém/algo por algo** to hold sb/sthg responsible for sthg.
❑ **responsabilizar-se** *vp*: **responsabilizar-se por** to take responsibility for.
responsável [xeʃpõ'savɛw] (*pl* **-eis** [-ejʃ]) **1** *adj* responsible. **2** *mf* person in charge; **responsável por** responsible for.
resposta [xeʃ'pɔʃta] *f* answer; *(a carta)* reply; *(reação)* response.

ressaca [xe'saka] *f* hangover.

ressaltar [xesaw'ta(x)] **1** *vt* to highlight. **2** *vi* to stand out.

ressentimento [xesẽntʃi'mẽntu] *m* resentment.

ressentir-se [xesẽn'tixsi] *vp* to take offense; **ressentir-se de algo** *(sentir o efeito de)* to feel the effects of sthg.

ressurgimento [xesuxʒi'mẽntu] *m* resurgence.

ressuscitar [xesuʃsi'ta(x)] **1** *vt* to resurrect. **2** *vi* to be resurrected.

restabelecer [xeʃtabele'se(x)] *vt* to reinstate.
❑ **restabelecer-se** *vp* to recover.

restar [xeʃ'ta(x)] *vi* to be left.

restauração [xeʃtawra'sãw] (*pl* **-ões** [-õjʃ]) *f (de edifício)* restoration; *(de forças, energia)* recovery.

restaurante [xeʃtaw'rãntʃi] *m* restaurant.

restaurar [xeʃtaw'ra(x)] *vt* to restore.

restituir [xeʃtʃi'twi(x)] *vt* to return.

resto ['xɛʃtu] *m (sobra)* rest; MAT remainder.
❑ **restos** *mpl (de comida)* scraps; *(sobras)* leftovers; **restos mortais** remains.

resultado [xezuw'tadu] *m* result; *(em exame, teste, competição)* results *pl.*

resultar [xezuw'ta(x)] *vi* to work; **resultar de algo** to result from sthg; **resultar em algo** to result in sthg.

resumir [xezu'mi(x)] *vt* to summarize.
❑ **resumir-se a** *vp + prep* to come down to.

> Os verbos 'resumir' e ***to resume***, embora semelhantes, têm significados bem diferentes nas duas línguas. Quando um professor pede ao aluno: resuma em algumas linhas o que você fez nas férias, o pedido seria traduzido para o inglês como ***summarize what you did in your holidays***. Entretanto, quando se diz em inglês ***she was ready to resume her duties*** ela estava pronta para reassumir suas responsabilidades, pode-se notar a diferença de significado. Portanto, não se deve confundir o verbo português 'resumir' (***to summarize, to shorten***) com ***to resume***, que significa 'recomeçar, retomar, reassumir'.

resumo [xe'zumu] *m* summary; **em resumo** in brief.

reta ['xɛta] *f (linha)* straight line; *(em estrada)* straight stretch of road.

retaguarda [ˌxɛta'gwarda] *f* rear; **na retaguarda** at the rear.

retalho [xe'taʎu] *m (de fazenda)* remnant.

retaliar [xeta'lja(x)] *vt & vi* to retaliate.

retângulo [xe'tãŋgulu] *m* rectangle.

retardar [xetax'da(x)] *vt* to delay.

reter [xe'te(x)] *vt (parar)* to stop; *(impulso, lágrimas, ira)* to hold back; *(deter)* to detain; *(em memória)* to retain.

reticente [xetʃi'sẽntʃi] *adj* reticent.

retina [xe'tʃina] *f* retina.

retirada [xetʃi'rada] *f* retreat.

retirar [xetʃi'ra(x)] *vt (remover)* to remove; *(afirmação)* to withdraw.
❑ **retirar-se** *vp (recolher-se)* to retire; **retirar-se de algo** to withdraw from sthg; **ela retirou-se da sala** she left the room.

> Não confundir ***retirar (remove)*** com o inglês ***retire*** que em português significa ***aposentar***. (***Vou retirar os pratos da mesa.*** I'll ***remove*** the dishes from the table.)

reto, ta ['xɛtu, ta] **1** *adj & m (linha, estrada)* straight; *(justo)* upright. **2** *m* ANAT rectum.

retorcido, da [xetox'sidu, da] *adj* wrought.

retórica [xɛ'tɔrika] *f* rhetoric.

retornar [xetox'na(x)] *vi* to return; **retornar a** to return to.

retraído, da [xetra'idu, da] *adj* retiring.

retrato [xe'tratu] *m* portrait; *(fotografia)* photograph.

retribuir [xetri'bwi(x)] *vt* to return.

retroceder [xetrose'de(x)] *vi* to go back.

retrógrado, da [xe'trɔgradu, da] *adj* retrograde.

retrovisor [xetrɔvi'zo(x)] (*pl* **-res** [-riʃ]) *m* rearview mirror.

réu, ré ['xɛu, 'xɛ] *m, f* accused.

reumatismo [xewma'tʃiʒmu] *m* rheumatism.

reunião [xju'njãw] (*pl* **-ões** [-õjʃ]) *f* meeting.

reunir [xju'ni(x)] *vt (pessoas, objetos)* to bring together; *(provas)* to gather.
❑ **reunir-se** *vp (encontrar-se)* to meet.

réveillon [xɛvɛ'jõ] *m* New Year's Eve.

revelação [xevela'sãw] (*pl* **-ões** [-õjʃ]) *f* revelation; *(de fotografia)* development.

revelar [xeve'la(x)] *vt (segredo, notícia)* to reveal; *(fotografia)* to develop; *(interesse, talento)* to show.
❑ **revelar-se** *vp (manifestar-se)* to prove to be.

revendedor, ra [xevẽnde'do(x), ra] (*mpl*

-res [-riʃ], *fpl* -s [-ʃ]) *m, f* retailer.
rever [xe've(x)] *vt (pessoa)* to see again; *(texto, trabalho)* to revise.
reverso [xe'vɛrsu] *m* back.
revés [xe'vɛʃ] (*pl* **-eses** [-ɛziʃ]) *m* setback; **ao revés** upside down.
revestir [xeveʃ'ti(x)] *vt* to cover.
revezar-se [xeve'zaxsi] *vp* to take turns.
revirado, da [xevi'radu, da] *adj (gola, pontas)* turned-up; *(olhos)* rolling; *(casa, gaveta)* messy.
reviravolta [xe,vira'vɔwta] *f* spin; *fig (em situação)* U-turn.
revisão [xevi'zãw] (*pl* **-ões** [-õjʃ]) *f (de lei)* review; *(de texto, prova tipográfica)* proofreading; *(de máquina, carro)* service; *(de matéria, aula)* review *Am*, revision *Brit*.
revista [xe'viʃta] *f (publicação)* magazine; *(peça teatral)* revue; *(inspeção)* review; **revista em quadrinhos** comic book.
revolta [xe'vɔwta] *f (rebelião)* revolt; *(indignação)* outrage.
revoltar-se [xevow'taxsi] *vp (sublevar-se)* to revolt; *(indignar-se)* to be outraged; **revoltar-se com algo** to be revolted by sthg.
revolução [xevolu'sãw] (*pl* **-ões** [-õjʃ]) *f* revolution.
revolver [xevow've(x)] *vt (papéis, lixo)* to rummage through; *(terra)* to dig over.
revólver [xe'vɔwve(x)] (*pl* **-res** [-riʃ]) *m* revolver.
rezar [xe'za(x)] **1** *vi (orar)* to pray.
2 *vt (missa, oração)* to say.
ri ['xi] → **rir.**
riacho ['xjaʃu] *m* brook.
ribeira [xi'bejra] *f* stream.
ribeirinho, nha [xibej'riɲu, ɲa] *adj* river *(antes de s)*.
rico, ca ['xiku, ka] *adj* rich; **rico em** rich in.
ridicularizar [xidʒikulari'za(x)] *vt* to ridicule.
ridículo, la [xi'dʒikulu, la] **1** *adj* ridiculous; *(insignificante)* laughable.
2 *m* absurdity.
rido ['xidu] → **rir.**
rifa ['xifa] *f (sorteio)* raffle; *(bilhete)* raffle ticket.
rigidez [xiʒi'deʒ] *f (de músculos, ossos)* stiffness; *(de caráter, costumes)* inflexibility.
rigor [xi'go(x)] (*pl* **-res** [-riʃ]) *m* rigor; *(de frio, calor, caráter)* severity; **a rigor** *(festa, traje)* evening wear.
rijo, ja ['xiʒu, ʒa] *adj* tough; *(pessoa)* hardy.
rim ['xĩ] (*pl* **-ns** [-ʃ]) *m* kidney.
❑ **rins** *mpl (parte do corpo)* lower back *sg.*
rima ['xima] *f (de verso)* rhyme.
rímel ['ximɛw] (*pl* **-eis** [-ejʃ]) *m* mascara.
ringue ['xĩŋgi] *m* (boxing) ring.
rinoceronte [xinose'rõntʃi] *m* rhinoceros.
rins → **rim.**
rio[1] ['xju] → **rir.**
rio[2] ['xju] *m* river; **rio abaixo** downstream; **rio acima** upstream.
riqueza [xi'keza] *f (de país, pessoa, região)* wealth; *(de solo, cores, idéias)* richness.
rir ['xi(x)] *vi* to laugh; **morrer de rir** to laugh one's head off; **rir de algo/alguém** to laugh at sthg/sb.
ris ['xiʃ] → **rir.**
risada [xi'zada] *f* laugh.
risca ['xiʃka] *f* stripe; **à risca** to the letter; **de riscas** striped; **risca ao meio/do lado** *(relativo a cabelo)* middle/side part.
riscar [xiʃ'ka(x)] *vt (frase)* to cross out; *(folha)* to scribble on; *(parede, carro, móvel)* to scratch.
risco ['xiʃku] *m (traço)* mark; *(linha)* line; *(em cabelo)* part *Am*, parting *Brit*; *(perigo)* risk; **correr o risco de** to run the risk of; **pôr em risco** to put at risk.
riso ['xizu] *m* laugh; **riso amarelo** grimace.
rissole [xi'sɔli] *m* rissole.
ritmo ['xitʒimu] *m (de movimento, andamento)* pace; *(em música)* rhythm; *(do coração)* beat.
ritual [xi'twaw] (*pl* **-ais** [-ajʃ]) *m* ritual.
riu ['xiu] → **rir.**
rival [xi'vaw] (*pl* **-ais** [-ajʃ]) *mf* rival.
rivalidade [xivali'dadʒi] *f* rivalry.
robalo [ro'balu] *m* sea bass.
robô [rɔ'bo] *m* robot.
robusto, ta [xo'buʃtu, ta] *adj* robust.
roça ['xɔsa] *f (zona rural)* countryside.
roçar [xo'sa(x)] *vt* to brush.
rocha ['xɔʃa] *f* rock.
rochedo [xo'ʃedu] *m* crag.
roda ['xɔda] *f (de carro, bicicleta)* wheel; *(de saia, vestido)* flare; *(de pessoas)* circle, ring.
rodada [xo'dada] *f* round.
rodapé [xoda'pɛ] *f* baseboard *Am*, skirting board *Brit*; **nota de rodapé** footnote.
rodar [xo'da(x)] **1** *vt (fazer girar)* to turn; *(rapidamente)* to spin; *(filme)* to shoot.

2 *vi (girar)* to turn; *(rapidamente)* to spin.
rodear [xode'a(x)] *vt* to surround.
❑ **rodear-se de** *vp + prep* to surround o.s. with.
rodela [xo'dɛla] *f* slice.
rodízio [xo'dʒizju] *m* restaurant.
rodopiar [xodo'pja(x)] *vi* to whirl (around).
rodovia [xodo'via] *f* freeway *Am*, motorway *Brit*; **rodovia com pedágio** turnpike *Am*, toll motorway *Brit*.
rodoviária [xodovj'arja] *f (local)* bus terminal.
roer ['xwe(x)] *vt (rato)* to gnaw (at); *(cão)* to chew.
rolar [xo'la(x)] *vi* to roll.
roleta [xo'leta] *f* roulette; **roleta-russa** Russian roulette.
rolha ['xoʎa] *f (de cortiça)* cork; *(de borracha, plástico)* stopper.
rolo ['xolu] *m* roller; *(fotográfico)* roll (of film); *(confusão)* brawl; **rolo de pastel** rolling pin.
romã [xo'mã] *f* pomegranate.
romance [xo'mãsi] *m* romance; *(gênero)* novel; *(sentimental)* romantic novel; **romance policial** detective novel.
romântico, ca [xo'mãntʃiku, ka] *adj* romantic.
romaria [xoma'ria] *f* religious festival.
romper [xõm'pe(x)] **1** *vt (corda, cabo)* to snap; *(contrato)* to break.
2 *vi (namorados, noivos)* to split up; **romper com** to split up with.
❑ **romper-se** *vp (rasgar-se)* to tear.
ronda ['xõnda] *f (de polícia)* beat; *(de guarda-noturno)* rounds *pl*; **fazer a ronda** to do one's rounds.
rosa ['xɔza] *f* rose; **um mar de rosas** a bed of roses.
rosário [xo'zarju] *m* rosary.
rosbife [xoʒ'bifi] *m* roast beef.
rosca ['xoʃka] *f (de garrafa, tampa, parafuso)* thread; *(pão) ring-shaped loaf of bread*.
rosé [xɔ'zɛ] *m* rosé.
roseira [xo'zejra] *f* rosebush.
rosnar [xoʒ'na(x)] *vi* to growl.
rosto ['xoʃtu] *m* face.
rota ['xɔta] *f (de navio)* course; *(de avião)* route.
roteiro [xo'tejru] *m* route.
rotina [xo'tʃina] *f* routine.
roto, ta ['xotu, ta] **1** *pp* → **romper.**
2 *adj (roupa)* torn.
rótula ['xɔtula] *f* kneecap.
rotular [xotu'la(x)] *vt* to label.
rótulo ['xɔtulu] *m* label.
roubar [xo'ba(x)] *vt & vi* to steal; **roubar algo de alguém** to steal sthg from sb; **fui roubado** I've been robbed.
roubo ['xobu] *m (ato)* robbery, theft; *(coisa roubada)* stolen item; *fig (preço exagerado)* rip-off.
rouco, ca ['xoku, ka] *adj* hoarse.
roupa ['xopa] *f (vestuário)* clothes *pl*; *(de cama)* bedclothes.
roupão [xo'pãw] (*pl* **-ões** [-õjʃ]) *m* bathrobe *Am*, dressing gown *Brit*.
rouxinol [xoʃi'nɔw] (*pl* **-óis** [-ɔjʃ]) *m* nightingale.
roxo, xa ['xoʃu, ʃa] *adj* violet.
rua ['xua] **1** *f* street.
2 *interj* get out!.
3 rua abaixo/acima down/up the street; **mandar para a rua** to sack; **ir para a rua** to go out.
rubéola [xu'bɛula] *f* German measles *sg*.
rubi [xu'bi] *m* ruby.
rubor [xu'bo(x)] (*pl* **-res** [-riʃ]) *m* blush.
ruborizar-se [xubori'zaxsi] *vp* to blush, to go red.
rude ['xudʒi] *adj* coarse.
ruela ['xwɛla] *f* back street.
ruga ['xuga] *f (em pele)* wrinkle; *(em tecido)* crease.
rúgbi ['xugbi] *m* rugby.
rugido [xu'ʒidu] *m* roar.
rugir [xu'ʒi(x)] *vi* to roar.
ruído ['xwidu] *m* noise.
ruim ['xuĩ] (*pl* **-ns** [-ʃ]) *adj* bad.
ruínas ['xwinaʃ] *fpl* ruins.
ruins → **ruim.**
ruivo, va ['xuivu, va] **1** *adj (cabelo)* red.
2 *m, f* redhead.
rum ['xũ] *m* rum.
rumar [xu'ma(x)]: **rumar a** *v + prep* to steer toward.
rumo ['xumu] *m* direction.
rumor [xu'mo(x)] (*pl* **-res** [-riʃ]) *m* rumor.
ruptura [xup'tura] *f (de relação, contrato)* breaking-off; *(de ligamento)* rupture.
rural [xu'raw] (*pl* **-ais** [-ajʃ]) *adj* rural.
rústico, ca ['xuʃtʃiku, ka] *adj* rustic.

S

S.A. (*abrev de* **Sociedade Anônima**) Inc. *Am*, plc *Brit*, Ltd *Brit*.

sábado ['sabadu] *m* Saturday → **sexta-feira**.

sabão [sa'bãw] (*pl* **-ões** [-õjʃ]) *m* soap; **sabão em pó** soap powder; **levar um sabão** to be reprimanded; **passar um sabão em alguém** to haul sb over the coals.

sabedoria [sabedo'ria] *f* wisdom.

saber [sa'be(x)] **1** *vt* to know.
2 *m* knowledge.
3 ele não sabe nada sobre computadores he doesn't know a thing about computers; **não quero saber!** I don't want to know!; **saber fazer algo** to know how to do sthg; **sei falar inglês** I can speak English; **fazer saber que** to make it known (that); **sem saber** unwittingly, unknowingly; **saber de** to know about; **vir a saber de algo** to find out about sthg.

sabiá [sa'bja] *f* thrush.

sabões → **sabão.**

sabonete [sabo'netʃi] *m* (bar of) soap.

saboneteira [sabone'tejra] *f* soap dish.

sabor [sa'bo(x)] (*pl* **-res** [-riʃ]) *m (gosto)* taste; *(aroma)* flavor; **com sabor de morango** strawberry flavored.

saborear [saborj'a(x)] *vt (provar)* to taste; *(comer devagar)* to savor; *fig (sol, férias, descanso)* to enjoy.

sabores → **sabor.**

sabotagem [sabo'taʒẽ] (*pl* **-ns** [-ʃ]) *f* sabotage.

sabotar [sabo'ta(x)] *vt* to sabotage.

sabugueiro [sabu'gejru] *m* elder.

saca ['saka] *f* bag.

sacar [sa'ka(x)] *vt (compreender)* to understand.

sacarina [saka'rina] *f* saccharin.

saca-rolhas [ˌsaka'xoʎaʃ] *m inv* corkscrew.

sacerdote [sasex'dɔtʃi] *m* priest.

sachê [sa'ʃe] *m* sachet.

saciar [sasj'a(x)] *vt (fome)* to satisfy; *(sede)* to quench.
❑ **saciar-se** *vp* to be satisfied.

saco ['saku] *m (pequeno)* bag; *(grande)* sack; **saco de água quente** hot-water bottle; **saco de dormir** sleeping bag; **saco de lixo** trash bag *Am*, bin bag *Brit*; **saco de plástico** plastic bag; **saco de viagem** toiletry bag; **que saco!** damn!; **eu não tenho saco de ir lá** I can't be bothered to go; **puxar o saco de alguém** to suck up to sb; **ser um saco** to be a pain.

sacola [sa'kɔla] *f* bag.

sacramento [sakra'mẽntu] *m* sacrament.
❑ **sacramentos** *mpl* last rites.

sacrificar [sakrifi'ka(x)] *vt* to sacrifice.
❑ **sacrificar-se** *vp*: **sacrificar-se por alguém** to make sacrifices for sb.

sacristia [sakriʃ'tʃia] *f* sacristy.

sacro, cra ['sakru, kra] *adj* sacred.

sacudir [saku'dʒi(x)] *vt* to shake.

sadio, dia [sa'dʒiu, dʒia] *adj* healthy.

saem ['sajẽ] → **sair.**

safira [sa'fira] *f* sapphire.

Sagitário [saʒi'tarju] *m* Sagittarius.

sagrado, da [sa'gradu, da] *adj* holy, sacred.

sai ['saj] → **sair.**

saí [sa'i] → **sair.**

saia ['saja] *f* skirt.

saia-calça [ˌsaja'kawsa] (*pl* **saias-calças** [ˌsajaʃ'kawsa]) *f* culottes *pl*.

saída [sa'ida] *f* exit; *(de ônibus, trem)* departure; *(de problema, situação)* way out;

'saída de emergência' 'emergency exit'; **dar uma saída** to pop out; **estar de saída** to be on one's way out; **ter saída** *(produto)* to sell well.

saio ['saju] → **sair.**

sair [sa'i(x)] *vi* to go/come out; *(partir)* to go, to leave; *(separar-se)* to come off; *(ser publicado)* to come out; **sai daí!** come out of there!; **sair a** ou **por** *(custar)* to work out to.
❑ **sair-se** *vp*: **sair-se bem/mal** to come off well/badly.

sais → **sal.**

saiu [sa'iu] → **sair.**

sal ['saw] (*pl* **sais** ['sajʃ]) *m* salt; **sem sal** unsalted; **sal comum** ou **marinho** sea salt; **sal refinado** table salt; **sais de banho** bath salts; **sal de fruta** antacid.

sala ['sala] *f* room; **sala de aula** classroom; **sala de espera** waiting room; **sala (de estar)** living room; **sala de jantar** dining room.

salada [sa'lada] *f* salad; **salada de alface** green salad *(of lettuce only)*; **salada de frutas** fruit salad; **salada mista** mixed salad.

saladeira [sala'dejra] *f* salad bowl.

salamandra [sala'mãndra] *f* salamander.

salame [sa'lami] *m* salami.

salão [sa'lãw] (*pl* **-ões** [-õjʃ]) *m* hall; *(exposição coletiva)* exhibition; **salão de beleza** beauty salon; **salão de chá** tea room; **salão de festas** reception room; **salão de jogos** amusement arcade.

salário [sa'larju] *m* salary; **salário mínimo** minimum wage.

saldar [saw'da(x)] *vt (conta)* to settle; *(dívida)* to pay off; *(mercadorias)* to sell off at a reduced price.

saldo ['sawdu] *m (de conta bancária)* balance.

salgadinhos [sawga'dʒiɲuʃ] *mpl* savory snacks.

salgado, da [saw'gadu, da] *adj (comida)* salty; *(bacalhau, água)* salt *(antes de s).*

salgueiro [saw'gejru] *m* willow.

saliente [sa'ljẽntʃi] *adj* protruding.

saliva [sa'liva] *f* saliva.

salmão [saw'mãw] *m* salmon; **salmão defumado** smoked salmon.

salmoura [saw'mora] *f* brine.

salões → **salão.**

salpicão [sawpi'kãw] (*pl* **-ões** [-õjʃ]) *m (enchido)* paprika salami.

salpicar [sawpi'ka(x)] *vt* to sprinkle; *(sujar com pingos)* to splash, to spatter.

salpicões → **salpicão.**

salsa ['sawsa] *f* parsley.

salsicha [saw'siʃa] *f* frankfurter.

salsicharia [sawsiʃ'aria] *f* delicatessen.

saltar [saw'ta(x)] **1** *vt* to jump over.
2 *vi (dar saltos)* to jump; *(ir pelo ar)* to fly off.
3 saltar à vista ou **aos olhos** to be as plain as day.

salteado, da [sawte'adu, da] *adj (entremeado)* alternating.

salto ['sawtu] *m* jump; *(de calçado)* heel; **de salto alto** high-heeled; **salto em altura** high jump; **salto baixo** ou **raso** *(de calçado)* flat ou low heel; **salto à distância** long jump; **salto mortal** somersault.

salva ['sawva] *f (planta)* sage; *(bandeja)* salver; **salva de palmas** round of applause.

salvação [sawva'sãw] *f* salvation; *(remédio)* cure; **não haver salvação** to be beyond repair.

salvaguardar [ˌsawvagwax'da(x)] *vt* to safeguard.

salvamento [sawva'mẽntu] *m* rescue.

salvar [saw'va(x)] *vt* to save; **salvar as aparências** to keep up appearances.
❑ **salvar-se** *vp* to escape.

salva-vidas [ˌsawva'vidaʃ] *m inv* lifeboat; *(pessoa)* lifeguard.

salvo, va ['sawvu, va] **1** *pp* → **salvar.**
2 *adj* safe.
3 *prep* except.
4 estar a salvo to be safe; **pôr-se a salvo** to escape; **salvo erro** unless I'm mistaken; **salvo se** unless.

samba ['sãmba] *m* samba.

samba-canção [ˌsãmbakã'sãw] (*pl* **sambas-canções** [ˌsãmbaʃkã'sõjʃ]) *m slower style of samba with romantic lyrics*; *(cueca)* boxer shorts *pl.*

sanção [sã'sãw] (*pl* **-ões** [-õjʃ]) *f* sanction.

sandália [sãn'dalja] *f* sandals.

sanduíche [sãndw'iʃi] *m* sandwich.

sanfona [sã'fona] *f (acordeão)* accordion.

sangrar [sãŋ'gra(x)] *vi* to bleed.

sangria [sãŋ'gria] *f* sangria.

sangue ['sãŋgi] *m* blood; **exame de sangue** blood test.

sangue-frio [ˌsãŋgi'friu] *m (presença de espírito)* presence of mind.

sanidade [sani'dadʒi] *f (mental)* sanity.

sanitários [sani'tarjuʃ] *mpl* restrooms *Am*, toilets *Brit*.

santo, ta ['sãntu, ta] **1** *adj* sacred. **2** *m, f*: **Santo/Santa** Saint; **o Santo Padre** the Holy Father.

santuário [sãntw'arju] *m* sanctuary, shrine.

são[1] ['sãw] → **ser.**

são[2], **ã** ['sãw, 'sã] *adj (saudável)* healthy; *(fruto)* unblemished; **são e salvo** safe and sound.

São [sãw] *m* = **Santo.**

sapataria [sapata'ria] *f* shoe store.

sapateado [sapa'tʒjadu] *m* tap dancing.

sapateiro, ra [sapa'tejru, ra] *m, f* cobbler.

sapatilhas [sapa'tʃiʎaʃ] *fpl (de bailarinos)* ballet slippers.

sapato [sa'patu] *m* shoe; **sapatos de salto alto** high-heeled shoes.

sapo ['sapu] *m* toad; **engolir sapo** to swallow one's pride.

saquinho [sa'kiɲu] *m*: **saquinho de chá** tea bag.

sarampo [sa'rãmpu] *m* measles *sg*.

sarar [sa'ra(x)] *vi & vt (cicatrizar)* to heal.

sarda ['saxda] *f* freckle.

sardinha [sax'dʒiɲa] *f (peixe)* sardine; **sardinhas assadas** grilled sardines.

sargento [sax'ʒẽntu] *m* sergeant.

sarjeta [sax'ʒeta] *f* gutter.

satélite [sa'tɛlitʃi] *m* satellite.

sátira ['satʃira] *f* satire.

satisfatório, ria [satʃiʃfa'tɔrju, rja] *adj* satisfactory.

satisfazer [satʃiʃfa'ze(x)] **1** *vt (agradar a)* to satisfy; *(cumprir)* to meet. **2** *vi (ser suficiente)* to be satisfactory. ❑ **satisfazer-se** *vp*: **satisfazer-se com** to content o.s. with.

satisfeito, ta [satʃiʃ'fejtu, ta] *adj* satisfied; **dar-se por satisfeito (com)** to be satisfied (with).

saudação [sawda'sãw] (*pl* **-ões** [-õjʃ]) *f* greeting.

saudade [saw'dadʒi] *f* nostalgia; **ter saudade de** to miss; **ela deixou muitas saudades** everyone misses her; **matar a saudade** *(de lugar)* to revisit old haunts; *(de pessoa)* to look up old friends; **sinto muita saudade da Bahia** I miss Bahia so much.

saudar [saw'da(x)] *vt* to greet.

saudável [saw'davɛw] (*pl* **-eis** [-ejʃ]) *adj* healthy.

saúde [sa'udʒi] **1** *f* health. **2** *interj* cheers!

sauna ['sawna] *f* sauna.

saxofone [sakso'fɔni] *m* saxophone.

se [si] **1** *pron* **(a)** *(reflexo: pessoa)* himself, herself, themselves *pl*; *(você, vocês)* yourself, yourselves *pl*; *(impessoal)* oneself; **lavar-se** to wash (oneself); **eles se perderam** they got lost; **vocês se perderam** you got lost.
(b) *(reflexo: coisa, animal)* itself, themselves *pl*; **o vidro partiu-se** the glass broke.
(c) *(recíproco)* each other; **escrevem-se regularmente** they write to each other regularly; **não se cruzam** they can't stand each other.
(d) *(com sujeito indeterminado)*: **'aluga-se quarto'** 'room for rent'; **'vende-se'** 'for sale'; **come-se bem aqui** the food is very good here.
2 *conj* **(a)** *(indica condição)* if; **se tiver tempo, escrevo** I'll write if I have time.
(b) *(indica causa)* if; **se você está com fome, coma alguma coisa** if you're hungry, have something to eat.
(c) *(indica comparação)* if; **se um é feio, o outro ainda é pior** if you think he's ugly, you should see the other one.
(d) *(em interrogativas)*: **que tal se fôssemos ao cinema?** how about going to the movies?; **e se ela não vier?** what if she doesn't come?
(e) *(exprime desejo)* if; **se pelo menos tivesse dinheiro!** if only I had the money!
(f) *(em interrogativa indireta)* if, whether; **avisem-me se quiserem ir** let me know if you'd like to go; **perguntei-lhe se gostou** I asked him if he liked it.
(g) *(em locuções)*: **se bem que** even though, although.

> Vejamos as duas traduções possíveis da frase Sue e Ted se odeiam: *Sue and Ted hate themselves* (Sue odeia Sue e Ted odeia Ted, portanto, trata-se de um 'se' reflexivo); *Sue and Ted hate each other* (Sue odeia Ted e Ted odeia Sue, aqui temos um 'se' recíproco em inglês).

sé ['sɛ] *f* cathedral.

seca ['seka] *f* drought.

secador [seka'do(x)] (*pl* **-res** [-riʃ]) *m* blow dryer.

seção [se'sãw] (*pl* **-ões** [-õjʃ]) *f* department; **seção de achados e perdidos** lost-and-found office *Am*, lost property office *Brit*.

secar [se'ka(x)] **1** *vt* to dry.

2 *vi (planta, árvore)* to wither; *(rio, poço, lago)* to dry up; *(roupa, cabelo)* to dry.

seco, ca ['seku, ka] **1** *pp* → **secar.**

2 *adj* dry; *(carne, peixe, fruto)* dried; *fig (ríspido)* curt.

secretaria [sekreta'ria] *f (de escola, repartição pública)* secretary's office; **secretaria de Estado** government department.

secretária [sekre'tarja] *f (móvel)* desk; **secretária eletrônica** answering machine → **secretário.**

secretário, ria [sekre'tarju, rja] *m, f* secretary; **Secretário de Estado** Secretary of State.

secreto, ta [se'krɛtu, ta] *adj* secret.

sectário, ria [sɛk'tarju, rja] *adj* sectarian.

secular [seku'la(x)] (*pl* **-res** [-riʃ]) *adj* ancient.

século ['sɛkulu] *m* century.

secundário, ria [sekũn'darju, rja] *adj* secondary; *(estrada)* minor.

seda ['seda] *f* silk.

sedativo [seda'tʃivu] *m* sedative.

sede[1] ['sɛdʒi] *f (de empresa, organização)* headquarters *pl*.

sede[2] ['sedʒi] *f* thirst; **ter sede** to be thirsty; **ter sede de** to thirst after; **matar a sede** to quench one's thirst.

sedimento [sedʒi'mẽntu] *m* sediment.

sedoso, osa [se'dozu, ɔza] *adj* silky.

sedução [sedu'sãw] (*pl* **-ões**) [-õjʃ] *f* seduction.

sedutor, ra [sedu'to(x), ra] (*mpl* **-res** [-riʃ], *fpl* **-s** [-ʃ]) *adj* seductive.

seduzir [sedu'zi(x)] *vt* to seduce.

segmento [sɛg'mẽntu] *m* segment.

segredo [se'gredu] *m* secret; *(reserva)* secrecy.

segregar [segre'ga(x)] *vt (pôr de lado)* to segregate; *(secreção)* to secrete.

❑ **segregar-se** *vp (isolar-se)* to cut o.s. off.

seguida [se'gida] *f*: **em seguida** immediately.

seguidamente [se,gida'mẽntʃi] *adv (sem interrupção)* continuously; *(de seguida)* straight afterward.

seguido, da [se'gidu, da] *adj (contínuo)* continuous; **dias/anos seguidos** days/years on end; **seguido de** followed by.

seguinte [se'gĩntʃi] **1** *adj* following.

2 *mf*: **o/a seguinte** the next one; **o dia/mês seguinte** the following day/month.

seguir [se'gi(x)] **1** *vt* to follow; *(perseguir)* to chase; *(carreira, profissão)* to pursue.

2 *vi (continuar)* to go on, to carry on.

3 seguir com algo to continue with sthg; **seguir para** to travel on to; **seguir por** to travel on ou along; **a seguir** afterward; **a seguir a** after.

segunda [se'gũnda] *f (de veículo)* second (gear) → **segundo.**

segunda-feira [se,gũnda'fejra] (*pl* **segundas-feiras** [se,gũndaʃ'fejraʃ]) *f* Monday → **sexta-feira.**

segundo, da [se'gũndu, da] **1** *num & m* second.

2 *prep* according to.

3 *adv* secondly; **de segunda mão** second-hand → **sexto.**

segurança [segu'rãsa] *f* security; *(sem perigo)* safety; *(confiança)* confidence; *(certeza)* certainty; **com segurança** *(agir, afirmar)* confidently; **em segurança** in safety.

segurar [segu'ra(x)] *vt (agarrar)* to hold on to.

seguro, ra [se'guru, ra] **1** *adj* safe; *(firme, preso)* secure; *(mesa, cadeira)* steady; *(garantido)* guaranteed.

2 *m (de carro, casa, vida)* insurance.

3 estar seguro *(estar a salvo)* to be safe; *(ter certeza)* to be certain ou sure; **pôr no seguro** to insure; **ser seguro de si** to be self-assured; **seguro de responsabilidade civil** liability insurance; **seguro contra todos os riscos** fully-comprehensive insurance; **seguro de viagem** travel insurance; **seguro de vida** life insurance.

seguro-saúde [se,gurusa'udʒi] (*pl* **seguros-saúde** [se,guruʃsa'udʒi]) *m* health insurance.

sei ['sej] → **saber.**

seio ['saju] *m* breast.

seis ['sejʃ] **1** *adj num* six.

2 *m* six; *(dia)* sixth.

3 *mpl (temperatura)* six (degrees).

4 *fpl*: **às seis** at six (o'clock).

5 (são) seis horas (it's) six o'clock; **ele tem seis anos** he's six years old; **eles eram seis** there were six of them; **seis de janeiro** the sixth of January; **página**

seis page six; **trinta e seis** thirty-six; **o seis de copas** the six of hearts; **está fazendo seis graus centígrados** it's six degrees Celsius; **de seís em seis semanas/horas** every six weeks/hours; **empataram seis a seis** *(em partida)* they tied six-all; **seis a zero** *(em partida)* six nil.

seiscentos, tas [sejʃ'sẽntuʃ, taʃ] *num* six hundred → **seis.**

seita ['sejta] *f* sect.

seiva ['sejva] *f* sap.

seixo ['sejʃu] *m* pebble.

sela ['sɛla] *f* saddle.

selar [se'la(x)] *vt (cavalo, égua)* to saddle; *(carta, subscrito)* to stamp; *(documento oficial, pacto)* to seal.

seleção [sele'sãw] *f (escolha)* selection; *(equipe nacional)* team.

selecionar [selesjo'na(x)] *vt* to select.

seleto, ta [se'lɛtu, ta] *adj* exclusive.

selim [se'lĩ] (*pl* **-ns** [-ʃ]) *m (de bicicleta)* saddle.

selo ['selu] *m* stamp; **selo de garantia** *(em produto)* tamper-proof seal.

selva ['sɛwva] *f* jungle.

selvagem [sɛw'vaʒẽ] (*pl* **-ns** [-ʃ]) **1** *adj* wild. **2** *mf (pessoa)* savage.

sem [sẽ] *prep* without; **estou sem fazer nada há muito tempo** I haven't done anything in ages; **ele saiu sem que eu notasse** he left without my noticing; **estar sem água/gasolina** to be out of water/gas; **sem mais nem menos** for no reason whatsoever; **sem data** undated.

sem-abrigo [sẽa'brigu] *mf inv* homeless person; **os sem-abrigo** the homeless.

semáforos [se'maforuʃ] *mpl* traffic lights.

semana [se'mana] *f* week; **semana a semana** week by week; **por semana** a ou per week; **a Semana Santa** Holy Week.

semanada [sema'nada] *f* weekly allowance.

semanal [sema'naw] (*pl* **-ais** [-ajʃ]) *adj* weekly.

semear [se'mja(x)] *vt (trigo, batatas etc.)* to sow; *(ódio, discórdia)* to spread.

semelhança [seme'ʎãsa] *f* resemblance; **à semelhança de** like.

semelhante [seme'ʎãntʃi] *adj* similar; **semelhante a** like, similar to.

sêmen ['semɛn] *m* semen.

semente [se'mẽntʃi] *f* seed.

semestral [semeʃ'traw] (*pl* **-ais** [-ajʃ]) *adj* half-yearly, six-monthly.

semestre [se'mɛʃtri] *m* period of six months.

seminário [semi'narju] *m (grupo de estudos)* seminar; *(para eclesiásticos)* seminary.

sêmola ['semola] *f* semolina.

sempre ['sẽmpri] *adv* always; **o mesmo de sempre** the usual; **como sempre** as usual; **para sempre** forever; **sempre que** whenever.

sem-vergonha [sãjvex'goɲa] *mf inv* rogue.

senado [se'nadu] *m* senate.

senão [se'nãw] *conj* otherwise.

senha ['seɲa] *f (sinal)* sign; *(palavra de acesso)* password; *(de caixa automática)* PIN.

senhor, ra [se'ɲo(x), ra] (*mpl* **-res** [-riʃ], *fpl* **-s** [-ʃ]) *m, f (em geral)* man (woman); *(formalmente)* gentleman (lady); *(antes de nome)* Mr., Mrs., Ms.; *(ao dirigir a palavra)* Sir; **'senhoras'** 'ladies'; **Caro** ou **Exmo. Senhor** *(em carta)* Dear Sir; **Cara** ou **Exma. Senhora** *(em carta)* Dear Madam; **bom dia meus senhores/minhas senhoras!** good morning (gentlemen/ladies)!; **o que o senhor deseja?** what would Sir like?

senhorio, ria [seɲo'riu, ria] *m, f* landlord.

senil [se'niw] (*pl* **-is** [-iʃ]) *adj* senile.

sensação [sẽsa'sãw] (*pl* **-ões** [-õjʃ]) *f* sensation, feeling; *(intuição)* feeling; **causar sensação** to cause a sensation.

sensacional [sẽsasjo'naw] (*pl* **-ais** [-ajʃ]) *adj* sensational.

sensações → **sensação.**

sensato, ta [sẽ'satu, ta] *adj* sensible.

sensível [sẽ'sivɛw] (*pl* **-eis** [-ejʃ]) *adj* sensitive.

> Não confundir *sensível (sensitive)* com o inglês *sensible* que em português significa *sensato.* (*Cuidado com os seus comentários porque ela é uma pessoa muito sensível.* Be careful with your comments because she is a very *sensitive* person.)

senso ['sẽsu] *m* sense; **bom senso** common sense; **ter bom senso** to be sensible; **ter senso prático** to be practical; **senso comum** common sense.

sensual [sẽ'swaw] (*pl* **-ais** [-ajʃ]) *adj* sensual.

sentado, da [sẽn'tadu, da] *adj* seated; **estar sentado** to be sitting down.

sentar-se [sẽn'taxsi] *vp* to sit down.

sentença [sẽn'tẽsa] *f* sentence.

sentido, da [sẽn'tʃidu, da] **1** *adj (melindrado)* touchy.
2 *m* sense; *(significado)* meaning; *(direção)* direction.
3 fazer sentido to make sense; **em certo sentido** to a certain extent; **(rua de) sentido único** one-way street; **sem sentido** meaningless.

sentimental [sẽntʃimẽn'taw] (*pl* **-ais** [-ajʃ]) *adj* sentimental.

sentimento [sẽntʃi'mẽntu] *m* feeling; **os meus sentimentos** my deepest sympathy.

sentinela [sẽntʃi'nɛla] *mf* guard; **estar de sentinela** to be on guard duty.

sentir [sẽn'tʃi(x)] *vt* to feel; **sinto muito!** I'm very sorry!; **sentir falta de** to miss; **sentir vontade de fazer algo** to feel like doing sthg.
❑ **sentir-se** *vp* to feel.

separação [separa'sãw] (*pl* **-ões** [-õjʃ]) *f* separation.

separado, da [sepa'radu, da] *adj (independente)* separate; *(cônjuges)* separated; **em separado** separately.

separar [sepa'ra(x)] *vt (dividir)* to separate; *(reservar)* to put aside.
❑ **separar-se** *vt* to separate.

septuagésimo, ma [sɛptwa'ʒɛzimu, ma] *num* seventieth → **sexto.**

sepultar [sepuw'ta(x)] *vt* to bury.

sepultura [sepuw'tura] *f* grave.

seqüência [se'kwẽsja] *f* sequence.

sequer [se'kɛ(x)] *adv*: **nem sequer** not even; **ele sequer falou comigo** he didn't even speak to me.

seqüestrador, ra [sekweʃtra'do(x), ra] (*mpl* **-res** [-riʃ], *fpl* **-s** [-ʃ]) *m, f* kidnapper.

seqüestrar [sekweʃ'tra(x)] *vt* to kidnap, to abduct.

seqüestro [se'kwɛʃtru] *m* kidnapping, abduction.

ser ['se(x)] (*pl* **-res** [-riʃ]) **1** *m (criatura)* being; **ser humano** human being.
2 *vi* **(a)** *(para descrever)* to be; **é longo demais** it's too long; **são bonitos** they're pretty; **sou médico** I'm a doctor.
(b) *(para designar lugar, origem)* to be; **ele é do Brasil** he's from Brazil; **é em São Paulo** it's in São Paulo; **sou brasileira** I'm Brazilian.
(c) *(custar)* to be; **quanto é? - são 100 reais** how much is it? - (it's) 100 reals.
(d) *(com data, dia, hora)* to be; **hoje é sexta** it's Friday today; **que horas são?** what time is it?; **são seis horas** it's six o'clock.
(e) *(exprime possessão)* to be; **é do Ricardo** it's Ricardo's; **este carro é seu?** is this your car?
(f) *(em locuções)*: **a não ser que** unless; **que foi?** what's wrong?; **ou seja** in other words; **será que ele vem?** do you think he's coming?
3 *v aux (forma a voz passiva)* to be; **foi visto na saída do cinema** he was seen on his way out of the movie theater.
4 *v impess* **(a)** *(exprime tempo)* to be; **é de dia/noite** it's daytime/nighttime; **é tarde/cedo** it's late/early.
(b) *(com adjetivo)* to be; **é difícil dizer** it's difficult to say; **é fácil de ver** it's easy to see; **eles são Flamengo** they're Flamengo fans.
❑ **ser de** *v + prep (matéria)* to be made of; *(ser adepto de)* to be a fan of.

serão [se'rãw] (*pl* **-ões** [-õjʃ]) *m (noite)* evening; **fazer serão** to stay up late, to work late.

serenar [sere'na(x)] **1** *vt (acalmar)* to calm.
2 *vi (acalmar-se)* to calm down; *(tempo)* to clear up.

serenata [sere'nata] *f* serenade.

seres → **ser.**

seresta [se'rɛʃta] *f* = **serenata.**

seriado [se'rjadu] *m* (TV) series *(sg)*.

série ['sɛrji] *f* series *sg*; *(de bilhetes de metrô)* book; **em série** sequential; **uma série de** a series of.

seriedade [serje'dadʒi] *f* seriousness; *(honestidade)* honesty.

seringa [se'rĩŋga] *f* syringe.

sério, ria ['sɛrju, rja] **1** *adj* serious; *(honrado)* honest.
2 *adv*: **a sério?** seriously?; **levar a sério** to take seriously.

sermão [sex'mãw] (*pl* **-ões** [-õjʃ]) *m* sermon; **passar um sermão em alguém** to give sb a ticking off.

serões → **serão.**

serpente [sex'pẽntʃi] *f* serpent.

serpentina [serpẽn'tʃina] *f* streamer.

serra ['sɛxa] *f (instrumento)* saw; *(em geografia)* mountain range.

serralheiro [sexa'ʎejru] *m* locksmith.

serrar [se'xa(x)] *vt* to saw.

sertanejo, ja [sexta'nejʒu, ʒa] *adj of/relating to the sertão.*

sertão [sex'tãw] *m remote, arid lands in the interior of northeastern Brazil.*

servente [sex'vẽntʃi] *m (de pedreiro)* (bricklayer's) assistant.

serventia [sexvẽn'tʃia] *f (préstimo)* use.

serviço [sex'visu] *m* service; *(trabalho)* work; **'fora de serviço'** 'out of service'; **'serviço incluído'** 'service included'; **serviço militar** military service.

servil [sex'viw] (*pl* **-is** [-iʃ]) *adj* servile.

servir [sex'vi(x)] **1** *vt* to serve.
2 *vi (criado, empregado)* to serve; *(ser útil)* to be useful; *(roupa, calçado)* to fit.
3 em que posso serví-lo? how may I help you?; **servir de algo** to serve as sthg.
❑ **servir-se** *vp (de bebida, comida)* to help o.s.; **servir-se de** *(fazer uso de)* to make use of.

servis → **servil.**

sessão [se'sãw] (*pl* **-ões** [-õjʃ]) *f (de filme)* showing; *(em televisão)* broadcast; *(de debate político, científico)* meeting; *(em tribunal)* session.

sessenta [se'sẽnta] *num* sixty → **seis.**

sessões → **sessão.**

sesta ['sɛʃta] *f* afternoon nap, siesta; **fazer a sesta** to have a siesta.

seta ['sɛta] *f* arrow.

sete ['sɛtʃi] *num* seven → **seis.**

setecentos, tas [sɛte'sẽntuʃ, taʃ] *num* seven hundred → **seis.**

setembro [se'tẽmbru] *m* September; **durante o mês de setembro** during (the month of) September; **em setembro** in September; **em meados de setembro** in the middle of September, in mid-September; **este mês de setembro** *(passado)* last September; *(futuro)* this (coming) September; **o passado/próximo mês de setembro** last/next September; **no princípio/final de setembro** at the beginning/end of September; **o primeiro de setembro** September first.

setenta [se'tẽnta] *num* seventy → **seis.**

sétimo, ma ['sɛtʃimu, ma] *num* seventh → **sexto.**

setor [se'to(x)] (*pl* **-res** [-riʃ]) *m (ramo)* sector; *(seção)* section.

seu, sua ['sew, 'sua] **1** *adj* **(a)** *(dele)* his; *(dela)* her; *(de você, vocês)* your; *(deles, delas)* their; **ela trouxe o seu carro** she brought her car; **onde estacionou a sua moto?** where did you park your motorcycle?
(b) *(de coisa, animal: singular)* its; *(de coisa, animal: plural)* their; **o cachorro foi para o seu canil** the dog went into his ou its doghouse.
2 *pron*: **o seu/a sua** *(dele)* his; *(dela)* hers; *(deles, delas)* theirs; *(de coisa, animal: singular)* its; *(de coisa, animal: plural)* their; **um amigo seu** a friend of his/hers etc.; **os seus** *(a família de cada um)* his/her etc. family.

severidade [severi'dadʒi] *f* severity.

severo, ra [se'vɛru, ra] *adj (inflexível)* strict; *(grave)* severe.

sexagésimo, ma [sɛksa'ʒɛzimu, ma] *num* sixtieth → **sexto.**

sexo ['sɛksu] *m* sex; *(órgão reprodutor)* genitals *pl*; **fazer sexo** to have sex.

sexta-feira [ˌsejʃta'fejra] (*pl* **sextas-feiras** [ˌsejʃtaʃ'fejraʃ]) *f* Friday; **às sextas-feiras** on Fridays; **até sexta-feira** until Friday; **ela vem sexta-feira** she's coming on Friday; **esta sexta-feira** *(passada)* last Friday; *(próxima)* next Friday; **hoje é sexta-feira** today is Friday; **todas as sextas-feiras** every Friday; **sexta-feira de manhã/à tarde/à noite** Friday morning/afternoon/night; **sexta-feira 12 de junho** Friday 12 June; **sexta-feira passada/próxima** last/next Friday; **sexta-feira que vem** next Friday; **Sexta-Feira Santa** Good Friday.

sexto, ta ['sejʃtu, ta] **1** *adj num* sixth.
2 *m (número)* sixth.
3 *m, f*: **o sexto /a sexta** *(pessoa, coisa)* the sixth.
4 chegar em sexto to come sixth; **capítulo sexto** chapter six; **em sexto lugar** in sixth place; **no sexto dia** on the sixth day; **a sexta parte** *(relativo a quantidade)* a sixth; *(de espetáculo, filme)* part six.

sexual [sɛk'swaw] (*pl* **-ais** [-ajʃ]) *adj* sexual.

sexualidade [sekswali'dadʒi] *f* sexuality.

shopping ['ʃɔpĩŋ] *m*: **shopping (center)** (shopping) mall *Am*, shopping centre *Brit*.

si ['si] *pron* **(a)** *(complemento indireto: pessoa)* him, them *pl*; *(você, vocês)* you.

(b) *(complemento indireto: coisa, animal)* it, them *pl.*
(c) *(reflexo: pessoa)* himself, themselves *pl*; *(você, vocês)* yourself, yourselves *pl*; **comprou-o para si (mesmo** ou **próprio)** he bought it for himself; **elas sabem tomar conta de si (mesmas** ou **próprias)** they can take care of themselves; **ela é cheia de si** she is full of herself.
(d) *(reflexo: coisa, animal)* itself, themselves *pl*; **o livro, em si, não é caro** the book itself is not expensive.
(e) *(impessoal)* oneself; **é sinal de egoísmo só pensar em si** it's a sign of selfishness to think only of oneself; **cada um por si** each man for himself.

siderurgia [si'derur'ʒia] *f* iron and steel industry.
sido ['sidu] → **ser.**
sidra ['sidra] *f* cider.
sigilo [si'ʒilu] *m* secrecy.
sigla ['sigla] *f* acronym.
significado [signifi'kadu] *m* meaning.
significar [signifi'ka(x)] *vt* to mean.
significativo, va [signifika'tʃivu, va] *adj* significant.
signo ['signu] *m* sign.
sigo ['sigu] → **seguir.**
sílaba ['silaba] *f* syllable.
silenciar [silẽ'sja(x)] *vt* to silence.
silêncio [si'lẽsju] **1** *m* silence.
2 *interj* silence!
silencioso, osa [silẽ'sjozu, ɔza] *adj* silent, quiet.
silhueta [si'ʎweta] *f* silhouette.
silicone [sili'kɔni] *m* silicone.
silvestre [siw'vɛʃtri] *adj* wild.
sim ['sĩ] *adv* yes; **acho que sim** I think so; **pelo sim pelo não** just in case.
símbolo ['sĩmbolu] *m* symbol.
simetria [sime'tria] *f* symmetry.
similar [simi'la(x)] (*pl* **-res** [-riʃ]) *adj* similar.
simpatia [sĩmpa'tʃia] *f (carinho)* affection; *(cordialidade)* friendliness.
simpático, ca [sĩm'patʃiku, ka] *adj* nice; *(amigável)* friendly.

> Não confundir *simpático (nice)* com o inglês *sympathetic* que em português significa *solidário*. (*Ele é um rapaz muito simpático.* He is a very *nice* guy.)

simpatizante [sĩmpatʃi'zãntʃi] *mf* sympathizer.
simpatizar [sĩmpatʃi'za(x)] *v + prep*: **simpatizar com** to like.
simples ['sĩmpleʃ] *adj inv* simple; *(bebida)* straight; *(bilhete de metrô)* one-way; **simples masculina/feminina** *(em tênis)* men's/women's singles *pl*; **queria um simples copo de água** I just want a glass of water.
simplicidade [sĩmplisi'dadʒi] *f* simplicity.
simplificar [sĩmplifi'ka(x)] *vt* to simplify.
simular [simu'la(x)] **1** *vt (fingir)* to feign; *(incêndio, ataque aéreo)* to simulate.
2 *vi (fingir)* to pretend.
simultâneo, nea [simuw'tanju, nja] *adj* simultaneous.
sinagoga [sina'gɔga] *f* synagogue.
sinal [si'naw] (*pl* **-ais** [-ajʃ]) *m* sign; *(marca)* mark; *(em pele)* mole; *(de nascimento)* birthmark; *(de trânsito)* traffic light; *(dinheiro)* deposit; **estou aqui há uma hora e nem sinal dele** I've been here for an hour and there's no sign of him; **dar sinal de si** to show up; **dar sinais de cansaço** to show signs of fatigue; **avançar** ou **furar o sinal** to jump the lights; **em sinal de** as a mark ou sign of; **sinal de alarme** alarm; **sinal de interrompido** ou **de ocupado** engaged tone.
sinalização [sinaliza'sãw] *f* road signs *pl.*
sinceridade [sĩseri'dadʒi] *f* sincerity.
sincero, ra [sĩ'sɛru, ra] *adj* sincere.
sindicato [sĩndʒi'katu] *m* labor union.
síndico ['sĩndʒiku] *m person chosen by other residents to organize the maintenance of an apartment building.*
síndrome ['sĩdromi] *f* syndrome.
sinfonia [sĩfo'nia] *f* symphony.
singelo, la [sĩ'ʒɛlu, la] *adj* simple.
singular [sĩŋgu'la(x)] (*pl* **-res** [-riʃ]) **1** *adj (único)* unique; *(extraordinário)* strange; GRAM singular.
2 *m* GRAM singular.
sino ['sinu] *m* bell.
sinônimo [si'nonimu] *m* synonym.
síntese ['sĩntezi] *f (resumo)* summary.
sintético, ca [sĩn'tɛtiku, ka] *adj (artificial)* synthetic; *(resumido)* concise.
sintoma [sĩn'toma] *m* symptom.
sintonizar [sĩntoni'za(x)] *vt (rádio)* to tune; *(estação de rádio)* to tune in to.

sinuoso, osa [si'nwozu, ɔza] *adj (curva, caminho)* winding.
sirene [si'rɛni] *f* siren.
siri [si'ri] *m* crab.
sirvo ['sixvu] → **servir.**
sistema [siʃ'tema] *m* system; **sistema métrico** metric system; **sistema nervoso** nervous system; **por sistema** systematically.
sistemático, ca [siʃte'matʃiku, ka] *adj* systematic.
sisudo, da [si'zudu, da] *adj* serious.
sítio ['sitʃju] *m (chácara)* small farm; *(cerco)* siege; **estado de sítio** state of siege.
situação [sitwa'sãw] (*pl* **-ões** [-õjʃ]) *f (localização)* position; *(circunstâncias)* situation; *(estado, condição)* condition.
situado, da [si'twadu, da] *adj*: **bem/mal situado** well/badly situated; **situado em** situated in; **está situado ao norte de Brasília** it is located to the north of Brasília.
situar [si'twa(x)] *vt (colocar)* to place; *(localizar)* to locate.
❑ **situar-se** *vp (localizar-se)* to be located.
slide [s'lajdʒi] *m* slide.
slogan ['slogãn] *m* slogan.
smoking ['smokĩŋ] *m* tuxedo *Am*, dinner jacket *Brit*.
só ['sɔ] **1** *adj (sem companhia)* alone; *(solitário)* lonely.
2 *adv (apenas)* only.
3 é só pedir! all you need to do is ask!; **um só minuto do seu tempo** just a minute of your time; **a sós** alone; **não só ... como também** not only ... but also; **só que** just that.
SO (*abrev de* **Sudoeste**) SW.
soar ['swa(x)] *vi & vt* to sound; **soaram as 10 horas** the clock struck 10; **soar bem** to sound right; **soar mal** not to sound right.
sob ['sobi] *prep* under.
sobe ['sɔbi] → **subir.**
soberania [sobera'nia] *f* sovereignty.
soberano, na [sobe'ranu, na] *adj* sovereign.
soberbo, ba [su'bexbu, ba] *adj (suntuoso)* superb; *(arrogante)* arrogant.
sobrancelha [sobrã'seʎa] *f* eyebrow.
sobrar [so'bra(x)] *vi* to be left over.
sobre ['sobri] *prep (em cima de)* on (top of); *(por cima de)* over; *(acerca de)* about.
sobreaviso [sobrea'vizu] *m*: **estar** ou **ficar de sobreaviso** to be on the alert.
sobrecarga [sobre'kaxga] *f* overload.
sobrecarregar [sobrekaxe'ga(x)] *vt*: **sobrecarregar alguém com algo** to overload sb with sthg.
sobreloja [sobre'lɔʒa] *f* mezzanine.
sobremesa [sobre'meza] *f* dessert.
sobrenatural [ˌsobrenatu'raw] (*pl* **-ais** [-ajʃ]) *adj* supernatural.
sobrenome [sobri'nomi] *m* last name, surname.
sobrepor [sobre'po(x)] *vt*: **sobrepor algo a algo** to put sthg on top of sthg.
❑ **sobrepor-se** *vp (problema, trabalho)* to take precedence.
sobressair [sobresa'i(x)] *vi* to stand out.
sobressaltar [sobresaw'ta(x)] *vt* to startle.
❑ **sobressaltar-se** *vp* to be startled.
sobressalto [sobre'sawtu] *m (susto)* fright; *(inquietação)* anxiety.
sobretaxa [ˌsobre'taʃa] *f* surcharge.
sobretudo [sobre'tudu] **1** *m* overcoat.
2 *adv* especially, above all.
sobrevivência [sobrevi'vẽsja] *f* survival.
sobrevivente [sobrevi'vẽntʃi] *mf* survivor.
sobreviver [sobrevi've(x)] *vi* to survive.
sobriedade [sobrie'dadʒi] *f* sobriety.
sobrinho, nha [so'briɲu, ɲa] *m, f* nephew, niece.

> Em inglês, quando falar de sobrinhos e estiver referindo-se a ambos os sexos, você deve dizer *nieces* e *nephews* (*do you have any nieces and nephews?* você tem sobrinhos?), querendo dizer: você tem algum sobrinho ou sobrinha?).

sóbrio, bria ['sɔbriu, bria] *adj* sober.
social [so'sjaw] (*pl* **-ais** [-ajʃ]) *adj* social.
socialismo [sosja'liʒmu] *m* socialism.
socialista [sosja'liʃta] *adj & mf* socialist.
sociedade [sosje'dadʒi] *f* society; *(comercial)* partnership.
sócio, cia ['sɔsju, sja] *m, f* partner.
sociologia [sosjolo'ʒia] *f* sociology.
sociólogo, ga [so'sjɔlogu, ga] *m, f* sociologist.
soco ['soku] *m (em pessoa)* punch; *(em mesa)* thump.
socorrer [soko'xe(x)] *vt* to help.
❑ **socorrer-se de** *vp + prep* to resort to, to have recourse to.

socorro [so'koxu] **1** *m* help.
2 *interj* help!; **pedir socorro** to ask for help.
soda ['sɔda] *f (bebida)* soda water.
sofá [so'fa] *m* sofa.
sofá-cama [so,fa'kama] *m* sofa-bed.
sofisticado, da [sofiʃtʃi'kadu, da] *adj* sophisticated.
sofrer [so'fre(x)] **1** *vt* to have.
2 *vi* to suffer.
sofrimento [sofri'mẽntu] *m* suffering.
software [sɔf'twɛri] *m* software.
sogro, sogra [sogru, sɔgra] *m, f* father-in-law, mother-in-law.
soirée [swa're] *f* soirée.
sóis → **sol.**
soja ['sɔʒa] *f* soy.
sol ['sɔw] (*pl* **sóis** ['sɔjʃ]) *m* sun.
sola ['sɔla] *f* sole.
solar [so'la(x)] (*pl* **-res** [-riʃ]) **1** *adj* solar.
2 *m* manor(house).
soldado [sow'dadu] *m* soldier.
soleira [so'lejra] *f* threshold.
solene [so'leni] *adj* solemn.
soletrar [sole'tra(x)] *vt* to spell.
solicitar [solisi'ta(x)] *vt* to request.
solícito, ta [so'lisitu, ta] *adj* solicitous.
solidão [soli'dãw] *f* solitude.
solidariedade [solidarje'dadʒi] *f* solidarity.
solidário, ria [soli'darju, rja] *adj* sharing; **ser solidário com** *(causa, idéia)* to support; *(pessoa)* to stand by.
sólido, da ['sɔlidu, da] *adj* solid; *(investimento, negócio)* sound.
solista [so'liʃta] *mf* soloist.
solitário, ria [soli'tarju, rja] **1** *adj (local)* lonely; *(pessoa)* solitary.
2 *m (jóia)* solitaire.
solo ['sɔlu] *m (chão)* floor; *(superfície terrestre)* ground; *(terreno arável)* land, soil; *MÚS* solo.
soltar [sow'ta(x)] *vt (desprender)* to release; *(desatar)* to untie; *(grito, preso)* to let out.
□ **soltar-se** *vp (desprender-se)* to get loose; *(desatar-se)* to come undone.
solteiro, ra [sow'tejru, ra] *adj* single.
solto, ta ['sowtu, ta] **1** *pp* → **soltar.**
2 *adj (livre)* loose; *(sozinho)* separate.
solução [solu'sãw] (*pl* **-ões** [-õjʃ]) *f* solution.
soluçar [solu'sa(x)] *vi (ter soluços)* to hiccup; *(chorar)* to sob.
solucionar [solusjo'na(x)] *vt* to solve.
soluço [su'lusu] *m (contração)* hiccup; *(choro)* sob.
soluções → **solução.**
solúvel [so'luvɛw] (*pl* **-eis** [-ejʃ]) *adj* soluble.
som ['sõ] (*pl* **-ns** [-ʃ]) *m* sound; *(aparelhagem)* hi-fi; **ao som de** to the sound of.
soma ['soma] *f* sum.
somar [so'ma(x)] *vt* to add up.
sombra ['sõmbra] *f (escuridão)* shade; *(de corpo)* shadow; *(cosmético)* eye shadow; **à** OU **na sombra** in the shade; **sem sombra de dúvida** beyond a shadow of a doubt.
sombrio, bria [sõm'briu, 'bria] *adj (escuro)* dark; *(melancólico)* somber; *(lúgubre)* gloomy.
somente [sɔ'mẽntʃi] *adv* only.
sonâmbulo, la [so'nãmbulu, la] *m, f* sleepwalker.
sonda ['sõnda] *f MED* probe; **sonda espacial** space probe.
sondagem [sõn'daʒẽ] (*pl* **-ns** [-ʃ]) *f* (opinion) poll.
soneca [so'nɛka] *f* nap; **tirar uma soneca** to have a nap.
sonhador, ra [soɲa'do(x), ra] (*mpl* **-res** [-riʃ], *fpl* **-s** [-ʃ]) *m, f* dreamer.
sonhar [so'ɲa(x)] *vi* to dream; **sonhar acordado** to daydream; **sonhar com** to dream about.
sonho ['soɲu] *m* dream; *(comida)* donut *Am,* doughnut *Brit;* **de sonho** dream *(antes de s).*
sonífero [so'niferu] *m* sleeping pill.
sono ['sonu] *m* sleep; **estou morto de sono** I'm falling asleep; **pegar no sono** to get to sleep; **ter sono** to be sleepy; **sono pesado** deep sleep.
sonolento, ta [sono'lẽntu, ta] *adj* sleepy.
sonoro, ra [so'nɔru, ra] *adj* sound *(antes de s).*
sons → **som.**
sonso, sa ['sõsu, sa] *adj* two-faced.
sopa ['sopa] *f* soup; **sopa de legumes** vegetable soup; **sopa de marisco** seafood soup; **ser sopa** *(ser fácil)* to be a piece of cake.
soprar [so'pra(x)] **1** *vt (vela, fogo)* to blow out; *(pó)* to blow off; *(resposta)* to whisper.
2 *vi* to blow.

sórdido, da ['sɔrdʒidu, da] *adj* squalid.

sorridente [soxi'dẽntʃi] *adj (cara, face)* smiling; *(pessoa)* cheerful.

sorrir [so'xi(x)] *vi* to smile.

sorriso [so'xizu] *m* smile.

sorte ['sɔxtʃi] *f* luck; *(destino)* fate; **boa sorte!** good luck!; **tire um cartão/número à sorte** pick a card/number; **para dar sorte** for *(good)* luck; **estar com sorte** to be in luck; **ter sorte** to be lucky; **tirar a sorte** to draw lots; **a sorte grande** the jackpot; **com sorte** *(pessoa)* lucky; **por sorte** luckily.

sortear [sox'tea(x)] *vt* to raffle.

sorteio [sox'teju] *m* raffle.

sortido, da [sox'tʃidu, da] **1** *adj* assorted. **2** *m* assortment.

sortudo, da [sox'tudu, da] *m, f* lucky person.

sorvete [sox'vetʃi] *m* ice cream.

sorveteria [soxvete'ria] *f* ice-cream parlor.

SOS *m* (*abrev de* **Save our Souls**) SOS.

sossegado, da [sose'gadu, da] *adj* quiet.

sossego [so'segu] *m* peace.

sótão ['sɔtãw] *m* attic.

sotaque [so'taki] *m* accent.

sou ['so] → **ser.**

soube ['sobi] → **saber.**

sova ['sɔva] *f* beating.

sovaco [so'vaku] *m* armpit.

sovina [so'vina] *adj* miserly.

sozinho, nha [sɔ'ziɲu, ɲa] *adj* alone; **fiz tudo sozinho** I did it all by myself; **falar/rir sozinho** to talk/laugh to o.s.

squash ['skwaʃ] *m* squash.

Sr. (*abrev de* **senhor**) Mr.

Sra. (*abrev de* **senhora**) Mrs., Ms.

stress ['strɛs] *m* stress.

sua → **seu.**

suar [sw'a(x)] *vi* to sweat.

suave [sw'avi] *adj* soft; *(brisa, curva)* gentle; *(sabor)* delicate; *(vinho)* smooth; *(cheiro)* subtle; *(dor)* slight.

suavidade [swavi'dadʒi] *f* softness; *(de brisa, curva)* gentleness; *(de sabor)* delicacy; *(de vinho)* smoothness; *(de cheiro)* subtlety.

suavizar [swavi'za(x)] **1** *vt (cheiro, sabor)* to tone down; *(dor)* to ease.
2 *vi (chuva)* to ease; *(vento)* to drop.

subalimentação [subalimẽnta'sãw] *f* undernourishment.

subalimentado, da [subalimẽn'tadu, da] *adj* undernourished.

subalterno, na [subaw'tɛxnu, na] *m, f & adj (subordinado)* subordinate.

subconsciente [subkõʃ'sjẽntʃi] *m* subconscious.

subdesenvolvido, da [subdezẽvow'vidu, da] *adj* underdeveloped.

subdesenvolvimento [subdezẽvowvi'ɗmẽntu] *m* underdevelopment.

subentendido, da [subẽntẽn'dʒidu, da] *adj* implied.

subida [su'bida] *f (ladeira)* slope; *(de preços)* increase; *(de montanha, escadas)* climb.

subir [su'bi(x)] **1** *vt (escadas, rua, encosta)* to go up; *(montanha, rochedo)* to climb; *(malas, bagagem)* to take up; *(preços, salários)* to increase; *(persiana)* to raise.
2 *vi (ir para cima)* to go up.
3 subir em *(árvore, morro)* to climb; *(em ônibus, avião etc.)* to get on; **subir de posto** *(em emprego)* to be promoted; **subir por** to go up.

súbito, ta ['subitu, ta] *adj* sudden; **de súbito** suddenly.

subjetivo, va [subʒɛ'tʒivu, va] *adj* subjective.

subjuntivo [subʒon'tʃivu] *m* subjunctive.

sublinhar [subli'ɲa(x)] *vt* to underline; *(com entoação)* to stress.

sublocar [sublo'ka(x)] *vt* to sublet.

submarino [subma'rinu] *m* submarine.

submergir [submex'ʒi(x)] *vt (imergir)* to submerge; *(inundar)* to flood.

submeter [subme'te(x)] *vt*: **submeter algo/alguém a algo** to submit sthg/sb to sthg.
❑ **submeter-se a** *vp + prep* to submit to.

submisso, a [sub'misu, a] *adj* submissive.

subnutrido, da [subnu'tridu, da] *adj* undernourished.

subornar [subox'na(x)] *vt* to bribe.

suborno [su'boxnu] *m* bribe.

subsídio [sub'sidju] *m* subsidy.

subsistência [subsiʃ'tẽsja] *f (sustento)* subsistence; *(permanência)* continued existence.

subsistir [subsiʃ'ti(x)] *vi (persistir)* to remain; *(sobreviver)* to subsist.

subsolo [sub'sɔlu] *m* subsoil.

substância [subʃ'tãsja] *f* substance.

substantivo [subʃtãn'tʒivu] *m* noun.

substituir [subʃtʃi'twi(x)] *vt* to substitute; **substituir a manteiga por margarina**

substitute margarine for butter.

substituto, ta [subʃtʃi'tutu, ta] *m, f* replacement.

subterrâneo, nea [subte'xanju, nja] *adj* underground.

subtrair [subtra'i(x)] *vt* to subtract.

suburbano, na [subux'banu, na] *adj* suburban.

subúrbio [su'buxbju] *m* suburb.

> Em português, o substantivo 'subúrbio' refere-se a um bairro pobre na periferia de uma cidade. Por isso, devemos tomar cuidado quanto ao emprego de ***suburb*** ou ***suburbs***, pois, embora também se encontrem na periferia das cidades, os suburbs são, ao contrário, áreas residenciais da classe média. Portanto, *the New York suburbs* não se refere às áreas pobres da cidade, e sim, às áreas nobres.

subversivo, va [subvex'sivu, va] *adj* subversive.

sucata [su'kata] *f* scrap.

suceder [suse'de(x)] *vi* to happen.
❑ **suceder a** *v + prep (em cargo)* to succeed; *(vir depois)* to follow.
❑ **suceder-se** *vp* to happen.

sucedido, da [suse'dʒidu, da] **1** *m* occurrence.
2 *adj*: **ser bem/malsucedido** to be successful/unsuccessful.

sucessão [suse'sãw] (*pl* **-ões** [-õjʃ]) *f* succession.

sucesso [su'sɛsu] *m* success; **com/sem sucesso** successful/unsuccessful; **fazer sucesso** to be successful.

sucessões → **sucessão.**

suco ['suku] *m* juice.

suculento, ta [suku'lẽntu, ta] *adj* succulent.

sucumbir [sukũm'bi(x)] *vi (desmoronar)* to crumble; *(morrer)* to die; **sucumbir a** to succumb to.

sucursal [sukux'saw] (*pl* **-ais** [-ajʃ]) *f (de banco, empresa)* branch.

sudeste [su'dɛʃtʃi] *m* southeast; **no sudeste** in the southeast.

súdito, ta ['sudʒitu, ta] *m, f* subject.

sudoeste [su'dwɛʃtʃi] *m* southwest; **no sudoeste** in the southwest.

suéter ['swɛte(x)] (*pl* **-res** [-riʃ]) *m ou f* sweater.

suficiente [sufi'sjẽntʃi] **1** *adj* enough.
2 *m* EDUC 'C', pass.

sufocante [sufo'kãntʃi] *adj* oppressive.

sufocar [sufo'ka(x)] *vt & vi* to suffocate.

sugar [su'ga(x)] *vt* to suck.

sugerir [suʒe'ri(x)] *vt* to suggest.

sugestão [suʒeʃ'tãw] (*pl* **-ões** [-õjʃ]) *f* suggestion.

sugestões → **sugestão.**

suíças ['swisaʃ] *fpl* sideburns.

suicidar-se [swisi'daxsi] *vp* to commit suicide.

suicídio [swi'sidʒju] *m* suicide.

sujar [su'ʒa(x)] *vt* to dirty.
❑ **sujar-se** *vp* to get dirty.

sujeitar [suʒej'ta(x)] *vt*: **sujeitar algo/alguém a algo** to subject sthg/sb to sthg.
❑ **sujeitar-se a** *vp + prep (submeter-se a)* to conform to; **ela teve que sujeitar-se a todo tipo de humilhação** she was subjected to ritual humiliation.

sujeito, ta [su'ʒejtu, ta] **1** *m, f (homem, mulher)* guy (girl).
2 *m* GRAM subject.
3 *adj*: **sujeito a** subject to.

sujo, ja ['suʒu, ʒa] *adj* dirty.

sul ['suw] *m* south; **ao** ou **no sul** in the south; **ao sul de** (to the) south of.

suma ['suma] *f*: **em suma** in short.

sumário, ria [su'marju, rja] **1** *adj (explicação)* brief; *(ordem, execução)* summary.
2 *m (resumo)* summary.

sunga ['sũŋga] *f* swimming trunks *pl.*

suor [sw'ɔ(x)] (*pl* **-res** [-riʃ]) *m* sweat.

superar [supe'ra(x)] *vt* to overcome.

superficial [supexfisj'aw] (*pl* **-ais** [-ajʃ]) *adj* superficial.

superfície [supex'fisji] *f* surface; *(área)* area; **na superfície** on the surface.

supérfluo, flua [su'pɛxflu, fla] *adj* superfluous.

superior [supe'rjo(x)] (*pl* **-res** [-riʃ]) **1** *adj* higher; *(em espaço)* top; *(em valor, quantidade)* greater.
2 *m* superior.
3 andar superior top floor; **mostrar-se superior** to give o.s. airs (and graces).

superioridade [superjori'dadʒi] *f* superiority.

superlotado, da [ˌsupɛxlo'tadu, da] *adj* packed.

supermercado [ˌsupɛxmex'kadu] *m* supermarket.

superstição [supexʃtʃi'sãw] (*pl* **-ões** [-õjʃ]) *f* superstition.

supersticioso, osa [superʃti'sjozu, ɔza] *adj* superstitious.

superstições → **superstição.**

supervisionar [supexvizjo'na(x)] *vt* to supervise.

suplemento [suple'mẽntu] *m (de jornal, revista)* (color) supplement.

suplente [su'plẽntʃi] **1** *adj (peça)* spare; *(pessoa)* substitute.
2 *mf* ESP substitute.

súplica ['suplika] *f* plea.

suplicar [supli'ka(x)] *vt* to plead; **suplicar a alguém que faça algo** to beg sb to do sthg.

suplício [su'plisju] *m* torture.

supor [su'po(x)] *vt* to presume.
❑ **supor-se** *vp*: **supõe-se que ela tenha morrido** she is presumed dead.

suportar [supox'ta(x)] *vt (peso, carga)* to support; *(pessoa)* to stand; *(dor, desgosto)* to bear.

suporte [su'pɔxtʃi] *m* support.

suposição [supozi'sãw] (*pl* **-ões** [-õjʃ]) *f* supposition.

supositório [supozi'tɔrju] *m* suppository.

suposto, osta [su'poʃtu, ɔʃta] **1** *adj (hipotético)* supposed; *(alegado)* alleged; *(falso)* false.
2 *m* assumption.

supremo, ma [su'premu, ma] *adj* supreme.
❑ **Supremo** *m*: **o Supremo (Tribunal Federal)** the Supreme Court.

supressão [supre'sãw] (*pl* **-ões** [-õjʃ]) *f (de palavra, frase)* deletion; *(de projeto, empregos)* axing.

suprimir [supri'mi(x)] *vt (palavra, frase)* to delete; *(emprego, projeto)* to axe.

surdez [sux'deʒ] *f* deafness.

surdo, da ['suxdu, da] **1** *adj* deaf.
2 *m, f* deaf person; **fazer-se de surdo** to turn a deaf ear.

surfar [sux'fa(x)] *vi* to surf.

surfe ['suxfi] *m* surfing; **fazer surfe** to go surfing.

surfista [sux'fiʃta] *mf* surfer.

surgir [sux'ʒi(x)] *vi (aparecer)* to appear; *(problema, complicação)* to arise.

surpreendente [surpriẽn'dẽntʃi] *adj* surprising.

surpreender [surpriẽn'de(x)] *vt* to surprise.
❑ **surpreender-se** *vp* to be surprised.

surpresa [sur'preza] *f* surprise; **fazer uma surpresa a alguém** to give sb a surprise; **de surpresa** by surprise.

surpreso, sa [sur'prezu, za] *adj* surprised.

surto ['surtu] *m (de doença)* outbreak.

suscetível [suʃse'tivɛw] (*pl* **-eis** [-ejʃ]) *adj* sensitive; **suscetível a** liable to.

suscitar [suʃsi'ta(x)] *vt* to provoke; *(interesse)* to arouse; *(dificuldades, problemas)* to cause.

suspeita [suʃ'pejta] *f* suspicion; **lançar suspeitas sobre alguém** to cast aspersions on sb → **suspeito.**

suspeito, ta [suʃ'pejtu, ta] **1** *adj* suspicious.
2 *m, f* suspect.

suspender [suʃpẽn'de(x)] *vt* to suspend.

suspensão [suʃpẽ'sãw] (*pl* **-ões** [-õjʃ]) *f* suspension.

suspense [suʃ'pẽsi] *m* suspense.

suspensões → **suspensão.**

suspensórios [suʃpẽ'sɔrjuʃ] *mpl* suspenders *Am*, braces *Brit*.

suspirar [suʃpi'ra(x)] *vi* to sigh; **suspirar por** to long for.

suspiro [suʃ'piru] *m* sigh; *(doce)* meringue.

sussurrar [susu'xa(x)] *vi & vt* to whisper.

sussurro [su'suxu] *m* whisper.

sustentar [suʃtẽn'ta(x)] *vt* to support; *(afirmar)* to maintain.

suster [suʃ'te(x)] *vt (segurar)* to sustain; *(respiração)* to hold.

susto ['suʃtu] *m* fright, shock; **tomar um susto** to get frightened; **pregar susto em alguém** to frighten sb.

sutiã [su'tʃjã] *m* bra, brassiere *Am*.

sutil [su'tʃiw] (*pl* **-is** [-iʃ]) *adj* subtle.

Tt

tabacaria [tabaka'ria] *f* tobacconist.

tabaco [ta'baku] *m (para cachimbo, enrolar)* tobacco.

tabela [ta'bɛla] *f (gráfico,* INFORM*)* table; *(de horários)* timetable; *(de preços)* price list; **cair pelas tabelas** to feel down.

tablete [ta'blɛtʃi] *m ou f*: **tablete de chocolate** chocolate bar.

tabu [ta'bu] *adj & m* taboo.

tábua ['tabwa] *f* board; **tábua de passar roupa** ironing board.

tabuleiro [tabu'lejru] *m (para comida)* tray; *(de damas, xadrez)* board.

tabuleta [tabu'leta] *f* sign.

taça ['tasa] *f* cup; *(para comida, doces)* bowl; *(de champanhe)* glass.

tacada [ta'kada] *f (em golfe)* stroke; *(em bilhar)* shot; **de uma tacada** in one go.

tacho ['taʃu] *m* saucepan.

taco ['taku] *m (de golfe)* club; *(de bilhar)* cue; *(de chão)* parquet block.

tagarela [taga'rɛla] **1** *adj* talkative.
2 *mf* chatterbox.

tainha [ta'iɲa] *f* mullet.

tal ['taw] (*pl* **tais** ['tajʃ]) **1** *adj* such.
2 *pron*: **o/a tal** the one.
3 a tal ponto que ... to the point that ...; **nunca ouvi falar de tal coisa/pessoa** I've never heard of such a thing/person; **livros, tais como estes, são úteis** books, such as these, are useful; **um tal de Marcelo** some guy called Marcelo; **na cidade tal** in such-and-such a city; **que tal um passeio?** how about a walk?; **que tal?** how about it?; **tal qual** such as; **tal e qual** just like; **como tal** as such; **para tal** for that purpose; **tal como** just as.

talão [ta'lãw] (*pl* **-ões** [-õjʃ]) *m (de recibo, bilhete)* stub; **talão de cheques** checkbook *Am*, cheque book *Brit*.

talco ['tawku] *m* talc.

talento [ta'lẽntu] *m* talent.

talhar [ta'ʎa(x)] **1** *vt* to cut; *(madeira)* to carve; **ser talhado para algo** to be cut out for sthg.
2 *vi (leite)* to curdle.

talher [ta'ʎɛ(x)] (*pl* **-res** [-riʃ]) *m* (set of) cutlery.

talo ['talu] *m (de flor, legume)* stem.

talões → **talão.**

talvez [taw'veʒ] *adv* perhaps, maybe; **talvez sim, talvez não** maybe, maybe not.

tamancos [ta'mãŋkuʃ] *mpl* clogs.

tamanho, nha [ta'maɲu, ɲa] **1** *m (grandeza)* size.
2 *adj (tão grande)*: **não ter tamanho** limitless.
3 do tamanho de um bonde enormous; **fiz tamanho esforço** I made such an effort; **qual é o tamanho do quarto?** how big is the room?

tâmara ['tamara] *f* date.

também [tãm'bẽ] *adv* also; *(ademais)* besides; **eu também** me too; **eu também não** me neither; **ele também não fez nada** he didn't do anything either; **também quero ir** I want to go too; **ela também vem** she's coming too; **ele também se chama Luís** he's also called Luís.

tambor [tãm'bo(x)] (*pl* **-res** [-riʃ]) *m* drum.

tamboril [tãmbo'riw] (*pl* **-is** [-iʃ]) *m (peixe)* monkfish; MÚS small drum.

tamborim [tãmbo'rĩ] (*pl* **-ns** [-ʃ]) *m* tambourine.

tamboris → **tamboril.**

tampa ['tãmpa] *f* lid.

tampão [tãm'pãw] (*pl* **-ões** [-õjʃ]) *m* tampon.

tampo ['tãmpu] *m (de mesa)* top; *(de privada)* lid.

tampões → **tampão.**

tampouco ['tãmpoku] *adv* neither.

tanga ['tãŋga] *f* tanga.

tangerina [tãʒe'rina] *f* tangerine.

tanque ['tãŋki] *m* tank; *(para lavar roupa)* washtub; **tanque de combustível** fuel tank.

tanto, ta ['tãntu, ta] **1** *adj* (**a**) *(exprime grande quantidade)* so much, so many *pl*; **tanto dinheiro** so much money; **tanta gente** so many people; **tantas flores** so many flowers; **esperei tanto tempo** I waited for so long; **tanto ... que ...** so much ... that ...
(**b**) *(indica quantidade indeterminada)* so much, so many *pl*; **de tantos em tantos dias** every so many days; **são mil e tantos reais** one thousand and something reals.
(**c**) *(em comparações)*: **tanto ... como ...** as much ... as, as many ... as *pl*; **bebi tanto vinho quanto você** I drank as much wine as you; **têm tanta sorte quanto você** they're as lucky as you.
2 *adv* (**a**) *(exprime grande quantidade)* so much; **lhe quero tanto** I love you so much; **não quero tanto assim** I don't want that much.
(**b**) *(em locuções)*: **de tanto falar perdi a voz** I lost my voice from talking so much; **tanto faz!** it doesn't matter!; **tanto melhor** so much the better; **tanto pior** too bad; **tanto quanto** as far as; **um tanto** a little; **é um tanto caro** it's a bit expensive; **tanto um como o outro** both of them; **um tanto quanto** slightly; **tanto que** so much so that.
3 *pron* (**a**) *(indica grande quantidade)* so much, so many *pl*; **tenho tanto!** I've got so much!; **ele não comprou tantos** he didn't buy that many.
(**b**) *(indica igual quantidade)* as much, as many *pl*; **havia muita gente ali, aqui não era tanta** there were a lot of people over there, but not as many over here.
(**c**) *(indica quantidade indeterminada)* so much, so many *pl*; **lá para as tantas ele foi embora** he left quite late; **põe uns tantos aqui uns tantos ali** put some over here and some over there; **leve tantos quantos você quiser** take as many as you want.
(**d**) *(em comparações)*: **tanto quanto** as much as; **sabe tanto quanto eu do assunto** he knows as much as I do about the situation; **comi tanto quanto o Arnaldo** I ate as much as Arnaldo.
(**e**) *(em locuções)*: **às tantas** *(de repente)* all of a sudden; **às tantas da noite** late at night; **não é caso para tanto** there's no need to make such a fuss.

tão [tãw] *adv* so; **tão ... como** as ... as; **tão ... que** so ... (that).

tapa ['tapa] *m (bofetada)* slap; **no tapa** *(à força)* by force; *(com dificuldade)* with difficulty; **sair no tapa** to come to blows.

tapar [ta'pa(x)] *vt (com cobertor, lençol)* to cover up; *(garrafa, frasco, panela)* to put the lid on; *(caixa)* to close; *(boca, ouvidos)* to cover; *(nariz)* to hold.

tapeçaria [tapesa'ria] *f* tapestry.

tapete [ta'petʃi] *m (grande)* carpet; *(médio)* rug; *(pequeno)* mat.

tardar [tax'da(x)] *vi* to take a long time; **ele não tardará a chegar** he won't be long; **tardar a** ou **em fazer algo** to take a long time to do sthg; **mais tardar** at the latest.

tarde ['taxdʒi] **1** *f (até às seis)* afternoon; *(depois das seis)* evening.
2 *adv* late.
3 boa tarde! good afternoon/evening!; **à tarde** in the afternoon/evening; **já é tarde** it's too late; **mais tarde** later; **antes tarde do que nunca** better late than never; **já vai tarde** not a moment too soon; **nunca é tarde demais** it's never too late.

tardinha [tax'dʒiɲa] *f*: **à tardinha** late in the afternoon.

tardio, dia [tax'dʒiu, 'dʒia] *adj* late.

tarefa [ta'rɛfa] *f* task.

tarifa [ta'rifa] *f (preço, taxa)* charge; *(em transportes)* fare; *(lista de preços)* price list.

tartaruga [tarta'ruga] *f (terrestre)* tortoise; *(aquática)* turtle.

tática ['tatʃika] *f* tactic.

tático, ca ['tatʃiku, ka] *adj* tactical.

tato ['tatu] *m (sentido)* touch; *fig (cuidado, habilidade)* tact; **ter tato** *fig* to be tactful.

tatuagem [ta'twaʒẽ] (*pl* **-ns** [-ʃ]) *f* tattoo.

taxa ['taʃa] *f (índice)* rate; *(imposto)* tax; *(percentagem)* rate; **taxa de câmbio/juros** exchange/interest rate; **taxas de embarque** airport tax.

táxi ['taksi] *m* taxi.

taxímetro [tak'simetru] *m* taximeter.

tchau ['tʃaw] *interj* bye!

te [tʃi] *pron (complemento direto)* you; *(complemento indireto)* (to) you; *(reflexo)* yourself.

tear ['tea(x)] (*pl* **-res** [-riʃ]) *m* loom; **tear manual** hand loom.

teatral [tea'traw] (*pl* **-ais** [-ajʃ]) *adj (do teatro)* theater *(antes de s)*; *(pessoa, comportamento)* theatrical.

teatro ['teatru] *m* theater; **teatro de fantoches** puppet show; **teatro de revista** OU **variedades** vaudeville theater *Am*, variety theatre *Brit*.

tecer [te'se(x)] *vt (tapete, tecido)* to weave; *(suj: aranha)* to spin.

tecido [te'sidu] *m (pano)* fabric, cloth; ANAT tissue.

tecla ['tɛkla] *f* key.

teclado [tɛ'kladu] *m* keyboard.

técnica ['tɛknika] *f* technique → **técnico.**

técnico, ca ['tɛkniku, ka] **1** *adj* technical. **2** *m, f (pessoa)* technician.

tecnologia [tɛknolo'ʒia] *f* technology; **tecnologia de informação** information technology; **tecnologia de ponta** state-of-the-art technology.

teco-teco [ˌtɛku'tɛku] *m* light aircraft.

tédio ['tɛdʒju] *m* boredom.

teia ['teja] *f* web.

teimar [tej'ma(x)] *vi* insist; **teimar em** to insist on.

teimosia [tejmo'zia] *f* stubbornness.

teimoso, osa [tej'mozu, ɔza] *adj* stubborn.

tel. (*abrev de* **telefone**) tel.

tela ['tɛla] *f (pintar)* canvas; *(tecido)* fabric; *(cinema)* screen.

telecomandado, da [telekomãn'dadu, da] **1** *adj* remote-controlled. **2** *m* remote control.

telecomunicações [telekomunika'sõjʃ] *fpl* telecommunications.

teleférico [tele'fɛriku] *m* cable car; *(para esquiadores)* ski lift.

telefonar [telefo'na(x)] *vi* to (tele)phone; **telefonar para alguém** to (tele)phone sb.

telefone [tele'fɔni] *m* (tele)phone; **estar no telefone** to be on the phone; **telefone celular** cell phone *Am*, mobile phone *Brit*; **telefone público** public payphone.

telefonema [telefo'nema] *m* (tele)phone call; **dar um telefonema** to make a (tele)phone call.

telefônico, ca [tele'foniku, ka] *adj* (tele)-phone *(antes de s)*.

telefonista [telefo'niʃta] *mf* switchboard operator.

telegrama [tele'grama] *m* telegram.

telejornal [ˌtɛlɛʒox'naw] (*pl* **-ais** [-ajʃ]) *m* news *sg*.

telenovela [ˌtɛlɛno'vɛla] *f* soap opera.

teleobjetiva [ˌtɛlɛobʒɛ'tʃiva] *f* telephoto lens.

telepatia [telepa'tʃia] *f* telepathy.

telescópio [teleʃ'kɔpju] *m* telescope.

televisão [televi'zãw] (*pl* **-ões** [-õjʃ]) *f* television, TV; **televisão em cores** color television; **televisão preto-e-branco** black-and-white television; **televisão por cabo/satélite** cable/satellite television.

televisor [televi'zo(x)] (*pl* **-res** [-riʃ]) *m* television (set).

telex [tɛ'lɛks] (*pl* **-xes** [-ksiʃ]) *m* telex.

telha ['teʎa] *f* (roof) tile.

telhado [te'ʎadu] *m* roof.

tem ['tẽ] → **ter.**

têm ['tajẽ] → **ter.**

tema ['tema] *m* subject.

temer [te'me(x)] *vt* to be afraid of, to fear; **temer que** to fear (that).

temido, da [te'midu, da] *adj* feared.

temível [te'mivɛw] (*pl* **-eis** [-ejʃ]) *adj* frightening.

temor [te'mo(x)] (*pl* **-res** [-riʃ]) *m* fear.

temperado, da [tẽmpe'radu, da] *adj (comida)* seasoned; *(clima)* temperate.

temperamento [tẽmpera'mẽntu] *m* temperament.

temperar [tẽmpe'ra(x)] *vt* to season.

temperatura [tẽmpera'tura] *f* temperature; **temperatura negativa/positiva** below/above zero.

tempero [tẽm'peru] *m* seasoning.

tempestade [tẽmpeʃ'tadʒi] *f* storm; **uma tempestade num copo d'água** a storm in a teacup.

templo ['tẽmplu] *m* temple.

tempo ['tẽmpu] *m (horas, minutos, segundos)* time; *(meteorológico)* weather; GRAM tense; **chegar a tempo de algo** to arrive in time for sthg; **chegar a tempo de fazer algo** to arrive in time to do sthg; **ganhar tempo** to save time; **não ter tempo para algo** to not have time for sthg; **não ter tempo para fazer algo**

to not have time to do sthg; **poupar tempo** to save time; **recuperar o tempo perdido** to make up for lost time; **ser tempo de** to be time to; **em tempo integral** full-time; **tempo livre** free time *sg*; **antes do tempo** prematurely; **ao mesmo tempo** at the same time; **dentro de pouco tempo** in a little while; **no meu tempo** in my days; **naquele tempo** in those days; **de tempos em tempos** from time to time; **nos últimos tempos** lately; **por algum tempo** for a while; **por tempo indefinido** OU **indeterminado** indefinitely.

têmpora ['tẽmpora] *f* temple.

temporada [tẽmpo'rada] *f* season; **passar uma temporada no estrangeiro/na praia** to spend some time abroad/at the beach.

temporal [tẽmpo'raw] (*pl* **-ais** [-ajʃ]) *m* storm.

temporário, ria [tẽmpu'rarju, rja] *adj* temporary.

tencionar [tẽsjo'na(x)] *vt*: **tencionar fazer algo** to intend to do sthg.

tenda ['tẽnda] *f (para acampar)* tent; *(em mercado)* stand; *(quitanda)* farmers' market.

tendão [tẽn'dãw] (*pl* **-ões** [-õjʃ]) *m* tendon.

tendência [tẽn'dẽsja] *f* tendency; **ter tendência a** OU **para** to tend to.

tendões → **tendão.**

tenente [te'nẽntʃi] *mf* lieutenant.

tenho ['taɲu] → **ter.**

tênis ['teniʃ] *m inv* ESP tennis; *(sapatos)* sneakers *pl Am,* trainers *pl Brit*; **tênis de mesa** table tennis, ping-pong.

tenro, ra ['tẽxu, xa] *adj* tender; **de tenra idade** young.

tensão [tẽ'sãw] (*pl* **-ões** [-õjʃ]) *f (nervosismo)* tension; *(elétrica)* voltage; **tensão arterial alta/baixa** high/low blood pressure.

tenso, sa ['tẽsu, sa] *adj* tense.

tensões → **tensão.**

tentação [tẽnta'sãw] (*pl* **-ões** [-õjʃ]) *f* temptation.

tentáculo [tẽn'takulu] *m* tentacle.

tentador, ra [tẽnta'do(x), ra] (*mpl* **-res** [-riʃ], *fpl* **-s** [-ʃ]) *adj* tempting.

tentar [tẽn'ta(x)] **1** *vt (seduzir)* to tempt. **2** *vi (experimentar)* to try; **tentar fazer algo** to try to do sthg.

tentativa [tẽnta'tiva] *f* attempt; **na primeira tentativa** on one's first attempt OU go; **na tentativa de fazer algo** in an attempt to do sthg.

tênue ['tenwi] *adj* faint; *(sabor)* mild.

teologia [teolo'ʒia] *f* theology.

teor ['teo(x)] *m* tone; *(de álcool, gordura)* content.

teoria [teo'ria] *f* theory; **em teoria** in theory.

teoricamente [ˌtjɔrika'mẽntʃi] *adv* theoretically.

tépido, da ['tɛpidu, da] *adj* tepid.

ter ['te(x)] **1** *vt* **(a)** *(possuir)* to have; **a casa tem dois quartos** the house has two bedrooms; **tenho muito dinheiro** I have a lot of money; **ter saúde/juízo** to be healthy/sensible.

(b) *(indica medida, idade)* to be; **que idade você tem?** how old are you?; **tenho dez anos** I'm ten (years old).

(c) *(dor, doença)* to have (got); **ter febre** to have a fever; **tenho dor de dentes/cabeça** I've got a toothache/headache.

(d) *(sentir)*: **ter medo** to be frightened; **tenho frio/calor** I'm cold/hot; **tenho sede/fome** I'm thirsty/hungry.

(e) *(exprime sentimento)*: **ter amor/ódio a alguém** to love/hate sb; **ter carinho por alguém** to care about sb; **ter afeição por alguém** to be fond of sb.

(f) *(conter)* to hold; **esta garrafa tem um litro** this bottle holds one liter.

(g) *(discussão, problema)* to have; **eles têm muitos problemas econômicos** they have a lot of money problems; **tivemos uma grande discussão** we had a big argument.

(h) *(para desejar)* to have; **tenha umas boas férias!** enjoy your vacation!; **tenham um bom dia!** have a nice day!

(i) *(ter de ir a)* to have; **tenho um encontro** I've got a date; **ele tinha uma reunião, mas não foi** he had a meeting, but he didn't go to it.

(j) *(dar à luz)* to have; **ela teve uma menina** she had a baby girl.

(k) *(em locuções)*: **ir ter a** *(desembocar)* to lead to; **ir ter com** *(encontrar)* to meet.

2 *v aux* **(a)** *(haver)*: **eles tinham quebrado o vidro** they had broken the window; **tinha chovido e a estrada estava molhada** it had been raining and the road was wet.

(b) *(exprime obrigação)*: **ter de fazer algo** to have to do sthg; **temos de estar lá às oito** we have to be there at eight; **tenho muito que fazer** I have a lot to do.

terapeuta [tera'pewta] *mf* therapist.

terapia [tera'pia] *f* therapy.

terça-feira [ˌtexsa'fejra] (*pl* **terças-feiras** [ˌtexsaʃ'fejraʃ]) *f* Tuesday; **terça-feira de Carnaval** Mardi Gras *Am*, Shrove Tuesday *Brit* → **sexta-feira.**

terceira [tex'sejra] *f (de veículo)* third (gear).

terceiro, ra [tex'sejru, ra] *num* third; **a terceira idade** old age → **sexto.**

terço ['texsu] *m (parte)* third; *(rosário)* rosary; **rezar o terço** to say the rosary.

termas ['tɛxmaʃ] *fpl* hot ou thermal baths, spa *sg*.

térmico, ca [tex'miku, ka] *adj* thermal; **garrafa térmica** Thermos® (bottle).

terminal [texmi'naw] (*pl* **-ais** [-ajʃ]) **1** *adj* terminal.
2 *m* INFORM terminal.
3 terminal rodoviário/ferroviário bus/railroad terminal; **terminal aéreo** airport terminal.

terminar [texmi'na(x)] **1** *vt* to finish.
2 *vi* to end.
3 terminar em algo to end in sthg; **terminar por fazer algo** to end up doing sthg.

termo ['texmu] *m* term; *(limite, fim)* end, conclusion; **pôr termo a algo** to put an end to sthg.

termômetro [ter'mometru] *n* thermometer.

terno, na ['tɛxnu, na] **1** *adj* tender.
2 *m* suit; **ir de terno e gravata** to wear a suit and tie.

ternura [tex'nura] *f* tenderness.

terra ['tɛxa] *f (chão)* ground; *(substância)* earth; *(terreno)* land; *(pátria)* homeland; *(solo)* soil; *(localidade)* place; **a Terra** Earth; **terra natal** homeland, country of origin; **por terra** *(viajar)* by land; **cair por terra** *fig (plano, negócio)* to fall through.

terraço [te'xasu] *m* terrace.

terremoto [texe'mɔtu] *m* earthquake.

terreno, na [te'xenu, na] **1** *adj* earthly.
2 *m* plot (of land).

térreo, ea ['tɛxju, ja] *adj (andar, piso)* ground *(antes de s)*.

terrestre [te'xɛʃtri] **1** *adj (de planeta)* terrestrial; *(da terra)* land *(antes de s)*.
2 *mf* earthling.

terrina [te'xina] *f* tureen.

território [texi'tɔrju] *m* territory.

terrível [te'xivɛw] (*pl* **-eis** [-ejʃ]) *adj* terrible.

terror [te'xo(x)] (*pl* **-res** [-riʃ]) *m* terror.

tese ['tɛzi] *f* thesis.

tesoura [te'zora] *f* scissors *pl*; **tesoura de unha** nail scissors.

tesouro [te'zoru] *m* treasure.

testa ['tɛʃta] *f* forehead.

testamento [teʃta'mẽntu] *m* will.

testar [teʃ'ta(x)] *vt* to test, to try out.

teste ['tɛʃtʃi] *m* test; **teste de dosagem alcoólica** Breathalyzer® test; **teste oral** oral (exam).

testemunha [teʃte'muɲa] *f* witness; **testemunha ocular** eyewitness.

testemunho [teʃte'muɲu] *m* JUR testimony.

testículo [teʃ'tʃikulu] *m* testicle.

teto ['tɛtu] *m* ceiling.

tétrico, ca ['tɛtriku, ka] *adj* gloomy.

teu, tua ['tew, 'tua] **1** *adj* your.
2 *pron*: **o teu/a tua** yours.
3 um amigo teu a friend of yours; **os teus** *(a tua família)* your family.

teve ['tevi] → **ter.**

têxtil ['tejʃtʃiw] (*pl* **-teis** [-tejʃ]) *m* textile.

texto ['tejʃtu] *m (de livro)* text; *(de peça teatral)* script.

textura [tejʃ'tura] *f* texture.

tez ['teʃ] *f* complexion.

ti ['tʃi] *pron (com preposição: complemento indireto)* you; *(com preposição: reflexo)* yourself; **compraste-o para ti (mesmo** ou **próprio)?** did you buy it for yourself?

tigela [tʃi'ʒɛla] *f* bowl; **de meia-tigela** *fig (de pouco valor)* second-rate.

tigre ['tʃigri] *m* tiger.

tijolo [tʃi'ʒolu] *m* brick.

til ['tiw] *m* tilde.

tília ['tʃilja] *f* lime blossom.

time ['tʃimi] *m* team.

timidez [tʃimi'deʃ] *f* shyness.

tímido, da ['tʃimidu, da] *adj* shy.

tímpano ['tʃĩmpanu] *m* ANAT eardrum; MÚS kettledrum.

tina ['tʃina] *f* tub.

tingido, da [tʃĩ'ʒidu, da] *adj* dyed.

tingir [tʃĩ'ʒi(x)] *vt* to dye.
tinha ['tʃiɲa] → **ter.**
tinir [tʃi'ni(x)] *vi* to ring; **estar tinindo** *(de novo)* to be brand new; *(de limpo)* to be gleaming.
tinta ['tʃɲĩnta] *f (para escrever)* ink; *(para pintar)* paint; *(para tingir)* dye; **tinta a óleo** oil paint.
tinteiro [tʃĩn'tejru] *m* inkwell.
tinturaria [tʃĩntura'ria] *f (local)* dry cleaner.
tio, tia ['tʃiu, 'tʃia] *m, f* uncle, aunt.
típico, ca ['tʃipiku, ka] *adj (comida, bebida, costume)* traditional; **ser típico de** to be typical of.
tipo, pa ['tʃipu, pa] *m* type.
tipografia [tʃipogra'fia] *f (local)* printing works *sg.*
tíquete [tʃi'ketʃi] *m* ticket; **tíquete de metrô** subway ticket.
tiracolo [tʃira'kɔlu] *m*: **a tiracolo** across the shoulder.
tiragem [tʃi'raʒẽ] (*pl* **-ns** [-ʃ]) *f (de jornal, revista)* circulation; *(livro)* print run.
tira-manchas [ˌtʃira'mãʃaʃ] *m inv* stain remover.
tirania [tʃira'nia] *f* tyranny.
tirar [tʃi'ra(x)] *vt* to take; *(remover)* to take off; **tirar algo de alguém** *(roubar)* to steal sthg from sb; **tirar algo à sorte** to pick sthg at random; **tirar a mesa** to clear the table.
tiritar [tʃiri'ta(x)] *vi* to shiver.
tiro ['tʃiru] *m* shot; **dar um tiro (em alguém)** to shoot (sb); **tiro ao alvo** target shooting; **o tiro saiu pela culatra** it backfired; **ser tiro e queda** to be a dead cert.
tiroteio [tʃiro'teju] *m (tiros)* shooting; *(troca de disparos)* shoot-out.
título ['tʃitulu] *m* title; *(documento)* bond.
tive ['tʃivi] → **ter.**
toalete [twa'lɛtʃi] **1** *m (banheiro)* toilet; *(roupa)* clothes *pl.*
2 *f*: **fazer a toalete** to wash up.
toalha ['twaʎa] *f* towel; **toalha de banho** bath towel; **toalha de mesa** tablecloth; **toalha de rosto** hand towel.
tobogã [tɔbɔ'gã] *m* toboggan.
toca-discos [ˌtɔka'dʒiʃkuʃ] *m inv* record player.
toca-fitas [ˌtɔka'fitaʃ] *m inv* cassette player.
tocar [to'ka(x)] **1** *vt (instrumento)* to play.
2 *vi* to touch; *(campainha, sino, telefone)* to ring; *MÚS* to play.
3 tocar em *(em pessoa, objeto)* to touch; *(em assunto)* to touch on; **tocar a campainha** to ring the bell.
❑ **tocar a** *v + prep*: **toca a ele pedir uma explicação** it's up to him to ask for an explanation; **no que me toca** as far as I'm concerned.
tocha ['tɔʃa] *f* torch.
todavia [toda'via] **1** *adv* still.
2 *conj* but, however.
todo, das ['todu, da] *adj* all; **todo dia/mês** every day/month; **todo o dia/mês** all day long/all month long; **todo mundo** everyone, everybody; **todas as coisas** everything *sg*; **em toda a parte** everywhere; **ao todo** altogether, in total; **de todo** completely; **no todo** all in all.
❑ **todos** *pron pl (pessoas)* everyone *sg*, everybody *sg*; *(coisas)* all; **quero todos** I want them all, I want all of them.
toldo ['towdu] *m* awning.
tolerância [tole'rãsja] *f* tolerance.
tolerar [tole'ra(x)] *vt* to tolerate.
tolice [to'lisi] *f (coisa sem valor)* trifle; *(asneira)* stupid thing.
tolo, la ['tolu, la] *adj* silly.
tom ['tõ] (*pl* **-ns** [-ʃ]) *m* tone; *(de cor)* shade; *(MÚS: nota)* key; *(MÚS: altura)* pitch; **ser de bom-tom** to be the done thing; **tom agudo/grave** high/low note.
tomada [to'mada] *f (elétrica)* socket; *(de lugar, edifício)* seizure; **tomada de posse** *(de governo, presidente)* investiture.
tomar [to'ma(x)] *vt* to take; *(bebida)* to have; *(lugar, edifício)* to seize; **toma!** here you are!; **vamos tomar um café!** let's go get some coffee!; **tomar ar** to get some air; **tomar o café da manhã** to have breakfast; **tomar posse** *(de cargo político)* to take office.
tomara [to'mara] *interj*: **tomara que ...** if only ...; **tomara!** let's hope so!
tomate [to'matʃi] *m* tomato.
tombar [tõm'ba(x)] **1** *vt* to knock over.
2 *vi* to fall.
tombo ['tõmbu] *m* tumble; **levar um tombo** to fall down.
tomilho [to'miʎu] *m* thyme.
tonalidade [tonali'dadʒi] *f (de som)* key; *(de cor)* shade.

tonel [to'nɛw] (*pl* **-éis** [-ɛiʃ]) *m (para vinho)* vat.

tonelada [tone'lada] *f* ton.

tônico, ca ['toniku, ka] **1** *adj* tonic; *(fortificante)* invigorating.
2 *m (medicamento)* tonic.

tons → **tom.**

tonto, ta ['tõntu, ta] *adj (com tonturas)* dizzy; *(tolo)* silly.

tontura [tõn'tura] *f* dizziness.

tópico ['tɔpiku] *m* topic.

topo ['topu] *m* top.

toque ['tɔki] *m (contato)* touch; *(som)* chime, chiming; *(de campainha)* ring.

toranja [to'rãʒa] *f* grapefruit.

tórax ['tɔraks] *m* thorax.

torcedor, ra [toxse'do(x), ra] (*mpl* **-res** [-riʃ], *fpl* **-s** [-ʃ]) *m, f* ESP fan, supporter.

torcer [tox'se(x)] *vt* to twist; *(espremer)* to wring out; **torcer o nariz para algo** to turn one's nose up at sthg.
❑ **torcer por** *v + prep (apoiar)* to support.
❑ **torcer-se** *vp (de riso, dor)* to double up.

torcicolo [toxsi'kɔlu] *m*: **ter um torcicolo** to have a crick in one's neck.

torcida [tox'sida] *f* ESP *(grupo)* fans *pl*; ESP *(ato)* supporter.

torcido, da [tox'sidu, da] *adj* twisted.

tormenta [tox'mẽnta] *f* storm.

tormento [tox'mẽntu] *m* torment.

tornar [tox'na(x)] *vt* to make; **tornar algo em algo** to turn sthg into sthg.
❑ **tornar a** *v + prep*: **tornar a fazer algo** to do sthg again.
❑ **tornar-se** *vp* to become.

torneio [tox'neju] *m* tournament.

torneira [tox'nejra] *f* faucet *Am*, tap *Brit*.

torno ['toxnu] *m*: **em torno de** around.

tornozelo [toxno'zelu] *m* ankle.

torpedo [tox'pedu] *m* torpedo.

torrada [to'xada] *f* (a slice of) toast.

torradeira [toxa'dejra] *f* toaster.

torrão [to'xãw] (*pl* **-ões** [-õjʃ]) *m (de terra)* clod; **torrão de açúcar** sugar lump.

torrar [to'xa(x)] *vt* to toast.

torre ['toxi] *f (construção)* tower; *(em xadrez)* rook, castle.

torresmos [to'xeʒmuʃ] *mpl* crackling.

tórrido, da ['tɔxidu, da] *adj* torrid.

torrões → **torrão.**

torta ['tɔrta] *f* pie.

torto, torta ['toxtu, 'tɔxta] *adj* bent; **a torto e a direito** left, right and center.

tos [tuʃ] = **te + os** → **te.**

tosse ['tɔsi] *f* cough.

tossir [to'si(x)] *vi* to cough.

tostão [toʃ'tãw] (*pl* **-ões** [-õjʃ]) *m* dime *Am*, copper *Brit*; **não valer um tostão furado** not to be worth a penny.

total [to'taw] (*pl* **-ais** [-ajʃ]) *adj & m* total; **no total** in all.

totalidade [tutali'dadʒi] *f* whole; **a totalidade dos meus alunos** all (of) my students; **na totalidade** *(no total)* in total; *(totalmente)* completely.

totalmente [totaw'mẽntʃi] *adv* totally.

touca ['toka] *f* cap; **touca de banho** *(em piscina)* swimming cap; *(em ducha)* shower cap.

toucinho [to'siɲu] *m* bacon; **toucinho defumado** smoked bacon.

toupeira [to'pejra] *f* mole.

tourada [to'rada] *f* bullfight.

toureiro [to'rejru] *m* bullfighter.

touro ['toru] *m* bull.
❑ **Touro** *m* Taurus.

tóxico, ca ['tɔksiku, ka] *adj* toxic, poisonous.

Tr. *abrev* = **travessa.**

trabalhador, ra [trabaʎa'do(x), ra] (*mpl* **-res** [-riʃ], *fpl* **-s** [-ʃ]) **1** *adj* hard-working.
2 *m, f* worker; **trabalhador braçal** manual worker.

trabalhar [traba'ʎa(x)] *vi & vt* to work.

trabalho [tra'baʎu] *m* work; **ir para o trabalho** to go to work; **trabalho de casa** EDUC homework; **trabalho de parto** labor; **trabalhos manuais** arts and crafts.

traça ['trasa] *f* moth.

tração [tra'sãw] *f* traction.

traçar [tra'sa(x)] *vt (linha, desenho)* to draw; *(plano)* to draw up.

traço ['trasu] *m (risco)* line; *(vestígio)* trace; *(de rosto, personalidade)* feature.

tradição [tradʒi'sãw] (*pl* **-ões** [-õjʃ]) *f* tradition.

tradicional [tradʒisjo'naw] (*pl* **-ais** [-ajʃ]) *adj* traditional.

tradições → **tradição.**

tradução [tradu'sãw] (*pl* **-ões** [-õjʃ]) *f* translation.

tradutor, ra [tradu'to(x), ra] (*mpl* **-res** [-riʃ], *fpl* **-s** [-ʃ]) *m, f* translator.

traduzir [tradu'zi(x)] *vt & vi* to translate.

tráfego ['trafegu] *m* traffic.

traficante [trafi'kãntʃi] *mf* trafficker, dealer.

traficar [trafi'ka(x)] *vt* to traffic in.

tráfico ['trafiku] *m* traffic.

tragar [tra'ga(x)] *vt, vi (fumo)* to inhale; *(bebida)* to swallow.

tragédia [tra'ʒɛdʒja] *f* tragedy.

trágico, ca ['traʒiku, ka] *adj* tragic.

trago ['tragu] *m (de fumo)* a drag; *(de bebida)* a mouthful; → **trazer.**

traição [traj'sãw] (*pl* **-ões** [-õjʃ]) *f (de amigo, companheiro)* betrayal; *(de país)* treason.

traidor, ra [traj'do(x), ra] (*mpl* **-res** [-riʃ], *fpl* **-s** [-ʃ]) *m, f* traitor.

traineira [traj'nejra] *f* trawler.

traje ['traʒi] *m* clothes *pl*; **traje a rigor** evening wear; **traje esporte** casual dress; **traje de noite** evening gown; **traje típico** traditional costume OU dress; **trajes menores** underwear *sg.*

trajeto [tra'ʒɛtu] *m (caminho)* route; *(viagem)* journey, trip.

trajetória [traʒe'tɔrja] *f* trajectory.

tralha ['traʎa] *f* junk, stuff.

trama ['trama] *f (de fios)* weave; *(de livro, filme)* plot.

tramar [tra'ma(x)] *vt*: **tramar algo** *(conspirar)* to plot sthg.

trâmite ['tramitʃi] *m* procedure; **os trâmites legais** legal procedures.

trampolim [trãmpo'lĩ] (*pl* **-ns** [-ʃ]) *m* trampoline; *(fig, piscina)* springboard.

tranca ['trãŋka] *f* bar.

trança ['trãsa] *f* braid *Am*, plait *Brit.*

trancar [trãŋ'ka(x)] *vt* to bar.

tranqüilidade [trãŋkwili'dadʒi] *f* peace, tranquility.

tranqüilizante [trãŋkwili'zãntʃi] **1** *adj* reassuring.
2 *m* tranquilizer.

tranqüilo, la [trãŋ'kwilu, la] *adj* calm; *(local)* peaceful.

transar [trã'za(x)] **1** *vt (combinar)* to arrange.
2 *vi* to have sex.

transatlântico, ca [trãzat'lãntʃiku, ka] **1** *adj* transatlantic.
2 *m* (ocean) liner.

transbordar [trãʒbox'da(x)] *vi* to overflow.

transbordo [trãʒ'boxdu] *m* transfer; **fazer transbordo** to transfer.

transeunte [trã'zeũntʃi] *mf* passerby.

transferência [trãʃfe'rẽsja] *f* transfer.

transferir [trãʃfe'ri(x)] *vt* to transfer.

transformador, ra [trãʃfoxma'do(x), ra] (*mpl* **-res** [-riʃ], *fpl* **-s** [-ʃ]) *m* transformer.

transformar [trãʃfox'ma(x)] *vt* to transform.

transfusão [trãʃfu'zãw] (*pl* **-ões** [-õjʃ]) *f*: **transfusão de sangue** blood transfusion.

transgênico, ca [trãnʃ'zeniku, ke] *adj* transgenic.

transgredir [trãʒgre'di(x)] *vt (lei)* to break, to violate; *(direito)* to infringe.

transição [trãzi'sãw] (*pl* **-ões** [-õjʃ]) *f* transition.

transitar [trãzi'ta(x)] *vi* to circulate; **transitar para** to move on to.

transitivo, va [trãzi'tʃivu, va] *adj* GRAM transitive.

trânsito ['trãzitu] *m* traffic; **'trânsito congestionado'** 'heavy traffic'; **'trânsito proibido'** 'no entry' *(for vehicular traffic)*; **'trânsito nos dois sentidos'** 'two-way traffic'.

transmissão [trãʒmi'sãw] (*pl* **-ões** [-õjʃ]) *f (de rádio, televisão)* broadcast, transmission; *(de mensagem)* passing on; *(de doença, genes)* transmission.

transmitir [trãʒmi'tʃi(x)] **1** *vt (suj: rádio, televisão)* to broadcast; *(mensagem)* to pass on; *(doença, genes)* to transmit.
2 *vi (rádio, televisão)* to broadcast, to transmit.

transparência [trãʃpa'rẽsja] *f* transparency.

transparente [trãʃpa'rẽntʃi] *adj* transparent; *(água)* clear; *(roupa, tecido)* see-through.

transpiração [trãʃpira'sãw] *f* perspiration.

transpirar [trãʃpi'ra(x)] *vi* to perspire.

transplantar [trãʃplãn'ta(x)] *vt* to transplant.

transplante [trãʃ'plãntʃi] *m (de planta, árvore)* transplanting; *(de órgão)* transplant.

transportar [trãʃpox'ta(x)] *vt* to carry; *(suj: veículo)* to transport.

transporte [trãʃ'pɔxtʃi] *m* transportation; **transporte coletivo** public transportation.

transtornar [trãʃtox'na(x)] *vt (pessoa)* to upset; *(reunião, rotina)* to disrupt.

transtorno [trãʃ'toxnu] *m* disruption; **causar transtorno** to cause disruption.
trapalhão, lhona [trapa'ʎãw, ʎona] (*mpl* **-ões** [-õjʃ], *fpl* **-s** [-ʃ]) *m, f* bungler.
trapézio [tra'pɛzju] *m* trapeze.
trapezista [trape'ziʃta] *mf* trapeze artist.
trapo ['trapu] *m* rag.
trarei [tra'rejʃ] → **trazer.**
trás ['trajʃ] *prep & adv*: **deixar para trás** to leave behind; **por trás de** behind; **de trás** from behind; **para trás** back(ward).
traseira [tra'zejra] *f (de carro)* rear *sg.*
traseiro, ra [tra'zejru, ra] **1** *adj (parte, assento)* back *(antes de s).*
2 *m* backside.
tratado, da [tra'tadu, da] **1** *adj* treated; *(assunto)* sorted out.
2 *m (acordo)* treaty; *(ensaio)* treatise.
tratamento [trata'mẽntu] *m* treatment; *INFORM* processing.
tratar [tra'ta(x)] *vt* to treat; **tratar alguém bem/mal** to treat sb well/badly.
❑ **tratar de** *v + prep* to deal with; **tratar de fazer algo** to decide to do sthg.
❑ **tratar-se de** *vp + prep* it's about ...; **trata-se de um erro** it's a mistake; **de quem se trata?** who is it?
trator [tra'to(x)] (*pl* **-res** [-riʃ]) *m* tractor.
trauma ['trawma] *m* trauma.
Trav. *(abrev)* = **travessa.**
travar [tra'va(x)] *vt (combate, luta)* to wage; **travar conhecimento com alguém** to meet sb.
trave ['travi] *f* beam; *(em futebol)* crossbeam.
travessa [tra'vɛsa] *f (rua)* lane; *(peça de louça)* platter; *(para cabelo)* (decorative) comb.
travessão [trave'sãw] (*pl* **-ões** [-õjʃ]) *m (para cabelo)* (decorative) comb; *(sinal gráfico)* dash; *(no futebol)* crossbar.
travesseiro [trave'sejru] *m* pillow.
travessia [trave'sia] *f* crossing.
travesso, a [tra'vesu, a] *adj* naughty.
travessões → **travessão.**
traz ['trajʃ] → **trazer.**
trazer [tra'ze(x)] *vt* to bring; *(vestir)* to wear; *(problemas)* to cause; *(conseqüências)* to have.
trégua ['trɛgwa] *f (descanso)* break; *(em conflito)* truce.
treinador, ra [trejna'do(x), ra] (*mpl* **-res** [-riʃ], *fpl* **-s** [-ʃ]) *m, f* trainer.
treinar [trej'na(x)] *vt* to train.
❑ **treinar-se** *vp* to train.
treino ['trejnu] *m* training.
trela ['trɛla] *f (para cão)* lead.
trem ['trẽ] (*pl* **-ns** [-ʃ]) *m* train; *(coisa)* stuff; **trem de aterrissagem** *(de avião)* landing gear; **de trem** by train; **pegar o trem** to catch the train.
tremendo, da [tre'mẽndu, da] *adj* tremendous; *(horrível)* terrible.
tremer [tre'me(x)] *vi* to tremble; **tremer de frio** to shiver with cold; **tremer de medo** to tremble with fear.
tremor [tre'mo(x)] (*pl* **-res** [-riʃ]) *m (de frio)* shivering; *(de medo)* trembling; **tremor de terra** earthquake.
trenó [trɛ'nɔ] *m* sled.
trens → **trem.**
trepadeira [trepa'dejra] *f (planta)* climber; *(roseira)* rambler.
trepar [tre'pa(x)] *vi*: **trepar em** to climb up.
três ['trejʃ] *num* three → **seis.**
trespassar [treʃpa'sa(x)] *vt (loja, estabelecimento)* to transfer; *(transgredir)* to violate.
trevas ['trɛvaʃ] *fpl* darkness *sg.*
trevo ['trevu] *m (planta)* clover; *(símbolo da Irlanda)* shamrock.
treze ['trezi] *num* thirteen → **seis.**
trezentos, tas [tre'zẽntuʃ, taʃ] *num* three hundred → **seis.**
triângulo [tri'ãŋgulu] *m* triangle.
tribo ['tribu] *f* tribe.
tribuna [tri'buna] *f (de estádio)* grandstand.
tribunal [tribu'naw] (*pl* **-ais** [-ajʃ]) *m* court.
triciclo [tri'siklu] *m* tricycle.
tricô [tri'ko] *m* knitting.
tricotar [triko'ta(x)] *vt* to knit.
trigésimo, ma [tri'ʒɛzimu, ma] *num* thirtieth → **sexto.**
trigo ['trigu] *m* wheat.
trilha ['triʎa] *f* path; **trilha sonora** soundtrack.
trilho ['triʎu] *m (de rolamento)* rail; *(caminho)* path.
trimestral [trimeʃ'traw] (*pl* **-ais** [-ajʃ]) *adj* quarterly.
trimestre [tri'mɛʃtri] *m* quarter.
trincar [trĩŋ'ka(x)] *vt* to bite.
trincheira [trĩ'ʃejra] *f (escavação)* trench.
trinco ['trĩŋku] *m* latch; **fechar a porta**

com trinco to leave the door on the latch.

trinta ['trĩnta] *num* thirty → **seis.**

trio ['triu] *m* trio; **trio elétrico** carnival float.

tripa [tri'pa] *f (intestino)* gut. ❑ **tripas** *fpl (comida)* tripe *sg.*

triplicar [tripli'ka(x)] *vt* to triple.

tripulação [tripula'sãw] (*pl* **-ões** [-õjʃ]) *f* crew.

tripular [tripu'la(x)] *vt* to man.

triste ['triʃtʃi] *adj (pessoa)* unhappy, sad; *(local)* gloomy.

tristeza [triʃ'teza] *f (de pessoa)* sadness; *(local)* gloominess; **que tristeza!** what a shame!

triunfar [triũ'fa(x)] *vi* to win.

triunfo [tri'ũfu] *m* triumph.

trivial [tri'vjaw] (*pl* **-ais** [-ajʃ]) *adj* trivial.

triz ['triʃ] *m (momento)* second; **por um triz** by the skin of one's teeth.

troca ['trɔka] *f* exchange, swap; **dar algo em troca de algo** to give sthg in exchange for sthg.

troça ['trɔsa] *f*: **fazer troça de** to make fun of.

trocado, da [tro'kadu, da] *adj* mixed up. ❑ **trocados** *mpl* loose change *sg.*

trocar [tro'ka(x)] *vt* to change; *(idéias)* to exchange; *(confundir)* to mix up. ❑ **trocar de** *v + prep* to change. ❑ **trocar-se** *vp* to get changed.

troco ['troku] *m* change; *fig (resposta)* retort; **dar o troco** *(responder)* to reply in kind; **a troco de** in exchange for.

troço ['trosu] *m (coisa)* thing; *(tralha)* junk; **ter um troço** *(passar mal)* to get sick.

troféu [tro'fɛu] *m* trophy.

tromba ['trõmba] *f (de elefante)* trunk; *(de chuva)* downpour.

trombone [trõm'bɔni] *m*: **trombone (de vara)** trombone; **botar a boca no trombone** to blow one's trumpet.

trompete [trõm'pɛtʃi] *m* trumpet.

tronco ['trõŋku] *m* trunk.

trono ['tronu] *m* throne.

tropa ['trɔpa] *f* army; **tropa de choque** riot police.

tropeçar [trope'sa(x)] *vi* to trip; **tropeçar em algo** to trip over sthg.

tropical [tropi'kaw] (*pl* **-ais** [-ajʃ]) *adj* tropical.

tropicalismo [trɔpikaliʒmu] *m a blend of Brazilian culture and foreign influences.*

trópico ['trɔpiku] *m* tropic; **os trópicos** the tropics; **Trópico de Câncer/Capricórnio** Tropic of Cancer/Capricorn.

trotar [tro'ta(x)] *vi* to trot.

trouxa ['troʃa] *f* bundle.

trouxe ['trosi] → **trazer.**

trovão [tro'vãw] (*pl* **-ões** [-õjʃ]) *m* clap of thunder.

trovejar [trove'ʒa(x)] *v impess* to thunder.

trovoada [trovw'ada] *f (ruído)* thunder; *(tempestade)* thunderstorm.

trovões → **trovão.**

trucidar [trusi'da(x)] *vt* to slaughter.

trufas ['trufaʃ] *fpl* truffles.

trunfo ['trũfu] *m* trump.

truque ['truki] *m* trick.

truta ['truta] *f* trout.

tu ['tu] *pron* you.

tua → **teu.**

tubarão [tuba'rãw] (*pl* **-ões** [-õjʃ]) *m* shark.

tuberculose [tubɛxku'lɔzi] *f* tuberculosis.

tubo ['tubu] *m* tube; **tubo de ensaio** test tube.

tudo ['tudu] *pron inv* everything; **por tudo e por nada** over the slightest thing; **dar tudo por algo** to give one's all for sthg.

tulipa [tu'lipa] *f (planta)* tulip.

tumba ['tũmba] *f* tomb.

tumor [tu'mo(x)] (*pl* **-res** [-riʃ]) *m* tumor; **tumor maligno/benigno** malignant/benign tumor.

túmulo ['tumulu] *m* tomb.

tumulto [tu'muwtu] *m (alvoroço)* commotion, ruckus; *(revolta)* uproar.

túnel ['tunɛw] (*pl* **-eis** [-ejʃ]) *m* tunnel.

túnica ['tunika] *f* tunic.

turbulência [turbu'lẽnsja] *f* turbulence.

turismo [tu'riʒmu] *m* tourism; **fazer turismo** to go sightseeing.

turista [tu'riʃta] *mf* tourist.

turístico, ca [tu'riʃtʃiku, ka] *adj* tourist *(antes de s).*

turma ['tuxma] *f (em escola)* class; *(amigos)* gang.

turnê ['tuxnɛ] *f* tour.

turno ['tuxnu] *m* shift; **por seu turno** in turn; **por turnos** in shifts.

turquesa [tux'keza] *f* turquoise.

tutela [tu'tɛla] *f* guardianship.

tutor, ra [tu'to(x), ra] (*mpl* **-res** [-riʃ], *fpl* **-s** [-ʃ]) *m, f* guardian.

TV *f* (*abrev de* **televisão**) TV.

Uu

UE *f* (*abrev de* **União Européia**) EU.
uísque ['wiski] *m* whiskey *Am*, whisky *Brit*.
uivar [ui'va(x)] *vi* to howl.
úlcera ['uwsera] *f* ulcer.
ultimamente [,uwtʃima'mẽntʃi] *adv* lately.
ultimato [uwtʃi'matu] *m* ultimatum.
último, ma ['uwtʃimu, ma] **1** *adj* last; *(mais recente, novo)* latest; *(mais alto)* top; *(mais baixo)* bottom.
2 *m, f*: **o último/a última** *(em ordem, fila)* the last one.
3 a última *(novidade)* the latest; **por último** lastly.
ultramar [,uwtra'ma(x)] *m* overseas.
ultramarino, na [,uwtrama'rinu, na] *adj* overseas.
ultrapassado, da [,uwtrapa'sadu, da] *adj* outdated.
ultrapassagem [,uwtrapa'saʒẽ] (*pl* **-ns** [-ʃ]) *f* overtaking.
ultrapassar [,uwtrapa'sa(x)] *vt* to overtake.
ultravioleta [,uwtravjo'leta] *adj* ultraviolet.
um, uma [ũ, 'uma] (*mpl* **uns** [ũʃ], *fpl* **umas** ['umaʃ]) **1** *artigo indefinido* a, an *(antes de vogal ou h mudo)*; **um homem** a man; **uma casa** a house; **uma mulher** a woman; **uma hora** an hour; **uma maçã** an apple.
2 *adj* **(a)** *(exprime quantidade, data indefinida)* one, some *pl*; **comprei uns livros** I bought some books; **um dia voltarei** I'll be back one day; **estou saindo umas semanas de férias** I'm going on vacation for a few weeks.
(b) *(para indicar quantidades)* one; **trinta e um dias** thirty-one days; **um litro/metro/quilo** a liter/meter/kilo.
(c) *(aproximadamente)* about, around; **esperei uns dez minutos** I waited for about ten minutes; **estavam lá umas cinqüenta pessoas** there were about fifty people there.
(d) *(para enfatizar)*: **está um frio/calor** it's so cold/hot; **estou com uma sede** I'm so thirsty; **foi um daqueles dias!** it's been one of those days!
3 *pron (indefinido)* one, some *pl*; **me dê um** give me one; **peça mais uma** ask for another one; **um deles** one of them; **um a um, um por um** one by one.
4 *num* one → **seis.**

> Enquanto em português geralmente omite-se o 'um/a' antes dos nomes de profissões, em inglês emprega-se sempre o artigo indefinido - *a/an* (*he's an engineer* ele é engenheiro; *she's a lawyer* ela é advogada).

umbanda [ũm'bãnda] *f Afro-Brazilian cult religion.*
umbigo [ũm'bigu] *m* navel.
umbral [ũm'braw] (*pl* **-ais** [-ajʃ]) *m* doorway.
umidade [umi'dadʒi] *f* humidity.
úmido, da ['umidu, da] *adj (tempo)* humid; *(superfície, tecido)* damp.
unanimidade [unanemi'dadʒi] *f*: **por unanimidade** unanimously.
UNE *f* (*abrev de* **União Nacional de Estudantes)** *Brazilian Student's Union.*
unha ['uɲa] *f* nail; **fazer as unhas** to do one's nails.
união [u'njãw] (*pl* **-ões** [-õjʃ]) *f* union; *(entre amigos, colegas)* unity.
unicamente [,unika'mẽntʃi] *adv* only.
único, ca ['uniku, ka] **1** *adj (preço)* fixed; *(um só)* only; *(incomparável)* unique.
2 *m, f*: **o único/a única** the only one; **tamanho único** one size.
unidade [uni'dadʒi] *f* unit; *(conformidade,*

uniformidade) unity; *(união)* union.

unido, da [u'nidu, da] *adj* united; **eles são muito unidos** they're very close.

unificar [unifi'ka(x)] *vt* to unite.

uniforme [uni'fɔxmi] *adj & m* uniform.

uniões → **união.**

unir [u'ni(x)] *vt* to join; *(pessoas, países)* to unite; *(anexar)* to attach.
❑ **unir-se** *vp* to join forces; **unir-se contra** to join forces against.

universal [univex'saw] (*pl* **-ais** [-ajʃ]) *adj* universal.

universidade [univexsi'dadʒi] *f* university.

universo [uni'vɛxsu] *m* universe.

uns → **um.**

untar [ũn'ta(x)] *vt* to grease.

urânio [u'ranju] *m* uranium.

urbano, na [ux'banu, na] *adj* urban.

urgência [ux'ʒẽsja] *f* urgency; **com urgência** urgently.

urgente [ux'ʒẽntʃi] *adj* urgent.

urgentemente [ux,ʒẽntʃi'mẽntʃi] *adv* urgently.

urina [u'rina] *f* urine.

urinol [uri'nɔw] (*pl* **-óis** [-ɔjʃ]) *m* urinal.

urna ['uxna] *f (de voto)* ballot box.

urrar [u'xa(x)] *vi* to roar.

urso ['uxsu] *m* bear; **urso pardo** grizzly (bear); **urso de pelúcia** teddy bear; **urso polar** polar bear.

urtiga [ux'tʃiga] *f* (stinging) nettle.

urze ['uxzi] *f* heather.

usado, da [u'zadu, da] *adj* used; *(gasto)* worn.

usar [u'za(x)] *vt (utilizar)* to use; *(vestir, calçar)* to wear.
❑ **usar de** *v + prep* to use.
❑ **usar-se** *vp* to be used; **agora usa-se muito o marrom** brown is very popular at the moment.

usina [u'zina] *f* factory; **usina de açúcar** sugar refinery; **usina hidroelétrica** hydroelectric power station; **usina nuclear** nuclear power plant.

uso ['uzu] *m (utilização)* use; *(costume)* custom; **'para uso externo'** 'for external use only'; **fazer uso de** to make use of; **para uso próprio** for personal use.

usual [uzw'aw] (*pl* **-ais** [-ajʃ]) *adj* common.

usufruir [uzufru'i(x)] *v + prep (possuir)*: **usufruir de** to enjoy; *(tirar proveito de)* to make the most of.

úteis → **útil.**

utensílio [utẽ'silju] *m* utensil.

útero ['uteru] *m* womb.

útil ['utʃiw] (*pl* **-teis** [-tejʃ]) *adj* useful.

utilidade [utʃili'dadʒi] *f (qualidade)* usefulness; *(proveito)* use; **isto não tem utilidade nenhuma** this is useless.

utilização [utʃiliza'sãw] (*pl* **-ões** [-õjʃ]) *f* use.

utilizar [utʃili'za(x)] *vt (empregar)* to use; *(tirar proveito de)* to make use of.

U.V. (*abrev de* **ultravioleta**) UV.

uva ['uva] *f* grape; **uva passa** raisin.

Vv

vá ['va] → **ir.**
vã → **vão.**
vaca ['vaka] *f (animal)* cow; *(carne)* beef.
vacilar [vasi'la(x)] *vi (hesitar)* to waver.
vacina [va'sina] *f* vaccine.
vácuo ['vakwu] *m* vacuum.
vadio, dia [va'dʒiu, 'dʒia] *adj (cão)* stray; *(pessoa)* idle.
vaga ['vaga] *f (em emprego, hotel)* vacancy; *(para estacionar)* parking slot; *(onda)* wave; **'não há vagas'** 'no vacancies'.
vagabundo, da [vaga'bũndu, da] *m, f* tramp.
vaga-lume [ˌvaga'lumi] (*pl* **vaga-lumes** [ˌvaga'lumeʃ]) *m* glow-worm.
vagão [va'gãw] (*pl* **-ões** [-õjʃ]) *m (de mercadorias)* wagon; *(de passageiros)* car.
vagão-leito [vagãw'lejtu] (*pl* **vagões-leito** [vagõiʒ'lejtu]) *m* sleeping car.
vagão-restaurante [vaˌgãwxeʃtaw'rãntʃi] (*pl* **vagões-restaurante** [vaˌgõiʃxeʃtaw'rãntʃi]) *m* dining car.
vagar [va'ga(x)] **1** *vi (ficar livre)* to be vacant.
2 *m*: **com mais vagar** at a more leisurely pace.
vagaroso, osa [vaga'rozu, ɔza] *adj* slow.
vagem ['vaʒẽ] (*pl* **-ns** [-ʃ]) *f (legume)* green beans; *(de sementes)* pod.
vagina [va'ʒina] *f* vagina.
vago, ga ['vagu, ga] *adj (lugar)* free; *(casa)* empty; *(indefinido)* vague.
vagões → **vagão.**
vai ['vaj] → **ir.**
vaidade [vaj'dadʒi] *f* vanity.
vaidoso, osa [vaj'dozu, ɔza] *adj* vain.
vais ['vajʃ] → **ir.**
vaivém [vaj'vẽ] (*pl* **-ns** [-ʃ]) *m (movimento)* to-ing and fro-ing, comings and goings *pl.*
vala ['vala] *f* ditch; **vala comum** *(sepultura)* common grave.
vale[1] ['vali] → **valer.**
vale[2] ['vali] *m (planície)* valley; **vale postal** money order.
valente [va'lẽntʃi] *adj (corajoso)* brave; *(forte)* strong.
valer [va'le(x)] **1** *vt (ter o valor de)* to be worth.
2 *vi (ter validade)* to count.
3 vale mais ... it's better to ...; **para valer** for real; **valeu!** great!
❑ **valer-se de** *vp + prep* to make use of.
valeta [va'leta] *f* ditch.
valete [va'lɛtʃi] *m* jack.
valeu [va'lew] → **valer.**
valho ['vaʎu] → **valer.**
validade [vali'dadʒi] *f* validity.
validar [vali'da(x)] *vt* to validate.
válido, da ['validu, da] *adj* valid; **válido até ...** *(produto)* best before ..., use by ...; *(documento)* expiry date ...
valioso, osa [valj'ozu, ɔza] *adj* valuable.
valor [va'lo(x)] (*pl* **-res** [-riʃ]) *m (de objeto)* value; *(em exame, teste)* point, grade; *(de pessoa)* worth; **dar valor a** to value.
❑ **valores** *mpl (bens, ações etc.)* securities; *(de pessoa, sociedade)* values.
valsa ['vawsa] *f* waltz.
válvula ['vawvula] *f* valve; **válvula de segurança** safety valve.
vampiro [vãm'piru] *m* vampire.
vandalismo [vãnda'liʒmu] *m* vandalism.
vândalo, la ['vãndalu, la] *m, f* vandal.
vangloriar-se [vãŋglo'rjaxsi] *vp* to boast; **vangloriar-se de** to boast about.
vanguarda [vãŋ'gwaxda] *f* avant-garde; **esta na vanguarda de** to be in the forefront of.
vantagem [vãn'taʒẽ] (*pl* **-ns** [-ʃ]) *f* advan-

tage; **tirar vantagem de algo** to take advantage of sthg.

vantajoso, osa [vãnta'ʒozu, ɔza] *adj* advantageous.

vão[1] ['vãw] → **ir.**

vão[2] **, vã** ['vãw, vã] **1** *adj* useless.
2 *m*: **vão das escadas** stairwell.
3 vão da porta doorway; **em vão** in vain.

vapor [va'po(x)] (*pl* **-res** [-riʃ]) *m (de líquido)* steam; *(gás)* vapor.

vara ['vara] *f* rod; **vara de pescar** fishing rod.

varal [va'raw] (*pl* **-ais** [-ajʃ]) *m (de roupa)* clothesline.

varanda [va'rãnda] *f* verandah.

varejo [va'reʒu] *m (venda)* retail.

variação [varja'sãw] (*pl* **-ões** [-õjʃ]) *f* variation.

variado, da [va'rjadu, da] *adj* varied.

variar [va'rja(x)] **1** *vt* to vary.
2 *vi* to be different; **para variar** for a change.

variedade [varje'dadʒi] *f* variety.

varinha [va'riɲa] *f*: **varinha de condão** magic wand.

varíola [va'riola] *f* smallpox.

vários, rias ['varjuʃ, rjaʃ] *adj pl* several.

varizes [va'riziʃ] *fpl* varicose veins.

varredor, ra [vaxe'do(x), ra] (*mpl* **-res** [-riʃ], *fpl* **-s** [-ʃ]) *m, f (de rua)* street sweeper.

varrer [va'xe(x)] *vt* to sweep; **varrer algo da memória** to blank sthg out of one's mind.

vascular [vaʃku'la(x)] (*pl* **-res** [-riʃ]) *adj* vascular.

vasculhar [vaʃku'ʎa(x)] *vt (remexer)* to rummage through; *(investigar)* to probe into.

vasilha [va'ziʎa] *f* barrel.

vaso ['vazu] *m (para plantas)* vase; *(jarra)* large pitcher; ANAT vessel; **vaso sangüíneo** blood vessel; **vaso sanitário** toilet bowl.

vassoura [va'sora] *f* broom.

vasto, ta ['vaʃtu, ta] *adj* vast.

vazio, zia [va'ziu, 'zia] **1** *adj* empty.
2 *m* void; **vazio de** devoid of.

vê ['ve] → **ver.**

veado ['vjadu] *m (animal)* deer; *(carne)* venison.

vedação [veda'sãw] (*pl* **-ões**) [-õjʃ] *f* fence.

vedado, da [ve'dadu, da] *adj (edifício, local)* enclosed; *(recipiente)* sealed; *(interdito)* prohibited.

vedar [ve'da(x)] *vt (local, edifício)* to enclose; *(recipiente, buraco)* to seal; *(acesso, passagem)* to block.

vêem ['veẽ] → **ver.**

vegetação [veʒeta'sãw] *f* vegetation.

vegetal [veʒe'taw] (*pl* **-ais** [-ajʃ]) *m* vegetable.

vegetariano, na [veʒeta'rjanu, na] *adj & m, f* vegetarian.

veia ['veja] *f* vein.

veículo [ve'ikulu] *m* vehicle; **'veículo longo'** 'long vehicle'.

veio ['veju] → **ver.**

vejo ['vejʒu] → **ver.**

vela ['vɛla] *f (de barco)* sail; *(de iluminação)* candle; *(de motor)* spark plug.

veleiro [ve'lejru] *m* sailing ship, tall ship.

velhice [vɛ'ʎisi] *f* old age.

velho, lha ['vɛʎu, ʎa] **1** *adj* old.
2 *m, f* old man/woman.

velocidade [velosi'dadʒi] *f* speed; **velocidade máxima** speed limit; **'diminua a velocidade'** 'reduce speed'.

velocímetro [velo'simetru] *m* speedometer.

velocípede [velu'sipedʒi] *m*: **velocípede com motor** moped.

veloz [ve'lɔʃ] (*pl* **-zes** [-ziʃ]) *adj* fast.

veludo [ve'ludu] *m* velvet.

vem ['vãj] → **vir.**

vêm ['vajãj] → **vir.**

vencedor, ra [vẽse'do(x), ra] (*pl* **-res** [-riʃ], *fpl* **-s** [-ʃ]) **1** *m, f* winner.
2 *adj* winning.

vencer [vẽ'se(x)] **1** *vt (adversário)* to beat; *(corrida, competição)* to win; *fig (obstáculo, timidez, problema)* to overcome.
2 *vi (em competição)* to win; *(validade)* to expire; *(pagamento)* to be due.
3 deixar-se vencer por *(cansaço, tristeza)* to give in to.

vencido, da [vẽ'sidu, da] *adj* defeated, beaten; **dar-se por vencido** to accept defeat.

vencimento [vẽsi'mẽntu] *m (ordenado)* salary; *(de prazo de pagamento)* due date; *(de validade)* expiry date.

venda ['vẽnda] *f (de mercadorias)* sale; *(mercearia)* grocery store; *(para olhos)* blindfold; **pôr à venda** to put on sale;

venda por atacado wholesale; **venda a varejo** retail.

vendaval [vẽnda'vaw] (*pl* **-ais** [-ajʃ]) *m* gale.

vendedor, ra [vẽnde'do(x), ra] (*mpl* **-res** [-riʃ], *fpl* **-s** [-ʃ]) *m, f* seller.

vender [vẽn'de(x)] *vt* to sell; **vender a prestações** to sell on installment plan *Am*, to sell on hire purchase *Brit*; **vender à vista** to sell for cash.
❑ **vender-se** *vp*: **'vende-se'** 'for sale'.

veneno [ve'nenu] *m* poison.

venenoso, osa [vene'nozu, ɔza] *adj* poisonous.

venezianas [vene'zjanaʃ] *fpl* blinds.

venho ['vaɲu] → **vir.**

vens ['vãjʃ] → **vir.**

ventania [vẽnta'nia] *f* gale.

ventar [vẽn'ta(x)] *vi* to blow; **na praia venta muito** it's windy on the beach; **está ventando** it's windy.

ventilação [vẽntʃila'sãw] *f* ventilation.

ventilador [vẽntʃila'do(x)] (*pl* **-res** [-riʃ]) *m* (extractor) fan.

vento ['vẽntu] *m* wind; **está muito vento** it's very windy.

ventoinha [vẽn'twiɲa] *f* fan.

ventre ['vẽntri] *m* belly.

ventríloquo, qua [vẽn'triloku, ka] *m, f* ventriloquist.

ver ['ve(x)] **1** *vt* to see; *(televisão, filme)* to watch; *(perceber)* to notice; *(examinar)* to look at.
2 *vi* to see.
3 *m*: **a meu ver** in my opinion.
4 deixar alguém ver algo to let sb see sthg; **fazer ver a alguém que ...** to show sb that ...; **não tenho nada a ver com isso** it has nothing to do with me.

veracidade [verasi'dadʒi] *f* truthfulness.

veraneio [vera'neju] *m* summer vacation; **casa de veraneio** summerhouse.

veranista [vera'niʃta] *mf (summer)* vacationer *Am*, holidaymaker *Brit*.

verão [ve'rãw] (*pl* **-ões** [-õjʃ]) *m* summer.

verba ['vɛxba] *f* budget.

verbal [vex'baw] (*pl* **-ais** [-ajʃ]) *adj* verbal.

verbo ['vɛxbu] *m* verb; **verbo intransitivo/transitivo** intransitive/transitive verb.

verdade [vex'dadʒi] *f* truth; **dizer a verdade** to tell the truth; **a verdade é que ...** the truth is (that) ...; **na verdade** actually; **de verdade** real.

verdadeiro, ra [vexda'dejru, ra] *adj (verídico)* true; *(genuíno)* real.

verde ['vexdʒi] **1** *adj (de cor verde)* green; *(fruta)* unripe.
2 *m (cor)* green.

verdura [vex'dura] *f* greens *pl.*

veredicto [vere'dʒiktu] *m* verdict.

verga ['vexga] *f (pau fino)* stick; *(para fazer cestos)* wicker.

vergonha [vex'goɲa] *f (timidez)* bashfulness; *(desonra)* shame; **ter vergonha** to be shy; **ter vergonha de alguém** to be ashamed of sb; **não ter vergonha na cara** to be shameless.

verificação [verifika'sãw] (*pl* **-ões** [-õjʃ]) *f* checking.

verificar [verifi'ka(x)] *vt* to check.
❑ **verificar-se** *vp (acontecer)* to take place.

verme ['vɛxmi] *m* worm; *(larva)* maggot.

vermelho, lha [vex'meʎu, ʎa] *adj & m* red.

verniz [vex'niʃ] (*pl* **-zes** [-ziʃ]) *m* varnish.

verões → **verão.**

verossímil [vero'simiw] (*pl* **-meis** [-meiʃ]) *adj* probable.

verruga [ve'xuga] *f* wart; *(em pé)* verruca.

versão [vex'sãw] (*pl* **-ões** [-õjʃ]) *f* version.

versátil [vex'satʃiw] (*pl* **-teis** [-tejʃ]) *adj* versatile.

verso ['vɛxsu] *m (de poema)* verse; *(de folha de papel)* other side *(of a page)*.

versões → **versão.**

vértebra ['vɛxtebra] *f* vertebra.

vertical [vextʃi'kaw] (*pl* **-ais** [-ajʃ]) *adj & f* vertical; **na vertical** upright, vertically.

vértice ['vɛxtʃisi] *m* vertex.

vertigem [vex'tʃiʒẽ] (*pl* **-ns** [-ʃ]) *f* vertigo; **estou com vertigens** I feel dizzy.

vesgo, ga ['veʒgu, ga] *adj* cross-eyed.

vesícula [ve'zikula] *f*: **vesícula (biliar)** gall bladder.

vespa ['veʃpa] *f (inseto)* wasp; *(motociclo)* scooter.

véspera ['vɛʃpera] *f* day before; **na véspera** the day before; **em vésperas de** on the eve of; **véspera de Ano Novo** New Year's Eve; **véspera de Natal** Christmas Eve.

vestiário [veʃ'tʃjarju] *m* cloakroom.

vestibular [veʃtʃibu'la(x)] *m* university entrance exam.

vestíbulo [veʃ'tʃibulu] *m* foyer.

vestido, da [veʃ'tʃidu, da] **1** *adj*: **vestido de** dressed in.
2 *m* dress.

3 vestido de baile ball gown; **vestido de noiva** wedding dress.

vestígio [veʃ'tʃiʒju] *m* trace.

vestir [veʃ'tʃi(x)] *vt* to dress.
❑ **vestir-se** *vp* to get dressed; **vestir-se de** *(disfarçar-se de)* to dress up as; *(de azul, negro etc.)* to dress in, to wear.

vestuário [veʃ'twarju] *m* clothes *pl.*

veterano, na [vete'ranu, na] *m, f* veteran.

veterinário, ria [veteri'narju, rja] *m, f* vet.

véu ['vɛu] *m* veil.

vexame [vɛ'ʃami] *m (escândalo)* scandal; *(humilhação)* humiliation.

vez ['veʃ] (*pl* **-zes** [-ziʃ]) *f* time; *(turno)* turn; **você já foi lá alguma vez?** have you ever been there?; **perder a vez** *(em fila)* to lose one's place; **de uma só vez** in one go; **de vez** once and for all; **de vez em quando** occasionally; **mais de uma vez** more than once; **em vez de** instead of; **outra vez** again; **uma vez** once; **às vezes** sometimes; **duas vezes** twice; **muitas vezes** often; **por vezes** sometimes; **poucas vezes** rarely; **era uma vez ...** once upon a time ...

vi ['vi] → **ver.**

via ['via] *f (estrada, caminho)* route; *(meio)* way; *(documento)* copy; **via aérea** airmail; **em vias de** about to; **por via de** by means of; **por via das dúvidas** just in case; **por via nasal** nasally; **por via oral** orally; **segunda via** *(de documento)* duplicate; **via pública** public thoroughfare; **a Via Láctea** the Milky Way.

viaduto [via'dutu] *m* viaduct.

viagem ['vjaʒẽ] (*pl* **-ns** [-ʃ]) *f (trajeto)* trip; *(excursão)* trip; *(de barco)* voyage; **boa viagem!** have a good trip!; **viagem de negócios** business trip.

viajante [vja'ʒãntʃi] *mf* traveler.

viajar [vja'ʒa(x)] *vi* to travel; **viajar de** to travel by; **viajar por** *(por país, continente)* to travel through ou across; *(por terra, mar, ar)* to travel by.

viatura [vja'tura] *f* vehicle; *(policial)* patrol car.

viável ['vjavɛw] (*pl* **-eis** [-ejʃ]) *adj (transitável)* passable; *(exeqüível)* feasible.

víbora ['vibora] *f* viper.

vibrar [vi'bra(x)] *vi* to vibrate; **ela vibrou de alegria** she was thrilled.

viciado, da [vi'sjadu, da] *adj*: **ser viciado em algo** to be addicted to sthg.

viciar [vi'sja(x)] *vt* to distort; *(documento)* to falsify; *(corromper)* to corrupt.
❑ **viciar-se** *vp* + *prep*: **viciar-se em** to become addicted to.

vício ['visju] *m (de droga, bebida)* addiction; *(defeito)* vice; *(mau hábito)* bad habit.

vida ['vida] *f* life; **arriscar a vida** to risk one's life; **ganhar a vida** to earn a living; **modo de vida** way of living; **perder a vida** to lose one's life; **tirar a vida de alguém** to take sb's life.

videira [vi'dejra] *f* grapevine.

vídeo ['vidʒju] *m* video.

videoclipe [ˌvidʒjo'klipi] *m pop* video.

videoclube [ˌvidʒjo'klubi] *m* video store.

videogame [ˌvidʒjo'gejmi] *m* video game.

vidraça [vi'drasa] *f* windowpane.

vidro ['vidru] *m* glass; *(vidraça)* pane (of glass); *(de carro)* window.

viela ['vjɛla] *f* alley.

vieste [vi'ɛʃtʃi] → **vir.**

viga ['viga] *f* beam.

vigésimo, ma [vi'ʒɛzimu, ma] *num* twentieth → **sexto.**

vigia [vi'ʒia] **1** *f (vigilância)* watch; *(janela)* porthole.
2 *mf (guarda)* guard.

vigilância [viʒi'lãsja] *f* vigilance.

vigor [vi'go(x)] *m* vigor; **em vigor** *(lei, norma)* in force.

vila ['vila] *f (de casas)* housing development; *(povoação)* village; *(habitação)* villa.

vim ['vĩ] → **vir.**

vime ['vimi] *m* wicker.

vinagre [vi'nagri] *m* vinegar.

vinagrete [vina'gretʃi] *f* vinaigrette.

vinco ['vĩŋku] *m* crease.

vinda ['vĩnda] *f* return.

vindima [vĩn'dʒima] *f* grape harvest.

vindo, da ['vĩndu, da] *pp* → **vir.**

vingança [vĩŋ'gãsa] *f* revenge.

vingar [vĩŋ'ga(x)] **1** *vt (desforrar-se de)* to avenge.
2 *vi (planta)* to take.
❑ **vingar-se** *vp (desforrar-se)* to take revenge; **vingar-se de alguém** to take revenge on sb.

vingativo, va [vĩŋga'tʃivu, va] *adj* vengeful.

vinha[1] ['viɲa] → **vir.**

vinha[2] ['viɲa] *f* vineyard.

vinho ['viɲu] *m* wine; **vinho branco/tinto** white/red wine; **vinho moscatel**

Muscatel; **vinho do Porto** port; **vinho rosé** rosé.

vinicultor, ra [ˌvinikuw'to(x), ra] (*mpl* **-res** [-riʃ], *fpl* **-s** [-ʃ]) *m, f* wine producer.

vinte ['vĩntʃi] *num* twenty → **seis.**

viola ['vjɔla] *f* viola.

violação [vjola'sãw] (*pl* **-ões** [-õjʃ]) *f (de direito, norma)* violation; *(estupro)* rape; *(de segredo)* disclosure.

violão [vjo'lãw] (*pl* **-ões** [-õjʃ]) *m* guitar.

violar [vjo'la(x)] *vt (direito, norma)* to violate; *(pessoa)* to rape; *(segredo)* to disclose, to reveal.

violência [vjo'lẽsja] *f* violence.

violento, ta [vjo'lẽntu, ta] *adj* violent.

violeta [vjo'leta] **1** *adj inv & f* violet.
2 *f* violet.

violino [vjo'linu] *m* violin.

violões → **violão.**

violoncelo [vjolõ'sɛlu] *m* cello.

vir ['vi(x)] *vi* (**a**) *(apresentar-se)* to come; **veio me ver** he came to see me; **venho visitá-lo amanhã** I'll come and see you tomorrow.
(**b**) *(chegar)* to arrive; **(ele) veio atrasado/adiantado** he arrived late/early; **ela veio no ônibus das onze** she came on the eleven o'clock bus.
(**c**) *(a seguir no tempo)* to come; **a semana/o ano que vem** next week/year.
(**d**) *(estar)* to be; **vem escrito em português** it's written in Portuguese; **vinha embalado** it came in a package.
(**e**) *(regressar)* to come back; **eles vêm de férias amanhã** they're coming back from vacation tomorrow; **hoje, virei mais tarde** I'll be back later today.
(**f**) *(surgir)* to come; **o carro veio não sei de onde** the car came out of nowhere; **veio-me uma idéia** I've got an idea.
(**g**) *(provir)*: **vir de** to come from; **venho agora mesmo de lá** I've just come from there.
(**h**) *(em locuções)*: **vir a ser** to become; **que vem a ser isto?** what's the meaning of this?; **vir abaixo** *(edifício, construção)* to collapse; **vir ao mundo** *(nascer)* to come into the world, to be born; **vir a saber (de algo)** to find out (about sthg); **vir sobre** *(arremeter contra)* to lunge at; **vir a tempo de algo** to arrive in time for sthg; **vir a tempo de fazer algo** to arrive in time to do sthg.

virado, da [vi'radu, da] **1** *adj (invertido)* upside down; *(tombado)* overturned; *(voltado)* turned up.
2 *m*: **virado para** facing.

vira-lata [ˌvira'lata] (*pl* **vira-latas** [ˌvira'lataʃ]) *m (cão vadio)* stray dog; *(mistura de raças)* mongrel.

virar [vi'ra(x)] **1** *vt* to turn; *(carro, caminhão)* to turn around; *(entornar, derrubar)* to knock over; *(transformar-se em)* to turn into.
2 *vi (mudar de direção)* to change direction; *(mudar)* to change; **virar à direita/esquerda** to turn right/left.
❑ **virar-se** *vp (voltar-se)* to turn over; **virar-se contra alguém** to turn against sb; **virar-se para** to turn toward.

virgem ['vixʒẽ] (*pl* **-ns** [-ʃ]) **1** *mf* virgin.
2 *adj* virgin; *(cassete)* blank.
❑ **Virgem** *f (signo do Zodíaco)* Virgo.

vírgula ['vixgula] *f* comma.

viril [vi'riw] (*pl* **-is** [-iʃ]) *adj* virile.

virilha [vi'riʎa] *f* groin.

viris → **viril.**

virtual [vix'twaw] (*pl* **-ais** [-ajʃ]) *adj* virtual.

virtude [vix'tudʒi] *f* virtue; **em virtude de** due to.

vírus ['viruʃ] *m inv* virus.

visão [vi'zãw] (*pl* **-ões** [-õjʃ]) *f* vision; *(capacidade de ver)* sight.

visar [vi'za(x)] *vt (com arma)* to take aim at; *(documento)* to endorse; **visar fazer algo** *(ter em vista)* to aim to do sthg.

viscoso, osa [viʃ'kozu, ɔza] *adj* viscous.

viseira [vi'zejra] *f (de boné, capacete)* peak.

visibilidade [vizibili'dadʒi] *f* visibility.

visita [vi'zita] *f* visit; *(de médico)* house call; **fazer uma visita a alguém** to pay sb a visit.

visitante [vizi'tãntʃi] *mf* visitor.

visitar [vizi'ta(x)] *vt* to visit.

visível [vi'zivɛw] (*pl* **-eis** [-ejʃ]) *adj* visible.

visões → **visão.**

visor [vi'zo(x)] (*pl* **-res** [-riʃ]) *m (de máquina fotográfica)* viewfinder.

vista ['viʃta] *f (visão)* sight; *(olho)* eye; *(panorama)* view; **à vista** cash buy; **até à vista!** see you!; **dar na vista** to stand out; **ter algo em vista** to have one's eye on sthg, to have something in view.

visto, ta ['viʃtu, ta] **1** *pp* → **ver.**
2 *adj* well-known.
3 *m (em documento)* stamp; *(em passaporte)* visa.

4 bem visto! well spotted!; **nunca visto!** incredible!; **pelo visto** by the look of things; **visto que** since; **visto de residência** residence permit; **visto provisório** temporary visa.

vistoso, osa [viʃ'tozu, ɔza] *adj* eye-catching.

visual [vi'zwaw] (*pl* **-ais** [-ajʃ]) *adj* visual.

vital [vi'taw] (*pl* **-ais** [-ajʃ]) *adj* vital.

vitamina [vita'mina] *f* vitamin.

vitela [vi'tɛla] *f (animal)* calf; *(carne)* veal.

vítima ['vitʃima] *f (de acusação, ataque)* victim; *(morto em guerra, acidente)* fatality.

vitória [vi'tɔrja] *f* victory.

vitral [vi'traw] (*pl* **-ais** [-ajʃ]) *m* stained glass window.

vitrina [vi'trina] *f* (shop) window.

viu ['viu] → **ver.**

viúvo, va ['vjuvu, va] *m, f* widower.

vivacidade [vivasi'dadʒi] *f* vivacity.

viveiro [vi'vejru] *m (de plantas)* nursery; *(de peixes)* fish farm.

vivenda [vi'vẽnda] *f* house.

viver [vi've(x)] **1** *vi (ter vida)* to be alive; *(habitar)* to live.
2 *vt (momento, situação)* to experience.
3 viver com alguém to live with sb; **viver de algo** to live off sthg; **viver em** to live in.

víveres ['vivereʃ] *mpl* supplies.

vivo, va ['vivu, va] *adj (com vida)* alive; *(perspicaz)* sharp; *(cor, luz)* bright; *(travesso)* impudent; **ao vivo** live.

vizinhança [vizi'ɲãsa] *f (vizinhos)* neighbors *pl*; *(arredores)* neighborhood.

vizinho, nha [vi'ziɲu, ɲa] **1** *m, f* neighbor.
2 *adj (país, região)* neighboring; *(casa)* next; **é o vizinho do lado** he's my next-door neighbor.

voar ['vwa(x)] *vi* to fly.

vocabulário [vokabu'larju] *m* vocabulary.

vocação [voka'sãw] (*pl* **-ões** [-õjʃ]) *f* vocation; **ter vocação para** to have a vocation for.

vocalista [voka'liʃta] *mf* lead singer.

você [vɔ'se] *pron* you; **e você?** what about you?; **é você?!** is that you?!; **você mesmo** ou **próprio** you, yourself.
❑ **vocês** *pron pl* you; **você mesmos** ou **próprios** you, yourselves.

voga ['vɔga] *f*: **estar em voga** to be fashionable.

vogal [vo'gaw] (*pl* **-ais** [-ajʃ]) **1** *f (letra)* vowel.
2 *mf (de junta, júri, assembléia)* member.

volante [vo'lãntʃi] *m (de veículo)* steering wheel.

vôlei ['volei] *m* volleyball; **vôlei de praia** beach volleyball.

voleibol [ˌvɔlej'bɔw] *m* = **vôlei.**

volta ['vɔwta] *f (regresso)* return; *(movimento)* turn; *(mudança)* change; *(passeio)* walk; *(em corrida)* lap; *(em competição)* round; **dá duas voltas à chave** turn the key twice; **dar uma volta** to go for a walk ou wander; **dar uma volta de carro** to go for a drive; **dar a volta em algo** *(rodear)* to go around sthg; **estar de volta** *(estar de regresso)* to be back; **volta e meia** *fig* every now and then; **em toda a volta de** all the way around; **à volta de** *(cerca de)* roughly, around; **por volta de** around.

voltagem [vow'taʒẽ] *f* voltage.

voltar [vow'ta(x)] **1** *vt* to turn over; *(cabeça, olhos, costas)* to turn; *(objeto de dentro para fora)* to turn inside out.
2 *vi (regressar)* to come back; *(ir de novo)* to go back.
3 voltar a fazer algo to do sthg again; **voltar atrás** to go back; **voltar para** to return to; **voltar atrás na palavra** to go back on one's word; **voltar a si** to come around.
❑ **voltar-se** *vp (virar-se)* to turn around; **voltar-se para** to turn toward.

volume [vo'lumi] *m* volume; *(embrulho)* parcel.

voluntário, ria [volũn'tarju, rja] *m, f* volunteer.

volúpia [vo'lupja] *f* voluptuousness.

vomitar [vomi'ta(x)] *vt & vi* to vomit.

vômito ['vomitu] *m* vomit; **ter ânsia de vômito** to feel sick ou nauseous.

vontade [võn'tadʒi] *f (desejo)* wish; *(determinação)* willpower; **ficar à vontade** to make o.s. comfortable; **servir-se à vontade** to help o.s.; **ter vontade de fazer algo** to feel like doing sthg; **fazer a vontade de alguém** to pander to sb; **com vontade ou sem ela, você tem que ir** you'll have to go whether you like it or not; **contra a vontade de alguém** against sb's will; **de livre vontade** of one's own free will.

vôo ['vou] *m* flight; **vôo charter** ou **freta-**

do charter flight; **vôo direto** direct flight; **vôo doméstico** domestic flight; **vôo livre** hang-gliding.

vos [vuʃ] *pron pl (complemento direto)* you; *(complemento indireto)* (to) you; *fml (reflexivo)* yourselves; *fml (recíproco)* each other, one another.

vós ['vɔʃ] *pron (sujeito, complemento direto)* you; *(complemento indireto)* (to) you; **vós mesmos** ou **próprios** you, yourselves.

vosso, a ['vɔsu, a] **1** *adj* your.
2 *pron*: **o vosso/a vossa** yours.
3 um amigo vosso a friend of yours; **os vossos** *(a vossa família)* your family.

votação [vota'sãw] (*pl* **-ões** [-õjʃ]) *f* vote.

votar [vo'ta(x)] *vi* to vote; **votar em alguém** to vote for sb.

voto ['vɔtu] *m* vote.
❑ **votos** *mpl*: **fazer votos de que** to hope (that); **votos de felicidade** *(em carta)* best wishes.

vou ['vo] → **ir.**

voz ['vɔʃ] (*pl* **-zes** [-ziʃ]) *f* voice; **levantar a voz** to raise one's voice; **ter voz ativa em algo** to have a say in sthg; **em voz alta** aloud, out loud; **em voz baixa** softly.

vulcão [vuw'kãw] (*pl* **-ões** [-õjʃ]) *m* volcano.

vulgar [vuw'ga(x)] (*pl* **-res** [-riʃ]) *adj* common; *(grosseiro)* vulgar.

vulnerável [vuwne'ravɛw] (*pl* **-eis** [-ejʃ]) *adj* vulnerable.

vulto ['vuwtu] *m* figure.

Ww

walkie-talkie [ˌwɔki'tɔki] (*pl* **walkie-talkies** [ˌwɔki'tɔkiʃ]) *m* walkie-talkie.

WC *m* (**water closet**) restroom.

Web [web] *m INFORM*: **a Web** the Web.

web site ['websaɪt] *m INFORM* web site.

windsurfe [wĩnd'suxfi] *m* windsurfing; **fazer windsurfe** to go windsurfing.

windsurfista [wĩndsux'fiʃta] *mf* windsurfer.

Xx

xadrez [ʃa'dreʃ] *m (jogo)* chess; *(cadeia)* pen *Am*, nick *Brit*; **de xadrez** *(tecido, saia)* checked.

xale ['ʃali] *m* shawl.

xampu [ʃãm'pu] *m* shampoo.

xarope [ʃa'rɔpi] *m* syrup; **xarope para a tosse** cough syrup.

xeque-mate [ˌʃɛke'matʃi] (*pl* **xeques-mates** [ˌʃɛke'mateʃ]) *m* checkmate.

xerez [ʃe'reʃ] *m* sherry.

xerocar [ʃero'ka(x)] *vt* to photocopy, to Xerox®.

xerox® ['ʃɛrɔks] *m inv (fotocópia)* photocopy; *(máquina)* photocopier.

xícara ['ʃikara] *f* cup.

xicrinha [ʃi'kriɲa] *f* coffee cup.

xilofone [ʃilɔ'fɔni] *m* xylophone.

xilografia [ʃilɔgra'fia] *f* wood engraving.

xingar [ʃĩŋ'ga(x)] *vt (insultar)* to swear at.

Zz

zagueiro [za'geiru] *m (em futebol)* defense.

zangado, da [zãŋ'gadu, da] *adj* angry.

zangão ['zãŋgãw] (*pl* **-ões** [-õjʃ]) *m* drone.

zangar [zãŋ'ga(x)] *vt (irritar)* to annoy.
❑ **zangar-se** *vp (brigar)* to have a fight; *(irritar-se)* to get angry.

zangões → **zângão.**

zarpar [zax'pa(x)] *vi* to set sail.

zebra ['zebra] *f* zebra.

zelador, ra [zela'do(x), ra] (*mpl* **-res** [-riʃ], *fpl* **-s** [-ʃ]) *m, f (de edifício)* porter.

zelar [ze'la(x)] *v + prep*: **zelar por** to take care of.

zelo ['zelu] *m* care.

zeloso, osa [ze'lozu, ɔza] *adj* careful.

zero ['zɛru] *num* zero; *(em futebol)* zero; *(em tênis)* love; **partir do zero** to start from scratch; **ser um zero à esquerda** to be hopeless; **abaixo de zero** below zero = **seis.**

ziguezague [zig'zagi] *m* zigzag; **andar aos ziguezagues** to zigzag.

zinco ['zĩŋku] *m* zinc.

zíper ['zipe(x)] (*pl* **-res** [-riʃ]) *m* zipper *Am*, zip *Brit*.

Zodíaco [zo'dʒiaku] *m* zodiac.

zombar [zõm'ba(x)] *vi* to jeer; **zombar de** to make fun of.

zona ['zona] *f (de país, globo)* area; *(de corpo)* part; *(bagunça)* mess; **zona franca** free trade area; **Zona Norte/Sul** north side/south side.

zonzo, za ['zõzu, za] *adj* dazed.

zôo ['zou] *m* zoo.

zoologia [zolo'ʒia] *f* zoology.

zumbido [zũm'bidu] *m* buzzing.

zumbir [zũm'bi(x)] *vi* to buzz.

zunir [zu'ni(x)] *vi (vento)* to whistle; *(abelha)* to buzz.

zunzum [zũ'zũ] (*pl* **-ns** [-ʃ]) *m fig (boato)* rumor.

zurrar [zu'xa(x)] *vi* to bray.

O Dicionário Larousse Inglês-Português/Português-Inglês Míni
foi impresso em São Paulo/SP, pela Yangraf Editora e Gráfica
para a Larousse do Brasil em outubro de 2007.